여러분의 합격을 응원하는

해커스공무원의 특별 혜택

FREE 공무원 국어 **동영상강의**

해커스공무원(gosi.Hackers.com) 접속 후 로그인 ▶ 상단의 [무료강좌] 클릭 ▶ [교재 무료특강] 클릭하여 이용

해커스공무원 온라인 단과강의 **20% 할인쿠폰**

C3B7BB666735BEPV

해커스공무원(gosi.Hackers.com) 접속 후 로그인 ▶ 상단의 [나의 강의실] 클릭 ▶
좌측의 [쿠폰등록] 클릭 ▶ 위 쿠폰번호 입력 후 이용

* 등록 후 7일간 사용 가능(ID당 1회에 한해 등록 가능)

해커스 회독증강 콘텐츠 **5만원 할인쿠폰**

636DB4A4F2D9EE4T

해커스공무원(gosi.Hackers.com) 접속 후 로그인 ▶ 상단의 [나의 강의실] 클릭 ▶
좌측의 [쿠폰등록] 클릭 ▶ 위 쿠폰번호 입력 후 이용

* 등록 후 7일간 사용 가능(ID당 1회에 한해 등록 가능)
* 특별 할인상품 적용 불가
* 월간 학습지 회독증강 행정학/행정법총론 개별상품은 할인쿠폰 할인대상에서 제외

합격예측 **모의고사 응시권 + 해설강의 수강권**

987B9A8EEECF4UWE

해커스공무원(gosi.Hackers.com) 접속 후 로그인 ▶ 상단의 [나의 강의실] 클릭 ▶
좌측의 [쿠폰등록] 클릭 ▶ 위 쿠폰번호 입력 후 이용

* ID당 1회에 한해 등록 가능

해커스 매일국어 **어플 이용권**

57D2GUM6I3JA3RXR

구글 플레이스토어/애플 앱스토어에서 [해커스 매일국어] 검색 ▶
어플 다운로드 ▶ 어플 이용 시 노출되는 쿠폰 입력란 클릭 ▶ 쿠폰번호 입력 후 이용

▲ 매일국어 어플 바로가기

* 등록 후 30일간 사용 가능
* 해당 자료는 [해커스공무원 국어 기본서] 교재 내용으로 제공되는 자료로, 공무원 시험 대비에 도움이 되는 유용한 자료입니다.

쿠폰 이용 관련 문의 **1588-4055**

단기 합격을 위한

해커스 커리큘럼

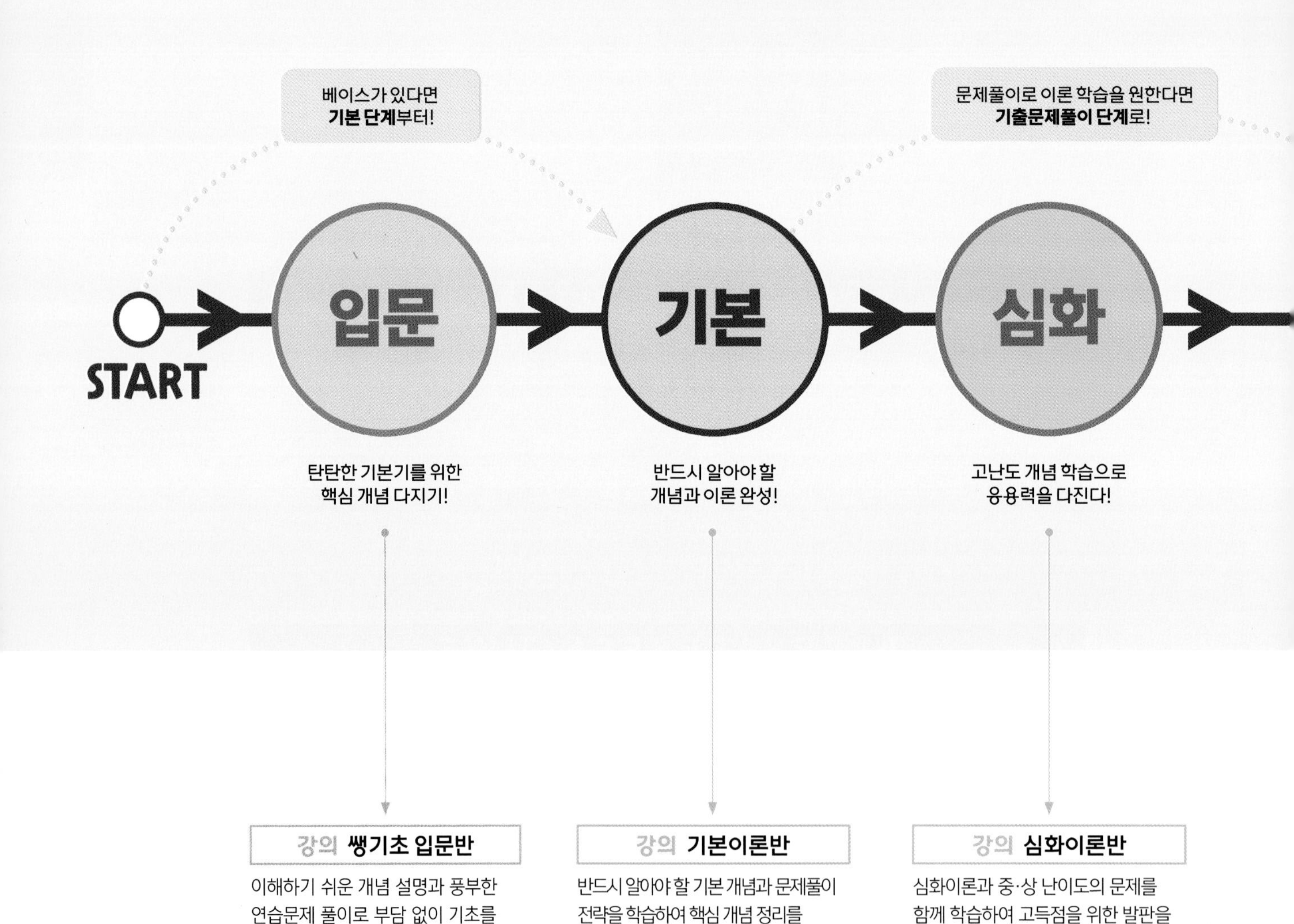

강의 **쌩기초 입문반**

이해하기 쉬운 개념 설명과 풍부한 연습문제 풀이로 부담 없이 기초를 다질 수 있는 강의

강의 **기본이론반**

반드시 알아야 할 기본 개념과 문제풀이 전략을 학습하여 핵심 개념 정리를 완성하는 강의

강의 **심화이론반**

심화이론과 중·상 난이도의 문제를 함께 학습하여 고득점을 위한 발판을 마련하는 강의

* 커리큘럼은 과목별·선생님별로 상이할 수 있으며, 자세한 내용은 해커스공무원 사이트에서 확인하세요.

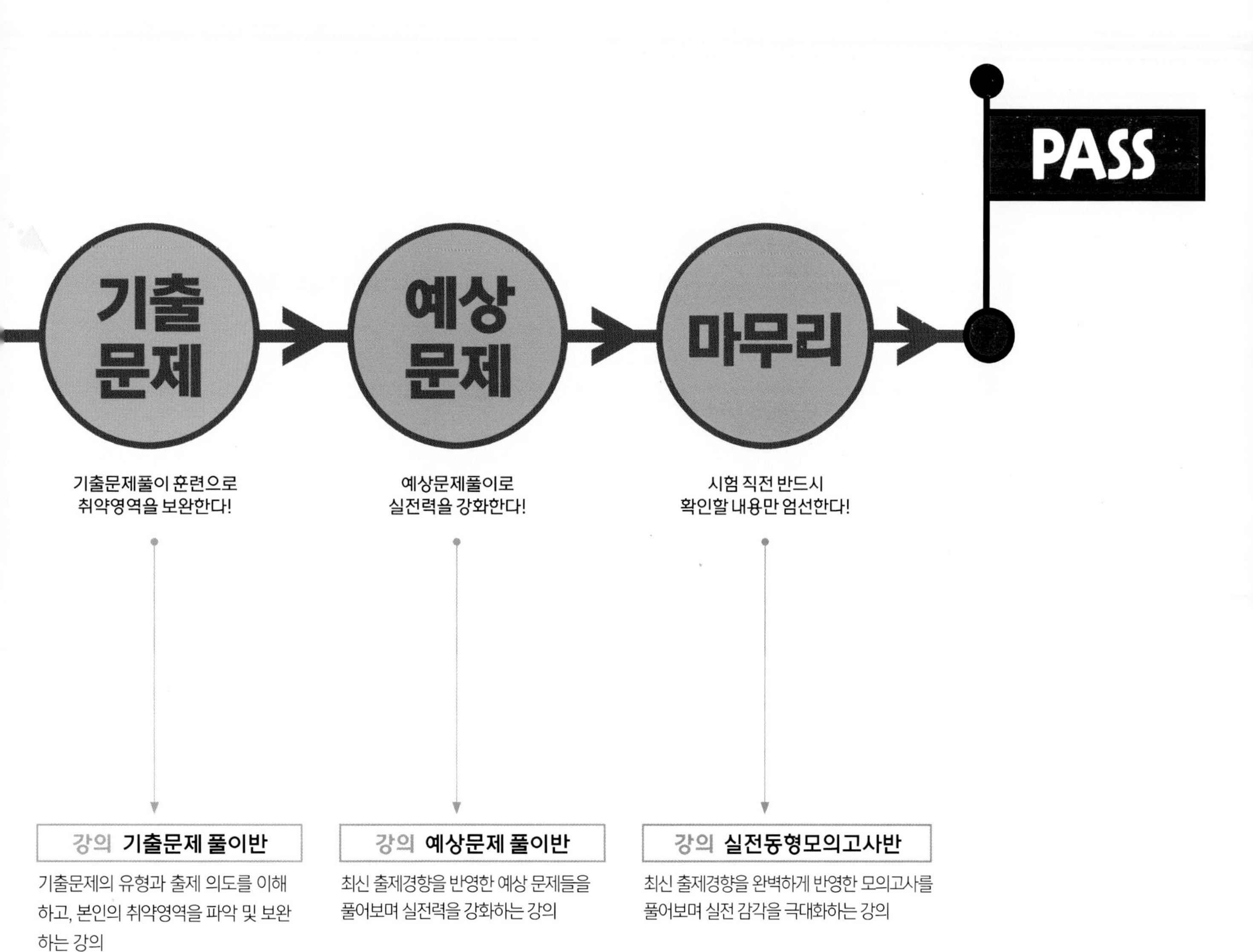

기출문제풀이 훈련으로
취약영역을 보완한다!

예상문제풀이로
실전력을 강화한다!

시험 직전 반드시
확인할 내용만 엄선한다!

강의 기출문제 풀이반

기출문제의 유형과 출제 의도를 이해하고, 본인의 취약영역을 파악 및 보완하는 강의

강의 예상문제 풀이반

최신 출제경향을 반영한 예상 문제들을 풀어보며 실전력을 강화하는 강의

강의 실전동형모의고사반

최신 출제경향을 완벽하게 반영한 모의고사를 풀어보며 실전 감각을 극대화하는 강의

강의 봉투모의고사반

시험 직전에 실제 시험과 동일한 형태의 모의고사를 풀어보며 실전력을 완성하는 강의

해커스공무원

혜원국어 기출정해 1000제

2권 문법과 규범·어휘

해커스공무원

**"포기하는 이유는 경사면을 오르는 게 너무 힘들어서다.
하지만 경사면을 오르고 있다는 것은 정상에 가까워졌다는 뜻이기도 하다.
경사면을 오르느라 너무 힘이 든다는 것은,
정상으로 가는 길을 잃지 않았다는 뜻이기도 하다."**

- 보도 섀퍼 《멘탈의 연금술 中》

《해커스공무원 혜원국어 기출정해 1000제》는 다음의 취지로 만들어졌다.

1. 공무원 수험 합격을 위한 수험 국어 최강 그리고 최적의 교재를 만들고자 하였다.

2. '추론형 및 이해형'을 지향하며 변화하는 공무원 수험 국어의 패러다임에 맞춰 실전 시험에 도움이 되는 유형만을 정련하여 전체 1,000제로 구성하였다.

구분	영역	문제 수
1권 비문학·문학	비문학	200
	문학	141
	고전 문법	34
2권 문법과 규범·어휘	국어 문법	205
	국어 규범	205
	어휘와 한자	120
	올바른 언어생활/화법과 작문	95
총 문제 수		1,000

3. 수험생의 학습 부담은 대폭 줄이고, 그 효과는 극대화하도록 하기 위하여 영역별로 시험에 꼭 필요하고 필수적인 문제만을 골라 순도 높은 문제로만 구성하였다.

4. **《해커스공무원 혜원국어 기출정해 1000제》**를 사랑해 주시고 성원해 주시는 수험생들의 필요에 최대한 부합하기 위하여 최대한 '상세한 풀이'와 시험장에서 바로 응용할 수 있는 문제 풀이 'TIP'을 수록하여 시험장 실력 극대화를 위해 구성하였다.

5. **《해커스공무원 혜원국어 기출정해 1000제》**를 자신의 상황에 계획하고, 알맞게 매일 꾸준히 복습을 실행하여, 공무원 시험 합격의 주인공이 되기를 강력히 응원한다.

2023년 10월

고혜원

목차

PART 1 국어 문법

CHAPTER 4 통사론

CHAPTER 5 의미론

PART 2 국어 규범

CHAPTER 1 표준어 규정

CHAPTER 2 표준 발음법

목차

CHAPTER 3 한글 맞춤법

CHAPTER 4 로마자/외래어 표기법

PART 3 어휘와 한자

CHAPTER 1 주제별 어휘

CHAPTER 2 고유어와 관용어

CHAPTER 3 속담

CHAPTER 4 한자어

PART 4 올바른 언어생활 / 화법과 작문

CHAPTER 1 말, 문장 다듬기

CHAPTER 2 언어 예절

CHAPTER 3 화법과 작문

해커스공무원학원 · 공무원인강

gosi.Hackers.com

PART 1 국어 문법

출제 경향 한눈에 보기

구조도

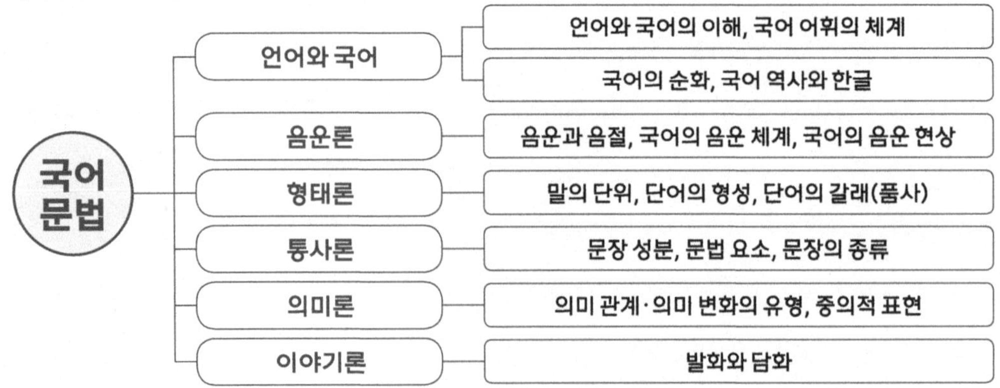

영역별 학습 목표

1. **언어와 국어**: 언어의 기능과 특성, 한글, 국어의 어휘 체계, 국어 순화 등을 이해할 수 있다.
2. **음운론**: 음운과 형태소, 자음과 모음 체계, 음운 현상 등을 이해할 수있다.
3. **형태론**: 형태소 분석, 단어 형성 방법(파생/합성), 품사의 분류와 품사별 특징을 이해할 수 있다.
4. **통사론**: 문장의 성분과 종류, 문법 요소(높임, 사동과 피동, 시간, 종결 표현 등), 문장의 종류에 관해 정확하게 이해할 수 있다.
5. **의미론**: 국어의 의미 체계, 단어 간의 의미 관계, 중의적 표현 등을 익히며, 다양한 의미 현상을 이해할 수 있다.
6. **이야기론**: 발화 상황과 이야기 장면에 대해 이해할 수 있다.

연도별 출제 영역

연도	출제 영역
2023년	[9급] 이야기론(발화와 담화), 형태론(품사) [7급] 음운론(음운 변동), 형태론(단어의 형성)
2022년	[9급] 통사론(**높임법**, 피동 표현, 올바른 표현), 의미론(의미의 변화), 형태론(단어 형성법) [7급] 형태론(**품사**), 통사론(문장 짜임새, 피동 표현)
2021년	[9급] 형태론(용언의 활용)
2020년	[9급] 형태론(보조사의 의미), 통사론(안긴문장), 의미론(단어의 쓰임) [7급] 음운론(음운 변동), 의미론(다의어), 형태론(용언의 활용), 통사론(올바른 표현, 안은문장)
2019년	[9급] 음운론(음운의 개념, 음운 변동), 형태론(형태소, 품사, **용언의 활용**, 단어 형성법), 통사론(높임법), 의미론(의미 변화) [7급] 음운론(음운 변동), 형태론(형태소, **단어 형성법**, 조사, 용언의 활용), 통사론(문장 성분, 사동과 피동 표현, 높임법), 의미론(의미 관계, 의미 변화)

핵심 개념

영역	개념	세부	내용
1. 언어와 국어	**언어의 특성**		① 기호성 ② 체계성 ③ 자의성 ④ 사회성 ⑤ 역사성 ⑥ 분절성 ⑦ 추상성 ⑧ 개방성
	국어의 특질	**음운**	① 삼중 체계 ② 마찰음 수 적음 ③ 모음 조화
		어휘	① 삼중 체계 ② 친족어와 높임어 발달 ③ 이차적 조어법 발달
		문법	① 첨가어 ② 주어 - 목적어 - 서술어 어순 ③ 높임법 발달
2. 음운론	**음운 개념**		말의 뜻을 변별하는 소리의 최소 단위 *음절: 발음할 때 한 번에 소리 낼 수 있는 소리의 단위
	음운 체계	**음소**	① 자음 ② 모음
		운소	① 소리의 길이 ② 소리의 높낮이
	음운 변동	**교체**	① 음절의 끝소리 규칙 ② 비음화 ③ 유음화 ④ 구개음화
		탈락	① 자음 탈락 ② 모음 탈락
		첨가	① 'ㄴ' 첨가 ② 'ㅅ' 첨가
		축약	① 자음 축약 ② 모음 축약

3. 형태론	형태소	개념	더 이상 분석하면 의미를 잃어버리는 가장 작은 말의 단위
	단어	개념	최소 자립 형식 또는 최소 자립 형식과 쉽게 분리되는 말
	단어 종류	단일어	어근
		복합어	① 합성어(어근+어근) ② 파생어(어근+접사, 접사+어근)
	품사 종류	체언	① 명사 ② 대명사 ③ 수사
		용언	④ 동사 ⑤ 형용사
		수식언	⑥ 관형사 ⑦ 부사
		관계언	⑧ 조사
		독립어	⑨ 감탄사
4. 통사론	문장	주성분	① 주어 ② 서술어 ③ 목적어 ④ 보어
		부속 성분	⑤ 관형어 ⑥ 부사어
		독립 성분	⑦ 독립어
		*서술어 자릿수: 문장이 성립되기 위해 서술어가 갖추어야 할 문장 성분의 수	
	문법 요소	사동·피동	① 사동(↔ 주동) ② 피동(↔ 능동)
		시간 표현	① 과거·현재·미래 ② 동작상
		종결 표현	① 평서문 ② 의문문 ③ 명령문 ④ 청유문 ⑤ 감탄문
		높임 표현	① 주체 높임법 ② 객체 높임법 ③ 상대 높임법
		부정 표현	① '안' 부정문 ② '못' 부정문
	문장 구조	홑문장	주어와 서술어 관계 1회
		겹문장	주어와 서술어 관계 2회 이상 ① 안은문장 ② 이어진문장
5. 의미론	의미 관계	① 유의 관계 ② 반의 관계 ③ 상하 관계 ④ 다의 관계 ⑤ 동음이의 관계	
6. 이야기론	발화 기능	① 정보 전달 ② 명령 ③ 질문 ④ 요청 ⑤ 위로 ⑥ 경고 ⑦ 선언 ⑧ 약속 ⑨ 칭찬 ⑩ 축하 ⑪ 제안	

연도별 주요 출제 문항

구분	9급	7급
2023년	• 다음 중 '쓰다'의 품사가 나머지 셋과 다른 하나는? • 밑줄 친 ㉠~㉣에 대한 설명으로 가장 적절한 것은? • "그렇게 하면 무릎에 무리가 갈텐데 괜찮을까요?"에서의 '-ㄹ텐데'를 국어사전에서 찾으니 표제어가 존재하지 않는다고 나왔다. 이에 대해 가장 적절하게 설명한 것은? • 다음 작품의 언어에 대한 설명으로 옳은 것은?	• <보기>는 단어에 결합되어 사용된 '대'의 특성을 설명한 것이다. 맞지 않는 것은? • 다음은 현대 한국어의 발음 특성을 설명한 것이다. 맞지 않는 것은?
2022년	• ㉠~㉣의 사례로 적절하지 않은 것은? • <보기>의 밑줄 친 부분을 한자 성어로 바꾸었을 때 적절하지 않은 것은?	• 다음 대화의 ㉠~㉤에 대한 설명으로 적절하지 않은 것은? • 밑줄 친 부분의 한자 표기가 옳지 않은 것은? • 사자성어의 쓰임이 적절하지 않은 것은?
2021년	• ㉠, ㉡의 사례로 옳은 것만을 짝 지은 것은? • 다음 글의 사례로 적절하지 않은 것은? • 한자 표기가 옳은 것은?	• 다음에 제시된 단어의 의미에 맞게 쓴 문장으로 적절하지 않은 것은? • 단어의 뜻풀이가 옳지 않은 것은? • (가)에 들어갈 한자 성어로 적절한 것은?
2020년	• 안긴문장이 없는 것은? • 밑줄 친 말이 불규칙 활용 용언이 아닌 것은? • ㉠~㉣의 한자 표기로 옳은 것은? • 밑줄 친 부분의 한자어로 적절하지 않은 것은?	• 밑줄 친 단어가 다의어로 묶인 것은? • 밑줄 친 활용형 중 옳은 것은? • 다음에 서술된 A사의 상황을 가장 적절하게 표현한 한자 성어는?
2019년	• 국어의 주요한 음운 변동을 다음과 같이 유형화할 때, '부엌일'에 일어나는 음운 변동 유형으로 옳은 것은? • '효녀 지은'의 행위를 나타내는 사자 성어로 가장 적절한 것은? • ㉠~㉣의 한자 표기가 모두 옳은 것은?	• 밑줄 친 단어의 품사를 같은 것끼리 묶은 것은? • 밑줄 친 단어의 기본형이 옳지 않은 것은? • 높임 표현에 대한 설명으로 가장 적절한 것은? • 다음 밑줄 친 단어의 뜻을 잘못 적은 것은?

CHAPTER 1

언어와 국어

Unit 01 언어의 특성

출제 유형

- 사례와 언어의 특성을 짝짓는 유형

핵심정리

- 'ㆍ'언어의 역사성'은 '언어의 자의성'의 예가 되기도 해요.
- '언어의 추상성'과 '언어의 창조성'을 묶어서 헷갈리게 자주 출제되곤 해요.

- **언어의 특성**

자의성 (역사성) ↔ 사회성

≑가역성 ≑불가역성

(1) **기호성**: 언어는 형식과 내용을 지닌 상징적 기호로, 기호의 한 종류이다.
(2) **자의성**: 언어의 형식과 내용의 관계는 필연적이지 않고 임의적이다.
(3) **사회성**: 언어는 사회적 약속으로, 한 번 수용되면 개인이 함부로 바꿀 수 없다.
(4) **역사성**: 언어는 시간의 흐름과 함께, 사물이나 사람처럼 생성되었다가 소멸되는 과정을 거치기도 하고, 성장하거나 변화하기도 한다.
(5) **분절성**: 언어는 연속적인 것을 불연속적으로 끊어서 표현한다.
(6) **추상성**: 언어는 각 대상의 공통된 속성을 뽑아 추상화할 수 있다.
(7) **창조성(개방성)**
 ① 문장의 길이를 무한대로 늘일 수 있다.
 ② 새로운 단어를 만들어 낼 수 있다.
 ③ 추상적이고 관념적인 대상을 언어로 지칭하여 표현할 수 있다.

심화 Plus

1. 언어의 변화 [17 사회복지직 9급]

'ㆍ'가 현대 국어에서 더 이상 사용되지 않고, '믈[水]'이 현대 국어에 와서 '물'로 형태가 바뀌었으며, '어리다'가 '어리석다[愚]'로 쓰이다가 현대국어에 와서 '나이가 어리다[幼]'의 뜻으로 바뀌어 쓰이는 것 등과 같은 예에서 알 수 있는 언어의 특성을 '언어의 역사성'이라고 한다.

2. 언어의 분절성 [13 국가직 9급]

'언어의 분절성'에는 '기호의 분절성'과 '개념의 분절성'이 있는데, 그 의미는 다음과 같다.

기호의 분절성	언어를 문장, 단어, 형태소, 음운 단위로 쪼갤 수 있고, 다시 합칠 수 있는 특성
개념의 분절성	연속된 실체를 불연속적인 것으로 쪼갤 수 있는 특성

언어의 특성	사례와 언어의 특성을 짝짓는 유형

001 ○○○ 2019 서울시 9급(6월)

<보기 1>의 사례와 <보기 2>의 언어 특성이 가장 잘못 짝지어진 것은?

<보기 1>

(가) '방송(放送)'은 '석방'에서 '보도'로 의미가 변하였다.
(나) '밥'이라는 의미의 말소리 [밥]을 내 마음대로 [법]으로 바꾸면 다른 사람들은 '밥'이라는 의미로 이해할 수 없다.
(다) '종이가 찢어졌어.'라는 말을 배운 아이는 '책이 찢어졌어.'라는 새로운 문장을 만들어 낸다.
(라) '오늘'이라는 의미를 가진 말을 한국어에서는 '오늘[오늘]', 영어에서는 'today(투데이)'라고 한다.

<보기 2>

㉠ 규칙성 ㉡ 역사성 ㉢ 창조성 ㉣ 사회성

① (가) - ㉡ ② (나) - ㉣
③ (다) - ㉢ ④ (라) - ㉠

난이도 상 ○ 하

해설 (라) 나라마다 '오늘'이라는 '내용'을 나타내는 '형식'인 말과 글이 다르다는 내용이다. '내용'과 '형식'의 연결이 필연적이지 않다는 내용이므로 '언어의 자의성'과 관련된 예문이다. 따라서 '언어의 자의성'과 관련된 (라)의 예문을 '언어의 규칙성(≒문법)(㉠)'과 연결한 것은 적절하지 않다.

오답분석 (가) '방송(放送)(의미의 이동)'이 의미하는 바가 과거와 달라진 경우이다. 따라서 '언어의 역사성(㉡)'과 관련된 예문이다.

(나) '밥'의 말소리를 개인이 멋대로 바꾸면, 다른 사람들과 의사소통을 할 수 없다는 내용이다. 즉 언어는 사회적 약속이기 때문에, 개인이 마음대로 형식을 바꿀 수 없다는 '언어의 사회성(㉣)'과 관련된 예문이다.

(다) 아이가 배운 말을 토대로 새로운 말을 '만들어 낼 수 있다'는 내용이다. 따라서 '언어의 창조성(㉢)'과 관련된 예문이다.

 ④

002 ○○○ 2013 국가직 9급

다음에서 알 수 있는 언어 기호의 특성으로 적절한 것은?

- 언어는 문장, 단어, 형태소, 음운으로 쪼개어 나눌 수 있다. 특히 한정된 음운을 결합하여서 수많은 형태소, 단어를 만들고 무한한 문장을 만들 수 있다.
- 언어는 외부 세계를 반영할 때 있는 그대로 반영하지 않고 연속적으로 이루어져 있는 세계를 불연속적인 것으로 끊어서 표현한다.

① 추상성 ② 자의성
③ 분절성 ④ 역사성

난이도 상 ○ 하

해설 첫 번째 예문의 "언어는 ~ 쪼개어 나눌 수 있다."와 두 번째 예문의 "언어는 ~ 끊어서 표현한다."를 볼 때, 제시된 예문과 관련된 언어 기호의 특성은 '언어의 분절성'이다.
'언어의 분절성'을 세분화하여 첫 번째 예문처럼 '언어 기호'를 각 단위별로 쪼개어 나눈 것은 '기호의 분절성', 두 번째 예문처럼 '연속된 개념'을 쪼개어 표현한 것은 '개념의 분절성'이라고 부른다.

오답분석 ① **추상성(抽象性)**: 개별적이고 구체적인 서로 다른 대상으로부터 공통되는 속성을 추출하는 과정을 통해 어떠한 개념이 형성되는 특성

② **자의성(恣意性)**: 언어 기호의 음성(형식)과 의미(내용)의 관계가 임의적(자의적, 관습적)으로 이루어지는 특성

④ **역사성(歷史性)**: 시간이 흐름에 따라 언어 기호의 음성(형식)과 의미(내용)가 변하거나 문법 요소가 변화하는 특성

정답 ③

Unit 02 언어와 사고

출제 유형

• 언어와 사고의 관계를 묻는 유형

핵심정리

• 언어와 사고

(1) 언어 우위론

① 언어가 사고보다 먼저라는 견해로 언어의 명명(命名) 능력에 의해 인간의 사고 능력이 제약을 받는다는 것이다.

② 언어가 인간의 사고와 관련이 있을 뿐 아니라, 인간이 세상을 인식하는 방법인 세계관까지 결정한다. - 훔볼트(W. V. Humboldt)

③ 인간은 객관적인 세계에 살고 있는 것이 아니라 언어를 매개로 한 세계에 살고 있다. - 사피어(E. Sapir)

④ 언어는 우리의 행동과 사고의 양식을 결정하고 주조한다. - 워프(B. L. Whorf)

예 무지개의 색깔은 실상 그 경계를 쉽게 변별할 수 없음에도 불구하고 우리가 무지개 색이 일곱 개의 색으로 이루어져 있다고 생각하는 것은, 우리의 색깔 분류 어휘 체제 때문이다. 만약 우리의 색깔 분류 어휘가 보다 세밀하게 이루어져 있다면 우리는 무지개의 색깔이 열네 개, 스물한 개의 색으로 이루어져 있다고 여길 수도 있을 것이다.

(2) 사고 우위론

① 사고가 언어보다 우위에 있다는 관점으로 언어의 제약을 벗어나서도 사고가 가능하다고 보는 입장이다.

② 대상은 명명되지 않아도 실재한다는 것을 강조하는 입장이다.

예 마음속으로 생각을 할 때 문장을 구사하며 생각을 이어 가기보다 직관이나 통찰의 과정을 통해 생각을 이어 간다.

(3) 상호의존설(종합적 관점)

① 언어 우위론과 사고 우위론의 절충안이다.

② 사고 없는 언어도 생각할 수 없고, 언어 없는 사고도 불완전하다고 보는 관점이다.

예 언어를 통해 사고를 확장해 나가기도 하고, 사고 확장을 통해 언어를 확대·변화시킨다.

출제 유형

언어와 사고	언어와 사고의 관계를 묻는 유형

003 ○○○ 2021 국가직 9급

다음 글의 사례로 적절하지 않은 것은?

> 인간은 언어를 사용하며 언어는 인간의 사고, 사회, 문화를 반영한다. 인간의 지적 능력이 발달하게 된 것은 바로 언어를 사용하기 때문이다.
> 언어와 사고는 기본적으로 상호작용을 한다. 둘 중 어느 것이 먼저 발달하고 어떻게 영향을 주는지는 알 수 없다. 그러나 언어와 사고가 서로 깊은 관계를 맺고 있다는 사실은 여러 가지 근거를 통해서 뒷받침된다.

① 영어의 '쌀(rice)'에 해당하는 우리말에는 '모', '벼', '쌀', '밥' 등이 있다.

② 어떤 사람은 산도 파랗다고 하고, 물도 파랗다고 하고, 보행 신호의 녹색등도 파랗다고 한다.

③ 일상생활에서 어떠한 사물의 개념은 머릿속에서 맴도는데도 그 명칭을 떠올리지 못할 때가 있다.

④ 우리나라는 수박(watermmelon)은 '박'의 일종으로 보지만 어떤 나라는 '멜론(melon)'에 가까운 것으로 파악한다.

난이도 상 ● 하

해설 "언어는 인간의 사고, 사회, 문화를 반영한다."는 말은 '인간의 사고, 사회, 문화'가 '언어'에 영향을 준다는 의미이다. "인간의 지적 능력이 발달하게 된 것은 바로 언어를 사용했기 때문이다."는 말은 '언어'가 '인간의 사고'에 영향을 준다는 의미이다. 즉 첫 번째 문단에서는 언어와 사고가 서로 어떤 관계를 갖고 있는지 보여주고 있다. 그 관계를 두 번째 문장에서 "언어와 사고는 기본적으로 상호작용을 한다."라고 정리하고 있다. 따라서 선택지에서 언어와 사고가 서로 영향을 주는 사례로 적절하지 않은 것을 고르면 된다. 개념은 머릿속에 있는데 언어로 표현하지 못하는 ③의 사례는 '언어'와 '사고'가 서로 영향을 주는 사례로 보기 어렵다. ③은 '사고우위론'의 사례이다.

오답 분석
① 우리말에 영어 'rice'에 대응되는 말이 '모', '벼', '쌀', '밥' 등으로 다양한 것은, 우리는 쌀을 주식으로 삼는 문화에서 비롯된 것이다. 즉 쌀을 주식으로 삼는 '문화(사고)'가 우리의 '언어'에 영향을 준 결과이다. 따라서 언어와 사고가 서로 영향을 준 사례로 적절하다.

② '산', '물', '녹색' 등의 색은 엄연히 구별되는 색이다. 그럼에도 모두 '파랗다'고 표현하는 사람은 세 가지를 하나의 범주에 속하는 색이라고 생각할 것이다. 즉 같은 색이라고 '사고'하기 때문에 모두 '파랗다'고 표현하는 것이다. 따라서 사고가 언어에 영향을 미칠 뿐 아니라 언어와 사고가 서로 영향을 준 사례로 적절하다.

④ 동일한 대상을 두고 우리는 '박'의 일종으로 생각해서 '수박'으로 표현하는 반면, 영어권에서는 'melon'에 가까운 것으로 생각해서 'watermelon'으로 표현한다. 각각 대상을 어떻게 생각하느냐에 따라 표현하는 언어가 '사회'에 따라 달라졌다는 점에서, 언어와 사고가 서로 영향을 준 사례로 적절하다.

정답 ③

MEMO

Unit 03 국어의 특징

출제 유형

- 국어의 특징이 맞는지 아닌지 판별하는 유형
- 국어의 영역별 특징을 묻는 유형

핵심정리

- **국어의 특징**

국어의 특징 문제는 국어의 특징이 '맞는지 틀린지'를 묻는 게 일반적이지만, 어렵게 나온다면 '영역별 특징'을 물을 수도 있어요. 이 경우에는 선택지에 모두 국어의 올바른 특징이 제시될 가능성이 높기 때문에, 문제를 제대로 읽지 않으면 시간을 뺏기기 쉬워요. 따라서 문제가 묻는 게 국어의 특징인지, 아니면 '음운적 특징', '어휘적 특징'처럼 특정 영역의 특징인지 잘 확인해야 해요.

(1) 음운적 **특징**

① 파열음 계열이 삼중 체계(예사소리 - 된소리 - 거센소리)로 이루어짐.
② 마찰음의 수가 파열음의 수보다 적음.
③ 단모음의 수가 10개로 다른 언어에 비해 많은 편임.
④ 음절의 끝소리(종성의 소리)는 반드시 7개의 자음(ㄱ, ㄴ, ㄷ, ㄹ, ㅁ, ㅂ, ㅇ) 중에 1개의 대표음으로 소리 남(음절의 끝소리 규칙).
⑤ 한자어 첫머리에 자음 'ㄴ, ㄹ'이 오는 것을 꺼림(두음 법칙).
⑥ 모음 조화가 나타남.
⑦ 음상의 차이로 '어감'과 '의미'의 분화가 나타남.

(2) 어휘적 **특징**

① 고유어, 한자어, 외래어의 삼중 체계로 구성됨.
② 고유어 중 색채어와 감각어가 매우 발달함.
③ 음성 상징어(의성어, 의태어)가 매우 발달함.
④ 친족 관계를 나타내는 어휘가 발달함.
⑤ 유교 문화의 영향으로 높임말이 발달함.
⑥ 성의 구분이 없음.
⑦ 이차적인 조어법이 발달함.

(3) 형태적 **특징**

① 조사, 어미, 접사가 매우 발달한 교착어(첨가어)임.
② 단어 형성법이 발달함(용언 포함.).
③ 연결 어미, 전성 어미, 접속 조사가 매우 발달함.

(4) 통사적 **특징**

① '주어 - 목적어 - 서술어'의 어순이 일반적. 다만 수식어는 항상 피수식어 앞에 위치함.
② 어순은 비교적 자유로우나, 위치에 따라 미묘한 차이가 존재함.
③ 겹문장의 경우 주어가 잇달아 나타날 수 있음.

(5) 화용적 **특징**

① 높임법이 발달함.
② 특정한 의미를 더하는 보조사와 보조 용언이 발달함.
③ 실제 담화에서는 주어나 목적어가 자주 생략됨.

1. **국어는 존재 중심의 언어이다. 한편, 영어는 소유 중심의 언어이다.** [17 경찰 1차]

예 국어: 나는 돈이 있다.
⇨ 존재 중심의 언어
영어: I have money(나는 돈을 가지고 있다.).
⇨ 소유 중심의 언어

2. **쌍자음 'ㄲ, ㄸ, ㅃ, ㅆ, ㅉ'은 두 개의 자음이 아니라 하나의 자음이다.** [20 경찰 1차/17 경찰 1차]

비교 겹자음 'ㄳ, ㄵ, ㄶ, ㄺ, ㄻ, ㄼ, ㄽ, ㄾ, ㄿ, ㅀ'은 하나의 자음이 아니라 두 개의 자음이다.

3. **'교착어'와 '굴절어'** [18 서울시 9급(3월)/17 경찰 1차]

교착어	의미를 나타내는 실질 형태소에 조사와 어미, 접사 같은 어법적 관계를 나타내는 형태소가 붙음으로써 문법 기능을 더하는 언어로 '국어'가 대표적이다.
굴절어	실질 형태소와 형식 형태소의 구별이 뚜렷하지 않고, 어형의 변화로 어법적 관계를 나타내는 언어로 '영어'가 대표적이다.

출제 유형

국어의 특징	국어의 특징이 맞는지 아닌지 판별하는 유형

004 ○○○ 2022 국회직 9급

국어 문법의 특징으로 옳지 않은 것은?

① 어미가 발달되어 있다.
② 이중 주어 구문이 발달되어 있다.
③ 비교적 어순이 자유로운 언어에 속한다.
④ 공손성을 표현하는 수단이 발달했다.
⑤ 꾸미는 말이 꾸밈을 받는 말 뒤에 온다.

난이도 상 중 ○

해설 국어는 꾸미는 말(수식어)은 꾸밈을 받는 말(피수식어) '앞'에 온다.
예 새(꾸미는 말) 신발(꾸밈을 받는 말)

정답 ⑤

005 ○○○ 2022 소방 경력 채용

한국어의 특성에 대한 설명으로 옳지 않은 것은?

① 높임법이 발달하였다.
② 접속사와 관계 대명사가 있다.
③ '주어 - 목적어 - 서술어'의 어순을 가지고 있다.
④ 문법적인 의미를 나타내는 문법 형태소가 발달하였다.

난이도 상 중 ○

해설 우리말에 '접속 부사'는 있지만, '접속사'는 없다. 또한 '관계 대명사'도 없다.

오답분석 ① 우리말에는 '주체 높임', '객체 높임', '상대 높임'이 있다. 따라서 높임법이 발달했다는 설명은 옳다.
③ 우리말의 어순은 자유로운 편이지만, 일반적으로 '주어 - 목적어 - 서술어'의 어순을 가지고 있다.
④ 우리말은 '문법 형태소(형식 형태소, 종속 형태소)'인 조사, 어미, 접사가 발달한 언어이다.

정답 ②

006 ○○○ 2020 경찰 1차

다음 중 국어의 특질에 대한 설명으로 가장 적절한 것은?

① 국어의 마찰음은 '예사소리-된소리-거센소리'의 3항 대립을 보인다.

② 국어의 단모음은 'ㅏ, ㅓ, ㅗ, ㅜ, ㅡ, ㅣ, ㅔ, ㅐ'로 모두 8개이다.

③ 국어는 조사와 어미로 다양한 문법적 기능을 수행하는 교착어적 특성을 가진다.

④ 국어의 어두(語頭)에는 '끝'과 같이 둘 이상의 자음이 올 수 있다.

난이도 ㊤ ◯ ㊦

해설 국어의 체언 뒤에 격 조사가 붙어서 문장 성분을 표시한다. 또한 어간 뒤에 어미가 붙어 활용을 한다. 이처럼 국어는 조사와 어미가 붙어서 문법적 기능을 수행하는 교착어적(첨가어적) 특성을 갖는다.

오답 분석 ① '예사소리 - 된소리 - 거센소리'의 3항 대립은 '마찰음'이 아니라 파열음 계열인 '파열음'과 '파찰음'에서 나타난다. 파열음인 'ㄱ, ㄲ, ㅋ/ㄷ, ㄸ, ㅌ/ㅂ, ㅃ, ㅍ'과 파찰음인 'ㅈ, ㅉ, ㅊ'이 '예사소리 - 된소리 - 거센소리'의 3항 대립을 보인다.

구분		예사소리	된소리	거센소리
파열음	ㄱ계	ㄱ	ㄲ	ㅋ
	ㄷ계	ㄷ	ㄸ	ㅌ
	ㅂ계	ㅂ	ㅃ	ㅍ
파찰음	ㅈ계	ㅈ	ㅉ	ㅊ

② 소리를 내는 도중에 입술 모양이나 혀의 위치가 달라지지 않는 모음을 '단모음'이라 한다. 국어의 단모음은 'ㅏ', 'ㅐ', 'ㅓ', 'ㅔ', 'ㅗ', 'ㅚ', 'ㅜ', 'ㅟ', 'ㅡ', 'ㅣ'로 모두 10개이다.

④ 국어의 어두에는 둘 이상의 자음(ㅺ, ㅵ, ㅶ 등)이 올 수 없다. 즉 국어의 어두에는 하나의 자음만 올 수 있다. '끝'에서 쌍자음인 'ㄲ'이 어두에 온 것은 'ㄲ'이 두 개의 자음이 아닌 하나의 자음이기 때문이다.

정답 ③

출제 유형

국어의 특징	국어의 영역별 특징을 묻는 유형

007 ○○○ 2023 군무원 7급

다음은 현대 한국어의 발음 특성을 설명한 것이다. 맞지 않는 것은?

① '알'의 'ㅇ'과 '강'의 'ㅇ'은 음운론적으로 동일한 가치를 갖는다.

② 초성에서 발음되는 모든 자음이 종성에서 발음되는 것은 아니다.

③ 종성에서 발음되는 모든 자음이 초성에서 발음되는 것은 아니다.

④ 모음과 모음 사이에 자음은 최대 2개까지 발음된다.

난이도 ㊤ ◯ ㊦

해설 초성의 'ㅇ'은 음가가 없다. 따라서 '알'의 초성 'ㅇ'과 '강'의 종성 'ㅇ'의 음가가 동일하다는 설명은 적절하지 않다.

오답 분석 ② 초성에서 발음되는 자음 중 'ㄱ, ㄴ, ㄷ, ㄹ, ㅁ, ㅂ, ㅇ' 7개의 소리만 종성에서 발음된다.

③ 종성의 'ㅇ'은 초성에서 발음되지 않는다.

④ 앞말의 받침, 뒷말의 초성에 자음이 온다고 한다면 옳은 설명이다.

정답 ①

008 ○○○ 2015 서울시 9급

다음 중 국어의 형태적 특징은?

① 수식어는 반드시 피수식어 앞에 온다.

② 동사와 형용사의 활용이 유사하다.

③ 문장 성분의 순서를 비교적 자유롭게 바꿀 수 있다.

④ 언어 유형 중 '주어 - 목적어 - 동사'의 어순을 갖는 SOV형 언어이다.

난이도 ◯ ㊥ ㊦

해설 국어의 '형태적' 특징은 쉽게 말해 '형태론'에서 다루었던 '형태소, 단어, 품사'와 관련된 국어의 특성이다. ①~④ 중 '형태소, 단어, 품사'와 관련된 것은 ②뿐이다. 국어의 단어 중 용언에 속하는 동사와 형용사는 어간에 어미가 붙어서 활용한다는 점에서, 그 '활용' 양상이 유사하다. 한편, ②를 제외한 나머지 선지는 모두 '문장 성분의 순서', 즉 '어순'에 관한 것이다.
'문장 성분'은 '통사론'에서 다루는 내용이기 때문에, ②를 제외한 나머지는 국어의 '형태적 특징'이 아니라 '통사적 특징'이다.

정답 ②

고득점 GO!

음운적 특징은 '소리'와, 형태적 특징은 '형태소, 단어, 품사'와,
통사적 특징은 '문장, 문장 성분'과 관련이 있어요.

Unit 04 국어 순화

출제 유형

- 외래어 순화를 묻는 유형
- 차별적 언어를 판별하는 유형

핵심정리

1. 외래어의 순화

(1) 영어의 순화

외래어	순화어	외래어	순화어
골드미스	황금 독신 여성	비트박스	입소리 손장단
노이즈 마케팅	구설수 홍보	소셜 네트워크 서비스(SNS)	누리소통망(서비스)
드레스코드	표준 옷차림	스테디 셀러	늘사랑 상품
레이싱걸	행사 빛냄이	오프라인	현실 공간
롤모델	본보기상	원 플러스 원	(하나에) 하나 더
멘토	(인생) 길잡이	크로스백	엇걸이 가방
보이스 피싱	(음성) 사기 전화	포스트잇	붙임쪽지
VOD 서비스	다시 보기	피팅모델	맵시 도우미

(2) 일본어의 순화

일본어	순화어	일본어	순화어
덴푸라(뎀뿌라), 텐푸라	튀김	다마네기	양파
곤색	감색	사라다	샐러드
와사비	고추냉이	스시	초밥
와리바시	나무젓가락	시타바리(시다바리)	보조원
요지	이쑤시개	기즈(기스)	흠(집)
혹성	행성	고수부지(高水敷地)	둔치
다쿠안 (다꽝, 다꾸앙, 다쿠앙)	단무지	십팔번(十八番)	단골 장기, 단골 노래
우동	가락국수	몸뻬	일 바지, 왜바지
망년회	송년회, 송년 모임	나시	민소매

* _____ 표시의 낱말은 순화 대상이나 표기는 표준어로 인정함.

2. 차별적 언어의 순화

(1) 성차별 언어

차별어	순화어	차별어	순화어
김 여사	운전 미숙자	남자 간호사	간호사
손자	손주	가오 마담	대리 사장
여류 시인	시인	여의사	의사
사모님식 투자	주먹구구식 투자	(권력의) 시녀	(권력의) 앞잡이

(2) 인종 차별 언어

차별어	순화어	차별어	순화어
깜둥이	흑인	짱꼴라	중국인
흰둥이	백인	튀기	혼혈인
쪽발이	일본인	탈북자	새터민

출제 유형

순화어	외래어 순화를 묻는 유형

009 ○○○ 2013 서울시 7급

다음 중 순화해야 할 일본어로 볼 수 없는 것은?

① 돈가스 ② 뗑깡
③ 뗑뗑이 ④ 노다지
⑤ 아나고

난이도 ㊤ ㊥ ㊦

해설 명사 '노다지'는 '캐내려 하는 광물이 많이 묻혀 있는 광맥' 또는 '손 쉽게 많은 이익을 얻을 수 있는 일감을 비유적으로 이르는 말'로 '순우리말'이다. 한편 '노다지'를 '언제나'의 뜻으로 부사로 사용하는 경우도 있는데 이는 잘못된 표현이다.

오답 분석
① **돈가스**: '돈가스'의 표기는 인정하지만 '돼지고기 너비 튀김', '돼지고기 너비 튀김 밥', '돼지고기 튀김'으로 순화한다. = 포크커틀릿
② **뗑깡**: '생떼'로 순화한다.
③ **뗑뗑이**: '물방울 (무늬)'로 순화한다.
⑤ **아나고**: '붕장어'로 순화한다.
※ '뗑깡, 뗑뗑이, 아나고'는 비표준어

정답 ④

출제 유형

순화어	차별적 언어를 판별하는 유형

010 ○○○ 2012 국가직 7급

다음 중 차별적 언어 표현이 나타나지 않은 것은?

① 그것은 학교에서 학부형들에게 직접 설명해야 할 일인 것 같군요.
② 이 소설은 작가의 처녀작으로, 당시 문단의 호응이 매우 컸던 작품입니다.
③ 살구색 옷은 잘못 입으면 착시 효과를 불러일으키므로, 주의해서 입어야 합니다.
④ 복지 정책이 날로 더 발전하고 있으니, 미망인의 문제도 곧 해결되리라 믿습니다.

난이도 ㊤ ㊥ ㊦

해설 '차별적 언어 표현'에는 '성차별적 표현, 인종 차별적 표현, 기타 비하의 의미를 담고 있는 표현'이 있다. ③의 '살구색'은 인종 차별적 표현인 '살색'을 순화한 표현이다. 따라서 차별적 표현이 나타나지 않은 것은 ③이다.

오답 분석
① **학부형** → 학부모: '학부형'은 학생의 아버지와 형만을 보호자로 인정하는 표현이므로, 성차별적 표현이다.
② **처녀작** → 첫 작품: '처녀작'은 작품이 여성과 관련이 없음에도 '처녀'란 표현을 사용하였다. 이는 성차별적 표현이다.
④ **미망인** → 홀어미, 고(故) ○○○ 씨의 부인: '미망인(未亡人)'은 '(남편이 죽었는데) 아직 따라 죽지 못한 사람'을 의미한다. 단어 그 자체에 성차별이 담겨 있는 표현이다.

정답 ③

Unit 05 국어의 역사와 한글

출제 유형

- 시기별 국어의 특징을 판별하는 유형
- 한글의 특징과 남북한 자모의 특징을 판별하는 유형

핵심정리

1. 중세 국어와 근대 국어의 특징

중세 국어(10~16세기)	근대 국어(17~19세기)
• 'ㅸ'은 15세기 중반 이후 모음 'ㅗ, ㅜ'로 변함. • 이어적기(연철) • 모음 조화 현상 • 주격 조사는 '이, l, ø(zero 주격)'의 형태로 나타남. • 방점 사용 • 8종성법 사용	• 'ㅿ(반치음)' 소실됨. • 'ㆁ(옛이응)' 종성만 나타나고 글꼴도 'ㅇ'으로 변함. 예 징반 > 징반 • 'ㆍ'의 음가 소실되고 'ㆍ' 표기는 1933년 <한글 맞춤법 통일안> 제정 시 사용하지 않도록 규정함. • 주격 조사 '가'가 나타나고 '이'와 구별되어 쓰임. • 방점 사용 • 7종성법 사용

2. 남한과 북한의 맞춤법 차이 [16 경찰 2차]

구분	한글 맞춤법(1988년)	조선말 규범집(1966년)
총칙	표준어를 소리 나는 대로 적되 어법에 맞도록 함을 원칙으로 한다.	단어에서 뜻을 가지는 매개 부분을 언제나 같게 적는 원칙을 기본으로 하면서 일부 경우 소리 나는 대로 적거나 관습을 따르는 것을 허용한다.
자모의 수	24 자모	40 자모
자모의 명칭	• ㄱ(기역), ㄴ(니은), ㄷ(디귿), ㄹ(리을), ㅁ(미음), ㅂ(비읍), ㅅ(시옷) …… • ㅏ(아), ㅑ(야), ㅓ(어), ㅕ(여) …… ㄲ(쌍기역), ㄸ(쌍디귿), ㅃ(쌍비읍), ㅆ(쌍시옷), ㅉ(쌍지읒)	• ㄱ(기윽), ㄴ(니은), ㄷ(디읃), ㄹ(리을), ㅁ(미음), ㅂ(비 읍), ㅅ(시읏) …… ※ ㄱ(그), ㄴ(느), ㄷ(드)를 허용한다. • ㅏ(아), ㅑ(야), ㅓ(어), ㅕ(여) …… ㄲ(된기윽), ㄸ(된디읃), ㅃ(된비읍), ㅆ(된시읏), ㅉ(된지읒)
자모의 순서	• ㄱ, ㄲ, ㄴ, ㄷ, ㄸ, ㄹ, ㅁ, ㅂ, ㅃ, ㅅ, ㅆ, ㅇ, ㅈ, ㅉ, ㅊ, ㅋ, ㅌ, ㅍ, ㅎ • ㅏ, ㅐ, ㅑ, ㅒ, ㅓ, ㅔ, ㅕ, ㅖ, ㅗ, ㅘ, ㅙ, ㅚ, ㅛ, ㅜ, ㅝ, ㅞ, ㅟ, ㅠ, ㅡ, ㅢ, ㅣ	• ㄱ, ㄴ, ㄷ, ㄹ, ㅁ, ㅂ, ㅅ, ㅇ, ㅈ, ㅊ, ㅋ, ㅌ, ㅍ, ㅎ, ㄲ, ㄸ, ㅃ, ㅆ, ㅉ • ㅏ, ㅑ, ㅓ, ㅕ, ㅗ, ㅛ, ㅜ, ㅠ, ㅡ, ㅣ, ㅐ, ㅒ, ㅔ, ㅖ, ㅚ, ㅟ, ㅢ, ㅘ, ㅝ, ㅙ, ㅞ

3. 외국에서 들어온 말 [16 국가직 7급/12 지방직 7급]

몽골어	말(馬), 가라말(흑마), 구렁말(밤색 말), 보라(매), 송골(매), 수라
만주어, 여진어	호미, 수수, 메주, 가위, 두만(강)
범어(산스크리트어)	절(刹), 중(僧), 달마(達磨), 만다라(曼茶羅, 깨달음의 경지), 부처(佛陀 > 佛體 > 부처), 부타(佛陀), 석가(釋迦), 보살(菩薩), 사리(舍利), 아미타(阿彌陀. 극락에 있는 부처), 열반(涅槃), 찰나(刹那), 탑(塔), 바라문(婆羅門), 건달[乾達, 건달바(乾達婆)에서 온 말]
일본어	고구마(고코이모), 구두(구쯔), 냄비(나베), 가마니(가마스)
서구어를 번역한 중국어	섭씨[攝氏, 셀시우스(스웨덴의 고안자 Celsius) > 攝爾思(섭이사) > 섭씨], 화씨[華氏, 파렌하이트(독일의 고안자 Fahrenheit) > 華倫海(화륜해) > 화씨], 불란서(佛蘭西, 프랑스), 구라파(歐羅巴, 유럽), 아편(阿片, opium)
서구어	• **프랑스어**: 고무(gomme), 루주(rouge), 망토(manteau) • **포르투갈어**: 담배(tabacco), 빵(pa~o) • **네덜란드어**: 가방(kaba~s) • **영어**: 남포(lamp)

출제 유형

국어의 역사와 한글	시기별 국어의 특징을 판별하는 유형

011 ○○○ 2017 서울시 9급

다음 중 국어의 역사에 대한 설명으로 옳은 것은?

① 띄어쓰기는 1933년 한글 맞춤법 통일안에서 규범화되었다.
② 주격 조사 '가'는 고대 국어에서부터 등장한다.
③ '·'는 17세기 이후의 문헌에서부터 나타나지 않는다.
④ 'ㅸ'은 15세기 중반까지 사용되다가 'ㅃ'으로 변하였다.

난이도 상 중 하

해설 띄어쓰기가 처음 시도된 것은 1896년 《독립신문》이 창간되면서이고, 규범화된 것은 1933년 〈한글 맞춤법 통일안〉에서이다. 따라서 ①의 설명은 옳다.

오답분석
② 주격 조사 '가'는 아무리 이르게 잡더라도 16세기 후반에 이르러서야 우리 국어에 등장했다. 따라서 고대 국어에서부터 등장했다는 설명은 적절하지 않다.
※ 주격 조사 '가'는 일반적으로 17세기(근대 국어)에 등장한 것으로 본다.

③ '·'의 음가는 17세기부터 사라지기 시작했다. 다만, 표기는 계속 문헌에 나타나다가 1933년 〈한글 맞춤법 통일안〉이 만들어지면서 쓰지 않는 것을 원칙으로 하였으나 일부 사람들은 여전히 사용하였다. 따라서 '·'가 17세기 이후의 문헌에서부터 나타나지 않는다는 설명은 적절하지 않다.

④ 'ㅸ'이 15세기 중반까지 사용된 것은 맞지만, 'ㅃ'으로 변했다는 설명은 적절하지 않다. 'ㅸ'은 후에 'ㅃ'이 아니라 'ㅗ/ㅜ'로 변했다. (고ᄫᅡ → 고와, ㅂ 불규칙과 관련)
※ 'ㅸ'은 연서(連書)에 의해, 'ㅃ'은 병서(竝書)에 의해 만들어진 글자이다.

참고 연서와 병서

연서(連書)	순경음(脣輕音)을 표기하기 위하여 순음자(脣音字) 밑에 'ㅇ'을 이어 쓰는 일. 'ㅱ', 'ㅸ', 'ㆄ', 'ㅹ' 따위가 있다.
병서(竝書)	초성자 두 글자 또는 세 글자를 가로로 나란히 붙여 쓰는 일. 각자 병서 'ㄲ, ㄸ' 따위와 합용 병서 'ㄺ, ㅄ' 따위가 있다.

정답 ①

고득점 GO!

15세기 주격 조사 완전 정리!

- 받침이 있는 체언 뒤에는 '이'
- 받침이 없는 체언 뒤에는 'ㅣ'
- 'ㅣ' 모음으로 끝나는 체언 뒤에는 nothing

그러면, '사람, 사자, 비' 뒤에는 각각 어떤 조사가 올까요?
→ 정답: 사람이(사람이), 사재(사자+ㅣ), 비(비+nothing)

출제 유형

국어의 역사와 한글	한글의 특징과 남북한 자모의 특징을 판별하는 유형

012 ○○○ 2016 경찰 2차

다음 중 한글에 대한 설명으로 가장 알맞은 것은?

① 한글은 창제 당시 28개의 기본자 중 17개가 자음자였으며 모음자 중 4개는 이중 모음을 나타내는 것이었다.
② 한글은 소리 문자이지만 일본의 '가나'와 다른 음소 문자로서 개별 글자가 하나의 음소에 모두 일대일로 대응된다.
③ 남한과 북한에서 사용하는 한글 자모 명칭은 같지만 사전에 올릴 때에 사용하는 한글 자모 순서는 일부 차이가 있다.
④ 'ㄱ<ㅋ<ㄲ'과 같이 소리의 세기를 가시적으로 확인할 수 있는 것은 제자 과정에서 가획의 원리가 적용되었기 때문이다.

난이도 상 중 하

해설 한글 창제 당시 기본자 중 '자음'은 'ㄱ, ㅋ, ㄴ, ㄷ, ㅌ, ㅁ, ㅂ, ㅍ, ㅅ, ㅈ, ㅊ, ㅇ, ㆆ, ㅎ, ㆁ, ㄹ, ㅿ'로, 모두 17개였다. 또한 기본자 중 '모음'은 'ㅏ, ㅑ, ㅓ, ㅕ, ㅗ, ㅛ, ㅜ, ㅠ, ㅡ, ㅣ, ·'로, 모두 11개였는데 그중 'ㅑ, ㅕ, ㅛ, ㅠ' 4개는 이중 모음이었다.

오답분석
② 일본의 '가나'는 '음절 문자'이고, 우리의 '한글'은 '음소 문자'이다. 따라서 "한글은 소리 문자이지만 일본의 '가나'와 다른 음소 문자로서"까지의 설명은 옳다. 다만, "개별 글자가 하나의 음소에 모두 일대일로 대응된다."는 설명은 적절하지 않다. 가령 하나의 음소, 즉 하나의 자음이 개별 글자와 일대일로 대응할 수 없다. 따라서 우리의 '한글'이 음소 문자이기 때문에, 개별 글자가 하나의 음소에 일대일로 대응된다는 설명은 옳지 않다.

③ 남한과 북한에서 사전에 올릴 때 사용하는 한글 자모의 순서는 일부 차이가 있다는 설명은 옳다. 왜냐하면, 남한과 달리 북한은 모든 쌍자음을 'ㅎ' 뒤에 올리기 때문이다. 그러나 남한과 북한에서 사용하는 한글 자모의 명칭이 같다는 설명은 옳지 않다. 왜냐하면, 'ㄱ, ㄷ, ㅅ'과 쌍받침 'ㄲ, ㄸ, ㅃ, ㅆ, ㅉ'의 명칭이 서로 다르기 때문이다.
※ 21p의 '핵심정리'에 제시된 〈표〉 참조

④ '가획의 원리'란 획을 더하여 소리의 세기가 더해짐을 나타낸 것이다. 'ㄱ'에 획을 더하여 만든 'ㅋ'은 가획의 원리에 의해 만들어진 글자이다. 그런데 'ㄲ'은 '각자 병서'라는 운용법에 의해 만들어진 글자로 기본자에 포함되지도 않고, 가획에 원리에 의해 만들어지지도 않았다.
※ 소리의 세기도 'ㄱ < ㄲ < ㅋ'이 바르다.

정답 ①

CHAPTER 2

음운론

Unit 06 음운의 개념과 특징

출제 유형

- 음운의 개념과 특징에 대해 알고 있는지 묻는 유형

핵심정리

- **음운**

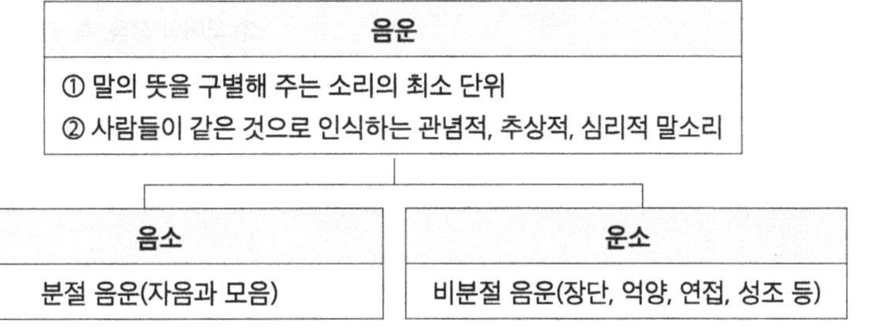

출제 유형

음운의 개념과 특징	음운의 개념과 특징에 대해 알고 있는지 묻는 유형

013 ○○○ 2019 서울시 9급(2월)

음운의 개념에 대한 설명으로 가장 옳지 않은 것은?

① 소리의 강약이나 고저 등은 분절되지 않으므로 음운이라고 할 수 없다.

② 음운은 의미를 구별해 주는 최소의 단위이므로 최소 대립쌍을 통해 한 언어의 음운 목록을 확인할 수 있다.

③ 음운은 몇 개의 변이음으로 구성되어 있어서 실제로 들리는 소리가 다른 경우에도 하나의 음운으로 인정할 수 있다.

④ 음운은 실제적인 소리라기보다는 관념적이고 추상적인 기호라고 보아야 한다.

난이도 상 중 하

TIP 국어의 음운(음소 + 운소)은 분절성을 지니는 '음소(자음 + 모음)'와 분절성을 지니지 않는 '운소(장단, 억양, 연접, 성조)'로 이루어져 있다.

해설 분절되지 않는 소리의 강약이나 고저에 의해서도 의미가 변별되기 때문에, 이들도 '음운'이 맞다. 이처럼 분절되지 않는 음운을 '비분절 음운'이라고 한다.

오답 분석 ② '달 - 딸 - 탈'의 'ㄷ - ㅌ - ㄸ'처럼 완전히 다른 분절음이 의미 차이를 가져 오는 음운 목록을 '최소 대립쌍'이라고 한다.

③ '고기', '각'의 'ㄱ'은 모두 하나의 음운이나 [g/k/k̚]으로 물리적 소리가 모두 다르다. 이와 같이 실제는 다른 소리이나 하나의 소리로 인식하는 음운을 '변이음'이라 한다.

④ '음운'은 '관념적, 추상적, 일반적' 소리이고, '음성'은 '구체적, 물리적, 개별적' 소리이다.

정답 ①

014 ○○○ 2018 경찰 1차

국어의 비분절 음운에 대한 설명으로 가장 적절하지 않은 것은?

① 국어의 비분절 음운에는 장단과 억양이 있다.

② 국어에서 장단의 문제는 모음과 자음 모두에 해당된다.

③ 국어의 비분절 음운은 자음, 모음처럼 정확히 소리마디의 경계를 그을 수 없지만 말소리 요소로서 의미를 변별하는 기능을 한다.

④ 국어에서 장음은 일반적으로 단어의 첫째 음절에 나타나는데, 특이하게 둘째 음절 이하에 오면 장음이 단음으로 발음되는 경향이 있다.

난이도 상 중 하

해설 '장단(長短)', 즉 '소리의 길이'는 '모음'에 얹혀서 난다. 따라서 자음과 모음 중 '모음'만 관련이 있다.

오답 분석 ①, ③ '음운'은 뜻을 구별하는 소리의 가장 작은 단위이다. 이러한 음운 가운데 '장단'과 '억양'은 '자음'이나 '모음'처럼 분절이 되지 않는다는 점에서 '분절 음운'과 구별하여, '비분절 음운'이라고 부른다.

④ 국어의 장음, 즉 '긴소리'는 첫째 음절에서만 나타난다. 예를 들어 '눈[雪]'이 첫째 음절에서는 장음 [눈:]으로 발음되지만, '첫눈'과 같이 둘째 음절 이하에서는 [천눈]으로 발음된다.

※ '첫눈'은 [첫눈 → (음절의 끝소리 규칙) → 첟눈 → (비음화) → 천눈]의 과정을 거쳐 발음된다.

 ②

Unit 07 음운의 개수 파악

출제 유형

- 음운의 개수를 묻는 유형
- 여러 문법 단위와 함께 음운의 개수를 묻는 유형

핵심정리

- **말의 단위**

<보기>

예쁜 꽃이 많이 피었다.

음운	말의 뜻을 변별하는 최소의 소리 단위 예 '꽃'의 음운은 'ㄲ/ㅗ/ㄷ'이다. ※ 음운 수는 발음한 후 자음, 모음의 수를 센다.
음절	발음할 때 한 번에 소리 낼 수 있는 소리의 단위 예 예/쁜/꼬/치/마/니/피/얻/따
형태소	의미를 가진 최소 단위 예 예쁘-/-ㄴ/꽃/이/많/이/피-/-었-/-다
단어	자립할 수 있는 최소 단위. 또는 자립할 수 있는 말과 쉽게 분리되는 말 예 예쁜/꽃/이/많이/피었다
어절	말할 때 붙여 발음하는 단위. 띄어쓰기 단위. 문장 성분의 판별 예 예쁜(관형어)/꽃이(주어)/많이(부사어)/피었다(서술어)
구	단어들이 모여 이루어진 단어보다 크고 절보다는 작은 단위 예 많이 피었다(서술어 구)
절	단어들이 모여 주어와 서술어를 갖추고 있는 단위 예 〈예쁜〉꽃[= 꽃이 예쁘다(주어 생략), 관계 관형절]
문장	하나의 완결된 사상이나 감정을 나타내는 단위 예 예쁜 꽃이 많이 피었다.(관형절을 안은문장)

심화 Plus

- **음절의 구조** [16 소방직]

(1) 모음 예 아, 어, 오, 우, 와, 워

(2) 자음 + 모음 예 가, 노, 대, 머, 부, 해

(3) 모음 + 자음 예 악, 얼, 옷, 앵, 윈, 욜

(4) 자음 + 모음 + 자음 예 곳[곧], 잘, 덕, 삯[삭], 흙[흑]

출제 유형

음운의 개수 파악	음운의 개수를 묻는 유형

015 ○○○ 2018 서울시 7급(3월)

<보기> 중 음운 변동으로 음운의 수에 변화가 있는 단어를 모두 고른 것은?

<보기>

ㄱ. 발전　　ㄴ. 국화　　ㄷ. 솔잎　　ㄹ. 독립

① ㄱ, ㄴ　　② ㄱ, ㄹ
③ ㄴ, ㄷ　　④ ㄷ, ㄹ

난이도 ㊤ ㊥ ㊦

TIP 음운의 수는 '축약', '탈락'이 일어나면 '-1', '첨가'가 일어나면 '+1'이 된다.

해설 ㄱ~ㄹ의 음운의 수는 다음과 같다.

ㄱ. '발전'은 된소리되기가 일어나 [발쩐]으로 발음된다. 따라서 음운 개수의 변동은 없다.

음운 변동 전	ㅂ/ㅏ/ㄹ/ㅈ/ㅓ/ㄴ
음운 변동 후	ㅂ/ㅏ/ㄹ/ㅉ/ㅓ/ㄴ

ㄴ. '국화'는 'ㄱ'과 'ㅎ'이 만나 'ㅋ'으로 축약된다. 따라서 음운 개수는 하나 줄었다.

음운 변동 전	ㄱ/ㅜ/ㄱ/ㅎ/ㅘ
음운 변동 후	ㄱ/ㅜ/ㅋ/ㅘ

ㄷ. '솔잎'은 'ㄴ'이 첨가된 후 유음화가 일어나 [솔립]으로 발음된다. 따라서 음운 개수는 하나 늘었다.

음운 변동 전	ㅅ/ㅗ/ㄹ/ㅣ/ㅍ
음운 변동 후	ㅅ/ㅗ/ㄹ/ㄹ/ㅣ/ㅂ

ㄹ. '독립'은 비음화가 일어나 [동닙]으로 발음된다. 따라서 음운 개수의 변동은 없다.

음운 변동 전	ㄷ/ㅗ/ㄱ/ㄹ/ㅣ/ㅂ
음운 변동 후	ㄷ/ㅗ/ㅇ/ㄴ/ㅣ/ㅂ

따라서 음운의 수에 변화가 있는 것은 ㄴ과 ㄷ이다.

정답 ③

출제 유형

음운의 개수 파악	여러 문법 단위와 함께 음운의 개수를 묻는 유형

016 ○○○ 2016 소방직

<보기>의 문장에 대한 설명으로 옳지 않은 것은?

<보기>

내가 동생에게 용돈을 주었다.

① 4개의 어절로 이루어져 있다.
② 12개의 음절로 이루어져 있다.
③ 7개의 단어로 이루어져 있다.
④ 자음, 모음, 자음으로 이루어진 음절은 7개이다.

난이도 ㊤ ㊥ ㊦

해설 '음절'은 발음할 때 한 번에 소리 낼 수 있는 소리의 단위이다. <보기> 중 '자음+모음+자음'으로 이루어진 음절은 '동, 생, 늘'로 3개이다.

오답분석 ① 어절은 띄어쓰기 단위와 일치한다. 따라서 '내가/동생에게/용돈을/주었다'로 4개의 어절로 이루어져 있다는 설명은 옳다.

② <보기>의 표준 발음은 [내가동생에게용또늘주얻따]이다. 음절의 수는 모음의 수와 일치한다. 따라서 12개의 음절로 이루어져 있다는 설명은 옳다.

③ 단어는 어절 수에 조사를 더하면 된다. 따라서 어절의 수 4개에 조사의 수 3개(가, 에게, 을)를 더한 7개이다.

정답 ④

고득점 GO!

국어 단위 세는 법 완전 정리!

① 음운의 수: 발음을 기준으로, '자음+모음'의 수
※ 단, 어두(초성)의 'ㅇ'은 음가가 없기 때문에 수에 포함하지 않는다.
② 음절의 수: 발음을 기준으로 ㅁ'모음'의 수 혹은 '글자'의 수
③ 형태소의 수: '실질 형태소+형식 형태소'의 수
(= '자립 형태소+의존 형태소'의 수)
④ 단어의 수: '어절'의 수+'조사'의 수
※ '어절'의 수+'조사'의 수인 이유
1) 조사를 제외하면 단어의 수가 어절의 수와 일치하기 때문
2) 모든 낱말은 띄어 쓰지만 조사만 앞말에 붙여 쓰기 때문
⑤ 어절의 수: '띄어쓰기'된 상태의 덩어리의 수

Unit 08 자음 체계

출제 유형

자음 분류 기준	• 자음 체계의 분류 기준을 묻는 유형 • 분류 기준 각각에 해당하는 자음을 아는지 묻는 유형
자음 체계	• 조건에 맞는 자음을 고르는 유형

핵심정리

• 자음 체계

<table>
<tr><th colspan="3">조음 위치
조음 방법</th><th>입술소리
(양순음)</th><th>잇몸소리
(치조음)</th><th>센입천장소리
(경구개음)</th><th>여린입천장소리
(연구개 음)</th><th>목청소리
(후음)</th></tr>
<tr><td rowspan="8">안울림소리
(무성음)</td><td rowspan="3">파열음</td><td>예사소리</td><td>ㅂ</td><td>ㄷ</td><td></td><td>ㄱ</td><td></td></tr>
<tr><td>된소리</td><td>ㅃ</td><td>ㄸ</td><td></td><td>ㄲ</td><td></td></tr>
<tr><td>거센소리</td><td>ㅍ</td><td>ㅌ</td><td></td><td>ㅋ</td><td></td></tr>
<tr><td rowspan="3">파찰음</td><td>예사소리</td><td></td><td></td><td>ㅈ</td><td></td><td></td></tr>
<tr><td>된소리</td><td></td><td></td><td>ㅉ</td><td></td><td></td></tr>
<tr><td>거센소리</td><td></td><td></td><td>ㅊ</td><td></td><td></td></tr>
<tr><td rowspan="2">마찰음</td><td>예사소리</td><td></td><td>ㅅ</td><td></td><td></td><td rowspan="2">ㅎ</td></tr>
<tr><td>된소리</td><td></td><td>ㅆ</td><td></td><td></td></tr>
<tr><td rowspan="2">울림소리
(유성음)</td><td colspan="2">비음</td><td>ㅁ</td><td>ㄴ</td><td></td><td>ㅇ</td><td></td></tr>
<tr><td colspan="2">유음</td><td></td><td>ㄹ</td><td></td><td></td><td></td></tr>
</table>

1. 자음 분류 기준 [13 국가직 9급/09 국가직 9급]

(1) 소리 나는 위치

입술소리(양순음)	두 입술이 붙었다가 떨어지면서 소리 나는 자음 예 ㅂ, ㅃ, ㅍ, ㅁ
혀끝소리(치조음)	혀끝이 윗잇몸에 닿았다가 떨어지면서 소리 나는 자음 예 ㄷ, ㄸ, ㅌ, ㅅ, ㅆ, ㄴ, ㄹ
센입천장소리(경구개음)	혓바닥이 센입천장에 닿았다가 떨어지면서 소리 나는 자음 예 ㅈ, ㅉ, ㅊ
여린입천장소리(연구개음)	혀 뒤가 여린입천장에 닿았다가 떨어지면서 소리 나는 자음 예 ㄱ, ㄲ, ㅋ, ㅇ
목청소리(후음)	목청 사이에서 소리 나는 자음 예 ㅎ

(2) 소리의 울림 여부

울림소리	발음할 때 목청의 울림이 일어나는 소리 = 유성음(有聲音) 예 비음, 유음
안울림소리	발음할 때 목청의 울림이 일어나지 않는 소리 = 무성음(無聲音) 예 파열음, 파찰음, 마찰음

(3) 소리 내는 방법

파열음	폐에서 나오는 공기의 흐름을 일단 막았다가 그 막은 자리에서 터뜨리면서 내는 소리 예 ㅂ, ㅃ, ㅍ, ㄷ, ㄸ, ㅌ, ㄱ, ㄲ, ㅋ
파찰음	폐에서 나오는 공기를 막았다가 서서히 터뜨리면서 마찰을 일으켜 내는 소리 예 ㅈ, ㅉ, ㅊ
마찰음	입안이나 목청 사이의 통로를 좁히고 공기를 그 좁은 틈 사이로 내어 마찰을 일으키면서 내는 소리 예 ㅅ, ㅆ, ㅎ
비음	연구개를 낮춤으로써 공기가 코로 들어가도록 하여 내는 소리 예 ㅁ, ㄴ, ㅇ
유음	혀끝을 잇몸에 가볍게 대었다가 떼거나(탄설음), 혀끝을 잇몸에 댄 채 공기를 그 양옆으로 흘려보내면서 내는 소리(설측음) 예 ㄹ

2. 조음 위치에 따른 분류의 명칭

(1) 순음(脣音) = 입술소리

(2) 치조음(齒槽音) = 혀끝소리

(3) 경구개음(硬口蓋音) = 센입천장소리

(4) 연구개음(軟口蓋音) = 여린입천장소리

(5) 후음(喉音) = 목청소리

출제 유형

자음 분류 기준	자음 체계의 분류 기준을 묻는 유형

017 ○○○ 2009 국가직 9급

현대 국어의 자음에 대한 다음과 같은 분류에서 파열음, 파찰음, 마찰음, 유음, 비음의 다섯 가지로 나누는 기준은?

> 현대 국어의 자음(子音)은 파열음(破裂音) /ㅂ, ㅃ, ㅍ, ㄷ, ㄸ, ㅌ, ㄱ, ㄲ, ㅋ/, 파찰음(破擦音) /ㅈ, ㅉ, ㅊ/, 마찰음(摩擦音) /ㅅ, ㅆ, ㅎ/, 유음(流音) /ㄹ/, 비음(鼻音) /ㅁ, ㄴ, ㅇ/ 등의 열아홉이다.

① 소리 내는 위치 ② 소리 내는 방법
③ 혀의 위치 ④ 입술의 모양

난이도 상 중 하

해설 자음을 분류하는 기준은 크게 두 가지로, 소리 내는 위치(조음 위치 = 조음점)와 소리 내는 방법(조음 방법 = 조음법)이다.
'파열음, 파찰음, 마찰음, 유음, 비음'으로 나눈 것은 소리 내는 방법에 따른 것이다.

오답분석 ① 소리 내는 위치에 따라 '양순음(= 입술소리, ㅂ/ㅃ/ㅍ/ㅁ), 설단음(= 치조음, 혀끝소리, ㄷ/ㄸ/ㅌ/ㅅ/ㅆ/ㄴ/ㄹ), 경구개음(= 센입천장소리, ㅈ/ㅉ/ㅊ), 연구개음(= 여린입천장소리, ㄱ/ㄲ/ㅋ/ㅇ), 후두음(= 성문음, 목청소리, ㅎ)'으로 나뉜다.
③ 혀의 위치는 모음을 분류하는 방법이다. 모음은 혀의 전후 위치에 따라 '전설 모음, 후설 모음'으로, 혀의 높낮이에 따라 '고모음, 중모음, 저모음'으로 분류된다.
④ 입술의 모양은 모음을 분류하는 방법이다. 모음은 입술 모양에 따라 '평순 모음, 원순 모음'으로 분류된다.

정답 ②

출제 유형

자음 분류 기준	분류 기준 각각에 해당하는 자음을 아는지 묻는 유형

018 ○○○ 2018 서울시 7급(6월)

현대 한국어의 양순음에 대한 설명으로 옳은 것을 〈보기〉에서 모두 고른 것은?

〈보기〉

> ㄱ. 양순음에는 'ㅂ, ㅃ, ㅍ, ㅁ' 등이 있다.
> ㄴ. 양순음은 파열음과 마찰음이 골고루 발달되어 있다.
> ㄷ. 'ㅁ'은 비음이지 양순음은 아니다.
> ㄹ. 양순음은 발음 과정에서 윗입술과 아랫입술이 닿는 공통점이 있다.

① ㄱ, ㄴ ② ㄴ, ㄷ
③ ㄱ, ㄹ ④ ㄴ, ㄹ

난이도 상 중 하

해설 ㄱ. 입술소리를 이르는 '양순음'에는 'ㅂ, ㅃ, ㅍ, ㅁ'이 있으므로 바른 설명이다.
ㄹ. '두 입술 사이에서 나는 소리'를 '양순음'이라고 한다. 따라서 양순음은 발음 과정에서 윗입술과 아랫입술이 닿는 공통점이 있다는 설명은 옳다.

오답분석 ㄴ. 양순음에는 'ㅂ, ㅃ, ㅍ, ㅁ'이 있다. 이 중 'ㅁ'은 비음이고, 'ㅂ, ㅃ, ㅍ'은 파열음이다. 즉 양순음인 마찰음은 없다.
ㄷ. 'ㅁ'은 비음이자 양순음이다.

정답 ③

출제 유형

자음 체계	조건에 맞는 자음을 고르는 유형

019 ○○○ 2013 국가직 9급

조음 기관이 좁혀진 사이로 공기가 마찰하여 나는 소리가 들어 있지 않은 것은?

① 개나리 ② 하얗다
③ 고사리 ④ 싸우다

난이도 상 중 하

TIP 각 조음 방법의 키워드 기억해 두기!
'파열음'은 터트리는 소리, '파찰음'은 마찰하면서 터트리는 소리, '마찰음'은 마찰하며 내는 소리, '비음'은 코를 울리는 소리, '유음'은 흘러가는 소리

해설 조음 기관이 좁혀진 사이로 공기가 마찰하여 나는 소리는 '마찰음'이다. 국어의 마찰음에는 'ㅅ, ㅆ, ㅎ'이 있다. ①~④ 중 마찰음이 들어 있지 않은 것은 ①의 '개나리'이다. '개나리'의 자음 'ㄱ'은 파열음, 'ㄴ'은 비음, 'ㄹ'은 유음이다.

오답분석 ② 마찰음 'ㅎ'이 사용되었다.
③ 마찰음 'ㅅ'이 사용되었다.
④ 마찰음 'ㅆ'이 사용되었다.

정답 ①

Unit 09 모음 체계

출제 유형

음운 체계의 분류 기준	• 분류 기준 각각에 해당하는 음운을 아는지 묻는 유형
음운의 파악	• 조건에 맞는 음운을 고르는 유형

핵심정리

• 단모음 체계

개구도 \ 혀의 높낮이 \ 입술 모양 \ 혀의 위치		전설 모음		후설 모음	
		평순 모음	원순 모음	평순 모음	원순 모음
폐(閉)모음	고모음	ㅣ	ㅟ	ㅡ	ㅜ
반개(半開)/ 반폐(半閉)모음	중모음	ㅔ	ㅚ	ㅓ	ㅗ
개(開)모음	저모음	ㅐ		ㅏ	

※ 'ㅟ, ㅚ'는 이중 모음 발음을 허용함.

심화 Plus

1. 일부 지역과 계층에서 '애'와 '에'를 잘 구분하지 못하는 이유는? [17 지방직 7급]

'애'와 '에'를 구별하는 '혀의 높낮이 관련 자질'이 불분명하기 때문이다.

2. 모음의 분류 기준 [19 소방직]

(1) 입술 모양

평순 모음	입술을 둥글게 하지 않고 소리 내는 모음 예 ㅣ, ㅔ, ㅐ, ㅡ, ㅓ, ㅏ
원순 모음	입술을 둥글게 오므려 소리 내는 모음 예 ㅟ, ㅚ, ㅜ, ㅗ

(2) 혀의 위치

전설 모음	입천장의 중간점을 기준으로 혀의 위치가 앞쪽에 있을 때 소리 나는 모음 예 ㅣ, ㅔ, ㅐ, ㅟ, ㅚ
후설 모음	입천장의 중간점을 기준으로 혀의 위치가 뒤쪽에 있을 때 소리 나는 모음 예 ㅡ, ㅓ, ㅏ, ㅜ, ㅗ

(3) 혀의 높이

고모음	소리 낼 때 입이 조금 열려 혀의 높이가 높은 모음 = 폐모음(閉母音) 예 ㅣ, ㅟ, ㅡ, ㅜ
중모음	소리 낼 때 고모음보다 입이 조금 더 열려서 혀의 높이가 중간인 모음 예 ㅔ, ㅚ, ㅓ, ㅗ
저모음	소리 낼 때 입이 중모음보다 크게 열려서 혀의 높이가 낮은 모음 = 개모음(開母音) 예 ㅐ, ㅏ

출제 유형

음운 체계의 분류 기준	분류 기준 각각에 해당하는 음운을 아는지 묻는 유형

020 ○○○ 2017 국가직 9급

다음 중 설명이 옳지 않은 것은?

① 'ㄴ, ㅁ, ㅇ'은 유음이다.

② 'ㅅ, ㅆ, ㅎ'은 마찰음이다.

③ 'ㅡ, ㅓ, ㅏ'는 후설 모음이다.

④ 'ㅟ, ㅚ, ㅗ, ㅜ'는 원순 모음이다.

난이도 상 ○ 하

TIP 자음과 단모음 체계표 빠르게 써 놓고 선택지 확인하기!

해설 국어의 '유음'은 'ㄹ'뿐이다. 'ㄴ, ㅁ, ㅇ'은 '유음'이 아니라 '비음'이다.

오답 분석
② '마찰음(摩擦音)'은 입안이나 목청 사이의 통로를 좁히고 공기를 그 좁은 틈 사이로 내어 마찰을 일으키면서 내는 소리다. 제시된 'ㅅ, ㅆ, ㅎ'은 모두 마찰음이 맞다.

③ 혀의 전후 위치에 따라 전설 모음(前舌母音)과 후설 모음(後舌母音)으로 나눌 수 있는데, 제시된 'ㅡ, ㅓ, ㅏ'는 후설 모음이다.

④ 발음할 때 입술의 모양이 둥근 모음을 '원순 모음(圓脣母音)'이라 한다. 제시된 'ㅟ, ㅚ, ㅗ, ㅜ'는 원순 모음이 맞다.

 ①

출제 유형

음운의 파악	조건에 맞는 음운을 고르는 유형

021 ○○○ 2020 경찰 1차

<보기>의 조건에 따라서 국어의 단모음을 나눈다면 가장 맞지 않는 것은?

<보기>

국어의 단모음은 '혀의 앞뒤(앞, 뒤)'와 '혀의 높낮이(높음, 중간, 낮음)', '입술의 둥글(둥글, 안 둥글)'에 따라 나눈다.

① ㅣ: 앞, 높음, 안 둥글

② ㅓ: 뒤, 중간, 둥글

③ ㅜ: 뒤, 높음, 둥글

④ ㅚ: 앞, 중간, 둥글

난이도 상 ○ 하

해설 <보기>의 설명처럼 국어의 단모음은 혀의 앞뒤를 기준으로 '전설 모음', '후설 모음'으로, 혀의 높낮이를 기준으로 '고모음', '중모음', '저모음'으로, 입술 모양을 기준으로 '원순 모음', '평순 모음'으로 나뉜다. 단모음 체계를 볼 때, 가장 옳지 않은 것은 ②의 'ㅓ'이다.

구분	전설 모음(앞)		후설 모음(뒤)	
	평순 (안 둥글)	원순 (둥글)	평순 (안 둥글)	원순 (둥글)
고모음(높음)	ㅣ	ㅟ	ㅡ	ㅜ
중모음(중간)	ㅔ	ㅚ	ㅓ	ㅗ
저모음(낮음)	ㅐ		ㅏ	

'ㅓ'의 혀의 위치는 '뒤', 혀의 높낮이는 '중간', 입술의 둥긂은 '안 둥긂'이다. 따라서 '둥긂'이라고 제시한 ②의 분류는 맞지 않다.

 ②

022 ○○○ 2019 소방직

다음에서 알 수 있는 '나'의 이름은?

> 안녕하세요? 제 소개를 하겠습니다. 먼저 제 이름은 아랫입술과 윗입술이 맞닿아서 나는 소리가 한 개 들어 있습니다. 파열음이나 파찰음은 없고 비음이 포함되어 있어서 발음하기 부드럽습니다. 제 이름을 발음할 때 혀의 위치는 가장 높았다가 낮게 내려가면서 저절로 미소가 지어지기도 합니다. 제 이름은 무엇일까요?

① 민애 ② 진주
③ 하은 ④ 정빈

난이도 ㊤ ㊥ ㊦

TIP 양순음 'ㅂ, ㅃ, ㅍ, ㅁ' 가운데 '파열음, 파찰음(ㄱ, ㄲ, ㅋ, ㄷ, ㄸ, ㅌ, ㅂ, ㅃ, ㅍ, ㅈ, ㅉ, ㅊ)'은 없고, '비음(ㅁ, ㄴ, ㅇ)'만 있다고 했으므로 이름에 'ㅁ'이 있어야 한다. 여기서 이미 답은 결정된다.

해설 제시된 글에는 크게 5가지의 조건이 제시되어 있다. 단계별로 분석해 보면 다음과 같다.

1단계	'아랫입술과 윗입술이 맞닿아서 나는 소리가 한 개 들어 있습니다.'라고 했다. '아랫입술과 윗입술이 맞닿아서 나는 소리'는 '양순음(입술소리)'이다. 국어의 양순음(입술소리)은 'ㅂ, ㅃ, ㅍ, ㅁ'이다. 이에 속하는 것은 '민애(①), 정빈(④)'이다.
2단계	'파열음이나 파찰음은 없고'라고 했다. 국어의 '파열음'은 'ㄱ, ㄲ, ㅋ, ㄷ, ㄸ, ㅌ, ㅂ, ㅃ, ㅍ'이고, '파찰음'은 'ㅈ, ㅉ, ㅊ'이다. 파열음과 파찰음이 없는 것은 '민애(①), 하은(③)'이다.
3단계	'비음이 포함되어 있어서 발음하기 부드럽습니다.'라고 했다. 국어의 비음은 'ㅁ, ㄴ, ㅇ'이다. 이에 속하는 것은 '민애(①), 진주(②), 하은(③), 정빈(④)'이다.
4단계	'발음할 때 혀의 위치는 가장 높았다가 낮게 내려가면서'라고 했다. 혀의 위치가 가장 높은 '고모음'은 'ㅣ, ㅟ, ㅡ, ㅜ'이다. 또한 혀의 위치가 낮은 '저모음'은 'ㅐ, ㅏ'이다. 이에 속하는 것은 '민애(①)'이다.
5단계	'저절로 미소가 지어지기도 합니다.'라고 했다. 미소를 짓기 위해서는 입을 평평하게 해야 한다. 국어의 '평순모음'은 'ㅣ, ㅔ, ㅐ, ㅡ, ㅓ, ㅏ'이다. 이에 속하는 것은 '민애(①), 하은(③), 정빈(④)'이다.

1~5단계에 모두 충족하는 이름은 '민애(①)'뿐이다.

정답 ①

MEMO

Unit 10 음운 변동(기본)

출제 유형

음운 변동과 단어 짝짓기	• 음운 변동이 나타난 단어를 묻는 유형 • 단어에 나타난 음운 변동을 묻는 유형
음운 변동 과정 이해	• 음운 변동의 과정을 묻는 유형

핵심정리

• 음운 변동

유형	개념	음운 변동
교체(대치)	한 음운이 발음하는 중에 다른 음운으로 바뀌는 현상	• 음절의 끝소리 규칙 • 된소리되기(경음화) • 두음 법칙 • 자음 동화(비음화, 유음화) • 구개음화
축약	두 음운이 하나로 줄어드는 현상	• 자음 축약(거센소리되기) • 모음 축약
탈락	두 음운 중 하나가 사라지는 현상	• 자음 탈락 • 모음 탈락 • 자음군 단순화
첨가	새로운 음운이 덧붙는 현상	• 'ㄴ' 첨가 • 'ㅅ' 첨가 • 반모음 'ㅣ' 첨가

심화 Plus

1. 음운 변동 [19 국가직 9급/15 서울시 9급]

교체	XAY → XBY	**첨가**	XØY → XAY
탈락	XAY → XØY	**축약**	XABY → XCY

2. 축약 현상과 어문 규정 [16 사회복지직 9급]

맞춤법	• 자음 축약은 표기에 반영하지 않는다. 예 밝히다[발키다] • 모음 축약의 경우 표기에 반영한다. 예 가지어/가져, 어쭈어/여쭤
로마자 표기법	• 용언의 어간과 어미 사이의 축약의 경우 표기에 반영한다. 예 좋다-jota • 체언 내부의 자음 축약은 표기에 반영하지 않는다. 예 북한산-Bukhansan

'자음군 단순화'는 '탈락', '음절의 끝소리 규칙'은 '교체'로 분류해요.
다만, 넓은 범주에서 '자음군 단순화' 역시 '음절의 끝소리 규칙'으로 볼 수 있어요.
시험에서는 상대적으로 풀어야 해요!

3. 용언의 활용형 '져, 쪄, 쳐'의 발음 [18 교육행정직 9급/16 경찰 1차]

〈표준 발음법 제5항〉
용언의 활용형에 나타나는 '져, 쪄, 쳐'는 [저, 쩌, 처]로 발음한다.

출제 유형

음운 변동과 단어 짝짓기	음운 변동이 나타난 단어를 묻는 유형

023 ○○○ 2020 소방직

㉠~㉣에 대한 예로 가장 적절한 것은?

> 특정 음운 환경에서 'ㄱ, ㄷ, ㅂ, ㅅ, ㅈ' 같은 예사소리가 'ㄲ, ㄸ, ㅃ, ㅆ, ㅉ' 같은 된소리로 바뀌는 현상이 일어나는데, 이를 된소리되기 또는 경음화라고 한다. 된소리되기의 종류로는 ㉠'ㄱ, ㄷ, ㅂ' 뒤에서 일어나는 된소리되기, ㉡어간 받침 'ㄴ, ㅁ' 뒤에서 일어나는 된소리되기, ㉢'ㄹ'로 끝나는 한자와 'ㄷ, ㅅ, ㅈ'으로 시작하는 한자가 결합할 때 일어나는 된소리되기, ㉣관형사형 어미 '-(으)ㄹ' 뒤에 있는 체언에서 일어나는 된소리되기 등이 있다.

① ㉠: 잡고 → [잡꼬]
② ㉡: 손재주 → [손째주]
③ ㉢: 먹을 것 → [머글껃]
④ ㉣: 갈등 → [갈뜽]

난이도 상 중 하

해설 '잡고'는 'ㅂ'과 'ㄱ'이 만나, 'ㄱ'이 'ㄲ'으로 교체되어 [잡꼬]로 발음된다. 따라서 'ㄱ, ㄷ, ㅂ' 뒤에서 일어나는 된소리되기의 예로 적절하다.

오답분석
② '손재주'의 표준 발음은 [손째주]가 맞다. 그러나 '손재주'의 '손'은 용언이 아니기 때문에 어간이 아니다. 따라서 '어간 받침' 뒤에서 일어나는 된소리되기의 예로 적절하지 않다.
이에 해당하는 용례로는 '신고[신:꼬], 앉고[안꼬], 더듬지[더듬찌], 닮고[담:꼬]' 등이 있다.
※ '손재주'는 명사 '손'과 명사 '재주'가 만난 합성어로 [손째주]로 발음되는 사잇소리 현상의 예에 해당한다.

③ '먹을 것'의 표준 발음은 [머글껃]이 맞다. 그러나 '먹을'과 '것'은 한자가 아니기 때문에 ㉢의 예로 적절하지 않다. '먹을 것'은 ㉣의 예에 해당 한다. 이에 해당하는 용례로는 '발동(發動)[발똥], 발전(發展)[발쩐], 몰상식(沒常識)[몰쌍식], 불세출(不世出)[불쎄출]' 등이 있다.

④ '갈등(葛藤)'의 표준 발음은 [갈뜽]이 맞다. 그러나 '갈등'의 '갈'은 관형사형 어미가 붙은 말이 아니다. '갈등'은 ㉢의 예에 해당한다. 이에 해당하는 용례로는 '할 적에[할쩌게], 갈 곳[갈꼳], 할 도리[할또리], 만날 사람[만날싸람]' 등이 있다.

정답 ①

024 ○○○ 2016 경찰 1차

다음 중 음운 변동과 그 예로 적절하지 않은 것은?

① 교체: 부엌[부억]
② 축약: 붙여[부쳐]
③ 탈락: 담가도[담가도]
④ 첨가: 피어도[피여도]

난이도 상 중 하

TIP 용언이 나오면 기본형을 떠올려야 한다.

해설 '축약'은 두 개의 음운이 만나, 하나로 줄어드는 현상으로 '모음 축약(예 주어 = 줘)'과 '자음 축약(ㄱ, ㄷ, ㅂ, ㅈ + ㅎ = [ㅋ, ㅌ, ㅍ, ㅊ])'이 있다. ②의 '붙여(붙이어[부티어 → 부치어 → 부쳐 → 부처])'는 'ㅌ'이 'ㅣ'로 시작하는 형식 형태소를 만나, 발음할 때는 연음화, 구개음화, 단모음화의 '교체' 현상이 있고, '붙이어'가 '붙여'로 표기 되는 과정에서는 '모음 축약'의 현상도 있다. 다만 발음이 [부쳐]가 아니라 [부처]로 표기되어야 한다.

오답분석
① '부엌'은 [부억]으로 발음하며, 음절의 끝소리 규칙이 나타나고, 이것은 '교체(대치)'에 속한다.
③ '담가도'는 기본형 '담그다'가 '담그- + -아도'로 활용하는 과정에서 모음 앞에서 어간의 'ㅡ'가 탈락하는 규칙 활용을 보이며, '탈락(모음)'에 속한다.
④ '피어도'는 [피어도]로 발음하는 것이 원칙이나, [피여도]로 발음하는 것이 허용된다. 용언의 어간이 'ㅣ' 모음을 포함할 때 단모음이 이중 모음으로 발음하는 것을 허용하는 'ㅣ' 모음 순행 동화이자, 'ㅣ' 모음 첨가에 해당한다.

정답 ②

출제 유형

음운 변동과 단어 짝짓기	단어에 나타난 음운 변동을 묻는 유형

025 ○○○

2022 국회직 9급

밑줄 친 ㉠과 ㉡의 음운 변동에 대한 설명으로 옳은 것은?

> 한 단어 내의 음운 변동은 여러 유형이 함께 나타날 수도 있다. ㉠ 따뜻하다[따뜨타다]와 ㉡ 삯일[상닐]에 일어나는 음운 변동에는 공통점과 차이점이 존재한다.

① ㉠과 ㉡ 중 ㉠에만 음운의 탈락 현상이 일어난다.
② ㉠과 ㉡ 중 ㉠에만 음운의 첨가 현상이 일어난다.
③ ㉠과 ㉡ 모두 음운의 축약 현상이 일어난다.
④ ㉠과 ㉡ 모두 음운의 대치 현상이 일어난다.
⑤ ㉠과 ㉡ 모두 음운 변동을 거치며 음운의 개수가 줄어든다.

난이도 ㊤ ◯ ㊦

해설

㉠ 따뜻하다	'따뜻하다'는 [따뜻하다 → (음절의 끝소리 규칙) → 다뜯하다 → (자음 축약) → 따뜨타다]의 과정을 거쳐 발음된다. '음절의 끝소리 규칙'은 '대치(교체)', '자음 축약'은 '축약'이다.
㉡ 삯일	'삯일'은 [삯일 → (자음군단순화) → 삭일 → (ㄴ첨가) → 삭닐 → (비음화) → 상닐]의 과정을 거쳐 발음된다. '자음군 단순화'는 '탈락', 'ㄴ첨가'는 '첨가', '비음화'는 '대치(교체)'이다.

㉠에는 '음절의 끝소리 규칙'이, ㉡에는 '비음화'가 확인되기 때문에, ㉠과 ㉡ 모두 음운의 대치 현상이 일어난다는 설명은 옳다.

오답 분석
① 음운의 탈락 현상은 ㉡에서만 확인할 수 있다.
② 음운의 첨가 현상은 ㉡에서만 확인할 수 있다.
③ 음운의 축약 현상은 ㉠에서만 확인할 수 있다.
⑤ ㉠은 '축약'이 일어났기 때문에, 음운의 개수가 하나 줄어들었다. 그런데 ㉡은 '첨가'가 일어났기 때문에, 음운의 개수는 하나 늘어났다. 따라서 음운의 개수가 줄어든 것은 ㉠뿐이다.

 ④

026 ○○○

2018 지방직 7급

음운 변동에 대한 설명으로 옳은 것은?

① 값진[갑찐]: 탈락, 첨가 현상이 있다.
② 밖과[박꽈]: 대치, 축약 현상이 있다.
③ 끓는[끌른]: 탈락, 대치 현상이 있다.
④ 밭도[받또]: 대치, 첨가 현상이 있다.

난이도 ◯ ㊥ ㊦

해설 '끓는'은 [끓는 → (자음군 단순화) → 끌는 → (유음화) → 끌른]의 과정을 거쳐 발음된다. '자음군 단순화'는 탈락이고 '유음화'는 대치이다. 따라서 '끓는[끌른]'에 '탈락'과 '대치(교체)'가 나타난다는 설명은 옳다.

오답 분석
① '값진'은 [값진 → (자음군 단순화) → 갑진 → (된소리되기) → 갑찐]의 과정을 거쳐 발음된다. '자음군 단순화'는 탈락이고, '된소리되기'는 대치이다. 따라서 '값진'에 나타난 음운 변동은 '탈락'과 '대치'이다.
② '밖과'는 [밖과 → (음절의 끝소리 규칙) → 박과 → (된소리되기) → 박꽈]의 과정을 거쳐 발음된다. '음절의 끝소리 규칙'과 '된소리되기'는 대치이다. 따라서 '밖과'에 나타난 음운 변동은 '대치' 뿐이다.
④ '밭도'는 [밭도 → (음절의 끝소리 규칙) → 받도 → (된소리되기) → 받또]의 과정을 거쳐 발음된다. '음절의 끝소리 규칙'과 '된소리되기'는 대치이다. 따라서 '밭도'에 나타난 음운 변동은 '대치' 뿐이다.

정답 ③

출제 유형

음운 변동 과정 이해	음운 변동의 과정을 묻는 유형

027 ○○○

2015 서울시 9급

국어의 음운 현상에는 아래의 네 가지 유형이 있다. 〈보기〉의 (가)와 (나)에 해당하는 음운 현상의 유형을 순서대로 고르면?

㉠ XAY → XBY(대치)	㉡ XAY → XØY(탈락)
㉢ XØY → XAY(첨가)	㉣ XABY → XCY(축약)

〈보기〉

솥 + 하고 → [솓하고] → [소타고]
(가) (나)

① ㉠, ㉡ ② ㉠, ㉣
③ ㉡, ㉢ ④ ㉡, ㉣

난이도 상 중 하

해설 (가): '솥'의 받침 'ㅌ'이 'ㄷ'으로 바뀌었으므로 '대치(㉠)'이다. 대치 중 '음절의 끝소리 규칙'에 해당한다.
(나): '솓'으로 바뀐 형태의 받침인 'ㄷ'과 '하'의 초성인 'ㅎ'이 결합하여 'ㅌ'으로 바뀌었다. (가)에서 'ㅌ'이 'ㄷ'으로 바뀐 것과 달리 (나)에서는 두 개의 자음 'ㄷ'과 'ㅎ'이 하나의 자음인 'ㅌ'으로 줄어들었다는 점에서 '축약(㉣)'이다. 축약 중 '자음 축약'에 해당한다.

 정답 ②

028 ○○○

2015 교육행정직 9급

〈보기〉의 ㉠과 ㉡에 알맞은 것으로 짝지은 것은?

〈보기〉

'몇 해'는 '음절의 끝소리 규칙'에 의해 (㉠)가 되고, 다시 (㉡)에 의해 [며태]로 소리 난다.

	㉠	㉡		㉠	㉡
①	[멷해]	축약	②	[멷해]	탈락
③	[몉해]	축약	④	[몉해]	탈락

난이도 상 중 하

해설 ㉠ '음절의 끝소리 규칙'에 따르면 받침에는 'ㄱ, ㄴ, ㄷ, ㄹ, ㅁ, ㅂ, ㅇ' 7자음만 소리 나고, 이외의 자음은 7대표음으로 교체된다. 'ㅊ'은 7자음에 포함되지 않으므로, ㉠에는 '몇'의 받침인 'ㅊ'이 대표음인 'ㄷ'으로 교체된 형태인 [멷해]가 들어가야 한다.
㉡ [멷해]가 [며태]로 소리 나는 과정에서 적용된 음운 규칙은 '축약'이다. '멷'의 받침인 'ㄷ'과 '해'의 초성인 'ㅎ'이 합쳐져 하나의 자음인 'ㅌ'으로 축약된다.
※ 몇 해'의 발음 과정
[몇해 → (음절의 끝소리 규칙)] → 멷해 → (자음 축약) → 며태]

오답 분석 ㉠ 'ㅊ'의 대표음은 'ㄷ'이다. 'ㅌ'은 7대표음에 포함되지 않기 때문에 [몉해]로의 교체는 적절하지 않다.
㉡ 탈락은 하나의 음운이 없어지는 것으로, 두 음운이 합쳐져 새로운 하나의 음운으로 줄어드는 것은 탈락이 아니라 '축약'이다.

정답 ①

Unit 11 음운 변동(심화)

출제 유형

음운 변동과 단어	• 음운 변동의 원인이 다른 단어를 묻는 유형 • 음운 변동이 나타난 단어를 묻는 유형 • 단어에 공통으로 적용된 음운 변동을 묻는 유형 • 동일한 음운 변동을 찾는 유형
음운 변동 과정	• 음운 변동의 종류와 횟수를 묻는 유형

핵심정리

1. 음운 변동의 원인

(1) **조음 편리화의 원리(경제성)**: 동화, 탈락, 축약

(2) **표현 효과의 원리(명확성)**: 이화, 첨가, 된소리되기

2. 음운의 축약과 탈락 [16 기상직 7급]

축약	• 두 음운이 하나로 줄어드는 현상 • 음운이 줄어들되, 하나가 완전히 사라지는 것이 아니라 그 특성은 살아 있는 현상 예 자음 축약(ㄱ + ㅎ → [ㅋ], ㄷ + ㅎ → [ㅌ]) 모음 축약(ㅣ + ㅓ → ㅕ, ㅗ + ㅣ → ㅚ)
탈락	두 음운이 만나면서 한 음운이 아예 사라져 소리가 나지 않는 현상 예 ㄹ 탈락(울- + 짖다 → 우짖다) ㅅ 탈락(짓- + -어 → 지어) ㅡ 탈락(담그- + -아 → 담가) 동음 탈락(가- + -았다 → 갔다, 서- + -어서 → 서서)

3. 자음과 관련된 음운 변동

자음 동화	• 비음화: 자음이 [ㅁ, ㄴ, ㅇ]으로 동화 예 국물[궁물] • 유음화: 자음이 [ㄹ]로 동화 예 신라[실라]
자음 축약	'ㄱ, ㄷ, ㅂ, ㅈ'이 'ㅎ'을 만나 [ㅋ, ㅌ, ㅍ, ㅊ]으로 발음되는 현상 예 국화[구콰]
구개음화	'ㄷ, ㅌ'이 형식적 'ㅣ' 모음과 만나 [ㅈ, ㅊ]으로 발음되는 현상 예 해돋이[해도지]

심화 Plus

동음 탈락인지 아닌지 헷갈릴 때에는 다른 용언에 대입해 보세요!
예 '가도(가- + -아도)' vs '보아도 = 봐도(보- + -아도)'

• **동일 모음 탈락** [18 교육행정직 9급/17 서울시 7급]

어간 '가-'에 어미 '-아서'가 결합하면 '가서'가 된다. 이러한 사례처럼 어간과 어미가 결합할 때, 동일한 모음이 연속되면 그중 하나가 탈락한다.

예 우리만 먼저 가도(가- + -아도) 괜찮을까?
늦었으니 어서 자(자- + -아).
여기서 잠깐만 서서(서- + -어서) 기다려.
일단 가(가- + -아) 보면 알 수 있겠지.

비교 봄이 가고(가- + -고) 여름이 온다.
집에 가니(가- + -니) 벌써 밤이었다.
학교에 가면(가- + -면) 친구들을 만난다.
조금만 천천히 가자(가- + -자).

출제 유형

음운 변동과 단어	음운 변동의 원인이 다른 단어를 묻는 유형

029 ○○○ 2017 서울시 7급

다음 단어를 [ ]와 같이 발음했다면 발음의 원인이 다른 하나는 무엇인가?

① 굳이[구지] ② 답력[담녁]
③ 신라[실라] ④ 콧물[콘물]
⑤ 치과[치꽈]

난이도 상 중 하

해설 음운 변동의 원인으로는 '1. 발음을 쉽게 하기 위한 것'과 '2. 표현의 명확성을 위한 것'이 있다. ①~④는 모두 한 음운이 다른 음운에 동화되어 음운 변동이 일어난 것으로, 음운 변동의 원인이 '1. 발음을 쉽게 하기 위한 것'이다. 한편, ⑤는 '이화 현상'의 하나인 사잇소리 현상에 의한 변동으로, 음운 변동의 원인은 '2. 표현의 명확성을 위한 것'이다. 따라서 ①~⑤ 중 발음 원인이 다른 하나는 ⑤ '치과[치꽈]'이다.

※ '치과'를 '칫과'로 적지 아니한 것은 한자어인 '치(齒)'와 '과(科)'의 합성어이기 때문이다. 사이시옷은 ㉠ 사잇소리의 조건을 갖추고, ㉡ 앞 형태소가 모음으로 끝나면서 ㉢ 어근 중 하나가 고유어일 때 표기할 수 있다. 즉 한자어끼리의 합성어에는 사이시옷을 받쳐 적지 않는 것이 원칙이다.
[예외]
곳간(庫間), 셋방(貰房), 찻간(車間), 숫자(數字), 툇간(退間), 횟수(回數)

오답분석 ①~④는 모두 '동화 현상'이 나타난다. '동화 현상'은 서로 다른 소리를 같거나 비슷하게 바꿔 발음하는 현상이다. 이처럼 서로 다른 소리를 같거나 비슷한 소리로 바꿔 발음하는 이유는 발음을 쉽게 하기 위해서이다.

① '굳이[구지]'에 나타난 음운 변동은 '구개음화'이다. '구개음화'는 'ㄷ, ㅌ'이 'ㅣ'로 시작하는 형식 형태소와 만나면 'ㅈ, ㅊ'으로 바뀌는 현상으로, 'ㅣ' 모음에 의한 동화 현상이다.

② '답력[담녁]'에 나타난 음운 변동은 '비음화'이다. 비음이 아닌 자음이 비음에 영향을 받아 비음으로 바뀌는 현상이다.

③ '신라[실라]'에 나타난 음운 변동은 '유음화'이다. 유음이 아닌 자음이 유음에 영향을 받아 유음으로 바뀌는 현상으로, 동화 현상이다.

④ '콧물[콘물]'은 [콧물 → (음절의 끝소리 규칙) → 콛물 → (비음화) → 콘물]의 과정을 거쳐 발음된다. 음절의 끝에서 'ㅅ'이 'ㄷ'으로 교체되는 '음절의 끝소리 규칙'과 비음이 아닌 자음이 비음에 영향을 받아 비음으로 바뀐 '비음화' 현상이 나타난다.

정답 ⑤

고득점 GO!

Q. '콧물'도 사잇소리 현상, '첨가 현상'이니까 '표현 효과의 원리'가 아닌가요?

A. 맞아요. 'ㅅ' 첨가가 일어난 '콧물'은 '표현 효과의 원리'로 설명할 수 있어요.

다만, 정답은 늘 상대적으로 접근해야 한다는 점!

'콧물'은 [콛물 → 콘물]처럼 자음 동화(비음화)로도 설명이 가능해요. 한편, '치과'는 그렇지 않지요. 따라서 상대적으로 명확하게 다른 하나는 ⑤의 '치과[치꽈]'가 되겠지요.

출제 유형

음운 변동과 단어	음운 변동이 나타난 단어를 묻는 유형

030 ○○○ 2015 사회복지직 9급

다음의 음운 규칙이 모두 나타나는 것은?

- 음절의 끝소리 규칙: 우리말의 음절의 끝에서는 7개의 자음만이 발음됨.
- 비음화: 끝소리가 파열음인 음절 뒤에 첫소리가 비음인 음절이 연결될 때, 앞 음절의 파열음이 비음으로 바뀌는 현상

① 덮개[덥깨] ② 문고리[문꼬리]
③ 꽃망울[꼰망울] ④ 광한루[광할루]

난이도 상 중 하

해설 음절의 끝소리 규칙과 비음화가 모두 나타난 단어는 ③의 '꽃망울[꼰망울]'이다.

1단계	음절의 끝소리 규칙: '꽃'의 받침 'ㅊ'이 음절의 끝소리 규칙에 의해 'ㄷ'으로 교체된다.
2단계	비음화: 교체된 받침 'ㄷ'이 비음 'ㅁ'에 의해 비음 'ㄴ'으로 교체된다.

※ '꽃망울'의 발음 과정: 꽃망울 → [꼳망울(음절 끝소리 규칙)] → [꼰망울(비음화)]

오답분석 ①에는 음절의 끝소리 규칙만 나타난다. ②, ④에는 두 가지 규칙이 모두 나타나지 않는다.

구분		음절의 끝소리 규칙	비음화
①	덮개[덥깨]	○ (ㅍ → ㅂ)	× ※ ㄱ → ㄲ(된소리되기)
②	문고리[문꼬리]	×	× ※ ㄱ → ㄲ(사잇소리 현상)
③	꽃망울[꼰망울]	○ (ㅊ → ㄷ)	○ (ㄷ + ㅁ → ㄴ + ㅁ)
④	광한루[광:할루]	×	× ※ ㄴ + ㄹ → [ㄹ + ㄹ](유음화)

정답 ③

031 ○○○ 2021 경찰 1차

다음 <보기>의 ㉠에 해당하지 않는 것은?

> <보기>
>
> 음운 변동의 유형으로는 교체, 탈락, 축약, 첨가가 있다. 한 단어가 발음될 때, 이러한 음운 변동 유형들 중 한 가지 유형만 나타나는 경우가 있고, ㉠ 두 가지 이상의 유형이 나타나는 경우가 있다.

① 끊어[끄너] ② 흙하고[흐카고]

③ 밤윷[밤뉻] ④ 숱하다[수타다]

난이도 상 중 하

해설 '끊어'는 [끊어 → (ㅎ 탈락) → 끈어 → (연음 법칙) → 끄너]의 과정을 거쳐 발음된다. '연음 법칙'의 경우 음운 변동에 해당하지 않기 때문에 '끊어[끄너]'는 '탈락' 1가지 유형의 음운 변동만 나타난 단어이다. 따라서 ㉠의 예로 적절하지 않다.

오답 분석
② '흙하고'는 [흙하고 → (자음군 단순화) → 흑하고 → (거센소리되기) → 흐카고]의 과정을 거쳐 발음된다. '탈락(자음군 단순화)'와 '축약(거센소리되기 또는 자음 축약)'이 일어났기 때문에 ㉠의 예로 적절하다.

③ '밤윷'은 [밤윷 → (음절의 끝소리 규칙) → 밤윧 → (ㄴ 첨가) → 밤뉻]의 과정을 거쳐 발음된다. '교체(음절의 끝소리 규칙)'와 '첨가(ㄴ 첨가)'가 일어났기 때문에 ㉠의 예로 적절하다.

④ '숱하다'는 [숱하다 → (음절의 끝소리 규칙) → 숟하다 → (거센소리되기) → 수타다]의 과정을 거쳐 발음된다. '교체(음절의 끝소리 규칙)'와 '축약(거센소리되기 또는 자음 축약)'이 일어났기 때문에 ㉠의 예로 적절하다.

정답 ①

출제 유형

음운 변동과 단어	단어에 공통으로 적용된 음운 변동을 묻는 유형

032 ○○○ 2022 법원직 9급

[A]와 [B]에서 일어난 음운 변동의 공통점으로 가장 적절한 것은?

> [A] 복면[봉면], 받는[반는], 잡목[잠목]
> [B] 난로[날로], 권리[궐리], 신라[실라]

① 앞에 오는 자음의 조음 위치에 동화되는 음운 변동이다.

② 앞에 오는 자음의 조음 방법에 동화되는 음운 변동이다.

③ 뒤에 오는 자음의 조음 위치에 동화되는 음운 변동이다.

④ 뒤에 오는 자음의 조음 방법에 동화되는 음운 변동이다.

난이도 상 중 하

해설 <보기> 단어는 다음 과정을 거쳐 발음된다.

[A]	복면[봉면]	후행하는 비음 'ㅁ'의 영향을 받아 'ㄱ'이 비음 'ㅇ'으로 교체된다.
	받는[반는]	후행하는 비음 'ㄴ'에 영향을 받아 'ㄷ'이 비음 'ㄴ'으로 교체된다.
	잡목[잠목]	후행하는 비음 'ㅁ'에 영향을 받아 'ㅂ'이 비음 'ㅁ'으로 교체된다.
[B]	난로[날로]	후행하는 유음 'ㄹ'에 영향을 받아 'ㄴ'이 유음 'ㄹ'로 교체된다.
	권리[궐리]	후행하는 유음 'ㄹ'에 영향을 받아 'ㄴ'이 유음 'ㄹ'로 교체된다.
	신라[실라]	후행하는 유음 'ㄹ'에 영향을 받아 'ㄴ'이 유음 'ㄹ'로 교체된다.

이를 볼 때, [A]와 [B]는 모두 뒤에 오는 자음의 조음 방법에 동화(역행 동화)되는 음운 변동이다.

※ • [A]는 비음이 아닌 자음이 비음으로 바뀌었기 때문에 '비음화'이고, [B]는 유음이 아닌 자음이 유음으로 바뀌었기 때문에 '유음화'이다.
• 앞 자음의 영향으로 뒤의 자음이 변하면 '순행 동화', 뒤의 자음의 영향으로 앞의 자음이 변하면 '역행 동화', 앞뒤 모두 변하면 '역행 동화'이다.

정답 ④

033 ○○○ 2018 서울시 9급(6월)

<보기>의 단어에 공통으로 적용된 음운 변동은?

> <보기>
>
> • 꽃내음[꼰내음] • 바깥일[바깐닐] • 학력[항녁]

① 중화 ② 첨가

③ 비음화 ④ 유음화

난이도 상 중 하

해설 <보기> 단어는 다음 과정을 거쳐 발음된다.

꽃내음[꼰내음]	'꽃내음'은 [꽃내음 → (음절의 끝소리 규칙) → 꼳 내음 → (비음화) → 꼰내음]의 과정을 거쳐 발음 된다.
바깥일[바깐닐]	'바깥일'은 [바깥일 → (음절의 끝소리 규칙) → 바깓일 → (ㄴ 첨가) → 바깓닐 → (비음화) → 바깐닐]의 과정을 거쳐 발음된다.
학력[항녁]	'학력'은 [학력 → (ㄹ 비음화) → 학녁 → (비음화) → 항녁]의 과정을 거쳐 발음된다.

따라서 <보기>에 제시된 단어들에 공통적으로 나타나는 음운 변동은 '비음화'이다.

정답 ③

출제 유형

음운 변동과 단어	동일한 음운 변동을 찾는 유형

034 ○○○ 2016 기상직 7급

밑줄 친 부분 중 음운 변동의 성격이 다른 것은?

① 그는 떨리는 마음으로 무대 위에 섰다.

② 그녀는 가운데 과녁을 향해 활을 쐈다.

③ 명절이 되면 부모님을 따라 큰집에 갔다.

④ 우는 아이를 달래기 위해 우스꽝스러운 표정을 지었다.

난이도 상 중 하

해설 '쐈다'는 '쏘았다'의 'ㅗ'와 'ㅏ'가 만나 'ㅘ'로 축약된 것이다. 따라서 '쐈다'에 나타난 음운 변동은 '축약(모음 축약)'이다.

오답분석 ②를 제외한 나머지는 탈락 현상이 나타난다.

① '서다'의 과거형인 '서-+-었-+-다'에서 모음 'ㅓ'가 반복되어 '동음 탈락'한다.

비교 먹-+-었-+-다 = 먹었다

③ '가다'의 과거형인 '가-+-았-+-다'에서 모음 'ㅏ'가 반복되어 '동음 탈락'한다.

비교 보-+-았-+-다 = 보았다 = 봤다

④ 어간이 'ㄹ'로 끝나는 용언의 경우, 'ㄴ'으로 시작하는 어미와 결합할 경우 어간의 'ㄹ'이 탈락한다. 즉 '울-+-는 → 우는'으로 활용하여 'ㄹ 탈락' 현상을 나타낸다.

※ ①과 ③은 모음 탈락(동음 탈락), ④는 자음 탈락('ㄹ' 탈락)이다.

정답 ②

출제 유형

음운 변동 과정	음운 변동의 종류와 횟수를 묻는 유형

035 ○○○ 2022 법원직 9급

<보기>의 ㉠~㉣에 대한 설명으로 가장 적절하지 않은 것은?

<보기>

음운의 변동은 한 음운이 다른 음운으로 바뀌는 교체, 한 음운이 없어지는 탈락, 새로운 음운이 생기는 첨가, 두 음운이 하나의 음운으로 합쳐지는 축약으로 구분된다. 한 단어가 발음될 때 이 네 가지 변동 중 둘 이상이 나타나는 경우도 있고 하나의 음운이 두 번 이상의 음운 변동을 겪기도 한다.

㉠ 꽃잎[꼰닙] ㉡ 맏며느리[만며느리]
㉢ 닫혔다[다쳗따] ㉣ 넓죽하다[넙쭈카다]

① ㉠~㉣은 모두 음운이 교체되는 현상이 일어난다.

② ㉠과 ㉡에서는 공통적으로 음운의 첨가가 일어난다.

③ ㉢에서는 두 개의 음운이 하나로 축약되는 현상이 일어난다.

④ ㉣에서는 음운의 탈락과 축약이 일어난다.

난이도 상 중 하

해설 ㉠~㉣의 음운 변동을 분석하면 다음과 같다.

㉠ 꽃잎 [꼰닙]	'꽃잎'은 [꽃잎 → (음절의 끝소리 규칙) → 꼳입 → (ㄴ 첨가) → 꼳닙 → (비음화) → 꼰닙]의 과정을 거쳐 발음된다.
㉡ 맏며느리 [만며느리]	'맏며느리'는 [맏며느리 → (비음화) → 만며느리]의 과정을 거쳐 발음된다.
㉢ 닫혔다 [다쳗따]	'닫혔다'는 [닫혔다 → (음절의 끝소리 규칙) → 닫혇다 → (자음 축약) → 다텯다 → (구개음화) → 다쳗다 → (된소리되기) → 다쳗따]의 과정을 거쳐 발음된다. 한편, 구개음 'ㅈ, ㅉ, ㅊ' 뒤에 이중 모음 'ㅕ'는 단모음 [ㅓ]로 발음되므로, 최종적으로 '닫혔다'는 [다첟따]로 발음된다.
㉣ 넓죽하다 [넙쭈카다]	'넓죽하다'는 [넓죽하다 → (자음군 단순화) → 넙죽하다 → (된소리되기) → 넙쭉하다 → (거센소리되기) → 넙쭈카다]의 과정을 거쳐 발음된다.

음운의 첨가가 일어나는 것은 ㉠뿐이다. 따라서 ㉠과 ㉡에서는 공통적으로 음운의 첨가가 일어난다는 설명은 적절하지 않다.

오답분석 ① ㉠은 '음절의 끝소리 규칙, 비음화', ㉡은 '비음화', ㉢은 '음절의 끝소리 규칙, 된소리되기, 구개음화' ㉣은 '된소리되기'가 일어났다. 따라서 ㉠~㉣ 모두 음운이 교체되는 현상이 일어난다는 설명은 적절하다.

③ ㉢에는 'ㄷ'과 'ㅎ'이 만나 'ㅌ'으로 축약되는 현상, 즉 자음 축약 현상이 일어났다. 따라서 ㉢에서는 두 개의 음운이 하나로 축약되는 현상이 일어난다는 설명은 적절하다.

④ ㉣에는 음운의 탈락(자음군 단순화)과 축약(자음 축약)이 일어났다. 따라서 ㉣에서는 음운의 탈락과 축약이 일어난다는 설명은 적절하다.

정답 ②

036 ○○○ 2019 서울시 9급(2월)

<보기>의 음운 변동 사례 중 옳은 것은?

<보기>

교체, 탈락, 축약, 첨가의 음운 변동이 일어나는 경우 음운 개수의 변화가 나타나기도 한다. 먼저 ㉠'집일[짐닐]'은 첨가 및 교체가 일어나 음운의 개수가 늘었다. 그런데 ㉡'닭만[당만]'은 탈락만 일어나 음운의 개수가 줄었고, ㉢'뜻하다[뜨타다]'는 축약만 일어나 음운의 개수가 줄었다. 한편 ㉣'맡는[만는]'은 교체가 두 번 일어나 음운의 개수가 2개 증가하였다.

① ㉠ ② ㉡
③ ㉢ ④ ㉣

난이도 상 중 하

해설

첨가 및 교체가 일어나	'집일'은 '집+일'의 합성어이다. [집일 → (ㄴ 첨가) → 집닐 → (비음화) → 짐닐]의 과정을 거쳐 발음된다. 따라서 첨가 및 교체가 일어났다는 설명은 옳다.
음운의 개수가 늘었다.	음운의 개수 역시 '5개(ㅈ, ㅣ, ㅂ, ㅣ, ㄹ)'에서 '6개 (ㅈ, ㅣ, ㅁ, ㄴ, ㅣ, ㄹ)'로 하나가 늘어났다. 따라서 음운의 개수가 늘었다는 설명 역시 옳다.

오답분석

② '닭만'은 [닭만 → (자음군 단순화) → 닥만 → (비음화) → 당만]의 과정을 거쳐 발음된다. 따라서 탈락만 일어난다는 설명은 옳지 않다. 하지만 음운의 개수가 하나 줄었다는 설명은 옳다.

③ '뜻하다'는 [뜻하다 → (음절의 끝소리 규칙) → 뜯하다 → (자음 축약) → 뜨타다]의 과정을 거쳐 발음된다. 따라서 축약만 일어난다는 설명은 옳지 않다. 자음 축약으로 음운의 개수 하나가 줄었다는 설명은 옳다.

④ '맡는'은 [맡는 → (음절의 끝소리 규칙) → 맏는 → (비음화) → 만는]의 과정을 거쳐 발음된다. 따라서 교체가 두 번 일어난다는 설명은 옳다. 그러나 음운의 개수는 교체 전(ㅁ, ㅏ, ㅌ, ㄴ, ㅡ, ㄴ)과 후(ㅁ, ㅏ, ㄴ, ㄴ, ㅡ, ㄴ) 모두 6개이다. 따라서 음운의 개수가 2개 증가하였다는 설명은 옳지 않다.

정답 ①

고득점 GO!

음운의 개수 일일이 세는 거 아니죠?
축약은 '-1', 첨가는 '+1' 기억하고 있지요!

037 ○○○ 2018 국가직 9급

'깎다'의 활용형에 적용된 음운 변동에 대한 설명으로 옳은 것은?

- 교체: 한 음운이 다른 음운으로 바뀌는 현상
- 탈락: 한 음운이 없어지는 현상
- 첨가: 없던 음운이 생기는 현상
- 축약: 두 음운이 합쳐져서 또 다른 음운 하나로 바뀌는 현상
- 도치: 두 음운의 위치가 서로 바뀌는 현상

① '깎는'은 교체 현상에 의해 '깡는'으로 발음된다.
② '깎아'는 탈락 현상에 의해 '까까'로 발음된다.
③ '깎고'는 도치 현상에 의해 '깍꼬'로 발음된다.
④ '깎지'는 축약 현상과 첨가 현상에 의해 '깍찌'로 발음된다.

난이도 상 중 하

해설 '깎는'은 [깎는 → (음절의 끝소리 규칙) → 깍는 → (비음화) → 깡는]의 과정을 거쳐 발음된다. '음절의 끝소리 규칙'과 '비음화'는 음운 변동 중 '교체'에 해당하므로 ①의 설명은 옳다.

오답분석

② '깎아'는 '-아' 어미가 형식 형태소에 해당하여, 연음 법칙에 따라 [까까]로 발음된다. 따라서 탈락 현상은 나타나지 않는다.

③ '깎고'는 [깎고 → (음절의 끝소리 규칙) → 깍고 → (된소리되기) → 깍꼬]의 과정을 거쳐 발음된다. '음절의 끝소리 규칙'과 '된소리되기'는 음운 변동 중 '교체'에 해당한다. 두 음운의 위치가 서로 바뀌는 현상은 일어나지 않았기 때문에, '도치'로 설명한 것은 적절하지 않다.

④ '깎지'는 [깎지 → (음절의 끝소리 규칙) → 깍지 → (된소리되기) → 깍찌]의 과정을 거쳐 발음된다. '음절의 끝소리 규칙'과 '된소리되기'는 음운 변동 중 '교체'에 해당한다. 따라서 '축약'과 '첨가'로 설명한 것은 적절하지 않다.

정답 ①

Unit 12 동화의 유형

출제 유형

• 동화의 방향이 다른 단어를 묻는 유형

핵심정리

• **동화의 유형**

(1) 동화의 방향에 따라
- 순행 동화(예 강릉[강능])
- 역행 동화(예 국물[궁물])
- 상호 동화(예 막론[망논])

(2) 동화의 정도에 따라
- 완전 동화(예 신라[실라])
- 불완전 동화(예 종로[종노])

(3) 자음 이웃 여부에 따라
- 직접 동화(예 믿는[민는])
- 간접 동화(예 뚫는[뚤른])

심화 Plus

• **음운 동화와 표준 발음** [16 교육행정직 9급]

표준 발음으로 인정되는 것	표준 발음으로 인정되지 않는 것
비음화 예 국물[궁물] 유음화 예 신라[실라] 구개음화 예 해돋이[해도지] 이중 모음화 예 되어[되어/되여]	연구개음화 예 숟가락[숙까락] 양순음화 예 꽃바구니[꼽빠구니] 전설 모음화 예 망측하다[망치카다] 원순 모음화 예 슬프다[슬푸다] ※ [숟까락], [꼳빠구니], [망츠카다], [슬프다]가 표준 발음이다.

※ 'ㅣ' 모음 역행 동화의 결과는 표준 발음으로 인정하지 않는 것이 원칙이다. 그러나 '냄비, 멋쟁이, 담쟁이덩굴' 등의 단어는 'ㅣ' 모음 역행 동화가 일어난 표기를 표준어로 인정하고 있기 때문에 표준 발음으로 인정한다.

※ 'ㅣ' 모음 순행 동화(이중 모음화)의 경우 발음은 허용하지만, 표기는 단모음의 형태만 표준어로 삼고 있다. 더불어 용언 어간과 모음 어미가 결합될 때의 발음만 표준 발음으로 인정된다.

출제 유형

동화의 유형	동화의 방향이 다른 단어를 묻는 유형

038 ○○○ 2018 서울시 7급(3월)

동화의 방향이 다른 것은?

① 손난로 ② 불놀이
③ 찰나 ④ 강릉

난이도 상 중 하

해설 동화의 방향에 따라 '순행 동화'와 '역행 동화' 그리고 '상호 동화'로 나뉜다. ①의 '손난로'는 후행하는 유음 'ㄹ'의 영향을 받아 앞의 받침 'ㄴ'이 'ㄹ'로 교체되어 [손날로]로 발음된다. 따라서 '역행 동화'이다. 그런데 ①을 제외한 나머지는 모두 '순행 동화'이므로 동화의 방향이 다른 하나는 ①이다.

오답 분석
② '불놀이'는 선행하는 유음 'ㄹ'의 영향을 받아 뒤의 'ㄴ'이 'ㄹ'로 교체되어 [불로리]로 발음되므로, '순행 동화'이다.
③ '찰나'는 선행하는 유음 'ㄹ'의 영향을 받아 뒤의 'ㄴ'이 'ㄹ'로 교체되어 [찰라]로 발음되므로 '순행 동화'이다.
④ '강릉'은 선행하는 비음 'ㅇ'의 영향을 받아 뒤의 'ㄹ'이 'ㄴ'으로 교체되어 [강능]으로 발음되므로 '순행 동화'이다.

정답 ①

Unit 13 형태소의 종류

출제 유형

- 기준에 따른 형태소의 종류를 묻는 유형
- 실질 형태소이면서 의존 형태소인 것을 찾는 유형

핵심정리

1. 형태소의 개념

(1) 최소 유의미 단위

(2) 더 이상 분석하면 의미를 잃어버리는 가장 작은 말의 단위

2. 형태소의 종류

(1) 자립성 유무에 따라

형태소	• **개념**: 혼자서 독립해서 단어가 될 수 있는 형태소 • **종류**: 체언(명사, 대명사, 수사), 수식언(관형사, 부사), 감탄사
의존 형태소	• **개념**: 반드시 어떤 다른 형태소와 결합하여야만 단어가 되는 형태소 • **종류**: 조사, 접사, 어간, 어미

(2) 의미의 기능에 따라

형태소	• **개념**: 실질적인 의미를 가지고 있는 형태소 • **종류**: 체언(명사, 대명사, 수사), 수식언(관형사, 부사), 감탄사, 용언(동사, 형용사)의 어간
형식 형태소	• **개념**: 형식적인 의미를 가지고 있는 형태소 • **종류**: 조사, 어미, 접사

심화 Plus

- **형태소의 특징** [18 서울시 9급(3월)/17 경찰 1차/12 국가직 9급]

  (1) 모든 체언은 자립 형태소이면서, 실질 형태소이다.

  (2) 모든 용언의 어간은 의존 형태소이면서, 실질 형태소이다.

  (3) 모든 조사, 어미, 접사는 의존 형태소이면서, 형식 형태소이다.

  (4) 자립 형태소는 항상 실질 형태소이지만,
  실질 형태소가 항상 자립 형태소인 것은 아니다.

  (5) 형식 형태소는 항상 의존 형태소이지만,
  의존 형태소가 항상 형식 형태소인 것은 아니다.
  (즉 용언의 어간은 의존 형태소이지만 실질 형태소이다.)

형태소의 특징 중에, 특히 (4), (5)를 눈여겨봐 둬야 해요!

- 자립 형태소는 항상 실질 형태소(o),
  실질 형태소는 항상 자립 형태소(x)
- 형식 형태소는 항상 의존 형태소(o),
  의존 형태소는 항상 형식 형태소(x)

출제 유형

형태소의 종류	기준에 따른 형태소의 종류를 묻는 유형

039 ○○○ 2018 서울시 9급(3월)

국어의 형태소에 대한 설명으로 가장 옳지 않은 것은?

① 조사는 앞말에 붙어서 나타난다는 점에서 '의존 형태소'이다.

② 동사의 어간은 스스로 실질적인 단어이므로 명사와 더불어 '자립 형태소'이다.

③ 명사는 실제적인 의미를 가지고 있다는 면에서 동사의 어간과 더불어 '실질 형태소'이다.

④ 어미는 조사와 마찬가지로 문법적 기능을 하므로, '문법 형태소'이다.

난이도 상 중 하

TIP 동사의 어간은 '실질 형태소'이면서 '의존 형태소'이다.

해설 '형태소'는 '뜻을 가진 말의 가장 작은 단위'이다. 동사의 어간은 스스로 실질적인 의미를 지니므로 명사와 더불어 '실질 형태소'이다. 다만, 동사의 어간은 어미 없이는 자립할 수 없는 '의존 형태소'이기 때문에 이를 '자립 형태소'라고 설명한 ②의 설명은 옳지 않다.

오답분석
① '조사'는 자립하지 못하고 앞말에 붙어서 나타나기 때문에 '의존 형태소'이다.
③ 명사와 동사의 어간은 실질적인 의미를 가지고 있기 때문에 '실질 형태소'이다.
④ 어미는 조사처럼 실질적인 뜻은 없고, 문법적인 기능을 하므로 '문법 형태소(= 형식 형태소, 종속 형태소)'이다.

정답 ②

040 ○○○ 2017 서울시 7급

〈보기〉의 문장을 바탕으로 국어의 형태소를 이해한 것으로 가장 옳지 않은 것은?

〈보기〉

선생님께서 우리들에게 숙제를 주신다.

① '선생님께서'의 '께서', '우리들에게'의 '들', '주신다'의 '주'는 모두 의존 형태소에 해당하는 것들이다.

② '선생님께서'의 '께서', '숙제를'의 '를', '주신다'의 '다'는 모두 형식 형태소에 해당하는 것들이다.

③ '선생님께서'의 '님', '숙제를'의 '숙제', '주신다'의 '주'는 모두 실질 형태소에 해당하는 것들이다.

④ '선생님께서'의 '선생', '우리들에게'의 '우리', '숙제를'의 '숙제'는 모두 자립 형태소에 해당하는 것들이다.

난이도 상 중 하

해설 '숙제를'의 '숙제'와 '주신다'의 '주-'는 실질 형태소가 맞지만 '선생님'의 '-님'은 높임의 뜻을 더하는 접미사이다. 접미사는 실질 형태소가 아니라 형식 형태소이므로 ③의 이해는 적절하지 않다.

선생	-님	께서	우리	-들	에게	숙제	를
실/자	형/의	형/의	실/자	형/의	형/의	실/자	형/의
주-	-시-	-ㄴ	-다				
실/자	형/의	형/의	형/의				

※ 제시된 문제의 선택지에서는 한자어 '선생(先生)', '숙제(宿題)'를 각각 하나의 형태소로 다루었다.

정답 ③

한자어의 형태소를 보는 입장은 학자마다 차이가 있어요.

제7차 교육 과정에서는 접사로 쓰이는 한자어를 제외하고 한자어 1글자마다 1개의 형태소로 보고 있어요. 이게 기본!
다만, 학자에 따라 입장 차이가 있다는 것도 알고 문제를 풀 때 상대적으로 접근하기!

출제 유형

형태소의 종류	실질 형태소이면서 의존 형태소인 것을 찾는 유형

041 ○○○

2017 경찰 1차

다음 문장에서 실질 형태소이면서 의존 형태소인 것은?

> 저 나뭇잎은 참 빨갛다.

① 저　　② 은
③ 참　　④ 빨갛-

난이도 ㊤ ◯ ㊦

해설 실질 형태소에는 용언의 어간, 체언(명사, 대명사, 수사), 수식언(관형사, 부사), 독립언(감탄사)이 있다. 한편, 의존 형태소에는 용언의 어간, 어미, 접사, 조사가 있다. 따라서 실질 형태소이면서 의존 형태소인 것은 '용언의 어간'이다. 따라서 '빨갛다'의 어간 '빨갛-'이 답이다.

오답분석
① 지시 관형사 '저'는 실질 형태소는 맞다. 그러나 의존 형태소가 아니라 자립 형태소이다.
② 보조사 '은'은 의존 형태소가 맞다. 그러나 실질 형태소가 아니라 형식 형태소이다.
③ 부사 '참'은 실질 형태소는 맞다. 그러나 의존 형태소가 아니라 자립 형태소이다.

저	나무	잎	은	참	빨갛	다
실/자	실/자	실/자	형/의	실/자	실/의	형/의

 ④

'실질 형태소'이면서 '의존 형태소'인 것은 '용언의 어간'임을 기억해두기!

042 ○○○

2012 국가직 9급

의존 형태소이면서 실질 형태소인 것만으로 묶인 것은?

> 영희는 책을 집에 놓고 학교에 갔다.

① 놓-, 가-　　② -고, -ㅆ-
③ 영희, 책, 집　　④ -는, -을, -에

난이도 ◯ ㊥ ㊦

해설 의존 형태소에는 용언의 어간, 어미, 접사, 조사가 있다. 한편, 실질 형태소에는 용언의 어간, 체언(명사, 대명사, 수사), 수식언(관형사, 부사), 독립언(감탄사)이 있다. 따라서 의존 형태소이면서 실질 형태소인 것은 '용언의 어간'이다. 용언의 어간으로만 묶인 것은 ①이다.

오답분석
② 연결 어미 '-고', 과거 시제 선어말 어미 '-ㅆ-(-았-)'은 의존 형태소는 맞다. 그러나 실질 형태소가 아니라 형식 형태소이다.
③ 명사 '영희, 책, 집'은 실질 형태소는 맞다. 그러나 의존 형태소가 아니라 자립 형태소이다.
④ 조사 '는, 을, 에'는 의존 형태소는 맞다. 그러나 실질 형태소가 아니라 형식 형태소이다.

영희	는	책	을	집	에	놓	고	학교	에	가	았	다
실/자	형/의	실/자	형/의	실/자	형/의	실/의	형/의	실/자	형/의	실/의	형/의	형/의

※ 한자어 '학교(學校)'는 견해에 따라 2개의 형태소로 보는 것도 가능하다.

 ①

Unit 14 형태소와 단어의 개수

출제 유형

시험장에서 형태소 개수 세는 문제가 나오면 맨 나중에 풀어야 해요! 시간이 많이 걸리니까요!

형태소의 개수	• 형태소의 개수를 묻는 유형
단어의 개수	• 단어의 개수를 묻는 유형

핵심정리

• **형태소와 단어**

구분	형태소	단어
개념	의미를 가진 최소 단위 - 단어를 의미를 가진 요소들로 더 이상 나눌 수 없을 때까지 나눈 것	자립할 수 있는 최소 단위 또는 자립할 수 있는 말과 쉽게 분리 되는 말 ※ '쉽게 분리되는 말'은 '조사'
개수	'실질 형태소 + 형식 형태소'의 수 또는 '자립 형태소 + 형식 형태소'의 수	'어절'의 수 + '조사'의 수

※ 단어의 개수가 〈'어절'의 수 + '조사'〉의 수인 근거
① 조사를 제외하면 단어의 수가 어절의 수와 일치하기 때문에
② 모든 낱말은 띄어 쓰지만 조사만 앞말에 붙여 쓰기 때문에

심화 Plus

1. '가요'의 형태소 분석 [17 국회직 9급]

관점 1 형태소는 2개이다.('17년 국회직 9급'의 관점)
→ '-아요'를 하나의 어미로 본 관점

가-	-아요
용언의 어간	종결 어미
실질/의존	형식/의존

관점 2 형태소는 3개이다.(《표준국어대사전》의 관점)
→ '-아요'를 종결 어미 '-아'와 보조사 '요'로 분석한 관점

가-	-아	요
용언의 어간	종결 어미	보조사
실질/의존	형식/의존	형식/의존

2. 한자어의 형태소 분석

관점 1 한자는 뜻글자이므로, 1글자마다 모두 뜻이 있다.(학교 문법의 관점)
→ 한 글자 한 글자가 형태소이다.

관점 2 한자어 낱말(단어)은 낱말로 묶어서 1개의 형태소이다.('17년 서울시 7급'의 관점)
→ 한자어 하나가 형태소이다.

형태소 개수 완전 정복 팁!

① 줄임말은 원형을 밝혀라!
예시는 '갔다'
'갔다'의 원형은 '가- + -았- + -다' 따라서 형태소는 3개!

② 생략이 가능한지 확인해라!
예시는 '하오니'와 '먹어서'
'하오니'는 '오'를 뺀 '하니'도 가능. 따라서 형태소는 3개(하- + 오- + -니)
'먹어서'는 '어'를 뺀 '먹서'는 불가능. 따라서 형태소는 2개(먹- + -어서)

③ 활용이 가능하다면 최소 형태소 2개!
활용이 가능한 말은 동사, 형용사, 서술격 조사 '이다'뿐!
- 먹다(동사): 먹- + -다
- 예쁘다(형용사): 예쁘- + -다
- 이다(서술격 조사): 이- + -다

④ 활용 과정에서 탈락한 모음도 형태소 수에 넣어라!
'집에 가!'에서 '가'는 몇 개의 형태소일까요? 활용이 가능하다면 최소 형태소가 2개라고 했죠?
'가'는 '가- + -아'가 결합한 말! 탈락한 모음 'ㅏ'도 형태소의 수에 넣어 주세요!

출제 유형

형태소의 개수	형태소의 개수를 묻는 유형

043 ○○○ 2022 법원직 9급

다음 문장에 대한 설명으로 가장 적절하지 않은 것은?

> 눈이 녹으면 남은 발자국 자리마다 꽃이 피리니.

① 자립 형태소는 5개이다.
② 의존 형태소는 9개이다.
③ 실질 형태소는 8개이다.
④ 7개의 어절, 19개의 음절로 이루어진 문장이다.

난이도 ㊤ ◯ ㊦

해설 제시된 문장의 '형태소'를 분석하면 다음과 같다.

눈	이	녹-	-으면	남-	-은	발	자국
실질/자립	형식/의존	실질/의존	형식/의존	실질/의존	형식/의존	실질/자립	실질/자립
자리	마다	꽃	이	피-	-리-	-니	
실질/자립	형식/의존	실질/자립	형식/의존	실질/의존	형식/의존	형식/의존	

따라서 '의존 형태소'는 '9개'가 아니라 '10개'이다.

눈	이	녹-	-으면	남-	-은	발	자국
실질/자립	**형식/의존**	**실질/의존**	**형식/의존**	**실질/의존**	**형식/의존**	실질/자립	실질/자립
자리	마다	꽃	이	피-	-리-	-니	
실질/자립	**형식/의존**	실질/자립	**형식/의존**	**실질/의존**	**형식/의존**	**형식/의존**	

오답 분석 ① 자립 형태소는 '눈, 발, 자국, 자리, 꽃'으로 5개이다.

눈	이	녹-	-으면	남-	-은	발	자국
실질/자립	형식/의존	심질/의존	형식/의존	실질/의존	형식/의존	**실질/자립**	**실질/자립**
자리	마다	꽃	이	피-	-리-	-니	
실질/자립	형식/의존	**실질/자립**	형식/의존	실질/의존	형식/의존	형식/의존	

③ 실질 형태소는 '눈, 녹-, 남-, 발, 자국, 자리, 꽃, 피-'로 8개이다.

눈	이	녹-	-으면	남-	-은	발	자국
실질/자립	형식/의존	**실질/의존**	형식/의존	**실질/의존**	형식/의존	**실질/자립**	**실질/자립**
자리	마다	꽃	이	피-	-리-	-니	
실질/자립	형식/의존	**실질/자립**	형식/의존	**실질/의존**	형식/의존	형식/의존	

④ '어절'은 띄어쓰기 단위와 일치한다. 따라서 7개의 어절로 이루어진 문장이다. '음절'은 발음을 기준으로 한다. 따라서 19개의 어절로 이루어진 문장이다.

어절	눈이 / 녹으면 / 남은 / 발자국 / 자리마다 / 꽃이 / 피 리니.
음절	[누니노그면나믄발짜국자리마다꼬치피리니

정답 ②

044 ○○○ 2019 서울시 7급(2월)

주어진 단어를 의미를 가진 요소들로 더 이상 나눌 수 없을 때까지 나누었을 때 그 요소의 수가 가장 많은 것은?

① 파김치 ② 짜임새
③ 주름살 ④ 지름길

난이도 상 중 하

해설 '의미를 가진 요소들로 더 이상 나눌 수 없을 때까지 나누었을 때 그 요소'는 다른 말로 하면 '형태소'이다. 즉 제시된 단어의 형태소를 분석할 때, 그 수가 가장 많은 것은 ②의 '짜임새(짜- + -이- + -ㅁ + -새, 4개)'이다.

짜-	-이-	-ㅁ	-새
실질/의존	형식/의존	형식/의존	형식/의존

오답 분석 ① '파김치'의 형태소를 분석하면, '파 + 김치'로 그 개수는 2개이다.

파	김치
실질/자립	실질/자립

③ '주름살'의 형태소를 분석하면, '주름 + 살'로 그 개수는 2개이다.
※ '주름'의 어원과 관련하여 '줄- + -음'으로의 분석도 가능하다.

주름	살
실질/자립	실질/자립

④ '지름길'의 형태소를 분석하면, '지르- + ㅁ + 길'로 그 개수는 3개이다.
※ 지르다: 예 지름길로 가깝게 가다.
예 들판을 질러 가면 더 빠르다.

지르-	-ㅁ	길
실질/의존	형식/의존	실질/자립

정답 ②

045 ○○○ 2016 서울시 7급

다음 중 형태소의 개수가 가장 많은 것은?

① 떠나갔던 배가 돌아왔다.
② 머리를 숙여 청하오니.
③ 잇따라 불러들였다.
④ 아껴 쓰는 사람이 되자.

난이도 상 중 하

해설 '떠나-/-아-/가-/-았-/-던/배/가/돌-/-아-/오-/-았-/-다'로 이루어진 문장으로 12개의 형태소로 구성되어 있다.
※ '떠나다'의 용언에 대해 이견이 있을 수 있으나 의미 관계상 통시적으로는 '뜨-/-어/나-/-다'로, 공시적으로는 '떠나-/-다'로 분석이 가능하다. 통시적으로 본다면 14개의 형태소로 볼 수 있는데, 정답에는 변화가 없다.

떠나	아	가	았	던	배	가	돌	아	오	았	다
실	형	실	형	형	실	형	실	형	실	형	형
의	의	의	의	의	자	의	의	의	의	의	의

오답 분석 ② '머리/를/숙-/-이-/-어/청/-하-/-오-/-니'로 이루어진 문장으로 9개의 형태소로 구성되어 있다.

머리	를	숙	이	어	청	하	오	니
실	형	실	형	형	실	형	형	형
자	의	의	의	의	자	의	의	의

③ '잇-/따르-/-아/부르-/-어/들-/-이-/-었-/-다'로 이루어진 문장으로 9개의 형태소로 구성되어 있다.

잇	따르	아	부르	어	들	이	었	다
실	실	형	실	형	실	형	형	형
의	의	의	의	의	의	의	의	의

④ '아끼-/-어/쓰-/-는/사람/이/되-/-자'로 이루어진 문장으로 8개의 형태소로 구성되어 있다.

아끼	어	쓰	는	사람	이	되	자
실	형	실	형	실	형	실	형
의	의	의	의	자	의	의	의

정답 ①

046 ○○○

2013 서울시 7급

다음 문장에서 형태소의 개수가 다른 것은?

① 먹이를 나눠 줘라.
② 달님에게 물어봐.
③ 마음에도 안 찼니?
④ 우리들 눈에 보였다.
⑤ 서울에 가셨겠지.

난이도 상 중 하

해설 ④의 형태소 수는 8개이고 나머지는 7개이다.

④ 우리+들+눈+에+보+이+었+다.(8개)

구분	우리	들	눈	에	보	이	었	다
품사	대명사	접사	명사	조사	동사 어근	피동 접사	선어말 어미	종결 어미
실질/형식	실	형	실	형	실	형	형	형
자립/의존	자	의	자	의	의	의	의	의

오답분석 ① 먹+이+를+나누+어+주+어라.(7개)

구분	먹	이	를	나누	어	주	어라
품사	동사 어근	접사	조사	동사 어간	어미	동사 어간	종결 어미
실질/형식	실	형	형	실	형	실	형
자립/의존	의	의	의	의	의	의	의

② 달+님+에게+묻(물)+어+보+아.(7개)

구분	달	님	에게	묻(물)	어	보	아
품사	명사	접사	조사	동사 어간	어미	동사 어간	종결 어미
실질/형식	실	형	형	실	형	실	형
자립/의존	자	의	의	의	의	의	의

③ 마음+에+도+안+차+았+니?(7개)

구분	마음	에	도	안	차	았	니
품사	명사	조사	조사	부사	동사 어간	선어말 어미	종결 어미
실질/형식	실	형	형	실	실	형	형
자립/의존	자	의	의	자	의	의	의

⑤ 서울+에+가+시+었+겠+지.(7개)

구분	서울	에	가	시	었	겠	지
품사	명사	조사	동사 어간	선어말 어미	선어말 어미	선어말 어미	종결 어미
실질/형식	실	형	실	형	형	형	형
자립/의존	자	의	의	의	의	의	의

정답 ④

출제 유형

단어의 개수	단어의 개수를 묻는 유형

047 ○○○

2017 국회직 9급

다음 밑줄 친 부분의 단어 수는?

> 서로의 마음과 마음을
> 이어서 길어지는
> 또 하나의 기차가 되어
> 먼 길을 가요

① 7개
② 8개
③ 10개
④ 12개
⑤ 14개

난이도 상 중 하

해설 '단어'는 자립할 수 있는 말인데, 자립할 수 있는 말에 붙어 쉽게 분리되는 말인 조사를 포함한다. 또한 용언의 경우, 어간과 어미가 결합한 형태를 하나의 단어로 취급한다. '단어'의 개념에 따라 밑줄 친 부분의 단어를 분석하면 다음과 같다.

또	하나	의	기차	가	되어	먼	길	을	가요

따라서 밑줄 친 부분의 단어는 10개이다.

※ '가요'를 '가다'의 어간 '가-'와 어미 '-아요'의 결합으로 보아 하나의 단어로 다루었다. 한편, '가요'를 '가-+-아'에 보조사 '요'가 결합한 형태로 분석할 경우에는 단어의 개수를 11개로 볼 수도 있다. 다만, 제시된 선지에는 11개가 답이 없기 때문에 '가-+-아요'의 분석으로 보고 ③의 '10개'가 답이 된다.

 ③

Unit 15 단어의 형성

출제 유형

단어의 형성	• 단어 형성(구성, 짜임) 원리를 설명한 유형 • 개수를 찾는 유형
파생어와 합성어 판별	• 형성 방법이 동일한 것을 찾는 유형 • 형성 방법이 이질적인 것을 찾는 유형

핵심정리

• **단어의 형성**

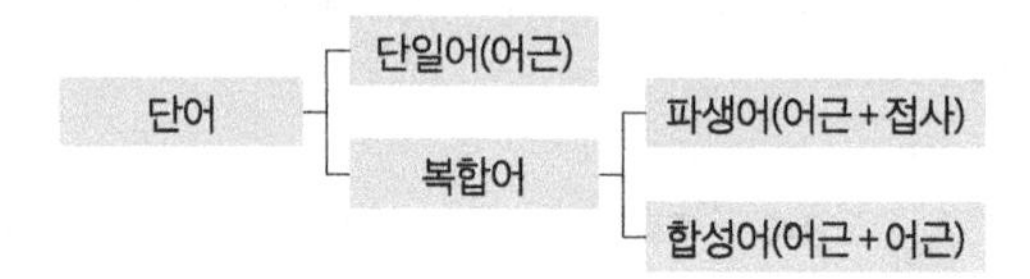

심화 Plus

학교 문법에서는 '늦더위'를 비통사적 합성어로 다루지만, 《표준국어대사전》에는 접두사로 다루고 있기 때문에 파생어예요.
다만, 합성어로 출제되는 경우가 있으므로 상대적으로 풀어야 해요!

1. 어근으로 착각하기 쉬운 접두사 '늦-'

(1) '늦은'의 뜻을 더하는 접두사 예 늦공부, 늦가을, 늦더위

(2) '늦게'의 뜻을 더하는 접두사 예 늦되다, 늦들다, 늦심다

2. 접두사로 착각하기 쉬운 어근 '큰', '작은'

'큰'과 '작은'은 원래 접사로 취급하다가 현재는 각각
어근('크다', '작다'의 활용형)으로 인정하고 있다.
따라서 '큰아버지'나 '작은아버지'는 합성어이다.

3. '군-'의 정체 [12 국가직 7급]

'굽다'의 의미일 때는 합성어, 그 외의 의미일 때에는 파생어이다.

합성어	겨울철에는 군고구마가 간식으로 제격이다.
파생어	너는 웬 군소리가 그렇게도 많니? 맛있는 음식 때문에 군침이 돈다. 군불에 밥 짓기

※ 군-(접사)
(1) '쓸데없는'의 뜻을 더하는 접두사 예 군것, 군글자, 군기침
(2) '가외로 더한', '덧붙은'의 뜻을 더하는 접두사 예 군사람, 군식구

출제 유형

단어의 형성	단어 형성(구성, 짜임) 원리를 설명한 유형

048 ○○○ 2022 국회직 9급

㉠~㉤의 파생어에 대한 설명으로 옳은 것은?

> ㉠ 어른스럽다, 슬기롭다
> ㉡ 끓이다, 높이다
> ㉢ 짓밟다, 짓누르다
> ㉣ 착하다, 아름답다
> ㉤ 먹이, 덮개

① ㉠에서 어근의 품사와 파생어의 품사는 서로 다르다.
② ㉡에서 어근의 품사와 파생어의 품사는 서로 같다.
③ ㉢에서 접두사는 명사 어근에 붙어 '함부로', '마구'의 뜻을 더한다.
④ ㉣은 홀로 쓰일 수 있는 명사에 접미사가 결합한 파생어이다.
⑤ ㉤에서 접미사는 형용사 어근에 붙어 명사를 파생한다.

난이도 상 중 하

해설 파생어 '어른스럽다(어른+-스럽다)'와 '슬기롭다(슬기+-롭다)'의 품사는 형용사이다. 그러나 각각의 어근 '어른', '슬기'의 품사는 명사이다. 따라서 어근의 품사와 파생어의 품사가 서로 다르다는 설명은 옳다.

오답 분석 ② 파생어 '끓이다(끓-+-이-+-다)', '높이다(높-+-이-+-다)'의 품사는 동사이다. '끓이다'의 어근 '끓다'의 품사는 동사로, 파생어 '끓이다'와의 품사와 동일하다. 그러나 '높이다'의 어근 '높다'의 품사는 형용사로, 파생어 '높이다'의 품사와 동일하지 않다.

③ '짓-'이 접두사인 것은 맞지만, 명사 어근이 아닌 동사 어근에 붙는다.

④ '착하다'의 어근 '착-', '아름답다'의 어근 '아름-'은 홀로 쓰일 수 없는 말이다.

⑤ '먹이'는 동사 '먹다'의 어근 '먹-'에 명사 파생 접미사 '-이'가 붙은 말이다. '덮개'는 동사 '덮다'의 어근 '덮-'에 명사 파생 접미사 '-개'가 붙은 말이다. 따라서 ㉤은 형용사 어근이 아닌, 동사 어근에 붙어 명사를 파생한 단어들이다.

정답 ①

049 ○○○ 2017 국가직 9급 추가

단어에 대한 설명으로 옳지 않은 것은?

① '바다', '맑다'는 어근이 하나인 단일어이다.
② '회덮밥'은 파생어 '덮밥'에 새로운 어근 '회'가 결합된 합성어이다.
③ '겉눈질'은 합성어 '겉눈'에 접미사 '-질'이 결합된 파생어이다.
④ '웃음'은 어근 '웃-'에 접미사 '-음'이 붙어 명사가 된 파생어이다.

난이도 상 중 하

해설 '회-덮밥'이 최종 관계가 '회+덮밥'의 구성으로 합성어인 것은 맞다. 그러나 '덮밥'은 파생어가 아니라 합성어다. '덮밥'은 '덮다'의 어간 '덮-'이 관형사형 어미 없이 어근 '밥'과 결합한 형태로 비통사적 합성어이다.

오답 분석 ① '바다(바다)'와 '맑다(맑-+다)'는 하나의 어근으로 이루어졌으므로 단일어가 맞다.

③ '겉눈-질'은 명사 '겉'과 명사 '눈'의 합성어인 '겉눈'에 '그 신체 부위를 이용한 어떤 행위'의 뜻을 더하는 접미사인 '-질'이 결합된 파생어이므로 적절한 설명이다.

④ '웃-음'은 '웃다'의 어근 '웃-'에 명사 파생 접미사 '-음'이 붙어 명사가 된 파생어이므로 적절한 설명이다.

 ②

'맑다'가 단일어인 이유는?

어미는 합성어나 파생 과정과 무관해요!
용언이 단일어인지, 파생어인지, 합성어인지 판별할 때에는 '어미'는 제외하고 판별하기!
단어에 대한 단일어, 파생어, 합성어의 판별은 '최종 관계' 확인하기!

출제 유형

단어의 형성	개수를 찾는 유형

050 ○○○ 2017 국회직 9급

다음 중 합성어의 수는?

> 나무꾼, 뒤엎다, 병마개, 엿보다,
> 작은아버지, 질푸르다, 헛되다

① 2개　② 3개
③ 4개　④ 5개
⑤ 6개

난이도 상 중 하

해설 합성어는 '어근 + 어근'으로 이뤄진 복합어다. 제시된 단어 중 합성어는 '병마개, 작은아버지, 질푸르다'로 3개다.

병마개	명사 '병'과 '마개'가 합쳐진 말이다. ※ '마개'는 어근 '막-'과 접사 '-애'가 만난 파생어이다.
작은아버지	'작다'의 관형사형 '작은'과 명사 '아버지'가 합쳐진 말이다. ※ '작은아버지'처럼 '큰아버지'도 통사적 합성어다.
질푸르다	형용사 '짙다'와 '푸르다'가 합쳐진 말이다. ※ 용언의 어간이 연결 어미 없이 연결되었다는 점에서 비통사적 합성어다.

오답분석 '나무꾼, 뒤엎다, 엿보다, 헛되다'는 파생어다.

나무꾼	명사 '나무'에 '어떤 일을 전문적으로 하는 사람' 또는 '어떤 일을 잘하는 사람'의 뜻을 더하는 접미사 '-꾼'이 결합한 말이다.
뒤엎다	'반대로' 또는 '뒤집어'의 뜻을 더하는 접두사 '뒤-'에 동사 '엎다'가 결합한 말이다.
엿보다	'몰래'의 뜻을 더하는 접두사 '엿-'에 동사 '보다'가 결합한 말이다.
헛되다	• [관점 1] '보람 없이', '잘못'의 뜻을 더하는 접두사 '헛-'에 '되다'가 결합한 말이다. • [관점 2] '헛하다'의 어근 '헛'과 접미사 '-되다'가 결합한 말로 파생어이다.(국립국어원 《표준국어대사전》의 관점) ※ 두 관점 모두 파생어라는 사실은 변함이 없다.

정답 ②

고득점 GO!

'뒤'가 붙은 단어는 '의미'로 파생어와 합성어로 구분해요

진짜 '뒤[後]'의 의미로 해석될 때만 합성어, 그 외에는 파생어예요.
'뒤표지, 뒷골목(뒤 + 골목)', '뒷사람(뒤 + 사람)'은 모두 '뒤[後]'의 의미니까 합성어!

접두사 '뒤-'

① '몹시, 마구, 온통'의 뜻을 더하는 접두사
예 뒤끓다, 뒤덮다, 뒤섞다
② '반대로' 또는 '뒤집어'의 뜻을 더하는 접두사
예 뒤바꾸다, 뒤엎다

051 ○○○ 2022 군무원 9급

다음 중 파생법으로 만들어진 단어가 아닌 것은?

① 교육자답다
② 살펴보다
③ 탐스럽다
④ 순수하다

난이도 상 중 하

해설 '파생법'은 실질 형태소에 접사를 붙여 파생어를 만드는 단어 형성 방법이다. 즉 파생법으로 만들어진 단어는 파생어이다. 그런데 '살펴보다'는 어근 '살피다'와 '보다'가 결합한 말로, 어근과 어근의 결합이므로 파생어가 아니라 합성어이다.

오답분석
① 어근 '교육자'와 접미사 '-답다'가 결합한 말로 파생어이다. 명사 '교육자'와 접사가 결합해 형용사 '교육자답다'를 만들었다.
③ 어근 '탐'과 접미사 '-스럽다'가 결합한 말로 파생어이다. 명사 '탐'과 접사가 결합해 형용사 '탐스럽다'를 만들었다.
④ 어근 '순수'와 접미사 '-하다'가 결합한 말로 파생어이다. 명사 '순수'와 접사가 결합해 형용사 '순수하다'를 만들었다.
※ 접사 '-하다'는 형용사를 만들기도 하고, 동사를 만들기도 한다.
예 순수하다(형용사), 공부하다(동사)

 ②

출제 유형

파생어와 합성어 판별	형성 방법이 동일한 것을 찾는 유형

052 ○○○ 2020 법원직 9급

<보기>의 밑줄 친 부분에 해당하는 예로 가장 옳은 것은?

〈보기〉

국어의 단어 형성 방식을 보면, 실질적인 의미를 갖는 어근들끼리 만나 새말을 만들기도 하지만, 특정한 뜻을 더하는 접사가 어근 앞에 붙어 새말을 만들기도 한다. 전자의 예로는 어근 '뛰다'가 어근 '놀다'를 만나 '뛰놀다'를 만드는 것을 들 수 있고, 후자의 예로는 '군'이 어근 '살' 앞에 붙어 '쓸데없는'의 뜻을 더하면서 '군살'을 만드는 것을 들 수 있다.

① '강'은 '마르다' 앞에 붙어 '심하게'의 뜻을 더하면서 '강마르다'를 만든다.

② '첫'은 '눈' 앞에 붙어 '처음의'의 뜻을 더하면서 '첫눈'을 만든다.

③ '새'는 '해' 앞에 붙어 '새로운'의 뜻을 더하면서 '새해'를 만든다.

④ '얕'은 '보다' 앞에 붙어 '얕게'의 뜻을 더하면서 '얕보다'를 만든다.

난이도 상 ○ 하

해설 밑줄 친 '후자의 경우'는 특정한 뜻을 더하는 접사가 어근 앞에 붙어 새말이 된 파생어를 말한다. ①의 '강마르다(형용사≑깡마르다)'는 '강(접두사)+마르다(동사)'의 결합으로 파생어이다. '강-'은 고유어 접사로 '그것만으로 이루어진(예 강술)', '마른, 물기가 없는(예 강기침, 강더위)', '억지스러운(예 강울음)'의 뜻을 더하는 접두사로, '몹시'라는 의미가 있어, '강마르다'는 '물기가 없이 바싹 메마르다, 성미가 부드럽지 못하고 메마르다, 살이 없이 몹시 수척하다.'라는 뜻을 나타낸다.

오답 분석
② '첫눈'은 '첫(관형사)+눈(명사)'의 결합으로 어근과 어근이 만난 합성어이다.
③ '새해'는 '새(관형사)+해(명사)'의 결합으로 어근과 어근이 만난 합성어이다.
④ '얕보다'는 '얕다(동사)+보다(동사)'의 결합으로 어근과 어근이 만난 합성어(비통사적)이다.

정답 ①

053 ○○○ 2019 국회직 8급

파생어로만 묶인 것은?

① 강추위, 날강도, 온갖, 짓누르다

② 공부하다, 기대치, 되풀다, 들이닥치다

③ 게을러빠지다, 끝내, 참꽃, 한겨울

④ 들개, 어느덧, 움직이다, 한낮

⑤ 들쑤시다, 마음껏, 불호령, 여남은

난이도 상 ○ 하

해설

공부하다	명사 '공부'에 동사 파생 접미사 '-하다'가 붙은 형태이므로 파생어이다.
기대치	명사 '기대'에 '값'의 뜻을 더하는 접미사 '-치'가 붙은 형태이므로 파생어이다.
되풀다	'다시, 또는 도로'의 뜻을 더하는 접두사 '되-'가 '풀다'라는 동사에 붙은 형태이므로 파생어이다.
들이닥치다	'갑자기'의 뜻을 더하는 접두사 '들이-'가 동사 '닥치다'에 붙은 형태이므로 파생어이다.

오답 분석
① '강추위(강-+추위), 날강도(날-+강도), 짓누르다(짓-+누르다)'는 파생어이지만, '온갖(온+갖)'은 합성어이다.
③ '끝내(끝+-내), 참꽃(참-+꽃), 한겨울(한-+겨울)'은 파생어이지만, '게을러빠지다[게으르다(본용언)+빠지다(보조용언)]'는 합성어이다.
④ '들개(들-+개), 움직이다(움직-+-이다), 한낮(한-+낮)'은 파생어이지만, '어느덧(어느+덧)'은 합성어이다.
※ '어느'는 관형사, '덧'은 '짧은 시간'을 의미하는 명사
⑤ '들쑤시다(들-+쑤시다), 마음껏(마음+-껏), 불호령(불-+호령)'은 파생어이지만, '여남은(열+남은)'은 합성어이다.
※ 여남은: 수사, 관형사. 열이 조금 넘는 수

정답 ②

'하다'의 접사 여부는 딱! 이것만 기억하세요!

① 체언, 의성어나 의태어, 어문에 붙는 '하다'는 접미사 '-하다'이므로 파생어! 따라서 '공부하다'는 체언 '공부'와 접미사 '-하다'의 결합으로 파생어가 되지요.

② 용언에 붙은 '하다'는 보조 용언이므로 합성어! 따라서 '좋아하다'는 용언 '좋다'에 보조 용언 '하다'의 결합으로 합성어가 되지요.

054 ○○○ 2018 국회직 8급

다음 중 합성어로만 묶인 것은?

① 비행기, 새해, 밑바닥, 짓밟다, 겁나다, 낯설다
② 새해, 막내둥이, 돌부처, 얄밉다, 깔보다, 본받다
③ 새해, 늙은이, 어깨동무, 정들다, 앞서다, 손쉽다
④ 비행기, 개살구, 산들바람, 겁나다, 낯설다, 그만두다
⑤ 늙은이, 막내둥이, 척척박사, 본받다, 앞서다, 배부르다

난이도 상 중 하

해설 '새해(새 + 해), 늙은이(늙 + -은 + 이), 어깨동무(어깨 + 동무), 정들다[정(이) 들다], 앞서다[앞(에) 서다], 손쉽다[손(이) 쉽다]'는 모두 합성어(통사적)이다.

오답분석
① 새해(새 + 해), 밑바닥(밑 + 바닥), 겁나다[겁(이) 나다], 낯설다[낯(이) 설다]'는 합성어이다. 그러나 '비행기(비행 + -기), 짓밟다(짓- + 밟다)'는 합성어가 아니라 파생어이다.
② '새해(새 + 해), 돌부처(돌 + 부처), 얄밉다[얄(이) 밉다], 깔보다[깔(아) 보다], 본받다[본(을) 받다]'는 합성어이다. 그러나 '막내둥이(막내 + -둥이)'는 파생어이다.
※ 얄: 명 야살스럽게 구는 짓
④ '산들바람(산들 + 바람), 겁나다[겁(이) 나다], 낯설다[낯(이) 설다], 그만두다(그만 + 두다)'는 합성어이다. 그러나 '비행기(비행 + -기), 개살구(개- + 살구)'는 파생어이다.
⑤ '늙은이(늙 + -은+이), 척척박사(척척 + 박사), 본받다[본(을) 받다], 앞서다[앞(에) 서다], 배부르다[배(가) 부르다]'는 합성어이다. 그러나 '막내둥이(막내 + -둥이)'는 파생어이다.

정답 ③

출제 유형

파생어와 합성어 판별	형성 방법이 이질적인 것을 찾는 유형

055 ○○○ 2018 교육행정직 7급

다음 중 단어 형성 방법이 나머지와 다른 것은?

① 가위질 ② 달리기
③ 멋쟁이 ④ 책가방

난이도 상 중 하

TIP 단어 형성(= 짜임, 구조)은 단일어, 파생어, 합성어를 묻는 문제이다.

해설 '책 + 가방'은 '어근 + 어근'의 결합으로 '합성어'이다. ④를 제외한 나머지는 어근과 접사가 결합한 '파생어'이므로 단어 형성 방법이 나머지와 다른 하나는 ④의 '책가방'이다.

오답분석
① 가위 + -질
② 달리- + -기
③ 멋 + -쟁이

정답 ④

Unit 16 파생어의 분류

- 접사의 위치에 따른 분류를 묻는 유형
- 접사의 기능에 따른 분류를 묻는 유형
- 접사의 위치, 기능에 따른 분류를 묻는 유형
- 접사의 의미와 용례를 연결하는 유형

핵심정리

• 접사의 종류

(1) 위치에 따라

접두사	어근 앞에 붙는 접사 예 맨손, 넛버선
접미사	어근 뒤에 붙는 접사 예 덮개, 지우개

※ 2018년 기준 《표준국어대사전》에 등재된 541개의 접사 중 접두사는 181개, 접미사는 360개로 접미사가 접두사의 두 배 정도가 많다.

(2) 기능에 따라

한정적 접사	품사는 그대로 두고 어근의 뜻만 제한하는 접사 예 덧버선, 맨손 ※ 접두사가 주로 '한정적 접사'로 쓰인다.
지배적 접사	품사를 바꾸는 기능을 가진 접사 예 강마르다(동사 → 형용사), 덮개(동사 → 명사), 넓히다(형용사 → 동사)

심화 Plus

• 여러 의미를 가진 접두사

강- [17 국가직 9급]	• 다른 것이 섞이지 않고 그것만으로 이루어진 예 강굴, 강술, 강참숯, 강풀 • '마른', 또는 '물기가 없는' 예 강기침, 강더위, 강모, 강서리 • '억지스러운'의 뜻 예 강울음, 강호령(까닭 없이 꾸짖는 호령)
강(強)- [17 국가직 9급]	'매우 센' 또는 '호된'의 뜻 예 강추위, 강타자, 강행군, 강호령(아주 강하게 꾸짖는 호령)
개-	• 야생 상태의, 또는 질이 떨어지는, 흡사하지만 다른 예 개금(-金), 개꿀, 개떡 • 헛된, 쓸데없는 예 개꿈, 개나발, 개죽음 • 정도가 심한 예 개망나니, 개잡놈
군-	• 쓸데없는 예 군것, 군말, 군살, 군침 • 가외로 더한, 덧붙은 예 군사람, 군식구
막-[1]	• 닥치는 대로, 함부로 예 막벌이, 막일, 막노동, 막가다 • 거친, 아무렇게나 생긴 허드레의 예 막국수, 막소주, 막고무신
막-[2]	마지막, 끝 예 막둥이, 막차, 막판
찰-	• 끈기가 있고 차진 예 찰떡, 찰벼, 찰흙 • 매우 심한, 또는 지독한 예 찰가난, 찰거머리, 찰깍쟁이 • 제대로 된, 또는 충실한 예 찰개화, 찰교인 • 품질이 좋은 예 찰가자미, 찰복숭아
친(親)-	• 혈연관계로 맺어진 예 친부모, 친아들, 친형제 • 부계 혈족 관계인 예 친삼촌, 친손녀, 친할머니 • 그것에 찬성하는, 또는 그것을 돕는 예 친미, 친정부, 친혁명

출제 유형

파생어의 분류	접사의 위치에 따른 분류를 묻는 유형

056 ○○○

2012 국회직 8급

다음 중 ㉠과 ㉡에 들어갈 예로 모두 적절한 것은?

> 단어를 이룰 때 어기를 도와주는 주변적 역할을 하는 것이 접사(接辭)이다. 따라서 접사는 언제나 어기와 결합해서 쓰이는 데 어기 앞에 놓이면 접두사라 하고 어기 뒤에 놓이면 접미사라 한다. 접두사가 사용된 예로는 (㉠) 등이 있고 접미사가 사용된 예로는 (㉡) 등이 있다.

	㉠	㉡
①	눈물, 꼬락서니, 새파랗다	맨몸, 군말, 평화롭다
②	군말, 지붕, 미쁘다	책상, 잠보, 꼬락서니
③	일꾼, 군소리, 웃어라	지우개, 잠보, 평화롭다
④	풋나물, 맏아들, 휘감다	멋쟁이, 조용히, 미덥다
⑤	해돋이, 햅쌀, 되묻다	부채질, 들볶다, 정답다

난이도 상 중 하

해설 ㉠에는 접두 파생어, ㉡에는 접미 파생어가 들어가야 한다. 바르게 짝지어진 것은 ④이다.

㉠ 접두 파생어

풋나물	풋-+나물(접두사+명사)
맏아들	맏-+아들(접두사+명사)
휘감다	휘-+감다(접두사+동사)

㉡ 접미 파생어

멋쟁이	멋+-쟁이(명사+접미사)
조용히	조용+-히(형용사+접미사)
미덥다	믿-+-업-+-다(형용사+접미사)

오답 분석 ① '눈물'은 접두 파생어가 아니라 합성어이다.

접두사	새파랗다(새-+파랗다), 맨몸(맨-+몸), 군말(군-+말)
접미사	꼬락서니(꼴+-악서니), 평화롭다(평화+-롭-+-다)
합성어	눈물(눈+물)

② '지붕'과 '미쁘다'는 접두 파생어가 아니라 접미 파생어이고, '책상'은 접미 파생어가 아니라 합성어이다.

접두사	군말(군-+말)
접미사	지붕(집+-웅), 미쁘다(믿-+-브-+-다), 잠보(잠+-보), 꼬락서니(꼴+-악서니)
합성어	책상(책+상)

③ '일꾼'은 접두 파생어가 아니라 접미 파생어이고, '웃어라'는 하나의 어근으로 구성된 단일어이다.

접두사	군소리(군-+소리)
접미사	일꾼(일+-꾼), 지우개(지우-+-개), 잠보(잠+-보), 평화롭다(평화+-롭-+-다)
합성어	웃어라(웃-+-어라)

※ '어미'는 단일어와 복합어 구성의 판별에서 제외한다.

⑤ '해돋이'는 합성어이고, '들볶다'는 접미 파생어가 아니라 접두 파생어이다.

접두사	햅쌀(햅-/해-+쌀), 되묻다(되-+묻다), 들볶다(들-+볶다)
접미사	부채질(부채+-질), 정답다(정+-답-+-다)
합성어	해돋이(해+돋이) ※ '돋이'는 '돋-+-이'로 분석할 수 있다.

※ 1. 원형을 밝히지 않는 파생어의 경우 단일어로 보는 견해가 있으나, '한글 맞춤법'을 기준으로 판별한다.
2. '-답다', '-스럽다', '-거리다'와 같이 '-다'가 포함된 접사들은 이 자체가 하나의 접사이나, 형태소는 '-다'를 따로 구별하여 센다.
3. '햅쌀(해+ㅂ쌀)'에 대해서는 '해-'를 접사로 보아 '파생어'로 보는 견해와, 어원상 '해'를 어근으로 판별하여 '합성어'로 보는 견해(국립국어원의 입장)의 두 가지가 존재한다.

정답 ④

출제 유형

파생어의 분류	접사의 기능에 따른 분류를 묻는 유형

057 ○○○

2016 지방직 7급

밑줄 친 단어 가운데 품사를 바꾸어 주는 접사가 포함된 것은?

① 그 남자가 미간을 좁혔다.
② 청년이 여자의 어깨를 밀쳤다.
③ 이 말에 그만 아버지의 울화가 치솟았다.
④ 나는 문틈 사이에 눈을 대고 바깥을 엿보았다.

난이도 상 중 하

해설 품사를 바꾸는 기능을 하는 접사를 '지배적 접사'라고 한다. 밑줄 친 단어 중 '지배적 접사'가 포함된 것은 ①의 '좁혔다'이다. '좁혔다'는 '좁히었다'의 준말이다. 즉 '좁혔다'는 '좁히다'의 과거형이다. '좁히다'는 형용사 '좁다'의 어근 '좁-'에 사동 접미사 '-히-'가 결합해 만들어진 말이다. '좁다'의 품사는 형용사이고, 접미사 '-히-'가 붙은 '좁히다'의 품사는 동사이다. 품사가 형용사에서 동사로 바뀌었기 때문에 '좁히다'에는 품사를 바꾸어 주는 접사, '지배적 접사'가 포함되어 있다고 볼 수 있다.

오답 분석 나머지 단어도 접사가 붙은 말이지만, 그 접사가 품사를 바꾸는 기능을 하지는 않는다.

② '밀쳤다'는 '밀치었다'의 준말로, 동사 '밀다'의 어근 '밀-'에 강조의 접미사 '-치-'가 붙어 만들어진 동사 '밀치다'의 과거형이다.

③ '치솟았다'는 동사 '솟다'에 '위로 향하게' 또는 '위로 올려'의 뜻을 더하는 접두사 '치-'가 붙어 만들어진 동사 '치솟다'의 과거형이다.

④ '엿보았다'는 동사 '보다'에 '몰래'의 뜻을 더하는 접두사 '엿-'이 붙어 만들어진 동사 '엿보다'의 과거형이다.

정답 ①

파생어의 분류	접사의 위치, 기능에 따른 분류를 묻는 유형

058 ○○○ 2023 법원직 9급

〈보기〉의 ㉠과 ㉡을 모두 충족하는 예로 가장 적절한 것은?

〈보기〉

파생어는 어근에 파생접사가 결합하여 만들어진다. 이때 접사가 어근의 앞에 결합하는 경우도 있고, ㉠ 접사가 어근의 뒤에 결합하는 경우도 있다. 또한 어근에 파생접사가 결합하여 새로운 단어가 형성될 때 ㉡ 어근의 품사가 바뀌는 경우도 있고, 바뀌지 않는 경우도 있다.

① 오늘따라 저녁노을이 유난히 새빨갛다.
② 아군의 사기를 높여야 승산이 있습니다.
③ 무엇보다 그 책은 쉽고 재미있게 읽힌다.
④ 나는 천천히 달리기가 더 어렵다.

난이도 상 중 하

해설

조건 1.	㉠은 '어근+접사'의 구성이다. 이처럼 어근 뒤에 접사가 결합하는 경우, 이때의 접사는 접미사이다. 이처럼 접미 파생어인 것은 '높이다(②)', '읽히다(③)', '달리다(④)'이다.
조건 2.	㉡처럼 어근의 품사가 바뀌는 것은 높이다(②)'이다. '높다'의 품사는 형용사이지만, 파생어 '높이다'의 품사는 동사이다.

오답분석
① '새빨갛다'는 접두사 '새-'와 어근 '빨갛다'의 결합이다.
③ '읽히다'는 접미사 '-히-'와 결합한 말은 맞지만, 품사는 동사로 변함이 없다.
④ 부사 '천천히'의 수식을 받는 '달리기'는 동사 '달리다'의 명사형이다. 즉 접미사 '-기'가 아닌 명사형 전성 어미 '-기'가 결합한 말이다. '달리다'는 '닫다'에 사동 접미사 '-리-'가 결합한 말이므로 ㉠의 예로는 적절하다. 그러나 품사는 동사로 변함이 없다.
※ '아침 달리기는 건강에 상당한 도움을 준다.'의 '달리기'는 ㉠과 ㉡의 조건을 모두 충족한다.

정답 ②

파생어의 분류	접사의 의미와 용례를 연결하는 유형

059 ○○○ 2014 국가직 9급

다음 국어사전의 정보를 참고할 때, 접두사 '군-'의 의미가 다른 것은?

군- 접사 (일부 명사 앞에 붙어)
① '쓸데없는'의 뜻을 더하는 접두사
② '가외로 더한', '덧붙은'의 뜻을 더하는 접두사

① 그녀는 신혼살림에 군식구가 끼는 것을 원치 않았다.
② 이번에 지면 깨끗이 군말하지 않기로 합시다.
③ 건강을 유지하려면 운동을 해서 군살을 빼야 한다.
④ 그는 꺼림칙한지 군기침을 두어 번 해 댔다.

난이도 상 중 하

TIP 이런 문제는 각각의 의미를 붙여 보고 가장 적절한 의미를 비교하여 선택하면 된다. '덧붙은 식구 / 쓸데없는 식구'의 방식으로 의미를 붙여 보면 쉽게 구분할 수 있다.

해설 제시된 선택지 가운데 '군식구'만 '군-'의 두 번째 의미 중 하나인 '덧붙은'의 의미이고, 나머지는 첫 번째 의미인 '쓸데없는'의 의미이다.

오답분석
② '군말'은 '쓸데없는 말'을 의미한다.
③ '군살'은 '쓸데없는 살'을 의미한다.
④ '군기침'은 '쓸데없는 기침'을 의미한다.

정답 ①

Unit 17 합성어의 분류

출제 유형

- 배열 관계에 따른 분류를 묻는 유형
- 의미 관계에 따른 분류를 묻는 유형

핵심정리

1. 배열 관계에 따른 분류

통사적 합성어	어근과 어근의 연결이 국어의 문장이나 배열 구조와 일치하는 합성어 예 밤낮, 새해, 본받다
비통사적 합성어	어근과 어근의 연결이 국어의 문장이나 배열 구조와 일치하지 않는 합성어 예 접칼, 높푸르다

2. 의미 관계에 따른 분류

대등(= 병렬) 합성어	두 단어나 어근이 본래의 의미를 가지고 대등한 자격으로 연결된 말 예 마소(말 + 소), 높푸르다, 오가다
종속 합성어	두 단어나 어근이 본래의 의미를 가지되, 서로 주종 관계로 연결된 말로 의미의 중심이 뒤에 있음. 예 국밥, 흰말, 돌다리, 돌아보다
융합 합성어	두 단어나 어근의 뜻이 없어지고, 하나의 새로운 뜻을 더하는 말 예 밤낮(늘), 춘추(나이), 돌아가다(죽다)

심화 Plus

- **합성어 기출**

(1) [18 경찰 1차]

배열 관계	비통사적 합성어(덮밥, 부슬비, 높푸르다)
의미 관계	대등 합성어(앞뒤), 종속 합성어(손수건), 융합 합성어(춘추)

(2) [17 서울시 7급]

통사적 합성어	손목, 눈물, 할미꽃, 어깨동무
비통사적 합성어	굳세다, 날뛰다

(3) [17 서울시 7급]

통사적 합성어	힘들다, 작은집, 돌아오다, 밤낮, 빛나다
비통사적 합성어	부슬비, 굶주리다, 검붉다, 굳세다, 보살피다, 오르내리다

출제 유형

합성어의 분류	배열 관계에 따른 분류를 묻는 유형

060 ○○○ 2022 지역 인재 9급

㉠, ㉡에 해당하는 단어를 바르게 연결한 것은?

> 우리 국어의 합성어는 형성 방법에 따라 ㉠통사적 합성어와 ㉡비통사적 합성어로 나눌 수 있다. 통사적 합성어란 국어의 일반적인 문장 구성 방법과 일치하는 방식으로 형성되는 합성어를 의미하며, 비통사적 합성어는 일반적인 문장 구성 방법과 어긋나는 방법으로 형성되는 합성어를 의미한다.

	㉠	㉡		㉠	㉡
①	굶주리다	곧잘	②	뛰놀다	덮밥
③	큰집	굳세다	④	힘들다	여름밤

난이도 ㊤ ○ ㊦

TIP 각각 선지의 ㉠, ㉡을 판단하기보다는 ㉠과 ㉡ 중 하나를 기준으로 잡고 오답 선지를 걸러내는 식으로 풀면 시간을 단축할 수 있다.

해설 ㉠ 관형어가 체언을 수식하는 것은 우리말의 일반적인 문장 구성 방법과 일치하므로 '큰집'은 통사적 합성어이다.

㉡ 용언의 어간이 연결 어미 없이 바로 결합하는 것은 우리말의 일반적인 문장 구성 방법에 어긋나므로 '굳세다'는 비통사적 합성어이다.

오답분석 ① '굶주리다'는 비통사적 합성어, '곧잘'은 통사적 합성어이다.

② '뛰놀다'와 '덮밥'은 모두 비통사적 합성어이다.

④ '힘들다'와 '여름밤'은 모두 통사적 합성어이다.

정답 ③

061 ○○○ 2021 경찰 1차

다음 <보기>를 참고하였을 때 올바르지 않은 것은?

〈보기〉

> 파생 접사 없이 어근과 어근이 직접 합쳐져서 만들어진 단어를 합성어라고 한다. 어근과 어근의 연결이 문장에서와 같은 방식으로 이루어진 것을 통사적 합성어, 단어 형성에서만 나타나는 방식으로 이루어진 것을 비통사적 합성어라고 한다.

① 타고나다 – 통사적 합성어

② 붉돔 – 비통사적 합성어

③ 돌보다 – 통사적 합성어

④ 높푸르다 – 비통사적 합성어

난이도 ㊤ ㊥ ○

해설 '돌보다'는 '돌다'와 '보다'가 결합하여 만들어진 합성어이다. 용언의 어간과 어간이 결합할 때는 연결 어미가 있는 게 우리말의 일반적인 배열 방법이다. 그런데 '돌보다'의 경우 연결 어미 없이 바로 어간 '돌-'과 '보-'가 결합하였다. 따라서 '돌보다'는 비통사적 합성어이다.

오답분석 ① '타고나다'는 '타다'와 '나다'가 결합한 말이다. '타다'와 '나다' 사이에 연결 어미 '-고'가 있기 때문에 통사적 합성어가 맞다.

② '붉돔'은 '붉다'와 '돔'이 결합한 말이다. 용언의 어간이 바로 체언을 수식할 수 없기 때문에, 용언이 체언을 수식하는 구조일 때는 용언이 관형사형으로 바뀐다. 그런데 '붉돔'의 경우 관형사형 전성 어미 없이 바로 '붉다'의 어간 '붉-'이 '돔'과 결합한 경우이다. 따라서 '붉돔'은 비통사적 합성어가 맞다.

④ '높푸르다'는 '높다'와 '푸르다'가 결합한 말이다. '높다'와 '푸르다' 사이에 연결 어미 '-고'가 없기 때문에 비통사적 합성어가 맞다.

정답 ③

062 ○○○ 2018 서울시 7급(3월)

'살짝곰보'와 합성어의 구성 방식이 같은 것은?

① 덮밥 ② 얼룩소

③ 딱딱새 ④ 섞어찌개

난이도 ㊤ ○ ㊦

해설 국어의 합성어에는 국어의 일반적인 통사 구성 방식과 일치하는 '통사적 합성어', 일치하지 않는 '비통사적 합성어'가 있다.
'살짝곰보'는 부사 '살짝'과 명사 '곰보'가 결합한 합성어이다. 이처럼 부사가 명사를 수식하는 구조는 국어의 일반적인 배열 방식에 어긋나므로 '비통사적 합성어'이다. 이와 합성어의 구성 방식이 같은 것은 ③의 '딱딱새'이다. '딱딱새' 역시 부사 '딱딱'이 명사 '새'를 수식하는 구조를 취하고 있다.
※ '딱딱새'는 '딱따구리'의 함북 방언이다.

오답분석 ① '덮밥'은 비통사적 합성어이지만, 부사가 명사를 수식하는 구조는 아니다. 용언의 어간이 관형사형 어미 없이 바로 체언을 수식하는 구조이므로 비통사적 합성어이다.

② '얼룩소'는 '명사+명사'의 구조이므로 통사적 합성어이다.
※ '얼룩소'에 대해서는 '얼룩얼룩(부사)'과 '소(명사)'의 결합으로 보아 비통사적 합성어로 보는 견해도 존재한다.

④ '섞어찌개'는 용언의 어간에 연결 어미가 결합한 '섞어'와 명사 '찌개'가 결합한 말이다. 어미가 누락되지 않았기 때문에 통사적 합성어이다. 물론 '섞어찌개'를 비통사적 합성어로 볼 여지가 있다 하더라도 부사가 명사를 수식하는 구조가 아니다. 따라서 비통사적 합성어로 보더라도, '살짝곰보'와 구성 방식이 완전히 같다고 할 수 없다.
※ '섞어찌개'는 '관점'에 통사적 합성어로 볼 수도 있고, 비통사적 합성어로 볼수도 있다. 따라서 문제에 따라 상대적인 접근이 필요하다.
i) 통사적 합성어로 보는 관점(학교 문법의 관점)
→ 보통 용언과 용언의 연결에 연결어미를 사용하고 용언이 체언을 꾸밀 때에는 관형사형 전성어미를 쓰는데, '섞어찌개'는 특이한 구성이다. 그러나 어미가 누락된 것이 아니기 때문에 통사적 합성어이다.
ii) 비통사적 합성어로 보는 관점(국립 국어원의 관점)
→ 용언이 활용한 '섞어'와 체언 '찌개'가 결합한 것으로 우리말 문장 구조에 맞지 않으므로 비통사적 합성어이다.

 ③

063 ○○○ 2017 교육행정직 9급

㉠과 ㉡에 해당하는 예로 적절한 것은?

> 파생어는 '어근 + 접사'로, 합성어는 '어근 + 어근'으로 이루어진 복합어이다. 파생어 중에는 ㉠ 접사와 결합하기 전의 어근의 품사와 파생어의 품사가 달라진 것도 있고, 달라지지 않은 것도 있다. 합성어 중에는 문장에서 나타나는 배열 방식으로 만들어진 통사적 합성어도 있고, ㉡ 문장에서 나타나지 않는 배열 방식으로 만들어진 비통사적 합성어도 있다.

	㉠	㉡		㉠	㉡
①	슬기롭다	접칼	②	선무당	늦잠
③	공부하다	힘들다	④	먹이	잘나가다

난이도 상 중 하

해설 ㉠ '슬기롭다'는 명사 '슬기'와 접미사 '-롭다'가 결합한 말이다. 결합 전 '슬기'의 품사는 '명사'이고 파생어 '슬기롭다'의 품사는 형용사이다. 따라서 접사와 결합하기 전의 어근의 품사와 파생어의 품사가 다르기 때문에 ㉠의 예로 적절하다.

㉡ '접칼'은 '접다'의 어간 '접-'이 관형사형 어미 없이 바로 명사 '칼'과 결합한 합성어이다. 어간이 관형사형 어미 없이 바로 명사를 수식하는 구조는 문장에서 나타나지 않는 배열 방식이다. 따라서 비통사적 합성어인 '접칼'은 ㉡의 예로 적절하다.

오답 분석

②	**선무당**: 접두사 '선-'과 명사 '무당'이 결합한 말이다. 결합 전과 후의 품사는 '명사'로 동일하므로 ㉠의 예로 적절하지 않다.
	늦잠: '늦잠'은 '늦다'의 어간 '늦-'이 관형사형 어미 없이 바로 명사 '잠'과 결합한 합성어로 볼 수 있다. 어간이 관형사형 어미 없이 바로 명사를 수식하는 구조는 문장에서 나타나지 않는 배열 방식이므로 비통사적 합성어이다. 따라서 ㉡의 예로 적절하다. ※ 학교 문법에서는 '늦잠'을 비통사적 합성어로 다루지만, 표준국어대사전에서는 '늦-'을 접두사로 처리하고 있다. 따라서 이 관점에서는 접두사 '늦-'과 명사 '잠'이 결합된 파생어이다.
③	**공부하다**: 명사 '공부'와 접미사 '-하다'가 결합한 파생어이다. 결합 전 '공부'의 품사는 '명사'이고 파생어 '공부하다'의 품사는 '동사'이므로 ㉠의 예로 적절하다.
	힘들다: '힘들다'는 '힘이 들다'에 주격 조사 '이'가 생략된 채 결합된 합성어이다. 주격 조사의 생략은 문장에서 나타나는 일반적인 배열 방식이므로 '힘들다'는 통사적 합성어이다. 따라서 ㉡의 예로 적절하지 않다.
④	**먹이**: 동사 '먹다'의 어간 '먹-'과 접미사 '-이'가 결합한 파생어이다. 결합 전 '먹다'의 품사는 '동사'이고 파생어 '먹이'의 품사는 '명사'이므로 ㉠의 예로 적절하다.
	잘나가다: 부사 '잘'과 동사 '나가다'가 결합한 합성어이다. 부사가 용언을 수식하는 것은 문장의 일반적인 배열 방식이므로 '잘나가다'는 통사적 합성어이다. 따라서 ㉡의 예로 적절하지 않다.

정답 ①

합성어의 분류	의미 관계에 따른 분류를 묻는 유형

064 ○○○ 2013 국가직 9급

다음 밑줄 친 부분에 해당하는 것은?

> 합성어는 형성 방식에 있어서 앞의 어근과 뒤의 어근이 의미상 결합 방식이 어떠하냐에 따라 나눌 수 있다. 예를 들어 '앞뒤'는 두 어근의 결합 방식이 대등하므로 대등 합성어, '돌다리'는 앞 어근이 뒤 어근에 의미상 종속되어 있으므로 종속 합성어, '춘추'는 두 어근과는 완전히 다른 제삼의 의미가 도출되므로 융합 합성어라 할 수 있다.

① 손발　　② 논밭
③ 책가방　　④ 연세

난이도 상 중 하

TIP 대등 합성어는 낱말의 무게가 나란한 관계로, 종속 합성어는 낱말의 한쪽이 무거운 관계로 이해하면 쉽다.

해설 '종속 합성어'는 앞 어근이 뒤 어근에 의미상 종속되는 합성어이다. 이에 해당하는 것은 '③ 책가방'이다. 앞 어근 '책'이 뒤 어근 '가방'에 의미상 종속되어 '책을 넣는 가방'의 의미를 갖기 때문이다.

오답 분석 ① '손발'은 문맥에 따라 대등 합성어가 될 수도 있고, 융합 합성어가 될 수도 있다.

대등 합성어	'손과 발'의 의미일 때는 대등 합성어 예 손발이 시리다.
융합 합성어	'자기의 손이나 발처럼 마음대로 부리는 사람'의 의미일 때는 융합 합성어 예 십여 년 동안 박 회장의 손발이 되어 왔다.

② '논밭'은 '논과 밭'의 의미이므로, 대등 합성어이다.

④ '해[year]'를 의미하는 '연(年, 해 년)'과 '세(歲, 해 세)'가 합하여 '나이'의 높임말을 나타내는 제3의 의미가 도출되므로, 융합 합성어이다.

정답 ③

Unit 18 품사

출제 유형

• 9품사를 판별하는 유형

핵심정리

• 학교 문법의 품사 분류

학교 문법에서는 '의미'를 기준으로 품사를 '명사, 대사, 수사, 조사, 동사, 형용사, 관형사, 부사, 감탄사'로 분류한다.

품사	단어를 형태, 기능, 의미에 따라 나눈 갈래
명사	사람이나 사물의 이름을 나타내는 말 예 세종대왕, 경복궁
대명사	사람, 사물, 장소의 이름을 대신하여 가리키는 말 예 이, 그, 저
수사	사물의 수량이나 순서를 나타내는 말 예 하나, 둘, 첫째
조사	체언의 뒤에 붙어, 그 말과 다른 말과의 문법적인 관계를 나타내거나 특별한 뜻을 더해 주는 말 예 이/가, 을/를, 이다
동사	문장 주체의 움직임이나 과정을 나타내는 말 예 사랑하다, 보다
형용사	사람 또는 사물의 성질이나 상태를 나타내는 말 예 예쁘다, 어리다
관형사	체언 앞에 쓰여 그 체언이 어떠한 것이라고 꾸며 주는 말 예 옛, 헌, 새
부사	동사나 형용사, 다른 부사, 문장을 꾸며주는 말 예 오직, 단지
감탄사	말하는 사람의 느낌이나 놀람, 부름이나 대답을 나타내는 말 예 아이고, 휴(= 후유, 후), 에구머니, 애고머니

출제 유형

품사	9품사를 판별하는 유형

065 ○○○ 2022 군무원 7급

다음 중 아래의 특징을 모두 만족하는 단어가 아닌 것은?

- 어떤 경우에도 조사와 결합하지 않는다.
- 독립된 품사로 단어와 띄어 쓴다.
- 주로 체언을 꾸며 준다.

① 달리 ② 서너 ③ 어떤 ④ 갖은

난이도 상 중 하

해설 제시된 특징을 가진 품사는 '관형사'이다. 그런데 ①의 '달리'는 '사정이나 조건 따위가 서로 같지 않게'라는 의미를 가진 '부사'이다. '부사'는 독립된 품사로 단어와 띄어 쓴다. 그러나 '부사'는 '관형사'와 달리 조사와 결합하기도 하고, 주로 용언을 꾸며 준다는 점에서 제시된 조건을 모두 만족하는 단어가 아니다.

오답분석 '서너(②), 어떤(③), 갖은(④)'은 관형사로, 제시된 조건을 모두 만족하는 단어이다.

정답 ①

066 ○○○ 2022 군무원 7급

다음 밑줄 친 단어 중에서 품사가 다른 것은?

① <u>그</u> 사람 이름은 잊었지만
② <u>천</u> 년의 바람이 흐른다.
③ <u>여기</u> 그 사람의 뼈를 묻고
④ <u>이</u> 물건 말고 다른 것 주세요.

난이도 상 중 하

해설 '여기'의 품사는 대명사이다. 다른 단어들과 달리 '여기에'처럼 조사를 취할 수 있다.

오답분석 ① '그'는 바로 뒤의 체언 '사람'을 수식한다는 점에서 품사는 관형사(지시관형사)이다.
② '천'은 바로 뒤의 체언 '년'을 수식한다는 점에서 품사는 관형사(수관형사)이다.
④ '이'는 바로 뒤의 체언 '물건'을 수식한다는 점에서 품사는 관형사(지시관형사)이다.

정답 ③

067 ○○○ 2012 지방직 7급

다음 시에 쓰인 단어들은 몇 가지 품사로 분류되는가? (단, 학교 문법의 9품사를 기준으로 하되, 중복된 품사는 하나로 친다.)

> 겨울 바다에 가 보았지.
> 미지의 새,
> 보고 싶던 새들은 죽고 없었네.
>
> 그대 생각을 했건만도
> 매운 해풍에
> 그 진실마저 눈물져 얼어 버리고
>
> 허무의
> 불
> 물 이랑 위에 불 붙어 있었네.

① 5 ② 6 ③ 7 ④ 8

난이도 상 중 하

TIP 9개의 품사 중 중복되는 품사는 제외하고, 빠른 속도로 '제시되지 않은' 품사를 확인한다.

해설

명사	겨울, 바다, 미지, 새, 새들, 생각, 해풍, 진실, 허무, 불, 물, 이랑, 위, 불
대명사	그대
조사	에, 의, 은, 도, 을, 마저
동사	가, 보았지(보조 동사), 보고, 죽고, 했건만도[했건만(동사)+도(조사)], 눈물져, 얼어, 버리고(보조 동사), 붙어, 있었네(보조 동사)
형용사	싶던(보조 형용사), 없었네, 매운
관형사	그

 ②

Unit 19 조사 1 - 조사의 종류

출제 유형

- 격 조사와 보조사를 판별하는 유형
- 관형격 조사 '의'의 쓰임을 판별하는 유형
- 보조사의 의미를 묻는 유형

핵심정리

- **조사의 종류**

(1) **격 조사**: 체언이 문장 안에서 일정한 자격을 가지도록 해 주는 조사

	주격 조사	목적격 조사	관형격 조사	보격 조사	부사격 조사	서술격 조사	호격 조사
격 조사	이/가, 께서, (단체)에서	을/를	의	이/가	에, 에게, 에서, (으)로, 처럼, 한테	이다	아, 야
자격	주어	목적어	관형어	보어	부사어	서술어	독립어

(2) **보조사**: 특별한 뜻을 더해 주는 조사

보조사	은/는	도	요	부터	까지	만, 뿐	조차	밖에	마저
의미	대조	역시	높임	시작점	미침	한정	최종	한계	끝

(3) **접속 조사**: 두 단어를 같은 자격으로 이어 주는 구실을 하는 조사

1. 보조사의 특징

(1) 격 조사를 생략시키기도 한다. 예 그는(가) 너만(을) 믿는다.

(2) 모든 문장 성분에 다 나타날 수 있고, 자리 옮김이 자유롭다. 예 나는요, 항상요, 그대를요, 그리워해요.

(3) 다른 조사와 어울려 쓸 수 있다. 예 너마저도 나를 떠나는구나!

2. 보조사 '요'와 어미 '-요' [11 법원직 9급]

보조사	청자에게 존대의 뜻을 나타내는 보조사(해요체) 예 죽은 소와 돼지가 불쌍하지요.
어미	어떤 사물이나 사실 따위를 열거할 때 쓰이는 연결 어미 예 이것은 닭이요, 저것은 돼지입니다.

출제 유형

조사의 종류	격 조사와 보조사를 판별하는 유형

068 ○○○ 2012 국가직 9급

밑줄 친 것 중 보조사인 것은?

① 이 물건은 시장에서 사 왔다.

② 개는 늑대와 비슷하게 생겼다.

③ 그것은 교사로서 할 일이 아니다.

④ 나는 거칠 것 없는 바다의 사나이다.

난이도 상 중 하

TIP 보조사에는 '은/는, 도, 만, 까지, 마저, 조차, 부터, 마다, (이)야, (이)나, (이)나마, (ㄴ)커녕, 밖에, 든지, 요, (이)야말로' 등이 있다.

해설 ④의 '는'은 문장 속에서 어떤 대상이 화제(주체)임을 나타내는 '보조사'이고, 나머지는 모두 특정 문장 성분임을 드러내는 '격 조사'이다.

오답 분석 ①, ②, ③은 부사격 조사이다.

① 에서: 장소를 나타내는 '처소의 부사격 조사'

② 와: 두 명사가 짝이 되어 '서로' 어떻다는 것을 나타내는 '공동의 부사격 조사'

③ 로서: 직업이나 신분을 나타내는 명사 뒤에 붙어서 '자격을 나타내는 부사격 조사'

정답 ④

출제 유형

조사의 종류	관형격 조사 '의'의 쓰임을 판별하는 유형

069 ○○○ 2018 국회직 8급

다음 중 밑줄 친 '의'의 쓰임이 다른 것은?

① 아 조선의 독립국임과 조선인의 자주민임을 선언하노라.

② 민족자존의 정권을 영유케 하노라.

③ 생존권의 박상됨이 무릇 기하며

④ 민족의 갈 길은 정해졌다.

⑤ 일본의 소의함을 죄하려 안이하노라.

난이도 상 중 하

TIP 관형격 조사 '의'는 여러 가지 의미를 지닌다.

1. 소유나 소속을 의미
   예 어머니의 성경책을 빌려 읽다.
2. 행동이나 작용의 주체를 의미
   예 선생님의 우리의 각오를 경청하셨다.
3. 행동의 대상을 의미
   예 학문의 연구는 학자의 본분이다.
4. 동격을 의미
   예 근대화의 물결 속에서 젊은이들이 방황하다.

해설 '민족자존(민족이 스스로 존재함)'이라는 정권(바른 권리)을 영유케(영원히 누리게) 하노라.
→ 조사 '의'가 앞과 뒤의 의미를 같게 하는 동격의 의미로 사용되었다.

오답 분석 ②를 제외한 나머지는 '의'를 주격 조사 '이/가'로 바꿔도 말이 된다.

① 아(우리) 조선이 독립국이다.
아(우리) 조선인이 자주민이다.
이것(이 두 가지)을 선언하노라.

③ 생존권이 박상(박탈)됨이 무릇 기하며(얼마이며)

④ 민족이 가다. + 그 길은 이미 정해졌다.

⑤ 일본이 소의(의리가 없음)하다. + 그것을 죄하려(벌하려) 아니하노라.

정답 ②

'명사 + 관형격 조사'의 형태일 때 중의적으로 해석될 수 있어요!

 출제 유형

조사의 종류	보조사의 의미를 묻는 유형

MEMO

070 ○○○ 2016 국가직 9급

밑줄 친 보조사의 의미를 설명한 것으로 옳지 않은 것은?

① 그렇게 천천히 가다가는 지각하겠다.
→ -는: 어떤 대상이 다른 것과 대조됨을 나타냄.

② 웃지만 말고 다른 말을 좀 해 보아라.
→ -만: 다른 것으로부터 제한하여 어느 것을 한정함을 나타냄.

③ 단추는 단추대로 모아 두어야 한다.
→ -대로: 따로따로 구별됨을 나타냄.

④ 비가 오는데 바람조차 부는구나.
→ -조차: 이미 어떤 것이 포함되고 그 위에 더함을 나타냄.

난이도 상 중 하

해설 보조사 '는'은 어떤 대상이 다른 것과 대조됨을 나타내기도 한다. 그런데 제시된 예문과의 연결은 적절하지 않다. 제시된 예문에서 보조사 '는'은 '강조'의 의미로 쓰였다.

①	는	• 어떤 대상이 다른 것과 대조됨을 나타내는 보조사 예 사과는 먹어도 배는 먹지 마라. • 문장 속에서 어떤 대상이 화제(주체)임을 나타내는 보조사 예 나는 거칠 것 없는 바다의 사나이다. • 강조의 뜻을 나타내는 보조사 ······ ① 예 놀러 가더라도 멀리는 가지 마라.
②	만	• 다른 것으로부터 제한하여 어느 것을 한정함을 나타내는 보조사 ······ ② 예 하루 종일 잠만 잤더니 머리가 띵했다. • 무엇을 강조하는 뜻을 나타내는 보조사 예 그를 만나야만 한다. • 화자가 기대하는 마지막 선을 나타내는 보조사 예 하나만 당첨되어도 바랄 것이 없다. • 앞말이 나타내는 대상이나 내용 정도에 달함을 나타내는 보조사 예 집채만 한 파도가 몰려온다. • 어떤 것이 이루어지거나 어떤 상태가 되기 위한 조건을 나타내는 보조사 예 너무 피곤해서 눈만 감아도 잠이 올 것 같다.
③	대로	• 앞에 오는 말에 근거하거나 달라짐이 없음을 나타내는 보조사 예 처벌하려면 법대로 해라. • 따로따로 구별됨을 나타내는 보조사 ······ ③ 예 너는 너대로 나는 나대로 서로 상관 말고 살자.
④	조차	이미 어떤 것이 포함되고 그 위에 더함의 뜻을 나타내는 보조사 ······ ④ 예 한자는 쓰기도 어려운 데다 읽기조차 힘들다.

정답 ①

고득점 GO!

이런 유형은 설명을 잘 살펴보고 예문과의 일치, 불일치지를 풀어야 해요!

Unit 20 조사 2 - 형태가 동일한 조사의 판별

출제 유형

- 접속 조사와 부사격 조사 '와/과'를 판별하는 유형
- 주격 조사와 보격 조사 '이/가'를 판별하는 유형
- 주격 조사와 부사격 조사 '에서'를 판별하는 유형

핵심정리

1. 접속 조사 '와/과' vs 부사격 조사 '와/과'

접속 조사	'와/과'가 단어와 단어를 이어줄 때 예 사과와 딸기를 사다.
부사격 조사	부사나 서술어와 이어질 때 예 그는 철수와 비슷하다.

2. 주격 조사 '이/가' vs 보격 조사 '이/가'

주격 조사	서술의 주체일 때 예 그가 웃었다.
보격 조사	서술어 '되다'와 '아니다' 바로 앞에 올 때 예 그는 의사가 되었다. 그는 학생이 아니다.

3. 주격 조사 '에서' vs 부사격 조사 '에서'

주격 조사	단체 무정 명사 뒤에 오고, 의미상 주격 조사 '이/가'와 바꿔 쓸 수 있을 때 예 우리 학교에서 우승했다.
부사격 조사	부사어를 만들어 줄 때 예 3시에 학교에서 만나자.

심화 Plus

• 주격 조사의 종류

구분	특징
이/가	예 강이 흐른다. 영희가 밥을 먹는다.
께서	주어가 높임의 대상임을 나타낼 때 사용함. 예 할머니께서 부르신다. 아버지께서 일을 하신다.
에서	주어가 단체 무정 명사이고, 의미상 '~이/가'로 해석될 때 주격 조사로 봄. 예 정부에서 발표한 내용이다. 당국에서 입시 방침을 발표했다.
(이)서	사람의 수효를 나타낼 때 사용함. 예 둘이서 밥을 먹는다. 셋이서 논다.

형태가 동일한 조사	접속 조사와 부사격 조사 '와/과'를 판별하는 유형

071 ○○○ 2021 경찰 1차

다음 중 설명이 올바르지 않은 것은?

① '동창회에서 장학금을 모교에 전달했다.'의 '동창회에서'는 주어이지만, '어느 학교 동창회에서 있었던 일이다.'의 '동창회에서'는 부사어이다.

② '물이 얼음이 되었다.'와 '물이 얼음으로 되었다.'의 의미는 크게 다르지 않지만, '얼음이'는 보어이고 '얼음으로'는 부사어이다.

③ '민주는 엄마와 진학 문제를 의논했다.'의 '와'는 부사격 조사이지만 '엄마와 민주는 민하를 기다렸다.'의 '와'는 접속 조사이다.

④ '배하고 사과하고 감을 가져오너라.'의 '하고'와 '너는 성적이 누구하고 같으냐?'의 '하고'는 모두 부사격 조사이다.

난이도 ㊤ ◯ ㊦

TIP 선택지가 서술된 형태인 경우 4번부터 푸는 것도 하나의 좋은 방법이다.

해설 '누구하고'의 '하고'는 다른 것과 비교하거나 기준으로 삼는 대상임을 나타내는 부사격 조사가 맞다. 그러나 '배하고 사과하고'에서 '하고'는 '배'와 '사과'를 이어 주는 역할을 한다는 점에서 '부사격 조사'가 아니라 '접속 조사'이다.

오답분석 ① 서술어 '전달하다'의 주체가 '동창회'라는 점에서 첫 번째 문장의 '동창회에서'는 주어가 맞다. 한편, 두 번째 문장의 경우 서술의 주체가 아니라 '장소, 처소'를 나타내는 점에서 부사어가 맞다.

② '되다', '아니다' 앞에 오면서, 보격 조사 '이/가'가 붙은 경우만 보어이다. 따라서 '물이 얼음이 되었다.'에서 '얼음이'는 보어, '물이 얼음으로 되었다.'에서 '얼음으로'는 부사어가 맞다.
※ 격 조사를 확인!

③ '〈엄마와 민주〉는 민하를 기다렸다.'의 '와'는 '엄마'와 '민주'를 이어주는 역할을 한다는 점에서 '민주는 엄마와 진학 문제를 의논했다.'의 '와(부사격 조사)'와 달리 접속 조사가 맞다.

정답 ④

고득점 GO!

'단체+에서'가 의미상 '이/가'로 해석될 때, 이때의 '에서'를 주격 조사로 봐요!

072 ○○○ 2019 서울시 7급(2월)

밑줄 친 조사의 성격이 다른 하나는?

① 인생은 과연 뜬구름과 같은 것일까?

② 누구나 영수하고 친하게 지낸다.

③ 고등학교 때 수학과 영어를 무척 좋아했다.

④ 나와 그 친구는 서로 의지하는 사이였다.

난이도 ㊤ ◯ ㊦

해설 ③의 '과'는 문장을 2개 만드는 접속 조사로 '수학'과 '영어'를 이어 주는 역할을 한다.
※ 고등학교 때,
(내가) 수학을 무척 좋아했다. + (내가) 영어를 무척 좋아했다.

오답분석 ① '과'는 다른 것과 비교하거나 기준으로 삼는 대상임을 나타내는 부사격 조사이다.

② '하고'는 상대로 하는 대상임을 나타내는 부사격 조사이다.
※ ①, ②의 '과'와 '하고'는 서술어 '~(와/과) 같다', '~(와/과) 친하다'에 필수적인 부사어를 보여주는 '부사격 조사'이다.

④ '나'와 '그 친구'를 이어 주는 접속 조사이나 하나의 주어를 연결하여 하나의 문장을 만든다.
※ ③, ④의 '와/과'는 '수학과 영어', '나와 그 친구'를 연결하는 접속 조사이다. ③의 경우는 겹문장을 만들고, ④의 경우는 '의지하다'의 주어일 뿐이다.

 ③

고득점 GO!

접속 조사 '와/과' vs 부사격 조사 '와/과' 완전 정리!

① 'Δ가 [O와] 닮다.'의 '와'는 부사격 조사
② '[Δ와 O]가 닮다'의 '와'는 접속 조사
③ 〈그 친구는〉(주어) 나와(부사어) 의지하다(서술어).
　　　└ 부사격 조사
④ 〈나와 그 친구는〉(주어) 의지하다(서술어).
　　└ 접속 조사

조사의 위치에 따라 달라지니, 조사의 위치를 꼭 기억해야 해요!

출제 유형

형태가 동일한 조사	주격 조사와 보격 조사 '이/가'를 판별하는 유형
	주격 조사와 부사격 조사 '에서'를 판별하는 유형

073 ○○○ 2018 서울시 7급(6월)

국어의 조사에 대한 설명으로 가장 옳지 않은 것은?

① '에서'는 '집에서 가져 왔다'의 경우에는 부사격 조사이지만 '우리 학교에서 우승을 차지했다'의 경우에는 주격 조사이다.

② '는'은 '그는 학교에 갔다'의 경우에는 주격 조사이지만 '일을 빨리는 한다'의 경우에는 보조사이다.

③ '가'는 '아이가 운동장에서 놀고 있다'의 경우에는 주격 조사이지만 '그것은 종이가 아니다'의 경우에는 보격 조사이다.

④ '과'는 '눈과 같이 하얗다'의 경우에는 부사격 조사이지만 '책과 연필이 있다'의 경우에는 접속 조사이다.

난이도 상 중 하

TIP 주격 조사와 보격 조사의 '이/가'는 형태가 동일하다. 다만, 보격 조사는 서술어 '되다/아니다' 앞에만 오므로 문장에서 쉽게 찾아낼 수 있다.

해설 '는'은 주격 조사가 아니라 보조사이다. 국어의 주격 조사에는 '이, 가, 께서, 에서'이다. 다만, '그는 학교에 갔다.'의 경우 '그가'로 해석되므로 '주어' 역할을 하고 있고, '일을 빨리는 한다.'의 경우 '빨리' 라는 부사어 뒤에서 의미를 강조하는 보조사로 쓰였다.

오답 분석 ① '우리 학교에서 우승을 차지했다.'에서 '우리 학교'는 단체 무정 명사이다. 또 서술어 '차지했다'의 주체이므로 '에서'는 주격 조사가 맞다.

③ '그것은 종이가 아니다.'에서 서술어가 '아니다'이므로, 서술어 앞의 '종이가'의 '가'는 보격 조사가 맞다.

④ '<책과 연필>이 있다.'에서 '과'는 단어 '책'과 '연필'을 이어주는 역할을 하므로 접속 조사가 맞다.

정답 ②

074 ○○○ 2012 지방직 9급

밑줄 친 조사의 쓰임이 다른 것은?

① 늘 푸른 소나무는 낙엽수가 아니다.

② 할아버지께서 작은형을 부르신다.

③ 어린 철수가 혼자 집을 보고 있다.

④ 이번에 충청남도에서 우승을 차지하였다.

난이도 상 중 하

TIP 주격 조사와 보격 조사의 '이/가'는 형태가 동일하다. 다만, 보격 조사는 서술어 '되다/아니다' 앞에만 오므로 문장에서 쉽게 찾아낼 수 있다.

해설 '아니다' 앞에 온 ①의 밑줄 친 '가'는 보격 조사이다. 나머지는 모두 문장의 주체를 나타내는 주격 조사이다. 따라서 쓰임이 다른 것의 ①의 '가'이다.

오답 분석 ② 주체가 높임의 대상일 경우, 주격 조사로 '이/가' 대신 '께서'를 사용하여 높임을 나타낼 수 있다.

③ '이/가'는 일반적인 주격 조사이다.

④ 주어가 단체 무정 명사일 경우, 주격 조사 '에서'를 취할 수 있고, 의미상 '이/가'의 역할을 한다.

정답 ①

Unit 21 감탄사

출제 유형

- 감탄사를 판별하는 유형

1. 감탄사(독립언)

(1) 종류

감정 감탄사	놀람, 느낌, 기분	아, 아차, 아이코, 어머(나), 아무렴(= 암), 저런, 웬걸, 그럼
의지 감탄사	화자의 의지	쉬, 자, 에라, 이봐, 천만에, 얘, 웬걸, 아니
호응 감탄사	부름과 대답	여보, 여보세요, 얘(= 야), 그래, 예, 아니(요), 오냐, 응
구습 감탄사	입버릇	아, 뭐, 그, 저, 웅

(2) 특징

① 독립성이 강하기 때문에 자리 이동이 자유롭다.

② 형태 변화를 하지 않는다.

③ 조사와 결합하지 않는다.

2. 독립어: 문장의 어느 성분과도 직접적인 관련이 없는 문장 성분

예 감탄사, 명사 + 호격 조사, 제시어

출제 유형

감탄사	감탄사를 판별하는 유형

075 ○○○ 2018 군무원 복원

다음 중 감탄사가 아닌 것은?

① 어, 이러다가 차 놓치겠다.

② 어머나! 저를 선택하시다니요!

③ 청춘, 그 놀랍고 찬란한 이야기

④ 너 정말 몰라보게 예뻐졌다. 얘!

난이도 상 ○ 하

해설 '감탄사'는 말하는 이의 본능적인 놀람이나 느낌, 부름, 응답 따위를 나타내는 품사이다. 그런데 ③의 '청춘(명사)'은 제시어로, 감탄사가 아니다.

※ 모든 감탄사는 독립어이다. 하지만 모든 독립어는 감탄사가 아니다. 따라서 독립어인 ③의 '청춘'은 독립어는 맞지만 감탄사는 아니다.

오답분석 ① '어'는 놀라거나, 당황하거나, 초조하거나, 다급할 때 나오는 소리로 감탄사가 맞다.

② '어머나'는 '어머'를 강조하여 내는 소리로 감탄사가 맞다.

④ '얘(= 야)'는 어른이 아이를 부르거나 같은 또래끼리 서로 부르는 말로 감탄사가 맞다.

정답 ③

'감탄사'와 '독립어'

모든 감탄사는 '독립어'이다.(o)
모든 독립어는 '감탄사'이다.(x)

독립어
감탄사
= 독립어

Unit 22 동사와 형용사의 판별

출제 유형

- 품사가 다른 하나를 찾는 유형
- 품사가 동일한 것끼리 묶는 유형

핵심정리

• 동사와 형용사 판별

구분	동사	형용사
현재 시제 '-는다/-ㄴ다'	○ 예 나는 밥을 먹는다.	× 예 *나는 지금 예쁜다.
명령형 '-어라/-아라'	○ 예 너는 밥을 먹어라.	× 예 *너는 지금 예뻐라.
청유형 '-자'	○ 예 우리 같이 밥을 먹자.	× 예 *우리 같이 예쁘자.
목적 어미 '-(으)러'	○ 예 밥을 먹으러 식당에 간다.	× 예 *예쁘러 미용실에 간다.
의도 어미 '-(으)려(고)'	○ 예 지금 밥을 먹으려 한다.	× 예 *지금 예쁘려 한다.

심화 Plus

• 시험에 자주 출제되는 동사와 형용사

항상 동사	늙다, 낡다, 맞다, 틀리다, 가물다, 잘생기다, 못생기다, 잘나다, 못나다 [비교] '젊다'는 항상 형용사
항상 형용사	알맞다, 걸맞다, 건강하다, 다르다, 성실하다, 정직하다, 안녕하다, 순수하다, 진실하다, 흐드러지다, 없다 [비교] '맞다'는 항상 동사

※ '크다, 밝다, 늦다, 졸리다, 감사하다, 있다, 길다' 등의 단어는 동사로도 쓰이고, 형용사로도 쓰인다(품사의 통용).

동사와 형용사의 판별	품사가 다른 하나를 찾는 유형

076 ○○○ 2023 군무원 9급

다음 중 '쓰다'의 품사가 나머지 셋과 다른 하나는?

① 양지바른 곳을 묏자리로 썼다.
② 그는 취직 기념으로 친구들에게 한턱을 썼다.
③ 여러 번 실패를 경험했지만 언제나 그 맛은 썼다.
④ 그 사람은 억울하게 누명을 썼다.

난이도 상 중 하

해설 '맛이 쓰다'의 '쓰다'는 'bitter'의 의미이므로 품사는 형용사이다. ③을 제외한 나머지 '쓰다'의 품사는 동사이다.

오답 분석
① '시체를 묻고 무덤을 만들다.'라는 의미로 품사는 동사이다.
② '다른 사람에게 베풀거나 내다.'라는 의미로 품사는 동사이다.
④ '사람이 죄나 누명 따위를 가지거나 입게 되다.'라는 의미로 품사는 동사이다.

정답 ③

077 ○○○ 2017 국가직 7급 추가

밑줄 친 단어의 품사가 나머지 셋과 다른 것은?

① 노력했지만 아직 부족함이 많다.
② 곧 날이 밝으면 출발할 수 있다.
③ 노인들은 꽃나무를 잘들 키우신다.
④ 노장은 결코 늙지 않는다는 말이 있다.

난이도 상 중 하

해설 ①의 '많다'만 품사가 형용사이고, ①을 제외한 나머지는 품사가 동사이다. 따라서 품사가 나머지 셋과 다른 것은 ①이다.

비교 '없다'는 관형사형 전성 어미 '-는'과 결합하고 의문형 어미 '-느냐'와도 결합하지만 품사는 항상 형용사이므로 주의해야 한다.

오답 분석
② '밝다'가 '밤이 지나고 환해지며 새날이 오다[dawn].'의 의미로 쓰였기 때문에 품사는 동사가 맞다.
※ '밝다'가 '불빛 따위가 환하다[light].'의 의미일 때는 품사가 형용사이다.
③ '크다'의 사동사 '키우다'의 품사는 동사이다.
※ '크다'가 '자라다[grow]'의 뜻일 때는 동사, '길이, 넓이, 부피 등이 크다[large, big]'의 뜻일 때는 형용사이다.
④ '늙다'의 품사는 항상 동사이다.
※ '늙다'의 반의어인 '젊다'의 품사는 항상 형용사이다.

정답 ①

동사와 형용사의 판별	품사가 동일한 것끼리 묶는 유형

078 ○○○ 2017 지방직 9급

밑줄 친 말의 품사가 같은 것으로만 묶은 것은?

> 개나리꽃이 ㉠ 흐드러지게 핀 교정에서 친구들과 ㉡ 찍은 사진은, 그때 느꼈던 ㉢ 설레는 행복감은 물론, 대기 중에 ㉣ 충만한 봄의 기운, 친구들과의 악의 ㉤ 없는 농지거리, 벌들의 잉잉거림까지 현장에 있는 것과 다름없이 느끼게 해 준다.

① ㉠, ㉢, ㉣ ② ㉠, ㉣, ㉤
③ ㉡, ㉢, ㉤ ④ ㉢, ㉣, ㉤

난이도 상 중 하

해설 ㉠~㉤은 모두 서술성(기본형이 '-다'의 형태)을 갖고 있다. 따라서 동사와 형용사를 판별하는 문제이다.
현재 시제 '-는다/-ㄴ다'와 결합이 가능하면 동사이고 그렇지 않으면 형용사이다.
㉠ 기본형은 '흐드러지다'이다. '흐드러진다'가 불가능하기 때문에 품사는 형용사이다.
㉡ 기본형은 '찍다'이다. '찍는다'가 가능하기 때문에 품사는 동사이다.
㉢ 기본형은 '설레다'이다. '설렌다'가 가능하기 때문에 품사는 동사이다.
㉣ 기본형은 '충만하다'이다. '충만한다'는 불가능하기 때문에 품사는 형용사이다.
㉤ 기본형은 '없다'이다. '없는다'가 불가능하기 때문에 품사는 형용사이다.
※ 없다'는 일반적인 형용사와 달리 동사의 활용 양상을 보이기도 한다. 그러나 '없다'의 품사는 항상 형용사이다.
이를 볼 때, '㉠, ㉣, ㉤'은 형용사이고, '㉡, ㉢'은 동사이다.
※ 동사 판별을 위해,
① '-는다/-ㄴ다'를 결합해 본다.
② 관형형 '-는', 명령형 '-아라/-어라', 진행의 '-고 있다'를 결합해 본다.

정답 ②

Unit 23 품사의 판별 1 - 관형사와 용언의 관형사형, 부사와 용언의 부사형

출제 유형

- 관형사와 용언의 관형사형을 판별하는 유형
- 부사와 용언의 부사형을 판별하는 유형

핵심정리

1. 관형사 vs 용언의 관형사형

품사	시제 표시	활용	서술성	수식 기능	예문
관형사	×	×	×	○	새 책
관형사형	○	○	○	○	아름다운 세상 (세상이 아름답다.)

2. 부사 vs 용언의 부사형

부사	부사 파생 접미사 '-이/-히' 등이 붙은 말 예 몸을 깨끗이 씻다.
부사형	부사형 전성 어미 '-게', '-도록'이 붙은 말 예 몸을 깨끗하게 씻다.

심화 Plus

1. 관형사 '다른' vs 형용사 '다르다'의 관형사형 '다른'

관형사	'딴'으로 해석되면 '관형사' 예 • 다른 사람들은 어디 있지? • 편식하지 말고 다른 것도 먹어라.
형용사	'~이/가', '~와/과 다르다'로 해석되면 '형용사' 예 • 성격이 다른 사람하고 함께 사는 것은 쉽지 않다. → '성격이 다르다.' + 그런 사람 • 배송되어 온 치마가 주문한 치마와 전혀 다른 것이다. → '~ 치마가 ~ 치마와 다르다.' + 그런 것이다.

2. 부사 파생 접미사 vs 부사형 전성 어미 [14 서울시 9급]

(1) 부사 파생 접미사

접미사	의미 및 용례
-히	부사를 만드는 접미사 예 조용히, 영원히
-이	부사를 만드는 접미사 예 많이, 같이
-코	부사를 만드는 접미사 예 결단코, 기어코
-껏	'그것이 닿는 데까지'의 뜻을 더하고 부사를 만드는 접미사 예 마음껏, 정성껏
-내	'그 기간의 처음부터 끝까지'의 뜻을 더하고 부사를 만드는 접미사 예 여름내, 저녁내

(2) 부사형 전성 어미

접미사	의미 및 용례
-게	용언을 부사어처럼 만들어 부사어로 쓰이게 하는 어미 예 아름답게, 멋지게

출제 유형

품사의 판별	관형사와 용언의 관형사형을 판별하는 유형

079 ○○○ 2022 간호직 8급

밑줄 친 단어의 품사가 형용사인 것은?

① 다른 사람들은 어디 있지?

② 편식하지 말고 다른 음식도 먹어라.

③ 그는 자기 일 밖의 다른 일에는 관심이 없다.

④ 나와 생각이 다른 사람은 함께 가지 않아도 좋다.

난이도 ㊤ ◯ ㊦

TIP 형용사 '다른'은 '다르다'로 해석되어야 하기 때문에 반드시 앞에 '-이/가'나 '-와/과'의 조사가 등장한다.

해설 '다른'에는 관형사 '다른'과 형용사 '다르다'의 활용형 '다른'이 있다. 둘의 가장 큰 차이점은 서술성 여부이다. 관형사는 서술성이 없고, 형용사의 활용형은 서술성이 있다. ④의 '다른'은 '나와 생각이 다르다'처럼 서술성을 가진다는 점에서 형용사 '다르다'의 활용형이다.

오답분석 ④를 제외한 나머지는 모두 서술성이 없기 때문에 관형사이다.

정답 ④

080 ○○○ 2021 국회직 8급

<보기>의 밑줄 친 부분에 해당하는 어휘로 옳은 것은?

<보기>

관형사는 뒤에 오는 체언을 수식하는 단어이다. 그러나 뒤에 오는 단어를 한정하고 꾸미는 직능을 보이더라도 그 단어가 격조사나 어미를 취할 수 있는 단어라면 관형사가 될 수 없다.

① 그는 모든 욕심을 버리기로 다짐했다.

② 무슨 일이 생겼는지 연락이 되지 않는다.

③ 그는 자기 일 밖의 다른 일에는 관심이 없다.

④ 오늘따라 교실에서 뛰는 학생들이 많다.

⑤ 진수는 자동차를 어느 곳에 세워두었는지 기억나지 않았다.

난이도 ㊤ ㊥ ◯

해설 '뛰는'은 뒤에 오는 체언 '학생들'을 수식하는 기능을 한다. 그러나 관형사는 아니다. 왜냐하면 동사 '뛰다'의 어간 '뛰-'에 관형사형 전성 어미 '-는'이 결합한 말이기 때문이다. 따라서 '뛰는'은 <보기>의 밑줄 친 부분에 해당하는 어휘로 옳다.

오답분석
① '모든'은 뒤에 오는 체언 '욕심'을 수식하는 관형사로, 격 조사나 어미를 취할 수 없다. 따라서 밑줄 친 부분의 예로 적절하지 않다.
② '무슨'은 뒤에 오는 체언 '일'을 수식하는 관형사로, 격 조사나 어미를 취할 수 없다. 따라서 밑줄 친 부분의 예로 적절하지 않다.
③ '다른'은 뒤에 오는 체언 '일'을 수식하는 관형사로, 격 조사나 어미를 취할 수 없다. 따라서 밑줄 친 부분의 예로 적절하지 않다.
⑤ '어느'는 뒤에 오는 체언 '곳'을 수식하는 관형사로, 격 조사나 어미를 취할 수 없다. 따라서 밑줄 친 부분의 예로 적절하지 않다.
※ 관형사는 조사나 어미와 결합하지 않는다.

정답 ④

고득점 GO!

- 격 조사를 취하는 말 ⇒ 체언
- 어미를 취하는 말 ⇒ 용언

* 보조사는 용언과도 결합한다.

081 ○○○ 2020 경찰 1차

<보기>의 밑줄 친 부분과 같은 품사인 것은?

<보기>

나에게 놀라운 일이 벌어졌다.

① 내가 만난 사람은 키가 컸다.
② 너무 매운 음식은 건강에 안 좋다.
③ 그는 신이 닳도록 열심히 뛰어다녔다.
④ 이 집은 맛있기로 유명한 순댓국을 판다.

난이도 상 중 하

해설 <보기>의 '놀라운'은 체언 '일'을 수식하기 때문에 문장 성분은 '관형어'이다. 그러나 기본형은 '놀랍다'로 품사는 '관형사'가 아니라 '용언(동사 혹은 형용사)'이다. '놀랍다'는 현재 시제 '-는'이 붙을 수 없고(놀랍는 X), 명령형이나 청유형 어미가 붙을 수 없는 것을 보아 그 품사는 형용사로 판별한다. <보기>의 '놀라운'처럼 품사가 형용사인 것은 ④의 '맛있기'이다. '맛있기'는 형용사 '맛있다'의 명사형이다. 어미는 품사에 영향을 주지 않기 때문에 '맛있기'의 기본형을 떠올리고 품사를 판별한다.

오답 분석
① '만난'도 <보기>의 '놀라운'처럼 체언 '사람'을 수식하는 관형어이지만, 서술성을 가지고 있기 때문에 품사는 용언(동사, 형용사)이다. 다만, 현재 시제 '-는'이 붙을 수 있고(만나는), 명령형이나 청유형 어미가 붙을 수 있는 것을 보아 그 품사는 동사이다.
② '너무'는 부사이다.
※ '너무' 바로 뒤의 '매운'의 품사는 기본형이 '맵다'인 형용사이다.
③ '닳도록'은 동사 '닳다'의 어간 '닳-'에 앞의 내용이 뒤에서 가리키는 사태의 목적이나 결과, 방식, 정도 따위가 됨을 나타내는 연결 어미 '-도록'이 붙은 말이다. 기본형은 '닳다'로 품사는 동사이다.

정답 ④

082 ○○○ 2019 기상직 9급

<보기>의 ㉠~㉣ 중 품사가 나머지와 다른 것은?

<보기>

관형어는 체언 앞에서 체언의 뜻을 꾸며 주는 구실을 하는 문장 성분이다. 동사나 형용사의 관형사형, 또는 관형사 등이 문장에서 관형어로 기능한다.

㉠ 긴 이불을 팔다.　　㉡ 한 이불을 덮다.
㉢ 저 이불을 빨다.　　㉣ 새 이불을 사다.

① ㉠　　② ㉡　　③ ㉢　　④ ㉣

난이도 상 중 하

해설 ㉠의 '긴'은 형용사 '길다'의 어간 '길-'에 관형사형 전성 어미 '-ㄴ'이 붙은 것이다. 어미는 품사를 바꾸는 기능을 하지 못하므로, '긴'의 품사는 그대로 형용사이다. ㉠을 제외한 나머지 단어의 품사는 관형사이므로, 품사가 다른 것은 ㉠이다.

오답 분석
② '한'은 '같은'의 뜻을 나타내는 관형사이다.
③ '저'는 '말하는 이와 듣는 이로부터 멀리 있는 대상'을 가리킬 때 쓰는 관형사이다.
④ '새'는 '사용하거나 구입한 지 얼마 되지 아니한'의 뜻을 나타내는 관형사이다.

정답 ①

고득점 GO!

'접사'와 달리 '어미'는 품사에 영향을 주지 않아요!

083 ○○○ 2016 국회직 8급

다음 밑줄 친 단어의 품사가 관형사가 아닌 것은?

① 부모에게 불효하는 고얀 녀석 같으니라고.

② 남편을 기다리며 이렇게 하고많은 나날을 보내고 있다.

③ 긴긴 세월을 인내하며 노력해 왔다.

④ 그 사람은 서울에서도 한다하는 집안에서 자랐다.

⑤ 그는 자기 일 밖의 다른 일에 관심이 없다.

난이도 상 중 하

해설 ①~⑤의 밑줄 친 단어는 모두 체언을 수식한다는 점에서 관형어이다. 관형어에는 관형사와 용언의 관형사형이 포함된다. ②의 '하고많은'은 형용사 '하고많다'의 어간 '하고많-'에 관형사형 전성어미 '-은'이 붙은 말이다. '접사'와 달리 '어미'는 품사에 영향을 주지 않는다. 따라서 ②의 '하고많은'의 품사는 형용사이다.

오답분석 ②의 '하고많은'을 제외한 나머지의 품사는 관형사이다.

① '고얀'은 '성미나 언행이 도리에 벗어나는'의 뜻을 가진 관형사이다.
※ 우리말에 '고얗다'라는 단어는 없다. 따라서 '고얀'은 항상 관형사이다.

③ '긴긴'은 '길고 긴'의 뜻을 가진 관형사이다.
※ '긴'은 '길다'의 관형사형으로 관형사가 아니다.

④ '한다하는'은 '수준이나 실력 따위가 상당하다고 자처하거나 그렇게 인정받는'의 뜻을 가진 관형사이다.
※ 우리말에 '한다하다'라는 단어는 없다. 따라서 '한다하는'은 항상 관형사이다.

⑤ '다른'은 '당장 문제되거나 해당되는 것 이외의'의 뜻을 가진 관형사이다.

 ②

출제 유형

품사의 판별	부사와 용언의 부사형을 판별하는 유형

084 ○○○ 2014 서울시 9급

다음 예문의 밑줄 친 단어 가운데 품사가 다른 하나는?

> 봄·여름·가을·겨울, 두루 사시(四時)를 두고 자연이 우리에게 내리는 혜택에는 제한이 없다. 그러나 그중에도 그 혜택을 가장 풍성히 아낌없이 내리는 시절은 봄과 여름이요, 그중에도 그 혜택이 가장 아름답게 나타나는 것은 봄, 봄 가운데도 만산(萬山)에 녹엽(綠葉)이 우거진 이때일 것이다.
>
> – 이양하, 〈신록예찬〉

① 두루 ② 가장

③ 풍성히 ④ 아낌없이

⑤ 아름답게

난이도 상 중 하

해설 ①~⑤의 밑줄 친 단어는 모두 체언 이외의 문장 성분을 수식한다는 점에서 부사어이다. 부사어에는 부사와 용언의 부사형이 포함된다. ⑤의 '아름답게'는 형용사 '아름답다'의 어간 '아름답-'에 부사형 전성 어미 '-게'가 붙은 말이다. '접사'와 달리 '어미'는 품사에 영향을 주지 않는다. 따라서 ⑤의 '아름답게'의 품사는 형용사이다.

오답분석 ⑤의 '아름답게'를 제외한 나머지의 품사는 부사이다.

① '두루'는 '빠짐없이, 골고루'의 뜻을 가진 부사이다.

② '가장'은 '여럿 가운데 어느 것보다 정도가 높거나 세게'의 뜻을 가진 부사이다.

③ '풍성히'는 '넉넉하고 많이'의 뜻을 가진 부사이다.

④ '아낌없이'는 '주거나 쓰는 데 아까워하는 마음이 없이'의 뜻을 가진 부사이다.
※ '-이/-히'는 부사 파생 접미사이다. 어미와 달리 접사는 품사에 영향을 준다. 따라서 ③의 '풍성히(풍성+-히)', ④의 '아낌없이(아낌없-+-이)'의 품사는 부사이다.

 ⑤

Unit 24 품사의 판별 2 - 명사와 용언의 명사형

출제 유형

- 명사와 용언의 명사형을 판별하는 유형
- 파생 명사와 용언의 명사형을 판별하는 유형

핵심정리

- **명사 vs 용언의 명사형**

품사	품사	서술성	수식어
명사	명사	×	관형어
명사형	용언(동사, 형용사)	○	부사어

심화 Plus

- **용언의 명사형 만들기** [12 지방직 9급]

(1) 어간에 받침이 없으면, 어미 '-ㅁ'을 붙인다.

예 보다 → 봄, 가다 → 감, 사다 → 삼

(2) 어간에 받침이 있으면, 어미 '-음'을 붙인다.

예 먹다 → 먹음, 찾다 → 찾음, 붙잡다 → 붙잡음

(3) 어간이 'ㄹ' 받침으로 끝나면, 어간 뒤에 어미 '-ㅁ'을 붙인다.

예 날다 → 낢, 베풀다 → 베풂, 졸다 → 졺

출제 유형

품사의 판별	명사와 용언의 명사형을 판별하는 유형

085 ○○○ 2014 지방직 9급

밑줄 친 단어 중 명사를 모두 고른 것은?

- 십 년 만에 그 친구를 만남으로써 갈등이 다소 해결되었다.
- 가능한 한 깨끗하게 청소하여라.
- 그녀는 웃을 뿐 말이 없었다.
- 나를 보기 위해 왔니?

① 만남, 한, 뿐　　② 한, 뿐
③ 한, 뿐, 보기　　④ 만남, 보기

난이도 상 중 하

해설 명사는 관형어의 수식을 받고 서술성이 없다. 밑줄 친 단어 중 관형어의 수식을 받고 서술성이 없는 것은 '한'과 '뿐'이다.

오답분석 ④ '만남'과 '보기'는 서술성이 있기 때문에 각각 '만나다'와 '보다'의 어간에 명사형 전성 어미가 붙은 형태이다. 어미는 품사에 영향을 주지 않기 때문에 품사는 동사이다.

정답 ②

고득점 GO!

공식!

① '명사'라면
서술성 x, 관형어의 수식
② '용언'이라면
서술성 o, 부사어의 수식
※'서술성 o'는 '-다'로 해석되는 경우!

출제 유형

품사의 판별	파생 명사와 용언의 명사형을 판별하는 유형

086 ○○○ 2015 기상직 9급

㉠~㉣ 중 다음 밑줄 친 '먹기'와 품사가 같은 것을 모두 고른 것은?

나는 배가 고파 더 많이 먹기 시작했다.

- 그는 밤새 믿기지 않는 ㉠ 꿈을 꾸었다.
- 그는 '초상화를 잘 ㉡ 그림'이라고 썼다.
- 그의 ㉢ 바람은 내가 건강해지는 것이었다.
- 그는 빙그레 ㉣ 웃음으로써 마음을 전했다.

① ㉠, ㉡　　② ㉠, ㉣
③ ㉡, ㉢　　④ ㉡, ㉣

난이도 상 중 하

해설 명사 파생 접미사 '-음', '-기'와 명사형 전성 어미 '-음', '-기'의 형태가 동일하여 품사가 혼동되기도 한다. 접사는 품사에 영향을 주기 때문에 '용언의 어근 + 명사 파생 접미사 '-음', '-기'로 결합한 것은 품사가 '명사'이다. '명사'는 체언이므로 관형어의 수식을 받고, 서술성이 없다. 한편, '용언의 어근 + 명사형 전성 어미 '-음', '-기'로 결합한 것은 어미의 형태로, 어미는 품사에 영향을 주지 않기 때문에 품사는 '용언(동사, 형용사)'이다. 용언은 부사어의 수식을 받고, 서술성이 있다. 이러한 기준에 따르면, 부사어 '많이'의 수식을 받고 서술성이 있는 밑줄 친 '먹기'의 품사는 동사이다. ㉠~㉣ 중 품사가 동사인 것은 ㉡과 ㉣이다.
㉡의 '그림'은 부사어 '잘'의 수식을 받고 서술성이 있기 때문에 품사는 동사이다.
㉣의 '웃음'은 부사어 '빙그레'의 수식을 받고 서술성이 있기 때문에 품사는 동사이다.

오답분석 ㉠의 '꿈'은 관형어 '믿기지 않는'의 수식을 받고 서술성이 없기 때문에 품사는 명사이다.
㉢의 '바람'은 관형어 '그의'의 수식을 받고 서술성이 없기 때문에 품사는 명사이다.

정답 ④

Unit 25 품사의 판별 3 - 수사와 수 관형사

출제 유형

• 수사와 수 관형사를 판별하는 유형

핵심정리

• 수사와 수 관형사의 판별

구분	조사와 결합 여부	문장에서의 기능
수사	조사와 결합 ○	예 둘보다 셋이 낫다.
수 관형사	조사와 결합 ×	단위성 의존 명사의 수식 예 나무 세 그루가 있다.

심화 Plus

• 둘째, 열둘째, 열두째

(1) 십 아래의 수는 품사에 상관없이 항상 '둘째'를 쓴다.

(2) 수사와 관형사일 때는 'ㄹ'이 탈락하는 형태로, 명사일 때는 'ㄹ'이 탈락하지 않은 형태로 쓴다.

① 차례를 나타내는 말(수사, 관형사)로 쓰일 때는 받침 'ㄹ'이 탈락한다. 예 열두째, 스물두째 등

② 맨 앞에서부터 세어 모두 '해당하는 수' 개째 됨을 나타내는 경우(명사)에는 'ㄹ'이 탈락하지 않은 형태로 쓴다.
예 열둘째, 스물둘째 등

출제 유형

수사와 수 관형사	수사와 수 관형사를 판별하는 유형

고득점 GO!

공식!

(수) 관형사 v (세는 단위성) 의존 명사

예 다섯 v권

087 ○○○ 2022 군무원 7급

다음 중 수사(數詞)가 쓰이지 않은 것은?

① 사과 하나를 집었다.

② 열의 세 곱은 서른이다.

③ 한 사람도 오지 않았다.

④ 영희가 첫째로 도착하였다.

난이도 상 ○ 하

해설 '수사'는 사물의 수량이나 순서를 나타내는 품사로, 양수사와 서수사가 있다. ③의 '한'은 '사람'을 꾸며주는 말이라는 점에서 '수사'가 아니라 '관형사(수관형사)'이다.

오답 분석 ① '하나'는 수사이다.

② '열'과 '서른'은 수사이다. 한편, '세 곱'의 '세'는 '관형사(수관형사)'이다.

④ '첫째'는 수사이다.

※ '첫째'가 '무엇보다 앞서는 것', '맏이'의 의미로 쓰인다면 '명사'이고, 체언을 수식한다면 '수관형사'이다.

예 신발은 첫째로 발이 편안해야 한다.(명사)
김 선생네는 첫째가 벌써 초등학교 5학년이다.(명사)
시리즈물의 첫째 권.(수관형사)

 ③

088 ○○○ 2016 서울시 9급

다음 중 밑줄 친 부분의 품사가 다른 하나는?

① 그 가방에 소설책 한 권이 들어 있었다.

② 넓은 들판에는 농부가 한둘 눈에 띌 뿐 한적했다.

③ 두 사람은 서로 다투다가 화해했다.

④ 보따리에서 석류가 두세 개 굴러 나왔다.

난이도 상 ○ 하

해설 '한둘'은 '하나나 둘쯤'이란 뜻을 가진 '수사'이다. '한둘' 뒤에 주격 조사 '이'를 붙여도 무방하기 때문에, 품사는 '수사(체언)'이다. 나머지는 모두 명사를 수식하는 '관형사(수식언)'이다. 뒤에 등장한 의존 명사(세는 단위)로도 판별이 가능하고, 관형사이기 때문에 ②와 달리 조사와 결합할 수도 없다는 점도 힌트가 된다.

오답 분석 ① 의존 명사 '권'을 수식하기 때문에 관형사이다.

③ 의존 명사 '사람(원래는 보통 명사이나, 제시된 문장에서 세는 단위로 기능함)'을 수식하기 때문에 관형사이다.

④ 의존 명사 '개'를 수식하기 때문에 관형사이다.

 ②

Unit 26 품사의 판별 4 - 품사 통용

출제 유형

- 품사가 다른 하나를 찾는 유형
- 품사가 동일한 것을 찾는 유형
- 품사의 판별이 바른지 묻는 유형

핵심정리

- **품사 통용 단어(동사, 형용사)**

(1) 크다

동사	① 동식물이 몸의 길이가 자라다. 예 키가 몰라보게 컸구나. ② 사람이 자라서 어른이 되다. 예 너 커서 뭐가 될래?
형용사	① 사람이나 사물의 외형적 길이, 넓이, 높이, 부피 따위가 보통 정도를 넘다. 예 집이 크다. ② 신, 옷 따위가 맞아야 할 치수 이상으로 되어 있다. 예 신발이 크다.

(2) 있다

동사	① 사람이나 동물이 어느 곳에서 떠나거나 벗어나지 아니하고 머물다. 예 내일 집에 있어라. ② 사람이 어떤 직장에 계속 다니다. 예 그냥 그 직장에 있어라. ③ 사람이나 동물이 어떤 상태를 유지하다. 예 가만히 있어라. ④ 얼마의 시간이 경과하다. 예 사흘만 있으면 추석이다.
형용사	① 사람, 동물, 물체 따위가 실제로 존재하는 상태이다. 예 날지 못하는 새도 있다. ② 어떤 사실이나 현상이 현실로 존재하는 상태이다. 예 난 그와 만난 적이 있다.

(3) 길다

동사	머리카락, 수염 따위가 자라다. 예 그녀는 머리가 잘 기는 편이다.
형용사	① 잇닿아 있는 물체의 두 끝이 서로 멀다. 예 해안선이 길다. ② 이어지는 시간상의 한 때에서 다른 때까지의 동안이 오래다. 예 낮이 밤보다 길다.

※ '길다'는 동사와 형용사가 사전에 별개의 표제어로 등재되어 있다.

(4) 늦다

동사	정해진 때보다 지나다. 예 그는 약속 시간에 항상 늦는다.
형용사	① 기준이 되는 때보다 뒤져 있다. 예 시계가 오 분 늦게 간다. ② 시간이 알맞을 때를 지나 있다. 또는 시기가 한창인 때를 지나 있다. 예 우리 일행은 예정보다 늦게 도착했다. ③ 곡조, 동작 따위의 속도가 느리다. 예 박자가 늦다.

※ '늦다'가 '늦는다'와 같이 현재 시제를 나타내는 '-는다'와 결합하면 무조건 '동사'다.

- **기출 예문**

(1) [17 교육행정직 9급]

① 이성적
- 인간은 이성적 동물이다.(관형사)
- 우리 이성적으로 생각하자.(명사)

② 있다
- 나는 좋은 친구가 있어.(형용사)
- 나는 조용히 집에 있으려고 해.(동사)

(2) [15 교육행정직 9급]

① 크다
- 글씨가 크지 않아서 잘 안 보인다.(형용사)
- 가뭄 때문에 나무가 제대로 크지 못해서 걱정이다.(동사)

② 어제
- 회의 자료는 어제 다 마련해 두었다.(부사)
- 민원 때문에 어제 오후에 회의가 개최되었다.(명사)

(3) [12 지방직 9급]

늦다
- 올해는 꽃이 늦게 핀다.(형용사)
- 그는 약속 시간에 항상 늦는다.(동사)

출제 유형

품사 통용	품사가 다른 하나를 찾는 유형

089 ○○○ 2021 법원직 9급

〈보기〉의 Ⓐ의 사례로 가장 적절하지 않은 것은?

〈보기〉

하나의 단어는 보통 하나의 품사 부류에 속한다. 하지만 하나의 단어가 문장에서의 쓰임에 따라 여러 가지 품사의 역할을 할 때가 있다. 이런 단어는 사전에서도 두 가지 이상의 품사로 처리된다. 예를 들어 "마라톤을 좋아하는 사람 다섯이 대회에 참가했다."에서의 '다섯'은 수사이지만 "마라톤을 좋아하는 다섯 사람이 대회에 참가했다."에서의 '다섯'은 관형사이다. 이처럼 하나의 단어가 두 가가지 이상의 품사로 처리되는 것을 Ⓐ 품사의 통용이라고 한다.

① 나도 철수만큼 잘할 수 있다. / 각자 먹을 만큼 먹어라.

② 뉴스에서 내일의 날씨를 예보하고 있다. / 오늘은 이만하고 내일 다시 시작합시다.

③ 어느새 태양이 솟아 밝은 빛을 비춘다. / 벽지가 밝아 집 안이 환해 보인다.

④ 키가 큰 나무는 우리에게 그늘을 주었다. / 철수야, 키가 몰라보게 컸구나.

난이도 상 중 하

해설 '밝다'는 동사와 형용사로도 쓰이는 단어는 맞다. 그런데 ③의 두 예문에 쓰인 '밝다'의 품사는 모두 형용사이다. 따라서 〈보기〉에서 설명한 '품사 통용'의 사례로 적절하지 않다.

비교 동사 '밝다'의 예문: 벌써 새벽이 밝아 온다.

오답분석
① '만큼'은 조사로도 쓰이고, 의존 명사로도 쓰인다. 첫 번째 문장에서는 체언 '철수' 뒤에 쓰인 것을 보아 품사는 조사이다. 한편, 두 번째 문장에서는 관형어 '먹을'의 수식을 받는 것을 보아 품사는 의존 명사이다.

② '내일'은 명사로도 쓰이고 부사로도 쓰인다. 첫 번째 문장에서 관형격 조사 '의'와 결합한 것을 보아 품사는 명사이다. 한편 두 번째 문장에서는 부사 '다시'를 수식하는 것을 보아 품사는 부사이다.

④ '크다'는 'big'의 의미일 때는 형용사이고 'grow'의 의미일 때는 동사이다. 첫 번째 문장에서는 'big'의 의미로 쓰인 것을 보아 품사는 형용사이다. 한편 두 번째 문장에서는 'grow'의 의미로 쓰인 것을 보아 품사는 동사이다

정답 ③

090 ○○○ 2019 서울시 9급(6월)

밑줄 친 부분의 품사가 다른 하나는?

① 옷 색깔이 아주 밝구나!

② 이 분야는 전망이 아주 밝단다.

③ 내일 날이 밝는 대로 떠나겠다.

④ 그는 예의가 밝은 사람이다.

난이도 ㉯ ㊥ ㉻

TIP '밝다'는 'dawn'의 뜻일 때에만 '동사'이고, 나머지 의미는 '형용사'이다.

해설 '밝다'는 의미에 따라 품사가 동사일 수도, 형용사일 수도 있다. '밝다'가 '밤이 지나고 환해지며 새날이 오다.'라는 의미일 때는 품사가 '동사'이고, '환하다'의 의미일 때는 품사가 '형용사'이다. 따라서 ③의 품사만 동사이고, ③을 제외한 나머지는 형용사이다.

정답 ③

참고 [어휘] 밝다

동사	밤이 지나고 환해지며 새날이 오다.
형용사	1. 불빛 따위가 환하다. 2. 빛깔의 느낌이 환하고 산뜻하다. - ① 3. 감각이나 지각의 능력이 뛰어나다. 4. 생각이나 태도가 분명하고 바르다. - ④ 5. 분위기, 표정 따위가 환하고 좋아 보이거나 그렇게 느껴지는 데가 있다. 6. 인지(認知)가 깨어 발전된 상태에 있다. 7. 예측되는 미래 상황이 긍정적이고 좋다. - ② 8. 어떤 일에 대하여 잘 알아 막히는 데가 없다.

고득점 GO!

의미로 동사인지 형용사인지 구별할 수도 있지만,
현재형 어미 '-는'이 붙은 것을 통해
'굳는'의 품사를 동사로 판단할 수도 있어요!

출제 유형

품사 통용	품사가 동일한 것을 찾는 유형

091 ○○○ 2021 경찰 1차

다음 중 ㉠과 ㉡의 밑줄 친 단어의 품사가 같은 것은?

① ㉠ 그는 하는 시합마다 백이면 백 모두 승리했다.
㉡ 열 사람이 백 마디의 말을 한다.

② ㉠ 오늘이 첫 출근 날입니다.
㉡ 오늘 해야 할 일을 다음 날로 미루어서는 안 된다.

③ ㉠ 오늘은 달이 매우 밝다.
㉡ 우리는 날이 밝는 대로 떠나기로 했다.

④ ㉠ 높이가 100미터인 바위산에 올라갔다.
㉡ 나무가 벌써 어른의 키 높이 정도로 자랐다.

난이도 ㉯ ㊥ ㉻

해설 '높이'의 품사는 두 가지이다. 하나는 부사이고, 하나는 명사이다. ④에서는 ㉠과 ㉡의 '높이' 모두 명사로 쓰였다.

비교 부사 '높이'의 예문: 태양이 높이 솟아 있다.

오답분석 ① ㉠의 '백'은 조사와 결합한 것을 보아 수사이고, ㉡의 '백'은 '마디'를 수식한 것을 보아 관형사이다.

② ㉠의 '오늘'은 조사와 결합한 것을 보아 명사이고, ㉡의 '오늘'은 용언을 수식하고 있는 것을 보아 부사이다.

③ ㉠의 '밝다'는 '환하다'의 의미인 것을 보아 형용사이고, ㉡의 '밝다'는 '밤이 지나고 환해지며 새날이 오다'의 의미인 것을 보아 동사이다.

※ 의미 외에도 동사와 형용사 판별법 현재 시제의 '-는다'와 결합 여부에 따라서도 판별할 수 있다. ㉠은 '달이 밝는다.'가 어색하기 때문에 형용사이고, ㉡은 '날이 밝는다.'가 가능하기 때문에 동사이다.

정답 ④

밑줄 친 단어의 품사가 같은 것은?

① ┌ 모두 제 잘못입니다.
└ 심판은 규칙을 잘못 적용하여 비난을 받았다.

② ┌ 집에 도착하는 대로 편지를 쓰다.
└ 큰 것은 큰 것대로 따로 모아 두다.

③ ┌ 비교적 교통이 편리한 곳에 사무실이 있다.
└ 우리나라의 출산율은 비교적 낮은 편이다.

④ ┌ 이 사과가 맛있게 생겼다.
└ 이보다 더 좋을 수는 없다.

난이도 ㊤ ◯ ㊦

해설 '비교'에 접미사 '-적(的)'이 붙어 파생된 단어인 '비교적'은 문장에서의 쓰임에 따라 부사, 관형사, 명사로 통용이 가능하다. ③의 '비교적'은 각각 후행하는 서술어 '편리하다'와 '낮다'를 수식하고 있기 때문에 품사는 '부사'이다.
※ 접미사 '-적(的)'이 붙은 낱말이 부사나 용언을 꾸미면 '부사', 체언을 꾸미면 '관형사', 조사를 취하면 '명사'이다.

오답 분석 ① 첫 번째 문장의 '잘못'은 서술격 조사(이다-입니다)와 결합했기 때문에 '명사'이고, 두 번째 '잘못'은 용언(동사) '적용하다'를 수식하고 있기 때문에 '부사'이다.
※ '잘못'은 조사를 취하면 '명사', 부사나 용언을 꾸미면 '부사'이다.

② 첫 번째 문장의 '대로'는 관형어 '도착하는' 뒤에 왔기 때문에 '의존 명사'이고, 두 번째 '대로'는 명사 '것' 뒤에 왔기 때문에 '조사'이다.
※ '대로, 만큼, 뿐'이 관형어의 수식을 받으면 앞말과 띄어 써야 하는 '의존 명사', 체언과 쓰이면 앞말에 붙여 써야 하는 '조사'이다.

④ 첫 번째 문장의 '이'는 체언 '사과'를 수식하기 때문에 '관형사'이고, 두 번째 '이'는 조사 '보다'와 결합했기 때문에 '대명사'이다.
※ '이, 그, 저'가 체언을 수식하면 '관형사', 조사를 취하면 '대명사'이다.

  정답 ③

참고 [어휘]

잘못	[명사] 잘하지 못하여 그릇되게 한 일. 또는 옳지 못하게 한 일 예 잘못을 고치다. / 잘못을 저지르다. / 잘못을 뉘우쳐 치다. / 모두 제 잘못입니다. [부사] ① 틀리거나 그릇되게 예 잘못 가르치다. / 소년은 길을 잘못 들어서 한참 헤맸다. ② 적당하지 아니하게 예 소금을 잘못 넣어 음식 맛이 짜졌다.
대로[1]	[의존 명사] ① 어떤 모양이나 상태와 같이 예 본 대로 / 느낀 대로 / 그린 대로 / 들은 대로 이야기하다. ② 어떤 상태나 행동이 나타나는 그 즉시 예 집에 도착하는 대로 편지를 쓰다. ③ 어떤 상태나 행동이 나타나는 족족 예 틈나는 대로 찾아 보다. / 달라는 대로 다 주다.
대로[10]	[조사] ① 앞에 오는 말에 근거하거나 달라짐이 없음을 나타내는 보조사 예 법대로 해라. ② 따로따로 구별됨을 나타내는 보조사 예 너는 너대로 나는 나대로 상관 말고 살자.
비교적(比較的)	[부사] 일정한 수준이나 보통 정도보다 꽤 예 비교적 쉬운 문제 [관형사·명사] 다른 것과 견주어서 판단하는 또는 그런 것 예 비교적 고찰 / 비교적 연구(관형사) 비교적 관점(명사)
이	[대명사] ① 말하는 이에게 가까이 있거나 말하는 이가 생각하고 있는 대상을 가리키는 지시 대명사 예 이를 보라. / 이는 그자가 배신하였음을 보여 주는 증거다. ② 바로 앞에서 이야기한 대상을 가리키는 지시 대명사 예 요즈음 가장 심각한 사회 문제는 학원 폭력이다. 이를 오늘 이 자리에서 논의하고자 한다. [관형사] ① 말하는 이에게 가까이 있거나 말하는 이가 생각하고 있는 대상을 가리킬 때 쓰는 말 예 이 사과가 맛있게 생겼다. / 이 아이가 네 아들 이니? ② 바로 앞에서 이야기한 대상을 가리킬 때 쓰는 말 예 노력하는 사람은 실패하지 않는다. 이 점을 우리는 명심해야 한다. ※ '이'가 용언의 관형사형의 수식을 받으면서 '사람'의 뜻을 나타낼 때는, '의존 명사'가 된다! 예 저 모자 쓴 이가 누구지?

출제 유형

품사 통용	품사의 판별이 바른지 묻는 유형

093 ○○○ 2022 국회직 8급

〈보기〉의 ㄱ~ㅁ에 대한 설명 중 옳지 않은 것은?

〈보기〉

ㄱ. 우리 사무실은 도심에 있어 비교적 교통이 편리하다.
ㄴ. 천세나 만세를 누리소서!
ㄷ. 그 일은 어제 끝냈어야 했다.
ㄹ. 넷에 넷을 더하면 여덟이다.
ㅁ. 한창 크는 분야라서 지원자가 많다.

① ㄱ의 '비교적'은 관형사이다.
② ㄴ의 '만세'는 명사이다.
③ ㄷ의 '어제'는 부사이다.
④ ㄹ의 '여덟'은 수사이다.
⑤ ㅁ의 '크는'은 동사이다.

난이도 상 중 하

해설 '비교적'은 '교통'이 아닌, '편리하다'를 수식하는 말이다. 즉 '교통이 비교적 편리하다.'로 바꿔도 의미상 큰 차이가 없는 것을 볼 때, '비교적'은 서술어 '편리하다'를 수식하고 있다. 따라서 서술어를 수식하는 '비교적'의 품사는 관형사가 아니라 부사이다.

오답 분석
② '만세'는 '영원한 삶'이라는 의미로, 목적격 조사 '를'을 취하고 있기 때문에 품사는 명사이다.
③ '어제'는 서술어 '끝내다'를 수식하고 있기 때문에 품사는 부사이다.
④ '여덟'이 서술격 조사 '이다'와 결합한 것을 볼 때, '여덟'의 품사는 수사이다.
⑤ '크다'가 '성장하다'의 의미로 쓰였기 때문에, '크다'의 품사는 동사이다.

정답 ①

094 ○○○ 2022 소방 경력 채용

㉠, ㉡의 밑줄 친 단어의 품사가 동일한 것은?

① ㉠ 집에 가 있어라.
　㉡ 나에게는 꿈이 있다.
② ㉠ 해가 내일은 뜰 것이다.
　㉡ 내일의 희망이 나를 부른다.
③ ㉠ 합리적 판단이 중요하다.
　㉡ 인간은 합리적인 이성을 가지고 있다.
④ ㉠ 물이 맑고 깨끗하다.
　㉡ 맑은 하늘에 해가 떴다.

난이도 상 중 하

해설 ㉠과 ㉡의 '맑다'의 품사는 모두 형용사로 동일하다.
※ '맑다'의 반의어 '흐리다'는 동사로 쓰이기도 하고, 형용사로 쓰이기도 한다. 그러나 '맑다'의 품사는 항상 형용사이다.

오답 분석
① ㉠의 '있다'는 '머물다'의 의미이므로 품사는 동사이다. ㉡의 '있다'는 '존재하는 상태이다.'의 의미이므로 품사는 형용사이다.
② ㉠의 '내일'의 품사는 부사이다. ㉡의 '내일'은 관형격 조사 '의'와 결합한 것을 보아 품사는 명사이다.
③ ㉠의 '합리적'은 바로 뒤의 체언 '판단'을 수식하므로 품사는 관형사이다. ㉡의 '합리적'은 서술격 조사 '이다'와 결합한 것을 보아 품사는 명사이다.

정답 ④

095 ○○○ 2021 경찰 1차

다음<보기>를 참고하였을 때 ㉠~㉢의 예로 적절하지 않은 것은?

> <보기>
>
> ㉠ 들[1] 「의존 명사」 (명사 뒤에 쓰여) 두 개 이상의 사물을 나열할 때, 그 열거한 사물 모두를 가리키거나, 그 밖에 같은 종류의 사물이 더 있음을 나타내는 말
>
> ㉡ 들[4] 「조사」 (체언, 부사어, 연결 어미 '-아, -게, -지, -고', 합성동사의 선행 요소, 문장의 끝 따위의 뒤에 붙어) 그 문장의 주어가 복수임을 나타내는 보조사
>
> ㉢ -들[8] 「접사」 (셀 수 있는 명사나 대명사 뒤에 붙어) '복수(複數)'의 뜻을 더하는 접미사

① 책상 위에 놓인 공책, 신문, 지갑 ㉠들을 가방에 넣었다.

② 거기 ㉡앉아서들 이야기하세요.

③ ㉢다들 떠나갔구나.

④ 나는 "㉡어서들 오세요."라고 ㉢그들에게 말했다.

난이도 ㊤ ○ ㊦

해설 <보기>에서 ㉢은 셀 수 있는 명사나 대명사 뒤에 붙어 '복수'의 의미를 더한다고 하였다. 그런데 '다들'의 '다'는 부사이다. 따라서 ㉢의 예로 적절하지 않다. '다들'의 '들'은 해당 문장의 주어가 복수임을 나타내는 보조사 ㉡이다.

오답분석

① '공책, 신문, 지갑'과 같은 사물을 나열하였기 때문에 ㉠의 예로 적절하다.

② '들'이 붙은 '앉아서'를 볼 때, ㉠과 ㉢의 예로 적절하지 않다. '앉아서들'의 '들'은 주어가 복수임을 나타내는 보조사가 맞다.

④ ㉡ '오다'의 주체가 생략이 되어 있지만, '어서'에 '들'을 붙임으로써 여럿임을 알 수 있다. 따라서 '어서들'의 '들'은 주어가 복수임을 나타내는 보조사가 맞다.

㉢ ㉡을 통해 '오는' 주체가 여럿임을 알 수 있다. 따라서 '그 사람들'의 의미로 '그들'로 표현한 것이다. 따라서 '그'에 복수의 접미사 '-들'을 붙인 '그들'은 ㉢의 예로 적절하다.

 ③

096 ○○○ 2018 서울시 9급(6월)

밑줄 친 단어의 품사로 가장 옳지 않은 것은?

① ┌ 나도 참을 만큼 참았다. <의존 명사>
　 └ 나도 그 사람만큼 할 수 있다. <조사>

② ┌ 오늘은 바람이 아니 분다. <부사>
　 └ 아니, 이럴 수가 있단 말인가? <감탄사>

③ ┌ 그 아이는 열을 배우면 백을 안다. <명사>
　 └ 열 사람이 백 말을 한다. <관형사>

④ ┌ 그는 이지적이다. <명사>
　 └ 그는 이지적 인간이다. <관형사>

난이도 ㊤ ○ ㊦

해설 의미상 '양, 순서'를 나타내고, 조사를 취하면 품사는 '수사'이다. ③의 "그 아이는 열을 배우면 백을 안다."에서 '백'은 '양'을 나타내고, 조사 '을'을 취한다. 따라서 품사는 '명사'가 아니라 '수사'이다.

※ '열을 배우면'의 '열'의 품사도 수사이다.

한편, 두 번째 문장 "열 사람이 백 말을 한다."의 '백'은 체언 '말'을 수식한다는 점에서 관형사이다.

오답분석

①	나도 참을 만큼 참았다. <의존 명사> → 형용사 '참다'가 관형형 어미(-을)를 취한 '참을' 뒤에 이어지기 때문에 '만큼'은 의존 명사이다.
	나도 그 사람만큼 할 수 있다. <조사> → 체언 '사람' 뒤에 이어지기 때문에 '만큼'은 조사이다.
②	오늘은 바람이 아니 분다. <부사> → 서술어 '분다'를 수식하기 때문에 '아니(=안)'는 부사이다.
	아니, 이럴 수가 있단 말인가? <감탄사> → 놀람, 감탄스러움 또는 의아스러움을 드러낸 말이기 때문에 '아니'는 감탄사이다.
④	그는 이지적이다. <명사> → 조사 '이다'와 결합하기 때문에 '이지적'은 명사이다.
	그는 이지적 인간이다. <관형사> → 체언 '인간'을 수식하고 있기 때문에 '이지적'은 관형사이다.

정답 ③

Unit 27 보조 용언

출제 유형

보조 용언의 품사	• 보조 용언의 품사를 판별하는 유형
보조 용언의 판별	• '본용언 + 보조 용언'의 구성인지 묻는 유형 • 용언이 본용언인지 보조 용언인지 판별하는 유형

핵심정리

1. 본용언과 보조 용언

본용언	홀로 쓰일 수 있는 용언으로, 주체의 동작이나 상태를 나타낸다.
보조 용언	홀로 쓰일 수 없는 용언으로, 본용언에 독특한 의미를 부여한다.

2. 보조 동사와 보조 형용사의 구별

(1) 현재 시제 선어말 어미 '-ㄴ다, -는다'가 붙으면 동사, 그렇지 않으면 형용사이다.

예 책을 읽어 본다. (보조 동사) / *집에 가고 싶는다. (보조 형용사)

(2) '아니하다, 못하다'는 본용언의 품사에 따라 품사가 결정된다.

예 집에 가지 못했다. (보조 동사) / 영우는 생각만큼 똑똑하지 못했다. (보조 형용사)

(3) 보조 용언 '하다'는 '형용사' 뒤에서 앞말의 강조, 긍정을 나타내거나 앞말이 뒷말의 이유가 됨을 나타내면, '보조 형용사'이고, 그 이 외의 경우에는 '보조 동사'이다.

예 맛이 좋기는 하다. (보조 형용사) / 길도 멀고 하니 일찍 가거라. (보조 형용사)
사람은 건강해야 한다. (보조 동사) / 숙제를 하게 하다. (보조 동사)

(4) 보조 용언 '보다'는 앞말을 추측하거나 의도, 원인을 나타내면 '보조 형용사(like)'이고, 그 이외의 경우에는 '보조 동사(try)'이다.

예 그가 집에 돌아왔나 보다. (보조 형용사) / 꼼꼼히 따져 보다. (보조 동사)

※ '있다'가 붙은 복합어는 '가만있다'를 제외하면 모두 형용사이다.

- **본용언과 보조 용언의 형태가 동일한 단어** [17 사회복지직 9급]

(1) 먹다

본용언	• 음식 따위를 입을 통하여 배 속에 들여보내다. 예 밥을 먹다. • 담배나 아편 따위를 피우다. 예 담배를 먹다.
보조 용언	〈보조 동사〉 앞말이 뜻하는 행동을 강조하는 말로, 주로 그 행동이나 그 행동과 관련된 상황이 마음에 들지 않을 때 쓴다. 예 약속을 잊어 먹다. / 노예처럼 부려 먹다. / 야구공으로 유리를 깨 먹었다. / 아이들의 순진함을 이용해 먹다.

(2) 드리다

본용언	• '주다'의 높임말 예 아버님께 용돈을 드리다. • 윗사람에게 그 사람을 높여 말이나, 인사, 부탁, 약속, 축하 따위를 하다. 예 부모님께 문안을 드리다.
보조 용언	〈보조 동사〉 '주다(앞 동사의 행위가 다른 사람의 행위에 영향을 미침을 나타내는 말)'의 높임말 예 할아버지께 진지 먹여 드리다. / 책을 우편으로 보내 드리다.

(3) 말다

본용언	• 어떤 일이나 행동을 하지 않거나 그만두다. 예 잔소리 마라. • '아니 하다'의 뜻 예 일어설까 말까 망설이다. • '아니고'의 뜻 예 너 말고 네 친구
보조 용언	〈보조 동사〉 • 앞말이 뜻하는 행동을 하지 못하게 함을 나타내는 말 예 이곳에서 수영하지 마시오. • 앞말이 뜻하는 행동이 끝내 실현됨을 나타내는 말. 긍정적인 생각 또는 부정적이고 아쉬운 느낌이 있음을 나타냄. 예 성공하고야 말겠다. / 기차가 떠나 버리고야 말았다.

출제 유형

보조 용언의 품사	보조 용언의 품사를 판별하는 유형

097 ○○○ 2022 서울시 9급(2월)

밑줄 친 단어의 품사가 다른 것은?

① 이야기를 들어 보다.

② 일을 하다가 보면 요령이 생겨서 작업 속도가 빨라진다.

③ 이런 일을 당해 보지 않은 사람은 내 심정을 모른다.

④ 식구들이 모두 집에 돌아왔나 보다.

난이도 상 중 하

해설 ①~④ 모두 '본용언+보조 용언'의 구성이다. ④의 '보다'는 '추측'의 의미로 보조 형용사이고, 나머지는 '시도'의 의미로 보조 동사이다. 따라서 품사가 다른 하나는 ④이다.

정답 ④

098 ○○○ 2016 교육행정직 9급

밑줄 친 단어의 품사가 나머지 셋과 다른 것은?

① 그는 믿을 만한 사람이다.

② 누가 볼까 싶어 가슴이 두근거렸다.

③ 그는 말이 많기는 하지만 부지런하다.

④ 그는 이유도 묻지 않고 부탁을 들어주었다.

난이도 상 중 하

해설 밑줄 친 단어는 모두 본용언에 뒤에 붙어 본용언의 뜻을 더하는 역할을 하는 보조 용언이다.
보조 용언 '않다'의 품사는 본용언에 따라 결정된다. 본용언 '묻다'는 '묻는 - 물어라'처럼 동사의 활용을 보이므로, '묻다'의 품사는 동사이다. 따라서 보조 용언 '않다'의 품사는 본용언 '묻다'에 따라 동사이다.

오답 분석
① 보조 용언 '만하다'의 품사는 항상 형용사이다.
② 보조 용언 '싶다'의 품사는 항상 형용사이다.
③ 보조 용언 '하다'는 형용사 뒤에서 '강조'의 의미로 쓰일 때는 형용사이다.

정답 ④

참고 [어휘]

만하다	[보조 형용사] • 어떤 대상이 앞말이 뜻하는 행동을 할 타당한 이유를 가질 정도로 가치가 있음을 나타내는 말 예 주목할 만한 성과 • 앞말이 뜻하는 행동을 하는 것이 가능함을 나타내는 말 예 참을 만하다. ※ • 만하다, 듯하다, 성싶다, 법하다, 뻔하다: 보조 형용사 • 척하다, 체하다: 보조 동사 • 양하다: 보조 동사/보조 형용사
싶다	[보조 형용사] • 앞말이 뜻하는 행동을 하고자 하는 마음이나 욕구를 갖고 있음을 나타내는 말 예 먹고 싶다. • 앞말이 뜻하는 내용을 생각하는 마음이 있음을 나타내는 말 예 꿈인가 싶다. • 앞말대로 될까 걱정하거나 두려워하는 마음이 있음을 나타내는 말 예 떨어질까 싶다.
하다	[보조 동사] [보조 형용사]의 2가지를 제외한 나머지 경우 모두 [보조 형용사] • 형용사와 쓰여 앞말이 뜻하는 상태를 일단 긍정하거나 강조함을 나타내는 말 예 생선이 참 싱싱하기도 하다. • 형용사 뒤에서 앞말이 뒷말의 이유가 됨을 나타내는 말 예 집도 가깝고 한데, 더 놀다 가지.
아니하다 (=않다)/ 못하다	일반적으로 앞 용언의 품사를 따른다. 즉 본용언이 동사면 보조 동사가 되고 본용언이 형용사면 보조 형용사가 된다. 예 먹지 않다.(보조 동사) / 예쁘지 않다.(보조 형용사)

보조 용언의 판별	'본용언+보조 용언'의 구성인지 묻는 유형

099 ○○○ 2018 서울시 9급(6월)

'본용언 + 보조 용언' 구성이 아닌 것은?

① 영수는 쓰레기를 주워서 버렸다.
② 모르는 사람이 나를 아는 척한다.
③ 요리 맛이 어떤지 일단 먹어는 본다.
④ 우리는 공부를 할수록 더 많은 것을 알아 간다.

난이도 상 ○ 하

TIP 보조 용언은 생략해도 원래 문장의 의미가 달라지지 않는다.

해설 ①의 문장은 쓰레기를 '주운 뒤에 버렸다(쓰레기를 주웠다. + 쓰레기를 버렸다.)'는 의미이다. 따라서 ①은 '본용언 + 보조 용언'이 아니라 '본용언 + 본용언'의 구성이다.
※ 뒤의 용언 '버리다'를 생략하면 원래의 문장이 뜻하는 바와 다른 문장이 된다. 즉 '버리다'가 '완료의 보조 용언'이 아니라 'waste'의 본용언이다.

오답분석 ② 본용언 '알다'와 보조 용언 '척하다'의 구성이다.
③ 본용언 '먹다'와 보조 용언 '보다(try, 보조 동사)'의 구성이다.
④ 본용언 '알다'와 보조 용언 '가다(진행)'의 구성이다.

정답 ①

100 ○○○ 2015 국가직 9급

밑줄 친 부분 중 보조 용언이 결합되지 않은 것은?

① 창문 너머로 날이 밝아 온다.
② 동생이 내 과자를 먹어 버렸다.
③ 우체국에 들러 선배의 편지를 부쳐 주었다.
④ 그는 환갑이 지났지만 40대처럼 젊어 보인다.

난이도 상 ○ 하

해설 '보조 용언'은 '본용언과 연결되어 본용언의 뜻을 보충하는 역할'을 하는 용언이다. 따라서 보조 용언이 결합되지 않은 것은 결국 본용언끼리 결합된 것이다. 본용언끼리 결합된 것은 ④이다. ④의 문장은 '그는 40대처럼 젊다. + (그는 그렇게) 보이다.'가 합쳐진 말로, 뒤의 '보이다'를 생략하면 원래의 문장이 뜻하는 바와 다른 문장이 된다. 용언 '젊다'와 '보이다'가 모두 본래 의미로, 즉 본용언으로 쓰이고 있다.
※ '보다'의 경우 본용언과 보조 용언 모두에 사용되지만 '보이다'는 '보다'의 피동사로 본용언으로만 기능한다.

오답분석 ① '밝아 오다'의 '오다'는 'come'의 의미(본용언)가 아니라, 앞말이 뜻하는 행동이나 상태가 계속 진행됨(~해 오다)을 나타내는 보조 동사이다.
예 하늘이 밝아 온다. / 30년간이나 일해 왔다. / 아픔을 견뎌 왔다.
② '먹어 버리다'의 '버리다'는 'waste'의 의미(본용언)가 아니라, 앞말이 나타내는 행동이 이미 끝났음(~해 버리다, 완료)을 나타내는 보조 동사이다.
예 동생이 과자를 다 먹어 버렸다. / 모두 가 버리다. / 이를 빼 버렸다.
③ '부쳐 주다'의 '주다'는 'give'의 의미(본용언)가 아니라, 다른 사람을 위하여 어떤 행동을 함(~해 주다, 봉사)을 나타내는 보조 동사이다.
예 밥을 대신 먹어 주다. / 자동차를 수리해 주다.
친구의 편지를 부쳐 주었다.

정답 ④

출제 유형

보조 용언의 판별	용언이 본용언인지 보조 용언인지 판별하는 유형

101 ○○○

2017 사회복지직 9급

짝지어진 두 문장의 밑줄 친 부분이 모두 보조 용언인 것은?

① ┌ 이 책도 한번 읽어 보거라.
　 └ 밖의 날씨가 매우 더운가 보다.

② ┌ 야구공으로 유리를 깨 먹었다.
　 └ 여름철에는 음식물을 꼭 끓여 먹자.

③ ┌ 이것 좀 너희 아버지께 가져다 드리렴.
　 └ 나는 주말마다 어머니 일을 거들어 드린다.

④ ┌ 이것 말고 저것을 주시오.
　 └ 게으름을 피우던 그가 시험에 떨어지고 말았다.

난이도 상 중 하

해설 '읽어 보거라'의 '보다'는 '어떤 행동을 시험 삼아 함'을 나타내는 보조 용언(보조 동사, try)이고, '더운가 보다'의 '보다'는 앞말이 뜻하는 '행동이나 상태를 추측하거나 어렴풋이 인식하고 있음'을 나타내는 보조 용언(보조 형용사, like)이다. 따라서 ①의 밑줄 친 '보다'는 모두 보조 용언이다.

오답 분석
② '깨 먹었다'의 '먹다'만 보조 용언(보조 동사, 강조)이고, '끓여 먹자'의 '먹다'는 본용언(동사)이다.
③ '가져다 드리렴'의 '드리다'는 본용언(동사)이고, '거들어 드린다'의 '드리다'는 보조 용언(보조 동사, 봉사)이다.
④ '이것 말고'의 '말다'는 본용언(동사)이고, '떨어지고 말았다'의 '말다'는 보조 용언(보조 동사, 실현)이다.

정답 ①

102 ○○○

2014 국가직 9급

밑줄 친 용언의 종류가 다른 것은?

① 어머니가 바구니를 들고 가셨다.
② 그녀는 화가 나 밖으로 나가 버렸다.
③ 자고 나서 어디로 갈 거야?
④ 나도 그거 한번 먹어 보자.

난이도 상 중 하

해설 두 개의 용언이 이어진 상황에서 용언의 종류를 물어본 것을 볼 때, '본용언-본용언', '본용언-보조 용언'을 구분하는 문제이다.
①의 두 용언은 모두 본래의 의미로 쓰인 본용언으로, 밑줄 친 말도 본용언이다.
→ 어머니가 바구니를 들고 가셨다.
= 어머니가 바구니를 들다.(본동사) + 어머니가 가셨다.(본동사)

공식 '본용언'은 본래의 의미로 사용하는 용언이기 때문에 생략 불가!
다만 '보조 용언'은 도와주는 의미의 용언이기 때문에 생략 가능!
→ '어머니가 바구니를 들었다.'로 뒤의 '가셨다'를 생략하면 본래 내용과 차이가 생김.

오답 분석
② '나가 버리다'의 '버리다'는 본동사가 아니라 '앞말이 나타내는 행동이 이미 끝났음.'을 나타내는 보조 동사이다.
예 쓰레기를 버리다.(본동사) / 음식을 먹어 버리다.(보조 동사)
③ '자고 나다'의 '나다'는 본동사가 아니라 '앞말이 뜻하는 행동을 끝내어 이루었음.'을 나타내는 보조 동사이다.
예 여드름이 나다.(본동사) / 겪어 나다.(보조 동사)
④ '먹어 보다'의 '보다'는 본동사가 아니라, '해 보다, 시도하다[try]'의 의미를 가진 보조 동사이다.
예 영화를 보다.(본동사) / 고추장을 먹어 보다.(보조 동사)

정답 ①

Unit 28 동사의 종류 - 자동사와 타동사

출제 유형

• 자동사, 타동사를 판별하는 유형

핵심정리

• **자동사와 타동사**

자동사	움직임이 그 주어에만 관련되는 동사(목적어 ×) 예 뛰다, 걷다, 가다, 놀다, 살다
타동사	움직임이 다른 대상, 즉 목적어에 미치는 동사(목적어 ○) 예 잡다, 누르다, 건지다, 태우다

출제 유형

동사의 종류	자동사, 타동사를 판별하는 유형

103 ○○○ 2018 교육행정직 9급

다음의 ㉠에 해당하는 것은?

> 국어에는 ㉠ 자동사와 타동사의 기능을 모두 가지고 있는 동사가 있다. '눈물이 그치다/눈물을 그치다'의 '그치다'가 이러한 예이다.

① 뱉다　　② 쌓이다
③ 움직이다　　④ 읽다

난이도 상 ● 하

해설 ③의 '움직이다'는 목적어를 취하지 않는 자동사와 목적어를 취하는 타동사의 기능을 모두 가지고 있는 동사이다.

자동사	1. 위치를 옮기다. 예 시동을 걸자 자동차가 움직이기 시작했다. 2. 제자리에서 흔들리거나 자세를 바꾸다. 예 바람에 나뭇잎이 움직인다. → 목적어 ×
타동사	1. 동작을 하여 위치를 옮기거나 자세를 바꾸다. 예 아버지께서는 아픈 다리를 조금씩 움직였다. 2. 생각대로 좌지우지하다. 예 수전노들은 이 세상을 움직이는 것이 돈이라고 생각한다. → 목적어 ○

오답 분석 '뱉다'와 '읽다'는 목적어를 취하는 타동사이고, '쌓이다'는 '쌓다'의 피동사로 목적어를 취하지 않는 자동사이다.

정답 ③

104 ○○○ 2017 국가직 7급 추가

밑줄 친 단어의 쓰임이 옳은 것은?

① 차에 치다　　② 고기를 재다
③ 날이 개이다　　④ 담배를 피다

난이도 상 ● 하

해설 '고기 따위의 음식을 양념하여 그릇에 차곡차곡 담아 두다.'란 뜻을 가진 말은 '재다'가 맞다. 또한 '재다'의 본말인 '재우다'로 써도 어법에 어긋나지 않는다. 즉 '고기를 재다.'와 '고기를 재우다.' 모두 바른 표현으로 모두 '목적어'를 취하는 타동사다. 따라서 ②가 정답이다.

오답 분석
① **치다 → 치이다**: '차에 부딪히다'의 의미이므로 '치다'의 피동사인 '치이다'를 써야 한다. '치다'는 타동사이므로 목적어를 필요로 하는데, ①에는 목적어가 쓰이지 않았다.
• **차가 사람을 치다.(○)/차에 사람이 치이다.(○)**

③ **개이다 → 개다**: '흐리거나 궂은 날씨가 맑아지다.'란 뜻을 가진 낱말은 '개이다'가 아니라 자동사 '개다'이다.
※ '개이다'는 사전에 존재하지 않는 낱말이다.

④ **피다 → 피우다**: '어떤 물질에 불을 붙여 연기를 빨아들이었다가 내보내다.'란 뜻을 가진 단어는 '피다'가 아니라 '피우다'다. '피다'는 자동사이므로 목적어를 취할 수 없는데, ④에는 목적어 '담배를'이 쓰였다. 이 관점에서 보더라도 '피다'가 아니라 타동사 '피우다'를 써야 한다.
• **꽃이 피다.(○)/담배를 피우다(○).**

정답 ②

쉽게 말해, 목적어가 있으면 '타동사'이고, 목적어가 없으면 '자동사'예요. 구분하는 연습이 필요하겠죠?

Unit 29 용언의 활용 - 규칙과 불규칙

출제 유형

- 규칙 용언인지 불규칙 용언인지 판별하는 유형

핵심정리

1. 규칙 활용

개념	어간이나 어미가 변하지만 일반적인 음운 규칙으로 설명이 가능한 활용
종류	• 'ㄹ' 탈락 예 그의 거친 손을 잡다. (기본형: 거칠다) • 'ㅡ' 탈락 예 계곡에 발을 담갔다. (기본형: 담그다) • 모음 축약 예 반장이 되어 기쁘다. = 반장이 돼 기쁘다.

2. 불규칙 활용

개념	어간이나 어미가 변하지만 일반적인 음운 규칙으로 설명할 수 없는 활용
종류	• 어간이 바뀌는 불규칙 활용 - 'ㅅ' 불규칙 예 새로 지은 집이다. (기본형: 짓다) - 'ㄷ' 불규칙 예 선생님께 물어보자. (기본형: 묻다) - 'ㅂ' 불규칙 예 이웃을 도왔다. (기본형: 돕다) - '우' 불규칙 예 밥을 퍼 먹었다. (기본형: 푸다) - '르' 불규칙 예 강물이 흘렀다. (기본형: 흐르다) • 어미가 바뀌는 불규칙 활용 - '여' 불규칙 예 꾸준히 노력하였다. (기본형: 노력하다) - '러' 불규칙 예 자정에 이르렀다. (기본형: 이르다) • 어간과 어미가 모두 바뀌는 불규칙 활용 - 'ㅎ' 불규칙 예 하늘이 파래. (기본형: 파랗다)

출제 유형

용언의 활용	규칙 용언인지 불규칙 용언인지 판별하는 유형

105 ○○○ 2019 서울시 9급(2월)

불규칙 활용을 하는 용언이 아닌 것은?

① 묻다[問] ② 덥다[暑]

③ 낫다[愈] ④ 놀다[遊]

난이도 상 ○ 하

해설 '놀다'의 어간 끝 받침 'ㄹ'은 'ㄴ, ㄹ, ㅂ, -시-, -오'의 어미 앞에서 탈락한다. 이러한 'ㄹ 탈락'은 예외 없이 일어나기 때문에 이를 '규칙 활용'이라고 한다. 따라서 '놀다'는 불규칙 활용을 하는 용언이 아니다.

• 놀다 - 놀고 - 놀지 - 놀아

오답 분석 ① '묻다(묻고 - 물어 - 물어서)'는 모음으로 시작하는 어미와 결합하면 'ㄷ'이 'ㄹ'로 교체되므로 불규칙 활용(ㄷ 불규칙)을 하는 용언이다.

② '덥다(덥고 - 더워 - 더워서)'는 모음으로 시작하는 어미와 결합하면 'ㅂ'이 'ㅜ'로 교체되므로 불규칙 활용(ㅂ 불규칙)을 하는 용언이다.

③ '낫다(낫고 - 나아 - 나아서)'는 모음으로 시작하는 어미와 결합하면 'ㅅ'이 탈락하므로 불규칙 활용(ㅅ 불규칙)을 하는 용언이다.

정답 ④

106 ○○○ 2019 국회직 8급

다음 글에 따라 판단할 때, 옳지 않은 것은?

동사나 형용사의 어간이 어미와 결합하여 활용을 할 때, 어간과 어미가 일정한 모습을 보이는 경우도 있지만 환경에 따라 모습을 달리하는 경우도 있다. 전자를 규칙 활용, 후자를 불규칙 활용이라 부른다.

어간이나 어미가 항상 일정한 모습으로 유지된다면 당연히 규칙 활용이지만, 어간이나 어미의 모습이 달라진다 해도 그 현상을 일정한 규칙으로 설명할 수 있으면 규칙 활용이다. '쓰고~써, 따르고~따라'는 '으'로 끝나는 용언 어간이 모음으로 시작하는 어미 앞에서 '으'가 탈락하는 것이다. 비록 용언 어간이 활용을 할 때 바뀌기는 하지만 '으'로 끝나는 용언들은 모두 동일한 환경에서 예외 없이 자동적으로 바뀌므로 규칙 활용으로 볼 수 있는 예들이다.

불규칙 활용은 어간의 변화가 불규칙한 것, 어미의 변화가 불규칙한 것, 어간과 어미가 모두 불규칙하게 변하는 것의 세 가지 유형으로 나누어 볼 수 있다. 먼저 어간의 변화가 불규칙한 것을 살펴보기로 하자. '짓-'의 활용을 보면, '짓다, 짓지'처럼 자음으로 시작하는 어미 앞에서는 '짓-'이 유지되지만, '지어, 지으니'처럼 모음으로 시작하는 어미 앞에서는 'ㅅ'이 탈락하여 '지-'로 나타난다. 이것은 모든 어미 앞에서 'ㅅ'이 유지되는 규칙 활용을 하는 '웃-'과는 다른 모습이다.

다음으로 어미의 변화가 불규칙한 것을 살펴보기로 하자. '하다'의 활용을 보면 자음으로 시작하는 어미와 결합하면 어미가 변하지 않으나, 모음으로 시작하는 어미와 결합하면 불규칙적으로 변한다. 즉 '하-'는 어간의 끝소리가 '아'이므로 규칙 활용을 한다면 '가-'처럼 '가, 가라, 갔다' 등으로 나타나야 하는데 실제로는 '하여, 하여라, 하였다'처럼 나타나는 것이다.

마지막으로 어간과 어미가 모두 불규칙하게 변하는 예를 들기로 하자. '파랗-'은 자음으로 시작하는 어미 앞에서는 국어의 일반적인 규칙인 'ㅎ' 축약이 일어나지만 모음으로 시작하는 어미 앞에서는 '파란, 파라면'처럼 'ㅎ'이 탈락하는 어간의 불규칙 현상과 '파래서, 파랬다'처럼 어미 '-아서', '-았-'이 '-애서', '-앴-'으로 변하는 어미의 불규칙 현상을 동시에 보여 준다.

① '씻다'는 어간 '씻-'이 모든 어미 앞에서 유지되는 규칙 활용을 보인다.

② '구르다'는 모음 어미 '-어' 앞에서 'ㅡ'가 탈락하고 'ㄹ'이 새롭게 들어가는 불규칙 활용을 보인다.

③ '듣다'는 모음 어미 앞에서 'ㄷ'이 'ㄹ'로 바뀌는 불규칙 활용을 보인다.

④ '좋다'는 특정한 조건에서 'ㅎ'이 축약되거나 탈락하는 불규칙 활용을 보인다.

⑤ '날다'는 특정한 조건에서 'ㄹ'이 탈락하지만 'ㄹ'로 끝나는 용언들이 모두 같은 환경에서 예외 없이 바뀌므로 규칙 활용을 보인다.

난이도 상 ○ 하

해설 '좋다'는 자음이나 모음의 어미 앞에서 어간의 변화 없이 '좋다 - 좋아 - 좋으니'와 같이 활용하므로 규칙 활용(ㅎ 규칙)을 보인다. 따라서 불규칙 활용을 보인다는 설명은 적절하지 않다.

• 좋다 - 좋고 - 좋지 - 좋아 - 좋았다

제시된 글에서 설명한 ㅎ 탈락은 모음 어미와 결합 시 나타나는 모음 탈락 현상(예 좋아[조:아])을, ㅎ 축약은 자음 어미와 결합 시 나타나는 자음 축약 현상(예 좋고[조:코])을 가리킨다.

오답 분석 ① '씻다'는 '씻다 - 씻으니 - 씻어서'와 같이 활용하므로 규칙 활용을 보인다.

② '구르다'의 어간 '구르-'는 모음 어미 '-어' 앞에서 'ㅡ'가 탈락하고 'ㄹ'이 새롭게 들어간다. 따라서 불규칙 활용('르' 불규칙)을 한다.

• 구르다 - 구르고 - 구르지 - 굴러 - 굴렀다

③ '듣다'의 어간 '듣-'은 모음으로 시작하는 어미와 결합하면, 어간의 받침 'ㄷ'이 'ㄹ'로 교체된다. 따라서 불규칙 활용('ㄷ' 불규칙)을 보인다.

• 듣다 - 듣고 - 듣지 - 들어 - 들었다

⑤ '날다'의 어간 '날-'의 받침 'ㄹ'은 'ㄴ, ㄹ, ㅂ, 시, 오' 앞에서 어김없이 탈락하므로 규칙 활용('ㄹ' 탈락)을 보인다.

• 날다 - 날고 - 날지 - 날아 - 날았다

정답 ④

Unit 30 불규칙 용언의 유형

출제 유형

• 불규칙 용언의 유형에 해당하는 예를 찾는 유형
• 동일한 유형의 활용을 하는 단어를 찾는 유형

핵심정리

• 불규칙 용언의 활용

(1) 어간이 바뀌는 유형

'ㅅ' 불규칙	'ㅅ'으로 끝나는 용언의 어간 'ㅅ'이 모음으로 시작하는 어미 앞에서 탈락하는 용언이다. 예 짓다 - 짓고 - 짓지 - 지어 - 지으니 - 지어서 - 지어라
'ㄷ' 불규칙	'ㄷ'으로 끝나는 용언의 어간 'ㄷ'이 모음으로 시작하는 어미 앞에서 'ㄹ'로 바뀌는 용언이다. 예 (걸음을) 걷다 - 걷고 - 걷지 - 걸어 - 걸으니 - 걸어서 - 걸어라
'ㅂ' 불규칙	'ㅂ'으로 끝나는 용언의 어간 'ㅂ'이 모음으로 시작하는 어미 앞에서 '오/우'로 바뀌는 용언이다. 예 (고기를) 굽다 - 굽고 - 굽지 - 구워 - 구우니 - 구워서 - 구워라
'우' 불규칙	'우'로 끝나는 용언의 어간 'ㅜ'가 모음으로 시작하는 어미 앞에서 탈락하는 용언이다. 예 푸다 - 푸고 - 푸지 - 퍼 - 푸니 - 퍼서 - 퍼라
'르' 불규칙	'르'로 끝나는 용언의 어간이 모음으로 시작하는 어미 앞에서 'ㅡ'가 탈락하고 'ㄹㄹ' 형태로 바뀌는 용언이다. 예 흐르다 - 흐르고 - 흐르지 - 흘러 - 흐르니 - 흘러서

(2) 어미가 바뀌는 유형

'여' 불규칙	어간 '하-'가 어미 '-아/-어'와 대신 어미가 '-여'로 바뀌는 용언이다. 예 하다 - 하고 - 하지 - 하여(해) - 하여서(해서) - 하여라(해라)
'러' 불규칙	어간이 '르'로 끝나는 일부 용언에서 어미 '-어' 대신 '-러'로 바뀌는 용언이다. 예 푸르다 - 푸르고 - 푸르지 - 푸르러 - 푸르니 - 푸르러서

(3) 어간과 어미가 함께 바뀌는 유형

'ㅎ' 불규칙	• 'ㅎ'으로 끝나는 어간이 모음으로 시작하는 어미와 결합하면 'ㅎ'이 탈락하고 어미도 모습이 바뀌는 용언이다. • 단 'ㄴ, ㅁ, ㄹ, 오'의 어미 앞에서는 어간의 'ㅎ'만 탈락한다. 예 노랗다 - 노랗고 - 노랗지 - 노래 - 노라니 - 노래서

심화 Plus

• 'ㅎ' 불규칙 용언의 어간+종결 어미 '-니', '-네', '-냐'

과거	어간의 'ㅎ'이 탈락한 형태만 바른 표기
현재	종결의 경우, 어간의 'ㅎ'이 탈락한 형태와 탈락하지 않은 형태 모두 바른 표기로 인정 예 그렇네(O)/그러네(O), 동그랗니?(O)/동그라니?(O), 하얗냐?(O)/하야냐?(O) ※ 2015년 'ㅎ'이 탈락하지 않은 형태도 바른 표기로 인정하였다.

출제 유형

불규칙 용언의 유형	불규칙 용언의 유형에 해당하는 예를 찾는 유형

107 ○○○ 2021 국가직 9급

㉠, ㉡의 사례로 옳은 것만을 짝 지은 것은?

> 용언의 불규칙 활용은 크게 ㉠ 어간만 불규칙하게 바뀌는 부류, ㉡ 어미만 불규칙하게 바뀌는 부류, 어간과 어미 둘 다 불규칙하게 바뀌는 부류로 나눌 수 있다.

	㉠	㉡
①	걸음이 빠름	꽃이 노람
②	잔치를 치름	공부를 함
③	라면이 불음	합격을 바람
④	우물물을 품	목적지에 이름

난이도 ㉧ ◯ ㉻

TIP 용언의 불규칙 활용을 물으면 어미가 바뀌는 '여' 불규칙, '러' 불규칙부터 먼저 확인하자.

해설

품	'품'의 기본형은 '푸다'이다. '푸다'는 모음으로 시작하는 어미와 결합하면 어간의 'ㅜ'가 탈락한다. 따라서 '품(푸다)'은 어간만 불규칙하게 바뀌는 부류이다. ('ㅜ' 불규칙)
이름	'이름'의 기본형은 '이르다'이다. '이르다'는 어미 '-어' 대신 '-러' 형태를 취한다. 따라서 '이름(이르다)'은 어미만 불규칙하게 바뀌는 부류이다.('러' 불규칙)

오답 분석

① '빠름(빠르다)'은 '르' 불규칙 용언이기 때문에 ㉠의 예로 적절하다. 그러나 '노람(노랗다)'는 'ㅎ' 불규칙 용언으로, 어간과 어미가 모두 불규칙하게 바뀌는 단어이다. 따라서 ㉡의 예로 적절하지 않다.

② '함(하다)'은 '여' 불규칙 용언이다. 어미 '-어' 대신 '-여'를 취한다는 점에서 ㉡의 예로 적절하다. 한편, '치름(치르다)'은 규칙 활용('ㅡ' 탈락)을 하는 용언이기 때문에 ㉠의 예로 적절하지 않다.

③ '불음(붇다)'은 'ㄷ' 불규칙 용언이다. 모음으로 시작하는 어미와 결합할 때, 어간의 'ㄷ'이 'ㄹ'로 교체된다는 점에서 ㉠의 예로 적절하다. 한편, '바람(바라다)'은 규칙 활용을 하는 용언이기 때문에 ㉡의 예로 적절하지 않다.

정답 ④

108 ○○○ 2018 서울시 7급(6월)

국어의 불규칙 활용에 대한 <보기>의 설명과 그 예를 가장 바르게 짝지은 것은?

> <보기>
> (가) 불규칙 용언 가운데는 어간의 일부가 탈락되는 경우가 있다.
> (나) 불규칙 용언 가운데는 어간의 일부가 다른 것으로 바뀌는 경우가 있다.
> (다) 불규칙 용언 가운데는 어미가 다른 것으로 바뀌는 경우가 있다.
> (라) 불규칙 용언 가운데는 어간과 어미가 함께 바뀌는 경우가 있다.

① (가) - 짓다, 푸다, 눕다
② (나) - 깨닫다, 춥다, 씻다
③ (다) - 푸르다, 하다, 노르다
④ (라) - 좋다, 파랗다, 부옇다

난이도 ㉧ ◯ ㉻

해설 '푸르다'와 '노르다'는 '러' 불규칙 용언이고, '하다'는 '여' 불규칙 용언으로, 모두 어미가 다른 것으로 바뀌는 활용을 한다.

푸르다/노르다	푸르고 - 푸르니 - 푸르러 / 노르니 - 노르고 - 노르러 → 어미 '-아/-어' 대신 '-러'를 취한다.
하다	하고 - 하니 - 하여 → 어미 '-아/-어' 대신 '-여'를 취한다.

오답 분석

① '짓다, 푸다'는 어간의 일부가 탈락하는 활용을 하는 용언이다. 그러나 '눕다'는 어간의 일부가 다른 것으로 바뀌는 활용을 하는 용언으로 (나)의 예에 해당한다.

짓다	짓고 - 지으니 - 지어('ㅅ' 불규칙) → 모음으로 시작하는 어미 앞에서 어간의 'ㅅ'이 탈락한다.
푸다	푸고 - 푸니 - 퍼('ㅜ' 불규칙) → 모음으로 시작하는 어미 앞에서 어간의 'ㅜ'가 탈락한다.
눕다	눕고 - 누우니 - 누워('ㅂ' 불규칙) → 모음으로 시작하는 어미 앞에서 어간의 'ㅂ'이 'ㅗ/ㅜ'로 교체된다.

② '깨닫다, 춥다'는 어간의 일부가 다른 것으로 바뀌는 활용을 하는 용언이다. 그러나 '씻다'는 규칙 활용을 하는 용언이다.

깨닫다	깨닫고 - 깨달으니 - 깨달아('ㄷ' 불규칙) → 모음으로 시작하는 어미 앞에서 어간의 'ㄷ'이 'ㄹ'로 교체된다.
춥다	춥고 - 추우니 - 추워('ㅂ' 불규칙) → 모음으로 시작하는 어미 앞에서 어간의 'ㅂ'이 'ㅗ/ㅜ'로 교체된다.
씻다	씻고 - 씻으니 - 씻어('ㅅ' 규칙)

④ '파랗다, 부옇다'는 어간과 어미가 함께 바뀌는 활용을 하는 용언이다. 그러나 '좋다'는 규칙 활용을 하는 용언이다.

파랗다/부옇다	파랗고 - 파라니 - 파래 / 부옇고 - 부여니 - 부예 → 어간과 어미가 함께 바뀐다.('ㅎ' 불규칙)
씻다	좋고 - 좋으니 - 좋아('ㅎ' 규칙)

정답 ③

출제 유형

불규칙 용언의 유형	동일한 유형의 활용을 하는 단어를 찾는 유형

MEMO

109 ○○○

2017 국가직 9급 추가

밑줄 친 단어의 불규칙 활용 유형이 같은 것은?

① ┌ 나뭇잎이 누르니 가을이 왔다.
└ 나무가 높아 오르기 힘들다.

② ┌ 목적지에 이르기는 아직 멀었다.
└ 앞으로 구르기를 잘한다.

③ ┌ 주먹을 휘두르지 마라.
└ 머리를 짧게 자른다.

④ ┌ 그를 불운한 천재라 부른다.
└ 색깔이 아주 푸르다.

난이도 상 중 하

해설 ③의 '휘두르다'와 '자르다'는 모음 어미가 연결될 경우 어간 받침 '르'가 'ㄹㄹ' 형태로 바뀌는 '르' 불규칙 용언이다.

오답분석 ① 형용사 '누르다[黃, '누렇다'의 의미]'는 어미가 교체되는 '러' 불규칙 용언이고, '오르다'는 어간이 교체되는 '르' 불규칙 용언이다.

비교 동사 '누르다'는 '르' 불규칙 용언이다.
(머리를) 누르다 - 누르니 - 누르지 - 눌러

② '도착하다'의 의미를 갖는 동사 '이르다'는 어미가 교체되는 '러' 불규칙 용언이고, '구르다'는 어간이 교체되는 '르' 불규칙 용언이다.

비교 형용사 '(시간이) 이르다'는 '르' 불규칙 용언이다.
이르다 - 이르고 - 이르지 - 일러

④ '부르다'는 어간이 교체되는 '르' 불규칙 용언이고, '푸르다'는 어미가 교체되는 '러' 불규칙 용언이다.

정답 ③

참고 불규칙 용언

어간 \ 어미	-다	-니	-지	-기	-어/-아
오르-	오르다	오르니	오르지	오르기	올라
구르-	구르다	구르니	구르지	구르기	굴러
휘두르-	휘두르다	휘두르니	휘두르지	휘두르기	휘둘러
자르-	자르다	자르니	자르지	자르기	잘라
부르-	부르다	부르니	부르지	부르기	불러
(색이) 푸르-	푸르다	푸르니	푸르지	푸르기	푸르러
(색이) 누르-	누르다	누르니	누르지	누르기	누르러
(장소에) 이르-	이르다	이르니	이르지	이르기	이르러

Unit 31 용언의 활용 - 기본형과 활용의 적절성

출제 유형

용언의 기본형	• 어간과 어미를 묻는 유형 • 용언의 기본형을 묻는 유형
규칙·불규칙 용언의 활용	• 용언의 활용을 바르게 수정했는지 묻는 유형 • 용언의 활용이 바른지 아닌지 묻는 유형

핵심정리

'-ㄹ'이나 '-ㄹ수록'처럼 'ㄹ' 자체로 시작하는 어미 앞에서만 'ㄹ'이 탈락해요!(날- + -ㄹ수록 → 날수록)
'노라보시오' 혹은 '나라보시오'로 기억하기!

1. 탈락 현상

'ㄹ' 탈락	어간의 받침 'ㄹ'은 'ㄴ, ㄹ, ㅂ, 시, 오' 앞에서 탈락 예 날다: 나니-날-납니다-나시오-나오 살다: 사니-살-삽니다-사시오-사오
'ㅡ' 탈락	어간 끝 모음 'ㅡ'가 모음으로 시작하는 어미 앞에서 탈락 예 담그다: 담가-담갔다 / 잇따르다: 잇따라-잇따랐다

2. 부사 vs 용언의 부사형

구분	동사		형용사	
	어간 받침 O	어간 받침 ×	어간 받침 O	어간 받침 ×
관형사형 어미 '-ㄴ/은'	먹다 - 먹은 읽다 - 읽은	보다 - 본 자다 - 잔	알맞다 - 알맞은 넓다 - 넓은	예쁘다 - 예쁜 환하다 - 환한
관형사형 어미 '-는'	먹다 - 먹는 읽다 - 읽는	보다 - 보는 자다 - 자는	걸맞다 - 걸맞는(×) 넓다 - 넓는(×)	착하다 - 착하는(×) 환하다 - 환하는(×)

관형사형 어미 '-ㄴ/은'은 동사와 형용사 모두 활용할 수 있지만, 어미 '-는'은 현재의 의미를 갖는 관형사형 어미로 오직 동사에만 활용할 수 있어요!
따라서 '걸맞다'는 형용사니까 '걸맞는'이 아니라 '걸맞은'이에요!

심화 Plus

1. 붇다 vs 불다 [17 국가직 9급]

붇다	[동사] 붇다-붇고-붇지-붇니-불어-불었다 • 물에 젖어서 부피가 커지다. 예 콩이 붇다. / 북어포가 물에 불어 부드러워지다. / 오래되어 불은 국수는 맛이 없다. • 분량이나 수효가 많아지다. 예 개울물이 붇다. / 체중이 붇다. / 젖이 불어 오르다. / 재산이 붇는 재미에 힘든 줄을 모른다.
불다	[동사] 불다-불고-불지-부니-불어-불었다 • 바람이 일어나서 어느 방향으로 움직이다. 예 동풍이 불다. • 유행, 풍조, 변화 따위가 일어나 휩쓸다. 예 영어 회화 바람이 불다.

2. 기출 예문

(1) [17 사회복지직 9급]

① 집에서 학교까지 거리가 가까왔다(→ 가까웠다).

(2) [13 국가직 9급]

① 큰일을 치루었더니(→ 치르었더니) 몸살이 났다.

② 라면이 불으면 맛이 없다.

(3) [12 지방직 9급]

① 고향 젓갈로 담가서 그런지, 이번 김치맛은 그야말로 고향의 맛이야!

② 날씨가 추워져서 수도꼭지를 잠궈(→ 잠가) 두었다.

(4) [10 국가직 7급]

① 그는 짐 보따리를 리어카에 실고(→ 싣고) 떠났다. / ② 어머니는 밥통에서 밥을 푸었다(→ 펐다).

출제 유형

용언의 기본형	어간과 어미를 묻는 유형

110 ○○○ 2022 지방직 7급

㉠~㉣을 활용하여 사례의 밑줄 친 부분을 분석한 것으로 옳지 않은 것은?

어간과 결합하는 어미는 다음과 같이 분류될 수 있다. 먼저 실현되는 위치에 따라 ㉠ 선어말 어미와 어말 어미로 나뉜다. 다음으로 어말 어미는 그 기능에 따라 ㉡ 연결 어미, ㉢ 종결 어미, ㉣ 전성 어미로 나뉜다.

사례	분석
① 형이 어머니를 잘 모시겠지만 조금은 걱정돼.	어간 + ㉠ + ㉡
② 많은 사람들이 오갔기 때문에 소독을 해야 해.	어간 + ㉠ + ㉣
③ 어머니께서 할머니께 전화를 드리셨을 텐데.	어간 + ㉠ + ㉠ + ㉡
④ 아버지께서 지난주에 편지를 보내셨을걸.	어간 + ㉠ + ㉠ + ㉢

난이도 ㊤ ㊥ ㊦

해설 '드리셨을'의 형태소 '드리- + -시- + -었- + -을'을 분석하면 다음과 같다.

드리-	-시-	-었-	-을
어간	선어말 어미	선어말 어미	전성 어미

따라서 '어간 + ㉠ + ㉠ + ㉡'이 아니라, '어간 + ㉠ + ㉠ + ㉣'로 분석해야 한다.

오답 분석 ① '모시겠지만'의 형태소 '모시- + -겠- + -지만'을 분석하면 다음과 같다.

모시-	-겠-	-지만	
어간	선어말 어미	연결 어미	

② '오갔기'의 형태소 '오-+가-+-았-+-기'를 분석하면 다음과 같다.

오-	가-	-았-	-기
어간		선어말 어미	전성 어미

④ '보내셨을걸'의 형태소 '보내-+-시-+-었-+-을걸'을 분석하면 다음과 같다.

보내-	-시-	-었-	-을걸
어간	선어말 어미	선어말 어미	종결 어미

정답 ③

출제 유형

용언의 기본형	용언의 기본형을 묻는 유형

111 ○○○ 2017 국가직 9급

밑줄 친 말의 기본형이 옳지 않은 것은?

① 무를 강판에 가니 즙이 나온다. (기본형: 갈다)

② 오래되어 불은 국수는 맛이 없다. (기본형: 불다)

③ 아이들에게 위험한 데서 놀지 말라고 일렀다. (기본형: 이르다)

④ 퇴근하는 길에 포장마차에 들렀다가 친구를 만났다. (기본형: 들르다)

난이도 ㊤ ㊥ ㊦

해설 '물에 젖어서 부피가 커지다.'란 뜻을 가진 말의 기본형은 '붇다'이다. '붇다'는 'ㄷ' 불규칙 용언이기 때문에 모음으로 시작하는 어미와 결합할 때 어간의 받침 'ㄷ'이 'ㄹ'로 교체된다. 따라서 '붇은'이 아니라 '불은(붇- + -은)'의 형태를 취해야 하고 기본형은 '불다'가 아니라 '붇다'이다.

오답 분석 ① '갈다(날카롭게 날을 세우거나 표면을 매끄럽게 하기 위하여 다른 물건에 대고 문지르다.)'가 기본형인데, 'ㄴ'으로 시작하는 말과 결합할 때 어간의 'ㄹ'이 탈락한다. 따라서 '갈- + -니 → 가니'와 같이 활용한다.

※ 갈다 - 갈고 - 갈지 - 가니 - 갈아 - 갈았다

※ 어간 받침 'ㄹ'은 'ㄴ, ㄹ, ㅂ, 시, 오'의 어미 앞에서 탈락한다.

③ '이르다(타이르다 / 미리 알려주다)'가 기본형이다. '이르다'는 '르' 불규칙 용언이기 때문에 모음 어미와 결합하면 'ㅡ'가 탈락하고 'ㄹ'이 덧생겨 'ㄹㄹ' 형태가 된다. 따라서 '이르- + -었- + -다 → 일렀다'와 같이 활용한다.

※ 이르다-이르고-이르지-이르니-일러-일렀다

※ '이르다'가 '1) 어떤 장소나 시간에 닿다. 2) 어떤 정도나 범위에 미치다.'의 뜻일 때는 '러' 불규칙 용언이 된다.

• 이르다 - 이르러 - 이르니

④ '들르다(지나는 길에 잠깐 들어가 머무르다.)'가 기본형이다. 어간의 'ㅡ'는 모음 어미 앞에서 탈락한다.(모음 '아/어' 앞에서 어간의 'ㅡ'가 탈락한다.) 따라서 '들르- + -었다 → 들렀다'와 같이 활용한다.

※ 들르다 - 들르고 - 들르지 - 들르니 - 들러 - 들렀다

정답 ②

출제 유형

규칙·불규칙 용언의 활용	용언의 활용을 바르게 수정했는지 묻는 유형

112 ○○○ 2012 지방직 9급

밑줄 친 용언의 활용형을 잘못 고친 것은?

① 아름다운 서울에서 살으렵니다. → 살렵니다.

② 우리 부부는 둘 다 돈을 벌으므로 여유가 있습니다. → 벌므로

③ 그는 땀에 전 작업복을 갈아입었다. → 절은

④ 모두 힘을 모아 차를 밀읍시다. → 밉시다.

난이도 상 중 하

TIP 먹보살: 먹다 - 먹은, 보다 - 본, 살다 - 산

해설 '땀에 전 작업복'의 '전'의 기본형은 '절다'이다. 'ㄹ' 받침으로 끝나는 어간이 어미 '-ㄴ'과 결합하는 경우, 받침 'ㄹ'이 탈락한다. 따라서 '절은'이 아니라 '전'이 바른 활용형이다. 같은 활용의 예로는 '낯설다-낯선', '거칠다-거친' 등이 있다.

오답 분석
① 어간의 받침 'ㄹ'은 '렵니다'의 종결 어미 앞에서 탈락하지 않고, 매개 모음 '으'를 취하지 않는다. 따라서 '살- + -렵니다'의 경우 '살렵니다'가 맞다. 예 먹으렵니다/보렵니다/울렵니다

② 어미 '-으므로'는 'ㄹ'을 제외한 받침 있는 용언의 어간 뒤에 붙는다. 그러나 받침이 'ㄹ'인 경우 매개 모음 '으'를 취하지 않아 '-므로'가 붙는다. 따라서 '벌므로'가 맞다.
예 먹으므로/보므로/날므로

④ 'ㅂ' 앞에서 어간의 받침 'ㄹ'이 탈락되므로, '밀- + -ㅂ시다'의 경우 '밉시다'가 맞다. 예 먹읍시다/봅시다/삽시다

정답 ③

출제 유형

규칙·불규칙 용언의 활용	용언의 활용이 바른지 아닌지 묻는 유형

113 ○○○ 2022 국회직 8급

밑줄 친 용언의 활용이 옳은 것은?

① 벼가 익으니 들판이 누래.

② 그는 시장에 드르지 않고 집에 왔다.

③ 아이들은 기단 작대기 끝에 헝겊을 매달았다.

④ 추위에 손이 고와서 글씨를 제대로 쓸 수가 없다.

⑤ 그가 내 옆구리를 냅다 질르는 바람에 눈을 떴다.

난이도 상 중 하

해설 '기단'의 기본형은 '기다랗다'의 준말인 '기닿다'이다. '기닿다'는 'ㅎ' 불규칙 용언이다. 따라서 어미 '-ㄴ'과 결합하면 어간의 'ㅎ'이 탈락한다. 따라서 '기단(기닿- + -ㄴ)'의 활용은 옳다.

오답 분석
① **누래 → 누레**: '누렇다'가 기본형이다. '누렇다'는 'ㅎ' 불규칙 용언이므로 '누레(누렇- + -어)'로 활용한다.

② **드르지 → 들르지**: '들르다'가 기본형이다. 따라서 '들르지(들르- + -지)'로 활용한다.

④ **고와서 → 곱아서**: '아름답다'라는 의미를 가진 '곱다'는 'ㅂ' 불규칙 용언이므로 '고와서(곱- + -아서)'로 활용한다. 그런데 '추위에 손이'를 볼 때, 문맥상 '손가락이나 발가락이 얼어서 감각이 없고 놀리기가 어렵다.'라는 의미를 가진 '곱다'이다. 이때의 '곱다'는 규칙 활용을 하는 용언이다. 따라서 '곱아서(곱- + -아서)'로 활용한다.

⑤ **질르는 → 지르는**: '지르다'가 기본형이다. 따라서 '지르는(지르- + -는)'으로 활용한다.

정답 ③

114 ○○○ 2020 지방직 9급

밑줄 친 부분의 활용형이 옳지 않은 것은?

① 집에 오면 그는 항상 사랑채에 머물었다.

② 나는 고향 집에 한 사나흘 머무르면서 쉴 생각이다.

③ 일에 서툰 것은 연습이 부족한 까닭이다.

④ 그는 외국어가 서투르므로 해외 출장을 꺼린다.

난이도 상 중 하

해설 **머물었다 → 머물렀다**: 본말 '머무르다'와 준말 '머물다'는 모두 어법에 맞다. 다만, 모음으로 시작하는 어미와의 결합은 본말만 가능하다. 따라서 준말 '머물다'의 어간 '머물-'에 어미 '-었다'가 결합한 ①은 어법에 어긋난다. 본말 '머무르다'의 어간 '머무르-'에 어미 '-었다'가 결합한 '머물렀다(머무르- + -었다)'로 활용해야 어법에 맞다.

오답 분석
② '머무르다'의 어간 '머무르-'와 어미 '-면서'가 결합한 것으로 활용이 적절하다.

③ '서툴다'의 어간 '서툴-'이 어미 '-ㄴ'과 결합하면서 어간의 'ㄹ'이 탈락한 것이므로 '서툰(서툴- + -ㄴ)'의 활용은 옳다.

④ "그는 외국어가 서투르다. 그러므로 해외 출장을 꺼린다."라는 의미이다. 따라서 '서투르다'의 어간 '서투르-'에 까닭이나 근거를 나타내는 어미 '-므로'가 결합한 '서투르므로'의 활용은 옳다.

정답 ①

115 ○○○

2019 서울시 9급(2월)

밑줄 친 단어의 형태가 옳지 않은 것은?

① 멀리서 보기와 달리 산이 가팔라서 여러 번 쉬었다.

② 예산이 100만 원 이상 모잘라서 구입을 포기해야 했다.

③ 영혼을 불살라서 이룬 깨달음이니 더욱 소중하다.

④ 말이며 행동이 모두 올발라서 흠잡을 데 없는 사람이다.

난이도 상 중 하

해설 **모잘라서 → 모자라서**: 의미가 '1) 기준이 되는 양이나 정도에 미치지 못하다. 2) 지능이 정상적인 사람에 미치지 못하다.'의 용언은 기본형이 '모자라다'로 '르' 불규칙 용언이 아니다. 따라서 어간의 끝음절 '르'가 '-아' 앞에서 'ㄹㄹ'로 바뀌지 않는다. 오히려 모음 어미 '-아' 앞에서 동음 탈락 현상이 나타난다.

예 모자라- + -아 = 모자라
모자라- + -아서 = 모자라서
모자라- + -았+다 = 모자랐다

오답 분석
① '가파르다'는 '르' 불규칙 용언이므로 '가파르- + -아서 → 가팔라서'와 같이 활용한다.
③ '불사르다'는 '르' 불규칙 용언이므로 '불사르- + -아서 → 불살라서'와 같이 활용한다.
④ '올바르다'는 '르' 불규칙 용언이므로 '올바르- + -아서 → 올발라서'와 같이 활용한다.

정답 ②

116 ○○○

2018 서울시 7급(6월)

밑줄 친 용언의 활용형 중 가장 옳지 않은 것은?

① 아주 곤혹스런 상황에 빠졌다.

② 할아버지께 여쭈워 보시면 됩니다.

③ 라면이 붇기 전에 빨리 먹어라.

④ 내 처지가 너무 섧워서 눈물만 나온다.

난이도 상 중 하

해설 **곤혹스런 → 곤혹스러운**: '곤혹스럽다'가 기본형이다. '곤혹스럽다'는 'ㅂ' 불규칙 용언이므로 '곤혹스럽- + -은 → 곤혹스러운'으로 활용해야 한다.

오답 분석
② '여쭙다'는 'ㅂ' 불규칙 용언이므로 '여쭙- + -어 → 여쭈워'의 활용은 옳다.
※ '여쭈다'도 복수 표준어이므로 '여쭈- + -어 → 여쭈어(=여쭤)'의 활용도 가능하다.
③ '붇다'는 'ㄷ' 불규칙 용언으로 모음으로 시작하는 어미와 결합할 때만, 'ㄷ'이 'ㄹ'로 교체된다. 따라서 '-기'와 결합된 경우에는 'ㄷ'이 'ㄹ'로 교체되지 않은 '붇기'의 활용은 옳다.
④ '섧다'는 'ㅂ' 불규칙 용언이므로 '섧- + -어서 → 섧워서'의 활용은 옳다.
※ 같은 의미의 표준어 '서럽다' 역시 'ㅂ' 불규칙 용언으로 '서럽- + -어서 → 서러워서'로 활용한다.

정답 ①

고득점 GO!

'혼동되는 용언의 활용형' 다시 한번 확인해요!

① 자연스럽다: 자연스러운(○) - 자연스런(×)
② 갑작스럽다: 갑작스러운(○) - 갑작스런(×)
③ 실망스럽다: 실망스러운(○) - 실망스런(×)

고득점 GO!

용언의 명사형(품사는 변하지 아니함) 만들기!

① 어간에 받침이 없으면(모음으로 끝나면) 어미 '-ㅁ'을 붙인다.
예 보다 → 봄, 가다 → 감, 사다 → 삼
② 어간에 받침이 있으면(자음으로 끝나면) 어미 '-음'을 붙인다.
예 먹다 → 먹음, 찾다 → 찾음, 붙잡다 → 붙잡음
③ 어간이 'ㄹ 받침'으로 끝나면 어간 뒤에 어미 '-ㅁ'을 붙인다.
예 날다 → 낢, 베풀다 → 베풂, 졸다 → 졺

Unit 32 자립 명사와 의존 명사

- 자립 명사와 의존 명사를 판별하는 유형
- 특정 조사만을 취하는 명사를 찾는 유형

핵심정리

1. 명사의 분류

자립 명사	혼자서 자립적으로 쓰일 수 있는 명사(고유 명사, 보통 명사)
의존 명사	반드시 관형어의 도움을 받아야 쓰이는 명사 예 것, 바, 데 ※ 의존 명사의 특징 ① 홀로 쓰이지 못함. ② 반드시 관형어의 수식을 받음. ③ 명사이지만 의미가 형식적임.

2. 의존 명사의 분류

보편성 의존 명사	• 모든 성분으로 두루 쓰임. • 관형어와 조사의 통합에 큰 제약이 없음. • 의존적 성격 외에는 자립 명사와 비슷함.	예 • 이런 발칙한 것 같으니라고. • 지금 가는 데가 어디야?
주어성 의존 명사	• 주격 조사와 통합 • 주로 주어로 사용	예 • 좋은 수가 없다. • 그가 도와줄 리가 있겠소?
서술성 의존 명사	• 문장에서 서술어로만 쓰임. • 서술격 조사 '이다'와 결합	예 • 그저 기쁠 따름이다. • 소문으로만 들었을 뿐이네.
부사성 의존 명사	• 부사격 조사와 통합 • 부사로 사용	예 • 벽에 기댄 채로 잠들었다. • 고시를 볼 양이면 각오를 단단히 해라.
단위성 의존 명사	• 수 관형사 다음에 쓰임. • 선행 명사의 수량 단위를 표시 ※ 숫자와 같이 쓰이거나(6학년), 순서를 나타낼 때(육층)는 붙여 쓸 수 있다.	예 • 얼마나 피곤한지 눈이 한 자나 들어갔다. • 벼 두 섬을 지게에 지다.

심화 Plus

1. 특정 조사만을 취하는 명사 [12 법원직 9급]

조사	단어	조사	단어
서술격 조사 '이다'	가관이다, 마찬가지이다	부사격 조사 '에'	미연에, 졸지에, (난리) 통에
주격 조사 '이/가'	가망이 (있다/없다)	부사격 조사 '로'	마찬가지로
관형격 조사 '의'	불가분의, 불굴의		

2. 자립 명사와 의존 명사 [16 지방직 9급]

(1) 타율에 관한 한 독보적인 기록도 깨졌다.

자립 명사	타율, 한, 독보적, 기록
의존 명사	-

(2) 상자에 이런 것이 깔끔하게 정돈되어 있었다.

자립 명사	상자
의존 명사	것

(3) 친구 외에는 다른 사람에게 항상 못되게 군다.

자립 명사	친구, 사람
의존 명사	외

(4) 저 모퉁이에서 얼굴이 하얀 이가 걸어오고 있나.

자립 명사	모퉁이, 얼굴
의존 명사	이

출제 유형

자립 명사와 의존 명사	자립 명사와 의존 명사를 판별하는 유형

117 ○○○ 2016 국회직 9급

다음 밑줄 친 ㉠~㉤을 두 부류로 나눌 때 가장 적절한 것은?

- 허기가 져 급히 먹는 ㉠ 바람에 체했다.
- 약 ㉡ 바람에 아무런 통증을 느끼지 못했다.
- 어머니는 버선 ㉢ 바람으로 아들을 맞았다.
- 문호를 개방하면서 서구화 ㉣ 바람이 불어닥쳤다.
- 출발 신호음이 떨어지자 선수들은 ㉤ 바람같이 내달았다.

① ㉠, ㉡, ㉢ / ㉣, ㉤
② ㉠, ㉡, ㉣ / ㉢, ㉤
③ ㉡, ㉢, ㉣ / ㉠, ㉤
④ ㉡, ㉣, ㉤ / ㉠, ㉢
⑤ ㉢, ㉣, ㉤ / ㉠, ㉡

난이도 상 중 하

해설 자립 명사 '바람'과 의존 명사 '바람'을 구분하는 문제이다.
㉠, ㉡, ㉢은 '바람' 앞의 내용이 반드시 있어야 하는 의존 명사이고, ㉣, ㉤은 앞의 내용이 없어도 되는 자립 명사이다.
반드시 관형어를 취하되 기본 뜻[wind]에서 다소 멀어진 의미는 '의존 명사'이고, '공기의 움직임' 자체나 이에 의미가 연결되어 확장된 '유행, 분위기'는 '자립 명사'이다.

정답 ①

참고 바람

〈명사〉
1. 기압의 변화 또는 사람이나 기계에 의하여 일어나는 공기의 움직임
   예 바람에 종이가 날려 갔다.
2. 공이나 튜브 따위와 같이 속이 빈 곳에 넣는 공기
   예 축구공에 바람을 가득 넣다.
3. 사회적으로 일어나는 일시적인 유행이나 분위기 또는 사상적인 경향
   예 문호를 개방하면서 서구화 ㉣ 바람이 불어닥쳤다.
4. 매우 빠름을 이르는 말
   예 출발 신호음이 떨어지자 선수들은 ㉤ 바람같이 내달았다.

〈의존 명사〉
1. 뒷말의 근거나 원인을 나타내는 말
   예 허기가 져 급히 먹는 ㉠ 바람에 체했다.
2. 무슨 일에 더불어 일어나는 기세
   예 약 ㉡ 바람에 아무런 통증을 느끼지 못했다.
3. 그 옷차림의 뜻을 나타내는 말
   예 어머니는 버선 ㉢ 바람으로 아들을 맞았다.

고득점 GO!

㉠~㉤의 '바람'은 사전에 하나의 표제어로 올라가 있기 때문에 다의 관계!!

출제 유형

자립 명사와 의존 명사	특정 조사만을 취하는 명사를 찾는 유형

118 ○○○ 2012 법원직 9급

다음 밑줄 친 말 중 〈보기〉의 '일부 자립 명사'의 예로 보기 어려운 것은?

〈보기〉

자립 명사는 일반적으로 조사와 자유롭게 결합되지만, 일부 자립 명사들은 조사와 결합될 때 상당한 제약이 있어, 하나 또는 몇몇의 조사만을 취하게 된다.

① 제 생각도 그 사람과 마찬가지입니다.
② 사회와 개인은 불가분의 관계에 있다.
③ 그는 불굴의 의지로 역경을 극복하였다.
④ 일은 내용 못지않게 형식도 매우 중요하다.

난이도 상 중 하

해설 '형식'의 경우 여러 조사와 자유롭게 결합하는 자립 명사이다.
예 '형식이/형식을/형식의/형식이다' 등이 가능하다.

오답 분석
① '마찬가지'는 조사 '이다', '로'와 같은 일부 조사와만 결합하는 단어이다.
② '불가분'은 조사 '의'와 같은 일부 조사와만 결합하는 단어이다.
③ '불굴'은 조사 '의'와 같은 일부 조사와만 결합하는 단어이다.

정답 ④

Unit 33 대명사 '당신'과 '우리'

출제 유형

- 대명사 '당신'의 용법을 묻는 유형
- 대명사 '우리'의 용법을 묻는 유형

1. 대명사 '당신'

2인칭	① 듣는 이를 가리키는 2인칭 대명사 예 당신은 누구십니까? ② 부부 사이에서, 상대편을 높여 이르는 2인칭 대명사 예 당신, 요즘 직장에서 피곤하시죠? ③ 문어체에서, 상대편을 높여 이르는 2인칭 대명사 예 당신의 희생을 잊지 않겠습니다. ④ 맞서 싸울 때 상대편을 낮잡아 이르는 2인칭 대명사 예 뭐? 당신? 누구한테 당신이야.
3인칭	'앞에서 이미 말하였거나 나온 바 있는 사람을 도로 가리키는 3인칭 대명사'인 '자기'를 아주 높여 이르는 말 예 아시다시피 할머니는 결코 말씀이 많으신 분은 아니었지요. 당신께서 생전에 표현하지 못했던 심정이 거기에 절실히 아로 새겨져 있을 거예요.

2. 대명사 '우리'

(1) 청자(듣는 사람)를 포함하는 기능 예 우리 같이 영화 볼래? / 어머니, 우리 도봉산에 갈까요?
(2) 청자(듣는 사람)를 배제하는 기능 예 우리 먼저 나간다, 수고해라. / 언젠가 자네가 우리 부부를 초대한 적이 있었지.
(3) 어떤 대상이 자기와 친밀한 관계임을 나타내는 기능 예 우리 신랑 / 우리 학교 / 우리 동네

1. '그쪽'의 의미 [17 지방직 9급]

지시 대명사		① 듣는 이에게 가까운 곳이나 방향을 가리키는 지시 대명사 예 이리 들어와서 그쪽에 앉아라. ② 말하는 이와 듣는 이가 이미 알고 있는 곳이나 방향을 가리키는 지시 대명사 예 두 시간 후에 그쪽에서 만나자.
인칭 대명사	2인칭	① 듣는 이 또는 듣는 이들을 가리키는 2인칭 대명사 예 그쪽에서 물건 하나를 맡아 주었으면 해요. ② 듣는 이와 듣는 이를 포함한 집단을 가리키는 2인칭 대명사 예 그쪽에서 제시한 방안을 우리 회사에서는 수용할 수 없습니다.
	3인칭	말하는 이와 듣는 이가 이미 알고 있는 사람 또는 그런 사람을 가리키는 3인칭 대명사 예 그쪽에서는 아가씨가 마음에 든다고 합니다.

2. '본인'의 의미 [17 지방직 9급]

(1) 어떤 일에 직접 관계가 있거나 해당되는 사람 예 본인의 의사를 묻다. / 환자 본인을 위해 병실에서는 절대 금연입니다.
(2) 공식적인 자리에서 '나'를 문어적으로 이르는 말 예 여러분께서도 본인의 의견을 따라 주시기 바랍니다.

출제 유형

대명사의 용법	대명사 '당신'의 용법을 묻는 유형

119 ○○○ 2018 경찰 1차

다음 밑줄 친 단어에 대한 설명으로 가장 적절하지 않은 것은?

> ㉠ 당신은 누구시오?
> ㉡ 당신, 요즘 직장에서 피곤하시죠?
> ㉢ 뭐? 당신? 누구한테 당신이야!
> ㉣ 할아버지께서는 생전에 당신의 장서를 소중히 다루셨다.

① ㉠에서 '당신'은 청자를 가리키는 2인칭 대명사이다.
② ㉡에서 '당신'은 부부 사이에서 상대편을 높여 이르는 2인칭 대명사이다.
③ ㉢에서 '당신'은 맞서 싸울 때 상대편을 낮잡아 이르는 2인칭 대명사이다.
④ ㉣에서 '당신'은 상대방을 높여 부르는 2인칭 대명사이다.

난이도 상 중 하

해설 ㉣에서 '당신'은 주어인 '할아버지'를 다시 가리키는 '3인칭 재귀 대명사'이다. 따라서 '상대방을 높여 부르는 2인칭 대명사이다.'라는 ④의 설명은 적절하지 않다.

정답 ④

참고 당신(대명사)

1. 듣는 이를 가리키는 2인칭 대명사 ······ ㉠
2. 부부 사이에서, 상대편을 높여 이르는 2인칭 대명사 ······ ㉡
3. 문어체에서, 상대편을 높여 이르는 2인칭 대명사
4. 맞서 싸울 때 상대편을 낮잡아 이르는 2인칭 대명사 ······ ㉢
5. '앞에서 이미 말하였거나 나온 바 있는 사람'을 도로 가리키는 3인칭 대명사 '자기'를 아주 높여 이르는 말 ······ ㉣

출제 유형

대명사의 용법	대명사 '우리'의 용법을 묻는 유형

120 ○○○ 2014 지방직 7급

다음 대화문에서 대명사 '우리'의 용법이 나머지와 다른 하나는?

① A: 어제는 너한테 미안했어. 우리가 너무 심하게 한 것 같아.
B: 아니야, 내가 잘못했어. 너희 잘못이 아니야.
② A: 어제는 정말 좋았어. 우리가 언제 또 그런 기회를 가질 수 있겠니?
B: 그래, 나도 좋았어. 우리 다음에도 또 그런 자리 마련해 보자.
③ A: 우리는 점심에 스파게티를 자주 먹어.
B: 그래? 우리는 촌스러워서 그런지 스파게티 같은 건 잘 못 먹어
④ A: 정말 미안하지만 우리 입장도 좀 생각해 줘.
B: 알겠어. 다음에 기회가 되면 도와주길 바랄게.

난이도 상 중 하

해설 대명사 '우리'는 '1. 청자(듣는 사람)를 포함'하는 의미와 '2. 청자(듣는 사람) 배제'의 의미, '3. 어떤 대상이 자기와 친밀한 관계임의 표현(예 우리 마누라 / 우리 아기)'으로 사용할 수 있다.
②의 경우 'A'가 청자 'B'를 포함한 의미로 '우리'를 사용하고 있다. 'B' 역시 청자 'A'를 포함한 의미로 '우리'를 사용하고 있으므로 '1. 청자 포함'의 '우리'의 용법이다. 나머지는 모두 '2. 청자 배제'의 용법으로 사용되었다.

오답 분석
① A가 말한 '우리'는 청자를 포함하지 않은 화자 자신을 포함한 복수의 사람을 의미하는데, 이는 B의 '너희'란 말을 통해 확실히 확인할 수 있다.
③ A의 '우리'는 청자인 B를 배제한 화자 A와 관련된 인물이고, B의 '우리' 역시 그러하다.
④ '우리'는 청자인 B를 포함하고 있지 않기 때문에 이 역시 '2. 청자 배제'의 기능으로 쓰였다.

정답 ②

Unit 34 수식언과 부속 성분

출제 유형

수식언	• 부사와 관형사의 특징을 아는지 묻는 유형 • 부사와 관형사를 판별하는 유형
부속 성분	• 부사어와 관형어를 판별하는 유형

핵심정리

1. 수식언(품사)

관형사	체언 앞에 놓여서 체언(주로 명사)을 수식하는 품사
부사	용언이나 관형사, 부사, 문장을 수식하는 것을 본래의 기능으로 하는 품사

2. 부속 성분(문장 성분)

관형사	체언을 수식하는 문장 성분 • **관형사** • 체언 + 관형격 조사 • 용언의 관형사형 • 명사 + 명사
부사	용언, 부사어 등을 수식하는 문장 성분 • **부사** • 체언 + 부사격 조사 • 용언의 부사형

관형어 [관형사] / 부사어 [부사]
예 바로 너!
('부사'이지만, '관형어' 역할)

심화 Plus

• 품사와 문장 성분

품사: 성질이 공통된 단어들끼리 모아 갈래를 지은 것
* 분류 기준은 '형태, 기능, 의미' 세 가지

불변어							가변어	
체언			수식언		독립언	관계언	용언	
명사	대명사	수사	관형사	부사	감탄사	조사	동사	형용사

※ 조사 중 서술격 조사 '이다'는 활용을 한다.

문장 성분: 문장 안에서 일정한 문법적 기능을 하는 각 부분들

주성분	문장을 이루는 데 골격이 되는 문장 성분 예 서술어, 주어, 목적어, 보어
부속 성분	주로 주성분의 내용을 수식하는 문장 성분 예 관형어, 부사어
독립 성분	다른 문장 성분과는 직접적인 관련이 없는 문장 성분 예 독립어

관형사와 관형어, 부사와 부사어 한눈에 정리!

1. 관형사와 관형어 – 관형어
- 관형사
- 체언+의
- 용언의 관형형
- 명사+명사

2. 부사와 부사어 – 부사어
- 부사
- 체언+부사격 조사
- 용언의 부사형

출제 유형

수식언	부사와 관형사의 특징을 아는지 묻는 유형

121 ○○○ 2018 서울시 7급(6월)

국어 품사에 대한 설명으로 가장 옳지 않은 것은?

① 관형사는 체언만 수식할 수 있다.
② 명사가 다른 명사를 수식하는 경우도 있다.
③ 부사가 체언을 수식하는 경우는 없다.
④ 부사 뒤에 조사가 오는 경우도 있다.

난이도 상 중 하

해설 체언을 수식하는 품사는 주로 '관형사'이지만, 간혹 부사가 체언을 수식하는 경우도 있다. 따라서 부사가 체언을 수식하는 경우는 없다고 한 ③의 설명은 적절하지 않다.
예 내가 사랑하는 사람은 바로 너이다.
→ 부사 '바로'가 체언 '너'를 수식한다.('바로'는 '관형어' 역할)
※ 체언을 수식하는 부사!
바로, 오직, 단지, 가장, 제일 등

오답분석 ① 부사는 용언, 관형어, 체언 등 다양하게 수식할 수 있지만, 관형사는 오직 체언만 수식할 수 있다. 예 옛 생각
② 명사도 관형사처럼 다른 명사를 수식하기도 한다. 예 고향 생각
④ 관형사와 달리, 부사는 보조사와 결합할 수 있다.
예 밥을 많이도 퍼 왔구나.

정답 ③

출제 유형

수식언	부사와 관형사를 판별하는 유형

122 ○○○ 2018 서울시 9급(6월)

밑줄 친 단어의 품사가 다른 하나는?

① 그곳에서 갖은 고생을 다 겪었다.
② 우리가 찾던 것이 바로 이것이구나.
③ 인천으로 갔다. 그리고 배를 탔다.
④ 아기가 방글방글 웃는다.

난이도 상 중 하

해설 '갖은'은 이어지는 명사 '고생'을 수식하는 관형사이다. ①을 제외한 나머지 단어의 품사는 부사이므로, 품사가 다른 하나는 ①이다.
※ 갖은: 골고루 다 갖춘 또는 여러 가지의

오답분석 ② '바로'는 '다름이 아니라 곧'이라는 뜻을 가진 부사이다.
③ '그리고'는 '인천으로 갔다.'와 '배를 탔다.'라는 두 문장을 연결하는 접속 부사이다.
④ '방글방글'은 '입을 조금 벌리고 소리 없이 자꾸 귀엽고 보드랍게 웃는 모양'을 이르는 부사이다. ※ 벙글벙글(O)

정답 ①

고득점 GO!

음성 상징어(의태어, 의성어)의 품사는 부사!

출제 유형

부속 성분	부사어와 관형어를 판별하는 유형

123 ○○○ 2019 서울시 6급(2월)

밑줄 친 부분의 문장 성분이 다른 하나는?

① 지금도 나는 어머니의 말씀이 기억난다.
② 그 학생이 아주 새 사람이 되었더라.
③ 바로 옆집에 삼촌이 사신다.
④ 5월에 예쁜 꽃을 보러 가자.

난이도 상 중 하

주의 '품사'를 묻는 것이 아니라 '문장 성분'을 묻고 있다!

해설 밑줄 친 문장 성분은 특정 성분을 수식하는 기능을 하므로 '수식어'이다. '수식어'는 수식하는 대상이 체언이면 '관형어', 체언 이외의 것이면 '부사어'이다. ②의 '아주'는 관형사 '새'를 수식하고 있으므로 문장 성분은 '부사어'이다.

오답분석 ②를 제외한 나머지는 체언을 수식하고 있으므로 문장 성분은 '관형어'이다.
① '어머니의'는 체언 '말씀'을 수식하고 있으므로 문장 성분은 '관형어'이다.
③ '바로'는 체언 '옆집'을 수식하고 있으므로 문장 성분은 '관형어'이다.
④ '예쁜'은 체언 '꽃'을 수식하고 있으므로 문장 성분은 '관형어'이다.
※ 문장에서의 역할은 '문장 성분'이고 낱말의 원래의 속성은 '품사'이다.
① 어머니(명사) + 의(조사)
② 아주(부사)
③ 바로(부사)
④ 예쁜(㉮ 예쁘다, 형용사)

정답 ②

Unit 35 부사와 의존 명사

출제 유형

- 부사와 의존 명사를 판별하는 유형

핵심정리

- **부사와 의존 명사**

부사	용언이나 관형사, 부사, 문장을 수식하는 것을 본래의 기능으로 하는 품사
의존 명사	반드시 관형어의 도움을 받아야 쓰이는 명사

심화 Plus

- **'부사'일까? '의존 명사'일까?**

구분	품사	의미
겸(兼) [18 서울시 9급(3월)]	의존 명사	• 그 명사들이 나타내는 의미를 아울러 지니고 있음을 나타내는 말 예 아침 겸 점심 • 두 가지 이상의 동작이나 행위를 아울러 함을 나타내는 말 예 명절도 쇨 겸 해서 한번 다녀가게.
등	의존 명사	• 그 밖에도 같은 종류의 것이 더 있음을 나타내는 말 예 울산, 구미, 창원 등과 같은 공업 도시 • 두 개 이상의 대상을 열거한 다음에 쓰여, 대상을 그것만으로 한정함을 나타내는 말 예 남부군 사령부의 주최로 거리가 가까운 전남, 전북, 경남 등 3도 유격대의 씨름 선수를 초빙하여 씨름 대회를 열었다.
및	부사	'그리고', '그 밖에', '또'의 뜻으로, 문장에서 같은 종류의 성분을 연결할 때 쓰는 말. 접속 부사 예 원서 교부 및 접수

출제 유형

부사와 의존 명사	부사와 의존 명사를 판별하는 유형

124 ○○○

2018 서울시 9급(3월)

밑줄 친 부분 중에서 품사가 다른 하나는?

① 그곳은 비교적 교통이 편하다.
② 손이 저리다. 아니, 아프다.
③ 보다 나은 내일을 위해 노력해라.
④ 얼굴도 볼 겸 내일 만나자.

난이도 상 중 하

TIP 접미사 '-적(的)'이 붙은 낱말이 부사나 용언을 꾸미면 '부사', 체언을 꾸미면 '관형사', 조사를 취하면 '명사'이다.

해설 ④의 '겸'은 두 가지 이상의 동작이나 행위를 아울러 함을 나타내는 말로, 품사는 '(의존) 명사'이다. ④를 제외한 밑줄 친 단어의 품사는 '부사'이므로, 품사가 다른 하나는 ④이다.

※ 겸 〈의존 명사〉
1. 그 명사들이 나타내는 의미를 아울러 지니고 있음을 나타내는 말
예 아침 겸 점심, 강당 겸 체육관
2. 두 가지 이상의 동작이나 행위를 아울러 함을 나타내는 말
예 명절도 쇨 겸 해서 한번 다녀가게.

오답 분석
① '비교적'은 용언 '편하다'를 수식하고 있으므로 품사는 '부사'이고, '일정한 수준이나 보통 정도보다 꽤'의 의미로 사용되었다.
② '아니'는 '부정이나 반대'의 뜻을 나타내거나, '명사와 명사 사이에 쓰이거나 문장과 문장 사이에 쓰여 어떤 사실을 더 강조할 때' 쓰는 말로 품사는 부사이다. 제시된 문장에서는 문장과 문장 사이에서 앞의 내용을 부정하며 뒤의 내용을 강조하고 있다.
※ '아니'가 '대답'으로 쓰이거나, '놀람, 감탄'의 표현으로 쓰이면 '감탄사'이다.
예 • "잠자니?" / "아니."
• 아니, 그럴 수가 있니? 〈감탄사〉
③ '보다'는 용언 '나은(낫다)'을 수식하고 있으므로 품사는 '부사'이고 '어떤 수준에 비하여 한층 더'의 의미로 사용되었다.

정답 ④

125 ○○○

2008 서울시 9급

다음 중 품사가 다른 하나는?

① 원하는 대로 이루어졌다.
② 예상한 바와 같이 주가가 떨어졌다.
③ 전에는 더러 갔지마는 요새는 그곳에 가지 못한다.
④ 방 안은 먼지 하나 없이 깨끗했다.
⑤ 놀고 싶을 때 실컷 놀아라.

난이도 상 중 하

해설 ①의 '대로'는 관형어 '원하는'의 수식을 받고, '대로만', '대로도'처럼 조사와 결합이 가능하다. 관형어의 수식을 받고 조사와 결합이 가능하기 때문에 '대로'의 품사는 '의존 명사'이다. 한편, ①의 '대로'를 제외한 나머지 단어의 품사는 부사이다. 따라서 품사가 다른 하나는 ①의 '대로'이다.

오답 분석
② 같이: 〈부사〉 어떤 상황이나 행동 따위와 다름이 없이
예 세월이 물과 같이 흐른다.
③ 더러: 〈부사〉 이따금 드물게
예 더러 가다. / 더러 가지 못하다.
비교 〈조사〉 (사람을 나타내는 체언 뒤) 어떤 행동이 미치는 대상을 나타내는 격 조사
예 그 여자가 나더러 누구냐고 묻더군.
④ 없이: 〈부사〉 사람이나 사물 또는 어떤 사실이나 현상 따위가 어떤 곳에 자리나 공간을 차지하고 존재하지 않게
예 나는 너 없이 못 살겠다.
⑤ 실컷: 〈부사〉 할 수 있는 데까지. 또는 한도에 이르는 데까지
예 실컷 놀아라.
※ 부사는 대개 용언과 호응 관계로 용언을 수식한다.

정답 ①

CHAPTER 4

통사론

Unit 36 문장 성분

출제 유형

문장 성분의 지식	• 문장 성분의 일반 지식을 묻는 유형
문장 성분의 파악	• 주성분인지 부속 성분인지 판별하는 유형 • 보조사가 붙은 형태의 문장 성분을 판별하는 유형 • 밑줄 친 부분의 문장 성분을 파악하는 유형

핵심정리

• **문장 성분**

주성분	주어	• 문장의 주체가 되는 문장 성분 • 체언 + 주격 조사(이/가, 께서, (이)서, 단체 + 에서[의미상 이/가 로 해석]), 체언 + 보조사
	서술어	• 주어를 풀이하는 기능을 하는 문장 성분 • 동사, 형용사, 체언 + 서술격 조사(이다) • 서술어의 성격에 따라 문장 성분의 개수가 결정됨(서술어의 자릿수).
	목적어	• 서술어의 대상이 되는 문장 성분 • 체언 + 목적격 조사(을/를), 체언 + 보조사
	보어	• '되다, 아니다'와 같은 서술어의 필수 성분이 되는 문장 성분 • 체언 + 보격 조사(이/가)
부속 성분	관형어	• 체언을 수식하는 문장 성분 • 관형사, 용언의 관형사형, 체언 + 관형격 조사(의)
	부사어	• 용언, 부사어 등을 수식하는 문장 성분 • 부사, 체언 + 부사격 조사(에, 에게, 께, 에서, (으)로, 처럼, 한테, (으)로서, (으)로써), 용언의 부사형
독립 성분	독립어	• 문장의 어느 성분과도 직접적인 관련이 없는 문장 성분 • 감탄사, 체언 + 호격 조사(아/야, 여, 이시여)

심화 Plus

• **안긴문장**

개념	안은문장 속에 절(節)의 형태로 포함되어 있는 문장	
종류	명사절	명사와 같은 구실 예 농사가 잘되기를 바란다.
	서술절	서술어와 같은 구실 예 그는 아들이 의사이다.
	관형절	관형어와 같은 구실 예 책을 빌려준 기억이 있다.
	부사절	부사어와 같은 구실 예 비가 소리도 없이 내린다.
	인용절	남의 말을 인용할 때 예 "예." 하고 대답했다.

출제 유형

문장 성분의 지식	문장 성분의 일반 지식을 묻는 유형

126 ○○○ 2016 서울시 7급

다음 중 국어의 문장 성분에 관한 설명이 옳은 것끼리 묶인 것은?

㉠ 주어는 성격에 따라 필요로 하는 문장 성분의 숫자가 다르다.
㉡ 주어, 서술어, 목적어, 부사어는 주성분에 속한다.
㉢ '물이 얼음으로 되었다.'의 문장 성분은 주어, 부사어, 서술어이다.
㉣ 부사어는 관형어나 다른 부사어를 수식하기도 한다.
㉤ 체언에 호격 조사가 결합된 형태는 독립어에 해당된다.
㉥ 문장에서 주어는 생략될 수 있지만 목적어는 생략될 수 없다.

① ㉠, ㉡, ㉢ ② ㉡, ㉢, ㉣
③ ㉢, ㉣, ㉤ ④ ㉣, ㉤, ㉥

난이도 상 중 하

TIP 선택지를 적극적으로 활용한다. 이 문제의 경우, ㉠, ㉡을 제외하고 ㉢이 포함된 선택지는 3번뿐이므로 여기서 이미 답은 결정된다.

해설 ㉢ 주격 조사 '이'가 쓰인 '물이'는 주어, 부사격 조사 '으로'가 쓰인 '얼음으로'는 부사어, 주어를 서술하는 '되었다'는 서술어이다. 서술어가 '되다'이기는 하지만, 보격 조사 '이/가'가 아닌 부사격 조사 '으로'가 쓰였기 때문에, '얼음으로'는 부사어가 맞다.

㉣ 관형어가 명사만 수식하는 것과 달리, 부사어는 서술어 외에도 관형어 및 다른 부사어를 수식하는 기능을 갖고 있다.

예

구분	많이	예쁜	혜원
문장 성분	부사어	관형어	명사
품사	부사	형용사	명사

→ 부사어 '많이'가 관형어 '예쁜'을 수식한다.

㉤ 독립어에는 '감탄사, 호격 조사가 붙은 명사, 제시어, 대답하는 말, 문장 접속 부사' 따위가 있다. 따라서 ㉤의 설명은 옳다.

예

구분	철수야
문장 성분	독립어
품사	체언 + 호격 조사

오답분석 ㉠ 문장 성분의 수를 결정하는 것은 '주어'가 아니라 '서술어'이다.
㉡ '주어, 서술어, 목적어'는 주성분이 맞지만, '부사어'는 부속 성분이다. 주성분에는 '주어, 서술어, 목적어, 보어'가 있다.
㉥ 주어와 목적어 모두 주성분이지만, 구어체에서는 자주 생략된다.

정답 ③

127 ○○○ 2015 서울시 7급

다음 <보기> 가운데 우리말의 관형어에 대한 설명으로 옳은 것을 모두 고르면?

<보기>

㉠ 관형어는 명사, 대명사, 수사와 같은 체언류를 꾸미는 문장 성분이다.
㉡ 명사는 그대로 관형어가 될 수 있다.
㉢ 동사나 형용사도 관형어가 될 수 있다.
㉣ 조사 '의'는 관형어를 만드는 중요한 격 조사이다.

① ㉠, ㉡, ㉢, ㉣ ② ㉠, ㉢, ㉣
③ ㉡, ㉢ ④ ㉡, ㉣

난이도 상 중 하

해설 '관형어'는 체언이나 체언형을 수식하는 문장 성분이다. '관형어'의 종류에는 관형사, '체언 + 체언'의 앞 체언, 체언 + 관형격 조사 '의', 동사와 형용사의 관형사형, 동사와 형용사의 명사형 + 관형격 조사 '의' 등이 있다. 따라서 우리말 관형어에 대한 설명으로 옳은 것은 '㉠, ㉡, ㉢, ㉣' 전부이다.

㉠ 관형어는 명사, 대명사, 수사와 같은 체언류를 꾸미는 문장 성분이다.(O)
※ 체언 이외의 문장 성분을 꾸미는 부사어와 달리 관형어는 체언을 꾸민다.
예 예쁜 사람(관형어) / 예쁘게 웃는다.(부사어)

㉡ 명사는 그대로 관형어가 될 수 있다.(O)
※ 용언과 달리 명사는 활용 없이 다른 명사를 수식할 수 있기 때문에 그대로 관형어가 될 수 있다.
예 오늘 하루, 보통 사람

㉢ 동사나 형용사도 관형어가 될 수 있다.(O)
※ 동사나 형용사는 '관형사형 어미(-ㄴ(은), -ㄹ(을), 는, 던)'와의 결합을 통해 관형어가 될 수 있다.
예 예쁘- + -ㄴ = 예쁜, 먹- + -는 = 먹는

㉣ 조사 '의'는 관형어를 만드는 중요한 격 조사이다.(O)
※ '의'는 관형격 조사이다. 격 조사는 해당 문장 성분을 만드는 역할을 하므로, 관형격 조사는 관형어를 만드는 역할을 한다.
예 나의 집, 그렇게 함의 의미

정답 ①

출제 유형

문장 성분의 파악	주성분인지 부속 성분인지 판별하는 유형

128 ○○○ 2016 국가직 9급

안긴문장이 주성분으로 쓰이지 않은 것은?

① 그 학교는 교정이 넓다.

② 농부들은 비가 오기를 학수고대했다.

③ 아이들이 놀다 간 자리는 항상 어지럽다.

④ 대화가 어디로 튈지 아무도 몰랐다.

난이도 상 중 하

해설 주성분은 문장의 골격을 이루는 필수적인 성분이다. 주성분에는 주어, 목적어, 보어, 서술어가 있다.
③의 안긴문장은 '아이들이 놀다 간'으로, 체언 '자리'를 수식하고 있다. 체언을 수식하는 문장 성분은 관형어(관형절)이다. 따라서 주성분이 아니다.

오답분석 ① 안긴문장은 '교정이 넓다(서술절)'로 서술어 역할을 하고 있다. 서술어는 주성분이다.
② 안긴문장은 '비가 오기(명사절)'이다. 목적격 조사 '를'이 붙은 것을 보아 목적어 역할을 하고 있다. 목적어는 주성분이다.
④ 안긴문장은 '대화가 어디로 튈지(명사절)'이다. 목적격 조사가 생략되었지만 목적어 역할을 하므로 주성분이다.

 ③

출제 유형

문장 성분의 파악	보조사가 붙은 형태의 문장 성분을 판별하는 유형

129 ○○○ 2022 서울시 9급(2월)

밑줄 친 부분의 문장 성분이 나머지 셋과 다른 것은?

① 입은 삐뚤어져도 말은 바로 해라.

② 호랑이도 제 말 하면 온다.

③ 아니 땐 굴뚝에 연기 날까?

④ 꿀도 약이라면 쓰다.

난이도 상 중 하

TIP '보조사(은/는, 도, 만, 까지, 마저, 조차, 부터, 마다, (이)야, (이)나마, 커녕, 밖에, 든지, 요, (이)야말로 등)'가 붙거나 조사가 생략된 경우에는, '격 조사'로 바꾸어 해석하거나 알맞은 '격 조사'를 대입하여 문장성분을 확인한다.

해설 '말은'의 문장 성분은 목적어('말을 바로하다.'로 해석됨.)이다. ①을 제외한 나머지 밑줄 친 부분의 문장 성분은 모두 주어이다. 따라서 문장 성분이 다른 하나는 ①이다.

오답분석 ② '호랑이'는 '오다'의 주체이므로 '호랑이도'의 문장 성분은 주어('호랑이가 오다.'로 해석됨.)이다.
③ '연기'는 '나다'의 주체이므로 '연기'의 문장 성분은 주어('연기가 나다.'로 해석됨.)이다.
④ '꿀'은 '쓰다'의 주체이므로 '꿀도'의 문장 성분은 주어('꿀이 쓰다.'로 해석됨.)이다.

정답 ①

130 ○○○ 2019 서울시 9급(6월)

밑줄 친 부분의 문장 성분이 다른 하나는?

① 그는 밥도 안 먹고 일만 한다.
② 몸은 아파도 마음만은 날아갈 것 같다.
③ 그는 그녀에게 물만 주었다.
④ 고향의 사투리까지 싫어할 이유는 없었다.

난이도 상 중 하

TIP '은/는, 도, 만, 까지, 마저, 조차, 부터, 마다, (이)야, (이)나마, 커녕, 밖에, 든지, (이)야말로' 등은 '보조사'로 해당 보조사 자리에 '격 조사'를 대입하여 문장 성분을 확인한다.

해설 '마음만은'은 '날아가다'의 주체이므로, 문장 성분은 주어이다. 한편, '마음만은'을 제외한 나머지는 문장 성분이 목적어이므로, 문장 성분이 다른 하나는 ②이다.
[해석] 마음이 날아가다.

오답분석
① '먹다'는 타동사이기 때문에 목적어가 필수 성분이다. '밥도'는 '먹다'의 대상이므로 목적어이다.
[해석] 밥을 안 먹다.
③ '주다'는 타동사이기 때문에 목적어가 필수 성분이다. '물만'은 '주다'의 대상이므로 목적어이다.
[해석] 물을 주었다.
④ '싫어하다'는 타동사이기 때문에 목적어가 필수 성분이다. '사투리까지'는 '싫어하다'의 대상이므로 목적어이다.
[해석] 사투리를 싫어하다.
※ '싫어하다'의 품사는 동사이지만, '싫다'의 품사는 형용사이다.

정답 ②

고득점 GO!

문장 성분 파악 완전 정복!

문장 성분은 '격 조사'로 찾을 수 있어요.
그런데 '격 조사'는 없고 '보조사'만 있다면?
이때는 '보조사'를 지우고 '격 조사' 대입으로 풀기!
서술어가 타동사인지도 꼭 확인하기! 타동사 짝꿍은 목적어!

출제 유형

문장 성분의 파악	밑줄 친 부분의 문장 성분을 파악하는 유형

131 ○○○ 2023년 지방직 9급

㉠~㉣을 설명한 내용으로 적절하지 않은 것은?

> ○ ㉠ 지원은 자는 동생을 깨웠다.
> ○ 유선은 도자기를 ㉡ 만들었다.
> ○ 물이 ㉢ 얼음이 되었다.
> ○ ㉣ 어머나, 현지가 언제 이렇게 컸지?

① ㉠: 동작의 주체를 나타내는 주어이다.
② ㉡: 주어와 목적어를 요구하는 서술어이다.
③ ㉢: 서술어를 꾸며주는 부사어이다.
④ ㉣: 문장의 다른 성분과 직접적으로 관련을 맺지 않는 독립어이다.

난이도 상 중 하

해설 '되었다' 앞의 '이'는 보격 조사이다. 따라서 '얼음이'의 문장 성분은 부사어가 아니라, 보어이다.
※ '얼음이' 대신 부사격 조사 '으로'를 사용한 '얼음으로'가 쓰였다면, 이때 '얼음으로'의 문장 성분은 부사어이다.

오답분석
① '지원'은 동작 '깨우다'의 주체이다. 이처럼 주체를 나타내는 문장 성분은 '주어'이다.
② '만들다'는 타동사이다. 따라서 주어와 목적어를 요구하는 두 자리 서술어이다.
④ '어머나'는 감탄사이다. 따라서 독립어이다.
※ 모든 '독립어'는 '감탄사'가 아니지만, 모든 '감탄사'는 '독립어'이다.

정답 ③

Unit 37 서술어 자릿수

출제 유형

- 서술어 자릿수를 파악하는 유형

핵심정리

- **서술어 자릿수**
  (1) **개념**: 문장이 성립되기 위해 서술어가 갖추어야 할 문장 성분의 수
  (2) 종류

한 자리 서술어	자동사, 형용사, '체언 + 이다'
두 자리 서술어	① 타동사(주어 + 목적어) ② 되다, 아니다(주어 + 보어) ③ **일부 자동사**: 마주치다, 부딪(치)다, 싸우다, 화해하다, 악수하다, 같다, 닮다, 비슷하다, 다르다, 이별하다 등 (주어 + 필수 부사어)
세 자리 서술어	**특수한 타동사**: 주다, 드리다, 바치다, 넣다, 얹다, 삼다, 여기다, 간주하다, 가르치다 등 (주어 + 목적어 + 필수 부사어)

심화 Plus

- **서술어의 수와 서술어 자릿수**

서술어의 수	문장에서 쓰인 서술어의 수는 홑문장과 겹문장을 구분하는 기준이 된다.
서술어 자릿수	서술어가 완벽한 문장이 되기 위해 반드시 필요로 하는 문장 성분의 수이다. ※ 필수 부사어를 제외한 부속 성분(부사어, 관형어)은 서술어 자릿수에 포함시키지 않는다.

출제 유형

서술어 자릿수	서술어 자릿수를 파악하는 유형

132 ○○○

2018 경찰 2차

다음 밑줄 친 서술어에 대한 설명으로 가장 적절한 것은?

> • 잎이 노랗게 ㉠ 물들었다.
> • 그는 이 소설책을 열심히 ㉡ 읽었다.
> • 저 사람은 전혀 다른 사람이 ㉢ 되었다.
> • 그녀는 자신의 행운을 당연하게 ㉣ 여긴다.

① ㉠은 부사어를 필수적으로 요구하는 두 자리 서술어이다.
② ㉡은 부사어를 필수적으로 요구하는 세 자리 서술어이다.
③ ㉢은 보어를 필수적으로 요구하지 않는 한 자리 서술어이다.
④ ㉣은 목적어 외에 부사어를 필수적으로 요구하지 않는 두 자리 서술어이다.

난이도 ㊤ ◎ ㊦

해설 '잎이 노랗게 물들었다'에서 부사어 '노랗게'를 삭제한, '잎이 물들었다.'만으로는 완벽한 문장이 될 수 없다. 따라서 ㉠이 부사어를 필수적으로 요구하는 두 자리 서술어라는 설명은 적절하다.

오답분석
② '읽다'는 부사어가 없어도 완벽한 문장을 이룰 수 있는 서술어이다. 즉 '읽다'는 '주어와 목적어'만을 요구하는 두 자리 서술어(타동사)이다.
③ 서술어가 '되다'나 '아니다'일 때는 '주어' 외에 '보어'를 필수적으로 요구한다. ㉢의 서술어는 '되다'이므로 보어를 필수적으로 요구하지 않는 한 자리 서술어라는 설명은 적절하지 않다.
④ '여기다'는 '주어와 목적어' 외에 '어떻게'에 해당하는 '부사어'가 있어야 완벽한 문장이 된다. 따라서 '여기다'는 주어와 목적어 외에도 부사어를 필수적으로 요구하는 세 자리 서술어이다.

정답 ①

고득점 GO!

서술어가 타동사이면 반드시 '목적어'가 필요해요!

133 ○○○

2016 서울시 7급

다음 중 서술어의 자릿수를 잘못 제시한 것은?

① 우정은 마치 보석과도 같단다. → 두 자리 서술어
② 나 엊저녁에 시험공부로 녹초가 됐어. → 두 자리 서술어
③ 철수의 생각은 나와는 아주 달라. → 세 자리 서술어
④ 원영이가 길가 우체통에 편지를 넣었어. → 세 자리 서술어

난이도 ㊤ ◎ ㊦

해설 '다르다'는 '~이/가(주어) ~와/과(필수 부사어) 다르다(서술어)'처럼 쓰인다. 즉 '다르다'는 '주어와 필수 부사어'를 필요로 하는 두 자리 서술어이다.
→ 생각이(주어) 나와(필수 부사어) 다르다(서술어).

오답분석
① '같다'는 '~이/가(주어) ~와/과(필수 부사어) 같다(서술어)'처럼 쓰인다. 즉 '주어와 필수 부사어'를 필요로 하는 두 자리 서술어이다.
→ 우정이(주어) 보석과(필수 부사어) 같다(서술어).
② '되다'는 '~이/가(주어) ~이/가(보어) 되다'처럼 쓰인다. 즉 '되다'는 주어와 보어를 필요로 하는 두 자리 서술어이다.
→ 나(내가)(주어) 녹초가(보어) 되다(서술어).
④ '넣다'는 '~이/가(주어) ~을/를(목적어) ~에(필수 부사어) 넣다(서술어)'처럼 쓰인다. 즉 '넣다'는 '주어와 목적어, 필수 부사어'를 필요로 하는 세 자리 서술어이다.
→ 원영이가(주어) 편지를(목적어) 우체통에(필수 부사어) 넣었다(서술어).

정답 ③

Unit 38 문장 부사(어)와 성분 부사(어)

출제 유형

문장 부사와 성분 부사	• 문장 부사와 성분 부사를 판별하는 유형
문장 부사어와 성분 부사어	• 문장 부사어와 성분 부사어를 판별하는 유형

핵심정리

1. 문장 부사와 성분 부사

문장 부사	문장 전체를 수식하는 부사
성분 부사	문장의 어느 한 성분만을 수식하는 부사

'부사'는 품사! '부사어'는 문장 성분!

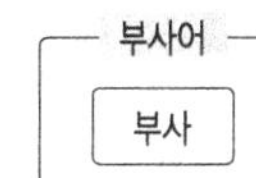

• 위치가 자유로우면 문장 부사(어)!
• 위치가 고정적이면 성분 부사(어)!

2. 문장 부사어와 성분 부사어

문장 부사어	문장 전체를 수식하는 부사어
성분 부사어	문장 성분을 수식하는 부사어

※ 문장 부사어는 대개 '과연, 설마, 모름지기, 확실히, 제발, 부디'와 같이 말하는 사람의 심리적 태도를 나타내는 부사들이 주류를 이룬다.

출제 유형

문장 부사와 성분 부사	문장 부사와 성분 부사를 판별하는 유형

134 ○○○ 2019 국회직 8급

밑줄 친 부사 중 기능상 분류가 나머지와 다른 하나는?

① 그 실력으로 과연 취직 시험에 합격할 수 있을까?
② 그 약이 정말 그렇게 효과가 있는지는 알 수 없다.
③ 오자마자 바로 떠난다니?
④ 응당 해야 할 일을 했을 뿐입니다.
⑤ 제발 비가 왔으면 좋겠다.

난이도 상 중 하

해설 부사는 특정 성분을 수식하는 '성분 부사'와 문장 전체를 수식하는 '문장 부사'가 있다 ③의 '바로'는 서술어 '떠난다니'를 수식하고 있기 때문에 성분 부사이다('바로'의 위치를 문장 맨 앞으로 이동하면, 부자연스럽다.). 한편, ③을 제외한 나머지는 문장 전체를 수식하고 있기 때문에 문장 부사이다. 따라서 부사의 종류가 다른 하나는 ③이다.

오답분석 ③을 제외한 나머지는 부사의 이동이 자유로운 것을 보아, 문장 전체를 수식하는 문장 부사로 판별할 수 있다.

정답 ③

135 ○○○ 2018 국회직 8급

다음 설명을 참고할 때, 문장 부사가 실현된 것은?

> 부사는 한 성분을 수식하느냐 문장 전체를 수식하느냐에 따라 성분 부사와 문장 부사로 나뉜다.

① 개나리가 활짝 피었다.
② 집 바로 뒤에 공원이 있다.
③ 강아지가 사료를 안 먹는다.
④ 일 끝나면 이리 와.
⑤ 의외로 철수가 빨리 왔다.

난이도 상 중 하

해설 제시된 설명을 볼 때, '문장 부사'는 문장 전체를 수식하는 기능을 한다. ①~⑤ 중 문장 부사가 실현된 것은 ⑤이다. ⑤의 '의외로'는 '철수가 빨리 왔다.'라는 문장 전체를 수식한다. 참고로 ⑤에는 부사 '빨리'도 사용되었다. 다만 '빨리'는 성분 부사이다.

오답분석
① '활짝'은 서술어 '피었다'를 수식하는 성분 부사이다.
② '바로'는 명사 '뒤'를 수식하는 성분 부사이다.
③ '안'은 서술어 '먹는다'를 수식(부정)하는 성분 부사이다.
④ '이리'는 서술어 '와'를 수식하는 성분 부사이다.

정답 ⑤

136 ○○○

2018 경찰 2차

다음 중 국어의 부사에 대한 설명으로 가장 적절하지 않은 것은?

① "그녀는 정말 많이 운다."에서 '정말'은 동사를 꾸며준다.

② "과연 그는 훌륭한 예술가로구나."에서 '과연'은 문장을 꾸며준다.

③ "영이는 아주 새 사람이 되었다."에서 '아주'는 관형사를 꾸며준다.

④ "아이는 맨 흙투성이로 집에 들어왔다."에서 '맨'은 명사를 꾸며준다.

난이도 ㊤ ㊥ ㊦

해설 '정말'은 동사가 아니라 바로 뒤의 부사 '많이'를 수식하고 있다. 따라서 "그녀는 정말 많이 운다."에서 '정말'이 수식하는 것은 동사 '운다'가 아니라 부사 '많이'이다.

오답분석 ② '그는 과연 훌륭한 예술가로구나.', '그는 훌륭한 예술가로구나. 과연.'처럼 자리 이동이 자유로운 것을 볼 때, 문장 전체를 꾸미는 문장 부사임을 알 수 있다.

③ '아주'는 바로 뒤의 관형사 '새'를 수식하고 있다.

④ 부사 '맨'은 바로 뒤의 명사 '흙투성이'를 수식하고 있다.

정답 ①

'부사'는 주로 용언을 꾸미고, '관형사'는 체언을 꾸미는 게 일반적이에요. 그런데 일부 '부사'의 경우 체언을 꾸미기도 해요. ④의 '맨 흙투성이'의 '맨'이 바로 그런 경우예요. 그런데 '맨'은 관형사도 있기 때문에 주의해야 해요.

관형사	더 할 수 없을 정도나 경지에 있음을 나타 내는 말. 의미상 '가장' 예 맨 처음 / 산의 맨 꼭대기
부사	다른 것은 섞이지 아니하고 온통 예 이 산에는 맨 소나무뿐이다. 이곳에는 맨 책뿐이다.

출제 유형

문장 부사어와 성분 부사어	문장 부사어와 성분 부사어를 판별하는 유형

137 ○○○

2018 경찰 1차

다음 밑줄 친 성분에 대한 설명 중 가장 적절한 것은?

> ㉠ 영선이가 참 아름답다.
> ㉡ 과연 영선이는 똑똑하구나.
> ㉢ 영선이는 엄마와 닮았다.
> ㉣ 그러나 영선이는 역경을 이겨냈다.

① ㉠과 ㉡의 밑줄 친 부분은 문장 내의 다른 성분을 수식하는 성분 부사어이다.

② ㉡과 ㉢의 밑줄 친 부분은 문장 전체를 수식하는 문장 부사어이다.

③ ㉢과 ㉣의 밑줄 친 부분은 앞뒤를 연결해 주는 접속 부사어이다.

④ ㉠부터 ㉣까지 밑줄 친 부분은 모두 부사어이다.

난이도 ㊤ ㊥ ㊦

해설 '부사어'에는 '부사(㉠, ㉡)', '체언 + 부사격 조사(㉢)', '부사절, 접속 부사(㉣)' 등이 있다. 따라서 ㉠부터 ㉣까지 밑줄 친 부분은 모두 부사어라는 설명은 옳다.

오답분석 ① ㉠은 서술어 '아름답다'를 수식하는 '성분 부사어'가 맞다. 그러나 ㉡은 문장을 수식하는 '문장 부사어'이다.

② ㉡과 ㉢ 중 문장 전체를 수식하는 '문장 부사어'는 ㉡뿐이다. ㉢은 '체언 + 부사격 조사'로 서술어 '닮았다'를 수식하는 '성분 부사어'이다.

③ ㉢과 ㉣ 중 앞뒤를 연결해 주는 '접속 부사어'는 ㉣뿐이다.

정답 ④

Unit 39 필수적 부사어와 수의적 부사어

출제 유형

- 필수적 부사어와 수의적 부사어를 판별하는 유형

핵심정리

- **필수적 부사어**

부사어는 용언, 관형어, 다른 부사어 등을 수식하므로 일반적으로 문장에서 반드시 필요한 성분은 아니기 때문에 수의적 성분이에요.

개념	문장을 구성하는 데 꼭 필요한 부사어 → 생략할 수 없음.
유형	• 서술어가 '같다, 다르다, 닮다, 비슷하다'일 때 → '체언 + 와/과'로 된 부사어를 필수적으로 요구한다. 예 나는 너와 다르다. 나는 엄마와 닮았다. • 서술어가 '되다, 삼다'일 때 → '체언 + (으)로'로 된 부사어를 필수적으로 요구한다. 예 물이 얼음으로 되었다. 그는 나를 사위로 삼았다. • 서술어가 '넣다, 두다, 주다, 드리다, 던지다, 다가서다'일 때 → '체언 + 에/에게'로 된 부사어를 필수적으로 요구한다. 예 나는 딸에게 용돈을 주었다. 그는 연못에 돌을 던졌다.

Q. 서술어가 '되다/아니다'이면 앞의 말은 무조건 보어일까요?

A. '되다/아니다' 앞에 보격 조사 '이/가'가 올 때만, 문장 성분이 '보어'예요. 물론, 보조사 '은/는/도' 등이 붙을 때도 보격 조사 '이/가'가 생략된 형태로 보고 보어로 다뤄요. 다만 부사격 조사 '으로'가 붙은 '얼음으로'는 서술어가 '되다'라도 문장 성분은 '보어'가 아니라 '부사어'예요. 즉 격 조사는 그 자격을 인정하는 것입니다.
물론 '되다/아니다'는 두 자리 서술어이기 때문에, 이때는 '필수 부사어'이지요.

'물이 얼음이 되었다.'의 '얼음이'는 보어!
'물이 얼음으로 되었다.'의 '얼음으로'는 부사어!

출제 유형

필수적 부사어와 수의적 부사어	필수적 부사어와 수의적 부사어를 판별하는 유형

138 ○○○ 2022 법원직 9급

〈보기〉를 바탕으로 아래 ㉠~㉢을 분석한 내용으로 가장 적절하지 않은 것은?

〈보기〉

문장 성분은 문장의 주된 골격을 이루는 주성분, 주로 주성분의 내용을 수식하는 부속 성분, 다른 문장 성분과 관계를 맺지 않는 독립 성분으로 나누어진다. 주성분에는 주어, 서술어, 목적어, 보어가 있고, 부속 성분에는 부사어, 관형어가 있으며, 독립 성분에는 독립어가 있다.

㉠ 아이가 작은 침대에서 예쁘게 잔다.
㉡ 그는 친구의 딸을 며느리로 삼았다.
㉢ 앗, 영희가 뜨거운 물을 엎질렀구나!

① ㉠~㉢은 모두 관형어가 존재한다.
② ㉠~㉢의 주성분의 개수가 일치한다.
③ ㉠의 부속 성분의 개수는 ㉡, ㉢보다 많다.
④ ㉡은 ㉠과 달리 필수적 부사어가 존재한다.

난이도 상 중 하

해설 ㉠~㉢의 문장 성분을 분석하면 다음과 같다.

㉠ 아이가 작은 침대에서 예쁘게 잔다.

아이가	작은	침대에서	예쁘게	잔다
주어	관형어	부사어	부사어	서술어

㉡ 그는 친구의 딸을 며느리로 삼았다.

그는	친구의	딸을	며느리로	삼았다
주어	관형어	목적어	부사어	서술어

㉢ 앗, 영희가 뜨거운 물을 엎질렀구나!

앗	영희가	뜨거운	물을	엎질렀구나
독립어	주어	관형어	목적어	서술어

주성분에는 '주어, 목적어, 보어, 서술어'가 있다.

㉠은 '주어, 서술어', ㉡은 '주어, 목적어, 서술어', ㉢은 '주어, 목적어, 서술어'가 주성분이다. 따라서 주성분의 개수가 일치한다는 분석은 적절하지 않다.

오답분석 ① ㉠은 '작은', ㉡은 '친구의'의, ㉢은 '뜨거운'이라는 관형어가 있다.

③ 부속 성분에는 '관형어, 부사어'가 있다.
㉠은 '작은(관형어), 침대에서(부사어), 예쁘게(부사어)', ㉡은 '친구의(관형어), 며느리로(부사어)', ㉢은 '뜨거운(관형어)'라는 부속 성분이 있다. ㉠의 부속 성분의 개수는 3개로, ㉡(2개)과 ㉢(1개)보다 많다.

④ 부사어는 부속 성분이지만, 문장을 이루는 데 반드시 필요한 경우도 있는데 이를 '필수적 부사어'라 한다. ㉠의 부사어 '침대에서', '예쁘게'는 생략할 수 있다. 한편, ㉡의 부사어 '며느리로'는 생략할 경우, 완벽한 문장을 이룰 수 없다. 따라서 ㉠과 달리 ㉡에 필수적 부사어가 존재한다는 분석은 적절하다.

정답 ②

139 ○○○ 2019 기상직 9급

〈보기〉를 바탕으로 '필요한 문장 성분'에 대해 판단한 내용으로 적절한 것은?

〈보기〉

㉠ 벤치에 앉은 그녀는 너무 예뻤다.
㉡ 경찬이는 TV에서 만화를 보았다.
㉢ 할아버지께서 우리들에게 세뱃돈을 주셨다.
㉣ 우리도 경전철이 언제 개통될지 모른다.

① ㉠에는 문장 성분이 여러 개 있지만 필수적인 것은 주어와 부사어와 서술어이다.
② ㉡에서 필수적인 문장 성분은 4개이다.
③ ㉢을 보면 문장의 부속 성분인 부사어 '우리들에게'도 필수적인 문장 성분이 될 수 있다.
④ ㉣에는 서술어 '개통되다'의 주어가 2개이므로 중복되는 주어를 생략해야 한다.

난이도 상 중 하

TIP 부사어는 부속 성분이므로 생략이 가능하다. 그런데 서술어 중에는 부사어 중에는 완벽한 문장을 이루기 위해서 생략이 불가능한 것이 있는 데, 이를 필수적 부사어라 한다.

해설 '주다'는 주어, 목적어, 필수 부사어가 있어야 완벽한 문장이 되는 세 자리 서술어이다. 따라서 '우리들에게'는 생략하면 안 되는 필수적 부사어이다.

오답분석 ① ㉠은 '벤치에(부사어) 앉은(관형어) 그녀는(주어) 너무(부사어) 예뻤다(서술어)'에는 여러 개의 문장 성분이 있는 것은 맞다. 그러나 필수적인 것은 주어와 부사어와 서술어라는 설명은 적절하지 않다. 서술어 '예쁘다'는 형용사이다. 형용사는 주어만 있으면 완벽한 문장(형용사는 한 자리 서술어)이 되기 때문에, 필수적인 문장 성분은 '주어, 서술어' 뿐이다.

② '보다'는 타동사(두 자리 서술어)로 '주어, 목적어'만 있으면 완벽한 문장이 된다. 따라서 필수적인 문장 성분은 3개이다.

④ 서술어 '개통되다'와 호응하는 주어는 '경전철이'로 1개뿐이다. 주어 '우리도(우리가)'와 호응하는 서술어는 '개통되다'가 아니라 '모르다'이다. 중복되는 주어가 없기 때문에 생략할 주어도 없다.

정답 ③

Unit 40 '명사 + 에서'의 문장 성분

출제 유형

• '명사 + 에서'의 문장 성분을 판별하는 유형

핵심정리

• **'명사 + 에서'의 문장 성분**

주어	단체 무정 명사 뒤에 오고, 의미상 주격 조사 '이/가'와 바꿔 쓸 수 있을 때 예 우리 학교에서 우승했다.
부사어	부사어를 만들어줄 때 예 3시에 학교에서 만나자.

심화 Plus

• **에서(조사)** 형태론의 관점에서 '에서'가 주격 조사인지 부사격 조사인지 묻는 유형으로도 출제되곤 해요.

부사격 조사	① 앞말이 행동이 이루어지고 있는 처소의 부사어임을 나타내는 격 조사 ② 앞말이 출발점의 뜻을 갖는 부사어임을 나타내는 격 조사 ③ 앞말이 어떤 일의 출처임을 나타내는 격 조사 ④ 앞말이 근거의 뜻을 갖는 부사어임을 나타내는 격 조사 ⑤ 앞말이 비교의 기준이 되는 점의 뜻을 갖는 부사어임을 나타내는 격 조사
주격 조사	(단체를 나타내는 명사 뒤에 붙어) 앞말이 주어임을 나타내는 격 조사

출제 유형

'명사+에서'의 문장 성분	'명사+에서'의 문장 성분을 판별하는 유형

140 ○○○ 2019 경찰 1차

밑줄 친 부분의 문장 성분이 다른 것은?

① 4월이면 매년 시에서 나무를 심었다.
② 어느덧 벚꽃이 활짝 피었다.
③ 목련은 소리도 없이 진다.
④ 사람들은 그곳에서 봄을 즐겼다.

난이도 상 중 하

해설 '에서'는 일반적으로 체언에 붙어 처소, 출처, 근거 등의 의미를 갖는 부사어를 만들어 주는 부사격 조사이다. 다만, 체언이 단체 무정 명사일 경우에는 부사격 조사가 아니라 주격 조사가 된다. '시(市)'는 단체 무정 명사이다. 따라서 '에서'는 주격 조사이기 때문에 '시에서(의미상 '시가')'의 문장 성분은 주어이다. 한편, ①을 제외한 밑줄 친 부분의 문장 성분은 부사어이다. 따라서 문장 성분이 다른 하나는 ①이다.

오답 분석
② '활짝'은 서술어 '피었다'를 수식하는 기능을 하기 때문에 문장 성분은 부사어이다.
③ '소리도 없이'가 서술어 '진다'를 수식하는 기능을 하기 때문에 문장 성분은 부사어(부사절)이다.
④ '그곳'은 단체 무정 명사가 아니고, '그곳이'로 바꿔서 나타내기 어렵다. 따라서 '그곳에서'의 '에서'는 부사격 조사이다. 부사격 조사가 붙은 말의 문장 성분은 부사어이므로 '그곳에서'의 문장 성분은 부사어이다.
※ ②의 '활짝'과 달리 ④의 '그곳에서'는 자리 이동이 자유롭다. 이를 볼 때, '그곳에서'는 특정한 문장 성분을 수식하는 '성분 부사어'가 아닌 문장 전체를 수식하는 '문장 부사어'이다.

정답 ①

141 ○○○ 2015 국가직 7급

밑줄 친 부분의 문장 성분이 다른 것은?

① 어느 학교의 동창회에서 있었던 일이다.
② 손에 익은 연장이라서 일이 빨리 끝나겠다.
③ 정부에서 실시한 조사 결과가 드디어 발표되었다.
④ 그 고마운 마음에 보답하고자 편지를 드리려고 합니다.

난이도 상 중 하

TIP '에'는 부사격 조사이거나 접속 조사이다. '에서'는 부사격 조사이거나 주격 조사이다. 따라서 '에'와 '에서'가 같이 나왔다면, 부사격 조사인지 아닌지만 판단하면 된다.

해설 '정부'는 단체 무정 명사이다. 또 '정부에서'는 '정부가'로 바꿔서 나타낼 수 있다. 따라서 '정부에서'의 '에서'는 주격 조사이다. 주격 조사가 붙은 말의 문장 성분은 주어이므로 '정부에서'의 문장 성분은 주어이다.

오답 분석
※ '에'나 '에서'의 앞말이 '처소, 대상, 원인'이 됨을 나타내면 부사격 조사이다.
① '동창회'가 일이 있었던 '처소'이다. 따라서 '동창회에서'의 '에서'는 부사격 조사이므로, 문장 성분은 부사어이다.
② '에'가 문맥상 수단, 방법의 '대상' 정도의 의미로 쓰였다. 따라서 '손에'의 '에'는 부사격 조사이므로, 문장 성분은 부사어이다.
※ '에'는 부사격 조사이거나 접속 조사이다. '에'가 둘 이상의 사물을 같은 자격으로 이어 주는 역할을 하고 있지 않은 것을 통해 부사격 조사임을 파악할 수도 있다.
※ '손에 익다'는 '일이 손에 익숙해지다.'라는 의미를 가진 관용구이다.
④ '고마운 마음'이 편지를 주는 '원인, 이유'이다. 따라서 '마음에'의 '에'는 부사격 조사이므로, 문장 성분은 부사어이다.

정답 ③

Unit 41 사동 표현과 피동 표현

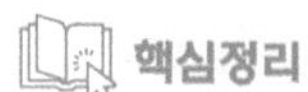

출제 유형

- 사동·피동 표현의 지식을 아는지 묻는 유형
- 사동문인지 피동문인지 판별하는 유형

핵심정리

1. 사동 표현(↔ 주동 표현)

개념	주어가 남에게 어떤 동작을 하게 하는 표현	
형성 방법	파생적(단형) 사동	어근 + 사동 파생 접사(-이-, -히-, -리-, -기-, -우-, -구-, -추-, -이키-, -으키-, -애-) 직접, 간접의 의미 모두 해석됨. 예 어머니가 아이에게 옷을 입혔다.
	통사적(장형) 사동	어근 + -게(보조적 연결 어미) + 하다(보조 동사) 간접적 의미로만 해석됨. 예 어머니가 아이에게 옷을 입게 했다.
	어휘적 사동	특정 단어로 사동을 표현함. 예 할머니는 동생을 심부름 보냈다. 엄마가 심부름을 시키다.

2. 피동 표현(↔ 능동 표현)

개념	주어가 외부의 다른 힘에 의하여 어떤 동작을 하는 표현	
형성 방법	파생적(단형) 피동	능동사 어근 + 피동 파생 접사(-이-, -히-, -리-, -기-) 예 토끼가 호랑이에게 잡혔다.
	통사적(장형) 피동	① 용언의 어간 + '-아/-어'(보조적 연결 어미) + '지다'(보조 동사) 예 그에 의해 비로소 비밀이 밝혀졌다. ② 용언의 어간 + '-게'(보조적 연결 어미) + '되다'(보조 동사) 예 그가 가게 되다.
	어휘적 피동	특정 단어로 피동을 표현함. 예 할머니는 사고를 당하셨다. 그 소년은 포로가 되었다.

사동사와 피동사 판별 팁!

사동 접사와 피동 접사의 형태가 유사한 것이 있기 때문에 구별이 쉽지 않죠?
이때는 목적어 유무로 판별해요!
목적어가 있으면 '사동사'
목적어가 없으면 '피동사' 목사님 기억해요!
※ 원래 목적어가 2개인 능동형 문장의 경우 피동사가 되어도 목적어가 존재할 수 있어요.
예 모기가 나를 팔을 물었다.
→ 내가 모기에게 팔을 물렸다(피동사).

1. '-어/아지다' [18 국가직 7급]

한국어의 피동 표현 중 '-어/아지다'에 의한 피동이 있다. 이것은 연결어미 '-어/아'에 보조 동사 '지다'가 결합된 통사적 구성으로 통사적 피동이라 부르기도 한다. 그런데 '-어/아지다'가 피동의 의미보다는 '-게 되다'와 비슷한 의미를 가져 어떠어떠한 상태로 된다는 과정화의 의미가 더 강할 때가 있다. 그 사례로는 '그 가게에 잘 가지지 않아요.'가 있다.

2. 이중 피동 기출 예문

18 서울시 9급(6월)	경쟁력 강화와 생산성의 향상을 위해 경영 혁신이 요구되어지고 있다. → 요구되고
15 국가직 7급	① 닫혀진 마음을 열 길이 없구나. ② 저쪽 복도에 놓여진 화분은 엄청 예쁘구나. → 닫힌 → 놓인 ③ 장마로 인해 끊겨진 통신 선로가 드디어 복구되었군요. → 끊긴/끊어진
11 법원직 9급	두발 규정은 학생들의 토론을 거쳐 결정되어져야 한다고 말했다. → 결정되어야

3. 사동 접미사 '-시키다' 남용 기출 예문

18 지방직 9급	① 그는 김 교수에게 박 군을 소개시켰다. → 소개했다 ② 생각이 다른 타인을 설득시킨다는 건 참 힘든 일이다. → 설득한다는 ③ 우리는 토론을 거쳐 다양한 사회적 갈등을 해소시킨다. → 해소한다
10 국회직 8급	학생들을 교육시키는 것은 생각보다 쉬운 일이 아니다. → 교육하는

사동 표현과 피동 표현은 '문장 표현'의 적절성 형식으로도 출제되곤 해요. 알아둘 건,
① 이중 피동은 × ② 사동의 뜻이 없을 때 '-시키다'는 ×

출제 유형

사동·피동 표현	사동·피동 표현의 지식을 아는지 묻는 유형

142 ○○○ 2022 군무원 7급

다음 중 '피동 표현'에서 '능동 표현'으로 바꿀 수 없는 것은?

① 그 문제가 어떤 수학자에 의해 풀렸다.
② 그 책은 많은 사람들에게 읽혔다.
③ 철수가 감기에 걸렸다.
④ 아이가 어머니에게 안겼다.

난이도 상 중 하

해설 '걸리다'의 능동사는 '걸다'이다. 그런데, '감기가 철수를 걸다'처럼 능동 표현으로 바꿀 수 없다.

오답분석 ① '수학자가 그 문제를 풀었다.'로 바꿀 수 있다.
② '많은 사람들이 그 책을 읽었다.'로 바꿀 수 있다.
④ '어머니가 아이를 안다.'로 바꿀 수 있다.

정답 ③

143 ○○○ 2021 법원직 9급

(가)에 들어갈 문장으로 가장 적절한 것은?

> 교사: 능동문의 목적어가 피동문의 주어가 되는 것이니까 피동문에는 목적어가 없는 것이 원칙이야. 그건 너도 잘 알고 있지?
> 학생: 예, 선생님. 그런데 '원칙'이라고 하셨으면, 원칙의 예외가 되는 문장도 있다는 말씀이신가요?
> 교사: 응, 그래. 드물지만 피동문에 목적어가 나타날 때가 있어. 어떤 문장이 있을지 한번 말해 볼래?
> 학생: " (가) "와 같은 문장이 그 예에 해당하겠네요.

① 형이 동생에게 짐을 안겼다.
② 동생은 집 밖으로 짐을 옮겼다.
③ 동생이 버스 안에서 발을 밟혔다.
④ 그 사람이 동생에게 상해를 입혔다.

난이도 상 중 하

해설 교사의 "피동문에 목적어가 나타날 때가 있어."라는 말을 볼 때, (가)에는 목적어가 쓰인 피동문이 들어가야 한다. 선지 ①~④의 문장에는 모두 목적어가 나타난다. 따라서 서술어가 피동사인지, 아닌지만 판단하면 된다. 피동사가 쓰인 것은 ③이다. '밟히다'는 '밟다'의 피동사로, '발에 닿아 눌리다'라는 피동의 의미를 가지고 있다. 피동사이지만 예외적으로 목적어 '발을'을 가진 경우이므로 (가)에 들어가기에 적절하다.

비교 접사를 취한 피동사의 경우 목적어를 취하지 않는 경우가 일반적이지만, 예외적으로 목적어가 두 개인 능동문이 파생 피동문으로 전환될 때 목적어를 취하게 된다.
※ '-이-', '-히-', '-리-', '-기-'는 피동사를 만드는 접미사이기도 하지만, 사동사를 만드는 접미사이기도 하다. 그래서 '안기다'처럼 하나의 형태가 피동사로 쓰이기도 하고, 사동사로 쓰이기도 한다. 그러나 '밟히다'는 항상 피동사이다.

오답 분석
① 목적어 '짐을'은 있다. 그러나 '안기다'는 사동사이다. 따라서 피동문이 아니라 사동문이기 때문에 (가)의 예로 적절하지 않다.
비교 **피동사 '안기다'**: 어머니 품에 안긴 아이는 깊이 잠이 들었다.
② 목적어 '짐을'은 있다. 그러나 '옮기다'는 사동사이다. 따라서 피동문이 아니라 사동문이기 때문에 (가)의 예로 적절하지 않다.
④ 목적어 '상해를'은 있다. 그러나 '입히다'는 사동사이다. 따라서 피동문이 아니라 사동문이기 때문에 (가)의 예로 적절하지 않다.

정답 ③

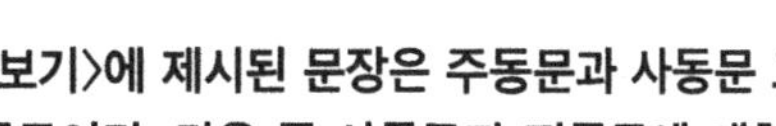
144 ○○○ 2019 서울시 7급(2월)

〈보기〉에 제시된 문장은 주동문과 사동문 그리고 능동문과 피동문이다. 다음 중 사동문과 피동문에 대한 설명으로 가장 옳지 않은 것은?

〈보기〉
> (가) 내가 책을 읽었다.
> (나) 선생님께서 나에게 책을 읽히셨다.
> (다) 우리가 산을 봅니다.
> (라) 산이 우리에게 보입니다.

① 사동문과 피동문의 서술어인 사동사와 피동사는 모두 파생어이다.
② 사동문과 피동문에는 행위의 주체에 해당되는 문장 성분이 필수적으로 제시된다.
③ 사동문과 피동문에 나타난 부사어는 각각 주동문의 주어와 능동문의 주어이다.
④ 주동문이 사동문으로 전환될 때나 능동문이 피동문으로 전환될 때 서술어의 자릿수에 변화가 나타난다.

난이도 상 중 하

해설 행위의 주체에 해당되는 문장 성분은 '주어'이다. 선택지의 내용을 (나), (라)의 서술어에 대한 동작 자체의 주어라고 이해하면 (나)의 경우 '읽히다-선생님께서(선생님이)'의 짝이 되나, (라)의 경우 '보이다-누가(?)'의 의미가 되어 행위 자체의 주어는 없다고 볼 수 있다.
※ 학자에 따라 이견의 여지가 있고, '읽다'와 '보다'의 주체로 이해할 수 있으며, 이러한 경우에도 '보다'의 행위 주체는 의미상 '우리에게(우리)'가 되어 필수 성분이 아니다.

오답 분석
① '읽다'의 사동사는 사동 접미사 '-히-'를 붙인 '읽히다'이고, '보다'의 피동사는 피동 접미사 '-이-'를 붙인 '보이다'이다. 각각 어근에 접미사가 결합한 것이므로 파생어라는 설명은 옳다.
③ 사동문 (나)의 부사어 '나에게'는 주동문 (가)의 주어 '내가'이다. 또한 피동문 (라)의 부사어 '우리에게'는 능동문 (가)의 주어 '우리가'이다. 따라서 설명은 옳다.
④ 주동문 (가)가 사동문 (나)로 바뀌면서, 서술어 자릿수는 2자리에서 3자리로 바뀌었다. 한편, (라)의 '우리에게'는 필수적 부사어가 아니므로 서술어 자릿수에 포함되지 않는다. 다만 능동문 (다) 역시 피동문 (라)로 바뀌면서, 서술어 자릿수는 두 자리에서 한 자리로 바뀌었다.

정답 ②

출제 유형

사동·피동 표현	사동문인지 피동문인지 판별하는 유형

145 ○○○ 2022 지역 인재 9급

다음 설명에 해당하지 않는 문장은?

> 사동주가 피사동주로 하여금 어떤 행위를 하게 하거나 어떤 상황에 처하게 하는 표현법을 사동이라 하고, 사동이 표현된 문장을 사동문이라고 한다.

① 도둑이 경찰에게 잡혔다.

② 철호가 몸짓으로 나를 웃겼다.

③ 영애가 민수를 기쁘게 하였다.

④ 어머니가 아이에게 새 옷을 입혔다.

난이도 상 중 하

해설 ①의 '잡히다'는 '붙들리다'라는 의미로, '잡다'의 피동사이다. 따라서 '도둑이 경찰에게 잡혔다.'는 '사동문'이 아닌 '피동문'이다.

정답 ①

146 ○○○ 2022 소방 경력 채용

다음 문장 중 사동 표현인 것은?

① 쥐가 고양이를 물었다.

② 모닥불이 눈을 녹인다.

③ 장난감이 잘 정리되었다.

④ 정우에게 아름다운 경치가 보였다.

난이도 상 중 하

해설 '사동 표현'은 시켜서 '동작을 하도록' 하는 표현이다. ②는 모닥불이 눈을 '녹게 한다.'의 의미이다. 따라서 '녹다'의 사동사 '녹이다'가 쓰인 ②는 사동 표현이다.

오답 분석 ① 쥐가 고양이를 스스로 물었다는 의미이므로 '사동 표현'이 아닌, '능동 표현'이다.
비교 **피동 표현**: 고양이가 쥐에게 물렸다.

③ '-되다'는 피동 접미사이다. '정리되었다'는 '피동 표현'이다.

④ 의미상 '보게 하다'의 뜻이 아니다. 또한 목적어가 없는 것을 보아 제시된 문장의 '보이다'는 피동사이다.
※ '보이다'는 사동사, 피동사로 모두 쓰이는 용언이다. 따라서 목적어의 유무로 사동사와 피동사를 판별할 수 있다.
예 산을 보이다(사동사). / 산이 보이다(피동사).

정답 ②

147 ○○○ 2020 법원직 9급

<보기>의 ㉠, ㉡에 해당하는 것은?

> <보기>
>
> 우리말의 용언 중에는 피동사와 사동사의 형태가 동일한 것이 있다. 예를 들어, '글을 보고 거기에 담긴 뜻을 헤아려 알다.'의 뜻인 '읽다'에서 파생된 사동사와 피동사의 형태는 모두 '읽히다'로, 그 형태가 같다.
>
> • 사동사: '부하 장수들에게 병서를 읽혔다.'
> • 피동사: '이 책은 비교적 쉽게 읽힌다.'
>
> 이때 ㉠ 사동사인지, ㉡ 피동사인지의 구별은 문장에서의 의미와 쓰임을 통해 이루어진다.

① ㉠ 성탄절에는 교회에서 종을 울렸다.
㉡ 형이 장난감을 뺏어 동생을 울렸다.

② ㉠ 동생이 새 시계를 내게 보였다.
㉡ 멀리 건물 사이로 하늘이 보였다.

③ ㉠ 우리는 난로 앞에서 몸을 녹였다.
㉡ 따스한 햇살이 고드름을 서서히 녹였다.

④ ㉠ 나는 손에 짐이 들려 문을 열 수가 없다.
㉡ 부부 싸움을 한 친구에게 꽃을 들려 집에 보냈다.

난이도 상 중 하

TIP 예외는 있지만, 목적어가 있으면 사동사이고 목적어가 없으면 피동사이다.

해설 ㉠ 목적어 '시계를'이 있고, '보게 했다'라는 사동의 의미가 있기 때문에 사동사가 맞다.
㉡ 목적어가 없고, '하늘이 있다는 걸 알게 되다'라는 피동의 의미가 있기 때문에 피동사가 맞다.
따라서 ②는 ㉠과 ㉡에 해당하는 예로 적절하다.

오답 분석 ① ㉠은 목적어 '종을', ㉡은 목적어 '동생을'이 있다. 또 '울게 했다'라는 사동의 의미가 있다. 따라서 ㉠과 ㉡은 모두 사동사이다.

③ ㉠은 목적어 '몸을', ㉡은 목적어 '고드름을'이 있다. 또 '녹게 했다'라는 사동의 의미가 있다. 따라서 ㉠과 ㉡은 모두 사동사이다.

④ ㉠은 목적어가 없고, '짐이 손에 쥐어지다'라는 피동의 의미가 있기 때문에 피동사이다.
※ '문을'은 '들리다'가 아니라 '열다'의 목적어이다.
㉡은 목적어 '꽃을'이 있고, '들게 하다'라는 사동의 의미가 있기 때문에 사동사이다.

정답 ②

148 ○○○ 2018 지방직 7급

사동 표현이 없는 것은?

① 목동이 양들에게 풀부터 뜯겼다.

② 아이들은 종이비행기만 하늘로 날렸다.

③ 태희는 반지마저 유진에게 보여 주었다.

④ 소영의 양손에 무거운 보따리가 들려 있다.

난이도 상 중 하

해설 '들리다'는 '손에 가지다'라는 뜻을 가진 '들다'에 접미사 '-리-'가 결합된 말이다. '-리-'의 경우 사동 접사와 피동 접사로 모두 사용된다. 따라서 목적어의 유무로 사동사인지 피동사인지 판별해야 한다. ④의 문장은 '소영의 양손에(부사어) 무거운 보따리가(주어) 들려 있다(서술어)'의 구조로 무거운 보따리가 소영에 의해 움직인 것으로 '들려 있다'는 피동 표현으로 볼 수 있다.

오답분석 ① '뜯기다'는 사동사와 피동사로 모두 쓰이지만, 제시된 문장은 '목동이(주어) 양들에게(부사어) 풀부터(목적어) 뜯겼다(서술어)'의 구조이므로 '뜯겼다'는 사동 표현으로 볼 수 있다.

② '날리다'는 사동사와 피동사로 모두 쓰이지만, 제시된 문장은 '아이들은(주어) 종이비행기만(을)(목적어) 하늘로(부사어) 날렸다(서술어)'의 구조이므로 '날렸다'는 사동 표현으로 볼 수 있다.

③ '보다'는 사동사와 피동사로 모두 쓰이지만, 제시된 문장은 '태희는(주어) 반지마저(를)(목적어) 유진에게(부사어) 보여 주었다(서술어)'의 구조이므로 '보여 주었다'는 사동 표현으로 볼 수 있다.

정답 ④

목사님! 기억하고 있지요!
동사만 제시된 채로 피동사인지 사동사인지 묻는 문제는 어울리는 목적어를 넣어 보면 돼요. 목적어를 넣었을 때 자연스러우면 사동사, 어색하면 피동사!

MEMO

Unit 42 부정 표현

출제 유형

- '안' 부정문과 '못' 부정문을 아는지 묻는 유형
- 부정문을 만드는 방법과 예문을 짝짓는 유형

핵심정리

- **부정문**

(1) **개념**: 부정의 뜻을 나타내는 문장

(2) **어휘적 부정과 통사적 부정**

어휘적 부정	'없다, 모르다' 등의 단어처럼 부정의 뜻을 지닌 단어의 사용에 의한 부정
통사적 부정	부정 부사 '안, 못', 부정의 용언 '아니하다, 못하다, 말다'의 사용에 의한 부정

(3) **'안' 부정과 '못' 부정**

'안' 부정	단순 부정 혹은 주체의 의지 부정을 나타내는 부정
'못' 부정	주체의 능력 부정 혹은 외부의 원인에 의한 불가능(금지, 거부)을 나타내는 부정

출제 유형

부정 표현	'안' 부정문과 '못' 부정문을 아는지 묻는 유형

149 ○○○ 2016 교육행정직 9급

<보기>의 ㉠~㉣에 들어갈 것을 바르게 연결한 것은?

<보기>

사동문은 사동주가 피사동주에게 어떤 행위를 하게 하는 것을 표현한 문장이다. 국어 사동문은 주어의 직접적 행위를 의미할 수도 있고, 주어의 간접적 행위를 의미할 수도 있다. (㉠)와 같이 주어의 직접적 행위와 간접적 행위를 모두 나타내는 경우도 있고, (㉡)와 같이 주어의 간접적 행위만을 나타내는 경우도 있다.

한편, 부정문은 (㉢)와 같이 단순 부정 혹은 의지 부정을 뜻하는 문장이 있고, (㉣)와 같이 능력 부정을 뜻하는 경우가 있다.

(가) 형은 동생에게 밥을 먹였다.
(나) 형은 동생에게 밥을 먹게 했다.
(다) 영호는 그림을 잘 그리지 않았다.
(라) 영호는 그림을 잘 그리지 못했다.

	㉠	㉡	㉢	㉣
①	(가)	(나)	(다)	(라)
②	(가)	(나)	(라)	(다)
③	(나)	(가)	(다)	(라)
④	(나)	(가)	(라)	(다)

난이도 상 ○ 하

해설

㉠, ㉡	사동문에는 '짧은(단형) 사동문'과 '긴(장형) 사동문'이 있다. '짧은(단형) 사동문(파생적 사동문)'은 주어의 직접적 행위와 간접적 행위를 모두 의미하고, '긴(장형) 사동문(통사적 사동문)'은 주어의 간접적 행위만을 나타낸다. 따라서 '먹였다(짧은 사동문)'를 쓴 (가)는 ㉠의 예로 적절하고, '먹게 했다(긴 사동문)'를 쓴 (나)는 ㉡의 예로 적절하다.
㉢, ㉣	부정문에는 '안' 부정문과 '못' 부정문이 있다. '안' 부정문은 '단순 부정 혹은 의지 부정'을 뜻하고, '못' 부정문은 '능력 부정'을 뜻한다. 따라서 '않았다(안 부정)'를 쓴 (다)는 ㉢의 예로 적절하고, '못했다(못 부정)'를 쓴 (라)는 ㉣의 예로 적절하다.

정답 ①

출제 유형

부정 표현	부정문을 만드는 방법과 예문을 짝짓는 유형

150 ○○○ 2015 국회직 8급

다음은 국어의 부정(否定) 표현에 대한 설명이다. ㉠~㉤의 예시로 적절하지 않은 것은?

부정의 의미를 나타내기 위하여 가장 많이 사용하는 방법은 이른바 부정소라고 불리는 ㉠ 부정 부사나 부정 서술어를 사용하는 경우이다. 그러나 이밖에도 ㉡ 부정의 의미를 가지는 접두사를 이용하기도 하고 ㉢ 부정의 뜻을 가지는 어휘를 이용하여 부정의 의미를 나타내기도 한다. 더욱이 우리말에는 ㉣ 부정소를 사용하지 않아도 부정의 의미를 내포하는 경우도 있고 반대로 ㉤ 부정소를 사용하였더라도 의미상으로는 긍정인 경우도 있다.

① ㉠: 너무 시끄럽게 떠들지 마라.
② ㉡: 이번 계획은 너무나 비교육적이다.
③ ㉢: 나는 그녀의 마음을 잘 모른다.
④ ㉣: 제가 어찌 그 일을 하지 않을 수 있겠습니까?
⑤ ㉤: 그가 이번 일을 그렇게 못 하지는 않았다.

난이도 ○ 중 하

해설 ㉣은 부정소를 사용하지 않고 부정의 의미를 내포하는 경우에 대한 설명이므로 ④에는 부정소가 없지만 부정의 의미를 내포하는 예가 와야 한다. 그러나 ④는 부정소 '않을 ~'이 포함된 문장이므로 ㉣의 적절한 예가 아니다.

※ 부정소를 사용하지 않아도 부정의 의미를 내포하는 경우
예 내가 웃을 수 있겠니? (= 웃을 수 없다.)

오답 분석

① 부정 서술어 '-지 마라(-지 말다)'가 사용되었다.
② 부정의 의미를 가지는 접두사 '비(非)-'가 사용되었다.
③ 부정의 뜻을 가진 어휘인 '모르다'가 사용되었다.
⑤ 부정소 '못'과 '않았다'가 사용되었지만, 이중 부정에 해당하는 문장으로 결과적으로 의미상 긍정이다.

정답 ④

Unit 43 시간 표현

• 시제를 판별하는 유형

핵심정리

1. 절대 시제와 상대 시제

(1) 절대 시제

개념	말하는 시점을 기준으로 결정되는 시제
실현 양상	선어말 어미를 통해 표현됨. → 문장의 끝(종결) 서술어에 나타남

(2) 상대 시제

개념	사건이 일어난 시점을 기준으로 결정되는 시제
실현 양상	관형사형과 연결형을 통해 표현됨. → 문장의 가운데(연결) 서술어에 나타남.

2. 과거·현재·미래 시제

(1) 과거 시제

개념	사건시가 발화시보다 앞서는 시제
실현 양상	• 선어말 어미 '-었-/-았-/-였-, -더-, -었었-/-았었-' • 관형사형 어미 '동사(-ㄴ/-은), 형용사(-던)'

(2) 현재 시제

개념	발화시와 사건시가 일치하는 시제
실현 양상	• 어미 '-는다/-ㄴ다' • 관형사형 어미 '동사(-는), 형용사(-ㄴ/-은)'

(3) 미래 시제

개념	사건시가 모두 발화시 이후일 때의 시제
실현 양상	• 선어말 어미 '-겠-, -리-' • 관형사형 어미 '동사, 형용사(-ㄹ/-을)'

심화 Plus

• **관형사형 전성 어미의 시제** [16 기상직 9급]

구분	과거	현재	미래	회상
동사	-ㄴ(은)	-는	-ㄹ(을)	-던
형용사	-던	-ㄴ(은)	-ㄹ(을)	* 형용사는 관형사형 어미 '-는'을 취하지 않음.

출제 유형

시간 표현	시제를 판별하는 유형

151 ○○○ 2020 경찰 1차

〈보기〉는 국어의 시제에 대한 설명이다. 밑줄 친 부분의 예로 가장 적절한 것은?

〈보기〉

절대 시제란 발화시를 기준으로 한 시제이고, 상대 시제란 발화시가 아닌 다른 시점을 기준으로 한 시제이다.

① 공원에는 운동하는 사람들이 많이 보였다.
② 철수는 다음 달에 유학을 간다.
③ 넌 이제 큰일 났다.
④ 내일은 비가 오겠다.

난이도 상 중 하

TIP '상대 시제'는 문장의 연결 어미에(즉 중간에), '절대 시제'는 문장의 종결 어미(즉 끝에)에 나타난다.

해설 '운동하다'가 발화시를 기준으로 하면 '과거'임에도, 현재형 '운동하는'으로 표현했다. 따라서 〈보기〉의 '상대 시제'의 예로 적절하다.

오답분석 나머지는 모두 문장 끝에 나타나는 절대 시제로, ② '-ㄴ다'의 현재 시제, ③ '-았다'의 형태로 형태상은 과거 시제이지만, 의미상은 미래 시제, ④ '-겠다'의 형태로 미래 추측의 의미로 사용되었다.

정답 ①

152 ○○○ 2010 국회직 8급

다음 글은 시제에 대한 설명이다. 〈보기〉의 밑줄 친 부분의 시제를 옳게 설명한 것은?

구분하는 문법 범주이다. 발화시와 사건시가 일치하면 현재, 사건시가 발화시에 선행하면 과거, 발화시가 사건시에 선행하면 미래라고 한다. 발화시란 화자가 문장을 발화한 시간을 뜻하고 사건시란 문장에 드러난 사건이 발생한 시간을 뜻한다.

그런데 시제에는 절대 시제와 상대 시제도 있다. 절대 시제는 발화시를 기준으로 삼아 결정되는 시제이고 상대 시제는 주절의 사건시를 기준으로 결정되는 시제를 말한다.

〈보기〉

나는 아까 도서관에서 책을 읽는 철수를 보았다.

① 절대 시제나 상대 시제 모두 현재
② 절대 시제나 상대 시제 모두 과거
③ 절대 시제로는 현재, 상대 시제로는 과거
④ 절대 시제로는 과거, 상대 시제로는 현재
⑤ 절대 시제로는 과거, 상대 시제로는 미래

난이도 상 중 하

TIP '절대 시제'는 문장의 끝에 나타나기 때문에 밑줄이 오히려 함정이다!

해설 '절대 시제'는 발화시를 기준으로 결정되므로, 〈보기〉에서 종결 서술어 '보았다'를 통해 '과거'임을 알 수 있다. '상대 시제'는 사건시를 기준으로 결정되는데 '철수를 본 것'과 '책을 읽은 것'이 같은 시점에 일어났고 발화시 기준, '현재'라는 것이 연결 서술어('읽는')에 나타난다. 따라서 ④의 설명이 적절하다.

정답 ④

Unit 44 문장 종결 표현

출제 유형

- 문장의 종결 어미를 판별하는 유형
- 의문문의 종류를 판별하는 유형

핵심정리

- **문장 종결 표현**

<table>
<tr><th></th><th colspan="2">개념</th><th>대표 종결 어미</th></tr>
<tr><td>평서문</td><td colspan="2">화자가 청자에게 특별히 요구하는 바 없이 단순하게 진술하는 문장</td><td>'-다'</td></tr>
<tr><td rowspan="4">의문문</td><td colspan="2">화자가 청자에게 질문하여 대답을 요구하는 문장</td><td rowspan="4">'-냐', '-니'</td></tr>
<tr><td>설명 의문문</td><td>상대에게 구체적인 설명을 요구하는 의문문으로 의문사가 있음.
예 무엇을 먹었니?</td></tr>
<tr><td>판정 의문문</td><td>청자에게 긍정 혹은 부정(Yes or No)의 대답을 요구하는 의문문
예 밥 먹었니?</td></tr>
<tr><td>수사 의문문</td><td>대답을 요구하지 않고 서술이나 명령, 감탄 등의 효과를 나타내는 의문문
예 그렇게 된다면 얼마나 좋을까?</td></tr>
<tr><td>명령문</td><td colspan="2">화자가 청자에게 어떤 행동을 함께 하도록 요청하는 문장</td><td>'-(아/어)라', '-거라'</td></tr>
<tr><td>청유문</td><td colspan="2">화자가 청자에게 같이 행동할 것을 요청하는 문장</td><td>'-자', '-세',
'-ㅂ시다', '-시지요'</td></tr>
<tr><td>감탄문</td><td colspan="2">화자가 청자를 별로 의식하지 않거나 거의 독백하는 상태에서 자기의 느낌을 표현하는 문장</td><td>'-(이)구나'</td></tr>
</table>

출제 유형

문장 종결 표현	문장의 종결 어미를 판별하는 유형

153 ○○○ 2018 교육행정직 9급

청유형 종결 어미가 포함된 것은?

① 이따가 가세.　　② 자리에 앉아라.
③ 자네 이것 좀 먹게.　　④ 옷이 무척 예쁘구려.

난이도 상 중 하

해설 화자가 청자에게 같이 행동할 것을 요청하는 뜻을 나타내는 종결 어미를 '청유형 종결 어미'라고 한다. ①~④ 중 청유형 종결 어미가 포함된 것은 ①이다. ①의 '-세'는 '하게'할 자리에 쓰이는 청유형 어미이다.
※ 청유형의 종결 어미에는 '-자(해라체), -세(하게체), -ㅂ시다(하오체), -십시다(-시지요, 합쇼체)' 등이 있다.

오답분석
② '-아라'는 해라체 명령형 어미이다.
③ '-게'는 하게체 명령형 어미이다.
④ '-구려'는 하오체 감탄형 어미이다.

 ①

출제 유형

문장 종결 표현	의문문의 종류를 판별하는 유형

154 ○○○ 2007 국가직 7급

<보기>에서 언급된 의문문에 해당하지 않는 것은?

<보기>

의문문 중에는 화자가 이미 알고 있거나 믿고 있으면서 그것을 청자의 동의를 구하여 확인하기 위한 의문문이나, 형태상으로는 의문문이지만 의미상으로는 긍정이나 부정을 단언(斷言)하는 의문문도 있다.

① 윤태가 나쁜 짓을 보고 가만히 있을 것 같아?
② 우리 여름에 유럽 여행 가서 정말로 재미있었지?
③ 아까 중국 음식점에 짬뽕하고 군만두 시키셨어요?
④ 아무리 그래도 그렇지, 아저씨가 널 안 도와주겠니?

난이도 상 중 하

TIP 설명 의문문이나 판정 의문문을 제외한 나머지 의문문은 '수사 의문문'에 속한다. '확인 의문문'과 '단언 의문문'도 넓은 범주의 '수사 의문문'에 속한다.

해설 <보기>에 언급된 의문문의 종류는 '확인 의문문(화자가 이미 알고 있거나 믿고 있으면서 그것을 청자의 동의를 구하여 확인하기 위한 의문문)'과 '단언 의문문[형태상으로는 의문문이지만 의미상으로는 긍정이나 부정을 단언(斷言)하는 의문문]'이다. 그런데 ③은 '확인 의문문'이나 '단언 의문문'이 아닌 '예/아니오'의 대답을 요구하는 '판정 의문문'의 예이다.

오답분석
① 형태상 의문문이지만 실제 의미는 '가만히 있지 않을 것'이라는 단언이므로, '단언 의문문'의 예이다.
② 청자의 동의를 구하여 확인하기 위한 의문문이므로, '확인 의문문'의 예이다.
④ 형태상 의문문이지만 실제 의미는 '아저씨가 널 도와줄 것'이라는 단언이므로, '단언 의문문'의 예이다.

정답 ③

Unit 45 높임 표현(기본)

출제 유형

주체 높임 중 간접 높임	• 간접 높임이 실현된 문장을 찾는 유형 • 높임 표현의 적절성을 묻는 유형
상대 높임	• 상대 높임 문장을 찾는 유형 • 상대 높임 등급을 묻는 유형

핵심정리

1. 주체 높임 간접 높임

(1) 높임의 대상과 관계된 '일, 소유물, 가족, 신체, 말씀, 생각' 등을 높임으로써 해당 인물을 높이는 방법

(2) '있다', '없다', '아프다'의 직·간접 높임

구분	있다	없다	아프다
직접 높임법	계시다	안 계시다	편찮으시다
간접 높임법	있으시다	없으시다	아프시다

2. 상대 높임법의 등급

격식체				비격식체	
하십시오(합쇼)체	하오체	하게체	해라체	해요체	해체
높임		낮춤		높임	낮춤

• 격식체와 비격식체는 각각 '높임'도 있고 '낮춤'도 있어요!
• 간접 높임은 높임의 대상과 밀접한 관련이 있을 때만 실현돼요! 그런 경우가 아니라면 사용하면 안 돼요.
예 고객님, 커피 나오셨습니다.(×) → 손님, 커피 나왔습니다.(○)

이때 '커피'는 높임의 대상이 아니니까('시'가 필요 없음) 잘못된 표현!
더불어 '고객님'은 지양해야 할 표현!

출제 유형

주체 높임 중 간접 높임	간접 높임이 실현된 문장을 찾는 유형

155 ○○○ 2010 서울시 7급

밑줄 친 부분이 간접 높임의 예에 해당하는 것은?

> 국어의 높임법에는 직접 높임과 간접 높임의 두 가지가 있다. 간접 높임이란 높임을 받는 대상과 관련된 말을 높임으로써 간접적으로 그 대상을 높이는 것을 말한다.

① 과장님은 외출 중이십니다.
② 그분께는 따님이 계십니다.
③ 어르신, 정성껏 준비했으니 많이 잡수세요.
④ 다른 의견이 있으신 분은 안 계십니까?
⑤ 아버님, 할아버님께서 오라십니다.

난이도 상 ◯ 하

TIP 주어를 높이는 주체 높임법은 선어말 어미 '-(으)시'를 통해 실현하고, 주어를 직접 높이는 '직접 높임'과 주어를 간접 높이는 '간접 높임'이 있다.

해설 ④의 '있으신'은 문장에 명백히 나타나지 않은 주어 '여러분'을 높이기 위해 '의견'을 높인 간접 높임의 형태이다.

오답 분석
① 문장의 주체인 '과장님'을 주체 높임 선어말 어미 '-시-'를 통해 높인 표현이므로, 직접 높임 표현이다.
② '따님'을 높임으로써 '그분'을 높이는 간접 높임의 형식이지만 '계시다'는 직접 높임의 형태로만 사용 가능하므로 간접 높임의 쓰임에서는 '있으시다'를 쓰는 것이 옳다. ②는 직접 높임을 사용하였고, 틀린 문장이다.
③ 청자이자 문장의 주체인 '어르신'을 서술어 '잡수세요'를 통해 높였으므로, 직접 높임 표현이다.
⑤ 문장의 주체인 '할아버지'가 청자인 '아버지'보다 높으므로 '할아버님께서 아버님 오라고 (말씀)하십니다.(= 오라십니다.)'의 압존법을 사용하였고, 할아버지(주어)를 '-시-'를 통해 직접 높이고 있다.

 ④

출제 유형

주체 높임 중 간접 높임	높임 표현의 적절성을 묻는 유형

156 ○○○ 2019 경찰 1차

높임법(존대법) 표현으로 가장 적절하지 않은 것은?

① 할머니께서는 항상 북녘을 바라보며 여기에 앉아 계셨습니다.
② 이제는 꽃가마에 누워 저 멀리 가십니다.
③ "할머니! 아버지도 그 뜻을 압니다!"
④ 할머니의 유지가 이곳에 머물러 계십니다.

난이도 상 ◯ 하

해설 **계십니다 → 있으십니다**: '있다'의 높임말 '계시다'는 직접 높임에만 쓸 수 있다. '할머니'의 '유지(遺旨: 죽은 사람이 살아 있을 때에 가졌던 생각)'를 높임으로써 '할머니'를 간접적으로 높이고 있다. 따라서 '있으십니다'를 써야 한다.

오답 분석
① '할머니'가 앉아 있음을 직접 높이는 경우이므로 '계시다'의 쓰임은 적절하다.
② 선어말 어미 '-시-'를 통해 주체를 높이고, 종결 어미 '-ㅂ니다'를 통해 청자를 높이고 있다.
③ 압존법에 따라 '할머니'에게 말할 때, '아버지'를 따로 높이지 않았다.

정답 ④

출제 유형

상대 높임	상대 높임 문장을 찾는 유형

157 ○○○ 2020 소방직

높임법의 쓰임이 다른 것은?

① 내일은 잊지 않고 어머니께 편지를 보내 드려야겠다.
② 오늘도 할머니께서는 경로당에서 시간을 보내셨다.
③ 선생님께서 누나와 함께 와도 좋다고 하셨다.
④ 큰아버지께서는 나를 무척 아끼셨다.

난이도 상 중 하

해설 "내일은 잊지 않고 어머니께 편지를 보내 드려야겠다."에서는 부사격 조사 '께'와 서술어 '드리다'를 통해 서술의 객체(부사어)인 '어머니'를 높이고 있다. 따라서 객체 높임법이 쓰였다. 한편, ①을 제외한 나머지는 서술의 주체를 높인 '주체 높임법'이 쓰였다. 따라서 높임법의 쓰임이 다른 하나는 ①이다.
※ 우리말 모든 문장에 상대 높임이 실현된다. 제시된 문장에는 모두 상대 높임 '해라체'가 실현되었다.

오답 분석
② 서술의 주체인 '할머니'를 주격 조사 '께서'와 선어말 어미 '-시-'를 통해 높이고 있다.
③ 서술의 주체인 '선생님'을 주격 조사 '께서'와 선어말 어미 '-시-'를 통해 높이고 있다.
④ 서술의 주체인 '큰아버지'를 주격 조사 '께서'와 선어말 어미 '-시-'를 통해 높이고 있다.

정답 ①

출제 유형

상대 높임	상대 높임 등급을 묻는 유형

158 ○○○ 2023 군무원 7급

<보기>는 우리말 높임법에 관한 설명이다. ( ) 안에 들어갈 용례로 맞지 않는 것은?

〈보기〉

- 상대높임법: 말하는 이가 상대, 곧 듣는 이(청자)를 높이는 높임법. 일정한 종결 어미의 사용에 의해서 실현됨.
  (1) 격식체: 공식적이고 의례적인 표현으로, 심리적 거리감을 나타냄
    ① 해라체: 아주 낮춤
    ② 하게체: 예사 낮춤 ········· (㉠)
    ③ 하오체: 예사 높임 ········· (㉡)
    ④ 합쇼체: 아주 높임
  (2) 비격식체: 비공식적이며, 부드럽고 친근감을 나타냄
    ① 해체: 두루 낮춤 ········· (㉢)
    ② 해요체: 두루 높임 ········· (㉣)

① ㉠: 내가 말을 함부로 했던 것 같네.
② ㉡: 이게 꿈인지 생신지 모르겠구려.
③ ㉢: 계획대로 밀고 나가.
④ ㉣: 선생님 안녕히 계십시오.

난이도 상 중 하

해설 '계십시오'는 합쇼체이다. ㉣의 적절한 용례는 '선생님, 안녕히 계세요(계시어요)'이다.

정답 ④

159 ○○○ 2017 서울시 7급

다음 중 상대 높임법의 등급이 다른 하나는?

① 여보게, 어디 <u>가는가</u>?

② 김 군, 벌써 봄이 <u>왔다네</u>.

③ 오후에 나와 같이 <u>산책하세</u>.

④ 어느덧 벚꽃이 다 <u>지는구려</u>.

난이도 상 ○ 하

TIP 상대 높임법은 문장의 종결형으로 실현되는데, 모든 종결형을 암기할 수는 없으므로 합쇼체(-ㅂ니다), 해요체(-아/어 + 요), 해체(-아/어, '요'를 붙일 수 있음.)를 먼저 판별하는 것이 좋다.

해설 상대 높임법의 등급은 종결 어미를 통해 알 수 있다. '-는구려'는 '하오체' 자리에 쓰이는 종결 어미다. ④를 제외한 나머지는 '하게체' 자리에 쓰이는 종결 어미이다.

※ -는구려: 하오할 자리에 쓰여, 화자가 새롭게 알게 된 사실에 주목함을 나타내는 종결 어미. 흔히 감탄의 뜻이 수반된다.

오답 분석
① -는가: 1. 하게할 자리에 쓰여, 현재의 사실에 대한 물음을 나타내는 종결 어미
2. 자기 스스로에게 묻는 물음이나 추측을 나타내는 종결 어미
② -다네: 하게할 자리에 쓰여, 화자가 이미 알고 있는 것을 객관화하여 청자에게 일러 줌을 나타내는 종결 어미. 친근감이나 감탄, 자랑의 뜻을 나타낼 때가 있다.
③ -세: 하게할 자리에 쓰여, 어떤 행동을 함께 하자는 뜻을 나타내는 청유형 종결 어미

정답 ④

상대 높임 등급을 찾는 팁!

모든 종결형을 암기할 수 없어요.
모르겠다 싶으면, '여보게'나 '김 군'('하게'체에 해당함) 같은 호칭을 통해서 등급을 짐작하기!

MEMO

Unit 46 높임 표현(심화)

출제 유형

• 조건에 맞는 문장을 찾는 유형
• 문장에 쓰인 높임 표현을 분석하는 유형

핵심정리

• 높임법의 종류

구분	개념	실현 방법
주체 높임법	주어가 가리키는 인물, 즉 문장의 주체를 높이는 방법	① 선어말 어미 '-시-' ② 주격 조사 '께서' ③ 주어 명사 + -님 ④ 높임 서술어 예 계시다, 주무시다
객체 높임법	목적어나 부사어가 지시하는 대상, 즉 서술의 객체를 높이는 방법	① 부사격 조사 '께' ② 높임 서술어 예 뵙다, 모시다, 드리다, 여쭈다
상대 높임법	화자가 청자에 대하여 높이거나 낮추어 말하는 방법	종결 어미

심화 Plus

1. '-니' [19 기상직 9급]

하게체	진리나 으레 있는 사실을 일러 줌을 나타내는 종결 어미 예 순서가 그런 것이 아니니. 웃어른을 알아 모시는 것이 사람의 도리이니.
해라체	물음의 뜻을 나타내는 종결 어미 예 아버님은 어디 갔다 오시니? 너는 밥을 먹었니? 이것 좀 네가 해 주겠니?

2. 특수 어휘에 의한 높임법

명사	댁(집), 탕(국), 침수(잠), 진지(밥), 손님(손), 연세(나이), 오라버니(오빠)
용언	뵙다(보다), 여쭙다(묻다), 계시다(있다), 편찮으시다(아프다), 사과드리다(사과하다), 드시다/자시다/잡수시다(먹다)

출제 유형

높임 표현	조건에 맞는 문장을 찾는 유형

160 ○○○ 2022 군무원 9급

다음 중 아래 글의 내용을 포괄하여 설명하기에 가장 적절한 것은?

> 주체 경어법은 용언에 선어말 어미 '-시-'를 넣음으로써 이루어진다. 만약 여러 개의 용언이 함께 나타나는 경우라면 일률적인 규칙을 세우기는 어렵지만 대체로 문장의 마지막 용언에 선어말어미 '-시-'를 쓴다. 또한 여러 개의 용언 가운데 어휘적으로 높임의 용언이 따로 있는 경우에는 반드시 그 용언을 사용해야 한다.

① 할머니, 어디가 어떻게 편찮으세요?
② 어머님께서 돌아보시고 주인에게 부탁하셨다.
③ 선생님께서 책을 펴며 웃으셨다.
④ 할아버지께서 주무시고 가셨다.

난이도 ㊤ ○ ㊦

해설

조건 1.	주체인 '할아버지'를 서술하는 용언은 '자다'와 '가다'로 2개이다. "만약 여러 개의 용언이 함께 나타나는 경우라면 ~ 대체로 문장의 마지막 용언에 선어말어미 '-시-'를 쓴다."에 따라 뒤의 서술어 '가다'에만 선어말 어미 '-시-'를 붙여 '가시다'로 표현하였다.
조건 2.	"여러 개의 용언 가운데 어휘적으로 높임의 용언이 따로 있는 경우에는 반드시 그 용언을 사용해야 한다."에 따라 '자다'의 높임말 '주무시다'를 사용하였다. ※ '주무시다'의 '시'는 주체 높임의 선어말 어미가 아니다.

따라서 제시된 글의 내용을 포괄하여 설명하기에 적절한 문장은 ④의 '할아버지께서 주무시고 가셨다.'이다.

 ④

161 ○○○ 2017 교육행정직 7급

주체, 객체, 상대를 모두 높이고 있는 것은?

① 사장님도 진지를 드셨습니까?
② 선생님께서 훈화 말씀을 하셨습니다.
③ 삼촌이 할머니를 모시고 공원에 갔습니다.
④ 아버지는 할아버지께 안경을 드리셨습니다.

난이도 ○ ㊥ ㊦

TIP
- 주체 높임법은 문장의 주체(주어)를 높이는 높임 표현법으로 주격 조사 '께서'와 선어말 어미 '-시-'를 통해 실현된다.
- 객체 높임법은 문장의 객체(목적어, 부사어)를 높이는 높임 표현법으로 부사격 조사 '께'와 특수한 어휘 '모시다, 뵙다(뵈다), 드리다, 여쭙다(여쭈다)'를 통해 실현된다.
- 상대 높임법은 청자를 높이는 높임 표현법으로 종결 어미를 통해 실현된다. 즉 모든 문장에 존재한다.

해설 ①~④ 중 주체, 객체, 상대 높임법이 모두 사용되고, 모두를 높이고 있는 것은 ④이다.

주체 높임법	높임 선어말 어미 '-시-'를 통해 주체인 '아버지'를 높이고 있다.
객체 높임법	부사격 조사 '께'와 서술어 '드리다'를 통해 객체인 '할아버지'를 높이고 있다.
상대 높임법	종결 어미 '-습니다(합쇼체)'를 통해 청자를 높이고 있다.

오답분석 ① '주체 높임법', '상대 높임법'만 쓰였다.

주체 높임법	'밥'의 높임 표현인 '진지'와 '먹다'의 높임 표현인 '드시다(들다)'를 통해 주체인 '사장님'을 높이고 있다.
상대 높임법	종결 어미 '-습니까(습니다, 합쇼체)'를 통해 청자를 높이고 있다.

② '주체 높임법'과 '상대 높임법'만 쓰였다.

주체 높임법	주격 조사 '께서', 높임 선어말 어미 '-시-'를 통해 주체인 '선생님'을 높이고 있다.
상대 높임법	종결 어미 '-습니다(합쇼체)'를 통해 청자를 높이고 있다.

③ '객체 높임법', '상대 높임법'만 쓰였다.

객체 높임법	'데리다'의 높임 표현인 '모시고(모시다)'를 통해 객체인 '할머니'를 높이고 있다.
상대 높임법	종결 어미 '-습니다(합쇼체)'를 통해 청자를 높이고 있다.

정답 ④

고득점 GO!

Q. '드리다, 모시다, 뵙다(뵈다), 여쭙다(여쭈다)'가 없어도 부사격 조사 '께'만 있으면 객체 높임인 거지요?

A. 아니에요. '객체 높임'은 서술어 '드리다, 모시다, 뵙다(뵈다), 여쭙다(여쭈다)'를 통해 실현돼요. 따라서 해당 서술어가 꼭 필요해요.
물론 질문한 것처럼 출제자가 서술어뿐만 아니라 목적어나 부사어 자리에 높임의 대상이 온 것을 모두 객체 높임이 실현된 것으로 본다는 입장에서 문제를 출제를 할 수도 있어요. 상대적인 접근이 필요하겠죠!

따라서 '객체 높임'을 찾는 문제는 이렇게 접근해 봐요.
1. 서술어가 우선! 서술이에서 '드리다, 모시다, 뵙다, 여쭙다'가 있는지를 가장 먼저 살핀다.
2. 1의 방법으로 답을 찾을 수 없는 경우에는 부사격 조사 '께'를 비롯한 다른 요소도 함께 고려해 본다.

출제 유형

높임 표현	문장에 쓰인 높임 표현을 분석하는 유형

162 ○○○ 2023 법원직 9급

㉠~㉣ 중 <보기>의 밑줄 친 부분에 해당하지 않는 것은?

〈보기〉

높임 표현은 높임의 대상에 따라 주체 높임, 객체 높임, 상대 높임으로 나눌 수 있다. 이 중 객체 높임은 목적어나 부사어가 나타내는 대상, 즉 서술의 객체를 높이는 방법으로 주로 특수 어휘나 부사격 조사 '께'에 의해 실현된다.

지우: 민주야, 너 내일 뭐 할 거니?
민주: 응, 내일 할머니 생신이라서 할머니 ㉠ 모시고 영화관에 가기로 했어.
지우: 와, 오랜만에 할머니도 뵙고 좋겠다.
민주: 응, 그렇지. 오늘은 할머니께 편지도 써야 할 것 같아.
지우: ㉡ 할머니께 드릴 선물은 샀어?
민주: 응, 안 그래도 할머니가 허리가 아프셔서 엄마가 안마의자를 사서 ㉢ 드린대. 나는 용돈을 조금 보태기로 했어.
지우: 아, 할머니께서 ㉣ 편찮으셨구나.

① ㉠ ② ㉡ ③ ㉢ ④ ㉣

난이도 상 중 하

해설 '편찮다'는 주어인 '할머니'를 높이는 서술어이다. 따라서 이는 '주체 높임'이다.

오답분석 ① '모시다'는 '데리다'의 높임말이다. '모시다'는 서술의 객체, '할머니'를 높이고 있다.
② 부사격 조사 '께'를 사용하여, '할머니'를 높이고 있다.
③ '드리다'는 '주다'의 높임말이다. '드리다'는 서술의 객체, '할머니'를 높이고 있다.

정답 ④

163 ○○○ 2022 소방 경력 채용

㉠~㉢ 중 객체 높임에 해당하는 것은?

민수: 저기 영선이가 선생님을 ㉠ 모시고 온다.
정희: 정말 선생님께서 ㉡ 오시네.
민수: 선생님, 어서 ㉢ 오세요. 영선아, 너도 어서 와.

① ㉠ ② ㉡ ③ ㉢ ④ ㉠, ㉡

난이도 상 중 하

해설 ㉠의 '모시다'는 서술의 객체, 즉 목적어 '선생님'을 높이고 있다는 점에서 객체 높임에 해당한다.

오답분석 ㉡, ㉢ 서술의 주체, 즉 주어 '선생님'을 높이기 위해 주체 높임의 선어말 어미 '-시-'를 사용하였다. 따라서 '오시다'는 주체 높임에 해당한다.
※ '상대 높임'은 ㉠~㉢ 모두에서 확인이 가능하다.

정답 ①

고득점 GO!

'모시다'는 객체의 높임 서술어!
'모시다'의 '시'는 주체 높임 선어말 어미의 '-시-'가 아니에요!

164 ○○○ 2019 서울시 7급(2월)

〈보기〉를 참고하여 문장에 실현되는 높임법을 분석할 때, 다음 중 옳지 않은 것은?

〈보기〉

국어의 높임법에는 주체 높임법, 객체 높임법, 상대 높임법이 있다. 이처럼 다양한 높임법을 체계적으로 살펴보기 위해서 아래의 예와 같이 이들 높임법이 문장에 나타날 때와 그렇지 않을 때를 '+'와 '−'로 표시할 수 있을 것이다.

예 영수가 동생에게 과자를 주었습니다.
(−주체, −객체, +상대)

① 어머니께서 영희에게 과자를 주셨다.
(+주체, −객체, −상대)
② 영희가 할머니께 과자를 드렸다.
(−주체, +객체, +상대)
③ 어머니께서 영희에게 과자를 주셨습니다.
(+주체, −객체, +상대)
④ 어머니께서 할머니께 과자를 드리셨습니다.
(+주체, +객체, +상대)

난이도 상 중 하

해설 객체 높임은 실현되지 않은 채, 높임의 주격 조사 '께서'와 주체 높임의 선어말 어미 '-시-'를 통해 주체인 '어머니'를 높이고 있다. 다만 우리말 모든 문장에는 상대 높임법이 들어 있으므로 '(+주체, -객체, +상대)'가 되어야 한다.
※ 단, 상대 높임법의 유무가 아닌 청자의 높임을 묻는다면 '주셨다'의 '해라체'로 청자에 대한 반말(낮춤)을 쓰고 있다고 볼 수 있다.

오답분석 ② '영희가 할머니께 과자를 드렸다.'에서는 주체 높임과 상대 높임은 실현되지 않은 채, 높임의 부사격 조사 '께'와 서술어 '드리다'를 통해 객체인 '할머니'를 높이고 있다. 더불어 '드렸다' 서술어는 '해라체'로 상대 높임법은 있으나 청자를 낮추어 표현하고 있다. 따라서 '(-주체, +객체, +상대)'의 분석은 옳다.
③ 객체 높임은 실현되지 않은 채, 높임의 주격 조사 '께서'와 주체 높임의 선어말 어미 '-시-'를 통해 주체인 '어머니'를 높이고 있다. 또한 합쇼체를 사용하였기 때문에 상대 높임도 실현되었다. 따라서 '(+주체, -객체, +상대)'의 분석은 옳다.
④ 높임의 주격 조사 '께서'와 주체 높임의 선어말 어미 '-시-'를 통해 주체인 '어머니'를 높이고 있다. 또한 높임의 부사격 조사 '께'와 서술어 '드리다'를 통해 객체인 '할머니'를 높이고 있다. 그리고 합쇼체를 사용한 상대 높임도 실현되었다. 따라서 '(+주체, +객체, +상대)'의 분석은 옳다.

정답 ①

고득점 GO!

상대 높임법은 종결 어미를 통해 실현되기 때문에 우리 말의 모든 문장은 상대 높임법이 나타나요. 다만, 상대 높임법 안에 '높임'과 '낮춤'이 있다는 점!
따라서 '상대 높임법'이 나오면, 문제가 요구하는 게 '상대 높임법' 실현 그 자체인지, '높임'과 '낮춤'을 묻는 건지 의도를 파악하고 접근해야 해요.

Unit 47 홑문장과 겹문장

출제 유형

- 홑문장과 겹문장을 판별하는 유형

핵심정리

- **'홑문장'과 '겹문장'의 구분**

홑문장(단문장)	(주어)와 서술어의 관계가 한 번만 나타나는 문장
겹문장(복문장)	(주어)와 서술어의 관계가 두 번 이상 나타나는 문장

출제 유형

홑문장과 겹문장	홑문장과 겹문장을 판별하는 유형

165 ○○○ 2012 지방직 7급

학교 문법을 기준으로 할 때 겹문장이 아닌 것은?

① 한강의 다리는 그 당시 몇 개 되지 않았다.

② 그는 아는 것도 없이 학교를 떠났다.

③ 나는 학교에 가고 동생은 유치원에 갔다.

④ 나는 그림 그리기가 어릴 적부터 취미였다.

난이도 ㊤ ◯ ㊦

해설 학교 문법에서 겹문장과 홑문장을 구분하는 기준은 '서술어'의 수이다. 따라서 서술어가 '되지(본용언) 않았다(보조 용언)'와 같이 하나만 쓰인 ①은 홑문장이다.
※ '본용언+보조 용언'의 구성은 서술어 1개로 본다.

오답분석 ② '아는 것도 없이'란 부사절이 '그는 학교를 떠났다.'의 문장에 안겨 있다(부사절을 안은문장).
→ 그는(주어 1) [아는 것도(주어 2) 없- + -이(서술어 2)] 학교를 떠났다(서술어 1).

③ '나는 학교에 가고'와 '동생은 유치원에 갔다.'는 두 문장이 대등하게 이어져 있다(대등하게 이어진문장).
→ 나는(주어 1) 학교에 가고(서술어 1), 동생은(주어 2) 유치원에 갔다(서술어 2).

④ '나는 그림 그리기'가 '~가 어릴 적부터 취미였다.'의 문장에 주어로 안겨 있다(명사절을 안은문장).
→ [나는(주어 2) 그림 그리기(서술어 2)]가 어릴 적부터 취미였다.
(주어 1) (서술어 1)

정답 ①

166 ○○○ 2011 지방직 9급

다음 중 겹문장인 것은?

① 없어.

② 누가 그런 일을 한다고 그래?

③ 그런 사람이 어찌 그런 일을 해?

④ 나는 나만의 삶을 나만의 방식으로 산다.

난이도 ㊤ ◯ ㊦

해설 '그런 일을 한다'라는 인용절을 안은 문장으로 겹문장이다. 간접 인용의 '고'를 확인하는 것이 관건이다.

오답분석 ① 서술어 '없어'만으로 이루어진 홑문장이다.
③ '그런'은 관형사가 관형어로 기능한 것으로, 서술어는 '해' 하나이므로 홑문장이다.
④ 주어 '나는'과 서술어 '산다'로 구성된 홑문장이다.

정답 ②

고득점 GO!

홑문장과 겹문장 판별 완전 정복!

① 서술어가 1개면 '홑문장', 2개 이상이면 '겹문장'
② '본용언+보조 용언'은 묶어서 서술어 1개
③ 'O가 ㅁ가 되다.' 또는 'O가 ㅁ가 아니다.'는 '홑문장'
비교 토끼가 귀가 크다. (서술절을 안은문장 → 겹문장)

Unit 48 문장의 종류(기본)

출제 유형

- 문장의 종류에 해당하는 예문을 고르는 유형
- 동일한 종류의 문장을 찾는 유형

핵심정리

- **겹문장**

(1) 안은문장

구분	내용
명사절을 안은문장	하나의 문장이 전체 문장 속에서 '주어, 목적어, 부사어' 등의 역할을 함. TIP 'ㅁ(음), 기'를 확인!(예외적으로 '~것', 느냐, 는가, 는지) 예 철수가 똑똑함이 밝혀졌다. 오후에 그녀가 오기를 기다린다.
서술절을 안은문장	하나의 문장이 전체 문장 속에서 '서술어' 역할을 함. '주 + (주 + 술)' ※ 절 표지가 따로 없고, 두 개의 주어가 나타난다. 예 이 책은 크기가 작다.
관형절을 안은문장	하나의 문장이 전체 문장 속에서 '관형어' 역할을 함. TIP '-ㄴ(은), -는, -ㄹ(을), -던'을 확인! **동격 관형절**: 안긴문장이 뒤에 오는 체언과 동일한 의미를 가짐. 생략된 문장 성분은 없음. 예 나는 그녀가 떠난 사실을 몰랐다. **관계 관형절**: 안긴문장의 문장 성분과 안은문장의 문장 성분이 같을 때 안긴문장의 문장 성분이(주어, 목적어, 부사어) 생략됨. 예 우리는 그들이 헤어졌던 날에 다시 만났다.
부사절을 안은문장	하나의 문장이 전체 문장 속에서 '부사어' 역할을 함. 예 나그네가 달 가듯이 지나간다.
인용절을 안은문장	하나의 문장이 말의 내용, 생각, 판단 등을 인용하는 역할을 함. TIP '-라고, 하고, -고'를 확인! **직접 인용**: 문장을 그대로 인용하는 방법 예 철수가 "영희는 예쁘다."라고 말했다. **간접 인용**: 문장을 말하는 사람의 표현으로 바꾸어 인용하는 방법 예 철수가 영희는 예쁘다고 말했다.

(2) 이어진문장

구분	내용
대등하게 이어진문장	① 대등적 연결 어미 '-고, -(으)며, -(으)나, -지만' 등에 의하여 대등한 관계로 결합된 문장 ② 의미상 대칭 구조를 이루는 대등한 관계이므로 선행절과 후행절의 순서가 바뀌어도 의미가 달라지지 않음. 예 어제는 눈이 왔고 오늘은 비가 온다. → 대등적 연결 어미 '-고' 오늘은 비가 오고 어제는 눈이 왔다. → 선행절과 후행절의 순서가 바뀌어도 원래의 문장과 의미가 달라지지 않음.
종속적으로 이어진문장	① 종속적 연결 어미를 붙여 선행절을 후행절에 종속적으로 붙인 문장 ② 선행절과 후행절의 순서를 바꾸면 의미가 어색해지거나 달라짐. 예 가을이 되면 단풍이 든다. → 종속적 연결 어미 '-면' 단풍이 들면 가을이 된다. → 선행절과 후행절의 순서를 바꾸면 원래의 문장과 의미가 달라짐.

출제 유형

문장의 종류	문장의 종류에 해당하는 예문을 고르는 유형

167 ○○○

2022 서울시 9급(2월)

〈보기〉의 ㉠을 포함하고 있는 안은문장은?

〈보기〉

관형사가 문장에 쓰이면 관형어로 기능한다. 그래서 관형사는 항상 관형어로 쓰인다. 즉 관형사는 문장에서 관형어로서 체언을 수식한다. 그런데 관형사만 관형어로 쓰이는 것이 아니라, ㉠ 관형사절이 관형어로 쓰이기도 한다. 즉 관형사절이 체언을 수식한다.

① 그는 갖은 양념으로 맛을 내었다.
② 꽃밭에는 예쁜 꽃이 활짝 피었다.
③ 오랜 가뭄 끝에 비가 내렸다.
④ 사무실 밖에서 여남은 명이 웅성대고 있었다.

난이도 ㊤ ◯ ㊦

해설 '(꽃이) 예쁘다.'라는 문장이 '꽃밭에는 꽃이 활짝 피었다.'라는 문장 속에 안겨 관형어 역할을 하고 있다. 따라서 ②는 '주어'가 생략된 관계관형절을 안은문장이다.

오답분석 ① '갖은'은 '가지다'의 준말 '갖다'의 활용형이 아니라, '골고루 다 갖춘. 또는 여러 가지의'의 의미를 가진 관형사이다. 또 '가지다'의 준말인 '갖다'는 모음으로 시작하는 어미와 결합해 활용하지 않는다. 따라서 '갖은'은 항상 관형사이다.
※ '갖은양념'은 한 단어이기 때문에 붙여 써야 한다.

③ '오랜'은 '오래다'의 활용형이 아니라, '이미 지난 동안이 긴'의 의미를 가진 관형사이다.
※ '때의 지나간 동안이 길다.'라는 의미를 가진 형용사 '오래다'가 있기는 하지만, 반드시 앞에 주어나 부사어가 제시되어야 한다.

④ '여남은'은 '열이 조금 넘는 수의'라는 의미를 가진 관형사이다.
※ '여남은' 뒤에 조사가 온다면, 품사는 관형사가 아니라 수사이다.
예 회원이 여남은밖에 모이지 않았다.

정답 ②

168 ○○○

2021 소방직

〈보기〉에 대한 설명으로 옳지 않은 것은?

〈보기〉

㉠ 우리 고양이는 머리가 좋다.
㉡ 우리는 그가 옳았음을 깨달았다.
㉢ 강아지가 소리도 없이 들어왔다.
㉣ 지영이는 나에게 어디를 가냐고 물었다.

① ㉠은 서술절을 안은문장이다.
② ㉡은 명사절을 안은문장이다.
③ ㉢은 관형절을 안은문장이다.
④ ㉣은 인용절을 안은문장이다.

난이도 ㊤ ◯ ㊦

TIP 관형절의 표지인 '-ㄴ(은), -는, -ㄹ(을), -던'이 있는지 확인!

해설 '소리도 없이'는 부사절이다. 따라서 ㉢은 부사절을 안은문장이다.
㉢ 강아지가(주어1) [소리도(주어2) 없이(서술어2)] 들어왔다(서술어1).

오답분석 ① '머리가 좋다.'라는 서술절을 안은문장이다.
㉠ 우리(관형어1) 고양이는(주어1) [머리가(주어2) 좋다(서술어2)](서술어1)

② '그가 옳았음'이라는 명사절을 안은문장이다.
㉡ 우리는(주어1) [그가(주어2) 옳았음(서술어2)]을(목적어1) 깨달았다(서술어1).

④ '어디를 가냐고'라는 인용절을 안은문장이다.
㉣ 지영이는(주어1) 나에게(부사어1) [(너는) 어디를(목적어2) 가냐고(서술어2)] 물었다(서술어1).

정답 ③

169 ○○○ 2021 경찰 1차

다음 중 두 번 이상 안긴 절이 있는 문장이 아닌 것은?

① 철수는 문제를 적극적으로 해결할 용기가 부족하다.

② 누구나 자기 현실을 불변의 것으로 생각하는 것은 아니다.

③ 누구도 그가 이번 대회에서 우승할 후보자임을 의심치 않았다.

④ 그는 비가 소리 없이 내리는 모습을 조용히 바라보았다.

난이도 ㊤ ㊥ ㊦

해설 '자기 ~ 생각하는 것'이라는 명사절을 안은문장이다.
다만 '아니다'는 주어, 보어가 필요한 두 자리 서술어이다. 따라서 '아니다' 앞에 오는 말은 보어이다. 즉 제시된 문장에서 '아니다' 앞에 온 '것은 아니다'는 '보어+서술어'의 구성이다. 그러므로 ②에서는 명사절을 안은문장만 확인할 수 있다.[→ 누구나(주어) ~것은(보어) 아니다(서술어)]

오답분석 ① '서술절'과 '관형절'을 확인할 수 있다.

서술절	철수는(주어) ~ [용기가(주어) 부족하다.(서술어)] → '용기가 부족하다'가 '철수는'의 서술어 역할을 하고 있다.
관형절	문제를 ~ 해결할 → '문제를 ~ 해결할'이 체언 '용기'를 수식하는 관형어 역할을 하고 있다.

③ '관형절'과 '명사절'을 확인할 수 있다.

관형절	~ 우승할 → '~ 우승할'이 체언 '후보자'를 수식하는 관형어 역할을 하고 있다.
명사절	그가 ~ 후보자임 → '그가 ~ 후보자이다.'의 어간에 명사형 전성 어미 '-ㅁ'이 붙어 체언 역할을 하고 있다.

④ '부사절'과 '관형절'을 확인할 수 있다.

부사절	소리도 없이 → '소리도 없이'가 부사어 역할을 하고 있다.
관형절	비가 ~ 내리는 → '비가 ~ 내리는'이 체언 '모습'을 수식하는 관형어 역할을 하고 있다.

 ②

170 ○○○ 2020 소방직

㉠, ㉡에 해당하는 문장으로 바르게 연결한 것은?

> 문장 속에 안겨 하나의 성분처럼 기능하는 절을 안긴문장이라고 하며 이러한 절을 포함한 문장을 안은문장이라고 한다. 안은문장에는 ㉠ 명사절을 안은문장, ㉡ 관형절을 안은 문장, 부사절을 안은문장, 서술절을 안은문장, 인용절을 안은문장이 있다.

① ㉠ 나는 봄이 오기를 기다린다.
　㉡ 그는 열심히 공부하는 그녀를 떠올린다.

② ㉠ 오늘은 밖에 나가기가 싫다.
　㉡ 누나는 마음이 넓다.

③ ㉠ 그것은 내가 입을 옷이다.
　㉡ 꽃이 활짝 핀 봄을 기다린다.

④ ㉠ 그가 범인임이 밝혀졌다.
　㉡ 그녀의 얼굴이 예쁘게 생겼다.

난이도 ㊤ ㊥ ㊦

TIP 용언의 어미 '-다' 자리에 '-ㅁ(음), 기'가 확인되면 명사절!
용언의 어미 '-다' 자리에 '-ㄴ(은), -는, -ㄹ(을), 던'이 확인되면 관형절!

해설 ㉠은 '봄이 오기'라는 명사절을, ㉡은 '(그녀가) 열심히 공부하는'이라는 관형절(주어를 생략한 관계 관형절)을 안은문장이다.

오답분석 ② ㉠은 '밖에 나가기'라는 명사절을 안은문장이 맞다. 그러나 ㉡은 '마음이 넓다'라는 서술절을 안은문장이다.

③ ㉡은 '꽃이 활짝 핀'이라는 관형절을 안은문장이 맞다. 그러나 ㉠은 '내가 (옷을) 입을'이라는 관형절(목적어를 생략한 관계 관형절)을 안은문장이다.

④ ㉠은 '그가 범인임'이라는 명사절을 안은문장이 맞다. 그러나 ㉡은 '(얼굴이) 예쁘게'라는 부사절을 안은문장이다.

 ①

출제 유형

문장의 종류	동일한 종류의 문장을 찾는 유형

171 ○○○ 2017 교육행정직 9급

밑줄 친 안긴문장과 같은 기능을 하는 안긴문장을 포함한 것은?

> <u>내가 바라던</u> 합격이 현실이 되었다.

① 내 마음이 바뀌기는 어렵다.
② 하늘이 눈이 부시게 푸르다.
③ 나는 그 사람이 잡은 손을 놓지 않았다.
④ 우리의 싸움은 내가 항복함으로써 끝났다.

난이도 ㊤ ◯ ㊦

해설 '내가(주어) 바라던(서술어)'은 문장에서 관형사처럼 바로 뒤의 명사 '합격'을 수식하고 있다. 즉 제시된 문장은 '관형절을 안은문장'이다. 이처럼 관형절을 안은문장은 ③이다. ③의 '그 사람이(주어) 잡은(서술어)'이 관형어처럼 쓰여 바로 뒤의 명사 '손'을 수식하고 있다.

오답 분석
① '내 마음이(주어) 바뀌기(서술어)'가 문장에서 명사처럼 쓰이고 있으므로 ①은 명사절을 안은문장이다.
※ 내 마음이(주어) [바뀌기가(주어) 어렵나(서술어).]
→ '주+(주+술)'로 판별하여 서술절을 안은문장으로도 볼 수 있다.
② '눈이(주어) 부시게(서술어)'가 문장에서 서술어 '푸르다'를 수식하는 부사처럼 쓰이고 있으므로 ②는 부사절을 안은문장이다.
④ '내가(주어) 항복함(서술어)'이 문장에서 명사처럼 쓰이고 있으므로 ④는 명사절을 안은문장이다.
※ 문장에서 '부사어'의 역할을 한다고 해서 모두 '부사절을 안은문장'이 되는 것은 아니다. 용언의 어간에 부사형 어미 '-(아)서/-(어)서/-게/-지/-고/-도록'이 붙어야만 부사절로 기능한다.

정답 ③

172 ○○○ 2015 경찰 2차

구조에 따라 문장의 유형을 분류할 때 <보기>에 쓰인 문장과 가장 유사한 것은?

> <보기>
> 해가 지는 장면이 무척 아름답다.

① 어제 진호가 나에게 사랑한다고 말했다.
② 영웅이 돌아올 시기가 점차 다가오고 있었다.
③ 그것이 사실이라면 나는 당장 사퇴하겠다.
④ 강희는 영호가 돌아오기만을 손꼽아 기다렸다.

난이도 ㊤ ◯ ㊦

해설 '해가 지다.'라는 문장에 관형사형 전성 어미 '-는'이 붙어 체언 '장면'을 수식하는 관형어의 역할을 한다. 따라서 <보기>는 관형절을 안은문장이다. ②도 '영웅이 돌아오다.'라는 문장에 관형사형 전성 어미 '-ㄹ'이 붙어 체언을 수식하고 있는, 관형절을 안은문장이다.

<보기>	[해가 지-]는 장면이 무척 아름답다.
②	[영웅이 돌아오-]ㄹ 시기가 점차 다가오고 있었다.

오답 분석
① **어제 진호가 나에게 [(나를) 사랑한다]고 말했다.**: 진호의 말인 '(나를) 사랑한다.'를 간접 인용격 조사 '고'로 결합한 인용절을 안은문장이다.
③ **[그것이 사실이-]라면 나는 당장 사퇴하겠다.**: 두 문장을 종속적 연결어미 '-(으)면'을 통해 연결한 종속적으로 이어진문장이다.
④ **강희는 [영호가 돌아오-]기만을 손꼽아 기다렸다.**: '영호가 돌아오다.'란 문장에 명사형 전성 어미 '-기'가 결합하여 문장에서 명사 역할을 하는 명사절을 안은문장이다.
※ 명사절은 명사와 같은 기능을 하므로 다양한 격 조사와 보조사가 붙을 수 있다.

정답 ②

Unit 49 문장의 종류(심화)

출제 유형

- 안은문장과 이어진문장을 판별하는 유형
- 안긴문장의 문장 성분을 판별하는 유형
- 대등하게 이어진문장과 종속적으로 이어진문장을 판별하는 유형

핵심정리

- **기출 예문**

(1) [15 국회직 8급]

안은문장	**[관형절을 안은문장]** 형은 동생이 한 잘못을 감싸 주었습니다.
이어진문장	**[대등하게 이어진문장]** 내일은 바람이 불고 비가 오겠습니다.
	[종속적으로 이어진문장] • 이 비가 그치면 날씨가 더워질 듯하다. • 어떤 일이 생겨도 내일은 꼭 완성하겠습니다.

(2) [14 서울시 9급]

안은문장	**[명사절을 안은문장]** 농부들은 비가 오기를 고대했다.
	[인용절을 안은문장] 철수는 김 선생님이 돌아가셨다고 말했다.
	[관형절, 서술절을 안은문장] 철수는 그 예쁜 소녀가 자꾸 생각났다.
	[명사절, 관형절을 안은문장] 돌이는 지금이 중요한 때임을 직감했다.
이어진문장	**[종속적으로 이어진문장]** 봄이 되니까 온 강산에 꽃이 가득 피었다.

(3) [13 서울시 7급]

안은문장	**[명사절을 안은문장]** • 철수가 합격했음을 알려야지. • 황금을 보기를 돌같이 하라.
	[부사절을 안은문장] 눈이 빠지도록 기다렸다.
	[관형절을 안은문장] 기온이 내려가는 겨울이 시작되었다.
이어진문장	**[종속적으로 이어진문장]** 열심히 했는데도 학점이 잘 안 나온다.

출제 유형

문장의 종류	안은문장과 이어진문장을 판별하는 유형

173 ○○○ 2020 국가직 9급

안긴문장이 없는 것은?

① 나는 동생이 시험에 합격하기를 고대한다.

② 착한 영호는 언제나 친구들을 잘 도와준다.

③ 해진이는 울산에 살고 초희는 광주에 산다.

④ 아버지께서는 나에게 내일 가족 여행을 가자고 말씀하셨다.

난이도 ㉯ ◯ ㉰

TIP 시간이 없다면, 절 표지가 있는지만 찾으면 안은문장이 아닌 것을 빠르게 찾을 수 있다.

해설 하나의 문장 성분 자리에 '주어+서술어'가 쓰인 것을 '절' 혹은 '안긴 문장'이라고 하고, 이러한 절을 포함하는 전체 문장을 '안은문장'이라 한다. 제시된 ③에는 안긴문장이 없다. ③은 "해진이는(주어) 울산에(부사어) 산다(서술어)."와 "초희는(주어) 광주에(부사어) 산다(서술어)."라는 두 문장이 나란히 이어진 형태이다.

※ ③은 '이어진문장'이다. (a) 의미상 and, but, or 가운데 and로 연결되고, (b) 두 문장의 선후 관계를 바꿔도 의미상 변화가 없기 때문에 '대등하게 이어진문장'에 속한다.

오답분석 ① "나는 [동생이 시험에 합격하기]를 고대한다."로 분석할 수 있다. 즉 '동생이(주어) 시험에(부사어) 합격하다(서술어)'라는 명사절이 안겨 있다.

※ 용언 자리에 '-ㅁ/음, -기'가 있다면 '명사절'이 확실하다.

② "[(영호가) 착한] 영호는 언제나 친구들을 잘 도와준다."로 분석할 수 있다. 즉 '(영호가, 주어) 착하다(서술어)'라는 주어가 생략된 관계 관형절이 안겨 있다.

※ 용언 자리에 '-ㄴ/은, -는, -ㄹ/을, -던'이 있다면 '관형절'이 확실하다.

④ "아버지께서는 나에게 [내일 가족 여행을 가자]고 말씀하셨다."로 분석할 수 있다. 즉 '(우리가, 주어) 내일(부사어) 가족 여행을(목적어) 가자(서술어)'라는 인용절이 안겨 있다.

※ 용언 다음에 간접 인용의 '고', 직접 인용의 '라고, 하고'가 제시되어 있다면 '인용절'이 확실하다.

 ③

174 ○○○ 2016 경찰 1차

다음 중 문장의 구성이 다른 것은?

① 꽃이 피는 봄이 되었다.

② 재물을 보기를 돌같이 하라.

③ 누나가 시험에 합격했음을 알렸다.

④ 운동을 매일 하는데도 건강이 안 좋다.

난이도 ㉯ ㉱ ◯

해설 제시된 문장은 모두 겹문장이다. 겹문장은 '안은문장'과 '이어진문장'으로 구분할 수 있다.
④는 '운동을 매일 하다.'와 '건강이 안 좋다.' 두 문장이 이어진문장으로 두 절의 앞뒤 순서를 바꿔 '건강이 안 좋은데도 운동을 매일 한다.'가 되면 그 의미가 원래의 문장과 달라진다. 따라서 ④는 종속적으로 이어진문장이다.

오답분석 나머지는 한 문장이 다른 문장 속의 문장 성분이 되므로, 안은문장이다.

① '꽃이 피다.'라는 문장이 '봄'을 수식하고 있다. 즉 관형사처럼 쓰이고 있기 때문에, 관형절을 안은문장이다.

② '재물을 보다.'라는 문장이 '-ㅁ/음, -기'의 형태의 명사처럼 쓰인, 명사절을 안은문장이다.

③ '누나가 시험에 합격했다.'라는 문장이 목적어 자리에 와서 명사처럼 쓰이고 있는, 명사절을 안은문장이다.

 ④

고득점 GO!

문장의 구성이나 짜임을 묻는다면 넷 중에 하나이다.

① 홑문장인지, 겹문장인지

② 이어진문장인지, 안은문장인지

③ 대등하게 이어진문장인지, 종속적으로 이어진문장인지

④ 어떤 절을 안은문장인지

출제 유형

문장의 종류	안긴문장의 문장 성분을 판별하는 유형

175 ○○○ 2023 국회직 8급

안긴문장의 유형이 다른 것은?

① 아이들은 장난을 좋아하기 마련이에요.

② 이러다가는 버스를 놓치기 십상이다.

③ 공부가 어렵기는 해도 결국 저 하기 나름이에요.

④ 비가 많이 오기 때문에 공사를 할 수 없다.

⑤ 나는 하루도 달리기를 거른 기억이 없다.

난이도 상 중 하

해설 안긴문장의 유형을 판단하는 문제처럼 보이지만, 사실상 '-기'가 명사 파생 접미사인지, 명사형 전성 어미인지 판단하는 문제이다. ⑤는 '하루도 달리기를 거른'이라는 관형절을 안은문장이다. 또 관형절을 빼고, '나는 기억이 없다.'만 보자면, 서술절을 안은문장으로 볼 수도 있다. 그러나 '달리기'의 '-기'는 어미가 아닌 접미사이기 때문에 명사절을 안은문장으로 볼 수는 없다.

오답분석 ① '좋아하기'가 서술성을 가지고 있다는 점에서 명사절을 안은문장이다.

② '놓치기'가 서술성을 가지고 있다는 점에서 명사절을 안은문장이다.

③ '어렵기'와 '하기'가 서술성을 가지고 있다는 점에서 명사절을 안은문장이다.

④ '오기'가 서술성을 가지고 있다는 점에서 명사절을 안은문장이다.

※ '①, ②, ⑤'는 안은문장으로 '③, ④'는 이어진문장으로 분류할 수도 있다.

정답 ⑤

176 ○○○ 2022 국회직 9급

㉠, ㉡의 문장에 대한 설명으로 옳은 것은?

> ㉠ 나는 그 사람이 정직함을 믿는다.
> ㉡ 그녀는 내가 모르는 노래를 불렀다.

① ㉠은 부사절이 안겨 있는 문장이다.

② ㉠의 안긴문장에는 서술어가 생략되어 있다.

③ ㉡은 명사절이 안겨 있는 문장이다.

④ ㉡의 안긴문장에는 목적어가 생략되어 있다.

⑤ ㉠과 ㉡은 모두 서술절을 포함하고 있다.

난이도 상 중 하

해설 ㉡의 안긴문장은 '내가 모르는'이다. '내가 노래를 모르다'라는 문장이, 안기는 과정에서 목적어 '노래를'이 생략된 것이다. 따라서 ㉡의 안긴문장에는 목적어가 생략되어 있다는 설명은 옳다.

오답분석 ① ㉠은 '그 사람이 정직함'이라는 명사절이 안겨 있는 문장이다.

② ㉠의 안긴문장 '그 사람이 정직함'에는 서술어가 생략되어 있지 않다.

③ ㉡은 '내가 모르는'이라는 관형절이 안겨 있는 문장이다. 명사절이 안겨 있는 문장은 ㉡이 아니라 ㉠이다.

⑤ ㉠과 ㉡ 모두 서술절을 포함하고 있지 않다.

정답 ④

177 ○○○ 2022 군무원 7급

다음 글을 이용하여 국어 문장 구조에 관한 수업을 진행하였다. 발표 내용으로 가장 적절하지 않은 것은?

> ㉠ 담징은 이마에 흐르는 땀을 씻었다.
> ㉡ 그가 착한 사람임을 모르는 사람은 거의 없다.
> ㉢ 그 사람은 아는 것도 없이 잘난 척을 해.

① 위 문장의 밑줄 친 부분은 모두 다른 문장 속에 안긴문장입니다.

② 그런데 ㉠, ㉡, ㉢에서 밑줄 친 부분은 각각 관형어, 목적어, 부사어의 구실을 하고 있습니다.

③ ㉠의 밑줄 친 부분에서 주어가 나타나 있지 않은데, 생략된 주어는 '담징'입니다.

④ ㉡에서는 밑줄 친 부분 뿐 아니라 '그가 착한'과 '그가 착한 사람임을 모르는'도 안긴문장입니다.

난이도 상 중 하

해설 ㉠에 생략된 주어는 '담징'이 아니라 '땀'이다. 즉 '땀이 이마에 흐르다'라는 문장이 관형절로 안기면서, '땀을'과 중복되어 생략된 것이다.

오답분석 ① ㉠은 관형절로, ㉡은 명사절로, ㉢은 부사절로 안겨 있다.

② ㉠은 체언 '땀'을 수식한다는 점에서 관형어, ㉡은 목적격 조사 '을'을 볼 때 목적어, ㉢은 문장 전체를 수식한다는 점에서 부사어의 구실을 한다.

④ '그가 착한'은 후행하는 체언 '사람'을, '그가 착한 사람임을 모르는'은 후행하는 체언 '사람'을 수식한다는 점에서, 각각 관형절이다.

정답 ③

178 ○○○ 2022 법원직 9급

〈보기〉의 문장에 대한 설명으로 가장 적절하지 않은 것은?

〈보기〉

- 나는 ㉠ 동생이 산 사탕을 먹었다.
- ㉡ 철수가 산책했던 공원은 부산에 있다.
- 민경이는 ㉢ 숙소로 돌아가기를 원한다.
- 지금은 ㉣ 학교에 가기에 늦은 시간이다.

① ㉠은 안은문장의 목적어를 수식하는 관형절이다.

② ㉡은 안은문장의 주어를 수식하는 부사절이다.

③ ㉢은 조사 '를'과 결합하여 안은문장의 목적어로 쓰이고 있다.

④ ㉣은 조사 '에'와 결합하여 안은문장의 부사어로 쓰이고 있다.

난이도 상 ◯ 하

해설 '철수가 산책했던'은 체언 '공원'을 수식한다. 체언을 수식하기 때문에, '부사절'이 아니라 '관형절(철수가 '공원을' 산책했다. / 목적어가 생략된 관계 관형절)'이다.

오답분석 ① '동생이 산'은 목적어 '사탕을'을 수식한다. '사탕'은 체언이므로 관형절(동생이 '사탕을' 사다. / 목적어가 생략된 관계 관형절)이다.

③ '숙소로 돌아가기'는 명사절이다. 명사절에 목적격 조사 '를'가 결합하여, 전체 문장에서 목적어로 쓰이고 있다.

④ '학교에 가기'는 명사절이다. 명사절에 부사격 조사 '에'가 결합하여, 전체 문장에서 부사어로 쓰이고 있다.

 ②

문장의 종류	대등하게 이어진문장과 종속적으로 이어진 문장을 판별하는 유형

179 ○○○ 2017 경찰 1차

다음 밑줄 친 부분에 해당하는 예로 가장 적절하지 않은 것은?

문장은 홑문장과 겹문장으로 나뉘며, 겹문장은 다시 이어진문장과 안은문장으로 나뉜다. 이어진문장은 두 개의 홑문장이 대등한 자격으로 이어지는 ㉠ 대등하게 이어진문장과 앞의 홑문장이 뒤의 홑문장에 종속적으로 연결되는 ㉡ 종속적으로 이어진문장으로 나눌 수 있다. 〈이하 생략〉

① ㉠: 나는 밥을 먹고 학교에 갔다.

② ㉠: 어제는 눈이 왔고 오늘은 비가 온다.

③ ㉡: 가을이 되면 단풍이 든다.

④ ㉡: 공원에 갔는데 사람들이 많았다.

난이도 상 ◯ 하

TIP 의미상 'and, but, or'이고 앞뒤 문장의 순서를 바꿔도 의미가 변하지 않으면 '대등하게 이어진문장'이고, 아니면 '종속적으로 이어진 문장'이다.

해설 '대등하게 이어진문장'이라면, 앞뒤 문장의 순서를 바꿔도 의미가 변하지 않아야 한다. 그런데 ①은 앞뒤 문장의 순서를 바꿀 경우 '나는 학교에 가고 밥을 먹었다.'와 같이 그 의미가 달라지기 때문에 '대등하게 이어진문장'이 아닌 '종속적으로 이어진문장'이다.

오답분석 ② '오늘은 비가 오고 / 어제는 눈이 왔다.'와 같이 앞뒤 문장의 순서를 바꿔도 의미상 변화가 없기 때문에 ㉠의 예로 적절하다.

③ '단풍이 들면 / 가을이 된다.'와 같이 앞뒤 문장의 순서를 바꾸면 그 의미가 달라지기 때문에 ㉡의 예로 적절하다.

④ '사람들이 많은데 / 공원에 갔다.'와 같이 앞뒤 문장의 순서를 바꾸면 그 의미가 달라지기 때문에 ㉡의 예로 적절하다.

정답 ①

180 ○○○ 2022 법원직 9급

<보기>는 이어진문장과 안은문장에 대해 정리한 것이다. 탐구의 결과로 가장 적절하지 않은 것은?

<보기>

- 이어진문장: 둘 이상의 홑문장이 대등하거나 종속적으로 이어진문장
  ㄱ. 동생은 과일은 좋아하지만, 야채는 싫어한다.
  동생은 야채는 싫어하지만, 과일은 좋아한다.
  ㄴ. 철수가 오면 그들은 출발할 것이다.
  그들이 출발하면 철수가 올 것이다.

- 안은문장: 홑문장을 전체 문장의 한 성분으로 안고 있는 문장
  ㄷ. 언니는 그 아이가 학생임을 알았다.
  ㄹ. 책을 읽던 영수가 수지에게 다가왔다.

※ ㄷ과 ㄹ의 밑줄 친 부분은 안긴 문장임.

① 이어진문장은 두 문장이 '대조'나 '조건'의 의미 관계로 연결되기도 하는군.

② 이어진문장은 앞뒤 문장의 순서가 바뀌어도 동일한 의미를 나타내는군.

③ 안긴문장은 안은문장에서 명사처럼 쓰이거나 명사를 꾸미는 등 다양한 역할을 하는군.

④ 안긴문장과 안은문장의 주어는 같을 수도 있고 서로 다를 수도 있군.

난이도 상 중 하

TIP 이어진문장은 '대등하게 이어진문장'과 '종속적으로 이어진문장'이 있다. 이 둘을 구분하는 가장 쉬운 방법은 앞뒤 문장을 바꿔 보는 것이다. 앞뒤 문장을 바꿨을 때 의미 변화가 없으면 '대등하게 이어진문장'이고, 의미 변화가 있으면 '종속적으로 이어진문장'이다.

해설 ㄱ처럼, '대등하게 이어진문장'은 앞뒤 문장의 순서가 바뀌어도 동일한 의미를 나타낸다. 그러나 ㄴ처럼 '종속적으로 이어진문장'은 앞뒤 문장의 순서를 바꾸면 문장의 의미가 달라진다. 따라서 모든 '이어진문장'이 앞뒤 문장의 순서가 바뀌어도 동일한 의미를 나타낸다는 것은 탐구의 결과로 적절하지 않다.

오답분석
① ㄱ은 '대조'의 의미 관계로 연결된 경우이고, ㄴ은 '조건'의 의미 관계로 연결된 경우이다.

③ ㄷ은 명사처럼 쓰인 경우이고, ㄹ은 명사를 꾸미는 관형어처럼 쓰인 경우이다. ㄷ처럼 명사처럼 쓰이는 것을 '명사절'이라 하고, ㄹ처럼 관형어처럼 쓰이는 것을 '관형절'이라 한다.

④ ㄷ에서 안긴문장의 주어는 '아이가'이지만, 안은문장의 주어는 '언니는(언니가)'이다. 따라서 ㄷ은 안긴문장과 안은문장의 주어가 다른 경우이다. 한편, ㄹ은 안긴문장(영수가 책을 읽다.)과 안은문장(영수가 다가 왔다.)의 주어는 '영수가'로 동일하다.

정답 ②

MEMO

Unit 50 동격 관형절과 관계 관형절

출제 유형

• 동격 관형절과 관계 관형절을 판별하는 유형

핵심정리

• **필수적 부사어**

동격 관형절	관형절 내에서 관형절과 수식받는 말이 의미상 동격이 되는 형태의 문장으로 생략된 문장 성분이 없다. 예 비가 오는 소리가 들린다. → 비가 오다 = 소리
관계 관형절	관형절 내에 문장 성분이 생략되어 있는 형태의 문장이다. 예 윤규가 지하철에서 만났던 사람은 의사이다. → 윤규가 지하철에서 (사람을) 만나다.

출제 유형

관형절의 종류	동격 관형절과 관계 관형절을 판별하는 유형

181 ○○○ 2021 국회직 8급

밑줄 친 관형절의 성격이 다른 것은?

① 우리는 급히 학교로 돌아오라는 연락을 받았다.
② 내가 어제 책을 산 서점은 바로 우리 집 앞에 있다.
③ 충무공이 만든 거북선은 세계 최초의 철갑선이었다.
④ 우리는 사람이 살지 않는 그 섬에서 하룻밤을 지냈다.
⑤ 수양버들이 서 있는 돌각담에 올라가 아득히 먼 수평선을 바라본다.

난이도 상 중 하

TIP 관형절은 안긴문장 속 생략된 문장 성분이 있는지 여부에 따라 둘로 나눌 수 있다. 생략된 문장 성분이 없다면 '동격 관형절', 생략된 문장 성분이 있다면 '관계 관형절'이다.

해설 ①의 경우 안긴문장 속에 생략된 문장 성분이 없고, '연락'과 의미상 동격을 이룬다. 따라서 ①은 동격 관형절이다. 한편, ①을 제외한 나머지는 모두 안긴문장 속에 생략된 문장 성분이 있기 때문에 관계 관형절이다. 따라서 관형절의 성격이 다른 것은 ①이다.

오답분석 ② '서점에서'라는 부사어가 생략되어 있다.
③ '거북선을'이라는 목적어가 생략되어 있다.
④ '섬에'라는 부사어가 생략되어 있다.
⑤ '돌각담에'라는 부사어가 생략되어 있다.

정답 ①

182 ○○○ 2017 사회복지직 9급

다음 예문 중에서 관형절의 성격이 다른 하나는?

① 비가 오는 소리가 들린다.
② 철수는 새로 맞춘 양복을 입었다.
③ 나는 길에서 주운 지갑을 역 앞 우체통에 넣었다.
④ 윤규가 지하철에서 만났던 사람은 의사이다.

난이도 상 중 하

해설 관형절은 '관계 관형절'과 '동격 관형절'로 나뉜다. ①은 안긴문장 즉 '비가 오다.'라는 문장에 생략된 문장 성분이 없기 때문에 동격 관형절이다.

오답분석 ①을 제외한 나머지는 관형절 내의 목적어가 생략된 관계 관형절이다.

② '[철수는 새로 맞춘] 양복을 입었다.'는 '철수가 양복을 새로 맞추다.'라는 문장이 관형절로 안겨 있다. 관형절 안의 목적어 '양복을'은 중복되기 때문에 생략된 것이다.

③ '나는 [길에서 주운] 지갑을 역 앞 우체통에 넣었다.'는 '나는 길에서 지갑을 주웠다.'라는 문장이 관형절로 안겨 있다. 관형절 안의 목적어 '지갑을'은 중복되기 때문에 생략된 것이다.

④ '[윤규가 지하철에서 만났던] 사람은 의사이다.'는 '윤규가 지하철에서 사람을 만났다.'라는 문장이 관형절로 안겨 있다. 관형절 안의 목적어 '사람을'은 주어 '사람은'과 중복되기 때문에 생략된 것이다.

정답 ①

CHAPTER 5

의미론

Unit 51 단어의 의미 관계

출제 유형

단어의 의미 관계	• 단어 간의 의미 관계 유형을 묻는 유형 • 동음이의어와 다의어를 판별하는 유형
단어의 문맥적 의미	• 문맥적 의미가 유사한 것을 고르는 유형

핵심정리

1. 의미 관계의 유형

동의 관계	둘 이상의 어휘소가 서로 소리는 다르나 동일한 의미를 가지는 관계
유의 관계	의미가 같거나 비슷한 둘 이상의 단어가 맺는 의미 관계
반의 관계	둘 이상의 단어에서 의미가 서로 짝을 이루어 대립하는 단어의 관계
상하 관계	한 단어가 다른 단어에 포함되는 관계

2. 동음이의어와 다의어

동음이의어	개념	서로 다른 두 개 이상의 단어가 단지 우연히 소리만 같은 것
	특징	① 단어들 사이에 의미적인 관련성이 없음. ② 뜻이 다르기 때문에 반의어가 다름. ③ 사전에 별도의 표제어로 등재됨.
다의어	개념	하나의 형태가 밀접한 관련성이 있는 의미를 여러 개 지니는 단어
	특징	① 단어들 사이에 의미적인 관련성이 있거나 어원적으로 관련이 있음. ② 한 단어가 가진 중심적 의미가 확장되어 주변적 의미가 됨. ③ 사전에 하나의 표제어로 등재됨.

출제 유형

단어의 의미 관계	단어 간의 의미 관계 유형을 묻는 유형

183 ○○○ 2022 국회직 9급

밑줄 친 ㉠, ㉡에 해당하는 예로 옳은 것은?

> 어휘는 ㉠물리적 공간과 관련된 중심적 의미를 지니는 것이 ㉡추상화되어 주변적 의미도 지니게 되는 경우가 있다.

	㉠	㉡
①	물은 낮은 지대로 흐른다.	환경에 대한 관심도가 낮다.
②	내 좁은 소견을 말씀드렸다.	마음이 좁아서는 곤란하다.
③	우리는 넓은 공터에 모였다.	우리 집 마당은 꽤 넓다.
④	그녀는 성공할 가능성이 크다.	힘든 만큼 기쁨도 큰 법이다.
⑤	형의 말은 거의 사실에 가깝다.	집결 장소는 가까운 곳이다.

난이도 ㊤ ◯ ㊦

해설 ㉠ '지대(地帶: 땅 지, 띠 대)'를 볼 때, ㉠의 예로 옳다.
㉡ '관심도'를 볼 때, ㉡의 예로 옳다.

오답분석 ② 두 '좁다'는 모두 ㉡에 해당한다.
③ 두 '넓다'는 모두 ㉠에 해당한다.
④ 두 '크다'는 모두 ㉡에 해당한다.
⑤ 첫 번째 '가깝다'는 ㉡에, 두 번째 '가깝다'는 ㉠에 해당한다.

정답 ①

184 ○○○ 2019 서울시 7급(2월)

의미 관계와 단어들의 연결이 옳지 않은 것은?

① 동의 관계(synonymy) - 근심 : 시름
② 반의 관계(antonymy) - 볼록 : 오목
③ 상하 관계(hyponymy) - 할아버지 : 손자
④ 부분 관계(meronymy) - 코 : 얼굴

난이도 ㊤ ◯ ㊦

해설 항렬을 따질 때는, '할아버지'와 '손자'의 상하 관계이다. 그러나 의미적으로 한쪽이 다른 한쪽의 상위 개념, 즉 '손자'를 포함할 수 있는 개념이 될 수 없고, 또는 '손자'가 '할아버지'의 한 종류이거나 사례의 하위 개념이 될 수 없기 때문에 상하 관계의 예로 적절하지 않다. 의미상 '관계'의 '방향 반의어'에 해당한다.

오답분석 ① '근심'과 '시름'은 모두 '속을 태우는 상태'를 이르는 말이므로 동의 관계가 맞다.
② '볼록'과 '오목'은 그 의미가 서로 반대가 되므로 반의 관계가 맞다.
④ '코'는 '얼굴'의 일부이다. 따라서 '코'와 '얼굴'은 부분과 전체의 관계가 맞다.

정답 ③

고득점 GO!

반의 관계가 되려면 한 가지의 의미 요소만 반대가 되어야 하고, 나머지는 같아야 해요! '할아버지'와 '손녀'의 경우 2개 이상의 의미 요소(성별, 나이)가 다르기 때문에 반의어가 아니에요.

출제 유형

단어의 의미 관계	동음이의어와 다의어를 판별하는 유형

185 ○○○ 2022 지방직 7급

밑줄 친 단어가 다의어 관계로 묶인 것은?

① 무를 강판에 갈아 즙을 내었다.
고장 난 전등을 새것으로 갈아 끼웠다.

② 안개에 가려서 앞이 잘 안 보인다.
음식을 가리지 말고 골고루 먹어야 한다.

③ 긴장이 되면 입술이 바짝바짝 탄다.
벽난로에서 장작불이 활활 타고 있다.

④ 이 경기에서 지면 결승 진출이 좌절된다.
모닥불이 지면 한기가 느껴지기 시작한다.

난이도 상 중 하

해설 ③의 '타다'는 의미적 관련성이 있다는 점에서 '다의어 관계'이다.

오답분석 ③을 제외한 나머지는 의미적 관련성이 없다는 점에서 '동음이의 관계'이다.

① 첫 번째 '갈다'는 '문지르다'라는 의미를, 두 번째 '갈다'는 '바꾸다'라는 의미를 가지고 있다. 둘 사이에는 의미적 관련성이 전혀 없다.

② 첫 번째 '가리다'는 '막히다'라는 의미를, 두 번째 '가리다'는 '고르다'라는 의미를 가지고 있다. 둘 사이에는 의미적 관련성이 전혀 없다.

④ 첫 번째 '지다'는 '패배하다'라는 의미를, 두 번째 '지다'는 '없어지거나 희미해지다'라는 의미를 가지고 있다. 둘 사이에는 의미적 관련성이 전혀 없다.

정답 ③

186 ○○○ 2022 간호직 8급

다음의 '기르다'와 같은 의미로 쓰인 것은?

인내심을 기르다.

① 그녀는 아이를 잘 기른다.

② 그는 취미로 화초를 기르고 있다.

③ 병을 기르면 치료하기 점점 어렵다.

④ 나는 체력을 기르기 위해 매일 운동한다.

난이도 상 중 하

해설 '인내심을 기르다.'의 '기르다'는 '육체나 정신을 단련하여 더 강하게 만들다.'라는 의미이다. 이와 같은 의미로 쓰인 것은 ④이다.

오답분석 ① '아이를 보살펴 키우다.'라는 의미로 쓰였다.

② '동식물을 보살펴 자라게 하다.'라는 의미로 쓰였다.

③ '병을 제때에 치료하지 않고 증세가 나빠지도록 내버려 두다.'라는 의미로 쓰였다.

정답 ④

참고 [어휘] 기르다 「동사」

1. 동식물을 보살펴 자라게 하다. ········· ②
2. 아이를 보살펴 키우다. ········· ①
3. 사람을 가르쳐 키우다.
4. 육체나 정신을 단련하여 더 강하게 만들다. ········· ④
5. 습관 따위를 몸에 익게 하다.
6. 머리카락이나 수염 따위를 깎지 않고 길게 자라도록 하다.
7. 병을 제때에 치료하지 않고 증세가 나빠지도록 내버려 두다. ······ ③

187 ○○○
2018 서울시 7급(3월)

〈보기〉의 내용 중 밑줄 친 '쓰다'의 쓰임이 다의 관계를 보이는 것은?

〈보기〉

ㄱ. 연습장에 붓글씨를 쓰다.
ㄴ. 그는 억울하게 누명을 썼다.
ㄷ. 공원묘지에 묘를 쓰다.
ㄹ. 그는 아무에게나 반말을 쓴다.
ㅁ. 입맛이 써서 맛있는 게 없다.
ㅂ. 아르바이트를 하는 데 시간을 많이 썼다.

① ㄱ-ㄷ　② ㄴ-ㅁ
③ ㄷ-ㄹ　④ ㄹ-ㅂ

난이도 상 ○ 하

TIP 동음이의어와 다의어 문제일 때, 영어 단어로 번역해 보는 것도 하나의 방법이다.

해설 'ㄹ'과 'ㅂ'은 모두 '사용하다'라는 의미를 가지고 있다. 따라서 '다의 관계'이다.

정답 ④

참고 [어휘] 쓰다

- 동사
  쓰다[1]: 붓, 펜, 연필과 같이 선을 그을 수 있는 도구로 종이 따위에 획을 그어서 일정한 글자의 모양이 이루어지게 하다.
  예 연습장에 붓글씨를 쓰다. (ㄱ)
  쓰다[2]: 1. 우산이나 양산 따위를 머리 위에 펴 들다.
  2. 사람이 죄나 누명 따위를 가지거나 입게 되다.
  예 그는 억울하게 누명을 썼다. (ㄴ)
  쓰다[3]: 1. 어떤 일을 하는 데에 재료나 도구, 수단을 이용하다.
  2. 어떤 일을 하는 데 시간이나 돈을 들이다.
  예 아르바이트를 하는 데 시간을 많이 썼다. (ㅂ)
  3. 어떤 말이나 언어를 사용하다.
  예 그는 아무에게나 반말을 쓴다. (ㄹ)
  쓰다[4]: 시체를 묻고 무덤을 만들다. 예 공원묘지에 묘를 쓰다. (ㄷ)
- 형용사
  쓰다[6]: 1. 혀로 느끼는 맛이 한약이나 소태, 씀바귀의 맛과 같다.
  2. 달갑지 않고 싫거나 괴롭다.
  3. 몸이 좋지 않아서 입맛이 없다.
  예 입맛이 써서 맛있는 게 없다. (ㅁ)

188 ○○○
2017 국가직 7급

밑줄 친 단어가 다음에서 설명한 동음어로 묶인 것은?

동음어는 의미상 서로 관련이 없거나 역사적으로 기원이 다른데 소리만 우연히 같게 된 말들의 집합이며, 국어사전에는 서로 다른 표제어로 등재된다.

① 지수는 빨래를 할 때 합성세제를 쓰지 않는다.
   이 일은 인부를 쓰지 않으면 하기 어렵다.
② 새로 구입한 의자는 다리가 튼튼하다.
   박물관에 가려면 한강 다리를 건너야 한다.
③ 이 방은 너무 밝아서 잠자기에 적당하지 않다.
   그는 계산에 밝은 사람이다.
④ 그 영화는 뒤로 갈수록 재미가 없었다.
   너의 일이 잘될 수 있도록 내가 뒤를 봐주겠다.

난이도 상 ○ 하

해설 ②의 첫 번째 '다리[脚]'와 두 번째 '다리[橋]'는 소리가 '다리'로 동일할 뿐 의미상 서로 관련이 없거나 역사적 기원이 다르기 때문에 국어사전에 서로 다른 표제어로 등재되어 있다. 따라서 제시문에서 설명한 '동음어'의 예로 적절하다.

오답분석 ②를 제외한 나머지는 '다의어'로, 국어사전에 하나의 표제어로 등재되어 있다.
① '쓰다[用, use]'의 의미이다.
※ '쓰다'의 동음어로는 '쓰다[苦]', '쓰다[書]' 등이 있다.
③ 첫 번째 '밝다'는 '불빛 따위가 환하다.'의 의미이고, 두 번째 '밝다'는 '어떤 일에 대하여 잘 알아 막히는 데가 없다.'라는 의미이다. 의미적 관련성을 가진다는 점에서 하나의 표제어로 올라 있다.
④는 '뒤[後, after]'의 의미이다.

정답 ②

참고 [어휘]

- 밝다
  Ⅰ. [동사] 밤이 지나고 환해지며 새날이 오다.
  Ⅱ. [형용사]
  1. 불빛 따위가 환하다.
  예 이 방은 너무 밝아서 잠자기에 적당하지 않다.
  2. 어떤 일에 대하여 잘 알아 막히는 데가 없다.
  예 그는 계산에 밝은 사람이다.
- 뒤
  [명사]
  1. 향하고 있는 방향과 반대되는 쪽이나 곳 예 집 뒤
  2. 시간이나 순서상으로 다음이나 나중 예 뒤로 미루다.
  3. 보이지 않는 배후나 겉으로 드러나지 않는 부분
  예 사건 뒤에 숨겨진 비밀
  4. 일의 끝이나 마지막이 되는 부분
  예 그 영화는 뒤로 갈수록 재미가 없었다.
  5. 선행한 것의 다음을 잇는 것
  예 창가의 뒤를 이어 새로운 시가가 나타났다.
  6. 어떤 일을 할 수 있게 이바지하거나 도와주는 힘
  예 너의 일이 잘될 수 있도록 내가 뒤를 봐주겠다.

출제 유형

단어의 문맥적 의미	문맥적 의미가 유사한 것을 고르는 유형

189 ○○○ 2020 경찰 1차

〈보기〉와 같은 의미 관계로 짝지어진 것은?

〈보기〉
㉠ 힘을 쓰다.
㉡ 모자를 쓰다.

① ┌ 친구와 같이 윷을 놀았다.
 └ 철수가 놀고 있는 우리에게 방해를 놀았다.

② ┌ 친구들과 공을 차면서 놀았다.
 └ 싱크대의 나사가 헐거워져서 논다.

③ ┌ 그 사람이 곗돈을 먹고 달아났다고 한다.
 └ 그 일은 나이를 먹고 할 일이 아니다.

④ ┌ 귀가 먹어서 잘 들리지 않는다.
 └ 마음을 먹어서 이렇게 하는 것이다.

난이도 상 중 하

TIP '동음이의어'는 발음은 같지만 의미는 다른, 즉 '다른 단어'이고 '다의어'는 의미를 다양하게 갖는, 즉 '같은 단어'의 관계이다.

해설 ㉠의 '쓰다'는 '힘을 들이다.'의 의미이고, ㉡의 '쓰다'는 '모자를 머리에 얹어 덮다.'의 의미이다. 둘은 의미적 관련성이 없다. 따라서 둘은 '동음이의 관계'이다. 이와 동일한 의미 관계로 짝지어진 것은 ④이다.
④의 첫 번째 '먹다'는 '막혀서 제 기능을 하지 못하게 되다.'라는 의미이고, 두 번째 '먹다'는 '어떤 마음이나 감정을 품다.'라는 의미이다. 둘 역시 의미적 관련성이 없기 때문에 동음이의 관계이다.

오답분석 ④를 제외한 나머지는 의미적 관련성이 있기 때문에 다의 관계이다.
① 첫 번째 '놀다'는 '어떤 놀이를 하여 이기고 짐을 겨루다.'라는 의미이고, 두 번째 '놀다'는 '작용이나 역할을 하다.'라는 의미이다. 둘은 다의 관계이다.
② 첫 번째 '놀다'는 '놀이나 재미있는 일을 하며 즐겁게 지내다.'라는 의미이고, 두 번째 '놀다'는 '고정되어 있던 것이 헐거워 이리저리 움직이다.'라는 의미이다. 둘은 다의 관계이다.
※ ①과 ②의 '놀다'는 모두 'playing'의 의미를 근원으로 하는 '놀다'와 근본적으로 다의 관계이다. ①과 ②의 '놀다'와 동음이의 관계인 '놀다'는 '드물어서 구하기 어렵다(예 돈이 놀아서 약을 못 쓰다.).'라는 의미일 때뿐이다.
③ 첫 번째 '먹다'는 '남의 재물을 다루거나 맡은 사람이 그 재물을 부당하게 자기의 것으로 만들다.'라는 의미이고, 두 번째 '먹다'는 '일정한 나이에 이르거나 나이를 더하다.'라는 의미이다. 둘은 다의 관계이다.
※ 둘은 ④의 첫 번째 '먹다'와는 동음이의 관계이고, 두 번째 '먹다'와는 다의관계이다.

정답 ④

190 ○○○ 2022 군무원 9급

밑줄 친 '보다'의 활용형이 지닌 의미가 나머지 셋과 다른 것은?

① 어쩐지 그의 행동을 실수로 볼 수가 없었다.
② 손해를 보면서 물건을 팔 사람은 없다.
③ 그는 상대를 만만하게 보는 나쁜 버릇이 있다.
④ 날씨가 좋을 것으로 보고 우산을 놓고 나왔다.

난이도 상 중 하

해설 ②를 제외한 나머지의 '보다'는 '판단하다, 평가하다' 정도의 의미를 가지고 있다. 한편, ②의 '보다'는 '당하다, 겪다' 정도의 의미를 가지고 있다. 따라서 의미가 가장 이질적인 하나는 ②이다.

정답 ②

191 ○○○ 2021 법원직 9급

㉠의 문맥적 의미와 가장 가까운 것은?

이렇게 장기간에 걸친 우주 비행을 위해서는 물이나 식료품, 산소 뿐 아니라 화성에서 사용할 기지, 화성에 이착륙하기 위한 로켓, 귀환용 우주선 등도 필요하다. 나사 탐사 시스템 부서의 더글러스 쿡에 따르면 그 무게의 합계는 470톤이나 된다. 나사의 우주 탐사 설계사인 게리 마틴은 "이 화물의 운반이 화성 유인 비행에서 가장 큰 ㉠ 문제일 것이다."라고 말했다.

① 문제의 영화가 드디어 오늘 개봉된다.
② 그는 어디를 가나 문제를 일으키곤 했다.
③ 출산율 감소는 우리나라만의 문제가 아니다.
④ 연습을 반복하면 어려운 문제도 척척 풀게 된다.

난이도 상 중 하

해설 ㉠의 '문제'는 문맥상 '(해결해야 할) 논의 대상', '일' 등과 바꿔 쓸 수 있다. 이와 의미가 가장 유사한 것은 ③이다.

오답분석 ① 문맥상 '문제'는 '논란거리', '이야깃거리'의 의미로 쓰였다.
② 문맥상 '문제'는 'trouble'의 의미로 쓰였다.
④ 문맥상 '문제'는 '해답을 요구하는 물음'의 의미로 쓰였다.

정답 ③

192 ○○○ 2021 국가직 9급

㉠의 단어와 의미가 같은 것은?

> 친구에게 줄 선물을 예쁜 포장지에 ㉠ 싼다.

① 사람들이 안채를 겹겹이 싸고 있다.
② 사람들은 봇짐을 싸고 산길로 향한다.
③ 아이는 몇 권의 책을 싼 보퉁이를 들고 있다.
④ 내일 학교에 가려면 책가방을 미리 싸 두어라.

난이도 ㊤ ㊥ ㊦

해설 ㉠의 '싸다'는 '물건을 안에 넣고 보이지 않게 씌워 가리거나 둘러 말다.'라는 의미이다. 이와 의미가 유사한 것은 ③이다. <보기>의 '선물을(목적어) + 포장지에(부사어) + 싸다(서술어)'와 동일한 구성은 ③의 '책을(목적어) + (보퉁이에)(관계 관형절에서 생략된 부사어) + 싸다(서술어)'이다.

오답분석 ① '어떤 물체의 주위를 가리거나 막다.'라는 의미로 쓰였다.
②, ④ '어떤 물건을 다른 곳으로 옮기기 좋게 상자나 가방 따위에 넣거나 종이나 천, 끈 따위를 이용해서 꾸리다.'라는 의미로 쓰였다.

 ③

참고 [어휘]

싸다1「동사」
1【…을 …에】【 …을 …으로】
물건을 안에 넣고 보이지 않게 씌워 가리거나 둘러 말다.
예 • 선물을 예쁜 포장지에 싸다.
• 철 지난 옷을 보자기에 싸서 다락에 넣어 두었다.
• 형사는 내가 쓴 원고 뭉치를 비롯해서 몇 권의 책을 싼 보퉁이를 들고 있었다.
2【…을】
「1」 어떤 물체의 주위를 가리거나 막다.
예 • 분수를 싸고 둘러선 사람들
• 횃불을 든 순검들이며 하인들이 안채와 사랑채를 겹겹이 싸고 있습니다.
「2」 어떤 물건을 다른 곳으로 옮기기 좋게 상자나 가방 따위에 넣거나 종이나 천, 끈 따위를 이용해서 꾸리다.
예 • 도시락을 싸다.
• 이삿짐은 다 쌌니?
• 책가방을 미리 싸 두어라.

193 ○○○ 2020 소방직

㉠의 문맥적 의미와 가장 가까운 것은?

> 문화의 특성도 인간의 성격도 크게 나누어 보면 '심근성(深根性)'과 '천근성(淺根性)'으로 ㉠나누어 볼 수 있다. 심근성의 문화는 이념이나 정통에 깊이 뿌리를 박고 있는 대륙형 문화이며, 천근성의 문화는 이식과 수용·적응이 잘되는 해양성 섬 문화이다. 소나무 가지는 한번 꺾이고 부러지면 재생 불가능이지만 버들은 아무 데서나 새 가지가 돋는다. 이렇게 고지식하고 융통성이 없는 깐깐한 소나무 문화와는 달리 버드나무는 뿌리가 얕으므로 오히려 덕을 본다.

① 우리는 그 문제에 대해서 의견을 나누었으나 결론을 내지는 못했다.
② 학생들은 청군과 백군으로 나누어 편을 갈랐다.
③ 형제란 한 부모의 피를 나눈 사람들이다.
④ 이 사과를 세 조각으로 나누자.

난이도 ㊤ ㊥ ㊦

TIP '나누다'라는 서술어 앞에 '~으로'라는 부사격 조사를 제시하여 '종류'를 분류하고 있다.

해설 문화의 특성과 인간의 성격을 '종류에 따라 구분하여 (2개로) 분류하다.'의 의미로 '나누다'를 쓰고 있다. 이와 의미가 가장 유사한 것은 ②의 '나누다'이다.

오답분석 ① '말이나 이야기, 인사 따위를 주고받다.'의 의미로 쓰였다.
③ '같은 핏줄을 타고나다.'의 의미로 쓰였다.
④ '하나를 둘 이상으로 가르다[divide].'의 의미로 쓰였다.

 ②

참고 나누다(동사)

Ⅰ. 「…을 …으로」
1. 하나를 둘 이상으로 가르다.
예 이 사과를 세 조각으로 나누자.(④)
2. 여러 가지가 섞인 것을 구분하여 분류하다.
예 학생들은 청군과 백군으로 나누어 편을 갈랐다.(㉠, ②)
3. 수학 나눗셈을 하다.
예 20을 5로 나누면 4가 된다.

Ⅱ. 「…을 …에/에게」
1. 몫을 분배하다.
예 이익금을 모두에게 공정하게 나누어야 불만이 생기지 않는다.

Ⅲ. 「(…과) …을」 ('…과'가 나타나지 않을 때는 여럿임을 뜻하는 말이 주어로 온다)
1. 음식 따위를 함께 먹거나 갈라 먹다.
예 우리 차라도 한잔 나누면서 이야기를 합시다.
2. 말이나 이야기, 인사 따위를 주고받다.
예 우리는 그 문제에 대해서 의견을 나누었으나 결론을 내지는 못했다.(①)
3. 즐거움이나 고통, 고생 따위를 함께하다.
예 그들은 슬픔과 기쁨을 함께 나누며 산다.
4. 같은 핏줄을 타고나다.
예 형제란 한 부모의 피를 나눈 사람들이다.(③)

Unit 52 반의어의 종류

- 문장으로 반의어의 종류를 판별하는 유형
- 단어로 반의어의 종류를 판별하는 유형

핵심정리

- **반의어**

상보 반의어	• 반의 관계에 있는 개념적 영역에서 상호·배타적인 두 구역으로 철저히 양분되는 단어 쌍 • 중간항이 없기 때문에 반의 관계인 두 단어를 동시에 긍정하거나 부정할 수 없음. 예 남자 - 여자 → '여자'의 반대는 무조건 예외 없이 '남자'이고, 그 반대도 마찬가지이다.
정도(등급) 반의어	• 반의 관계에 있는 개념적 영역이 상호·배타적이지 않고, 정도나 등급에 따라 나눌 수 있는 단어 쌍 • 중간항이 있기 때문에 반의 관계인 두 단어를 동시에 긍정하거나 부정할 수 있음. 예 짧다 - 길다 → '짧지도 길지도 않다.'와 같이 그 중간항이 존재한다.
방향(관계) 반의어	맞선 방향을 전제로 하여 관계나 이동의 측면에서 대립을 이루는 단어 쌍 예 위 - 아래, 부모 - 자식, 오르다 - 내리다

※ '상보 반의어'는 단어 간의 부정 관계가 반드시 성립한다. '남자'와 '여자'는 상보 반의어이다. 따라서 '남자가 아니다.'는 곧 '여자이다.'라는 의미이다. 즉 '남자가 아니다. = 여자이다.'의 관계가 성립한다.
반면 '방향 반의어'는 부정 관계가 반드시 성립되는 것은 아니다. '위'와 '아래'는 방향 반의어이다. '위가 아니다.'가 '아래이다.'라는 의미는 아니다. 즉 '위가 아니다. = 아래(이)다.'의 관계가 성립하지 않는다.

출제 유형

반의어의 종류	문장으로 반의어의 종류를 판별하는 유형

194 ○○○ 2018 지방직 7급

반의어에 대한 설명으로 옳지 않은 것은?

① '상식 : 몰상식'에서는 부정(否定)의 접두사가 붙어 반의어가 만들어진다.

② '남자 : 여자'는 '사람'이라는 공통 요소와 '성별'의 대조적 요소가 있어서 반의 관계를 이룬다.

③ '오다 : 가다'는 '이동'이라는 공통 요소와 '방향'의 대조적 요소가 있어서 반의 관계를 이룬다.

④ '하늘 : 땅'은 두 단어 사이에 의미의 중간 영역이 있어서 서로 반의 관계를 이룬다.

난이도 상 중 하

해설 '하늘'과 '땅'의 중간 영역은 존재하지 않는다. 따라서 두 단어 사이에 중간 영역이 있어서 반의 관계를 이룬다는 설명은 옳지 않다.
※ '하늘'과 '땅'은 '상보 반의어'로 보는 것이 일반적이지만, 공간의 대립으로 보아 '방향 반의어'로 보는 견해도 존재한다.

오답분석 ① '몰(沒)-'이라는 부정의 접두사가 붙어 반의어가 만들어졌다.
② '남자'와 '여자'는 '성별'이라는 하나의 요소만 다르기 때문에 반의 관계를 이룬다.
③ '오다'와 '가다'는 일정한 방향성을 지니기 때문에 '방향 반의어'이다.

정답 ④

195 ○○○ 2018 국가직 9급

반의 관계 어휘에 대한 설명으로 옳지 않은 것은?

① '크다/작다'의 경우, 두 단어를 동시에 긍정하거나 부정하면 모순이 발생한다.

② '출발/도착'의 경우, 한 단어의 부정이 다른 쪽 단어의 부정과 모순되지 않는다.

③ '참/거짓'의 경우, 한 단어의 부정은 다른 쪽 단어의 긍정을 함의한다.

④ '넓다/좁다'의 경우, 한 단어의 의미가 다른 쪽 단어의 부정을 함의한다.

난이도 상 중 하

해설 '크다'와 '작다'는 중간 영역이 존재하는 정도 반의어이다. 그런데 두 단어를 동시에 긍정하거나 부정하면 모순이 발생하는 것은 '상보 반의어'에 대한 설명이다. 즉 '이 사과는 크기도 하고 작기도 하다.'나 '이 사과는 크지도 않고 작지도 않다.'처럼 두 단어를 동시에 긍정하거나 부정해도 모순이 발생하지 않는다. 따라서 두 단어를 동시에 긍정하거나 부정하면 모순이 발생한다는 ①의 설명은 옳지 않다.

오답분석 ② '출발하지 않았다'가 '도착하지 않았다'와 모순되지 않기 때문에, ②의 설명은 옳다.
※ 두 단어는 맞선 방향의 극단을 나타내는 '방향 반의어'이다.

③ '참이 아니다'는 '거짓이다'를 의미하므로, ③의 설명은 옳다.
※ 한쪽의 부정이 다른 쪽의 긍정을 의미하는 '상보 반의어'이다.

④ '넓다'의 의미가 '좁지 않다'를 함의하므로, ④의 설명은 옳다.
※ 한 단어의 의미가 다른 쪽 단어의 부정을 함의하기는 하지만, 한 단어의 부정이 다른 쪽 단어의 긍정을 함의하는 것은 아니다. 즉 '넓다'가 '좁지 않다'는 의미일 수는 있지만, '넓지 않다'가 '좁다'의 의미는 아닐 수 있다.

정답 ①

출제 유형

반의어의 종류	단어로 반의어의 종류를 판별하는 유형

196 ○○○ 2020 법원직 9급

<보기>의 내용을 참고할 때 밑줄 친 ⓐ에 해당하는 것이 아닌 것은?

<보기>

상보 반의어는 양분적 대립 관계에 있기 때문에 두 단어가 상호 배타적인 영역을 갖는다. 즉 상보 반의어는 한 단어의 긍정이 다른 단어의 부정을 함의하는 관계에 있다. 등급 반의어는 두 단어 사이에 등급성이 있다. 다시 말하면 두 단어 사이에 중간 상태가 있을 수 있으며 그렇기 때문에 한 쪽을 부정하는 것이 바로 다른 쪽을 의미하는 것이 아니다. ⓐ관계 반의어는 두 단어가 상대적 관계에 있으면서 의미상 대칭을 이루고 있다. '남편'과 '아내'를 예로 들면 두 단어 사이에서 x가 y의 남편이면 y가 x의 아내가 되는 상대적 관계가 있으며 두 단어는 어떤 기준을 사이에 두고 대칭 관계를 이루고 있으므로 관계 반의어라고 할 수 있는 것이다.

① 사다 – 팔다　　② 부모 – 자식

③ 동쪽 – 서쪽　　④ 있다 – 없다

난이도 상 중 하

해설 ⓐ의 '관계 반의어'는 다른 말로 '방향 반의어'라고도 한다. 공간, 관계, 이동 등에서 대립이 나타난다. ①, ②, ③이 여기에 속하는 예이다. 하지만 ④의 '있다 - 없다'는 한 단어의 긍정이 다른 단어의 부정을 함의하는 상보 반의어에 속한다. 공유하는 의미 영역이 없기에 동시에 긍정하거나 동시에 부정할 수 없는 관계이다.

정답 ④

기출에 나온 반의어들은 꼭 눈에 익혀 두기!

197 ○○○ 2019 지방직 9급

다음에 해당하는 사례로 적절하지 않은 것은?

> 대립쌍을 이루는 단어들이 일정한 방향성을 이루고 있다.

① 성공(成功) : 실패(失敗)

② 시상(施賞) : 수상(受賞)

③ 판매(販賣) : 구매(購買)

④ 공격(攻擊) : 방어(防禦)

난이도 상 중 하

해설 대립쌍을 이루는 단어들이 일정한 방향성을 이루고 있다는 '방향 반의어'에 대한 설명이다. 그런데 ①의 '성공'과 '실패'는 대립쌍을 이루는 단어는 맞지만, 일정한 방향성을 이루고 있지는 않다. 따라서 '방향 반의어'의 사례로 적절하지 않다. '성공'과 '실패'는 중간이 존재하지 않고, 둘 다 긍정하거나 부정할 수 없는 점을 볼 때, '상보 반의어'의 사례이다.

오답분석 ② 상을 주고, 받는다는 의미이므로 일정한 방향성을 가진 '방향 반의어'의 예로 적절하다.

③ 물건을 팔고, 산다는 의미이므로 일정한 방향성을 가진 '방향 반의어'의 예로 적절하다.

④ 피해를 가하고, 막는다는 의미이므로 일정한 방향성을 가진 '방향 반의어'의 예로 적절하다.

정답 ①

198 ○○○ 2017 서울시 9급

다음 중 반의 관계의 성격이 다른 하나는?

① 살다 - 죽다 ② 높다 - 낮다

③ 늙다 - 젊다 ④ 뜨겁다 - 차갑다

난이도 상 중 하

해설 '반의어'는 '상보 반의어', '정도 반의어', '방향 반의어'로 나뉜다. '정도 반의어'나 '방향 반의어'와 달리 '상보 반의어'는 중간 단계가 없는 것이 특징이다. 따라서 두 단어를 모두 긍정하거나 부정할 수 없다. '살다'와 '죽다'의 중간 단계는 없기 때문에 ①은 '상보 반의어'이다.

※ ①을 제외한 나머지는 중간항이 존재하기 때문에 '정도 반의어'이다. 즉 두 단어를 모두 긍정하거나 부정해도 말이 된다.

오답분석 ② '저 산은 높지도 낮지도 않다.'가 가능하므로 '정도 반의어'이다.

③ '그는 늙지도 않았고, 젊지도 않았다.'가 가능하므로 '정도 반의어'이다.

④ '커피는 뜨겁지도 차갑지도 않았다.'가 가능하므로 '정도 반의어'이다.

정답 ①

199 ○○○ 2015 국회직 8급

다음의 특성을 지닌 어휘 관계만으로 묶인 것은?

> • 각각의 의미 영역이 상호 배타적이다.
> • 한쪽을 부정하면 곧 다른 쪽을 긍정하는 것이 된다.
> • 정도 부사의 수식을 받을 수 없고 비교 표현도 사용할 수 없다.

① 남성 - 여성, 알다 - 모르다, 빠르다 - 느리다

② 높다 - 낮다, 밝다 - 어둡다, 가다 - 오다

③ 살다 - 죽다, 참 - 거짓, 있다 - 없다

④ 아래 - 위, 부모 - 자식, 주다 - 받다

⑤ 좋다 - 싫다, 깨끗하다 - 더럽다, 맞다 - 틀리다

난이도 상 중 하

해설 세 가지 특성을 지닌 어휘 관계는 '상보 반의 관계'이다. ①~⑤ 중 '상보 반의 관계'로만 묶인 것은 ③이다.

살다 - 죽다	• '살다'와 '죽다'의 의미 영역이 상호 배타적이다. • '살다'의 부정 '살지 않다'는 곧 '죽다'가 된다. 그 반대도 마찬가지이다. • '살다'와 '죽다'는 정도 부사의 수식을 받을 수 없고 비교 표현도 사용할 수 없다.
참 - 거짓	• '참'과 '거짓'의 의미 영역이 상호 배타적이다. • '참'의 부정 '참이 아니다'는 곧 '거짓'이 된다. 그 반대도 마찬가지이다. • '참'과 '거짓'은 정도 부사의 수식을 받을 수 없고 비교 표현도 사용할 수 없다.
있다 - 없다	• '있다'와 '없다'의 의미 영역이 상호 배타적이다. • '있다'의 부정 '있지 않다'는 곧 '없다'가 된다. 그 반대도 마찬가지이다. • '있다'와 '없다'는 정도 부사의 수식을 받을 수 없고 비교 표현도 사용할 수 없다.

오답분석 ① '남성 - 여성', '알다 - 모르다'는 상보 반의어이다. 그러나 '빠르다 - 느리다'는 정도 반의어이다.

※ '알다 - 모르다'는 상보 반의어로 보는 게 일반적이다. 다만, '알다 - 모르다'는 다의어이기 때문에, '많이 알다'나 '조금 알다'가 가능한 경우도 있다. 따라서 반의어를 생각할 때는 낱말 자체의 관계도 알아야 하지만, 문맥 안에서 생각하는 연습이 필요하다.

② '높다 - 낮다', '밝다 - 어둡다'는 정도 반의어이고, '가다 - 오다'는 방향 반의어이다.

④ '아래 - 위', '부모 - 자식', '주다 - 받다'는 모두 방향 반의어이다.

⑤ '맞다 - 틀리다'는 상보 반의어이다. 그러나 '좋다 - 싫다', '깨끗하다 - 더럽다'는 정도 반의어이다.

정답 ③

고득점 GO!

• 상하, 좌우, 주고받고의 관계가 성립하면 '방향 반의어'

• 세로축 또는 가로축, 그래프나 도표 등으로 표시할 수 있으면 '정도 반의어'

• 둘 다 아니면 '상보 반의어'

Unit 53 의미의 변화

출제 유형

- 의미 변화에 대한 진술의 진위를 판별하는 유형
- 의미 변화의 설명과 용례를 짝짓는 유형

핵심정리

- **의미 변화의 유형**

의미의 확장	과거에 사용되었던 것보다 의미 영역이 확대된 경우 예 지갑, 식구, 다리
의미의 축소	과거에 사용되었던 것보다 의미 영역이 축소된 경우 예 얼굴, 음료수, 놈
의미의 이동	의미 영역이 축소되거나 확장되는 일 없이 다른 의미로 바뀐 경우 예 인정, 어리다, 어여쁘다

출제 유형

의미의 변화	의미 변화에 대한 진술의 진위를 판별하는 유형

2022 지방직 9급

단어에 대한 설명으로 적절하지 않은 것은?

① 가난: 한자어 '간난'에서 'ㄴ'이 탈락하면서 된 말이다.

② 어리다: '어리석다'는 뜻에서 '나이가 적다'는 뜻으로 바뀐 말이다.

③ 수탉: 'ㅎ'을 종성으로 갖고 있던 '숳'에 '돍'이 합쳐져 이루어진 말이다.

④ 점잖다: '의젓함'을 나타내는 '점잖이'에 '하다'가 붙어 형성된 말이다.

난이도 상 중 하

해설 '점잖다'의 어원은 '젊지 아니하다'이다. 따라서 '점잖이'에 '하다'가 붙어 형성된 말이라는 설명은 적절하지 않다.

> **보충 '점잖다'의 어원**
>
> '점잖다'의 옛말은 18세기 문헌에서 '졈디 아니ᄒᆞ다'로 나타난다. 그러나 아직 이때는 '나이가 어리지 않다'의 의미로 쓰였던 것으로 보인다. 그러다가 19세기에 들어서면 《천로역정》에서 볼 수 있듯이 오늘날과 같은 의미로 사용되게 한다. '졈디 아니ᄒᆞ다'가 축약되어 '졈닪다'와 같은 형태가 생겨났는데 여기에 구개음화가 적용되어 '졈잖다'란 형태가 생겨나게 되었다. 여기에 'ㅈ' 아래에서의 'ㅕ, ㅑ'의 반모음 'ㅣ'가 탈락한 결과 오늘날의 '점잖다'가 형성되게 되었다.
>
> ※ '졈디 아니ᄒᆞ다'(18세기)/졈디 아니다(18세기) > 졈지 아니다(18세기) > 졈잖다(19세기) > 점잖다(현재)

오답분석

① '가난'은 한자어 '간난(艱難)'에서 온 말이다. 'ㄴ'이 겹쳐지게 됨에 따라서 앞 글자인 '간'의 'ㄴ'이 탈락한 결과이다.

② 중세 국어 '어리다'의 의미가 '어리석다[愚]'에서 '나이가 적다[幼]'로 변화한 것으로 '의미의 이동'이 일어난 예이다.

③ '수컷'을 의미하는 명사 '수'의 옛말은 ㅎ 종성 체언이었다. 즉 '수탉'은 '숳'과 명사 '돍'의 합성어이다.

정답 ④

201 ○○○

2019 서울시 7급(2월)

<보기>의 어휘들은 통시적으로 변화된 양상을 보여준다. 이들에 대한 설명으로 가장 옳지 않은 것은?

〈보기〉

(가) 놈: '사람 평칭' → '남자의 비칭'
(나) 겨레: '종친, 친척' → '민족, 동족'
(다) 아침밥 > 아침
(라) 맛비 > 장맛비

① (가)는 시대의 변화에 따라 의미가 축소된 예이다.

② (나)는 시대의 변화에 따라 의미가 확대된 예이다.

③ (다)는 형태의 일부가 생략된 후 나머지에 전체 의미가 잔류한 예이다.

④ (라)는 형태의 일부가 덧붙여진 후에도 전체 의미가 변하지 않은 예이다.

난이도 상 중 하

해설 '맛비'는 '장마'의 옛말이다. 형태의 일부 '장'이 덧붙여진 후에 전체 의미도 '장맛비'로 변했기 때문에 ④의 설명은 옳지 않다.

※ **맛비**: '장마'의 옛말
장마: 여름철에 여러 날을 계속해서 비가 내리는 현상이나 날씨
장맛비: 장마 때에 오는 비

오답분석
① 보통 사람을 이르는 말에서 남자를 낮추는 말로 바뀌었다는 점에서 그 의미가 축소되었다는 설명은 옳다.
② '종친, 친척'에서 보다 넓은 '민족, 동족'의 의미로 변화했기 때문에 그 의미가 확대되었다는 설명은 옳다.
③ '아침밥'에서 일부인 '밥'이 생략된 '아침'만으로도 '조식(早食)'의 의미를 가지고 있기 때문에 전체 의미가 잔류한 예라는 설명은 옳다.

정답 ④

출제 유형

의미의 변화	의미 변화의 설명과 용례를 짝짓는 유형

202 ○○○

2022 국가직 9급

㉠~㉣의 사례로 적절하지 않은 것은?

단어의 의미가 변화하는 양상은 다양하다. 첫째, "아침 먹고 또 공부하자."에서 '아침'은 본래의 의미인 '하루 중의 이른 시간'을 가리키지 않고, '아침에 먹는 밥'이라는 의미로 쓰인다. '밥'의 의미가 '아침'에 포함되어서 '아침'만으로도 '아침밥'의 의미를 표현하게 된 것으로, ㉠두 개의 단어가 긴밀한 관계여서 한쪽이 다른 한쪽의 의미까지 포함하는 의미로 변화하게 된 경우이다. 둘째, '바가지'는 원래 박의 껍데기를 반으로 갈라 썼던 물건을 가리켰는데, 오늘날에는 흔히 플라스틱 바가지를 가리킨다.

이것은 ㉡언어 표현은 그대로인데 시대의 변화에 따라 지시 대상 자체가 바뀌어서 의미 변화가 발생한 경우이다. 셋째, '묘수'는 본래 바둑에서 만들어진 용어이지만 일상적인 언어생활에서도 '쉽게 생각해 내기 어려운 좋은 방안'이라는 의미로 사용된다. 이는 ㉢특수한 영역에서 사용되던 말이 일반화되면서 단어의 의미가 변화한 경우에 해당한다. 넷째, 호랑이를 두려워하던 시절에 사람들은 '호랑이'라는 이름을 직접 부르기 꺼려서 '산신령'이라고 부르기도 했는데, 이는 ㉣심리적인 이유로 특정 표현을 피하려다 보니 그것을 대신하는 단어의 의미에 변화가 생긴 경우이다.

① ㉠: '아이들의 코 묻은 돈'에서 '코'는 '콧물'의 의미로 쓰인다.

② ㉡: '수세미'는 원래 식물의 이름이었지만 오늘날에는 '그릇을 씻는 데 쓰는 물건'이라는 의미로 쓰인다.

③ ㉢: '배꼽'은 일반적으로 '탯줄이 떨어지면서 배의 한가운데에 생긴 자리'를 가리키지만 바둑에서는 '바둑판의 한가운데'라는 의미로 쓰인다.

④ ㉣: 무서운 전염병인 '천연두'를 꺼려서 '손님'이라고 불렀다.

난이도 ㊤ ◯ ㊦

TIP 단순한 '의미 영역의 변화'를 묻는 문제가 아니다. 이런 문제를 풀 때에는 정신을 잘 차리고 문제가 요구하는 사항이 무엇인지 확인해야 한다. 밑줄 문제는 앞, 뒤에 힌트가 있다. 제시된 용례의 방향과 의미를 제대로 확인한다.

해설 제시된 ©은 '특수한 영역에서 사용되던 말(바둑 용어 '묘수')이 '일반화(일상적인 영역에서 '좋은 방안')'된 경우이다. 그런데 ③의 '배꼽'은 그와 반대로, 일반적으로 쓰이던 '(신체의) 배꼽'이라는 낱말이 '특수한 영역의 바둑'에서 쓰이게 되면서 '특수한 의미(바둑판의 한가운데)를 획득하게 된' '특수화'의 경우이다. 따라서 ©의 사례로 적절하지 않다. 다만 둘 모두, 언어의 의미 변화 이유 가운데 '사회적 원인(일반화와 특수화)'에 해당하는 사례이다.

오답분석
① '콧물 > 코'의 관계는 '콧물'이라는 의미가 '코'에 포함되어서 '코'만으로 '콧물'을 의미하게 된 경우로, '아침밥 > 아침'의 관계가 '아침'만으로도 '아침밥'의 의미를 표현한 경우와 동일하기 때문에 ㉠의 사례로 적절하다. 이는 언어의 의미 변화 이유 가운데 '언어적 원인(생략)'에 속하는 사례이기도 하다. 물론 '코 묻은 돈'이라는 뜻은 '코'는 'nose' 그 자체보다는 '콧구멍에서 흘러나오는 액체', 즉 '콧물'을 의미한다.

② '수세미'라는 언어 표현은 그대로인데 시대의 변화에 따라 지시 대상이 '식물'에서 '그릇을 씻는 데 쓰는 물건'으로 바뀌었다. 이것은 '바가지'라는 표현은 그대로인데, 과거에는 '박의 껍데기를 가른 물건'만을 가리키다가 오늘날에는 '플라스틱 바가지'를 가리키는 ㉡의 사례로 적절하다. 이는 언어의 의미 변화 이유 가운데 '역사적 원인'에 해당하는 사례이기도 하다.

④ '천연두'가 무서운 전염병이기 때문에, 심리적인 이유로 '천연두'라는 표현을 피하려다 보니(금기어) 그것을 대신하여 '손님(완곡어)'으로 부르게 되었다. 이것은 '호랑이'를 꺼려하여(금기어) '산신령(완곡어)'로 부른 것과 동일한 것으로 ㉣의 사례로 적절하다. 이는 언어의 의미 변화 이유 가운데 '심리적 원인'에 해당하는 사례이기도 하다.

정답 ③

참고 언어 의미 변화의 원인

① 언어적 원인: 생략, 전염, 민간어원
② 사회적 원인: 의미의 일반화, 의미의 특수화
③ 역사적 원인: 지시물 자체의 변화, 지시물에 대한 감정적 태도의 변화, 지시물에 대한 지식의 변화
④ 심리적 원인: 금기에 의한 변화(금기어/완곡어), 감정적 원인에 의한 의미 변화

203 ○○○ 2012 서울시 7급

밑줄 친 부분에 해당하는 용례로 가장 적절하지 않은 것은?

> 언어도 생명처럼 시간이 흐름에 따라 생멸의 과정을 겪는다. 특히 의미는 음운이나 문법 구조보다 변화가 많은데 그 결과는 두 가지 측면에서 주로 논의된다. 의미 영역의 변화와 의미에 대한 평가의 변화가 그것이다. 의미 영역 변화에는 변화 전에 비해 의미가 축소되는 경우와 의미가 확대되는 경우가 있다. <u>전자의 경우</u>를 의미의 특수화, 후자의 경우를 의미의 일반화라고 부르기도 한다. 그리고 어떤 단어의 의미 영역이 확대 또는 축소되는 일이 없이 그 단어의 의미가 전혀 다른 의미로 변화된것이 있다.

① 미인 ② 짐승 ③ 어리다
④ 도련님 ⑤ 얼굴

난이도 ㊤ ◯ ㊦

해설 밑줄 친 '전자의 경우'는 '변화 전에 비해 의미가 축소되는 경우'를 의미한다. 따라서 '의미 축소'의 예가 아닌 것을 찾으면 된다. '어리다'는 15C에 '어리석다'의 의미였다가 현대에는 '나이가 젊다'로 의미가 완전히 변한 '의미 이동'의 예이다.

오답분석
① '미인'은 '남녀를 불문하고 성품과 인물이 좋은 사람'을 가리키는 말이었으나, 오늘날에는 여성에게만 쓰이므로, '의미 축소'의 예이다.
② '짐승'은 '사람을 포함한 생물'을 가리키는 말이었으나, 오늘날에는 '동물'만 가리키므로, '의미 축소'의 예이다.
④ '도련님'은 '총각 전부'를 이르는 말이었으나, 오늘날에는 '결혼하지 않은 시동생'만 이르는 말이므로, '의미 축소'의 예이다.
⑤ '얼굴'은 '몸 전체'를 이르는 말이었으나, 오늘날에는 '안면(顔面)'만을 의미하므로, '의미 축소'의 예이다.

정답 ③

Unit 54 중의적 표현

출제 유형

- 중의성의 원인을 묻는 유형
- 중의적 표현의 의미를 묻는 유형

핵심정리

· 중의성의 종류

어휘적 중의성	• 동음이의어에 의한 중의성 예 말이 많다. • 다의어에 의한 중의성 예 손이 많다. ※ 중의성 해소법: 중의성이 없는 단어로 교체, 수식하는 말 추가
구조적 중의성	• 수식 관계에 의한 중의성 예 게으른 토끼와 거북이가 있다. • 문장의 연결 관계에 의한 중의성 예 나는 형과 아우를 찾아다녔다. • 부정 표현의 지배 범주에 따른 중의성 예 친구들이 다 오지 않았다. • 조사 '의' 구분의 중의성 예 아버지의 그림 ※ 중의성 해소법: 보조사로 의미 한정, 쉼표의 사용, 어순의 교체, 문장 성분 추가
비유적 중의성	비유적 표현이 두 가지 이상의 의미로 해석되는 것 예 선생님은 호랑이 같다.
화용적 중의성	화용적 상황에 따라 두 가지 이상의 의미로 해석되는 것 예 철수는 옷을 입고 있다.

심화 Plus

· 중의적 표현 기출 예문

(1) [16 사회복지직 9급]

① 정수가 흰 바지를 입고 있다.

② 미희가 보고 싶은 친구들이 많다.

③ 김 선생님이 간호사와 입원 환자를 둘러보았다.

④ 모든 소년들은 좋아하는 소녀가 한 명씩 있다.

(2) [15 교육행정직 9급]

① 영수가 나보다 너를 더 좋아한다고 하였다.

② 영수는 나를 사랑하는 그녀의 친구와 어제 만났다.

③ 영수가 넥타이를 매고 있는 친구를 조용히 바라본다.

(3) [15 사회복지직 9급]

① 아내들은 남편들보다 아이들을 더 사랑한다.

② 사랑하는 조국의 딸들이여!

③ 그는 자기가 맡은 과제를 다 처리하지 못했다.

구조적 중의성 해소 방법!

1. 반점을 사용하라!
나는 철수와 영수를 불렀다.
→ 나는, 철수와 영수를 불렀다.
→ 나는 철수와, 영수를 불렀다.

2. 말의 순서를 바꿔라!
아가는 웃으면서 들어오는 엄마에게 달려간다.
→ 웃으면서 들어오는 엄마에게 아가는 달려간다.
→ 들어오는 엄마에게 웃으면서 아가는 달려간다.

3. 새로운 정보를 추가하라!
아버지 그림을 보다.
→ 아버지 얼굴이 그려진 그림을 보다.
→ 아버지가 직접 그리신 그림을 보다.
→ 아버지가 소유하고 있는 그림을 보다.

중의적 표현	중의성의 원인을 묻는 유형

204 ○○○ 2014 서울시 9급

다음 문장들은 두 가지 이상의 의미로 해석될 수 있는 모호한 문장들이다. 모호성의 이유가 나머지 넷과 다른 것은?

① 내가 지난번에 만난 친구의 동생이 오늘 결혼을 한다고 한다.
② 그 연속극은 가정에 충실한 주부와 남편에게 불쾌감을 주었다.
③ 나는 국어 선생님과 교장 선생님을 찾아뵈었다.
④ 아내는 남편보다 아들을 더 좋아했다.
⑤ 그 배는 보기가 아주 좋았다.

난이도 상 중 하

해설 문장의 의미가 모호한 문장을 '중의문'이라 한다. '중의문'의 종류에는 '1. 어휘적 중의성', '2. 구조적 중의성', '3. 비유적 중의성', '4. 화용적 중의성'이 있다. ①~④는 구조적인 이유로 중의적인 문장이고, ⑤만 어휘적인 이유로 중의적인 문장이다. ⑤는 동음이의어 '배'로 인해 발생하는 중의성으로, '1. 어휘적 중의성'에 해당한다. '배'는 '먹는 배[梨], 타는 배[船], 신체 배[腹]' 등의 다양한 의미로 해석할 수 있다.

오답분석 나머지는 모두 문장의 구조에 의해 발생하는 '2. 구조적 중의성'의 예이다.

① '만난' 대상이 '친구'인지, '동생'인지 모호하다.
※ 용언의 관형형 V 체언 + '의' V 체언 → 중의적일 확률이 매우 높다.

② '가정에 충실한'이란 관형어가 '주부'만을 꾸미는지, '주부와 남편'을 꾸미는지 의미가 모호하다.

③ 주어의 범위가 '나는'인지, '나는 국어 선생님과'인지 모호하다. 주어가 '나는'이면 찾아뵌 사람은 '국어 선생님'과 '교장 선생님'으로 두 사람이 되고 주어가 '나는 국어 선생님과'가 되면 찾아뵌 사람은 '교장 선생님'만 해당된다.

④ 단순 대상 비교로, '아내가 더 좋아하는 대상이 남편이 아닌 아들'이라는 의미와, 정도 비교로, '아들을 더 사랑하는 주체가 남편이 아닌 아내'라는 의미가 있기 때문에 의미가 모호하다.

정답 ⑤

출제 유형

중의적 표현	중의적 표현의 의미를 묻는 유형

205 ○○○ 2018 경찰 1차

다음 표현에 대한 설명으로 가장 적절하지 않은 것은?

> ㉠ 용감한 그의 아버지는 적군을 향해 돌진했다.
> ㉡ 아버지는 어머니의 초상화를 팔았다.
> ㉢ 선생님이 보고 싶은 학생이 많다.
> ㉣ 철이와 영선이는 결혼했다.

① ㉠은 '용감한'이 '그'를 꾸미는지, '그의 아버지'를 꾸미는지 불분명하다.
② ㉡은 '어머니가 그린 초상화'인지, '어머니를 그린 초상화'인지, '어머니가 소유한 초상화'인지 불분명하다.
③ ㉢은 '선생님이 보고 싶어 하는 학생'인지, '선생님을 보고 싶어 하는 학생'인지 불분명하다.
④ ㉣은 '철이'가 '영선'이와 결혼했다는 의미로 명확한 의미의 문장이다.

난이도 상 중 하

해설 ㉣은 두 사람이 부부라는 의미로 해석될 수도 있지만, 각각 다른 사람과 결혼을 한 상태라는 의미로도 해석될 수 있다. 따라서 ㉣이 의미가 명확한 문장이라는 설명은 적절하지 않다.

비교 '영선이는 철이와 결혼했다.'는 ㉣과 달리, '철이'가 '영선이'와 결혼했다는 의미로 명확한 의미의 문장이다.

오답분석 ① 관형어 '용감한'이 수식하는 체언이 '그'인지, '그의 아버지'인지에 따라 의미가 달라진다.

② 관형격 조사 '의'에 의해 '어머니가 그린 초상화'인지, '어머니를 그린 초상화'인지, '어머니가 소유한 초상화'인지 불분명하다.

③ 보고 싶어 하는 주체가 '선생님'인지, '학생들'인지에 따라 의미가 달라 진다.

정답 ④

PART 2 국어 규범

출제 경향 한눈에 보기

구조도

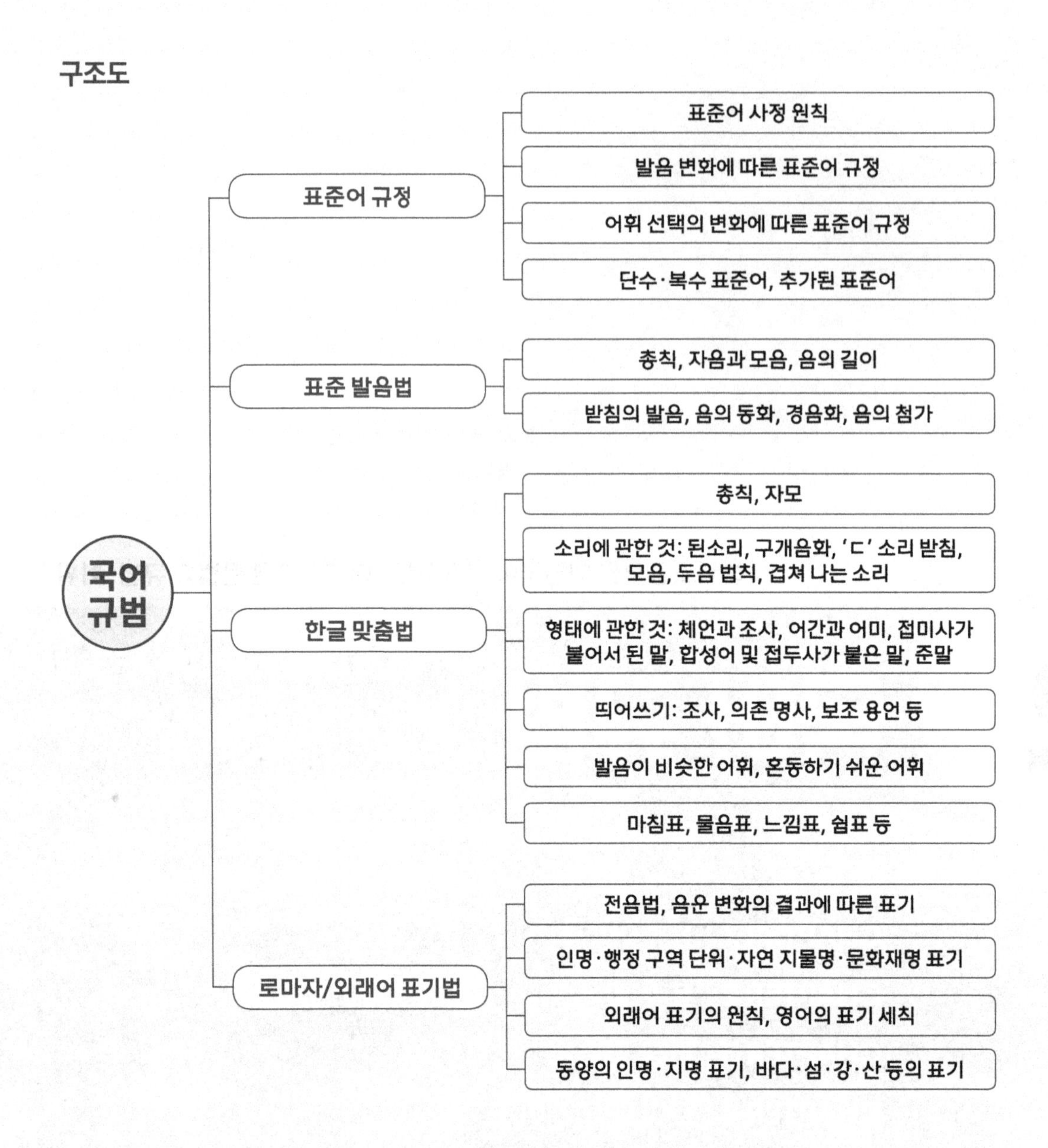

영역별 학습 목표

'① 표준어 규정, ② 표준 발음법, ③ 한글 맞춤법, ④ 띄어쓰기, ⑤ 개정 문장 부호, ⑥ 외래어 표기법, ⑦ 로마자 표기법' 등 기본적인 언어 규범 및 생활 문법에 대해 이해할 수 있다.

최신 3개년 기출 목록(국가직, 지방직 기준)

1. 표준어 규정	숫염소, 위층, 아지랑이, 으레, 무정타, 섭섭지, 선발토록, 생각건대, 부치다, 알음, 닫히다, 겉잡다, 가엽다, 배냇저고리, 감감소식, 검은엿, 눈짐작, 세로글씨, 푸줏간, 가물, 상관없다, 외눈박이, 덩굴, 귀퉁배기, 걸창, 뚱딴지, 툇돌, 들랑날랑, 며칠, 웬일, 박이다, 꼼꼼히, 당당히, 섭섭히, 오랫동안, 재작년, 띄는, 띠는, 받아들이는, 닦달하다, 통째, 발자국, 구레나룻, 귀띔, 핼쑥하다, 지양, 지향, 적잖은, 하마터면, 웃어른, 사흗날, 베갯잇, 시퍼렇다, 새하얗다, 가팔라서, 불살라서, 올발라서
2. 표준 발음법	국민, 금융, 샛길, 나뭇잎, 이죽이죽, 권력, 내일, 돕는다, 미닫이, 부엌일, 익숙지, 정결타, 흔타, 신문, 물난리, 밟는다, 한여름, 가을일, 텃마당, 입학생, 흙먼지, 태권도, 홑이불, 홑옷, 공권력, 마천루, 생산력, 결단력
3. 한글 맞춤법	구시렁거리다, 들이켜다, 곰기다 개살구, 돌미나리, 군소리, 짚신, 숫양, 수키와, 수평아리, 수탕나귀, 수퇘지, 수은행나무, 수캉아지, 수탉, 썩이다, 썩히다, 갈음, 가름, 부문, 부분, 구별, 구분, 흡입량, 구름양, 정답란, 칼럼난, 꼭짓점, 돌나물, 페트병, 낚시꾼, 딱따구리, 오뚝이, 싸라기, 법석, 화병(火病), 찻간(車間), 셋방(貰房), 곳간(庫間), 전세방, 아랫집, 쇳조각, 자릿세, 깨나, 곤욕, 곤혹, 곯아떨어지다, 결제, 결재, 겉잡다, 걷잡다, 인사말, 노랫말, 순댓국, 하굣길
4. 로마자 표기법	한라산, 다락골, 국망봉, 낭림산, 순대, 광희문, 왕십리, 정릉, 가평군, 갈매봉, 마천령, 백령도
5. 외래어 표기법	보닛, 브러시, 보트, 그래프, 플래카드, 케이크, 초콜릿, 캐비닛, 스케줄, 플래시, 커피숍, 리더십, 파마, 심포지엄, 바리케이드, 콘셉트, 콘텐츠, 파카, 도트, 플랫, 코러스, 선루프, 스펀지, 리모컨, 버튼, 알코올, 트로트, 콘퍼런스, 글라스

연도별 주요 출제 문항

구분	9급	7급
2023년	• ㉠~㉣ 중 한글 맞춤법에 맞게 쓰인 것만을 모두 고르면? • 밑줄 친 단어가 표준어 규정에 맞게 쓰인 것은? • 밑줄 친 단어의 쓰임이 올바르지 않은 것은? • 밑줄 친 말이 어문 규범에 맞는 것은?	• 밑줄 친 부분의 띄어쓰기가 가장 옳지 않은 것은? • 표준어끼리 묶었을 때 가장 옳지 않은 것은? • 외래어 표기에 대한 설명으로 가장 옳지 않은 것은?
2022년	• 밑줄 친 말의 쓰임이 옳지 않은 것은? • 표준어로만 묶인 것은? • 밑줄 친 부분의 맞춤법이 틀린 것은? • 띄어쓰기가 올바른 것은?	• 가장 자연스러운 문장은? • 어문 규범에 맞는 단어로만 묶은 것은? • 어문 규범에 맞게 표기한 것은? • 외래어 표기가 올바른 것으로만 묶은 것은?
2021년	• 밑줄 친 부분이 바르게 쓰이지 않은 것은? • 맞춤법에 맞는 것만으로 묶은 것은? • 〈보기〉에서 맞춤법에 맞는 문장은 모두 몇 개인가? • 띄어쓰기가 옳지 않은 것은?	• 외래어 표기가 모두 맞는 것은? • 밑줄 친 단어의 표준 발음이 옳은 것만을 〈보기〉에서 모두 고르면? • 〈로마자 표기법〉의 각 조항에 들어갈 예를 바르게 짝지은 것은?
2020년	• ㉠~㉣을 사전에 올릴 때 '한글 맞춤법 규정'에 따른 순서로 적절한 것은? • 밑줄 친 단어의 쓰임이 옳은 것은?	• 밑줄 친 부분이 바르게 쓰이지 않은 것은? • 밑줄 친 부분이 어법상 적절하지 않은 것은? • 밑줄 친 외래어 표기가 옳은 것은?
2019년	• 밑줄 친 부분이 어법에 맞는 것은? • 밑줄 친 부분의 띄어쓰기가 옳은 것은? • 밑줄 친 단어의 맞춤법이 옳은 것은?	• 밑줄 친 부분이 어법상 가장 적절한 것은? • 밑줄 친 어휘 중 잘못 쓰인 것으로만 묶은 것은? • 밑줄 친 부분의 띄어쓰기가 옳지 않은 것은?

CHAPTER 1

표준어 규정

Unit 01 표준어 - 단어 제시 유형

출제 유형

- 단어 1개만 제시하는 유형
- 여러 단어를 열거하는 유형

핵심정리

1. 표준어 규정 제12항 [14 국가직 9급]

[제12항] '웃-' 및 '윗-'은 명사 '위'에 맞추어 '윗-'으로 통일한다.

표준어	비표준어	비고
윗수염 윗입술 윗잇몸 윗자리	웃수염 웃입술 웃잇몸 웃자리	

다만 1. 된소리나 거센소리 앞에서는 '위-'로 한다

표준어	비표준어	비고
위짝 위채 위팔	웃짝 웃채 웃팔	

다만 2. '아래, 위'의 대립이 없는 단어는 '웃-'으로 발음되는 형태를 표준어로 삼는다.

표준어	비표준어	비고
웃국	윗국	간장이나 술 따위를 담가서 익힌 뒤에 맨 처음에 떠낸 진한 국
웃비	윗비	아직 우기(雨氣)는 있으나 좍좍 내리다가 그친 비

2. 표준어 규정 제7항 [18 경찰 1차]

[제7항] 수컷을 이르는 접두사는 '수-'로 통일한다

표준어	비표준어	비고
수꿩	수퀑/숫꿩	'장끼'도 표준어임.
수나사	숫나사	
수소	숫소	'황소'도 표준어임.

다만 1. 다음 단어에서는 접두사 다음에서 나는 거센소리를 인정한다. 접두사 '암-'이 결합되는 경우에도 이에 준한다.

표준어	비표준어	비고
수탕나귀	숫당나귀	
수톨쩌귀	숫돌쩌귀	
수퇘지	숫돼지	
수평아리	숫병아리	

※ 수탉, 수평아리, 수캐, 수캉아지, 수키와, 수톨쩌귀, 수퇘지, 수탕나귀, 수컷
(15세기 '암ㅎ/숳'가 'ㅎ종성 체언'인 것에 기인하여 9개의 단어에 거센소리가 남음.)

다만 2. 다음 단어의 접두사는 '숫-'으로 한다.

표준어	비표준어	비고
숫양	수양	
숫염소	수염소	
숫쥐	수쥐	

3. 표준어 규정 제9항 [07 국가직 9급]

[붙임 2] 기술자에게는 '-장이', 그 외에는 '-쟁이'가 붙는 형태를 표준어로 삼는다.

표준어	비표준어	비고
미장이	미쟁이	
유기장이	유기쟁이	
멋쟁이	멋장이	
소금쟁이	소금장이	
담쟁이덩굴	담장이덩굴	
골목쟁이	골목장이	
발목쟁이	발목장이	

출제 유형

표준어	단어 1개만 제시하는 유형

001 ○○○ 2022 군무원 9급

다음 중 표준어가 아닌 것은?

① 발가숭이 ② 깡총깡총
③ 뻗정다리 ④ 오뚝이

난이도 ㊤ ◎ ㊦

해설 **깡총깡총 → 깡충깡충**: '짧은 다리를 모으고 자꾸 힘 있게 솟구쳐 뛰는 모양'을 이르는 표준어는 '깡충깡충'으로, 모음조화가 지켜지지 않은 형태가 표준어인 경우이다.

정답 ②

002 ○○○ 2014 국가직 9급

다음 중 표준어가 아닌 것은?

① 윗목 ② 윗돈
③ 위층 ④ 웃옷

난이도 ㊤ ◎ ㊦

해설 **윗돈 → 웃돈**: '위/아래' 대립이 있는 말에만 '위-/윗-'을, 그 외에는 '웃-'을 쓴 형태를 표준어로 삼는다. '돈'은 '위/아래' 대립이 없는 말이므로, '웃돈'으로 적어야 한다.

오답 분석 ① '윗목[윈목]'의 반대말은 '아랫목[아랜목]'으로, '위/아래' 대립이 있는 말이다.
※ 윗목: 온돌방에서 아궁이로부터 먼 쪽의 방바닥. 불길이 잘 닿지 않아 아랫목보다 상대적으로 차가운 쪽 / 위쪽의 길목이나 물목

③ '위층'의 반대말은 '아래층'으로, '위/아래' 대립이 있는 말이다. 다만 거센소리, 된소리 앞에서는 '위'로 써야 하므로 '윗층'이 아닌 '위층'으로 표기해야 한다.

④ '웃옷'은 '하의(下衣)'의 반대말이 아니고, '맨 겉에 입는 옷'을 의미한다. 따라서 그에 대한 반대말이 없기 때문에 '웃옷'은 표준어이다.
※ 윗옷, 상의, 윗도리 ↔ 아래옷, 하의, 아랫도리

정답 ②

고득점 GO!

'윗-/위-/웃-' 완전 정리!

① '위-아래'의 대립이 있으면 '윗-'이 기본
예 윗목, 윗물

② 된소리나 거센소리 앞에서는 '위-'
예 위쪽, 위층, 위편

③ '위-아래'의 대립이 없으면 '웃-'
예 웃기, 웃비, 웃국, 웃돈, 웃거름, 웃어른

003 ○○○ 2012 서울시 7급

다음 중 표준어로 가장 적절한 것은?

① 강남콩 ② 나룻터
③ 봉숭화 ④ 여지껏
⑤ 허드레

난이도 ㊤ ◎ ㊦

해설 '그다지 중요하지 않고 함부로 쓸 수 있는 물건'을 의미하는 단어는 모음 조화가 지켜진 '허드레'가 표준어이다.

오답 분석 ① **강남콩 → 강낭콩**: '강남콩(江南-)'에서 온 말이지만, 어원에서 멀어졌기 때문에 '강낭콩'의 형태가 표준어이다.

② **나룻터 → 나루터**: 'ㅌ'은 거센소리이다. 따라서 '나루+터'의 합성어에는 사이시옷을 받쳐 적을 수 없다. '나루터'의 형태가 표준어이다.

③ **봉숭화 → 봉숭아/봉선화**: '봉숭아'와 '봉선화'의 형태만 표준어이고, 이 둘을 합한 형태인 '봉숭화'는 표준어가 아니다.

④ **여지껏 → 여태껏/입때껏/이제껏**: '여태'를 강조한 말은 '여태껏/입때껏/이제껏' 세 가지 형태만 표준어이다.

정답 ⑤

출제 유형

표준어	여러 단어를 열거하는 유형

004 ○○○ 2022 서울시 9급(2월)

어문 규범에 맞는 단어로만 묶은 것은?

① 곰곰이, 간질이다, 닥달하다
② 통채, 발자욱, 구렛나루
③ 귀뜸, 핼쓱하다, 널찍하다
④ 대물림, 구시렁거리다, 느지막하다

난이도 ㊤ ◎ ㊦

해설 '대물림, 구시렁거리다(=구시렁대다), 느지막하다'는 모두 어문 규범에 맞다.

오답 분석 ① **닥달하다 → 닦달하다**

② **통채 → 통째, 발자욱 → 발자국/발자취, 구렛나루 → 구레나룻**

③ **귀뜸 → 귀띔, 핼쓱하다 → 해쓱하다/핼쑥하다**

정답 ④

005 ○○○ 2022 소방 경력 채용

표준어로만 묶인 것은?

① 웃돈, 위어른, 윗옷　　② 윗배, 윗쪽, 윗마을
③ 윗니, 윗입술, 위층　　④ 윗넓이, 웃목, 윗자리

난이도 ㊤ ◯ ㊦

해설 '윗니, 윗입술, 위층'은 모두 표준어이다.

오답분석 ① **위어른 → 웃어른**: '위/아래'의 대립이 없을 때는 '웃-'을 사용한다. 따라서 '웃어른'이 표준어이다.
※ 웃어른/윗사람/윗분(○)

② **윗쪽 → 위쪽**: 된소리나 거센소리 앞에서 'ㅅ'을 표기하지 않는다. 따라서 '위쪽'이 표준어이다.

④ **웃목 → 윗목**: '웃-'은 '위/아래'의 대립이 없을 때만 사용할 수 있다. '아랫목'이 존재하기 때문에 '윗목'이 표준어이다.

정답 ③

006 ○○○ 2018 경찰 1차

다음 중 표준어끼리 올바르게 연결된 것은?

① 수캉아지 - 수탕나귀 - 수평아리
② 황소 - 장끼 - 돐(생일)
③ 삵괭이 - 사글세 - 끄나불
④ 깡충깡충 - 오뚝이 - 아지랑이

난이도 ㊤ ◯ ㊦

해설 ①의 '수캉아지, 수탕나귀, 수평아리'의 표기와 ④의 '깡충깡충, 오뚝이, 아지랑이'의 표기는 모두 바르다.

오답분석 ② **돐 → 돌**: '생일'을 뜻하는 말은 '돌'만 표준어이다.

③ • **삵괭이 → 살쾡이/삵**: '살쾡이' 또는 '삵'만 표준어이고, 이 둘을 합친 '삵괭이'는 표준어가 아니다.
• **끄나불 → 끄나풀**: 거센소리를 가진 '끄나풀'만 표준어이다.
※ 끄나풀: 1) 길지 아니한 끈의 나부랭이
2) 남의 앞잡이 노릇을 하는 사람을 낮잡아 이르는 말

정답 ①, ④

007 ○○○ 2007 국가직 7급

다음 중 표준어로만 묶인 것은?

① 꼭둑각시, 우렁쉥이, 자두, 멋쟁이
② 꼭두각시, 우렁쉥이, 오얏, 멋쟁이
③ 애벌레, 주책없다, 매만지다, 부스러기
④ 어린벌레, 주책이다. 매만지다, 부스러기

난이도 ㊤ ◯ ㊦

해설 '애벌레, 주책없다, 매만지다, 부스러기'는 모두 표준어이다.

오답분석 ① **꼭둑각시 → 꼭두각시**: 더 널리 쓰이는 '꼭두각시'만 표준어이다.

> **참고** <표준어 규정> 제17항
> 비슷한 발음의 몇 형태가 쓰일 경우, 그 의미에 아무런 차이가 없고, 그중 하나가 더 널리 쓰이면, 그 한 형태만을 표준어로 삼는다.
> ※ '꼭두각시'가 더 널리 쓰이므로, '꼭두각시'만 표준어로 인정한다.

② **오얏 → 자두**: '오얏'은 이미 사어(死語)이므로 비표준어이고, '자두'만 표준어이다.
※ 우렁쉥이 = 멍게(○)

④ **어린벌레 → 애벌레**: '애벌레'의 의미로 '어린벌레'를 쓰는 경우가 있으나 '애벌레'만 표준어로 삼는다.
※ '주책이다'는 본래 '주책없다'의 비표준어였으나 국립국어원에서 '주책없다'와 동일한 뜻으로 널리 쓰이는 것으로 판단하여 표준어로 인정하였다. 따라서 2007년 시험 당시에는 '주책이다'도 비표준어였지만, 2020년 현재는 '주책이다'도 표준어이다.

정답 ③

고득점 GO!

주책없다 vs 주책이다
① '주책'에 '없다'가 붙은 '주책없다'는 표준어
② '주책'에 '이다'가 붙은 '주책이다'도 표준어

안절부절못하다 vs 안절부절하다
① '안절부절'에 '못하다'가 붙은 '안절부절못하다'는 표준어
② '안절부절'에 '하다'가 붙은 '안절부절하다'는 비표준어
※부사 '안절부절'은 표준어!

Unit 02 표준어 - 문장 제시 유형

출제 유형

표준어 판별	• 문장의 밑줄 친 단어가 표준어인지 판별하는 유형 • 문장에 쓰인 단어들이 표준어인지 판별하는 유형
표준어 설명 진위 판별	• 표준어에 대한 설명의 진위 여부를 판별하는 유형

핵심정리

• **표준어 규정 제20항** [18 교육행정직 9급/17 지방직 9급]

[제20항] 사어(死語)가 되어 쓰이지 않게 된 단어는 고어로 처리하고, 현재 널리 사용되는 단어를 표준어로 삼는다.

표준어	비표준어
난봉	봉
낭떠러지	낭
설거지-하다	설겆다
애달프다	애닯다
오동-나무	머귀-나무
자두	오얏

심화 Plus

1. [제25항] [17 지방직 9급]

의미가 똑같은 형태가 몇 가지 있을 경우, 그중 어느 하나가 압도적으로 널리 쓰이면, 그 단어만을 표준어로 삼는다

바른 표기	틀린 표기	의미
버젓이	뉘연히	남을 의식하여 굽히는 데가 없이
뒤져내다	뒤어내다	샅샅이 뒤져서 찾아내다.

2. 복수 표준어 [19 국회직 8급]

추켜올리다 = 치켜올리다 = 추어올리다	'올리다'의 의미	'추어주다'와 함께 모두 '칭찬하다'의 의미로 쓰인다.
추켜세우다 = 치켜세우다	'세우다'의 의미	

※ '추켜올리다'는 '추어올리다'의 유의어로, 두 가지 의미 중 '바지를 위로 올리다.'의 의미로만 표준적인 용법이 인정되고 '칭찬하다.'의 뜻으로 쓰는 것은 잘못으로 보았다가 2018년 두 가지 의미 모두 표준어로 인정되었다.

출제 유형

표준어 판별	문장의 밑줄 친 단어가 표준어인지 판별하는 유형

008 ○○○ 2023 국가직 9급

밑줄 친 단어가 표준어 규정에 맞게 쓰인 것은?

① 저기 보이는 게 암염소인가, 수염소인가?
② 오늘 윗층에 사시는 분이 이사를 가신대요.
③ 봄에는 여기저기에서 아지랭이가 피어오른다.
④ 그는 수업을 마치면 으레 친구들과 운동을 한다.

난이도 ㊤ ◯ ㊦

해설 '으레'는 원래 '의례(依例)'에서 '으례'가 되었던 것인데 '례'의 발음이 '레'로 바뀌었으므로 '으레'를 표준어로 삼는다. 따라서 '으레'는 표준어 규정에 맞게 쓰인 것이다.

오답분석
① **수염소 → 숫염소**: '양, 염소, 쥐'에는 접두사 '숫-'을 쓴다.
② **윗층 → 위층**: 된소리나 거센소리 앞에는 사이시옷을 받쳐 적지 않는다.
③ **아지랭이 → 아지랑이**: 'ㅣ' 모음 역행 동화가 일어나지 않은 '아지랑이'가 표준어이다.

정답 ④

009 ○○○ 2023 군무원 9급

다음 중 밑줄 친 부분의 표기가 옳은 것은?

① 출산 후 붓기가 안 빠진다고 해서 제가 먹었던 건강식품을 권했어요.
② 유명 할리우드 스타들이 마신다고 해서 유명세를 타기 시작한 건강음료랍니다.
③ 어리버리해 보이는 친구가 한 명 있었는데 사실은 감기 때문에 몸이 안 좋았다더군요.
④ 사실 이번 일의 책임을 누구에게 묻기란 참 어렵지만 아무튼지 그는 책임을 면할 수 없게 되었다.

난이도 ㊤ ◯ ㊦

해설 '아무튼지'의 표기는 옳다.
※ '어떻든지', '어쨌든지', '여하튼지', '하여튼지' 표기 모두 바르다.

오답분석
① **붓기 → 부기**: '부기(浮氣)'는 한자어이므로 사이시옷을 받쳐 적으면 안 된다.
② **유명세를 타기 → 유명해지기/인기를 끌기**: '유명세'는 세상에 이름이 널리 알려져 있는 탓으로 당하는 불편이나 곤욕을 속되게 이르는 말이다. 문맥상 '불편', '곤욕'의 의미가 아니므로 '유명해지기 시작한' 또는 '인기를 끌기 시작한'으로 고치는 것이 더 적절하다.
③ **어리버리해 → 어리바리해**: '정신이 또렷하지 못하거나 기운이 없어 몸을 제대로 놀리지 못하고 있는 상태이다.'라는 의미를 가진 단어는 '어리바리하다'이다.

정답 ④

010 ○○○ 2023 군무원 9급

밑줄 친 어휘의 쓰임이 의미상 적절하지 않은 것은?

① 자네 덕에 생일을 잘 쇠어서 고맙네.
② 그동안의 노고에 심심한 경의를 표하는 바입니다.
③ 나는 식탁 위에 밥을 차릴 겨를도 없이 닥치는 대로 게걸스럽게 식사를 해치웠다.
④ 아이가 밖에서 제 물건을 잃어버리고 들어온 날이면 어머니는 애가 칠칠맞다고 타박을 주었다.

난이도 ㊤ ◯ ㊦

해설 **칠칠맞다고 → 칠칠맞지 못하다고/칠칠맞지 않다고**: '칠칠맞다'는 '주접이 들지 아니하고 깨끗하고 단정하다.', '성질이나 일 처리가 반듯하고 야무지다.'라는 의미로, 긍정적인 의미를 지닌 단어이다. 문맥을 고려할 때, '못하다'나 '않다'와 함께 써야 자연스럽다.

오답분석
① '쇠다'는 '명절, 생일, 기념일 같은 날을 맞이하여 지내다.'라는 의미이므로 그 쓰임이 적절하다.
② '심심하다(甚深하다)'는 '마음의 표현 정도가 매우 깊고 간절하다.'라는 의미이므로 그 쓰임이 적절하다.
③ '게걸스럽다'는 '몹시 먹고 싶거나 하고 싶은 욕심에 사로잡힌 듯하다.'라는 의미이므로 그 쓰임이 적절하다.

정답 ④

011 ○○○ 2022 지방직 7급

밑줄 친 말이 표준어가 아닌 것은?

① 그는 구멍 난 양말을 꼬매고 있다.
② 그는 자동차에 대해서 빠삭한 편이다.
③ 그는 나를 보고 계면쩍게 웃기만 했다.
④ 밥을 제대로 차려 먹기에는 어중된 시간이다.

난이도 ㊤ ◯ ㊦

해설 **꼬매고 → 꿰매고**: '깁다'라는 의미를 가진 단어는 '꿰매다'이다.
※ 꿰매다: 옷 따위의 해지거나 뚫어진 데를 바늘로 깁거나 얽어매다.

오답분석
② '빠삭하다'는 '어떤 일을 자세히 알고 있어서 그 일에 대하여 환하다.'라는 뜻을 표준어이다.
③ '계면쩍다'는 '겸연쩍다(쑥스럽거나 미안하여 어색하다.)'의 변한말로 표준어이다.
④ '어중되다'는 '이도 저도 아니어서 어느 것에도 알맞지 아니하다.'라는 뜻을 가진 표준어이다.

정답 ①

012 ○○○ 2018 서울시 7급(6월)

밑줄 친 단어 중 표준어가 아닌 것은?

① 잘못한 사람이 되려 큰소리를 친다.

② 너는 시험이 코앞인데 맨날 놀기만 하니?

③ 어제 일을 벌써 깡그리 잊어버렸다.

④ 영화를 보면서 눈물을 억수로 흘렸다.

난이도 상 중 하

해설 **되려 → 도리어/되레**: '되려'는 '예상이나 기대 또는 일반적인 생각과는 반대되거나 다르게'라는 의미인 '도리어/되레'의 방언이다. 따라서 '되려'는 표준어가 아니다.

오답분석 ② '맨날'은 본래 '매일같이 계속하여서'라는 의미인 '만날(萬-)'의 비표준어였으나 2011년 8월 국립국어원에서 '만날'과 동일한 뜻으로 널리 쓰이는 것으로 판단하여 복수 표준어로 인정하였다.

③ '깡그리'는 '하나도 남김없이'라는 뜻을 가진 표준어이다.

④ '억수'는 '물을 퍼붓듯이 세차게 내리는 비' 또는 '끊임없이 흘러내리는 눈물, 코피 따위를 비유적으로 이르는 말'로 표준어이다.

 ①

013 ○○○ 2018 교육행정직 9급

밑줄 친 부분이 표준어가 아닌 것은?

① 맑은 시냇물에 발을 담갔다.

② 친구의 사연이 너무 애닯구나.

③ 가여운 강아지에게 밥을 주렴.

④ 이 문제는 무척 까다로워 보인다.

난이도 상 중 하

해설 **애닯구나 → 애달프구나**: 〈표준어 규정〉 제3장 제1절 제20항 "사어(死語)가 되어 쓰이지 않게 된 단어는 고어로 처리하고, 현재 널리 사용되는 단어를 표준어로 삼는다."라는 규정에 따라 '애달프다'만을 표준어로 인정하고 '애닯다'는 표준어로 인정하지 않는다. 따라서 '애닯구나'는 표준어가 아니다.

오답분석 ① '담그다'가 기본형이므로 '담그-+-았다 → 담갔다'의 활용형은 표준어이다.

③ '가엽다'가 기본형이다. '가엽다'는 'ㅂ' 불규칙 용언이므로 '가엽-+-은 → 가여운'의 활용형은 표준어이다.

※ '가엽다'와 '가엾다'는 복수 표준어이다. '가엾다'는 규칙 용언이므로 '가엾다-가엾고-가엾지-가엾어-가엾은'으로 활용한다.

④ '까다롭다'가 기본형이다. '까다롭다'는 'ㅂ' 불규칙 용언이므로 '까다롭-+-은 → 까다로운'의 활용형은 표준어이다.

정답 ②

014 ○○○ 2017 지방직 9급

밑줄 친 말이 표준어인 것은?

① 큰 죄를 짓고도 그는 뉘연히 대중 앞에 나섰다.

② 아주머니는 부엌에서 갖가지 양념을 뒤어내고 있었다.

③ 사업에 실패했던 원인을 이제야 깨단하게 되었다.

④ 그 사람은 허구헌 날 팔자 한탄만 한다.

난이도 상 중 하

해설 '오랫동안 생각해 내지 못하던 일 따위를 어떠한 실마리로 말미암아 깨닫거나 분명히 알다.'란 뜻을 가진 '깨단하다'는 표준어이다.

오답분석 ① **뉘연히 → 버젓이**: '뉘연히'와 '버젓이' 중에 '버젓이'가 압도적으로 널리 쓰이기 때문에 '버젓이'만 표준어로 인정하고 있다.

② **뒤어내고 → 뒤져내고**: '뒤어내다'와 '뒤져내다' 중에 '뒤져내다'가 압도적으로 널리 쓰이기 때문에 '뒤져내다'만 표준어로 인정하고 있다.

④ **허구헌 → 허구한**: '날, 세월 따위가 매우 오래다.'란 뜻을 가진 말의 기본형은 '허구(許久)하다'이다. 따라서 관형사형은 '허구헌'이 아니라 '허구한'이다.

 ③

표준어 판별	문장에 쓰인 단어들이 표준어인지 판별하는 유형

015 ○○○ 2022 지방직 9급

밑줄 친 말의 쓰임이 올바른 것은?

① 습관처럼 중요한 말을 되뇌이는 버릇이 있다.

② 나는 친구 집을 찾아 골목을 헤매이고 다녔다.

③ 너무 급하게 밥을 먹으면 목이 메이기 마련이다.

④ 그는 어린 시절 기계에 손가락이 끼이는 사고를 당했다.

난이도 ㊤ ◯ ㊦

해설 손가락이 기계 사이에 '들어가 죄이고 빠지지 않게 되다.'라는 의미이다. 따라서 '끼다'의 피동사 '끼이다'의 쓰임은 적절하다.
※ '끼다'의 피동사인 '끼이다'는 준말로 '끼다'를 사용할 수 있다.
끼이다 = 끼다(○)

오답 분석
① **되뇌이는 → 되뇌는**: '같은 말을 되풀이하여 말하다.'라는 의미를 가진 단어는 '되뇌다'이다.
② **헤매이고 → 헤매고**: '갈 바를 몰라 이리저리 돌아다니다.'라는 의미를 가진 단어는 '헤매다'이다.
③ **메이기 → 메기**: '뚫려 있거나 비어 있는 곳이 막히거나 채워지다.'라는 의미를 가진 단어는 '메다'이다.
※ '되뇌이다, 헤매이다, (목이) 메이다'는 모두 존재하지 않는 표현이다. 다만 '메이다'의 경우, 의미상 '(가방을, 총을, 책임을) 메다.'의 피동이라면 '(핸드백이 어깨에) 메이다.'의 표현이 가능하다.

정답 ④

016 ○○○ 2022 국회직 8급

어문 규범에 맞는 문장은?

① 다음 주에 뵈요.

② 아이들이 오순도순 이야기를 나누었다.

③ 이 자리를 빌어 감사의 말씀을 드립니다.

④ 술을 마신 다음날 그는 북어국을 먹었다.

⑤ 네가 그 내용을 요약토록 해라.

난이도 ㊤ ◯ ㊦

해설 '오순도순(= 오손도손)'은 정답게 이야기하거나 의좋게 지내는 모양을 이르는 말로, 어문 규범에 맞는 표기이다.

오답 분석
① **뵈요 → 봬요**: '뵈다' 기본형이다. 어간은 의존 형태소이기 때문에 단독으로 실현될 수 없다. 따라서 '봬요(뵈어요)'로 표기해야 한다.
③ **빌어 → 빌려**: 이 자리를 '이용해서' 감사의 말씀을 드린다는 의미이다. 따라서 '빌리다'의 활용형을 써야 한다.
④ **북어국 → 북엇국**: '북어(北魚)+국'의 결합 과정에서 사잇소리가 덧나기 때문에 사이시옷을 받쳐 '북엇국'으로 표기해야 한다.
⑤ **요약토록 → 요약도록**: '하' 앞의 받침의 소리가 [ㄱ, ㄷ, ㅂ]이면 '하'가 통째로 줄고 그 외의 경우에는 'ㅎ'이 남는다. 따라서 '요약하도록'의 준말은 '요약도록'이다.

정답 ②

017 ○○○ 2022 서울시 9급(2월)

어문 규범에 맞게 표기한 것은?

① 제작년까지만 해도 겨울이 그렇게 춥지 않았지요.

② 범인은 오랫동안 치밀하게 범행을 계획한 것으로 드러났습니다.

③ 욕구가 억눌린 사람들이 공격성을 띄는 경우가 있습니다.

④ 다른 사람의 진심 어린 충고를 겸허히 받아드리는 자세가 필요합니다.

난이도 ㊤ ◯ ㊦

해설

오랫동안	부사 '오래'와 명사 '동안'이 결합한 말이다. '명사+명사'의 결합 관계가 아니지만 예외적으로 사이시옷을 인정하는 경우이다. 따라서 '오랫동안'은 어문 규범에 맞는 표기이다.
드러나다	'들다'라는 본뜻이 유지되고 있다고 보기 어렵기 때문에, 소리가 나는 대로인 '드러나다'로 적는다. 따라서 '드러나다(드러났습니다)'는 어문 규범에 맞는 표기이다.

오답 분석
① **제작년 → 재작년**: '지난해의 바로 전 해'라는 의미이다. 즉 '다시'라는 의미가 포함되어 있기 때문에, '再(다시 재)'를 쓴 '재작년(再昨年)'으로 표기해야 한다.
③ **띄는 → 띠는**: '띄다'는 '뜨이다'의 준말이다. 문맥상 '띠다'로 표기해야 한다.
※ 띄다1: '뜨이다'의 준말 예 빨간 지붕이 눈에 띄는 집
띄다2: '띄우다'의 준말 예 두 줄을 띄고 써라.
띠다: '허리띠를/임무를/추천서를/빛깔을/감정을/성질을' 띠다.
④ **받아드리는 → 받아들이는**: '받아들게 하다'의 의미이므로 '받아들이다'로 표기해야 한다.
※ 한 단어로 '받아드리다(×)', 다만, 본용언+보조 용언 관계의 '(물건을 대신) 받아 드리다/받아드리다(○)'

정답 ②

018 ○○○ 2019 국회직 8급

표준어로만 이루어진 문장을 <보기>에서 모두 고르면?

〈보기〉

ㄱ. 그는 총부리 앞에서 두 손을 번쩍 추켜올렸다.
ㄴ. 구하기 힘든 약이라 윗돈을 주고 특별히 주문해서 사왔다.
ㄷ. 늘 그랬었지만 오늘따라 더욱 따라나서기가 께름직하다.
ㄹ. 거짓말을 한 피노키오의 코가 기다래졌다.

① ㄱ, ㄴ ② ㄱ, ㄹ
③ ㄷ, ㄹ ④ ㄱ, ㄷ, ㄹ
⑤ ㄱ, ㄴ, ㄷ, ㄹ

난이도 상 중 하

해설 ㄱ. '총'과 뾰족한 부분을 이르는 '부리'가 결합한 말로 [총뿌리]로 발음이 되더라도 '총부리'로 표기한다. 따라서 '총부리'는 표준어이다. '손을 번쩍 올렸다'의 의미로 '추켜올렸다'가 쓰였으므로 표준어이다. 따라서 ㄱ은 표준어로만 이루어진 문장이다.

ㄷ. '마음에 언짢은 느낌이 있다.'라는 의미를 가진 '께름직하다'는 표준어이다. 따라서 ㄷ은 표준어로만 이루어진 문장이다.
※ 2018년에 '께름직하다'와 '꺼림직하다'가 표준어로 인정됨에 따라 '께름하다, 꺼림하다, 께름직하다, 꺼림직하다, 께름칙하다, 꺼림칙하다' 모두 '마음에 언짢은 느낌이 있다.'라는 의미를 가진 표준어이다.

ㄹ. '기다랗게 되다'라는 의미로 '기다래지다(기다랗- + -아지다)'는 표준어이다. 따라서 ㄹ은 표준어로만 이루어진 문장이다.

오답분석 ㄴ. **윗돈 → 웃돈**: 위와 아래의 대립이 있는 경우에는 '위-' 또는 '윗-'을 쓸 수 있다. '돈'은 위와 아래의 대립이 없기 때문에 '웃-'을 붙인 '웃돈'이 표준어이다.

정답 ④

019 ○○○ 2008 지방직 9급

표준어로만 이루어진 문장은?

① 시험을 치르고 나니 허탈감이 엄습했다.
② 이 딸기 통털어서 얼맙니까?
③ 사소한 일로 티각태각하다가 결국 헤어졌다.
④ 자라 보고 놀랜 가슴 솥뚜껑 보고 놀랜다.

난이도 상 중 하

TIP '놀라다'와 '놀래다'는 목적어의 유무로 구별하면 쉽다.
예 내가 놀라다. / 내가 남을 놀래다.

해설 '무슨 일을 겪어 내다.'의 의미를 가진 말의 기본형은 '치르다'이므로, '치르고'의 활용은 올바르다. 나머지 단어도 모두 표준어이다.
※ 치르다 - 치르고 - 치르지 - 치러(치르 + 어)

오답분석 ② **통털어서 → 통틀어서**: '모두'의 의미를 가진 말의 기본형은 '통틀다'이다. 따라서 어미 '-어서'가 붙어 활용한 말은 '통틀어서'이다.

③ **티각태각 → 티격태격**: '티격태격'만 표준어이다.
※ 티격태격: 서로 뜻이 맞지 아니하여 시비를 따지며 가리는 모양

④ **놀랜 → 놀란**: '남을 놀라게 하다.'라는 사동의 의미가 아니라, '내가 놀라다.'라는 주동의 의미이므로, 주동사 '놀라다'가 와야 한다.
※ 남을 놀라게 할 때만 '놀라다'에 사동 접사 '-이'가 결합한 사동형 '놀래다'를 쓴다. 비교 '놀래키다'는 비표준어이다.

정답 ①

표준어 설명 진위 판별	표준어에 대한 설명의 진위 여부를 판별하는 유형

020 ○○○ 2017 교육행정직 9급

표준어와 관련한 설명으로 틀린 것은?

① '두리뭉실하다'는 예전에는 표준어가 아니었으나 현재는 '두루뭉술하다'와 함께 표준어이다.
② '우뢰'는 예전에 표준어였으나 현재는 표준어가 아니고 '우레'가 표준어이다.
③ '웃프다'는 새로 만들어진 말로 현재 두루 쓰이고 있는 표준어이다.
④ '애달프다'와 '애닯다'는 같은 뜻을 가진 말이나 '애달프다'는 표준어이고 '애닯다'는 표준어가 아니다.

난이도 상 중 하

해설 '웃기면서 슬프다'란 뜻을 가진 '웃프다'는 새로 만들어진 말로 젊은이들 사이에서 두루 쓰이고 있다. 그러나 아직 표준어로 인정된 말은 아니다.

오답분석 ① 원래는 '두루뭉술하다'만 표준어였는데, 2011년에 '두리뭉실하다'도 표준어로 인정되었다. 따라서 '두리뭉실하다'가 '두루뭉술하다'와 함께 표준어라는 설명은 옳다. 비교 두루뭉수리(명사)

② 예전에는 '雨(비 우)'에 '雷(천둥 뢰)'가 결합한 '우뢰'의 형태를 표준어로 삼았다. 그러나 1988년 〈한글 맞춤법〉이 개정되면서 '우레'로 표준어가 바뀌었다. '우뢰'는 '우레'의 북한어이다.

④ '애닯다'는 '애달프다'의 고어이다. 현재 '애달프다'만 표준어로 인정하고, '애닯다'는 표준어로 인정하지 않는다.

정답 ③

Unit 03 복수 표준어

출제 유형

• 복수 표준어가 아닌 단어가 포함된 것을 찾는 유형

핵심정리

• **표준어 규정 제18항** [10 서울시 9급]

[제18항] 다음 단어는 ㄱ을 원칙으로 하고, ㄴ도 허용한다.

ㄱ(원칙)	ㄴ(허용)	비고
네	예	
쇠-	소-	-가죽, -고기, -기름, -머리, -뼈
괴다	고이다	물이 ~, 밑을 ~.
꾀다	꼬이다	어린애를 ~, 벌레가 ~.
쐬다	쏘이다	바람을 ~.
죄다	조이다	나사를 ~.
쬐다	쪼이다	볕을 ~.

심화 Plus

1. 2011년에 추가된 표준어 [13 서울시 9급]

짜장면	'짜장면'은 본래 '자장면'의 비표준어였으나 2011년 8월 국립국어원에서 '자장면'과 동일한 뜻으로 널리 쓰이는 것으로 판단하여 복수 표준어로 인정하였다.
메꾸다	'메꾸다'는 본래 '메우다'의 비표준어였으나 2011년 8월 국립국어원에서 '메우다'와 동일한 뜻으로 널리 쓰이는 것과 뜻에 차이가 있는 것으로 판단하여 표준어로 인정하였다.
나래	'나래'는 본래 '날개'의 비표준어였으나 2011년 8월 국립국어원에서 '날개'의 문학적 표현으로 판단하여 표준어로 인정하였다.
먹거리	'먹거리'는 본래 '먹을거리'의 비표준어였으나 2011년 8월 국립국어원에서 '먹을거리'와 뜻에 차이가 있는 것으로 판단하여 표준어로 인정하였다.
허접쓰레기	'허접쓰레기'는 본래 '허섭스레기'의 비표준어였으나 2011년 8월 국립국어원에서 '허섭스레기'와 동일한 뜻으로 널리 쓰이는 것으로 판단하여 복수 표준어로 인정하였다.

2. 소-/쇠- [08 서울시 9급]

'소'의 부산물일 때는 '소'와 '쇠' 모두 가능하지만, 아닐 때는 '소'만 가능하다.

'소'의 부산물인 경우	'소'의 부산물이 아닌 경우
소의 힘줄 → 소심(○), 쇠심(○)	소를 훔치는 도둑 → 소도둑(○), 쇠도둑(×)
소의 꼬리 → 소꼬리(○), 쇠꼬리(○)	소가 끄는 수레 → 소달구지(○), 쇠달구지(×)

3. 한글 맞춤법 제31항 [08 서울시 9급]

[제31항] 두 말이 어울릴 적에 'ㅂ' 소리나 'ㅎ' 소리가 덧나는 것은 소리대로 적는다.

(1) 'ㅂ' 소리가 덧나는 것 예 댑싸리, 멥쌀, 볍씨, 입때, 입쌀, 접때, 좁쌀, 햅쌀 등

(2) 'ㅎ' 소리가 덧나는 것 예 머리카락, 살코기, 안팎, 수캐, 수컷, 암캐, 암컷, 암탉 등

4. 복수 표준어 기출 단어

(1) [09 법원직 9급]: ① 다달이 - 매달 ② 모내다 - 모심다 ③ 까다롭다 - 까탈스럽다 ④ 욕심꾸러기 - 욕심쟁이

(2) [07 법원직 9급]: ① 가뭄 - 가물 ② 고까 - 꼬까 - 때때 ③ 삽살개 - 삽사리

출제 유형

복수 표준어	복수 표준어가 아닌 단어가 포함된 것을 찾는 유형

021 ○○○ 2023 군무원 7급

다음 중 표준어끼리 짝지어진 것이 아닌 것은?

① 만날 – 맨날

② 가엾다–가엽다

③ 멀찌감치–멀찌가니

④ 구레나룻 – 구렛나루

난이도 상 중 하

해설 '귀밑에서 턱까지 잇따라 난 수염'을 이르는 말은 '구레나룻'만 표준어이다.

정답 ④

022 ○○○ 2022 간호직 8급

밑줄 친 말이 복수 표준어가 아닌 것은?

① 화단에 있는 흙이 찰지다/차지다.

② 글을 읽으려야/읽을래야 읽을 수가 없다.

③ 너무 어지러워서 하늘이 다 노라네/노랗네.

④ 누가 그런 주책없는/주책인 소리를 하더냐?

난이도 상 중 하

해설 '-(으)려고 하여야'가 줄어든 '-(으)려야'를 쓴 '읽으려야'만 표준어이다. 예 보려야/먹으려야/살려야
※ -ㄹ래야(×)

오답분석 ① '찰지다'은 '차지다'의 방언이었으나 2015년 12월 국립국어원에서 '차지다'의 원래 말로 보고 표준어로 인정하였다.
- 찰지다 = 차지다(○)

※ 차조(○)/찰조(×)

③ 'ㅎ'이 탈락하지 않은 활용형은 비표준어였으나, 현실의 쓰임이 반영되어 2015년에 표준 활용형으로 인정되었다. 따라서 종결형의 어미 '-니/-네/냐'에 대해서는 두 가지 표현이 가능하다.
- 하늘이 노라니? = 하늘이 노랗니?(○)
- 하늘이 노라네. = 하늘이 노랗네.(○)
- 하늘이 노라냐? = 하늘이 노랗냐?(○)

다만, 연결어미일 경우 원칙만 가능하다.
- 하늘이 노라니, 비가 올 것 같아요.(○)
- 하늘이 노랗니, 비가 올 것 같아요.(×)

④ '주책이다'는 본래 '주책없다'의 비표준어였으나 2017년 1월 국립국어원에서 '주책없다'와 동일한 뜻으로 널리 쓰이는 것으로 판단하여 표준어로 인정하였다.
- 주책없다 = 주책이다(○)

정답 ②

023 ○○○ 2019 서울시 9급(2월)

<보기>는 복수 표준어에 대한 설명이다. 이에 따른 표기로 가장 옳지 않은 것은?

<보기>

한 가지 의미를 나타내는 형태 몇 가지가 널리 쓰이며 표준어 규정에 맞으면, 그 모두를 표준어로 삼는다.

① 가는허리 / 잔허리 ② 고깃간 / 정육간

③ 관계없다 / 상관없다 ④ 기세부리다 / 기세피우다

난이도 상 중 하

해설 '고깃간'의 복수 표준어는 '푸주', '푸줏간'이다. 그러나 '정육간'은 표준어가 아니다.
※ '정육간'은 표준어가 아니지만, '정육점'은 표준어이다.

오답분석 ① **가는허리(= 세요, 잔허리)**: 명 잘록 들어간, 허리의 뒷부분

③ **관계없다(= 상관없다)**: 형 서로 아무런 관련이 없다.

④ **기세부리다(= 기세피우다)**: 동 남에게 영향을 끼칠 기운이나 태도를 드러내 보이다.

정답 ②

024 ○○○ 2016 국회직 9급

다음 중 복수 표준어가 아닌 것은?

① 어림잡다 – 어림재다 ② 변덕스럽다 – 변덕맞다

③ 장가가다 – 장가들다 ④ 흠가다 – 흠지다

⑤ 기세부리다 – 기세피우다

난이도 상 중 하

해설 '어림잡다(= 어림치다)'만 표준어이다. 명사인 '어림재기'는 표준어이지만, 동사인 '어림재다'는 표준어가 아니다.
※ 어림재기: 길이, 무게, 들이, 부피 따위를 대강 짐작으로 재는 것

오답분석 ② **변덕스럽다/변덕맞다**: 이랬다저랬다 하는, 변하기 쉬운 태도나 성질이 있다.

③ **장가가다/장가들다**: 남자가 결혼하여 남의 남편이 되다.

④ **흠가다/흠나다/흠지다**: 흠이 생기다.

⑤ **기세부리다/기세피우다**: 남에게 영향을 끼칠 기운이나 태도를 드러내 보이다.

정답 ①

025 ○○○ 2014 서울시 9급

다음은 같은 의미를 지닌 단어들을 묶은 것이다. 이들 가운데 표준어가 아닌 예가 들어 있는 것은?

① 눈대중 – 눈어림 – 눈짐작

② 보통내기 – 여간내기 – 예사내기

③ 멀찌감치 – 멀찌가니 – 멀찍이

④ 넝쿨 – 덩굴 – 덩쿨

⑤ 되우 – 된통 – 되게

난이도 ㊦ ◯ ㊤

해설 '길게 뻗어 나가면서 다른 물건을 감기도 하고 땅바닥에 퍼지기도 하는 식물의 줄기'를 이르는 말은 '덩굴'과 '넝쿨'이 표준어이다. 그러나 이 둘의 형태를 합친 '덩쿨'은 표준어가 아니다.

오답분석 나머지는 모두 복수 표준어이다.

① **눈대중 - 눈어림 - 눈짐작**: 눈으로 보아 어림잡아 헤아림.

② **보통내기 - 여간내기 - 예사내기**: 만만하게 여길 만큼 평범한 사람

③ **멀찌감치 - 멀찌가니 - 멀찍이**: 사이가 꽤 떨어지게

⑤ **되우 - 된통 - 되게**: 아주 몹시

정답 ④

026 ○○○ 2013 서울시 9급

다음 중 복수 표준어가 아닌 것은?

① 자장면 – 짜장면

② 메우다 – 메꾸다

③ 날개 – 나래

④ 먹을거리 – 먹거리

⑤ 허섭쓰레기 – 허접쓰레기

난이도 ㊦ ◯ ㊤

해설 **'좋은 것이 빠지고 난 뒤에 남은 허름한 물건'**을 이르는 말은 **'허섭스레기'**와 **'허접쓰레기'**가 복수 표준어이다. '허섭쓰레기'는 표준어가 아니다.

※ '허접쓰레기'는 본래 '허섭스레기'의 비표준어였으나 2011년 8월 국립국어원에서 '허섭스레기'와 동일한 뜻으로 널리 쓰이는 것으로 판단하여 복수 표준어로 인정하였다.

 ⑤

027 ○○○ 2010 서울시 9급

다음 중 복수 표준어에 해당하지 않는 것은?

① 볕을 쬐다/쪼이다

② 나사를 죄다/조이다

③ 벌레가 꼬다/꼬이다

④ 물이 괴다/고이다

⑤ 쇠고기/소고기

난이도 ㊤ ㊥ ◯

해설 '꼬다'와 '꼬이다'는 별개의 단어로 각각은 표준어가 맞다. 그러나 동일한 의미를 가진 복수 표준어는 아니다. '벌레가 모여 뒤끓다'의 의미의 복수 표준어는 본말 '꼬이다'와 준말 '꾀다'이다.

※ '꼬다'는 '줄을 꼬다', '다리를 꼬다', '비꼬다'의 의미로 쓰인다.

오답분석 ① 본말 '쪼이다'와 준말 '쬐다'는 복수 표준어이다.

② 본말 '조이다'와 준말 '죄다'는 복수 표준어이다.

④ 본말 '고이다'와 준말 '괴다'는 복수 표준어이다.

⑤ '소'의 부산물일 때는 '소'와 '쇠'가 붙은 형태 모두 표준어이다. '소의 고기'의 의미이므로 '소고기'와 '쇠고기'는 복수 표준어이다.

 ③

Unit 04 추가된 표준어

출제 유형

표준어 판별	• 추가된 표준어인지 아닌지 판별하는 유형 • 단어가 표준어인지 아닌지 판별하는 유형
표준어 개수 파악	• 표준어 개수를 파악하는 유형 • 새로 추가된 표준어의 개수만 파악하는 유형

핵심정리

1. 2011년에 추가된 표준어

(1) 같은 뜻을 가진 표준어로 인정

현재 표준어	추가된 표준어	현재 표준어	추가된 표준어
간질이다	간지럽히다	세간	세간살이
남우세스럽다	남사스럽다	쌉싸래하다	쌉싸름하다
목물	등물	고운대	토란대
만날	맨날	허섭스레기	허접쓰레기
묏자리	묫자리	토담	흙담
복사뼈	복숭아뼈		

(2) 어감이나 뜻의 차이가 있어 별도의 표준어로 인정

현재 표준어	추가된 표준어	현재 표준어	추가된 표준어
-기에	-길래	뜰	뜨락
괴발개발	개발새발	먹을거리	먹거리
날개	나래	메우다	메꾸다
냄새	내음	손자	손주
눈초리	눈꼬리	어수룩하다	어리숙하다
떨어뜨리다	떨구다	연방	연신
휭허케	휭하니	새치름하다	새초롬하다
거치적거리다	걸리적거리다	아옹다옹	아웅다웅
끼적거리다	끄적거리다	야멸치다	야멸차다
두루뭉술하다	두리뭉실하다	오순도순	오손도손
맨송맨송	맨숭맨숭/ 맹숭맹숭	찌뿌듯하다	찌뿌둥하다
바동바동	바둥바둥	치근거리다	추근거리다

(3) 두 가지 표기를 모두 표준어로 인정

현재 표준어	추가된 표준어
태껸	택견
품세	품새
자장면	짜장면

2. 2014년에 추가된 표준어

(1) 현재 표준어와 같은 뜻을 가진 표준어로 인정한 것

현재 표준어	추가된 표준어	현재 표준어	추가된 표준어
구안괘사	구안와사	삐치다	삐지다
굽실	굽신	작장초	초장초
눈두덩	눈두덩이		

(2) 현재 표준어와 뜻이나 어감 차이가 나 별도의 표준어로 인정한 것

현재 표준어	추가된 표준어	현재 표준어	추가된 표준어
개개다	개기다	속병	속앓이
꾀다	꼬시다	장난감	놀잇감
딴죽	딴지	사그라지다	사그라들다
섬뜩	섬찟	허접스럽다	허접하다

3. 2015년에 추가된 표준어

(1) 같은 뜻의 표준어로 인정

현재 표준어	추가된 표준어	현재 표준어	추가된 표준어
마을	마실	차지다	찰지다
예쁘다	이쁘다	-고 싶다	-고프다

(2) 별도의 뜻을 가진 표준어로 인정

현재 표준어	추가된 표준어	현재 표준어	추가된 표준어
가오리연	꼬리연	잎사귀	잎새
의논	의론	푸르다	푸르르다
이키	이크		

(3) 현재 표준적인 활용형과 용법이 같은 활용형으로 인정한 것(2개)

현재 표준어	추가된 표준어	현재 표준어	추가된 표준어
마	말아	노라네	노랗네
마라	말아라	동그라네	동그랗네
마요	말아요	조그마네	조그맣네

4. 2016년에 추가된 표준어

(1) 별도 표준어로 인정

현재 표준어	추가된 표준어	현재 표준어	추가된 표준어
거방지다	걸판지다	까다롭다	까탈스럽다
건울음	겉울음	실몽당이	실뭉치

(2) 같은 뜻의 표준어로 인정

현재 표준어	추가된 표준어	현재 표준어	추가된 표준어
에는	엘랑	주책없다	주책이다

5. 2018년 추가된 표준어

의미	뜻이 같은 표준어
칭찬하다.	추어올리다, 추켜올리다, 추켜세우다, 치켜올리다, 치켜세우다, 추어주다
마음에 걸려 언짢다.	꺼림칙하다, 께름직하다, 께름칙하다, 께름하다, 꺼림하다

6. 2020년 추가된 관용구 표제어

의미	뜻이 같은 표준어
배가 출출하여 무엇이 먹고 싶다.	입이 궁금하다, 입이 심심하다

출제 유형

표준어 판별	추가된 표준어인지 아닌지 판별하는 유형

028 ○○○ 2012 지방직 9급

밑줄 친 부분이 2011년 8월 새로 추가된 표준어에 포함되지 않는 것은?

① 사랑이 뭐기에/뭐길래 그렇게 힘들어하나?

② 그 사람은 좋아하려야/좋아할래야 좋아할 수가 없다.

③ 우리 형제들은 오순도순/오손도손 잘 지냅니다.

④ 저 친구는 만날/맨날 지각이야.

난이도 상 중 하

해설 '-ㄹ래야'의 형태는 추가된 표준어에 포함되지 않았다. 기존처럼 '-려야'만 표준어이다. 나머지는 모두 새로 추가된 표준어이다. 어미로서 추가된 표준어로는 ①의 '-기에/-길래'가 있다.

정답 ②

출제 유형

표준어 판별	단어가 표준어인지 아닌지 판별하는 유형

029 ○○○ 2016 서울시 7급

다음 중 비표준어가 포함된 것은?

① 마을 - 마실

② 예쁘다 - 이쁘다

③ 새초롬하다 - 새치름하다

④ 부스스하다 - 부시시하다

난이도 상 중 하

해설 '부스스하다'만 표준어이다. '부시시하다'는 '부스스하다'의 북한어로 표준어가 아니다.

오답분석 ③의 '새치름하다'는 2011년 8월에, ①의 '마실'과 ②의 '이쁘다'는 2015년 12월에 표준어로 인정된 단어이다.

정답 ④

030 ○○○ 2016 국회직 8급

다음 〈보기〉의 밑줄 친 ㉠~㉤ 중 표준어를 모두 고르면?

〈보기〉

- 너는 시험이 코앞인데 ㉠ 맨날 놀기만 하니?
- 당신은 돌아가는 상황을 잘 알면서도 ㉡ 딴청을 붙이시는군요.
- 아버지의 사랑방에는 밤이면 밤마다 ㉢ 마을꾼들이 모여들었다.
- 총소리에 그는 얼마나 급했던지 옷도 ㉣ 가꾸로 입고 밖으로 나왔다.
- 형은 사정없이 구둣발로 그 사람을 ㉤ 조져 대더니 막판에는 돌멩이를 집어 들었다.

① ㉠, ㉡, ㉢ ② ㉠, ㉣, ㉤
③ ㉡, ㉢, ㉣ ④ ㉠, ㉡, ㉢, ㉤
⑤ ㉠, ㉡, ㉢, ㉣, ㉤

난이도 상 중 하

해설 ㉠~㉤ 모두 표준어이다. ㉠ '매일같이 계속하여서'라는 의미로는 본래 '만날'만 표준어였는데, 2011년에 '맨날'도 표준어로 인정되었다.

㉡ '딴청'은 '어떤 일을 하는 데 그 일과는 전혀 관계없는 일이나 행동'을 의미하는 말로, '딴전'과 함께 '딴청'도 표준어이다.

㉢ '이웃에 놀러 다니는 사람'을 의미하는 '마을꾼(= 마실꾼)'은 표준어이다.

㉣ '거꾸로'와 함께 '가꾸로/까꾸로'도 표준어이다. 단, '꺼꾸로'는 비표준어이다.

㉤ '조져(조지- + -어)'는 '호되게 때리다.'란 뜻을 가진 '조지다'의 활용형으로, 표준어이다.

정답 ⑤

031 ○○○ 2016 기상직 9급

밑줄 친 말 중 표준어가 아닌 것은?

① 노란 곰 인형이 무척 이쁘구나!
② 밥이 찰져서 입안에서 살살 녹아.
③ 아이들이 햇님 얼굴을 보며 웃더란다.
④ 오 헨리의 '마지막 잎새'는 참 감동적이야.

난이도 상 중 하

해설 **햇님 → 해님**: 사이시옷은 합성어에만 붙는다. 어근 '해'와 접미사 '-님'의 결합이므로 파생어이다. 따라서 사이시옷을 붙인 '햇님'은 표준어가 아니다.

오답분석 ① 본래 '예쁘다'만 표준어였는데, 2015년에 '이쁘다'도 표준어로 인정되었다. 따라서 그 활용형인 '이쁘구나'도 표준어이다.

② 본래 '차지다'만 표준어였는데, 2015년에 원말인 '찰지다'도 표준어로 인정되었다. 따라서 그 활용형인 '찰져서'도 표준어이다.

④ 본래 '잎사귀'만 표준어였는데, 2015년에 '잎새'도 표준어로 인정되었다.

정답 ③

032 ○○○ 2013 국회직 8급

다음 중 표준어로만 묶인 것은?

① 끄적거리다, 맨날, 접때, 삐친, 맛쩍은
② 두리뭉실하다, 먹거리, 오순도순, 널빤지, 후드득후드득
③ 남사스럽다, 점쟁이, 짜장면, 떠벌이, 핼쑥하다
④ 쌉싸름하다, 뒷꿈치, 개발새발, 뾰두라지, 셋째
⑤ 새초롬하다, 덩굴, 뜨락, 얼레리꼴레리, 소싯적

난이도 상 중 하

해설 '두리뭉실하다, 먹거리, 오순도순, 널빤지, 후드득후드득'은 모두 표준어이다. '두루뭉술하다, 두리뭉실하다', '먹을거리, 먹거리', '오순도순, 오손도손', '널빤지, 널, 판자, 널판자'는 복수 표준어이다.
※ 후드득후드득: 깨나 콩 볶는 소리, 비 내리는 소리

오답분석 ① '끄적거리다, 맨날, 접때, 삐친'은 표준어이다.
'맛쩍은 → 맛적은'
※ '끄적거리다, 끼적거리다', '맨날, 만날', '삐치다, 삐지다'는 복수 표준어이다.
- **맛적다**: 재미나 흥미가 거의 없어 싱겁다.
- **멋쩍다**: ① 하는 짓이나 모양이 격에 어울리지 않다.
  ② 어색하고 쑥스럽다.

③ '남사스럽다, 점쟁이, 짜장면, 핼쑥하다'는 표준어이다.
'떠벌이 → 떠버리'
※ '남사스럽다, 남우세스럽다, 남세스럽다, 우세스럽다', '자장면, 짜장면', '해쓱하다, 핼쑥하다'는 복수 표준어이다.
- **떠버리**: 자주 수다스럽게 떠드는 사람을 낮잡아 이르는 말
- **해쓱하다**: 얼굴에 핏기나 생기가 없어 파리하다.
- **핼쑥하다**: 얼굴에 핏기가 없고 파리하다.

④ '쌉싸름하다, 개발새발, 뾰두라지, 셋째'는 표준어이다.
'뒷꿈치 → 뒤꿈치'('-꿈치'는 접사이므로 사이시옷을 표기할 이유가 없다.)
※ '쌉싸름하다, 쌉싸래하다, 씁쓰름하다, 씁쓰레하다', '개발새발, 괴발개발', '뾰두라지, 뾰루지'는 복수 표준어이다.

⑤ '새초롬하다, 덩굴, 뜨락, 소싯적'은 표준어이다.
'얼레리꼴레리 → 알나리깔나리'
※ '새초롬하다, 새치름하다', '덩굴, 넝쿨', '뜨락, 뜰', '소싯적, 소시(少時)'는 복수 표준어이다.

정답 ②

출제 유형

표준어 개수 파악	표준어 개수를 파악하는 유형

033 ○○○

2016 국회직 8급

다음 중 표준어의 개수를 바르게 나타낸 것은?

① 눈엣가시, 석박지, 뒷꿈치, 돌멩이 - 1개
② 이쁘다, 마실, 복숭아뼈, 창란젓 - 3개
③ 걸판지다, 움츠리다, 마늘쫑, 주구장창 - 3개
④ 골차다, 끄적이다, 푸르르다, 손주 - 2개
⑤ 새치름하다, 누레지다, 삐진, 개기다 - 3개

난이도 ◎ 중 하

해설 '이쁘다, 마실, 복숭아뼈' 3개의 단어가 표준어이다. '이쁘다, 마실'은 2015년에, '복숭아뼈'는 2011년에 표준어로 인정된 단어이다.
- **창란젓 → 창난젓**: 한자 '卵(알 란)'이 사용되었을 거라 착각하여 '창란젓'으로 쓰는데, 이는 표준어가 아니다. '창난젓(명태의 창자로 담근 젓)'이 표준어이다.

※ '창난젓'은 한자어가 아니다.

오답 분석

①	표준어	눈엣가시, 돌멩이 → 표준어는 2개이다.
①	비표준어	• **석박지 → 섞박지**: '섞다'란 의미가 담겨 있기 때문에, 형태를 밝혀 '섞박지'로 표기한다. ※ 섞박지: 배추와 무·오이를 절여 넓적하게 썬 다음, 여러 가지 고명에 젓국을 쳐서 한데 버무려 담은 뒤 조기젓 국물을 약간 부어서 익힌 김치 • **뒷꿈치 → 뒤꿈치**: 된소리나 거센소리 앞에 사이시옷을 표기하지 않는다. 또한 '뒤꿈치'에서 '-꿈치'를 접사로 파악하기 때문에 사이시옷을 붙이지 않는다. ※ '-꿈치'는 파생 접사처럼 기능을 하지만 생산성이 낮기 때문에 사전의 표제어로 등재되지 않았다. 예 뒤꿈치, 발꿈치, 팔꿈치, 버선꿈치
③	표준어	움츠리다, 걸판지다 → 표준어는 2개이다. ※ 2016년 '걸판지다'가 새로 표준어로 인정되었다. → 걸판지다(형용사) 1. 매우 푸지다. ≒거방지다 2. 동작이나 모양이 크고 어수선하다.
③	비표준어	• **마늘쫑 → 마늘종**: [마늘쫑]으로 발음하더라도, 표기는 '마늘종'으로 한다. • **주구장창 → 주야장천**: '쉬지 아니하고 연달아'란 뜻을 가진 한자어 '주야장천(晝夜長川)'의 잘못된 표기다.
④	표준어	골차다, 끄적이다, 푸르르다(2015년에 인정), 손주(2011년에 인정) → 표준어는 4개이다.
⑤	표준어	새치름하다, 누레지다, 삐진(삐지다: 2014년에 인정), 개기다(2014년에 인정) → 표준어는 4개이다.

정답 ②

출제 유형

표준어 개수 파악	새로 추가된 표준어의 개수만 파악하는 유형

034 ○○○

2015 국회직 8급

다음 중 표준어의 개수를 바르게 나타낸 것은?

㉠ 그렇게 조그만 일에 삐지다니 큰일을 못할 사람일세.
㉡ 인창이는 상급생에게 개기다가 혼쭐이 났다.
㉢ 나뭇잎도 아이들에게는 훌륭한 놀잇감이 된다.
㉣ 성우야, 이번 일에 자꾸 딴지를 걸지 마라.
㉤ 길형이는 뱀을 발견하고 섬찟 놀랐다.

① 1개
② 2개
③ 3개
④ 4개
⑤ 5개

난이도 ◎ 중 하

해설 '삐지다, 개기다, 놀잇감, 딴지, 섬찟'은 모두 2014년 12월 15일에 새로 추가된 표준어이다.

정답 ⑤

CHAPTER 2 표준 발음법

Unit 05 '모음'의 표준 발음

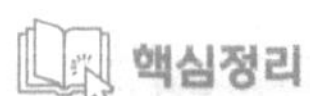

출제 유형

• 모음 'ㅢ'의 표준 발음을 묻는 유형
• 모음 'ㅖ'의 표준 발음을 묻는 유형

핵심정리

• **이중 모음의 발음**

가지어 → 가져[가저] **찌어 → 쪄[쩌]** **다치어 → 다쳐[다처]**	용언 활용형 '져, 쪄, 쳐'는 [저, 쩌, 처]로 발음한다. 즉, 'ㅈ, ㅉ, ㅊ + ㅕ'는 이중 모음으로 발음되는 경우가 없다. ※ 조음 위치가 중복되기 때문에 'ㄷ, ㅌ'과 구개음화된 'ㅈ, ㅊ'도 마찬가지이다. 예 굳히 + 어 → 굳혀[구처], 잊히 + 어 → 잊혀[이처], 붙히 + 어 → 붙혀[부처]
계집[계:집/게:집] **계시다[계:시다/게:시다]** **시계[시계/시게](時計)** **연계[연계/연게](連繫)** **메별[메별/메별](袂別)** **개폐[개폐/개페](開閉)** **혜택[혜:택/헤:택](惠澤)** **지혜[지혜/지헤](智慧)**	'예, 례'는 항상 [예, 례]로 발음한다. 예 예절[예절], 차례[차례], 연예[여:녜] ※ '예, 례' 이외의 'ㅖ'는 [ㅔ]로도 발음할 수 있다. 단, 표기에는 반영하지 않는다. 이는 실제 발음을 고려한 것이다. 예 시계(時計)[시계/시게]
늴리리[닐리리], 늼큼[닝큼], 무늬[무니], **띄어쓰기[띠어쓰기/띠여쓰기], 씌어[씨어],** **틔어[티어], 희어[히어], 희떱다[히떱다],** **희망[히망], 유희[유히]**	자음이 첫소리 + 'ㅢ'는 [ㅣ]로 발음한다. 예 흰무리[힌무리], 희미하다[히미하다], 유희[유히], 오늬[오니], 보늬[보니], 하늬바람[하니바람]
주의[주의/주이] **협의[혀븨/혀비]** **우리의[우리의/우리에]** **강의의[강:의의/강:이에]**	단어의 첫음절 '의'는 항상 [의]로 발음한다. 예 의사[의사], 의지[의지] ※ 첫음절 이외의 '의'는 [ㅣ]로, 조사 '의'는 [ㅔ]로 발음하는 것을 허용한다. 예 문의(問議)[무:늬/무:니], 민주주의의 의의[민주주의의 의:의 / 민주주이에 의:이]

심화 Plus

• **용언의 활용형에 나타나는 '져, 쪄, 쳐'는 [저, 쩌, 처]로 발음한다.** [13 서울시 7급]
예 가져[가저], 쪄[쩌], 다쳐[다처]

출제 유형

모음의 표준 발음	모음 'ㅢ'의 표준 발음을 묻는 유형

035 ○○○ 2023 군무원 7급

'의'의 표준 발음에 대한 설명 중 맞지 않는 것은?

① '회의, 민주주의'와 같이 단어의 2음절 이하에 사용된 '의'는 [ㅢ]로 발음하는 것이 원칙이고, [ㅣ]로 발음하는 것도 허용된다.

② '우리의 마음, 반의 반'과 같이 조사로 사용된 '의'는 [ㅢ]로 발음하는 것이 원칙이고, [ㅔ]로 발음하는 것도 허용된다.

③ '희망, 무늬'와 같이 자음을 첫소리로 가지고 있는 음절의 'ㅢ'는 [ㅢ]로 발음하는 것이 원칙이고, [ㅣ]로 발음하는 것도 허용된다.

④ '의사, 의자'와 같이 단어의 첫음절에 사용된 '의'는 [ㅢ]로 발음한다.

난이도 상 중 하

해설 자음을 첫소리로 가지고 있는 음절의 'ㅢ'는 [ㅢ]가 아니라 [ㅣ]로 발음한다. 따라서 '희망'과 '무늬'의 표준 발음은 각각 [히망], [무니]이다.

정답 ③

036 ○○○ 2018 국회직 8급

〈보기〉의 밑줄 친 ㉠~㉤ 중 표준 발음으로 옳은 것을 모두 고르면?

〈보기〉

- 이 문제는 입주민들과의 ㉠ 협의[혀븨]를 통해서 해결합시다.
- 외국인들은 한글의 복잡한 ㉡ 띄어쓰기[띠어쓰기]를 어려워 한다.
- 관객들이 ㉢ 썰물[썰:물]처럼 빠져나갔다.
- 나라다운 나라 만들기라는 ㉣ 우리의[우리에] 소망이 이루어 질까?
- ㉤ 반신반의[반:신바:니] 하는 분위기였다.

① ㉠, ㉡, ㉢ ② ㉠, ㉢, ㉣

③ ㉠, ㉣, ㉤ ④ ㉡, ㉢, ㉤

⑤ ㉡, ㉣, ㉤

난이도 상 중 하

해설 ㉠ '협의'는 [혀븨]로 발음하는 것이 원칙이고 [혀비]로도 발음할 수 있다.

㉣ 조사 '의'는 원칙은 [의]로 발음하는 것이지만, [에]로도 발음할 수 있다. 따라서 '우리의'는 [우리의]로 발음하는 것이 원칙이고, [우리에]로도 발음할 수 있다.

㉤ '반신반의'는 [반:신바:늬]로 발음하는 것이 원칙이고 [반:신바:니]로도 발음할 수 있다.

오답분석 ㉡ 자음을 첫소리로 가지고 있는 음절의 'ㅢ'는 [ㅣ]로 발음한다는 규정에 따라 '띄어쓰기'의 표준 발음은 [띠어쓰기]이다.

다만, 'ㅣ' 모음 순행 동화의 결과로 [띠여쓰기]로도 발음할 수 있다.

㉢ 기본형 '썰다'의 발음이 [썰:다]인 것과 달리 '썰물'의 표준 발음은 짧은 소리 [썰물]이다.

정답 ③

고득점 GO!

'ㅢ'의 표준 발음 완전 정리!

발음과 상관없이 'ㅢ'로 표기해야 한다.

환경	발음
자음을 첫소리로 가지는 음절의 'ㅢ'	[ㅣ]로만! 예 늴리리[닐리리]
단어의 첫음절 'ㅢ'	[ㅢ]로만! 예 의사[의사]/의자[의자]
단어의 첫음절 이외의 'ㅢ'	[ㅢ](원칙), [ㅣ](허용) 예 주의[주의/주이]
조사 'ㅢ'	[ㅢ](원칙), [ㅔ](허용) 예 우리의[우리의/우리에]

037 ○○○ 2011 국가직 9급

다음을 〈표준 발음법〉에 따라 발음하지 않은 것은?

> 민주주의의 의의

① [민주주의에 으:이] ② [민주주의의 의:의]

③ [민주주이에 의:의] ④ [민주주이에 의:이]

난이도 상 중 하

해설 단어의 첫음절에서 '의'가 [으]로 발음되는 경우는 없다.

<table>
<tr><td>민주주의
[민주주의/민주주이]</td><td colspan="2">단어의 첫음절 이외의 'ㅢ'는 [ㅢ]로 발음하는 것이 원칙이지만, [ㅣ]로도 발음할 수 있다. 따라서 [민주주의/민주주이] 모두 옳다.</td></tr>
<tr><td>의[의/에]</td><td colspan="2">조사 '의'는 [ㅢ]로 발음하는 것이 원칙이지만, [ㅔ]로 발음할 수도 있다. 따라서 [의/에] 모두 옳다.</td></tr>
<tr><td rowspan="2">의의(意義)
[의:의/의:이]</td><td>앞의 '의'</td><td>단어의 첫음절에서는 [ㅢ]로만 발음해야 한다. 따라서 [의]로만 발음한다.</td></tr>
<tr><td>뒤의 '의'</td><td>단어의 첫음절 이외의 'ㅢ'는 [ㅢ]로 발음하는 것이 원칙이지만, [ㅣ]로 도 발음할 수 있다. 따라서 [의:의/의:이] 모두 옳다.</td></tr>
</table>

정답 ①

출제 유형

모음의 표준 발음	모음 'ㅖ'의 표준 발음을 묻는 유형

038 ○○○ 2018 국가직 7급

밑줄 친 발음이 표준 발음이 아닌 것은?

① 연계[연게] 교육 ② 차례[차레] 지내기
③ 충의의[충이의] 자세 ④ 논의[노늬]에 따른 방안

난이도 ㊤ ◯ ㊦

해설 **차례[차레 → 차례]**: 표준 발음법 제5항의 다만 2에서 "'예, 례' 이외의 'ㅖ'는 [ㅔ]로도 발음한다."라고 했다. 이에 따라 '차례'는 [차례]로만 발음해야 한다.

오답분석 ① "'예, 례' 이외의 'ㅖ'는 [ㅔ]로도 발음한다."라는 규정에 따라 '연계'는 [연계]로 발음하는 것이 원칙이나 [연게]로 발음할 수 있다.

③, ④ <표준 발음법> 제5항의 다만 4에서 "단어의 첫음절 이외의 '의'는 [ㅣ]로 발음함도 허용한다."라고 했다. 이에 따라 '충의의[충이의]'와 '논의[노늬]'는 표준 발음이 맞다.

※ '충의'는 [충의/충이], '논의'는 [노늬/노니] 모두 표준 발음이다. 또한 '충의의'의 관형격 조사 '의'는 [에]로도 발음할 수 있다. 따라서 '충의의' [충의의/충의에/충이의/충이에] 모두 가능하다.

 정답 ②

고득점 GO!

'충의의'의 표준 발음

1단계 - '충의'의 표준 발음은 [충의/충이]
2단계 - 조사 '의'는 [에]로도 발음 가능!
3단계 - 따라서 '충의의'의 표준 발음은 [충의의/충의에/충이의/충이에]

039 ○○○ 2013 서울시 7급

다음 중 표준 발음으로 옳은 것은?

① 다쳐[다쳐] ② 많소[만쏘]
③ 혜택[해:택] ④ 없애다[업쌔다]
⑤ 개폐[개페]

난이도 ◯ ㊥ ㊦

해설 '예, 례'를 제외한 모음 'ㅖ'는 [ㅖ]로 발음하는 것이 원칙이고, [ㅔ]도 허용한다. 따라서 '개폐[개페]'는 표준 발음이다. 다만, '개폐[개폐]'로 발음하는 것도 허용된다.

오답분석 ① **다쳐[다쳐 → 다처]**: 경구개음 'ㅈ, ㅉ, ㅊ'는 이중 모음 'ㅕ'와 함께 발음할 수 없다. 반드시 [저, 쩌, 처]로 발음한다.

② **많소[만쏘 → 만:쏘]**: 어근 '많-'이 장음이고, 첫음절이므로 장음을 살려 발음해야 한다.

③ **혜택[해:택 → 혜:택/헤:택]**: '예, 례'를 제외한 'ㅖ' 모음의 단어는 [ㅖ]로 발음하는 것이 원칙이나, [ㅔ] 발음을 허용한다. 따라서 [혜:택/헤:택] 두 가지 모두 올바른 발음이다.

④ **없애다[업쌔다 → 업:쌔다]**: '감다, 밟다, 신다, 알다, 꼬다'의 경우 어간의 발음이 장음이지만 1. 모음 어미나 2. 사동·피동의 접사와 결합할 경우 장음이 사라진다. 다만, '끌다, 벌다, 없다, 썰다, 떫다'의 경우 어간의 장음 발음이 모음과 결합하거나 사동·피동의 접사와 결합하는 경우에도 장음이 사라지지 않는다. 따라서 '없애다'도 장음을 살려 발음한다.

 정답 ⑤

Unit 06 '받침 + 모음'의 표준 발음

출제 유형

- '받침 + 모음'의 표준 발음을 묻는 유형
- 'ㄷ/ㅌ + 모음'의 표준 발음을 묻는 유형

핵심정리

1. 표준 발음법 제12항

> **[제12항]** 받침 'ㅎ'의 발음은 다음과 같다.
> 4. 'ㅎ(ㄶ, ㅀ)' 뒤에 모음으로 시작된 어미나 접미사가 결합되는 경우에는, 'ㅎ'을 발음하지 않는다.
> 예 낳은[나은], 놓아[노아], 쌓이다[싸이다], 많아[마:나], 않은[아는], 닳아[다라], 싫어도[시러도]

2. 음절의 끝소리 규칙의 적용 조건 [12 국회직 8급]

① 후속 형태소가 모음으로 시작하는 형식 형태소일 경우, 끝소리 자음이 다음 음절의 첫소리로 연음되어 규칙이 적용되지 않는다.

② 두 개의 자음으로 이루어진 겹받침에서도 모음의 형식 형태소와 만나면, 두 번째 끝소리 자음이 다음 음절의 첫소리로 이어져 발음되어 규칙이 적용되지 않는다.

③ 후속 모음이 실질 형태소일 경우에만 음절의 끝소리 규칙을 따르게 된다.(겹받침의 경우 자음군 단순화, 즉 '탈락'현상으로 보기도 함.)

심화 Plus

- **구개음화** [18 서울시 9급(6월)/18 교육행정직 7급]

개념	자음과 모음 사이에 일어나는 동화로, 구개음이 아닌 자음 'ㄷ, ㅌ'이 모음 'ㅣ'와 만나 경구개음인 'ㅈ, ㅊ' 으로 동화되는 현상
예시	굳이 → [구지], 밭이 → [바치], 닫히다 → [다치다], 붙이다 → [부치다]

※ 'ㅣ' 모음으로 시작하는 형식 형태소 앞에서만 '구개음화'가 일어나요!
'ㅣ' 모음이 아니거나, 실질 형태소 앞에서는 '구개음화'는 일어나지 않아요!
예 • 끝을 [끄틀](○) / [끄츨](×) • 끝인사 [끄딘사](○) / [끄친사](×)

 출제 유형

받침 + 모음	'받침 + 모음'의 표준 발음을 묻는 유형

040 ○○○ 2017 사회복지직 9급

밑줄 친 ㉠을 고려할 때 표준 발음으로 옳지 않은 것은?

> 〈표준어 규정〉 제2부 표준 발음법
> 제12항 받침 'ㅎ'의 발음은 다음과 같다.
> 4. ㉠ 'ㅎ(ㄶ, ㅀ)' 뒤에 모음으로 시작된 어미나 접미사가 결합되는 경우에는, 'ㅎ'을 발음하지 않는다.
>
> 낳은[나은], 쌓이다[싸이다], 많아[마:나], 싫어도[시러도]⋯ ⋯

① 바지가 다 닳아서[다라서] 못 입게 되었다.
② 저녁 반찬으로 찌개를 끓이고[끄리고] 있다.
③ 가지고 온 책은 책상 위에 놓아[노아] 두렴.
④ 기회를 놓치지 않은[안는] 사람이 결국에는 성공하더라.

난이도 ㊤ ◯ ㊦

해설 **않은[안는 → 아는]**: ㉠을 참고할 때, 발음할 때 '않다'의 어간 '않-'의 받침 'ㅎ'은 모음으로 시작하는 어미 '-은'과 결합하면서 탈락한다. 따라서 '않은'의 표준 발음은 [안는]이 아니라 [아는]이다.
※ '않은'의 표준 발음: [않은 → ('ㅎ' 탈락) → 안은 → (연음) → 아는]

오답 분석 제시된 규정에 따르면 어간의 받침 'ㅎ'은 모음 어미나 접미사가 결합되는 경우 'ㅎ'을 발음하지 않는다. 따라서 ①~③의 'ㅎ'이 탈락한 것은 표준 발음이다.
① **닳아서(닳- + -아서)**: [닳아서 → ('ㅎ' 탈락) → 달아서 → (연음) → 다라서]
② **끓이고(끓- + -이고)**: [끓이고 → ('ㅎ' 탈락) → 끌이고 → (연음) → 끄리고]
③ **놓아(놓- + -아)**: [놓아 → ('ㅎ' 탈락) → 노아]

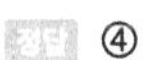 정답 ④

041 ○○○ 2012 국회직 8급

다음과 같은 발음을 바로잡는 데 활용할 수 있는 어문 규범 내용으로 가장 적절한 것은?

> 부엌이[부어기], 꽃이[꼬시], 무릎을[무르블]

① 겹받침 'ㄺ, ㄻ, ㄿ'은 어말 또는 자음 앞에서 각각 [ㄱ, ㅁ, ㅂ]으로 발음한다.
② 'ㅎ(ㄶ, ㅀ)' 뒤에 모음으로 시작된 어미나 접미사가 결합되는 경우에는, 'ㅎ'을 발음하지 않는다.
③ 받침소리로는 'ㄱ, ㄴ, ㄷ, ㄹ, ㅁ, ㅂ, ㅇ'의 7개 자음만 발음한다.
④ 홑받침이나 쌍받침이 모음으로 시작된 조사나 어미, 접미사와 결합되는 경우에는, 제 음가대로 뒤 음절 첫소리로 옮겨 발음한다.
⑤ 받침 'ㄱ(ㄲ, ㅋ, ㄳ, ㄺ), ㄷ(ㅅ, ㅆ, ㅈ, ㅊ, ㅌ, ㅎ), ㅂ(ㅍ, ㄼ, ㄿ, ㅄ)'은 'ㄴ, ㅁ' 앞에서 [ㅇ, ㄴ, ㅁ]으로 발음한다.

난이도 ㊤ ◯ ㊦

해설 제시된 '부엌이[부어기], 꽃이[꼬시], 무릎을[무르블]'은 바로 연음될 환경인데 대표음으로 바뀐 후 연음된 잘못된 예이다. 더구나 '꽃이[꼬시]'는 잘못된 대표음으로 연음했다. 따라서 이들 발음을 바로 잡기 위해서는 '연음'과 관련된 내용을 활용해야 한다.
※ 부엌이[부어기 → 부어키], 꽃이[꼬시 → 꼬치], 무릎을[무르블 → 무르플]

> **참고 연음 규칙**
> 홑받침이나 쌍받침이 모음으로 시작된 조사나 어미, 접미사와 결합되는 경우에는, 제 음가대로 뒤 음절 첫소리로 옮겨 발음한다.
> 예 부엌이[부어키], 꽃이[꼬치], 무릎을[무르플]

오답 분석
① '자음군 단순화'에 대한 설명이다. 그런데 '부엌이', '꽃이', '무릎을'에는 겹받침이 쓰이지 않았기 때문에, 발음을 바로잡는 데 활용할 수 있는 어문 규범의 내용이 아니다.
② 'ㅎ' 탈락에 대한 설명이다. 그런데 '부엌이', '꽃이', '무릎을'에는 받침으로 'ㅎ'이 쓰이지 않았기 때문에, 발음을 바로잡는 데 활용할 수 있는 어문 규범의 내용이 아니다.
③ '음절의 끝소리 규칙'에 대한 설명이다. '부엌', '꽃', '무릎'처럼 단독으로 실현될 때는 '음절의 끝소리 규칙'의 영향을 받는다. 그러나 모음으로 시작하는 형식 형태소와 결합하여 연음될 때는 '음절의 끝소리 규칙'의 영향을 받지 않는다. 따라서 '부엌이', '꽃이', '무릎을'의 발음을 바로잡는 데 활용할 수 있는 어문 규범의 내용이 아니다.
⑤ '비음화'에 대한 설명이다. 그런데 '부엌이', '꽃이', '무릎을'에는 비음화가 일어날 조건이 아니기 때문에, 발음을 바로잡는 데 활용할 수 있는 어문 규범의 내용이 아니다.

정답 ④

출제 유형

받침 + 모음	'ㄷ/ㅌ + 모음'의 표준 발음을 묻는 유형

042 ○○○ 2018 서울시 9급(6월)

〈보기〉에서 밑줄 친 부분의 발음으로 가장 옳지 않은 것은?

〈보기〉

손자: 할아버지. 여기 있는 ㉠ 밭을 우리가 다 매야 해요?
할아버지: 응. 이 ㉡ 밭만 매면 돼.
손자: 이 ㉢ 밭 모두요?
할아버지: 왜? ㉣ 밭이 너무 넓으니?

① ㉠: [바슬] ② ㉡: [반만]
③ ㉢: [받] ④ ㉣: [바치]

난이도 상 중 하

해설 **밭을[바슬 → 바틀]**: 모음으로 시작하는 형식 형태소(조사, 어미, 접사)가 이어질 때는 앞말의 받침이 연음된다. 따라서 '밭을'의 표준 발음은 [바틀]이 되어야 한다.

오답분석 ② '밭만'은 [밭만 → (음절의 끝소리 규칙) → 받만 → (비음화) → 반만]의 과정을 거쳐 발음된다. 따라서 '밭만'의 표준 발음은 [반만]이 맞다.

③ '밭'은 [밭 → (음절의 끝소리 규칙) → 받]의 과정을 거쳐 발음된다. 따라서 '밭'의 표준 발음은 [받]이 맞다.

④ '밭이'의 '이'는 형식 형태소인 '조사'이다. 따라서 '받침 'ㄷ, ㅌ(ㄾ)'이 조사나 접미사와 같은 '종속 형태소' 의 모음 'ㅣ'와 결합되는 경우에는, [ㅈ, ㅊ]으로 바꾸어서 뒤 음절 첫소리로 옮겨 발음한다.'는 구개음화 원칙에 따라 [바치]로 발음하게 된다.

정답 ①

043 ○○○ 2018 교육행정직 7급

표준 발음이 아닌 것은?

① 끝을[끄츨] ② 꽃밭이[꼳빠치]
③ 아침녘의[아침녀킈] ④ 윷놀이도[윤노리도]

난이도 상 중 하

해설 **끝을[끄츨 → 끄틀]**: 구개음화의 환경이 아니므로 연음 법칙에 따라 '끝을'은 [끄틀]로 발음해야 한다.

오답분석 ② '꽃밭[꽃밭 → (음절의 끝소리 규칙) → 꼳받 → (된소리되기) → 꼳빧]'의 발음이 되지만, 주격 조사 '이'가 결합하면 구개음화의 환경이므로([꼳빠티 → 꼳빠치]) 표준 발음은 [꼳빠치]가 맞다.

③ 연음 법칙에 따라 표준 발음은 [아침녀킈]가 맞다. '의'가 조사이므로 [아침녀케]로도 발음할 수 있다.

④ '윷놀이도[윷노리도 → (음절의 끝소리 규칙) → 윧노리도 → (비음화) → 윤노리도]'의 과정을 거쳐 표준 발음은 [윤노리도]가 맞다.

정답 ①

MEMO

Unit 07 '겹받침'의 표준 발음

출제 유형

- 겹받침이 들어간 단어의 표준 발음을 판별하는 유형
- 조건과 겹받침의 용례를 연결하는 유형

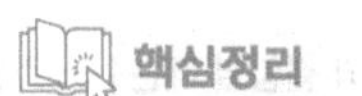

핵심정리

- **겹받침의 발음**

겹받침	환경	발음	예외
ㄳ, ㄵ, ㅄ	앞의 자음으로 발음	[ㄱ, ㄴ, ㅂ]	
ㄼ, ㄽ, ㄾ		[ㄹ]	어간이 '밟-', 어간이 '넓-'이 붙은 복합어는 [ㅂ]으로 발음
ㄶ, ㅀ		[ㄴ, ㄹ]	
ㄺ, ㄻ, ㄿ	뒤의 자음으로 발음	[ㄱ, ㅁ, ㅂ]	용언 'ㄺ' 어간은 'ㄱ' 어미를 만나면 'ㄺ + ㄱ = [ㄹㄲ]'으로 발음

심화 Plus

'겹받침의 표준 발음'은 음운 변동 중 '자음군 단순화'와 밀접한 관련이 있어요!

- **겹받침 발음의 예외** [17 교육행정직 7급/12 서울시 7급]

(1) ㄼ: 원칙은 [ㄹ]

환경	발음	용례
어간이 '밟-'	[ㅂ]	밟다[밥:따], 밟소[밥:쏘], 밟지[밥:찌], 밟는[밥:는 → 밤:는], 밟게[밥:께], 밟고[밥:꼬]
어간이 '넓-'인 복합어		넓-죽하다[넙쭈카다], 넓-둥글다[넙뚱글다], 넓적다리[넙쩍따리]

(2) ㄺ: 원칙은 [ㄱ]

환경	발음	용례
'ㄷ, ㅅ, ㅈ' 앞	[ㄱ]	맑다[막따], 맑지[막찌], 맑습니다[막씀니다]
'ㄱ' 앞	[ㄹ]	맑게[말께], 맑고[말꼬], 맑거나[말꺼나]

출제 유형

겹받침의 표준 발음	겹받침이 들어간 단어의 표준 발음을 판별하는 유형

044 ○○○ 2021 소방직

단어의 발음이 옳은 것은?

① 굵다[굴따] ② 넓다[넙따]
③ 맑다[막따] ④ 얇다[얍따]

난이도 ㊤ ㊥ ㊦

해설 **맑다[막따]**: 'ㄺ'은 [ㄱ]으로 발음한다. '맑다'는 [맑다 → (자음군 단순화) → 막다 → (된소리되기) → 막따]의 과정을 거쳐 발음된다. 따라서 '맑다'의 표준 발음은 [막따]가 맞다.

오답분석
① **굵다[굴따 → 국:따]**: 'ㄺ'은 [ㄱ]으로 발음한다. 따라서 '굵다'의 표준 발음은 [국:따]이다.
② **넓다[넙따 → 널따]**: 'ㄼ'은 [ㄹ]로 발음한다. 따라서 '넓다'의 표준 발음은 [널따]이다.
④ **얇다[얍따 → 얄:따]**: 'ㄼ'은 [ㄹ]로 발음한다. 따라서 '얇다'의 표준 발음은 [얄:따]이다.

정답 ③

045 ○○○ 2017 국회직 9급

다음 문장의 밑줄 친 부분을 표준 발음법에 맞게 발음한 것은?

"이 바지는 길이가 너무 짧네요."

① [짬네요] ② [짤브네요]
③ [잡네요] ④ [짤레요]
⑤ [짤네요]

난이도 ㊤ ㊥ ㊦

해설 **짧네요[짤레요]**: 겹받침 'ㄼ'은 [ㄹ]로 발음한다. '짧네요'는 [짧네요 → (자음군 단순화) → 짤네요 → (유음화) → 짤레요]의 과정을 거쳐 발음한다. 따라서 '짧네요'의 표준 발음은 [짤레요]이다.
※ '-으네요'라는 어미는 존재하지 않음.
• 짧으네요(×)/짧네요(○)

정답 ④

046 ○○○ 2016 경찰 1차

다음 중 <표준 발음법>에 맞지 않은 것은?

① 맑다[말따] ② 흙과[흑꽈]
③ 넓다[널따] ④ 밟다[밥:따]

난이도 ㊤ ㊥ ㊦

해설 **맑다[말따 → 막따]**. 겹받침 'ㄺ'의 대표음은 [ㄱ]이다.
겹받침 'ㄺ'의 용언은 'ㄱ'으로 시작하는 어미와 결합할 때를 제외하고는 [ㄱ]으로 발음해야 한다. 따라서 '맑다'의 표준 발음은 [막따]이다.

비교 **맑고[말꼬]**: 'ㄱ'으로 시작하는 어미와 결합할 때는 [ㄹ]로 발음된다.

오답분석
② '흙'의 표준 발음은 [흑]이다. 따라서 '흙과'의 표준 발음은 [흑꽈]이다.
※ '어간+어미'의 구성인 '맑고[말꼬]'와 달리, '체언+조사'의 구성에서는 'ㄱ'으로 시작하는 조사와 결합했다 하더라도 대표음을 'ㄹ'로 발음할 수 없다. 체언은 항상 'ㄱ'이 대표음이다.
③ 'ㄼ'의 대표음은 [ㄹ]이다. 따라서 [널따]는 표준 발음이다.
단, '넓다'의 복합어는 '넓'의 대표음이 [ㅂ]이다.
예 넓적하다[넙쩌카다], 넓죽하다[넙쭈카다]
④ 'ㄼ'의 대표음은 [ㄹ]이지만, 예외적으로 '밟다'의 경우에는 [밥:따]와 같이 'ㅂ'으로 발음한다.
※ 밟다[밥:따] - 밟고[밥:꼬] - 밟지[밥:찌] - 밟는[밤:는]

정답 ①

출제 유형

겹받침의 표준 발음	조건과 겹받침의 용례를 연결하는 유형

047 ○○○ 2023 국회직 8급

다음은 받침 'ㅎ'의 발음에 대한 자료이다. 이를 바탕으로 이끌어 낸 규칙으로 옳지 않은 것은?

> 자료1. 놓고 → [노코] 않던 → [안턴] 닳지 → [달치]
> 자료2. 않네 → [안네] 뚫는 → [뚫는 → 뚤른]
> 자료3. 닿소 → [다:쏘] 많소 → [만:쏘] 싫소 → [실쏘]
> 자료4. 놓는 → [논는] 쌓네 → [싼네]
> 자료5. 낳은 → [나은] 않은 → [아는] 싫어도 → [시러도]

① 'ㅎ(ㄶ, ㅀ)' 뒤에 'ㅅ'이 결합되는 경우에는, 'ㅅ'을 [ㅆ]으로 발음한다.

② 'ㄶ, ㅀ' 뒤에 'ㄴ'이 결합되는 경우에는, 'ㅎ'을 발음하지 않는다.

③ 'ㅎ' 뒤에 'ㄴ'이 결합되는 경우에는, 'ㅎ'을 발음하지 않는다.

④ 'ㅎ(ㄶ, ㅀ)' 뒤에 모음으로 시작된 어미나 접미사가 결합되는 경우에는, 'ㅎ'을 발음하지 않는다.

⑤ 'ㅎ(ㄶ, ㅀ)' 뒤에 'ㄱ, ㄷ, ㅈ'이 결합되는 경우에는, 뒤 음절 첫소리와 합쳐서 [ㅋ, ㅌ, ㅊ]으로 발음한다.

난이도 ㊤ ◯ ㊦

해설 'ㅎ' 뒤에 'ㄴ'이 결합되는 경우는 '자료 4'와 관련이 있다. '자료 4'에서 'ㅎ' 뒤에 'ㄴ'이 결합되는 경우, [ㅎㄴ]이 [ㄴㄴ] 형태로 실현된 것을 확인할 수 있다. 'ㅎ'이 사라지고 [ㄴ]만 발음한 것이 아니므로 적절하지 않은 이해이다.

오답 분석
① '자료 3'을 통해 이끌어낼 수 있다.
② '자료 2'를 통해 이끌어낼 수 있다.
④ '자료 5'를 통해 이끌어낼 수 있다.
⑤ '자료 1'을 통해 이끌어낼 수 있다.

정답 ③

048 ○○○ 2017 교육행정직 7급

표준 발음에 대한 다음의 설명 중 ㉠과 ㉡에 들어갈 내용을 바르게 묶은 것은?

> • 발음 규정 1: 겹받침 'ㄺ', 'ㄼ'은 모음 앞에서 각각 'ㄱ', 'ㅂ'만 뒤 음절 첫소리로 옮겨 발음한다.
> • 발음 규정 2: 겹받침 'ㄺ', 'ㄼ'은 어말 또는 자음 앞에서 각각 ㉠'___, ___'(으)로 발음한다. 그러나 ㉡'___, ___'와/과 같은 경우는 '발음 규정 2'가 적용되지 않는다.

	㉠	㉡
①	[ㄱ], [ㄹ]	늙지, 넓죽한
②	[ㄱ], [ㄹ]	맑고, 밟거나
③	[ㄹ], [ㅂ]	굵다, 섧지
④	[ㄹ], [ㅂ]	묽게, 얇게

난이도 ㊤ ◯ ㊦

해설 ㉠ 어말 또는 자음 앞에서 'ㄺ'은 [ㄱ]으로, 'ㄼ'은 [ㄹ]로 발음한다.

ㄺ	'ㄺ'의 경우 'ㄱ'으로 시작하는 어미가 이어질 경우 [ㄱ]이 아니라 [ㄹ]로 발음한다. 따라서 ②의 '맑고'와 ④의 '묽게'는 각각 [말꼬]와 [물께]로 발음해야 한다.
ㄼ	'ㄼ'의 경우 '밟다'와 '넓다'의 어근 '넓-'이 붙은 복합어는 [ㄹ]이 아니라 [ㅂ]으로 발음한다. 따라서 ①의 '넓죽한'과 ②의 '밟거나'는 각각 [넙쭈칸]과 [밥:꺼나]로 발음해야 한다.

※ ㉠에는 원칙 발음이 들어가야 하고, ㉡에는 예외 발음의 예시가 나타나야 한다.

따라서 ㉠과 ㉡에 들어갈 내용이 바르게 묶인 것은 ②이다.

오답 분석
① '늙지[늑찌]'는 원칙대로 [ㄱ]으로 발음하므로 ㉡의 예로 적절하지 않다.
③ '굵다[국:따]'는 원칙대로 [ㄱ]으로 발음하므로 ㉡의 예로 적절하지 않다. '섧지[설:찌]'는 원칙대로 [ㄹ]으로 발음하므로 ㉡의 예로 적절하지 않다.
④ '얇게[얄:께]'는 원칙대로 [ㄹ]으로 발음하므로 ㉡의 예로 적절하지 않다.

정답 ②

049 ○○○ 2016 기상직 9급

다음 단어의 표준 발음으로 올바른 것은?

> 맞는, 않은, 핥네

① [맏는], [아는], [할네]

② [만는], [안는], [할네]

③ [만는], [아는], [할레]

④ [맏는], [안는], [할레]

난이도 ◯ ㊥ ㊦

해설
• 맞는[만는]: '맞는'은 [맞는 → (음절의 끝소리 규칙) → 맏는 → (비음 동화) → 만는]의 과정을 거쳐 발음된다.
• 않은[아는]: '않은'은 [않은 → ('ㅎ' 탈락) → 안은 → (연음 법칙) → 아는]의 과정을 거쳐 발음된다. 어간의 'ㅎ'은 모음으로 시작하는 어미와 결합할 경우 탈락한다.
• 핥네[할레]: '핥네'는 [핥네 → (자음군 단순화) → 할네 → (유음화) → 할레]의 과정을 거쳐 발음된다.

정답 ③

고득점 GO!

음절의 끝소리 규칙은 '교체', 자음군 단순화는 '탈락'!

음절의 끝소리 규칙
자음군 단순화

Unit 08 표준 발음법

출제 유형

표준어 판별	• 단어가 표준 발음인지 아닌지 판별하는 유형
표준 발음	• 나열된 것 중 표준 발음으로만 묶인 것을 찾는 유형 • 표준 발음만 묶은 것을 고르는 유형

핵심정리

• **단어의 표준 발음 기출**

21 군무원 7급	태권도[태꿘도], 홑이불[혼니불], 홑옷[호돋], 공권력[공꿘녁]
20 국회직 9급	신라[실라], 광한루[광:할루], 앓다[알타], 긁는[긍는]
20 서울시 9급	풀꽃아[풀꼬차], 옷 한 벌[오탄벌], 넓둥글다[넙뚱글다], 늙습니다[늑씀니다]
20 소방직	잡고[잡꼬], 손재주[손째주], 먹을 것[머글껃], 갈등[갈뜽]

출제 유형

표준어 판별	단어가 표준 발음인지 아닌지 판별하는 유형

050 ○○○ 2019 소방직

밑줄 친 단어의 표준 발음으로 옳지 않은 것은?

① 보름에는 달이 밝다. [박따]

② 마루에 등불이 켜져 있다. [등뿔]

③ 음식이 앞마당에 차려져 있다. [암마당]

④ 여기저기 다니며 막일이라도 하자. [마길]

난이도 상 중 하

해설 **막일[마길 → 망닐]**: 모음으로 시작하는 형식 형태소가 이어질 때 앞말의 받침을 연음해서 발음한다. 그러나 '일'은 형식 형태소가 아니므로 연음해서 [마길]로 발음하는 것은 적절하지 않다. '막일'은 [막일 → (ㄴ 첨가) → 막닐 → (비음화) → 망닐]의 과정을 거쳐 발음된다. 즉 '막일'의 표준 발음은 [마길]이 아니라 [망닐]이다.

오답 분석

① '밝다'는 [밝다 → (자음군 단순화) → 박다 → (된소리되기) → 박따]의 과정을 거쳐 발음된다.

② '등불'은 [등불 → (사잇소리 현상) → 등뿔]의 과정을 거쳐 발음된다.

③ '앞마당'은 [앞마당 → (음절의 끝소리 규칙) → 압마당 → (비음화) → 암마당]의 과정을 거쳐 발음된다.

정답 ④

051 ○○○ 2019 서울시 9급(6월)

밑줄 친 부분의 발음이 현행 표준 발음법에서 표준 발음으로 인정되지 않는 것은? (단, ':'은 장모음 표시임.)

① 비가 많이 내려서 물난리가 났다. – 물난리[물랄리]

② 그는 줄곧 신문만 읽고 있었다. – 신문[심문]

③ 겨울에는 보리를 밟는다.– 밟는다[밤:는다]

④ 날씨가 벌써 한여름과 같다. – 한여름[한녀름]

난이도 상 중 하

해설 **신문[심문 → 신문]**: 조음 위치의 동화는 모두 필수적으로 일어나는 현상이 아니라 수의적으로 일어나는 현상이며, 표준 발음으로 인정하지도 않는다. 따라서 '신문'의 표준 발음은 [신문]이다. 조음 위치 동화가 일어난 [심문]은 표준 발음으로 인정되지 않는다.
※ 발음의 현상 자체는 양순음(ㅁ, ㅂ, ㅃ, ㅍ)으로 동화되는 '양순음화'이다.

오답 분석

① 조음 방법 동화는 표준 발음으로 인정된다. 따라서 유음화가 일어난 '물난리[물랄리]'는 표준 발음이다.

③ '밟는다'는 [밟:는다 → (자음군 단순화) → 밥:는다 → (비음화) → 밤:는다]의 과정을 거쳐 발음된다. 따라서 [밤:는다]는 표준 발음이다.

④ '한여름'은 [한여름 → (ㄴ 첨가) → 한녀름]의 과정을 거쳐 발음된다. 따라서 [한녀름]은 표준 발음이다.

정답 ②

표준 발음	나열된 것 중 표준 발음으로만 묶인 것을 찾는 유형

052 ○○○ 2016 서울시 9급

다음 중 단어의 발음이 옳은 것끼리 묶인 것은?

① 디귿이[디그시], 홑이불[혼니불]
② 뚫는[뚤는], 밝히다[발키다]
③ 핥다[할따], 넓죽하다[넙쭉카다]
④ 흙만[흑만], 동원령[동:원녕]

난이도 상 ● 하

해설 • **디귿이[디그시]**: 연음 법칙에 따르면 [디그디]로 발음해야 하지만, 현실 발음이 [디그시]이기 때문에 이를 고려한 [디그시]가 표준 발음이다.

• **홑이불[혼니불]**: '홑 + 이불'이 합쳐진 말로, 'ㄴ'이 첨가된 [혼니불]이 표준 발음이다. 즉 [홑이불 → (음절의 끝소리 규칙) → 혿이불 → ('ㄴ' 첨가) → 혿니불 → (비음화) → 혼니불]의 과정을 거쳐 발음된다.

오답 분석 ② • **뚫는[뚤는 → 뚤른]**: '뚫는'은 [뚫는 → (음절의 끝소리 규칙 혹은 탈락) → 뚤는 → (유음화) → 뚤른]의 과정을 거쳐 발음된다.

• **밝히다[발키다]**: 표준 발음이다. 'ㄱ'과 'ㅎ'이 만나면 'ㅋ'으로 축약된다. 따라서 '밝히다[발키다]'는 표준 발음이다.

③ • **넓죽하다[넙쭉카다 → 넙쭈카다]**: 겹자음의 대표음은 [ㅂ]으로 소리나고, 앞 받침의 [ㅂ]과 뒤의 'ㅈ'이 만나 된소리되기가 일어나 [ㅉ]로 발음된다. 그러나 뒤의 'ㄱ'과 'ㅎ'이 'ㅋ'으로 축약되었기 때문에, 'ㄱ'이 받침으로 남아 있을 근거가 없다. 따라서 [넙쭈카다]가 표준 발음이다.

• **핥다[할따]**: 표준 발음이다. 어간 받침 'ㄼ, ㄾ' 뒤에 결합되는 어미의 첫소리 'ㄱ, ㄷ, ㅅ, ㅈ'은 된소리로 발음한다. 따라서 '핥다[할따]'는 표준 발음이다.

④ • **흙만[흑만 → 흥만]**: '흙만'은 [흙만 → (자음군 단순화) → 흑만 → (비음화) → 흥만]의 과정을 거쳐 발음된다.

• **동원령[동:원녕]**: 표준 발음이다. 'ㄴ + ㄹ'이 이어질 때 유음화가 일어나 [ㄹㄹ]이 되는 게 일반적이다. 그러나 '2-1' 구조를 가진 한자어의 경우 [ㄴㄴ]이 된다. '동원령'은 '동원-령'의 구조이므로 '동원령[동:원녕]'은 표준 발음이다

정답 ①

053 ○○○ 2015 국회직 8급

다음 중 발음 표기가 옳은 것으로만 이루어진 것은?

① 늙고[늘꼬], 은혜[은헤], 앓는[알른]
② 맑지[막찌], 의견란[의:결란], 밭이랑[반니랑]
③ 반창고[반창고], 얇지[얍:찌], 계시다[계:시다]
④ 쌓네[싼네], 밟다[밥:따], 이글이글[이글이글]
⑤ 뚫네[뚤네], 값있는[가빈는], 망막염[망막념]

난이도 ● 중 하

해설 • **늙고[늘꼬]**: 용언의 어간 'ㄺ'은 'ㄱ' 앞에서 [ㄹ]로 발음하므로 '늙고[늘꼬]'는 올바르다.

• **은혜[은혜]**: 원칙은 [은혜]이지만, [은헤]로도 발음할 수 있다.

• **앓는[알른]**: 종성의 'ㅎ'은 발음되지 않는다. 따라서 'ㅎ'이 탈락한 [알는]이 유음화를 거쳐 [알른]으로 발음된다.

오답 분석 ② '맑지[막찌], 밭이랑[반니랑]'은 표준 발음이다.
'의견란'은 의미상 2-1의 관계로 뒤의 'ㄹ'이 [ㄴ]으로 발음되는 단어이다. 따라서 [의:견난]으로 발음해야 한다.
'의견란[의:결란 → 의:견난]'

③ '반창고[반창고], 계시다[계:시다/게:시다]'는 표준 발음이다.
'얇지[얍:찌 → 얄:찌]'

④ '쌓네[싼네], 밟다[밥:따]'는 표준 발음이다.
'이글이글[이글이글 → 이글리글/이그리글]'

⑤ '망막염[망망념], 값있는[가빈는]'은 표준 발음이다.
'뚫네[뚤네 → 뚤레]'

정답 ①

'ㄴ + ㄹ'의 발음

'ㄴ + ㄹ'은 [ㄹㄹ]로 발음하지만, '2-1' 구조의 한자어일 때 [ㄴㄴ]으로 발음되기도 해요.

예 공권-력[공꿘녁], 동원-령[동: 원녕], 상견-례[상견녜], 결단-력[결딴녁]
[비교] 권력[궐: 력]

출제 유형

표준 발음	표준 발음만 묶은 것을 고르는 유형

054 ○○○

2020 경찰 1차

<보기> 중 표준 발음법에 가장 맞지 않는 것은 모두 몇 개인가?

<보기>

그믐달[그믐딸]　늑막염[능망념]　맑게[말께]
서울역[서울력]　숙맥[쑥맥]　식용유[시공뉴]
젖먹이[점머기]　직행열차[지캥렬차]

① 2개　② 3개
③ 4개　④ 5개

난이도 상 중 하

해설 <보기> 중 표준 발음법에 맞지 않는 단어는 **'숙맥[쑥맥 → 숭맥]', '젖먹이[점머기 → 전머기]', '직행열차[지캥렬차 → 지캥녈차]'**로 3개이다.

숙맥	'숙맥'은 'ㄱ'이 비음 'ㅁ'에 동화되어 [숭맥]으로 발음된다.
젖먹이	'젖먹이'는 'ㅈ'이 음절의 끝소리 규칙에 의해 'ㄷ'으로 교체된다. 교체된 'ㄷ'이 비음 'ㅁ'에 동화되어 [전머기]로 발음된다.
직행열차	'직행열차'에서 '직행'은 'ㄱ'과 'ㅎ'이 만나 'ㅋ'으로 축약되어 [지캥]이 된다. '직행[지캥]'과 '열차'가 결합되는 과정에서 'ㄴ'이 첨가되어 [지캥녈차]로 발음된다.

오답분석

그믐달	'그믐'과 '달'이 합성되는 과정에서 사잇소리 현상이 일어나 [그믐딸]로 발음된다.
늑막염	'늑막염'에서 '늑막'은 'ㄱ'이 비음 'ㅁ'에 동화되어 [능막]이 된다. '늑막[능막]'과 '염'이 결합되는 과정에 'ㄴ'이 첨가되어 [능막념]이 되고, 다시 'ㄱ'이 비음 'ㄴ'에 동화되어 [능망념]으로 발음된다.
맑게	'ㄺ'은 [ㄱ]으로 발음하는 것이 원칙이지만, 'ㄱ'으로 시작하는 어미와 만나 [ㄹ]로 발음된다. 따라서 '맑게'는 [말께]로 발음된다.
서울역	'서울'과 '역'의 결합 과정에서 'ㄴ'이 첨가되어 [서울녁]이 된다. 'ㄴ'이 유음 'ㄹ'에 동화되어 [서울력]으로 발음된다.
식용유	'식용'과 '유'의 결합 과정에서 'ㄴ'이 첨가되어 [시공뉴]로 발음된다.

정답 ②

055 ○○○

2021 국회직 8급

밑줄 친 단어의 표준 발음이 옳은 것만을 <보기>에서 모두 고르면?

<보기>

ㄱ. 마치 계절병[계:절뼝]을 앓는 것 같았다.
ㄴ. 신윤복[신늄복]은 조선 후기의 풍속화가이다.
ㄷ. 이 신문의 논조[논쪼]는 매우 보수적이다.
ㄹ. 참석자의 과반수[과:반쑤]가 그 안건에 찬성하였다.
ㅁ. 정부는 수입 상품에 높은 관세[관세]를 물렸다.

① ㄱ, ㄴ　② ㄱ, ㄷ
③ ㄱ, ㅁ　④ ㄴ, ㄹ
⑤ ㄴ, ㅁ

난이도 상 중 하

해설 표준 발음이 옳은 것은 ㄱ과 ㅁ이다.
※ '예, 례' 이외의 'ㅖ'는 [ㅔ]로도 발음한다는 규정에 따라 '계절병'은 [게:절뼝]으로도 발음할 수 있다.

오답분석
ㄴ. 신윤복[신늄복 → 시뉸복]
ㄷ. 논조[논쪼 → 논조]
ㄹ. 과반수[과:반쑤 → 과:반수]
※ '신윤복'의 이름에는 'ㄴ 첨가' 현상이 나타나지 않으며, '논조, 과반수, 관세'에는 사잇소리 현상이 나타나지 않는다.

정답 ③

056 ○○○ 2019 국회직 8급

밑줄 친 부분의 표준 발음이 옳은 것만을 〈보기〉에서 모두 고르면?

〈보기〉

ㄱ. 이번 일을 계기[계:기]로 삼자.
ㄴ. 퇴임하는 직원을 위한 송별연[송:벼련]을 열다.
ㄷ. 그의 넓죽한[널쭈칸] 얼굴이 그리웠다.
ㄹ. 낙엽을 밟고[밥:꼬] 지나가다.
ㅁ. 월드컵 때문에 축구의 열병[열뼝]이 전국을 휩쓸었다.

① ㄱ, ㄴ, ㄷ
② ㄱ, ㄴ, ㄹ
③ ㄱ, ㄷ, ㄹ
④ ㄴ, ㄹ, ㅁ
⑤ ㄷ, ㄹ, ㅁ

난이도 상 중 하

해설 ㄱ. '계기'의 표준 발음은 [계:기]이다.
※ 한편, '예, 례'를 제외한 'ㅖ'는 'ㅔ'로도 발음할 수 있기 때문에 [게:기]로도 발음할 수 있다.

ㄴ. '송별연'은 'ㄴ' 첨가되지 않은 [송:벼련]이 표준 발음이다.

ㄹ. 'ㄼ'은 [ㄹ]로 발음하는 것이 원칙이지만, '밟다'의 어간 '밟-'은 'ㅂ'으로 발음하기 때문에, '밟고'의 표준 발음은 [밥:꼬]가 맞다.

오답 분석 ㄷ. **넓죽한[널쭈칸 → 넙쭈칸]**: 'ㄼ'은 [ㄹ]로 발음하는 것이 원칙이지만, '넓-'으로 시작하는 복합어는 'ㅂ'으로 발음하기 때문에 '넓죽한'의 표준 + 칸]이다.

ㅁ. **열병(熱病)[열뼝 → 열병]**: 한자어에서, 'ㄹ' 받침 뒤에 연결되는 'ㄷ, ㅅ, ㅈ'은 된소리로 발음한다. '열병'의 경우 'ㄹ' 받침 뒤에 오는 자음은 'ㄷ, ㅅ, ㅈ'이 아니라 'ㅂ'이므로 된소리로 발음할 수 없다. 따라서 '열병'의 표준 발음은 된소리되기가 일어나지 않은 [열병]이다.

 ②

057 ○○○ 2017 국회직 8급

다음 〈보기〉의 밑줄 친 ㉠~㉤에 대한 표준 발음으로 옳은 것을 모두 고르면?

〈보기〉

- ㉠ 깃발이 바람에 날리다. – [기빨]
- ㉡ 불법적인 방법으로 돈을 벌고 있다. – [불법쩍]
- 나는 오늘 점심을 ㉢ 면류로 간단히 때웠다. – [멸류]
- ㉣ 도매금은 도매로 파는 가격을 말한다. – [도매금]
- 준법의 테두리 안에서 시위를 한다면 ㉤ 공권력 발동을 최대한 자제할 것이다. – [공:꿘녁]

① ㉠, ㉡, ㉢
② ㉠, ㉡, ㉤
③ ㉠, ㉢, ㉤
④ ㉡, ㉢, ㉣
⑤ ㉡, ㉣, ㉤

난이도 상 중 하

해설 ㉠ **깃발[기빨/긷빨]**: 한자어 '기(旗)'와 고유어 '발'의 합성어로 합성의 과정에서 뒷말의 첫소리가 된소리로 발음되기 때문에 사이시옷을 받쳐 적은 것이다. 따라서 '깃발'은 [기빨]로 발음한다.
※ 표준 발음법 제30항 'ㄱ, ㄷ, ㅂ, ㅅ, ㅈ'으로 시작하는 단어 앞에 사이시옷이 올 때는 이들 자음만을 된소리로 발음하는 것을 원칙으로 하되, 사이시옷을 [ㄷ]으로 발음하는 것도 허용한다는 규정에 따라 '깃발'은 [긷빨]로도 발음할 수 있다.

㉡ **불법적[불법쩍/불뻡쩍]**: '불법적(不法的)'은 '불법'에 '-적'이 붙은 말이다. 'ㅂ' 뒤에 연결되는 'ㅈ'은 된소리로 발음한다. 따라서 '불법적'은 [불법쩍]으로 발음한다. 2017년 현실 발음을 고려하여 '불법'의 발음이 [불법/불뻡]으로 복수 발음이 인정되어 '불법적'도 [불법쩍/불뻡쩍]으로 발음하게 되었다.
※ '불법(不法)'은 [불뻡]도 가능한 발음으로 인정되었으나 '불법(佛法)'은 아직까지 실제 발음을 [불법]으로 보고 있다.

㉢ **면류[멸류]**: '면류'는 유음화에 의해 [멸류]로 발음한다.

오답 분석 ㉣ **도매금[도매금 → 도매끔]**: '도매 + 금'이 합성되는 과정에서 뒷말의 첫소리가 된소리로 발음된다. 따라서 표준 발음은 [도매끔]이다.
※ 사잇소리가 덧나지만 사이시옷을 표기하지 않은 이유는 '도매금(都賣金)'이 한자 합성어이기 때문이다.

㉤ **[공:꿘녁 → 공꿘녁]**: '공권력'은 긴소리로 발음되는 단어가 아니다.
※ '공권'의 표준 발음은 [공꿘](사잇소리 현상)이고, '권력(權力)'의 표준 발음은 [궐력](유음화)이다.

정답 ①

긴소리로 발음할 수 있는 '2-1' 구조의 한자는 '임의동이'

임진란[임:진난], 의견란[의:견난], 동원령[동:원녕], 이원론[이:원논]

사이시옷이 붙은 단어의 표준 발음 완전 정리!

① 된소리로 발음하는 것이 '원칙'
② 사이시옷을 [ㄷ]으로 발음하는 것이 '허용'

표준 발음 \ 단어	깃발	냇가	샛길	빨랫돌
원칙	기빨	내:까	새:낄	빨래똘
허용	긷빨	낻:까	샏:낄	빨랟똘

Unit 09 사전 등재 순서와 한글 자모의 표준 발음

출제 유형

규정과 용례	• 단어를 제시하고 사전 등재 순서를 묻는 유형
자모 이름+모음 조사	• '자모 이름의 받침+모음 조사'의 표준 발음을 묻는 유형

핵심정리

1. 한글 자모의 이름과 순서 - 〈한글 맞춤법〉 제4항

한글 자모의 수는 스물넉 자로 하고, 그 순서와 이름은 다음과 같이 정한다.

① 자모의 이름

자음	ㄱ(기역) ㄴ(니은) ㄷ(디귿) ㄹ(리을) ㅁ(미음) ㅂ(비읍) ㅅ(시옷) ㅇ(이응) ㅈ(지읒) ㅊ(치읓) ㅋ(키읔) ㅌ(티읕) ㅍ(피읖) ㅎ(히읗)
모음	ㅏ(아) ㅑ(야) ㅓ(어) ㅕ(여) ㅗ(오) ㅛ(요) ㅜ(우) ㅠ(유) ㅡ(으) ㅣ(이)

예외만 기억해요! 기역(ㄱ), 디귿(ㄷ), 시옷(ㅅ)

② 자모의 순서

자음	초성	ㄱ ㄲ ㄴ ㄷ ㄸ ㄹ ㅁ ㅂ ㅃ ㅅ ㅆ ㅇ ㅈ ㅉ ㅊ ㅋ ㅌ ㅍ ㅎ
	받침(종성)	ㄱ ㄲ ㄳ ㄴ ㄵ ㄶ ㄷ ㄹ ㄺ ㄻ ㄼ ㄽ ㄾ ㄿ ㅀ ㅁ ㅂ ㅄ ㅅ ㅆ ㅇ ㅈ ㅊ ㅋ ㅌ ㅍ ㅎ
모음		ㅏ ㅐ ㅑ ㅒ ㅓ ㅔ ㅕ ㅖ ㅗ ㅘ ㅙ ㅚ ㅛ ㅜ ㅝ ㅞ ㅟ ㅠ ㅡ ㅢ ㅣ

2. 자음의 이름과 사전 등재 순서

ㄱ(기역)	ㄲ(쌍기역)	ㄴ(니은)	ㄷ(디귿)	ㄸ(쌍디귿)
ㄹ(리을)	ㅁ(미음)	ㅂ(비읍)	ㅃ(쌍비읍)	ㅅ(시옷)
ㅆ(쌍시옷)	ㅇ(이응)	ㅈ(지읒)	ㅉ(쌍지읒)	ㅊ(치읓)
ㅋ(키읔)	ㅌ(티읕)	ㅍ(피읖)	ㅎ(히읗)	

자주 나오진 않지만, 된소리의 위치와 모음의 순서는 꼭 파악해 두기!

3. '한글 자모 이름 + 모음 조사' - 〈표준 발음법〉 제16항

[제16항] 한글 자모의 이름은 그 받침소리를 연음하되, 'ㄷ, ㅈ, ㅊ, ㅋ, ㅌ, ㅍ, ㅎ'의 경우에는 특별히 다음과 같이 발음한다.

디귿이[디그시]	디귿을[디그슬]	디귿에[디그세]
지읒이[지으시]	지읒을[지으슬]	지읒에[지으세]
치읓이[치으시]	치읓을[치으슬]	치읓에[치으세]
키읔이[키으기]	키읔을[키으글]	키읔에[키으게]
티읕이[티으시]	티읕을[티으슬]	티읕에[티으세]
피읖이[피으비]	피읖을[피으블]	피읖에[피으베]
히읗이[히으시]	히읗을[히으슬]	히읗에[히으세]

규정과 용례	단어를 제시하고 사전 등재 순서를 묻는 유형

058 ○○○ 2020 국가직 9급

㉠~㉣을 사전에 올릴 때 '한글 맞춤법 규정'에 따른 순서로 적절한 것은?

〈보기〉

㉠ 곬　　　　㉡ 규탄
㉢ 곳간　　　㉣ 광명

① ㉠ → ㉢ → ㉡ → ㉣
② ㉠ → ㉢ → ㉣ → ㉡
③ ㉢ → ㉠ → ㉡ → ㉣
④ ㉢ → ㉠ → ㉣ → ㉡

난이도 상 ○ 하

TIP 시험장이라면 모음의 순서가 'ㅗ, ㅛ, ㅜ, ㅠ'이므로 ㉡이 제일 마지막에 오는 ②, ④를 먼저 선택하고, 그 가운데 ㉠, ㉢의 순서를 구별하여 답을 선택해야 한다.

해설

1단계	**'곬'과 '곳간'의 순서** '곬'과 '곳간'은 '고'는 같고 받침만 다르다. 'ㄺ'와 'ㅅ' 중 사전 등재 순서가 앞에 오는 것은 'ㄺ'이다. 따라서 '곬(㉠) → 곳간 (㉢)'의 순서로 배열된다.
2단계	**'규탄'과 '광명'의 순서** '규탄'과 '광명'은 초성의 'ㄱ'은 같고 모음만 다르다. 모음 'ㅠ'와 'ㅘ' 중 사전 등재 순서가 앞에 오는 것은 'ㅘ'이다. 따라서 '광명(㉣) → 규탄(㉡)'의 순서로 배열된다.
3단계	**'ㅗ'와 'ㅘ'의 순서** 모음의 사전 등재 순서는 "ㅏ, ㅐ, ㅑ, ㅒ, ㅓ, ㅔ, ㅕ, ㅖ, ㅗ, ㅘ, ㅙ, ㅚ, ㅛ, ㅜ, ㅝ, ㅞ, ㅟ, ㅠ, ㅡ, ㅢ, ㅣ"이다. 'ㅗ' 뒤에 'ㅘ'가 온다. 따라서 종합하면 '곬(㉠) → 곳간(㉢) → 광명 (㉣) → 규탄(㉡)'으로 배열된다.

 ②

059 ○○○ 2014 지방직 9급

사전 등재 순서에 맞게 배열된 것은?

① 두다, 뒤켠, 뒤뜰, 따뜻하다
② 냠냠, 네모, 넘기다, 늴리리
③ 얇다, 앳되다, 여름, 에누리
④ 괴롭다, 교실, 구름, 귀엽다

난이도 상 ○ 하

해설 'ㅚ - ㅛ - ㅜ - ㅟ'의 순서이므로 '괴롭다, 교실, 구름, 귀엽다'는 사전 등재 순서에 맞게 배열된 것이다.

오답분석
① 두다, 뒤켠, 뒤뜰, 따뜻하다 → 두다, 뒤뜰, 뒤켠, 따뜻하다: 앞의 글자가 같을 때는 뒤의 글자를 확인해야 하는데, 자음 'ㄸ'이 자음 'ㅋ'보다 먼저 위치한다.
② 냠냠, 네모, 넘기다, 늴리리 → 냠냠, 넘기다, 네모, 늴리리: 모음 'ㅓ'가 모음 'ㅔ'보다 앞에 위치해서 모음의 순서는 'ㅑ - ㅓ - ㅔ - ㅢ'가 되어야 한다.
③ 얇다, 앳되다, 여름, 에누리 → 앳되다, 얇다, 에누리, 여름: 모음의 순서는 'ㅐ - ㅑ - ㅔ - ㅕ'가 되어야 한다.

 ④

자모 이름 + 모음 조사	'자모 이름의 받침 + 모음 조사'의 표준 발음을 묻는 유형

060 ○○○ 2017 국회직 8급

다음 중 단어의 표기나 발음이 옳지 않은 것은?

① 나는 커서 선생님이 되고[뒈고] 싶다.
② 한글 자모 'ㅌ'의 이름에 조사가 붙을 때의 발음은 '티귿 + 이[티그시]', '티귿 + 을[티그슬]'이다.
③ 내 발을 밟지[밥:찌] 마라.
④ 웬일[웬:닐]로 학교에 왔니?
⑤ 운동장이 생각보다 넓지[널찌] 않다.

난이도 상 ○ 하

해설 'ㅌ'의 이름은 '티귿'이 아니라 '티읕'이다. 따라서 '티읕이'와 '티읕을'의 표준 발음은 각각 [티으시]와 [티으슬]이다.

오답분석
① 단모음 'ㅚ'는 이중 모음 [ㅞ]로도 발음할 수 있기 때문에 '되고'는 [되고]로 발음하는 게 원칙이고 [뒈고]로 발음하는 것도 허용한다.
※〈표준 발음법〉 제4항 - 'ㅚ, ㅟ'는 이중 모음으로 발음할 수 있다.
③ 'ㄼ'의 대표음은 [ㄹ]이 맞지만, 어간 '밟-'인 경우에는 [ㅂ]으로 발음한다. 따라서 '밟지'의 표준 발음은 [밥:찌]이다.
※〈표준 발음법〉 제10항 - 받침 'ㄼ'은 일반적으로 [ㄹ]로 발음하는데, 다만 '밟-'만은 '밟다[밥:따], 밟지[밥:찌], 밟게[밥:께]' 등과 같이 [ㅂ]으로 발음되는 예외적인 것이다.
④ '웬일'의 표준 발음은 ㄴ이 첨가된 [웬:닐]이다.
⑤ 'ㄼ'의 대표음은 [ㄹ]이다. 따라서 '넓지'의 표준 발음은 [널찌]이다.
※ '넓-'으로 시작되는 복합어의 경우에는 [넙]으로 발음한다.

 ②

Unit 10 두음 법칙

출제 유형

• 바른 표기인지 아닌지 판별하는 유형

핵심정리

• **두음 법칙(〈한글 맞춤법〉 제10항~제12항)**

개념	'ㄹ'이나 'ㄴ'이 한자어의 첫머리(두음)에 오는 것을 꺼려 이를 각각 'ㄴ, ㅇ', 'ㅇ'으로 바꾸어 발음하고 표기하는 현상
특징	• 한자어의 첫머리(두음)가 아닐 경우에는 본음대로 발음함. 예 勞: 勞動(노동), 疲勞(피로) 流: 流行(유행), 下流(하류) • 접두사처럼 쓰이는 한자가 붙어서 된 말이나 합성어에서, 뒷말의 첫소리가 'ㄴ' 소리로 나더라도 두음 법칙에 따라적음. 예 新女性: 신여성(○), 신녀성(×) 男女老少: 남녀노소(○), 남녀로소(×) • 외자로 된 이름을 성에 붙여 쓸 경우에도 본음대로 적을 수 있음. 예 하윤(○) / 하륜(○) 신입(○) / 신립(○) • 모음이나 'ㄴ' 받침 뒤에 이어지는 '렬, 률'은 '열, 율'로 표기함. 예 비율, 할인율, 성공률 • 고유어나 외래어 뒤에 이어지는 '란(欄)'과 '량(量)'은 '난'과 '양'으로 표기함. 예 광고란(廣告欄), 수출량(輸出量) 어린이난 / 가십난, 쓰레기양 / 소스양

출제 유형

두음 법칙	바른 표기인지 아닌지 판별하는 유형

061 ○○○ 2017 국회직 8급

다음 중 밑줄 친 한자어의 한글 표기가 옳은 것은?

① 이 요리는 잡지 가정난(家庭欄)에 있는 요리법을 따라 해 본 거야.

② 밀턴의 실락원(失樂園)은 기독교적인 이상주의와 청교도적인 세계관을 반영하고 있다.

③ 지방요(脂肪尿)는 지방 성분이 섞인 오줌을 말한다.

④ 봉선이가 이불을 개어 장농(欌籠) 속에 넣고 걸레로 방바닥을 훔치며 물었다.

⑤ 고려 말기, 조선 초기의 문신인 하윤(河崙)은 태조실록의 편찬을 지휘하였다.

난이도 상 중 하

해설 '崙'의 본음은 '륜'이다. 한 글자(음절)로 된 이름을 성에 붙여 쓰는 경우, 두음 법칙에 따라 적는 것이 원칙이므로 '하윤'이 원칙이다. 따라서 ⑤의 '하윤'의 표기는 옳다.
※ 그러나 본음대로 적는 것도 허용하고 있기 때문에 '하륜'으로 적는 것도 허용하고 있다. 예 하윤(원칙)/하륜(허용)

오답 분석
① **가정난 → 가정란**: 고유어나 외래어 뒤에 붙는 '**欄**'은 두음 법칙에 따라 '난'으로 적는다. 한자어 뒤에 붙는 '**欄**'은 두음이 아니기 때문에 본음대로 '란'으로 적어야 한다.

② **실락원 → 실낙원**: 접두사처럼 쓰이는 한자가 붙어서 된 단어는 뒷말을 두음 법칙에 따라 적는다고 하였다. 따라서 접두사처럼 쓰이는 한자 '실(失)' 뒤에 '낙원(樂園)'이 붙은 경우에는 '실낙원'으로 적어야 한다.

③ **지방요 → 지방뇨**: 한자어 뒤에 오면 원음을 밝히고 고유어, 외래어 뒤에서는 두음 법칙을 적용해야 하는 경우로 지방(脂肪)이 한자어이므로 '지방뇨'로 표기하는 것이 맞다.
※ 지방뇨: 지방 성분이 섞인 오줌

비교 고름요, 알칼리요
고유어 외래어

④ **장농 → 장롱**: '**籠**(롱)'이 두음이 아닌 자리에 왔기 때문에 본음대로 '롱'으로 적어야 한다.

정답 ⑤

- 한자어+란, 량, 룡, 릉, 뇨
- 고유어, 외래어+난, 양, 용, 능, 요

062 ○○○ 2009 지방직 7급

맞춤법이 모두 옳은 것은?

① 과인산(過燐酸), 사육신(死六臣)

② 미립자(微粒子), 총류탄(銃榴彈)

③ 파염치(破廉恥), 강수량(降水量)

④ 가정난(家庭欄), 실낙원(失樂園)

난이도 상 중 하

해설 '과인산(過燐酸), 사육신(死六臣)'의 표기는 바르다.
- '과인산'은 '과+린(도깨비불 린)산'의 구성이므로 두음으로 인정하여 '인산'으로 표기한다.
- '사육신'은 '사+륙(여섯 륙)신'의 구성이므로 두음으로 인정하여 '육신'으로 표기한다.

오답 분석
② • '미립-자(微粒子)'의 표기는 바르다.
• **총류탄(銃榴彈) → 총유탄**: '총+류(석류나무 류)탄'의 구성이므로 두음으로 인정하여 '유탄'으로 표기한다.

비교 수류탄(手榴彈): '수류+탄'의 구성으로, 두음이 아니므로 본음대로 '류'로 표기한다.

③ • '강수량(降水量)'의 표기는 바르다.
• **파염치(破廉恥) → 파렴치**: '파렴+치'의 구성으로, 두음이 아니므로 본음대로 '렴'으로 표기한다.

④ • '실낙원(失樂園)'의 표기는 바르다.
• **가정난(家庭欄) → 가정란**: 한자어와 '란(欄), 량(量), 룡(龍), 릉(陵), 뇨(尿)'가 만날 때는 원음을 밝힌다.
※ 고유어나 외래어와 결합하는 경우에는 두음으로 인정되어 '난, 양, 용, 능, 요'로 적는다.
예 어린이난, 가십난, 일양, 아기용, 아기능, 고름요

정답 ①

Unit 11 어간과 어미의 맞춤법 표기

출제 유형

• 어간과 어미의 맞춤법 표기가 바른지 판별하는 유형

핵심정리

• 준말의 활용

모음 어미가 연결될 때에는 준말의 활용형을 인정하지 않는다.

기본형		머무르다	서두르다	서투르다	가지다
기본형	본말	머무르다	서두르다	서투르다	가지다
	준말	머물다	서둘다	서툴다	갖다
본말의 활용(○)		머물러	서둘러	서툴러	가져
준말의 활용(×)		머물어	서둘어	서툴어	갖어

[예외] 외우다/외다 → 외워(○)/외어(○), 거두다/걷다 → 거둬(○)/걷어(○)

심화 Plus

1. 어미 -(으)니 [17 교육행정직 9급]

-니	어간이 'ㄹ' 받침이거나 모음으로 끝날 때 어미 '-니'가 이어진다. 예 살- + -니 → 사니 보- + -니 → 보니
-으니	어간이 'ㄹ'을 제외한 받침으로 끝날 때 어미 '-으니'가 이어진다. 예 먹- + -으니 → 먹으니

2. 어미 된소리 [17 교육행정직 9급/17 교육행정직 7급]

의문을 나타내는 다음 어미들은 된소리로 적는다.

예 -(으)ㄹ까?, -(으)ㄹ꼬?, -(스)ㅂ니까?, -(으)리까?, -(으)ㄹ쏘냐?

3. 이에요/이어요 [16 지방직 9급]

환경	표기
받침이 있는 명사 뒤	반드시 '이에요/이어요'의 형태로 표기해야 한다. 예 동생 → 동생이에요/동생이어요
받침이 없는 명사 뒤	'이에요/이어요/예요/여요' 형태 모두 가능하다. 예 거 → 갈 거이에요/갈 거이어요/갈 거예요/갈 거여요
용언 뒤	'에요/어요'의 형태로 표기해야 한다. 예 아니다 → 아니에요(아녜요)/아니어요(아녀요)

 출제 유형

어간과 어미의 표기	어간과 어미의 맞춤법 표기가 바른지 판별하는 유형

063 ○○○ 2022 법원직 9급

〈보기〉는 단어의 사전적 정의이다. 〈보기〉를 참고할 때 밑줄 친 부분이 문법적으로 가장 옳지 않은 것은?

〈보기〉

- -던 「어미」
  1) 앞말이 관형어 구실을 하게 하고, 과거의 어떤 상태를 나타내는 어미.
  2) 앞말이 관형어 구실을 하게 하고 어떤 일이 과거에 완료되지 않고 중단되었다는 미완(未完)의 의미를 나타내는 어미

- -던지 「어미」
  막연한 의문이 있는 채로 그것을 뒤 절의 사실과 관련시키는 데 쓰는 연결 어미

- -든 「어미」
  '-든지'의 준말

- -든지 「어미」
  1) 나열된 동작이나 상태, 대상들 중에서 어느 것이든 선택될 수 있음을 나타내는 연결 어미
  2) 실제로 일어날 수 있는 여러 가지 중에서 어느 것이 일어나도 뒤 절의 내용이 성립하는 데 아무런 상관이 없음을 나타내는 연결 어미

① 싫든 좋든 이 길로 가는 수밖에 없다.
② 밥을 먹던지 말던지 네 맘대로 해라.
③ 어제 같이 봤던 영화는 참 재밌었다.
④ 집에 가든지 학교에 가든지 해라.

난이도 상 ○ 하

해설 **먹던지 말던지 → 먹든지 말든지**: '선택'의 의미이므로 '-든지'를 써야 한다.

오답분석 ① 〈보기〉에서 '-든'은 '-든지'의 준말이라고 하였다. '상관없이' 이 길로 갈 수밖에 없다는 의미이므로 '싫든 좋든'으로 쓴 것은 옳다. '-든'은 '-든지'의 준말이기 때문에 '싫든지 좋든지'로도 쓸 수 있다.
③ 영화를 본 것이 '과거'라는 의미이므로, '과거'를 의미하는 '-던'의 쓰임은 적절하다.
④ 집, 학교 중에 '선택'할 수 있다는 의미이므로, '선택'을 의미하는 '-든지'의 쓰임은 적절하다.

정답 ②

064 ○○○ 2017 교육행정직 9급

밑줄 친 부분이 맞춤법에 맞는 것은?

① 아마 내 말이 맞을껄?
② 앉아서 모닥불이나 좀 쬐요.
③ 이것도 갖고 저것도 갖어라.
④ 사골을 고으니 구수한 냄새가 난다.

난이도 상 ○ 하

해설 '쬐어(쪼이어, 기본형 '쪼이다')'의 준말은 '쫴'이다. 따라서 보조사 '요'가 붙은 '쫴요'는 맞춤법에 맞는 표기다.
• 쪼이어요 = 쬐어요 = 쪼여요 = 쫴요

오답분석 ① **맞을껄 → 맞을걸**: 된소리로 발음이 되더라도, 의문형 어미일 때만 된소리로 적어야 한다는 규정에 따라 '-ㄹ걸(을걸)'이 어법에 맞는 표기다. 따라서 '맞을걸'로 적어야 한다.
③ **갖어라 → 가져라**: '가지다'의 준말은 '갖다'이다. 본말과 준말 모두 표준어이지만, 모음 어미가 이어지는 경우에는 본말의 활용형만 인정한다. 즉 '갖- + -어라 → 갖어라'는 어법에 어긋난다. 따라서 '가지- + -어라 → 가지어라/가져라'가 어법에 맞는 표기다.
④ **고으니 → 고니**: '푹 삶다'란 뜻을 가진 말의 기본형은 '고다'이다. 매개 모음이 들어갈 환경이 아니므로 '고- + -니 → 고니'가 어법에 맞는 표기다.

 ②

065 ○○○ 2017 교육행정직 7급

밑줄 친 부분이 맞춤법에 맞는 것은?

① 이 일을 어찌 할꼬?
② 항상 행복하길 바래!
③ 지금 와서 모른다고 하면 우리는 어떻해?
④ 6월에 잡은 새우로 담궈서 육젓이라고 한다.

난이도 상 ○ 하

해설 의문을 나타내는 어미의 경우 된소리로 표기할 수 있다. 따라서 현재 정해지지 않은 일에 대한 물음이나 추측을 나타내는 종결 어미 '-ㄹ꼬(을꼬)'를 사용한 ①의 표기는 옳다.

오답분석 ② **바래 → 바라**: '기원하다'란 의미를 가진 말은 '바라다'가 기본형이다. 따라서 '바라- + -아 → 바라(동음 탈락)'로 표기해야 한다.
※ 바래다: 1) 볕이나 습기를 받아 색이 변하다.
2) 볕에 쬐거나 약물을 써서 빛깔을 희게 하다.
③ **어떻해 → 어떡해**: '어떻해'란 단어는 없다. '어떻게 하다'의 준말은 '어떻해'가 아니라 '어떡해(기본형 '어떡하다')'이다.
※ 어떻게: '어떻다'의 부사형
④ **담궈서 → 담가서**: '담그다'가 기본형이다. '담구다'란 말은 없다. 따라서 '담그- + 아서 → 담가서'로 표기해야 한다.

정답 ①

066 ○○○ 2016 지방직 9급

맞춤법에 맞는 것은?

① 희생을 치뤄야 대가를 얻을 수 있다.

② 내로라하는 선수들이 뒤쳐진 이유가 있겠지.

③ 방과 후 삼촌 댁에 들른 후 저녁에 갈 거여요.

④ 가스 밸브를 안 잠궈 화를 입으리라고는 전혀 생각지 못했다.

난이도 상 중 하

해설 '지나는 길에 잠깐 들어가 머무르다.'의 의미로는 동사 '들르다(들르-+-ㄴ)'를 바르게 활용하였고, 의존 명사 '것'을 구어체 '거'로 표기한 후에 '여요(이어요)'로 바르게 표현하였다.

오답분석 ① **치뤄야 → 치러야**: '치르다'가 기본형이다. 'ㅡ' 탈락은 규칙 활용이므로, '치르-+-어야 → 치러야'로 써야 한다.

※ '치루다'는 없는 말이다.

② **뒤쳐진 → 뒤처진**: 문맥상 '수준이 남보다 못하다'란 의미이므로, '뒤쳐지다(뒤쳐진)'가 아닌, '뒤처지다(뒤처진)'를 써야 한다. '뒤쳐지다'는 '물건이 뒤집혀서 젖혀지다.'란 의미이다. '어떤 분야를 대표할 만하다.'의 '내로라하다'의 동사는 바른 표현이다.

※ '뒤치-+-어지다=뒤쳐지다'는 '물건이 뒤집혀서 젖혀지다.'의 뜻이다. 문맥상 '뒤+처지다=뒤처지다'의 '어떤 수준이나 대열에 들지 못하고 뒤로 처지거나 남게 되다.'의 '뒤에 처지다'의 의미를 갖는 낱말이 적절하다.

④ **잠궈 → 잠가**: '잠그다'가 기본형이다. 'ㅡ' 탈락은 규칙 활용이므로, '잠그-+-아 → 잠가'로 써야 한다.

※ '잠구다'는 없는 말이다.

정답 ③

067 ○○○ 2014 국회직 8급

다음 중 〈한글 맞춤법〉 및 〈표준어 규정〉에 맞게 쓴 것은?

① 큰일은 다 치뤘으니 이제 당분간 홀가분하게 쉬십시오.

② 부모님께 이 자리를 빌어 감사의 말씀을 드립니다.

③ 살을 에는 추위에 쓰레기를 주으면서 등산을 했다.

④ 창고에 벌여 놓았던 책들을 다시 수레에 실으러 갔다.

⑤ 지난주에는 활짝 개인 날씨가 계속되었지만 오늘은 갑자기 우레가 쳤다.

난이도 상 중 하

TIP '벌여'와 '실으러'의 쓰임이 핵심이다.

해설 '책을 늘어놓다.'의 의미이므로, '벌이다'의 활용인 '벌여'의 쓰임은 바르다. '싣다'는 'ㄷ' 불규칙 용언으로, 모음으로 시작하는 어미와 결합할 경우 'ㄹ'로 교체되므로, '실으러(싣+으러)'의 쓰임은 바르다.

오답분석 ① **치뤘으니 → 치렀으니**: 우리말에 '치루다'라는 용언은 없다. '겪어내다'의 의미를 가진 단어는 '치르다'이다. 모음으로 시작하는 어미와 결합할 경우 'ㅡ'가 탈락하므로 바른 활용은 '치르-+-었-+-으니=치렀으니'이다.

② **빌어 → 빌려**: '이 자리를 이용하여'의 의미이므로, '빌리다'의 활용인 '빌려'가 와야 한다.

③ **주으면서 → 주우면서**: 기본형 '줍다'는 'ㅂ' 불규칙 용언이므로, 모음 어미와 결합할 경우 'ㅂ'이 'ㅗ/ㅜ'로 바뀐다. 따라서 '줍-+-으면서=주우면서'가 된다.

⑤ **개인 → 갠**: '흐리거나 궂은 날씨가 맑아지다.'란 뜻을 가진 단어는 '개다'이다. 따라서 활용형도 '갠'이다.

※ '개이다'는 존재하지 않는 낱말이다.

예 비가 개이다.(×)/개인(×)/개였다.(×)
→ 비가 개다.(○)/갠(○)/개었다. = 갰다.(○)

정답 ④

참고 [어휘]

'벌이다'와 '벌리다'

- 벌이다: 여러 가지 물건을 늘어놓다. 여러 가지를 펼쳐 놓다.
  예 책을 벌이다. / 장기판을 벌이다. / 좌판을 벌이다. / 잔치를 벌이다. / 사업을 벌이다. / 싸움을 벌이다. / 입씨름을 벌이다.
- 벌리다: 둘 사이를 넓히거나 멀게 하다.
  예 줄 간격을 벌리다. / 입을 벌리다. / 자루를 벌리다.

'빌리다'와 '빌다'

- 빌리다
  1) 남의 도움을 받거나 사람이나 물건 따위를 믿고 기대다.
  예 일손을 빌려서야 일을 마칠 수 있었다.
  2) 일정한 형식이나 이론, 또는 남의 말이나 글 따위를 취하여 따르다.
  예 성인의 말씀을 빌려 말하다.
  3) 어떤 일을 하기 위해 기회를 이용하다.
  예 이 자리를 빌려 감사의 말씀을 드립니다.
- 빌다
  1) 바라는 바를 이루게 하여 달라고 신이나 사람, 사물 따위에 간청하다.
  예 하늘에 소원을 빌었다.
  2) 잘못을 용서하여 달라고 호소하다.
  예 범인은 피해자의 가족에게 용서를 빌었다.
  3) 공짜로 달라고 호소하여 얻다.
  예 밥을 빌다. / 양식을 빌다.

Unit 12 사이시옷

출제 유형

표기의 적절성	• 사이시옷 표기의 적절성을 묻는 유형
사이시옷 규정과 용례	• 사이시옷 표기 규정과 용례를 연결하는 유형

핵심정리

1. 사이시옷을 표기하는 경우

순우리말로 된 합성어'나 '순우리말과 한자말이 합성된 말'에서 앞말이 모음으로 끝난 경우 중(____은 한자어)

사이시옷을 표기하는 한자어 6개!
'곳간(庫間)'같은 너의 '셋방(貰房)'
'찻간(車間)'의 '숫자(數字)'
'툇간(退間)', '횟수(回數)'

① 뒷말의 첫소리가 된소리로 날 때
예 고랫재, 나룻배, 냇가, 댓가지, 혓바늘 / 귓병, 머릿방, 찻종, 횟가루 등

② 뒷말의 첫소리 'ㄴ, ㅁ' 앞에서 'ㄴ' 소리가 덧날 때
예 아랫니, 뒷머리, 잇몸, 깻묵 / 곗날, 제삿날, 양칫물 등

③ 뒷말 첫소리 모음 앞에서 'ㄴㄴ' 소리가 덧날 때
예 뒷윷, 두렛일, 베갯잇 / 가욋일, 사삿일, 예삿일

2. 사이시옷을 표기하지 않는 경우

① 종성을 가지는 어근이 앞에 올 때 예 손 + 등 → 손ㅅ등(×)

② 된소리나 거센소리가 이어질 때 예 위 + 쪽 → 윗쪽(×), 위 + 층 → 윗층(×)

③ 합성어가 아니라 파생어일 때 예 해 + -님 → 햇님(×)

④ 외래어 합성어일 때 예 피자 + 집 → 피잣집(×)

심화 Plus

• 사이시옷 표기 기출

구분	사이시옷 표기 O	사이시옷 표기 X
22 소방 경쟁 채용	윗배, 윗마을, 윗니, 윗입술, 윗넓이, 윗목, 윗자리	웃돈, 웃어른('웃'은 접사), 위쪽, 위층
17 국회직 8급	시래깃국, 아랫집, 볏가리, 선짓국, 댓가지, 나뭇잎, 킷값, 구둣발, 쇳조각 / 귀갓길(歸家길), 사삿일(私私일), 노잣돈(路資돈), 화젯거리(話題거리), 푯말(標말), 연둣빛(軟豆빛), 꼭짓점(꼭지點), 횟배(蛔배), 공깃밥(空器밥), 버드나뭇과(버드나무科), 봇둑(洑둑), 무싯날(無市날)	개수(個數), 수라간(水刺間), 장미과(薔薇科)
12 국회직 8급	귓밥, 나룻배, 냇가, 뱃길, 혓바늘, 멧나물, 아랫니, 냇물, 뒷일, 헛소리, 깻잎 / 최댓값(最大값), 귓병(귀病), 샛강(새江), 자릿세(자리貰), 텃세(터貰/터勢), 햇수(해數), 곗날(契날), 셋집(貰집), 예삿일(例事일), 가욋일(加外일) / 곳간(庫間), 셋방(貰房), 횟수(回數)	나루터

출제 유형

표기의 적절성	사이시옷 표기의 적절성을 묻는 유형

068 ○○○ 2022 군무원 9급

밑줄 친 말의 표기가 잘못된 것은?

① 배가 고파서 공기밥을 두 그릇이나 먹었다.
② 선출된 임원들이 차례로 인사말을 하였다.
③ 사고 뒤처리를 하느라 골머리를 앓았다.
④ 이메일보다는 손수 쓴 편지글이 더 낫다.

난이도 ㊤ ㊥ ㊦

해설 **공기밥 → 공깃밥**: '공기+밥'의 결합 과정에서 사잇소리가 덧나기 때문에 사이시옷을 받쳐, '공깃밥'으로 표기해야 한다.

오답분석 ② '인사+말'의 합성어는 [인사말]로 발음된다. 즉 사잇소리가 덧나기 않기 때문에 사이시옷을 받쳐 적지 않은 '인사말'의 표기는 바르다.

③ 된소리나 거센소리 앞에서는 사이시옷을 받쳐 적지 않는다. 따라서 '뒤+처리'의 합성어는 '뒤처리'이다.

④ '편지+글'의 합성어는 [편:지글]로 발음된다. 즉 사잇소리가 덧나기 않기 때문에 사이시옷을 받쳐 적지 않은 '편지글'의 표기는 바르다.

정답 ①

069 ○○○ 2017 경찰 1차

〈한글 맞춤법〉 제30항의 사이시옷 표기 규정에 맞게 사이시옷을 표기한 것을 모두 고른 것은?

㉠ 첫사랑	㉡ 횟수	㉢ 등굣길	㉣ 소나깃밥

① ㉠, ㉡ ② ㉠, ㉣
③ ㉡, ㉢ ④ ㉡, ㉢, ㉣

난이도 ㊤ ㊥ ㊦

해설 사이시옷은 '고유어+고유어', '한자어+고유어', '고유어+한자어' 합성어가 합성될 때 뒷말의 첫소리가 된소리로 발음되거나, 'ㄴ' 또는 'ㄴㄴ' 소리가 덧날 때 표기한다.

㉡ '횟수'는 '회(回)+수(數)'의 합성어다. 한자어 합성어는 원칙적으로는 사이시옷을 받쳐 적을 수 없지만, 예외 규정에 따라 '횟수'의 표기는 옳다.
※ 횟수[회쑤/휃쑤/훼쑤/휃쑤]
※ 한자어 합성어 사이시옷 표기의 예외
곳간(庫間), 셋방(貰房), 찻간(車間), 숫자(數字), 툇간(退間), 횟수(回數)

㉢ 한자어 '등교(登校)'와 고유어 '길'의 합성어로, 합성되면서 뒷말의 첫소리가 된소리 [-낄]로 발음되므로 사이시옷을 받쳐 '등굣길'로 표기한다.
※ 등굣길(登校길)[등교낄/등굗낄]

오답분석 ㉠ '첫사랑'은 관형사 '첫'과 명사 '사랑'이 합쳐진 말로, 합성어이다. 즉 '첫'의 받침 'ㅅ'은 사이시옷이 아니다.

㉣ '소나기밥'은 고유어 '소나기'와 '밥'의 합성어이기는 하지만, 뒷말의 첫소리가 된소리 [-빱]으로 발음되지 않기 때문에 사이시옷을 받쳐 적을 근거가 없다. 따라서 사이시옷을 붙이지 않은 '소나기밥'이 올바른 표기이다.
※ ⑲ 소나기밥[소나기밥]
보통 때에는 얼마 먹지 아니하다가 갑자기 많이 먹는 밥

정답 ③

070 ○○○ 2008 국가직 9급

밑줄 친 단어의 '사이시옷'의 쓰임이 옳지 않은 것은?

① 그들은 서로 인사말을 주고받았다.
② 아이들은 등굣길이 마냥 즐거웠다.
③ 빨랫줄에 옷을 널었다.
④ 마굿간에는 말 두 마리가 있다.

난이도 ㊤ ㊥ ㊦

해설 **마굿간 → 마구간**: 한자어 '마구(馬廐)'와 '간(間)'의 합성어이다. 발음은 [마:구깐]으로 사잇소리 현상이 있으나, 예외인 6개 단어 이외의 한자어 합성어에는 사이시옷을 받쳐 적지 않는다.

오답분석 ① **인사말**: [인사말]로 발음되므로, 사이시옷을 받쳐 적을 근거가 없다. 따라서 '인사말'로 표기해야 한다.

② **등굣길**: 한자어 '등교(登校)'와 고유어 '길'의 합성어로, 합성되는 과정에서 뒤에 있는 단어의 첫소리가 된소리로 바뀌어 [등교낄/등굗낄]로 발음된다. 따라서 사이시옷을 받쳐 쓴다.

③ **빨랫줄**: 고유어 '빨래'와 '줄'의 합성어로, 합성되는 과정에서 뒤에 있는 단어의 첫소리가 된소리로 바뀌어 [빨래쭐/빨랟쭐]로 발음된다. 따라서 사이시옷을 받쳐 쓴다.

정답 ④

출제 유형

사이시옷 규정과 용례	사이시옷 표기 규정과 용례를 연결하는 유형

071 ○○○ 2018 지방직 7급

다음은 사이시옷 규정의 일부이다. 이 조건에 부합하지 않는 것은?

- 순우리말로 된 합성어로서 앞말이 모음으로 끝난 경우
  (1) 뒷말의 첫소리가 된소리로 나는 것
  (2) 뒷말의 첫소리 'ㄴ, ㅁ' 앞에서 'ㄴ' 소리가 덧나는 것
  (3) 뒷말의 첫소리 모음 앞에서 'ㄴㄴ' 소리가 덧나는 것
- 순우리말과 한자어로 된 합성어로서 앞말이 모음으로 끝난 경우
  (1) 뒷말의 첫소리가 된소리로 나는 것
  (2) 뒷말의 첫소리 'ㄴ, ㅁ' 앞에서 'ㄴ' 소리가 덧나는 것
  (3) 뒷말의 첫소리 모음 앞에서 'ㄴㄴ' 소리가 덧나는 것

① 냇가 ② 윗옷
③ 훗날 ④ 예삿일

난이도 ㊤ ◯ ㊦

해설 '윗옷[위돋]'은 '위'와 '아래'의 대립 개념이 존재하기 때문에 '윗-'을 표기한 것으로 이때의 ㅅ은 어원상(《월인석보》) '사이시옷'으로 볼 수는 있으나(욿+-ㅅ+옷), 고유어 '옷'과 합성되는 과정에 발음의 사잇소리 현상(된소리 첨가, ㄴ 첨가, ㄴㄴ 첨가)은 나타나지 않는 독특한 경우이다. 학자에 따라서는 이때의 사이시옷을 '사잇소리 현상'이 나타나지 않기 때문에 '사이시옷'이 아니라고 주장하는 경우도 있다.

오답 분석
① '냇가[내:까/낻:까]'는 고유어 '내+가'의 합성어로 뒷말의 첫소리가 된소리로 나기 때문에 사이시옷을 받쳐 적은 것이다.
③ '훗날[훈:날]'은 한자어 '후(後)'와 고유어 '날'의 합성어로 뒷말의 첫소리 'ㄴ, ㅁ' 앞에서 'ㄴ' 소리가 덧나기 때문에 사이시옷을 받쳐 적은 것이다.
④ '예삿일[예:산닐]'은 한자어 '예사(例事)'와 고유어 '일'의 합성어로 뒷말의 첫소리 모음 앞에서 'ㄴㄴ' 소리가 덧나기 때문에 사이시옷을 받쳐 적은 것이다.

정답 ②

072 ○○○ 2022 국가직 9급

다음 규정에 근거할 때 옳지 않은 것은?

> 한글 맞춤법 제30항
> 사이시옷은 다음과 같은 경우에 받치어 적는다.
> (가) 순우리말로 된 합성어로서 앞말이 모음으로 끝나면서 뒷말의 첫소리가 된소리로 나는 것
> (나) 순우리말과 한자어로 된 합성어로서 앞말이 모음으로 끝나면서 뒷말의 첫소리가 된소리로 나는 것

① (가)에 따라 '아래+집'은 '아랫집'으로 적는다.
② (가)에 따라 '쇠+조각'은 '쇳조각'으로 적는다.
③ (나)에 따라 '전세+방'은 '전셋방'으로 적는다.
④ (나)에 따라 '자리+세'는 '자릿세'로 적는다.

난이도 ㊤ ◯ ㊦

해설 '전세'와 '방'이 합쳐지는 과정에서 뒷말의 첫소리가 된소리로 나 [전세빵]으로 발음한다. 그러나 '전세(傳貰)'와 '방(房)'은 모두 한자어이므로, 순우리말과 한자어로 된 합성어가 아니다. 따라서 (나)에 따라 '전셋방'으로 적는다는 설명은 옳지 않다. 한자 합성어는 사이시옷을 받쳐 적을 수 없기 때문에 '전세방(傳貰房)'으로 적어야 한다.

오답 분석
① 순우리말 '아래'와 '집'이 결합해, 뒷말의 첫소리가 된소리로 나기 때문에 '아랫집'으로 적는다.
※ 아랫집[아래찝/아랟찝]
② 순우리말 '쇠'와 '조각'이 결합해, 뒷말의 첫소리가 된소리로 나기 때문에 '쇳조각'으로 적는다.
※ 쇳조각[쇠쪼각/쇧쪼각/쉐쪼각/쉗쪼각]
④ 순우리말 '자리'와 한자어 '세(貰)'가 결합해, 뒷말의 첫소리가 된소리로 나기 때문에 '자릿세'로 적는다.
※ 자릿세[자리쎄/자릳쎄]

정답 ③

073 ○○○ 2019 법원직 9급

<보기 1>을 참고할 때, <보기 2>에서 사이시옷을 적을 수 있는 것끼리 바르게 짝지은 것은?

〈보기 1〉

제30항: 사이시옷은 다음과 같은 경우에 받치어 적는다.
1. 순우리말로 된 합성어로서 앞말이 모음으로 끝난 경우
   (1) 뒷말의 첫소리가 된소리로 나는 것
   (2) 뒷말의 첫소리 'ㄴ, ㅁ' 앞에서 'ㄴ'소리가 덧나는 것
   (3) 뒷말의 첫소리 모음 앞에서 'ㄴㄴ'소리가 덧나는 것
2. 순우리말과 한자어로 된 합성어로서 앞말이 모음으로 끝난 경우
   (1) 뒷말의 첫소리가 된소리로 나는 것
   (2) 뒷말의 첫소리 'ㄴ, ㅁ'앞에서 'ㄴ'소리가 덧나는 것
   (3) 뒷말의 첫소리 모음 앞에서 'ㄴㄴ' 소리가 덧나는 것
3. 두 음절로 된 다음 한자어
   곳간(庫間), 셋방(貰房), 숫자(數字), 찻간(車間), 툇간(退間), 횟수(回數)

〈보기 2〉

㉠ 대 + 잎	㉡ 아래 + 마을
㉢ 머리 + 말	㉣ 코 + 병
㉤ 위 + 층	㉥ 개(個) + 수(數)

① ㉠, ㉡, ㉢　② ㉠, ㉡, ㉣
③ ㉡, ㉣, ㉤　④ ㉢, ㉤, ㉥

난이도 ㊤ ◎ ㊦

해설 ㉠ 고유어 '대+잎'의 합성 과정에서 'ㄴㄴ' 소리가 덧나기 때문에 사이시옷을 받쳐 '댓잎[댄닙]'으로 표기한다.
㉡ 고유어 '아래+마을'의 합성 과정에서 'ㄴ' 소리가 덧나기 때문에 사이시옷을 받쳐 '아랫마을[아랜마을]'로 표기한다.
㉣ 고유어 '코'와 한자어 '병(病)'의 합성 과정에 뒷말의 첫소리가 된소리로 나기 때문에 사이시옷을 받쳐 '콧병[코뼝/콛뼝]'으로 표기한다.

오답 분석 ㉢ 고유어 '머리 + 말[머리말]'의 합성 과정에서 사잇소리가 덧나지 않기 때문에 사이시옷을 받쳐 적을 근거가 없다.
㉤ 뒷말의 첫소리가 거센소리이기 때문에 사이시옷을 받쳐 적을 근거가 없다. '위 + 층'의 합성어는 '위층'이다.
㉥ '개(個) + 수(數)[개:쑤]'는 한자 합성어로, 발음에는 사잇소리 현상이 있으나 예외 여섯 개에 포함되지 않기 때문에 사이시옷을 받쳐 적을 수 없다.

정답 ②

074 ○○○ 2016 경찰 1차

다음은 <한글 맞춤법> 제30항의 일부이다. ㉠과 ㉡에 들어갈 사이시옷 표기가 된 합성어의 예로 적절하게 짝지어진 것은?

제30항 사이시옷은 다음과 같은 경우에 받치어 적는다.
1. 순우리말로 된 합성어로서 앞말의 모음으로 끝난 경우

   예 ㉠

2. 순우리말과 한자어로 된 합성어로서 앞말이 모음으로 끝난 경우

   예 ㉡

	㉠	㉡
①	귓병	귓밥
②	냇가	뱃길
③	자릿세	전셋집
④	아랫집	아랫방

난이도 ㊤ ◎ ㊦

TIP 제시된 낱말은 모두 사잇소리 현상, 특별히 된소리 첨가가 있는 낱말로, 결합 관계가 '고유어 + 고유어'인지 '고유어 + 한자어'인지를 묻는 문제이다.

해설 ㉠ 순우리말 '아래'와 '집'의 합성어이다.
㉡ 순우리말 '아래'와 한자어 '방(房)'의 합성어이다.

오답 분석 ① ㉠ 순우리말 '귀'와 한자어 '병(病)'의 합성어이다.
㉡ 순우리말 '귀'와 '밥'의 합성어이다.
※ 귓밥 = 귓불
② ㉠ 순우리말 '내'와 '가'의 합성어이다.
㉡ 순우리말 '배'와 '길'의 합성어이다.
③ ㉠ 순우리말 '자리'와 한자어 '세(貰)'의 합성어이다.
㉡ 한자어 '전세(傳貰)'와 순우리말 '집'의 합성어이다.

정답 ④

075 ○○○ 2016 서울시 7급

〈보기〉는 〈한글 맞춤법〉 제30항 사이시옷 표기의 일부이다. ㉠, ㉡, ㉢에 들어갈 단어가 바르게 연결된 것은?

〈보기〉

제30항 사이시옷은 다음과 같은 경우에 받치어 적는다.

1. 순우리말로 된 합성어로서 앞말이 모음으로 끝난 경우
   (1) 뒷말의 첫소리가 된소리로 나는 것
   예 고랫재 귓밥 ㉠
   (2) 뒷말의 첫소리 'ㄴ ㅁ' 앞에서 'ㄴ' 소리가 덧나는 것
   예 뒷머리 아랫마을 ㉡
   (3) 뒷말의 첫소리 모음 앞에서 'ㄴㄴ' 소리가 덧나는 것
   예 도리깻열 뒷윷 ㉢

	㉠	㉡	㉢
①	못자리	멧나물	두렛일
②	쳇바퀴	잇몸	훗일
③	잇자국	툇마루	나뭇잎
④	사잣밥	곗날	예삿일

난이도 ㊤ ◯ ㊦

TIP 순우리말로 된 합성어를 묻고 있으므로 한자가 포함된 합성어가 있는 선택지를 지우면 된다.

해설 ㉠ 순우리말 '모+자리'가 합쳐진 말로, [모짜리]로 발음되기 때문에 사이 'ㅅ'을 표기하여 '못자리'로 적는다. 따라서 첫소리가 된소리로 나는 ㉠의 예로 적절하다.
※ 물론 'ㅅ'이 표기되어 최종 발음은 [모짜리/몯짜리] 모두 가능하다.

㉡ 순우리말 '메+나물'이 합쳐진 말로, [멘나물]로 발음되기 때문에 '멧나물'로 적는다. 따라서 'ㄴ' 소리가 덧나는 ㉡의 예로 적절하다.

㉢ 순우리말 '두레+일'이 합쳐진 말로, [두렌닐]로 발음되기 때문에 '두렛일'로 적는다. 따라서 'ㄴㄴ' 소리가 덧나는 ㉢의 예로 적절하다.

오답분석

②	쳇바퀴	고유어 '체+바퀴'가 합쳐진 말로, [체빠퀴]로 발음되기 때문에 ㉠의 예로 적절하다. 최종 발음은 [체빠퀴/첻빠퀴]
	잇몸	고유어 '이+몸'이 합쳐진 말로, [인몸]으로 발음되기 때문에 ㉡의 예로 적절하다.
	훗일	[훈:닐], 발음에 'ㄴㄴ' 첨가는 있지만, 한자어 '후(後)'와 고유어 '일'이 합쳐진 말이기 때문에 ㉢의 예로 적절하지 않다.
③	잇자국	고유어 '이+자국'이 합쳐진 말로, [이짜국]으로 발음되기 때문에 ㉠의 예로 적절하다. 최종 발음은 [이짜국/읻짜국]
	툇마루	[퇸:마루/퉨:마루], 발음에 'ㄴ' 첨가는 있지만, 한자어 '퇴(退)'와 고유어 '마루'가 합쳐진 말이기 때문에 ㉡의 예로 적절하지 않다.
	나뭇잎	고유어 '나무+잎'이 합쳐진 말로, [나문닙]으로 발음되기 때문에 ㉢의 예로 적절하다.
④	사잣밥	[사:자빱/사:잗빱], 발음에 '된소리' 첨가는 있지만, 한자어 '사자(使者)'와 고유어 '밥'이 합쳐진 말이기 때문에 ㉠의 예로 적절하지 않다. ※ 사잣밥(使者-): 초상난 집에서 죽은 사람의 넋을 부를 때 저승사자에게 대접하는 밥
	곗날	'ㄴ' 첨가는 있지만, 한자어 '계(契)'와 고유어 '날'이 합쳐진 말이기 때문에 ㉡의 예로 적절하지 않다.
	예삿일	[예:산닐], 발음에 'ㄴㄴ' 첨가는 있지만, 한자어 '예사(例事)'와 고유어 '일'이 합쳐진 말이기 때문에 ㉢의 예로 적절하지 않다.

※ 제30항 2. '순우리말과 한자어로 된 합성어'로 본다면, '훗일, 툇마루, 사잣밥, 곗날, 예삿일'은 모두 적절한 표기이다.

정답 ①

Unit 13 준말의 표기

출제 유형

- 준말(모음 축약)의 활용형이 바른지 묻는 유형
- '-지 않다'와 '-하지 않다'의 준말이 바른지 묻는 유형

핵심정리

1. 한글 맞춤법 제35항

[제35항] 모음 'ㅗ, ㅜ'로 끝난 어간에 '-아/-어, -았-/-었-'이 어울려 'ㅘ/ㅝ, 왔/웠'으로 될 적에는 준 대로 적는다.
예 꼬아 - 꽈, 보아 - 봐, 쏘아 - 쏴
[붙임 1] '놓아'가 '놔'로 줄 적에는 준 대로 적는다.
[붙임 2] 'ㅚ' 뒤에 '-어, -었-'이 어울려 'ㅙ, 왰'으로 될 적에도 준 대로 적는다.
예 괴어 - 괘, 뵈어 - 봬, 쇠어 - 쇄

2. 한글 맞춤법 제38항

[제38항] 'ㅏ, ㅗ, ㅜ, ㅡ' 뒤에 '-이어'가 어울려 줄어질 적에는 준 대로 적는다.
예 싸이어 - 쌔어/싸여, 쓰이어 - 씌어/쓰여, 보이어 - 뵈어/보여

3. 한글 맞춤법 제39항

[제39항] 어미 '-지' 뒤에 '않-'이 어울려 '-잖-'이 될 적과 '-하지' 뒤에 '않-'이 어울려 '-찮-'이 될 적에는 준 대로 적는다.
'-지' 뒤에 '않-'이 어울려 줄 때는 '-잖-'으로 적어야 한다.
예 그렇지 않은 - 그렇잖은, 적지 않은 - 적잖은

4. 한글 맞춤법 제40항

[제40항] 어간의 끝음절 '하'의 'ㅏ'가 줄고 'ㅎ'이 다음 음절의 첫소리와 어울려 거센소리로 될 적에는 거센소리로 적는다.
예 가하다 - 가타, 흔하다 - 흔타

심화 Plus

- **기본형이 헷갈리는 단어** [07 국가직 9급]

예 서슴다(○) - 서슴하다(×)
삼가다(○) - 삼가하다(×)
개다(○) - 개이다(×)
설레다(○) - 설레이다(×)

출제 유형

준말	준말(모음 축약)의 활용형이 바른지 묻는 유형

076 ○○○ 2016 국회직 9급

다음 중 밑줄 친 부분의 표기가 옳지 않은 것은?

① 나사는 좨야 하나?
② 봄 신상품을 선뵈어야 매출이 오를 거야.
③ 자네 덕에 생일을 잘 쇠서 고맙네.
④ 그는 오랜만에 고향 땅에 발을 딛는 감회가 새로웠다.
⑤ 장마 후 날씨가 개어서 가족과 함께 가까운 곳으로 소풍을 갔다.

난이도 상 중 하

해설 **쇠서 → 쇠어서/쇄서**: '쇠다'의 어간 '쇠-'에 연결 어미 '-어서'가 붙은 형태이므로 '쇠서'가 아닌 '쇠어서', 혹은 축약된 '쇄서'로 표기해야 한다.

오답분석 ① 의미상 기본형 '(나사를) 조이다'의 어간 '조이-'에 어미 '-어야'를 활용한 경우로, '조이-+-어야' = '조이어야/죄어야/조여야/좨야'의 활용 형태가 모두 가능하다.

② '뵈다'의 어간 '뵈-'에 어미 '-어야'가 붙은 말은 '뵈어야/봬야'이다.

④ '딛다'는 '디디다'의 준말이다. 준말도 본말과 같이 활용이 가능하므로, '딛는'의 표기는 옳다.
※ 단, 모음으로 시작하는 어미와 결합할 때는 본말인 '디디다'만 써야 한다.
딛고 - 딛지 - 딛는(○), 딛어(×) → 디디어(○)

⑤ '개다'의 어간 '개-'에 어미 '-어서'가 붙은 말은 '개어서/개서'이다.

정답 ③

077 ○○○ 2012 국가직 9급

밑줄 친 단어 중 어문 규정에 맞지 않는 것은?

① 불 좀 쬐어야겠구나.
② 선배님, 다음에 봬요.
③ 점점 목을 죄여 오는 느낌이야.
④ 될 대로 되라는 식의 사고는 좋지 않아.

난이도 상 중 하

해설 **죄여 → 조여/죄어**: 기본형은 '조이다'이다. '조이-+어 → 조이어'가 축약된 '조여' 혹은 '죄어(= 좨)'로 표기해야 한다.

오답분석 ① '쬐어야겠구나'의 기본형은 '쬐다(=쪼이다)'이다. 따라서 '쬐(쪼이)-+-어야-+-겠-+-구나 → 쬐어야겠구나(=쪼여야겠구나/쫴야겠구나)'가 맞다.

② '봬요'의 기본형은 '뵈다'이다. 따라서 '뵈-+-어요 → 뵈어요'가 축약한 '봬요'의 표기는 바르다.
※ 우리말 '뵙다', '뵈다'는 모두 표준어이다. 다만, '뵈다'보다 겸양의 뜻이 더 있는 '뵙다'는 모음 어미를 취하여 활용하지 않는다.
→ 뵙어(×), 뵈워(×)

④ '되라는'의 기본형은 '되다'이다. 따라서 '되-+-라-+-는 → 되라는'의 표기는 바르다.

정답 ③

출제 유형

준말	'-지 않다'와 '-하지 않다'의 준말이 바른지 묻는 유형

078 ○○○ 2023 국가직 9급

㉠~㉣ 중 한글 맞춤법에 맞게 쓰인 것만을 모두 고르면?

> ○ 혜인 씨에게 ㉠무정타 말하지 마세요.
> ○ 재아에게는 ㉡섭섭치 않게 사례해 주자.
> ○ 규정에 따라 딱 세 명만 ㉢선발토록 했다.
> ○ ㉣생각컨대 그의 보고서는 공정하지 못했다.

① ㉠, ㉡ ② ㉠, ㉢
③ ㉡, ㉣ ④ ㉢, ㉣

난이도 상 중 하

해설 '하' 앞의 받침의 소리가 [ㄱ, ㄷ, ㅂ]이면 '하'가 통째로 줄고 그 외의 경우에는 'ㅎ'이 남는다.

㉠ '무정하다'는 '하' 앞의 받침의 소리가 [ㄱ, ㄷ, ㅂ]이 아니므로 'ㅎ'이 남아 '무정타'이다.

㉢ '선발하도록'은 '하' 앞의 받침의 소리가 [ㄱ, ㄷ, ㅂ]이 아니므로 'ㅎ'이 남아 '선발토록'이다.

오답분석 ㉡ **섭섭치 → 섭섭지**: '섭섭하지'는 '하' 앞의 받침의 소리가 [ㅂ]이므로 '하'가 통째로 줄어 '섭섭지'이다.

㉣ **생각컨대 → 생각건대**: '생각하건대'는 '하' 앞의 받침의 소리가 [ㄱ]이므로 '하'가 통째로 줄어 '생각건대'이다.

정답 ②

079 ○○○ 2019 서울시 9급(6월)

<보기>의 설명에 따라 올바르게 표기된 경우가 아닌 것은?

<보기>

- 어간의 끝음절 '하'의 'ㅏ'가 줄고 'ㅎ'이 다음 음절의 첫소리와 어울려 거센소리로 될 적에는 거센소리로 적는다.
- 어간의 끝음절 '하'가 아주 줄 적에는 준 대로 적는다.

① 섭섭지 ② 흔타
③ 익숙치 ④ 정결타

난이도 상 중 하

해설 **익숙치 → 익숙지:** '-하' 앞의 받침이 'ㄱ, ㄷ, ㅂ, ㅅ, ㅈ'이면 '-하'를 생략한다. '익숙하지'의 '-하' 앞의 받침이 'ㄱ'이므로 '-하'를 생략하여 '익숙지'로 표기해야 한다.

오답분석 ① 섭섭하지의 '-하' 앞의 받침이 'ㅂ'이므로 '-하'를 생략하여 섭섭지로 표기한 것은 옳다.
② 'ㅏ'가 줄고 'ㅎ'이 다음 음절의 첫소리와 어울려 거센소리가 된 경우('-하' 앞의 받침이 'ㄴ'이므로 축약)이므로 '흔하다'의 준말을 '흔타'로 표기한 것은 옳다.
④ 'ㅏ'가 줄고 'ㅎ'이 다음 음절의 첫소리와 어울려 거센소리가 된 경우('-하' 앞의 받침이 'ㄹ'이므로 축약)이므로 '정결하다'의 준말을 '정결타'로 표기한 것은 옳다.

정답 ③

고득점 GO!

용언이 '-하'를 포함하는 경우

① '-하' 앞의 받침이 'ㄱ, ㄷ, ㅂ, ㅅ, ㅈ'이면 '-하'를 생략!
② '-하' 앞의 받침이 '울림소리(모음, ㄴ, ㄹ, ㅁ, ㅇ)'이면 '-하' 뒤와 축약!

080 ○○○ 2018 서울시 7급(6월)

준말의 표기가 옳은 것을 <보기>에서 모두 고른 것은?

<보기>

ㄱ. 되었다 - 됬다
ㄴ. 쓰이어 - 쓰여
ㄷ. 뜨이어 - 띄어
ㄹ. 적지 않은 - 적잖은
ㅁ. 변변하지 않다 - 변변찮다

① ㄱ, ㄴ ② ㄴ, ㄷ
③ ㄴ, ㄹ ④ ㄴ, ㅁ

난이도 상 중 하

해설 ㄴ. '쓰이어'의 'ㅣ'와 'ㅓ'가 줄어 'ㅕ'가 되므로 준말은 '쓰여'가 맞다.
※ '쓰이어'의 준말은 '쓰여' 외에 '씌어'도 가능하다.
ㄷ. '뜨이어'의 'ㅡ'와 'ㅣ'가 줄어 'ㅢ'가 되므로 준말은 '띄어'가 맞다.
※ '뜨이어'의 준말은 '띄어' 외에 '뜨여'도 가능하다.

오답분석 ㄱ. 본말 '되었다'의 준말은 '됐다'이다.
ㄹ. 본말 '적지 않은'의 준말은 '적잖은'이다.
ㅁ. 본말 '변변하지 않다'의 준말은 '변변찮다'이다.

정답 ②

081 ○○○ 2007 국가직 9급

다음 글의 밑줄 친 표현 중에서 <한글 맞춤법>에 맞는 것끼리 모아 놓은 것은?

제아무리 대원군이 살아 돌아온다 하더라고 더 이상 타문명의 유입을 막을 길은 없다. 어떤 문명들은 서로 만났을 때 충돌을 (가) (㉠ 면지/㉡ 면치) 못할 것이고, 어떤 것들은 비교적 평화롭게 공존하게 될 것이다.
– 최재천, <황소개구리와 우리말>

중국에는 새로운 방식과 교묘한 제도가 나날이 증가하고 다달이 불어나서 수백 년 이전의 옛날 중국이 아니다.
그런데도 우리는 막연하게 서로 묻지도 않고 오직 옛날의 방식만을 (나) (㉠ 편게/㉡ 편케) 여기고 있으니 어찌 그리 게으르단 말인가.
– 정약용, <기예론>

더러는 하루에 두 개씩 주는 뭉치밥을 남기기도 했으나, 그는 한꺼번에 하룻것을 뚝딱해도 (다) (㉠ 시원잖았다/㉡ 시원찮았다).
– 하근찬, <수난 이대>

네 所願이 무엇이냐 하고 하느님이 내게 물으시면, 나는 (라) (㉠ 서슴지/㉡ 서슴치) 않고 "내소원은 大韓獨立이오." 하고 대답할 것이다.
– 김구, <나의 소원>

	(가)	(나)	(다)	(라)
①	㉠	㉠	㉡	㉠
②	㉠	㉡	㉠	㉡
③	㉡	㉡	㉠	㉡
④	㉡	㉠	㉡	㉠

난이도 상 중 하

해설 (가) 어간의 끝음절 '하'의 앞 음절이 울림소리이면, 어간의 '하'의 'ㅏ'가 줄고 'ㅎ'이 다음 음절의 첫소리와 어울려 거센소리가 된다. 따라서 '면하지'의 준말은 '면치(㉡)'이다.
(나) 어간의 끝음절 '하'의 앞 음절이 울림소리이면, 어간의 '하'의 'ㅏ'가 줄고 'ㅎ'이 다음 음절의 첫소리와 어울려 거센소리가 된다. 따라서 '편하게'의 준말은 '편케(㉠)'이다.
(다) '-하지' 뒤에 '않-'이 어울려 '-찮-'이 될 적에는 준 대로 적는다. 따라서 '시원하지 않았다'의 준말은 '시원찮았다(㉡)'이다.
(라) '서슴다'가 기본형이다. 따라서 '서슴- + -지 → 서슴지(㉠)'가 바른 표기이다.

정답 ④

Unit 14 형태가 비슷한 말 1 - 접사

출제 유형

- 접두사 '새-/샛-/시-/싯-'을 판별하는 유형
- 접미사 '-배기', '-빼기', '-박이'를 판별하는 유형

핵심정리

1. 접두사 '새-/샛-/시-/싯-'

양성 모음		음성 모음	
거센소리/된소리/ㅎ 앞	울림소리 앞	거센소리/된소리/ㅎ 앞	울림소리 앞
새-	샛-	시-	싯-

2. '-배기'와 '-빼기'

구분	내용
-배기	① '그 나이를 먹은 아이'의 뜻을 더하는 접미사 예 두 살배기/다섯 살배기 ② '그것이 들어 있거나 차 있음'의 뜻을 더하는 접미사 예 나이배기 ③ '그런 물건'의 뜻을 더하는 접미사 예 공짜배기/대짜배기/진짜배기
-빼기	① '그런 특성이 있는 사람이나 물건'의 뜻을 더하는 접미사 예 곱빼기/악착빼기/밥빼기 ② '비하'의 뜻을 나타내는 접미사 예 앍둑빼기/외줄빼기/코빼기
-박이	① 무엇이 박혀 있는 사람이나 짐승 또는 물건이라는 뜻을 더하는 접미사 예 점박이, 금니박이, 덧니박이, 네눈박이, 차돌박이 ② 무엇이 박혀 있는 곳이라는 뜻을 더하거나 또는 한곳에 일정하게 고정되어 있다는 뜻을 더하는 접미사 예 장승박이

출제 유형

형태가 비슷한 접사	접두사 '새-/샛-/시-/싯-'을 판별하는 유형

082 ○○○ 2019 서울시 9급(6월)

한글 맞춤법에 따라 바르게 표기된 것만 나열한 것은?

① 새까맣다 - 싯퍼렇다 - 샛노랗다
② 시뻘겋다 - 시허옇다 - 싯누렇다
③ 새퍼렇다 - 새빨갛다 - 샛노랗다
④ 시하얗다 - 시꺼멓다 - 싯누렇다

난이도 ㊤ ㊥ ㊦

해설 '새-/샛-/시-/싯-'은 모두 '매우 짙고 선명하게'의 뜻을 더하는 접두사이다.

뻘겋다	'ㅃ'은 된소리이고, 'ㅓ'는 음성 모음이므로 '시-'를 붙여 '시뻘겋다'로 표기한다.
허옇다	'ㅎ' 앞이고, 'ㅓ'는 음성 모음이므로 '시-'를 붙여 '시허옇다'로 표기한다.
누렇다	'ㄴ'은 울림소리이고, 'ㅜ'는 음성 모음이므로 '싯-'을 붙여 '싯누렇다'로 표기한다.

따라서 ②의 **'시뻘겋다, 시허옇다, 싯누렇다'**의 표기는 모두 바르다.

오답 분석
① **싯퍼렇다 → 시퍼렇다**: 'ㅍ'은 거센소리이기 때문에 '시퍼렇다'로 표기해야 한다. '새까맣다'와 '샛노랗다'의 표기는 바르다.
③ **새퍼렇다 → 새파랗다/시퍼렇다**: 접두사 '새-'에 맞춰 '새파랗다'로 고치거나, '퍼렇다'에 맞춰 접두사를 '시-'로 고쳐야 바른 표기이다. '새빨갛다'와 '샛노랗다'의 표기는 바르다.
④ **시하얗다 → 새하얗다**: 'ㅏ'는 양성 모음이기 때문에 접두사 '새-'를 붙인 '새하얗다'로 표기해야 한다. '시꺼멓다'와 '싯누렇다'의 표기는 바르다.

정답 ②

출제 유형

형태가 비슷한 접사	접미사 '-배기', '-빼기', '-박이'를 판별하는 유형

083 ○○○ 2018 국회직 8급

<보기> 중 <한글 맞춤법> 규정에 맞게 표기한 것을 모두 고르면?

<보기>

ㄱ. 얼룩배기 ㄴ. 판때기 ㄷ. 나이빼기
ㄹ. 이맛배기 ㅁ. 거적때기 ㅂ. 상판대기

① ㄱ, ㄷ, ㅁ ② ㄱ, ㄹ, ㅂ
③ ㄴ, ㄷ, ㄹ ④ ㄴ, ㄷ, ㅂ
⑤ ㄴ, ㅁ, ㅂ

난이도 ㊤ ㊥ ㊦

해설 ㄴ의 '판때기', ㅁ의 '거적때기', ㅂ의 '상판대기'의 표기는 바르다.

오답 분석
ㄱ. **얼룩배기 → 얼룩빼기**: '겉이 얼룩얼룩한 동물이나 물건'을 이르는 말은 '-빼기'가 붙은 '얼룩빼기'이다.
ㄷ. **나이빼기 → 나이배기**: '겉보기보다 나이가 많은 사람'을 낮잡아 이르는 말은 '-배기'가 붙은 '나이배기'이다.
ㄹ. **이맛배기 → 이마빼기**: '이마'를 속되게 이르는 말은 '-빼기'가 붙은 '이마빼기'이다.

정답 ⑤

고득점 GO!

'-배기'와 '-빼기' 완전 정리!
① [배기]로 발음되는 경우에는 무조건 '-배기'로!
② 한 형태소 내부에서, 'ㄱ, ㅂ' 받침 뒤에서 [빼기]로 발음되면 '-배기'로!
③ 다른 형태소 뒤에서 [빼기]로 발음 되는 것은 무조건 '-빼기'로!

084 ○○○ 2018 국회직 9급

밑줄 친 단어 중에서 맞춤법에 맞지 않는 것은?

① 사춘기 소년처럼 보였지만 사실은 군대까지 다녀온 나이배기였다.
② 봄에 산란을 위해 서해를 찾아오는 알박이 조기는 특히 맛이 좋다.
③ 철수는 나무가 듬성듬성 서 있는 언덕배기를 힘겹게 올라갔다.
④ 오이를 쪼개 가지고 부추 양념해서 무쳐서 넣는 것이 오이소박이란다.
⑤ 아들의 얼굴이 아버지와 판박이로군요.

난이도 ㊤ ㊥ ㊦

해설 **알박이 → 알배-기**: '알이 들어 배가 부른 생선'을 의미하는 명사 '알배기'는 동사 '알배다(배 속에 알을 가지다)'가 명사로 파생한 경우이다. 따라서 '알배기'로 표기하는 것이 바르며, '알박이'라는 표현 자체가 존재하지 않는다. 접사 '-배기/-박이'와 섞어 헷갈리게 한 선택지이다.

오답 분석
① **나이-배기**: 겉보기보다 나이가 많은 사람을 낮잡아 이르는 말 = 나배기
③ **언덕-배기**: 언덕의 꼭대기. 또는 언덕의 몹시 비탈진 곳 = 언덕바지
④ **오이-소박이**: 오이의 허리를 서너 갈래로 갈라 속에 파, 마늘, 생강, 고춧가루를 섞은 소를 넣어 담근 김치 = 오이소박이김치, 외소박이
⑤ **판-박이**: 판으로 박는 일, 또는 판으로 박아 낸 책/변화가 없음./닮은 사람/스티커

정답 ②

Unit 15 형태가 비슷한 말 2 - 단어

출제 유형

맞춤법 외에도 올바른 어법과 어휘를 쓰는지 묻는 유형으로도 잘 나와요!

- '이따가'와 '있다가'를 판별하는 유형
- '돋구다'와 '돋우다'를 판별하는 유형

핵심정리

1. 이따가/있다가

이따가	조금 지난 뒤에
있다가	'있다'의 어간 '있-'에 연결 어미 '-다가'가 붙은 활용형

2. 한글 맞춤법 제38항

돋구다	안경의 도수 따위를 더 높게 하다.
돋우다	① 위로 끌어 올려 도드라지거나 높아지게 하다. ② 밑을 괴거나 쌓아 올려 도드라지거나 높아지게 하다. ③ 감정이나 기색 따위를 생겨나게 하다. '돋다'의 사동사 ④ 정도를 더 높이다. ⑤ 입맛을 당기게 하다. '돋다'의 사동사 ⑥ 가래를 목구멍에서 떨어져 나오게 하다.

'안경의 도수'를 제외한 나머지는 모두 '돋우다'를 쓰면 돼요!

심화 Plus

- **한글 맞춤법 [제7항]** [14 국가직 7급]

[제7항] 'ㄷ' 소리로 나는 받침 중에서 'ㄷ'으로 적을 근거가 없는 것은 'ㅅ'으로 적는다.
예 덧저고리, 돗자리, 엇셈, 웃어른, 핫옷, 무릇
[비교] 'ㄷ'으로 적을 근거가 있는 것
예 걷잡다(거두어 붙잡다), 곧장(똑바로 곧게), 낟가리(낟알이 붙은 곡식을 쌓은 더미), 돋보다(도두 보다)

출제 유형

형태가 비슷한 단어	'이따가'와 '있다가'를 판별하는 유형

085 ○○○ 2016 교육행정직 9급

〈보기〉의 (가)는 두 언어 형태에 대한 설명이고, (나)는 그 두 언어 형태를 사용한 예이다. 빈칸에 들어갈 말이 같은 것끼리 묶인 것은?

〈보기〉

(가) [㉠]/는 '있다'에 '어떤 동작이나 상태 따위가 중단되고 다른 동작이나 상태로 바뀜'을 나타내는 '-다가'가 결합된 말이고, [㉡]은/는 '조금 지난 뒤에'의 뜻을 나타내는 말이다. [㉢]은/는 [㉣](에)서 유래한 것으로 보이지만, 어원이 분명하지 않을 뿐만 아니라 '있다'의 뜻과도 멀어졌으므로 소리 나는 대로 적는다.

(나) • 커피는 [㉤] 밥 먹고 나서 마시자.
• 비가 내리니까 여기에 좀 더 [㉥] 출발하는 것이 어때?

① ㉠ - ㉢ - ㉤ ② ㉠ - ㉣ - ㉥
③ ㉡ - ㉢ - ㉥ ④ ㉡ - ㉣ - ㉥

난이도 상 중 하

해설 ㉠ 어간 '있다'에 어미 '-다가'가 붙은 말은 '있다가'이다.
㉡ '조금 지난 뒤에'란 뜻을 가진 말은 '이따가'이다.
㉢, ㉣ '소리 나는 대로 적는다.'란 서술어를 고려할 때, ㉢에는 소리 대로 적은 '이따가'가, ㉣에는 '있다가'가 들어가야 한다.
㉤ 문맥상 '나중에'란 의미이므로, '이따가'가 들어가야 한다.
㉥ 문맥상 '좀 더 여기에 머물다가'란 의미이므로, '있다가'가 들어가야 한다.
즉 '㉠, ㉣, ㉥'에는 '있다가'가, '㉡, ㉢, ㉤'에는 '이따가'가 들어간다. 따라서 답은 ②이다.

정답 ②

086 ○○○ 2016 법원직 9급

밑줄 친 부분이 〈한글 맞춤법〉 규정에 맞는 것은?

① 찬물에 헹군 국수를 체에 받쳐 놓아라.
② 담배를 끊음으로써 용돈을 줄이겠다.
③ 이 문제의 답을 맞춘 사람은 상을 받을 수 있다.
④ 지금은 바쁘니까 있다가 처리하도록 하겠습니다.

난이도 상 중 하

TIP '하므로'는 '하다. 그러므로'로, '함으로써'는 '하다. 그럼으로써'로 해석된다.

해설 "담배를 '끊는다. 그럼으로써' 용돈을 줄이겠다."라는 의미이다. 따라서 '끊음으로써'로의 표기는 〈한글 맞춤법〉 규정에 맞다.

오답 분석 ① 받쳐 → 밭쳐: '구멍이 뚫린 물건 위에 국수나 야채 따위를 올려 물기를 빼다.'란 의미를 가진 말은 '밭치다'이다.
③ 맞춘 → 맞힌: '정답을 말하다.'란 의미이므로, '맞다'에 사동 접미사 '-히-'가 붙은 '맞히다'가 바른 표기이다.
④ 있다가 → 이따가: '지금 말고 나중에'란 의미이므로, '이따가'를 써야 한다. '있다가'는 '머물다'란 의미일 때만 쓸 수 있다.

정답 ②

참고 [어휘]

밭치다	① '건더기와 액체가 섞인 것을 체나 거르기 장치에 따라서 액체만을 따로 받아 내다.'를 강조하여 이르는 말 예 젓국을 밭치다. ② 구멍이 뚫린 물건 위에 국수나 야채 따위를 올려 물기를 빼다. 예 찬물에 헹군 국수를 체에 밭쳐(=밭치어) 놓아라. (①)
받치다	① 물건의 밑이나 옆 따위에 다른 물체를 대다. 예 쟁반에 커피를 받치다. ② 옷의 색깔이나 모양이 조화를 이루도록 함께 하다. 예 스커트에 받쳐 입을 마땅한 블라우스가 없어 쇼핑을 했다.
(으)로써	① 어떤 물건의 재료나 원료를 나타내는 격 조사 예 네 말이라면 콩으로써 메주를 쑨다고 해도 믿지 않는다. ② 어떤 일의 수단이나 도구를 나타내는 격 조사 예 담배를 끊음으로써 용돈을 줄이겠다. (②) ③ 시간을 셈할 때 셈에 넣는 한계를 나타내거나 어떤 일의 기준이 되는 시간임을 나타내는 격 조사 예 운전면허 시험에 떨어진 것이 이번으로써 세 번째다.
(으)로서	① 지위나 신분 또는 자격을 나타내는 격 조사 예 사람으로서 어찌 그런 일을 할 수 있나 ② 어떤 동작이 일어나거나 시작되는 곳을 나타내는 격 조사 예 남쪽으로서 햇빛이 들어온다.
맞추다	1. 서로 떨어져 있는 부분을 제자리에 맞게 대어 붙이다. 예 문짝을 문틀에 맞추다. 2. ① 둘 이상의 일정한 대상들을 나란히 놓고 비교하여 살피다. 예 나는 가장 친한 친구와 답을 맞추어 보았다. ② 서로 어긋남이 없이 조화를 이루다. 예 다른 부서와 보조를 맞추다.
맞히다	'문제에 대한 답이 틀리지 아니하다'의 사동사 예 이 문제의 답을 맞힌 사람은 상을 받을 수 있다. (③)
이따가	조금 지난 뒤에 예 지금은 바쁘니까 이따가 처리하도록 하겠습니다. (④)
있다가	'있다'에 연결 어미 '-다가'가 붙은 활용형 예 그는 여기 있다가 돌아갔다. / 돈은 있다가도 없다.

087 ○○○ 2009 국회직 8급

밑줄 친 말의 쓰임이 어법에 맞지 않는 것은?

① 글을 <u>쓰노라고</u> 쓴 것이 엉망이 되었다.

② 생선을 <u>졸여서</u> 반찬을 만들었다.

③ 점심 먹고 <u>이따가</u> 만나자.

④ 우리는 전부터 <u>알음</u>이 있는 사이다.

⑤ 동생은 삼촌 집에 숙식을 <u>부치고</u> 있다.

난이도 상 ◯ 하

해설 **졸여서 → 조려서**: '국물이 거의 없게 바짝 끓이다.'의 의미이므로, '조리다'의 활용형인 '조려서'가 바르다.

오답분석 ① '자기 나름으로는 한다고'란 의미이므로, 어미 '-노라고'를 쓴다.
비교 '하는 일로 인하여'의 의미일 때는 어미 '-느라고'를 쓴다.
예 먼 길을 <u>오느라고</u> 힘들었겠구나.

③ '조금 지난 뒤'를 의미하는 부사이므로, '이따가'가 맞다.
비교 있다가(있- + -다가)
예 집에 <u>있다가</u> 무료해서 밖으로 나왔다.

④ '사람끼리 서로 아는 일'을 의미하므로, '알음'이 맞다.

⑤ '먹고 자는 일을 제집이 아닌 다른 곳에서 하다.'의 의미를 가진 말은 '부치다'이다.

정답 ②

참고 [어휘]

1. '조리다'와 '졸이다'

조리다	① 양념을 한 고기나 생선, 채소 따위를 국물에 넣고 바짝 끓여서 양념이 배어들게 하다. 예 생선을 <u>조리다</u>. ② 식물의 열매나 뿌리, 줄기 따위를 꿀이나 설탕물 따위에 넣고 계속 끓여서 단맛이 배어들게 하다. 예 복숭아를 설탕물에 <u>조리다</u>.
졸이다	① 속을 태우다시피 초조해하다. 예 마음을 <u>졸이다</u>. ② 사람이 국이나 찌개, 한약 따위를 담은 그릇을 가열하여 물의 양을 적어지게 하다. 예 찌개를 <u>졸이다</u>.

2. '부치다'와 '붙이다'

부치다	1. 모자라거나 미치지 못하다. 예 그 일은 힘에 <u>부친다</u>. 2. ① 어떤 문제를 다른 곳이나 다른 기회로 넘기어 맡기다. 예 안건을 회의에 <u>부치다</u>. ② 어떤 일을 거론하거나 문제 삼지 아니하는 상태에 있게 하다. 예 회의 내용을 극비에 <u>부치다</u>. ③ 원고를 인쇄에 넘기다. 예 접수된 원고를 편집하여 인쇄에 <u>부쳤다</u>. ④ 마음이나 정 따위를 다른 것에 의지하여 대신 나타내다. 예 외로움을 기러기에 <u>부쳐</u> 노래한다. ⑤ 먹고 자는 일을 제집이 아닌 다른 곳에서 하다. 예 삼촌 집에 숙식을 <u>부치다</u>. 3. 논밭을 이용하여 농사를 짓다. 예 <u>부쳐</u> 먹을 내 땅 한 평 없다. 4. 번철이나 프라이팬 따위에 기름을 바르고 음식을 익혀서 만들다. 예 계란을 <u>부치다</u>.
붙이다	① 서로 꽉 맞닿아서 떨어지지 않게 하다. 예 상품에 꼬리표를 <u>붙이다</u>. ② 맞대어 서로 떨어지지 않는 상태로 만들다. 예 우리는 화장실 벽을 깨끗한 흰색 타일로 <u>붙였다</u>. ③ 불을 붙이다. 예 연탄에 불을 <u>붙이다</u>. / 담뱃불을 <u>붙이다</u>. ④ 내기에 돈을 걸다. 예 내기에 1000원을 <u>붙이다</u>. ⑤ 말을 걸다. 예 옆 사람에게 농담을 <u>붙이다</u>. ⑥ 기대나 희망을 걸다. 예 앞날에 대한 희망을 <u>붙이다</u>. ⑦ 남의 뺨이나 볼기 따위를 세게 때리다. 예 상대편의 따귀를 한 대 <u>붙이다</u>.

출제 유형

형태가 비슷한 단어	'돋구다'와 '돋우다'를 판별하는 유형

088 ○○○ 2018 지방직 7급

밑줄 친 부분이 어법에 맞지 않는 것은?

① 밥이 차져서 내 입맛에 맞았다.

② 아기가 이쁘디이쁜 미소를 짓고 있다.

③ 그녀가 내 소맷깃을 슬며시 잡아당겼다.

④ 동생은 안경을 맞춘 지 얼마 되지 않아서 안경 도수를 더 돋구었다.

난이도 상 중 하

TIP '안경의 도수'에만 '돋구다'를 쓰고 나머지는 모두 '돋우다'를 쓴다.

해설 **소맷깃 → 소맷귀/소맷길**: 문맥상 잡아당긴 부분이므로 '소맷부리의 구석 부분'이라면 '소맷귀'로, '옷소매의 조각'이라면 '소맷길'로 표기해야 한다. '소맷깃'이라는 낱말은 존재하지 않으며, 의미상 '소매의 깃(옷깃)'이라는 뜻이 되어 의미도 어색하다.

오답 분석

① '차지다'는 '퍽퍽하지 않고 끈기가 많다.'라는 뜻을 가진 말로 어법에 맞다.

※ '차지다'만 표준어였다가, 방언형이었던 '찰지다'가 2015년 12월 국립국어원에서 '차지다'의 원래 말로 보고 표준어로 인정하였다.

② '이쁘다'는 본래 '예쁘다'의 비표준어였으나 2015년 12월 국립국어원에서 표준어로 인정하였다. 이에 따라 '이쁘디이쁘다(=예쁘디예쁘다)'도 표준어가 맞다.

④ '돋구다'는 '안경의 도수 따위를 더 높게 하다.'라는 의미이다. 목적어는 '안경 도수를'이므로 '돋구다'의 사용은 적절하다.

정답 ③

089 ○○○ 2014 국가직 7급

밑줄 친 어휘가 적절하게 쓰이지 않은 것은?

① 싱그러운 봄나물이 입맛을 돋우었다.

② 불길이 겉잡을 수 없이 번져 나갔다.

③ 바닷가에서 새우를 불에 그슬어서 먹었다.

④ 나는 열 문제 중에서 겨우 세 개만 맞혔다.

난이도 상 중 하

해설 **겉잡을 → 걷잡을**: '겉잡다'는 '겉으로 보고 대강 짐작하여 헤아리다.'의 의미이다. 그런데 ②에서는 '거두어 잡다.'의 의미이다. 'ㄷ'으로 적을 근거가 있을 때에는 받침을 'ㄷ'으로 적어야 한다. 따라서 '겉잡을'이 아니라 '걷잡을'로 표기해야 한다.

오답 분석

① 목적어가 '입맛을'이다. '안경 도수'를 제외한 경우 모두 '돋우다'로 표기한다. 따라서 밑줄 친 '돋우었다'의 표기는 옳다.

③ 새우를 불에 '약간 타게 해서' 먹었다는 의미이다. 따라서 '불에 겉만 약간 타게 하다.'의 의미를 가진 '그슬다'의 활용형 '그슬어서'의 표기는 옳다.

④ 정답을 고른 것이 3개뿐이었다는 의미이다. 따라서 '맞히다'의 활용형 '맞혔다'의 표기는 옳다.

정답 ②

참고 [어휘]

1. '그슬다'와 '그을다'

그슬다	불에 겉만 약간 타게 하다. 예 장작불에 털을 그슬다. / 새우를 불에 그슬어서 먹다.
그을다	햇볕이나 불, 연기 따위를 오래 쬐어 검게 되다. 예 햇볕에 얼굴이 검게 그을었다. / 돌담만 시꺼멓게 그은 채 남아 있었다. ※ '그을다'에 '-은'이 연결되면 'ㄹ'이 탈락되어 '그은'이 된다. '그을은'은 잘못이다.

2. '맞히다'와 '맞추다'

맞히다	적중하다. 정답을 골라내다. '맞다'의 사동 예 과녁을 맞히다. / 정답을 맞히다. / 바람을 맞히다. / 비를 맞히다.
맞추다	대상끼리 서로 비교하다. 예 답안지를 정답과 맞추다. / 옷을 맞추다. / 음악에 발을 맞추다.

Unit 16 한글 맞춤법 1 - 규정과 용례

출제 유형

총칙 제1항	• 조건과 용례를 연결하는 유형
규정과 용례	• 조건과 용례를 연결하는 유형 • 규정과 용례에 대한 설명이 바른지 판별하는 유형

핵심정리

1. 〈한글 맞춤법〉 총칙 제1항

원형을 밝혀 적은 것은 '표의주의 표기, 어법에 따른 표기'이고, 나머지는 '표음주의, 소리대로 적은 표기'예요.

> 한글 맞춤법은 표준어를 소리대로 적되, 어법에 맞도록 함을 원칙으로 한다.

2. 〈한글 맞춤법〉 제40항 (준말)

> 제40항 어간의 끝음절 '하'의 'ㅏ'가 줄고 'ㅎ'이 다음 음절의 첫소리와 어울려 거센소리로 될 적에는 거센소리로 적는다.
> 간편하게 → 간편케, 연구하도록 → 연구토록
> [붙임 1] 'ㅎ'이 어간의 끝소리로 굳어진 것은 받침으로 적는다.
> 않다, 않고, 않지, 않든지, 그렇다, 그렇고, 그렇지, 그렇든지
> [붙임 2] 어간의 끝음절 '하'가 아주 줄 적에는 준 대로 적는다.
> 거북하지 → 거북지, 생각하건대 → 생각건대
> 넉넉하지 → 넉넉지, 섭섭하지 → 섭섭지
> 깨끗하지 → 깨끗지, 익숙하지 → 익숙지

심화 Plus

• **호전 작용** [18 경찰 2차] **(관련 규정: 〈한글 맞춤법〉 제29항)**

개념	원래 'ㄹ'이었던 끝소리(받침)가 다른 낱말과 합해지면서 'ㄷ'으로 바뀌는 현상
예시	숟가락(술 + 가락), 잗주름(잘 + 주름), 이튿날(이틀 + 날), 푿소(풀 + 소), 사흗날(사흘 + 날), 반짇고리(바느질 + 고리)

출제 유형

총칙 제1항	조건과 용례를 연결하는 유형

090 ○○○ 2017 지방직 7급

㉠과 ㉡의 예로 적절하지 않은 것은?

> 〈한글 맞춤법〉
>
> 총칙 제1항 〈한글 맞춤법〉은 표준어를 ㉠소리대로 적되, ㉡어법에 맞도록 함을 원칙으로 한다.

> 표준어를 소리대로 적는다는 것은 표음주의를 취한다는 것이다. 그런데 표준어를 소리대로 적는다는 원칙만을 적용하기 어려운 경우도 있다. 예를 들어 한 단어의 발음이 여러 가지로 실현되는 경우 소리대로 적는다면 뜻을 파악하기 어렵다. 어법이란 언어 조직의 법칙, 또는 언어 운용의 법칙이라고 풀이할 수 있다. 어법에 맞도록 한다는 것은 뜻을 파악하기 쉽도록 각 형태소의 본 모양을 밝히어 적는다는 것이다.

① ㉠: '살고기'로 적지 않고 '살코기'로 적음.
② ㉠: '론의(論議)'로 적지 않고 '논의'로 적음.
③ ㉡: '그피'로 적지 않고 '급히'로 적음.
④ ㉡: '달달이'로 적지 않고 '다달이'로 적음.

난이도 ㊤ ◎ ㊦

해설 '어법에 맞도록' 하는 표의주의의 사례는 'ⓐ 원형을 밝히는 방식, ⓑ 소리 ≠ 표기'의 두 가지 방식에 해당한다. 각 형태소의 본 모양을 밝혀 원형으로 적으려면 '달달이'가 맞다. 그러나 'ㄹ'이 탈락한 형태로 발음되기 때문에 '다달이'로 적은 것이다. 따라서 '다달이'로 적은 것은 '원형을 밝히지 않은 사례'가 되어 '㉠ 소리대로 적되' 즉 표음주의의 예가 된다.

※ '소리대로 적되' 즉 표음주의는 'ⓐ 원형을 밝히지 않은 경우, ⓑ 소리 = 표기'의 사례가 되어야 한다.

오답 분석
① 각각 쓰일 때는 '살'과 '고기'가 어법에 맞는 말이다. 그러나 합성의 과정에서 'ㅎ' 소리가 덧나기 때문에, 이를 표기에 반영하여 '살코기'로 적은 것이다.
→ '원형을 밝히지 않은 사례' + '소리'와 '표기'가 일치하는 사례
② '論'의 본음은 '론'이지만, 두음 법칙에 따라 소리 나는 대로인 '논'으로 적은 것이다.
→ '원형을 밝히지 않은 사례' + '소리'와 '표기'가 일치하는 사례
③ '급하다'에서 파생된 말이다. 따라서 '급-'을 밝혀 '급히'로 적은 것이다.
→ '원형을 밝힌 사례' + '소리'와 '표기'가 일치하지 않는 사례

정답 ④

고득점 GO!

'불나비/부나비', '불나방/부나방', '찰지다/차지다'만 'ㄹ'이 탈락하지 않은 형태도 표준어예요!

비교 말소(×) - 마소(○), 딸님(×) - 따님(○)

091 ○○○ 2012 국회직 8급

다음 〈한글 맞춤법〉 총칙의 내용에 모두 부합하는 것은?

> 〈한글 맞춤법〉은 ㉠표준어를 ㉡소리대로 적되, ㉢어법에 맞도록 함을 원칙으로 한다.

	㉠	㉡	㉢
①	거시기	수탕나귀	오십시오
②	천정(天障)	곱빼기	학생이었다
③	윗층	돌잔치	우윳값
④	짜장면	짭짤하다	쌍용(雙龍)
⑤	멍게	부나비	갯수(個數)

난이도 ㊤ ◎ ㊦

TIP 표기 자체가 틀린 선택지를 먼저 제외하기!

해설 ㉠ '거시기'는 대명사 혹은 감탄사로, '표준어'이다.

※ 거시기: 1) 이름이 얼른 생각나지 않거나 바로 말하기 곤란한 사람 또는 사물을 가리키는 대명사 2) 하려는 말이 얼른 생각나지 않거나 바로 말하기가 거북할 때 쓰는 군소리, 감탄사

㉡ 접두사 '수-'와 '당나귀'가 합쳐진 말인데, [수탕나귀]로 소리 나는 것을 표기에 반영하여 '수탕나귀'로 적은 것이다.

㉢ [-요]로 소리 나더라도, 종결 어미 '-십시오'를 고려하여 어법에 맞게 '오십시오'로 적은 것이다.

오답 분석
② **천정 → 천장**: 더 널리 쓰이는 '천장'만 표준어이다.
③ **윗층 → 위층**: 된소리나 거센소리가 이어질 때 사이시옷을 표기하지 않는다.
④ **쌍용 → 쌍룡**: '龍(용 룡)'이 두음이 아닌 자리에 올 때는 본음대로 적는다.
⑤ **갯수 → 개수(個數)**: 두 음절로 된 한자 합성어는 '곳간, 셋방, 찻간, 숫자, 툇간, 횟수'를 제외하고는 사이시옷을 붙일 수 없다.

정답 ①

092 ○○○ 2009 지방직 9급

다음 〈한글 맞춤법〉 총칙 제1항의 원칙에 따라 〈보기〉의 예를 옳게 구분한 것은?

> 〈한글 맞춤법〉은 표준어를 소리대로 적되, 어법에 맞도록 함을 원칙으로 한다.

〈보기〉

㉠ 지붕	㉡ 의논	㉢ 타향살이
㉣ 오세요	㉤ 합격률	㉥ 붙이다

	'소리대로 적은 원칙'에 따른 예	'어법에 맞도록 한 원칙'에 따른 예
①	㉠, ㉡, ㉣	㉢, ㉤, ㉥
②	㉠, ㉡, ㉤	㉢, ㉣, ㉥
③	㉡, ㉣, ㉥	㉠, ㉢, ㉤
④	㉢, ㉤, ㉥	㉠, ㉡, ㉣

난이도 상 ● 하

해설 '㉠ 지붕, ㉡ 의논, ㉣ 오세요'는 표기와 발음이 일치하므로, '소리대로 적은 것'이다. '㉢ 타향살이, ㉤ 합격률, ㉥ 붙이다'는 소리 나는 것과 달리 원래의 형태를 밝혀 적었으므로, '어법에 맞게 쓴 것'이다.

〈'소리대로 적은 원칙'에 따른 예 ⇒ 표음적 표기〉

- **㉠ 지붕**: 표기와 발음이 일치한다.(집 + 웅 = 지붕, 소리대로 적은 표기)

> **참고 〈한글 맞춤법〉 제20항**
> 명사화 접미사 '-이'나 '-음/-ㅁ'이 붙어서 명사로 된 단어의 경우 그 원형을 밝히어 적는 것을 원칙으로 하나, 그 외의 모음으로 시작하는 접미사가 붙은 경우 소리대로 표기한다.
> ※ '집 + -웅'의 구성이므로, '지붕'으로 표기한다.

- **㉡ 의논**: '**議**(의논할 의)'와 '**論**(논할 론)'의 구성으로 '의론'인 원음을 버리고, 소리의 편의를 도모하여 '의논'으로 표기하고 발음한다.

> **참고 [어휘] '의논', '의론'**
> ※ '의논', '의론'의 한자 표기는 '議論'으로 같음!
> - 의논: 어떤 일에 대하여 서로 의견을 주고 받음.
>   → 원음인 '의론' 대신 소리 나는 대로 표기함. 표음적
> - 의론: 어떤 사안에 대하여 각자의 의견을 제기함. 또는 그런 의견
>   → 원음대로 표기함. 표의적

- **㉣ 오세요**: '오시어요'의 준말이다. '오셔요(원형을 밝혀 어법에 맞도록 쓴 표기) = 오세요(소리대로 적은 표기)'

〈'어법에 맞도록 한 원칙'에 따른 예 ⇒ 표의적 표기〉

- **㉢ 타향살이**: '타향 + 살- + -이'의 구성으로 형태를 밝혀 적었다.
- **㉤ 합격률**: [합꼉뉼]로 발음되지만, 형태를 밝혀 '합격률'로 표기한다.
- **㉥ 붙이다**: [부치다]로 발음되지만, 형태를 밝혀 '붙이다'로 표기한다.

정답 ①

출제 유형

규정과 용례	조건과 용례를 연결하는 유형

093 ○○○ 2023년 군무원 9급

다음 <한글 맞춤법>의 규정에 근거할 때 본말과 준말의 짝이 옳지 않은 것은?

> 〈제32항〉
> 단어의 끝모음이 줄어지고 자음만 남은 것은 그 앞의 음절에 받침으로 적는다.
>
> 〈제39항〉
> 어미 '-지' 뒤에 '않 -'이 어울려 '-잖-'이 될 적과 '-하지' 뒤에 '않 -'이 어울려 '-찮-'이 될 적에는 준 대로 적는다.
>
> 〈제40항〉
> 어간의 끝음절 '하'의 'ㅏ'가 줄고 'ㅎ'이 다음 음절의 첫소리와 어울려 거센소리로 될 적에는 거센소리로 적는다.

① 어제그저께 - 엊그저께
② 그렇지 않은 - 그렇잖은
③ 만만하지 않다 - 만만잖다
④ 연구하도록 - 연구토록

난이도 상 ● 하

해설 **만만잖다 → 만만찮다**: 제39항에 따라 '만만**하지 않다**'의 준말은 '만만**찮다**'이다.

오답 분석
① 제32항에 따라 '어**제**그저께'의 준말은 '**엊**그저께'이다.
② 제39항에 따라 '그렇**지 않은**'의 준말은 '그렇**잖은**'이다.
④ 제40항에 따라 '연구**하도**록'의 준말은 '연구**토**록'이다.

정답 ③

094 ○○○ 2018 지방직 9급

다음 〈한글 맞춤법〉 규정의 예로 옳지 않은 것은?

> (가) 제19항 어간에 '-이'나 '-음/ㅁ'이 붙어서 명사로 된 것과 '-이'나 '-히'가 붙어서 부사로 된 것은 그 어간의 원형을 밝히어 적는다.
> (나) 제19항 [붙임] 어간에 '-이'나 '-음' 이외의 모음으로 시작된 접미사가 붙어서 다른 품사로 바뀐 것은 그 어간의 원형을 밝히어 적지 아니한다.
> (다) 제20항 명사 뒤에 '-이'가 붙어서 된 말은 그 명사의 원형을 밝히어 적는다.
> (라) 제20항 [붙임] '-이' 이외의 모음으로 시작된 접미사가 붙어서 된 말은 그 명사의 원형을 밝히어 적지 아니한다.

① (가): 미닫이, 졸음, 익히

② (나): 마개, 마감, 지붕

③ (다): 육손이, 집집이, 곰배팔이

④ (라): 끄트머리, 바가지, 이파리

난이도 상 중 하

해설 '마개, 마감, 지붕'은 모두 파생 명사이다. 다만, '마개(막- + -애: 막다)'와 '마감(막- + -암: 막다)'은 (나)의 '용언의 어간에서 파생한 예'로 적절하지만, '지붕(집 + -웅)'의 '집'은 어간이 아니므로 (나) 규정의 예로 적절하지 않다.

오답분석
① '미닫이[(밀- + 닫-) + 이: 밀다 + 닫다]'와 '졸음(졸- + 음: 졸다)'은 어간에 '-이'나 '-음/ㅁ'이 붙어서 명사로 된 것이고, '익히(익- + 히: 익다)'는 '-이'나 '-히'가 붙어서 부사로 된 것으로 원형을 밝힌 사례이다.
③ 각각 명사 '육손(육손이)', '집집(집집이)', '곰배팔(곰배팔이)' 뒤에 '-이'가 붙어서 된 낱말로 원형을 밝혀 쓴다.
※ 단 파생한 '육손이'와 '곰배팔이'는 '명사'이지만 '집집이'는 '부사'이다.
④ '끄트머리(끝 + -으머리), 바가지(박 + -아지), 이파리(잎 + -아리)'는 '-이' 이외의 모음으로 시작된 접미사가 명사(끝, 박, 잎)에 붙어서 된 낱말로 원형을 밝혀 표기하지 않는다.

정답 ②

095 ○○○ 2018 경찰 2차

〈보기〉의 규정이 적용된 단어가 아닌 것은?

> 〈보기〉
> 제29항 끝소리가 'ㄹ'인 말과 딴 말이 어울릴 적에 'ㄹ' 소리가 'ㄷ' 소리로 나는 것은 'ㄷ'으로 적는다.

> 예 삼짇날[삼질 + 날]　　숟가락[술 + 가락]

① 푿소　　② 여닫다

③ 잗주름　　④ 섣부르다

난이도 상 중 하

TIP 제시된 제29항은 '호전 작용(호전 현상)'에 대한 설명이다. 호전 작용은 59p의 '심화 Plus' 참고

해설 '여닫다'는 '열- + 닫다'의 합성어로 'ㄹ'이 탈락한 예이므로 〈보기〉의 규정과 관련이 없다.

오답분석
① '푿소'는 '풀 + 소'가 어울릴 적에 'ㄹ'이 'ㄷ'으로 소리가 나서 'ㄷ'으로 적은 경우이므로 〈보기〉의 규정이 적용된 단어이다.
③ '잗주름'은 '잘- + 주름'이 어울릴 적에 'ㄹ'이 'ㄷ'으로 소리가 나서 'ㄷ'으로 적은 경우이므로 〈보기〉의 규정이 적용된 단어이다.
④ '섣부르다'는 '설- + 부르다'가 어울릴 적에 'ㄹ'이 'ㄷ'으로 소리가 나서 'ㄷ'으로 적은 경우이므로 〈보기〉의 규정이 적용된 단어이다.

정답 ②

출제 유형

규정과 용례	규정과 용례에 대한 설명이 바른지 판별하는 유형

096 ○○○ 2020 법원직 9급

〈보기〉의 자료를 읽고 탐구한 것으로 가장 옳지 않은 것은?

〈보기〉

맞춤법 규정
제23항 '-하다'나 '-거리다'가 붙는 어근에 '-이'가 붙어서 명사가 된 것은 그 원형을 밝히어 적는다.
예 깔쭉이, 꿀꿀이 등
[붙임] '-하다'나 '-거리다'가 붙을 수 없는 어근에 '-이'나 다른 모음으로 시작되는 접미사가 붙어서 명사가 된 것은 그 원형을 밝히어 적지 아니한다.
예 개구리, 귀뚜라미 등
【해설】 접미사 '-하다'나 '-거리다'가 붙는 어근이란, 곧 동사나 형용사로 파생될 수 있는 어근을 말한다. 예컨대 (눈을) '깜짝깜짝하다, 깜짝거리다, 깜짝이다, (눈)깜짝이'와 같이 나타나는 형식에 있어서, 실질 형태소인 어근 '깜짝-'의 형태를 고정시킴으로써, 그 의미가 쉽게 파악되도록 하는 것이다.

① '동그라미' 같은 말은 원형을 밝히어 적지 아니한 예에 추가할 수 있겠어.
② '삐죽거리다'는 말이 있으므로 '삐주기'가 아니라, '삐죽이'라고 적어야겠군.
③ '매미', '뻐꾸기'를 '맴이', '뻐꾹이'라고 적지 않는 것은 붙임 규정에 따른 것이군.
④ '-거리다'가 붙을 수 있는 어근에 접미사가 붙은 말로 '부스러기'를 들 수 있겠어.

난이도 상 ◯ 하

해설 '부스러기'는 물건을 뜻하는 명사로서, '부스럭거리다'나 '부스럭하다'로 쓸 수 있는 의성어 '부스럭'과는 무관한 것이므로, '부스럭이'로 적지 않는다. '부스러기'는 제23항의 [붙임] 규정에 따라 '-하다'나 '-거리다'가 붙을 수 없는 어근으로서, 어근의 본뜻이 인식되지 않는 것이므로, 그 형태를 밝히어 적지 않는다.

오답 분석
① '동그라미'는 '-하다'나 '-거리다'가 붙을 수 없는 어근 '동글'에 '-아미'가 붙어서 된 명사이므로 제23항의 [붙임] 규정에 따라 '동그라미'로 원형을 밝히어 적지 않는다.
② '삐죽이'의 어근 '삐죽'은 '삐죽거리다'는 말이 있으므로 제23항의 규정에 따라 원형을 밝히어 '삐죽이'로 적는다.
③ '매미'와 '뻐꾸기'는 '-하다'나 '-거리다'가 붙을 수 없는 어근 '맴'과 '뻐꾹'에 '-이'가 붙어서 명사가 된 것이므로 [붙임] 규정에 따라 그 원형을 밝히어 적지 아니한다.

정답 ④

097 ○○○ 2017 국가직 9급 추가

다음 〈한글 맞춤법〉 제6항에 대한 설명으로 옳지 않은 것은?

'ㄷ, ㅌ' 받침 뒤에 종속적 관계를 가진 '-이(-)'나 '-히-'가 올적에는, 그 'ㄷ, ㅌ'이 'ㅈ, ㅊ'으로 소리 나더라도 'ㄷ, ㅌ'으로 적는다.

① 예시로는 '해돋이, 같이'가 있다.
② 위 조항은 〈한글 맞춤법〉 총칙 중 '어법에 맞게 적는다.'는 원리를 따른 것이다.
③ 종속적 관계란 체언, 어근, 용언 어간 등에 조사, 접사, 어미 등이 결합하는 관계를 말한다.
④ '잔디, 버티다'는 하나의 형태소에서 'ㄷ, ㅌ'과 'ㅣ'가 만난 것으로서 위 조항의 예에 해당된다.

난이도 상 ◯ 하

해설 제시된 규정은 '구개음화'에 대한 설명이다. 제시된 조항은 "종속적 관계를 가진 '-이(-)'나 '-히-'가 올 적에"라고 조건을 부여하고 있다. 즉 어간과 어미 또는 어근과 접사, 체언과 조사 등의 결합 등에서만 나타나는 현상이라는 의미다. 그런데 '잔디'와 '버티다'는 한 형태소 내부이므로 이 조건을 충족하지 않는다. 따라서 제시된 조항의 예라는 설명은 적절하지 않다.
※ [잔지, 버치다]로 읽을 수 없다는 내용만 알아도 답을 찾기에는 충분하다.

오답 분석
① '해돋-' 뒤에 종속적 관계를 가진 접미사 '-이'가 와서, [해도지]로 발음한다. 그러나 표기는 형태를 밝힌(표의주의) '해돋이'이다. '같이' 역시 '같-' 뒤에 종속적 관계를 가진 접미사 '-이'가 와서 [가치]로 발음한다. 그러나 표기는 형태를 밝힌(표의주의) '같이'이다.
② 소리대로(표음주의)가 아니라, 형태(원형)를 밝혀 적은 경우이므로 '어법에 맞게 적는다.'는 '표의주의' 원리를 따른 것이 맞다.
③ 종속적 관계란 '체언, 어근, 용언 어간 등'의 실질 형태소에 '조사, 접사, 어미 등'과 같은 형식 형태소가 결합하는 관계를 말한다.

정답 ④

참고 종속적 관계를 가진 단어의 예

어근+접사	맏이[마지], 같이[가치], 닫히다[다치다] 등
체언+조사	밭이랑[바치랑] 논이랑 팔다, 끝이[끄치] 등

098 ○○○ 2016 국회직 8급

다음 중 <한글 맞춤법>에 대한 설명으로 옳지 않은 것은?

① '돗자리, 웃어른, 얼핏'처럼 'ㄷ' 소리로 나는 받침 중에서 'ㄷ'으로 적을 근거가 없는 것은 'ㅅ'으로 적는다.

② '깨끗이, 버젓이, 정확히, 솔직히, 도저히'처럼 부사의 끝음절이 분명히 '이'로만 나는 것은 '-이'로 적고, '히'로만 나거나 '이'나 '히'로 나는 것은 '-히'로 적는다.

③ '소쩍새, 해쓱하다, 움찔'처럼 한 단어 안에서 뚜렷한 까닭 없이 나는 된소리는 다음 음절의 첫소리를 된소리로 적지만, '싹둑, 갑자기, 깍두기'는 된소리로 적지 않는다.

④ '해돋이, 같이, 걷히다'처럼 'ㄷ ㅌ' 받침 뒤에 종속적 관계를 가진 '-이(-)'나 '-히-'가 올 적에는, 그 'ㄷ ㅌ'이 'ㅈ ㅊ'으로 소리 나더라도 'ㄷ ㅌ'으로 적는다.

⑤ <한글 맞춤법>은 표준어를 소리대로 적되, 어법에 맞도록 함을 원칙으로 하므로, '꽃을, 꽃이, 꽃밭'으로 적고 글자 그대로 읽는다.

난이도 상 중 하

해설 '<한글 맞춤법>은 표준어를 소리대로 적되, 어법에 맞도록 함을 원칙으로 한다.'는 설명은 옳다. 그러나 제시된 예인 '꽃을, 꽃이, 꽃밭'은 소리대로 적지 않고 어법에 맞도록 한다는 원칙에만 해당하므로, 설명으로 적절하지 않다. 또한 '글자 그대로 읽는다.'는 설명도 옳지 않다. 국어의 종성에서 'ㅊ'은 발음될 수 없기 때문이다. 종성에서 발음할 수 있는 소리는 'ㄱ, ㄴ, ㄷ, ㄹ, ㅁ, ㅂ, ㅇ' 7개뿐이다.
※ 꽃을[꼬츨], 꽃이[꼬치], 꽃밭[꼳빧]

오답분석
① '돗자리, 웃어른, 얼핏' 모두 'ㄷ'으로 적을 근거가 없기 때문에 'ㅅ'으로 적은 것이다.
※ 가령, '걷잡다'는 '거두어 잡다'란 의미이므로, 'ㄷ'으로 적을 근거가 있기 때문에 'ㅅ'이 아닌 'ㄷ' 받침으로 적는 것이다.

② '깨끗이, 버젓이'는 각각 [깨끄시], [버저시]로 발음된다. 즉 [-이]로 소리 나기 때문에 부사 파생 접사 '-이'를 취한다.
※ 어근이 'ㅅ'으로 끝날 때는 '-이'를 취한다.
한편, '정확히, 솔직히, 도저히'는 각각 [정:화키], [솔찌키], [도:저히]로 발음된다. 즉 [-히]로 소리 나기 때문에 부사 파생 접사 '-히'를 취한다.
※ '-하다'가 붙을 수 있는 말은 '-히'를 취한다. ('ㅅ' 받침 제외)

③ 'ㄱ, ㅂ' 받침 뒤에서 나는 된소리는, 같은 음절이나 비슷한 음절이 겹쳐 나는 경우가 아니면 된소리로 적지 않는다. 따라서 예사소리인 '싹둑, 갑자기, 깍두기'로 표기한다.

④ 발음만 구개음화를 반영하고, 표기에는 구개음화를 반영하지 않는다. 따라서 형태를 밝혀 적는다는 설명은 옳다.

정답 ⑤

099 ○○○ 2011 서울시 9급

다음 어문 규정에 대한 설명 중 옳지 않은 것은?

① 'ㅎ' 종성 체언은 뒷말의 첫소리를 거센소리로 적는다.

② 한자어와 한자어 형태소 사이에 사잇소리가 나더라도 원칙적으로 사이시옷을 적지 않는다.

③ '퇴간, 회수'는 사이시옷을 표기하지 않는다.

④ '입때'는 '이 + 때 - 이ㅂ때'로 분석된다.

⑤ 순우리말 합성어로서 앞말이 모음으로 끝나고 뒷말의 첫소리가 된소리로 나는 경우 사이시옷을 표기한다.

난이도 상 중 하

해설 한자 합성어는 사이시옷을 받쳐 적지 않는 것이 원칙이지만, '곳간(庫間), 셋방(貰房), 숫자(數字), 찻간(車間), 툇간(退間), 횟수(回數)'만 예외적으로 사이시옷을 받쳐 적을 수 있다. 따라서 '퇴간', '회수'는 사이시옷을 표기하지 않는다는 설명은 옳지 않다.

오답분석
① 과거에 'ㅎ' 종성 체언이었던 '수ㅎ-', '암ㅎ-'이 붙는 말은 거센소리로 발음되는데, 발음을 표기에 반영한다.
예 수 + 개(수ㅎ + 개) → 수캐, 암 + 닭(암ㅎ + 닭) → 암탉

④ '이'와 '때(ᄣᅢ)'의 합성 과정에서 'ㅂ' 소리가 덧나므로, '입때'로 표기한 것이다. 따라서 'ㅂ'을 분석해 낼 수 있다.

> **참고 <한글 맞춤법> 제31항**
>
> 두 말이 어울릴 적에 'ㅂ' 소리나 'ㅎ' 소리가 덧나는 것은 소리대로 적는다.
>
> 1. 'ㅂ' 소리가 덧나는 것
> 예 댑싸리(대ㅂ싸리), 멥쌀(메ㅂ쌀), 볍씨(벼ㅂ씨), 입때(이ㅂ때), 입쌀(이ㅂ쌀), 접때(저ㅂ때), 좁쌀(조ㅂ쌀), 햅쌀(해ㅂ쌀)
> ※ 이것은 'ᄡᅡ리, ᄡᆞᆯ, ᄡᅵ, ᄣᅢ'와 같은 15C 표기의 어두 자음군과 관계 있다. 어두 자음군의 'ㅂ'이 발음에만 관여하다가, 현대 국어에서는 받침으로 나타난 것이다.
>
> 2. 'ㅎ' 소리가 덧나는 것
> 예 머리카락(머리ㅎ가락), 살코기(살ㅎ고기), 수캐(수ㅎ개), 수컷(수ㅎ것), 수탉(수ㅎ닭), 안팎(안ㅎ밖), 암캐(암ㅎ개), 암컷(암ㅎ것), 암탉(암ㅎ닭)

⑤ 순우리말 합성어로서 앞말이 모음으로 끝나고 뒷말의 첫소리가 된소리로 나는 경우 사이시옷을 표기할 수 있다.
예 못자리, 모깃불, 냇가

 ③

Unit 17 한글 맞춤법 2 - 단어 제시 유형

출제 유형

- 단어가 한글 맞춤법에 맞는지 아닌지 판별하는 유형
- 한글 맞춤법에 맞는 단어로만 묶인 것을 찾는 유형

핵심정리

- **기출**

14 국회직 8급	• 몹시, 색시, 법석, 깍두기, 갑자기 • 깨끗이, 일일이, 간간히, 틈틈이, 소홀히 • 선짓국, 자릿세, 전셋집, 장맛비, 베갯잇 • 오뚝이, 뻐꾸기, 깔쭉이, 홀쭉이, 배불뚝이 • 다정타, 어떻든, 익숙지, 섭섭지, 생각건대
11 지방직 7급	• 이파리, 딱따구리, 삐죽이, 애꾸눈이, 오뚝이, 싸라기 • 절뚝발이, 날라리, 지푸라기, 부스러기, 절름발이, 두드러기
07 서울시 7급	• 긴가민가, 두루뭉수리, 들쭉날쭉, 머리말, 주쳇덩어리, 낙락장송 • 달걀 껍데기, 바람, 재떨이, 알맞은

출제 유형

한글 맞춤법에 맞는 단어	단어가 한글 맞춤법에 맞는지 아닌지 판별하는 유형

100 ○○○ 2021 국가직 9급

맞춤법에 맞는 것만으로 묶은 것은?

① 돌나물, 꼭지점, 페트병, 낚시꾼
② 흡입량, 구름양, 정답란, 칼럼난
③ 오뚝이, 싸라기, 법석, 딱다구리
④ 찻간(車間), 홧병(火病), 셋방(貰房), 곳간(庫間)

난이도 ㊤ ◯ ㊦

해설 '量', '欄'이 단어 첫머리 이외의 경우는 두음 법칙이 적용되지 않으므로 본음인, '량', '란'으로 적는다. 한편, 고유어나 외래어 뒤에 결합한 한자어는 독립적인 한 단어로 인식이 되기 때문에 두음 법칙이 적용된다. 따라서 고유어나 외래어 뒤에 올 때는 두음 법칙이 적용되어 각각 '양'과 '난'으로 적는다.
한자어 '흡입(吸入)', '정답(正答)'과 결합할 때는 각각 두음 법칙이 적용되지 않은 형태인, '흡입량', '정답란'으로 적는다.
고유어 '구름'과 외래어 '칼럼'과 결합할 때는 두음 법칙이 적용된 형태인 '구름양', '칼럼난'으로 적는다.
따라서 ②의 '흡입량, 구름양, 정답란, 칼럼난'은 모두 맞춤법에 맞는 표기이다.

오답분석
① 꼭지점 → 꼭짓점
③ 딱다구리 → 딱따구리
④ 홧병(火病) → 화병(火病)

정답 ②

量(헤아릴 량), 欄(난간 란) 완전 정복!

한자어와 만나면, 두음이 아니기 때문에 본음대로 '량', '란'
고유어나 외래어와 만나면, 두음으로 보기 때문에
두음 법칙에 따라 '양', '난'

101 ○○○ 2008 서울시 9급

다음 중 표기가 옳게 된 것은?

① 깍뚝이
② 곰곰히
③ 배불뚜기
④ 삼질날
⑤ 늙수그레하다

난이도 상 중 하

해설 '늙수그레하다'는 동사 '늙다'에서 파생된 말로, 형태를 밝혀 적은 '늙수그레하다'의 표기는 옳다.

> **참고 〈한글 맞춤법〉 제21항**
> 명사나 혹은 용언의 어간 뒤에 자음으로 시작된 접미사가 붙어서 된 말은 그 명사나 어간의 원형을 밝히어 적는다.

오답 분석
① **깍뚝이 → 깍두기**: '깍둑깍둑'의 부사와 관련 있는 명사로 'ㄱ' 뒤의 'ㄷ'을 예사소리로 표기한다.
② **곰곰히 → 곰곰이**: 부사 '곰곰'에 붙는 접미사 '-이'이다.
③ **배불뚜기 → 배불뚝이**: '-하다'나 '-거리다'가 붙는 어근에 '-이'가 붙어서 명사가 된 것은 그 원형을 밝혀 적는다.
④ **삼질날 → 삼짇날**: 끝소리가 'ㄹ'인 말과 딴 말이 어울릴 적에 'ㄹ'소리가 'ㄷ' 소리로 나는 것은 어원을 밝혀 적지 않고 발음대로 'ㄷ'으로 적는다.(호전 현상)

정답 ⑤

출제 유형

한글 맞춤법에 맞는 단어	한글 맞춤법에 맞는 단어로만 묶인 것을 찾는 유형

102 ○○○ 2019 기상직 9급

맞춤법에 맞는 어휘로 짝지어진 것은?

① 넝쿨, 넷째, 녹슨, 녹이다, 꼰지르다
② 눈썹, 눌어붙다, 늘그막, 닐리리, 물크러지다
③ 나지막하다, 난쟁이, 냄비, 너희들, 콧망울
④ 담배꽁초, 더욱이, 덮이다, 도저히, 짭잘하다

난이도 상 중 하

해설 '눈썹, 눌어붙다, 늘그막, 닐리리, 물크러지다'는 모두 맞춤법에 맞다.

눈썹	한 단어 안에서 'ㄴ, ㄹ, ㅁ, ㅇ' 받침 뒤에서 나는 된소리는 소리대로 된소리로 적는다는 규정에 따라 '눈썹'은 맞춤법에 맞다.
눌어붙다	'눋다+붙다'의 합성어이다. '눋다'는 'ㄷ' 불규칙 용언이므로, 연결 어미 '-어'로 연결되는 과정에서 'ㄷ'이 'ㄹ'로 바뀐다. 따라서 '눌어붙다'는 맞춤법에 맞다.
늘그막	'-이, -음' 이외의 모음으로 시작된 접미사가 붙어서 다른 품사로 바뀐 것은 그 원형을 밝히지 않고 소리 나는 대로 적는다는 규정에 따라 '늘그막'은 어법에 맞다.
닐리리	'의'나, 자음을 첫소리로 가지고 있는 음절의 'ㅢ'는 'ㅣ'로 소리 나는 경우가 있더라도 'ㅢ'로 적는다는 규정에 따라 '늴리리'는 [닐리리]로 소리가 나더라도 '늴리리'로 적은 것은 어법에 맞다. ※ 늴리리(부사): 관악기의 소리를 흉내 낸 소리
물크러지다	어원이 분명하지 않기 때문에 소리가 나는 대로 '물크러지다'로 적는다. ※ 물크러지다(동사): 너무 무르거나 풀려서 본 모양이 없어 지도록 헤어지다.

오답 분석
① **꼰지르다 → 고자질하다**: '남의 잘못이나 비밀을 일러바치다.'라는 의미의 '꼰지르다'는 '고자질하다'의 비표준어이다.
③ **콧망울 → 콧방울**: '코끝의 양쪽으로 방울처럼 둥글게 내민 부분'인 '콧볼'을 이르는 단어는 '콧방울'이 표준어이다.
④ **짭잘하다 → 짭짤하다**: '조금 짜다.'라는 뜻을 가진 단어는 '짭짤하다'가 표준어이다.

정답 ②

103 ○○○ 2019 서울시 9급(6월)

맞춤법 사용이 올바르지 않은 것으로만 묶인 것은?

① 웃어른, 사흗날, 베갯잇
② 닐리리, 남존녀비, 혜택
③ 적잖은, 생각건대, 하마터면
④ 홑몸, 밋밋하다, 선율

난이도 ㊤ ◯ ㊦

해설

닐리리 → 늴리리	'의'나, 자음을 첫소리로 가지고 있는 음절의 'ㅢ'는 'ㅣ'로 소리 나는 경우가 있더라도 'ㅢ'로 적는다는 규정에 따라 [닐리리]로 소리가 나더라도, 표기는 '늴리리'로 해야 한다.
남존녀비 → 남존여비	'女'는 두음이 아니기 때문에 원칙적으로는 본음인 '녀'로 적어야 한다. 그런데 접두사처럼 쓰이는 한자가 붙어서 된 말이나 합성어에서, 뒷말의 첫소리가 'ㄴ' 소리로 나더라도 두음 법칙에 따라 적는다는 규정에 따라 '남존여비'로 표기해야 한다. ※ '남존여비'는 엄밀히 말하면 합성어는 아니지만, '남존', '여비'처럼 마치 단어와 같이 인식되어 두음 법칙이 적용된 형태로 굳어져 쓰이고 있는 것이다.
혜택 → 혜택	'계, 례, 몌, 폐, 혜'의 'ㅖ'는 'ㅔ'로 소리 나는 경우가 있더 라도 'ㅖ'로 적는다는 규정에 따라 '혜택'으로 표기해야 한다.

오답분석 ① '웃어른, 사흗날, 베갯잇'의 표기는 모두 바르다.

웃어른	'위/아래' 대립이 없는 경우에는 '웃-'을 쓴다. '아랫어른'은 존재할 수 없기 때문에 '웃-'을 붙인 '웃어른'의 표기는 옳다.
사흗날	'사흘+날'이 결합하는 과정에 'ㄹ'이 'ㄷ'으로 바뀌기 때문 에 '사흗날'의 표기는 옳다.(호전 작용)
베갯잇	'베개+잇'이 결합되는 과정에 'ㄴㄴ' 소리가 덧나기 때문 에 사이시옷을 표기한 것은 옳다.(사잇소리 현상)

③ '적잖은, 생각건대, 하마터면'의 표기는 바르다.

적잖은	'-지 않다'는 '-잖다'로, '-하지 않다'는 '-찮다'로 준다. 따라서 '적지 않은'의 준말을 '적잖은'으로 표기한 것은 옳다.
생각건대	용언이 '하'를 포함하는 경우 '-하' 앞의 받침이 'ㄱ, ㄷ, ㅂ, ㅅ, ㅈ'이면 '-하'를 생략한다. '-하' 앞의 받침이 'ㄱ'이므로 '생각하건대'의 준말을 '생각건대'로 표기한 것은 옳다.
하마터면	'자칫'의 의미를 가진 부사는 '하마터면'으로 표기한 것은 옳다.

④ '홑몸, 밋밋하다, 선율'의 표기는 모두 바르다.

홑몸	'딸린 사람이 없는 혼자의 몸', '아이를 배지 아니한 몸'을 이르는 말로 '홑몸'의 표기는 옳다. ※ 홀몸: 배우자나 형제가 없는 사람
밋밋하다	'밋밋하다'의 의미로 '민밋하다'를 쓰는 경우가 있으나 '밋밋하다'만 표준어로 삼는다. 따라서 '밋밋하다'의 표기는 옳다.
선율	'律(법 률)'은 모음이나 'ㄴ' 아래에서는 '율'로, 'ㄴ'을 제외한 자음 아래에서는 '률'로 적는다. 따라서 '선율'의 표기는 옳다.

정답 ②

104 ○○○ 2017 국가직 7급 추가

<한글 맞춤법>에 맞는 것으로만 묶은 것은?

① 반듯이, 수나비, 에두르다
② 쓱싹쓱싹, 명중률, 푸주간
③ 등교길, 늠름하다, 깡충깡충
④ 돋보이다, 거적떼기, 야단법석

난이도 ㊤ ◯ ㊦

해설

반듯이	어근이 'ㅅ'으로 끝나면 부사 파생 접미사 '-이'를 취한다. 따라서 '반듯이'는 맞춤법에 맞는 표기다.
수나비	'양, 염소, 쥐'를 제외한 말은 모두 '수-'가 붙는다. 따라서 '수-+나비'가 결합한 말은 '수나비'가 맞다. '암-/수-'는 모두 접사로 접사 '수-' 뒤에는 원래 명사의 이름을 그대로 쓰는 것을 원칙으로 한다. ※ 예외 12가지: 숫양, 숫염소, 숫쥐 / 수탉, 수평아리, 수캐, 수캉아지, 수키와, 수톨쩌귀, 수퇘지, 수탕나귀, 수컷
에두르다	'에두르다(에두르다 - 에두르고 - 에두르지 - 에둘러)'의 의미로 '엇둘리다, 에두르다'를 쓰는 경우가 있으나 '에두르다'만 표준어로 삼는다. 따라서 '에두르다'는 맞춤법에 맞는 표기다. ※ 에두르다[동사] 1) 에워서 둘러막다. 예 경찰이 집을 에두르고 범인에게 자수하기를 권했다. 2) 바로 말하지 않고 짐작하여 알아듣도록 둘러대다. ≒에 둘러대다·에둘러치다. 예 에두를 것 없이 바로 말해라. / 그가 말을 에둘러 하기는 하였지만 대충 알아들었다.

오답분석 ② '쓱싹쓱싹, 명중률'의 표기는 옳다.

푸주간 → 푸줏간	어원은 한자에서 왔으나 형태가 바뀌어 고유어 처리하는 명사 '푸주'와 한자어 '간(間)'의 합성어로, 합성되는 과정에 뒷말의 첫소리가 된소리 [-깐]으로 난다. 따라서 사이시옷을 받쳐 '푸줏간'으로 적어야 한다. ※ 고깃간, 방앗간, 윗간, 아랫간 등도 사이시옷을 받쳐 쓰는 표기가 적절하다. ※ 다만 '대장간/외양간'의 '간'은 '장소'의 뜻을 더하는 접미 사로 '대장간/외양간'은 파생어이다.

③ '늠름(凜凜)하다, 깡충깡충'의 표기는 옳다.

등교길 → 등굣길	한자어 '등교(登校)'와 고유어 '길'의 합성어로, 합성되는 과정에 뒷말의 첫소리가 된소리 [-낄]로 난다. 따라서 사이시옷을 받쳐 '등굣길'로 적어야 한다. ※ 등굣길(O)/하굣길(O)/최댓값(O)/최솟값(O)/장밋빛(O)

④ '돋보이다, 야단법석'의 표기는 모두 바르다.

거적떼기 → 거적때기	'비하'의 뜻을 더하는 접미사는 '-떼기'가 아니라 '-때기'다. '-떼기'는 존재하지 않는다. ※ • 거적때기[명사]: 헌 거적 조각 • -때기[접사]: '비하'의 뜻을 더하는 접미사 예 배때기/귀때기/볼때기/이불때기/송판때기/표때기 • -데기[접사]: '그와 관련된 일을 하거나 그런 성질을 가진 사람'의 뜻을 더하는 접미사 예 부엌데기/새침데기/소박데기

정답 ①

Unit 18 한글 맞춤법 3 - 문장 제시 유형

출제 유형

- 밑줄 친 단어가 한글 맞춤법에 맞는지 판별하는 유형
- 문장에 쓰인 단어들이 한글 맞춤법에 맞는지 판별하는 유형

핵심정리

- **기출**

17 국가직 9급	• 병이 씻은 듯이 낳았다(→ 나았다). • 넉넉치(→ 넉넉지) 못한 선물이나 받아 주세요. • 그는 자물쇠로 책상 서랍을 잠갔다. • 옷가지를 이여서(→ 이어서) 밧줄처럼 만들었다.
17 서울시 7급	• 점심 설겆이(→ 설거지)는 내가 할게. • 일이 얼키고설켜서(→ 얽히고설켜서) 풀기가 어렵다. • 감히 얻다가 대고 반말이야? • 모두 소매를 걷어부치고(→ 걷어붙이고) 달려들었다.
16 교육행정직 7급	• 드넓고 살진 옥토에서 해콩의 수확이 한창이다. • 어느 틈엔가 장맛비가 그치고 날이 활짝 개였다(→ 개었다). • 냄비에 밥을 할 때는 밥이 눌지(→ 눋지) 않게 조심해야 한다. • 산이 가팔라서 힘들었지만 우리는 힘차게 발을 내딛었다(→ 내디디었다).
15 서울시 9급	• 철수는 우리 반에서 키가 열둘째(→ 열두째)이다. • 요즘 재산을 떨어먹는(→ 털어먹는) 사람이 많다. • 나는 집에 사흘 동안 머무를 예정이다. • 숫병아리(→ 수평아리)가 내게로 다가왔다.

출제 유형

한글 맞춤법에 맞는 문장	밑줄 친 단어가 한글 맞춤법에 맞는지 판별하는 유형

105 ○○○ 2023 군무원 7급

다음 중 밑줄 친 단어의 표기가 어법에 맞지 않는 것은?

① 무를 싹둑 잘라 버렸네.

② 남북 교류의 물고를 텄어.

③ 벌써 깍두기가 다 익었어.

④ 물이 따듯해서 목욕하기에 좋아.

난이도 상 ○ 하

해설 물고 → 물꼬: 어떤 일의 시작을 비유적으로 이르는 말은 '물꼬'이다.

오답분석 ①, ③ 'ㄱ, ㅂ' 받침 뒤에서 나는 된소리는, 같은 음절이나 비슷한 음절이 겹쳐 나는 경우가 아니면 된소리로 적지 아니한다. 따라서 '싹둑', '깍두기'의 표기는 바르다.

④ '따듯하다'는 '따뜻하다'보다 여린 느낌을 주는 말로, 표준어이다.

정답 ②

106 ○○○ 2023 국회직 8급

밑줄 친 피동 표현이 옳지 않은 것은?

① 이 글은 두 문단으로 나뉜다.
② 들판이 온통 눈으로 덮인 광경이 장관이었다.
③ 벌목꾼에게 베인 나무가 여기저기에 쌓여 있다.
④ 아무리 생각해 보아도 짚히는 바가 없다.
⑤ 안개가 걷히고 파란 하늘이 나타났다.

난이도 상 ◯ 하

해설 **짚히는 → 짚이는**: '헤아려 본 결과 어떠할 것으로 짐작이 가다.'라는 의미를 가진 말은 '짚이다'이다.

오답분석 ① '나뉘다(나누이다)'는 '나누다'의 피동사이다.
② '덮이다'는 '덮다'의 피동사이다.
③ '베이다'는 '베다'의 피동사이다.
⑤ '걷히다'는 '걷다'의 피동사이다.

정답 ④

107 ○○○ 2023 국회직 8급

밑줄 친 단어의 표기가 맞지 않는 것은?

① 그들은 서로 인사말을 주고받았다.
② 아이들은 등굣길이 마냥 즐거웠다.
③ 빨랫줄에 있는 빨래를 걷어라.
④ 마굿간에는 말 두 마리가 있다.
⑤ 요즘은 셋방도 구하기 힘들다.

난이도 상 ◯ 하

해설 **마굿간 → 마구간**: 한자 합성어에는 사이시옷을 표기하지 않는 것이 원칙이다. 따라서 '마구간(馬廏間)'으로 표기해야 한다.

오답분석 ① '인사 + 말'의 합성어는 [인사말]로 발음되기 때문에, 사이시옷을 받쳐 적을 근거가 없다. 따라서 '인사말'의 표기는 옳다.
② '등교 + 길'의 합성 과정에서 뒷말의 첫소리가 된소리로 난다. 한자어와 고유어의 합성어이면서, 뒷말의 첫소리가 된소리로 나기 때문에 사이시옷을 받쳐 적을 근거가 있다. 따라서 '등굣길'의 표기는 옳다.
③ '빨래 + 줄'의 합성 과정에서 뒷말의 첫소리가 된소리로 난다. 고유어와 고유어의 합성어이면서, 뒷말의 첫소리가 된소리로 나기 때문에 사이시옷을 받쳐 적을 근거가 있다. 따라서 '빨랫줄'의 표기는 옳다.
⑤ 한자 합성어는 사이시옷을 표기하지 않는 것이 원칙이지만, 예외가 있다. '곳간, 셋방, 숫자, 찻간, 툇간, 횟수', 이 여섯 단어에 한해서는 사이시옷을 받쳐 적을 수 있다. 따라서 '셋방(貰房)'의 표기는 옳다.

정답 ④

108 ○○○ 2022 국회직 9급

밑줄 친 부분의 맞춤법이 옳지 않은 것은?

① 붉은빛을 띤 장미가 아름답다.
② 얼음이 얼어서 넘어지기 십상이다.
③ 지난 일을 다시 생각해 보니 섧고 분했다.
④ 그녀는 예의가 발라서 보기 좋다.
⑤ 그는 분노를 삭히려고 노력했다.

난이도 상 ◯ 하

해설 **삭히려고 → 삭이려고**: '긴장이나 화를 풀어 마음을 가라앉히다.'라는 의미를 가진 '삭다'의 사동사는 '삭이다'이다.

비교 삭히다: 김치나 젓갈 따위의 음식물을 발효시켜 맛이 들게 하다.

정답 ⑤

109 ○○○ 2022 지역 인재 9급

밑줄 친 부분의 표기가 옳은 것은?

① 우리 집은 일 년에 두 번씩 김치를 담궜다.
② 새로운 회사에서 희한한 소문이 나돌기 시작했다.
③ 우리는 범죄 발생율을 줄이기 위한 대책을 마련하였다.
④ 세탁소에서 양복바지의 해어진 부분에 짜집기를 하였다.

난이도 상 ◯ 하

해설 '매우 드물거나 신기하다.'라는 의미를 가진 단어는 '희한하다'로 표기한다.

비교 희안하다(×)

오답분석 ① **담궜다 → 담갔다**: '담그다'가 기본형이다. 따라서 '담갔다(담그- + -었다)'로 표기해야 옳다.
③ **발생율 → 발생률**: '率'은 모음이나 'ㄴ' 아래에서만 '율'로 적고, 그 외의 경우에는 '률'로 적는다. 따라서 '발생률'로 표기해야 옳다.
④ **짜집기 → 짜깁기**: '짜다 + 깁다'가 결합한 말이므로 '짜깁기'로 표기해야 옳다.

정답 ②

110 ○○○ 2021 지방직 9급

밑줄 친 부분이 바르게 쓰이지 않은 것은?

① 바쁘다더니 여긴 웬일이야?
② 결혼식이 몇 월 몇 일이야?
③ 굳은살이 박인 오빠 손을 보니 안쓰럽다.
④ 그는 주말이면 으레 친구들과 야구를 한다.

난이도 상 중 하

해설 **몇 일 → 며칠**: 국어에서 '몇 일'로 적는 경우는 없으며, 항상 '며칠'로 적는다. 만약 관형사 '몇'과 명사 '일'이 결합된 구성이라면 '일(日)'이 실질 형태소이므로 [며딜]로 소리가 나야 한다. 그런데 [며딜]이 아니라 [며칠]로 소리가 난다. 따라서 소리 나는 대로 '며칠'로 적는 것이 합리적이다.

오답 분석
① '어찌 된 일'이라는 의미를 가진 단어는 '웬일'이 맞는다.
③ '손바닥, 발바닥 따위에 굳은살이 생기다.'라는 의미를 가진 단어는 '박이다(박인)'가 맞는다.
④ '틀림없이 언제나'라는 의미를 가진 단어는 '으레'가 맞는다.

정답 ②

111 ○○○ 2020 국가직 9급

밑줄 친 부분이 바르게 쓰이지 않은 것은?

① 지금쯤 골아떨어졌겠지?
② 그 친구, 생각이 깊던데 책깨나 읽었겠어.
③ 갖은 곤욕과 모멸과 박대는 각오한 바이다.
④ 김 과장은 그러고 나서 서류를 보완해 달라고 했다.

난이도 상 중 하

해설 **골아떨어졌겠지 → 곯아떨어졌겠지**: '몹시 곤하거나 술에 취하여 정신을 잃고 자다.'라는 의미를 가진 단어는 '곯아떨어지다'이다.
※ 코를 '골다', '골병'의 경우에는 'ㄹ' 받침으로만 쓴다.

오답 분석
② '깨나'는 어느 정도 이상의 뜻을 나타내는 보조사이다. 문맥상 '책을 어느 정도 이상 읽었겠지.'의 의미이므로 '깨나'의 쓰임은 적절하다.
※ 부사 '꽤'에 보조사 '나'가 결합한 경우에는 '책∨꽤나'로 쓸 수 있다.
③ '곤욕'은 '심한 모욕 또는 참기 힘든 말'을 이르는 명사이다. 문맥상 '갖은 모욕은 각오했다.'는 의미이므로 '곤욕'의 쓰임은 적절하다. '곤욕(밖으로부터 당한 모욕), 모멸(업신여김), 박대(푸대접)'는 모두 '외부로부터' 주어졌다는 공통점을 갖는다.
※ '곤혹(내부에서 느끼는 당혹감)'과 '곤욕(모욕)'을 구별해야 한다.
④ 우리말에 '그리고 나서'라는 말은 없다. '그리하고 나서'의 의미이므로 '그러고 나서'의 쓰임은 적절하다. 동사 '그러다'는 '그리하다'의 준말이다.

정답 ①

112 ○○○ 2020 지방직 9급

밑줄 친 단어의 쓰임이 옳은 것은?

① 하노라고 한 것이 이 모양이다.
② 물품 대금은 나중에 예금으로 자동으로 결재된다.
③ 예상을 대충 겉잡아서 말하지 말고 잘 뽑아 보세요.
④ 행운이 가득하기를 기원하는 것으로 치사를 가름합니다.

난이도 상 중 하

해설 '-노라고'는 자기 나름대로 꽤 노력했음을 나타내는 연결 어미이고, '-느라고'는 앞 절의 사태가 뒤 절의 사태에 목적이나 원인이 됨을 나타내는 연결 어미이다. 문맥상 한다고 했는데 이 모양이라는 의미이므로 어미 '-노라고'를 쓴 것은 적절하다.

오답 분석
② **결재된다 → 결제된다**: '물품 대금은'을 볼 때, '돈'과 관련된 것이다. 따라서 '증권 또는 대금을 주고받아 매매 당사자 사이의 거래 관계가 끝나다.'라는 의미를 가진 '결제(決濟)되다'의 활용형 '결제된다'를 써야 한다.
※ 결재(決裁): 결정할 권한이 있는 상관이 부하가 제출한 안건을 검토하여 허가하거나 승인함.
③ **겉잡아서 → 걷잡아서**: 문맥상 '대충 짐작하여 말하지 말고'의 의미이다. 따라서 '겉으로 보고 대강 짐작하여 헤아리다.'라는 의미를 가진 '겉잡다'의 활용형 '겉잡아서'를 써야 한다.
※ 걷잡다: 한 방향으로 치우쳐 흘러가는 형세 따위를 붙들어 잡다.
④ **가름합니다 → 갈음합니다**: 문맥상 '대신하다'의 의미이다. 따라서 '다른 것으로 바꾸어 대신하다.'라는 의미를 가진 '갈음하다'의 활용형 '갈음합니다'를 써야 한다.
※ 가름하다: 쪼개거나 나누어 따로따로 되게 하다.

 ①

113 ○○○ 2021 경찰 1차

다음 중 밑줄 친 부분이 어법에 맞지 않는 것은?

① 고개 숙인 벼 이삭으로 누레진 들판.

② 만듦새를 보니, 정성을 들인 것이 분명하다.

③ 밥을 먹었다. 그리고 나서 이를 닦았다.

④ 그이가 늦지나 않을는지 마음이 놓이지 않아요.

난이도 ㊤ ○ ㊦

해설 **그리고 → 그러고**: '그리고'는 접속 부사이다. 접속 부사 '그리고' 뒤에 보조 용언 '나다'가 오는 것은 적절하지 않다. 본용언 '그러다'와 보조 용언 '나다'로 연결해야 자연스럽다.

※ 나다: (동사 뒤에서 '-고 나다' 구성으로 쓰여) 앞말이 뜻하는 행동이 끝났음을 나타내는 보조 동사

오답분석 ① '누렇- + -어지다'가 결합한 말이다. 따라서 'ㅎ'이 탈락한 '누레지다(누레진)'의 표기는 어법에 맞는다.

② '만들다'의 명사형 '만듦'과 '모양', '상태', '정도'의 뜻을 더하는 접미사 '-새'가 결합한 말이다. 따라서 '만듦새'의 표기는 어법에 맞는다.

④ 뒤 절이 나타내는 일과 상관이 있는 어떤 일의 실현 가능성에 대한 의문을 나타내는 연결 어미는 '-을는지'이다. 따라서 '않다'의 어간 '않-'과 어미 '-을는지'가 결합한 '않을는지'의 표기는 어법에 맞는다.

 ③

114 ○○○ 2017 서울시 9급

다음 밑줄 친 부분 중 <한글 맞춤법>에 따라 바르게 표기된 것은?

① 방학 동안 몸이 부는 바람에 작년에 산 옷이 맞지 않았다.

② 넉넉치 않은 형편에도 불구하고 도움을 주셔서 감사합니다.

③ 오늘 뒤풀이는 길 건너에 있는 맥줏집에서 하도록 하겠습니다.

④ 한문을 한글로 풀이한 이 책은 중세 국어의 자료로써 가치가 있다.

난이도 ㊤ ○ ㊦

해설 '뒤 + 풀이'의 합성어는 사이시옷을 붙이지 않은 '뒤풀이'가 맞는다. 뒷말의 첫소리가 거센소리이기 때문에 사이시옷을 붙이면 안 된다.

※ 한자어 '맥주(麥酒)'와 고유어 '집'의 합성어는 [-찝]과 같이 뒷말의 첫소리가 된소리로 나기 때문에 사이시옷을 붙여 '맥줏집'으로 적은 것이다.

오답분석 ① **부는 → 붇는**: '붇다(부피가 커지다./분량, 수효가 많아지다.)'가 기본형이다. 따라서 '붇는'으로 표기해야 한다.

※ 붇다 - 붇는 - 붇고 - 불어 - 불으니

→ '붇다'는 ㄷ 불규칙 용언이므로 모음으로 시작하는 어미가 이어질 경우 어간의 받침 'ㄷ'은 'ㄹ'로 교체된다.

> **참고** [비교] 붓다
>
> ① 살가죽이나 어떤 기관이 부풀어 오르다. 예 얼굴이 붓다.
>
> ② (속되게) 성이 나서 뾰로통해지다. 예 왜 잔뜩 부어 있나?
>
> ※ 붓다 - 붓는 - 붓고 - 부어 - 부으니
>
> → '붓다'는 ㅅ 불규칙 용언이므로 모음으로 시작하는 어미가 이어질 경우 어간의 받침 'ㅅ'은 탈락한다.

② **넉넉치 → 넉넉지**: 'ㄱ' 받침 뒤의 '하'는 아주 줄기 때문에 '하'가 탈락한 '넉넉지'의 형태가 어법에 맞는다.

④ **로써 → 로서**: '도구, 재료'의 의미일 때는 '로써'를, '자격, 지위'의 의미일 때는 '로서'를 쓴다. 문맥상 '자격, 지위'의 의미이므로 '로써'가 아니라 '로서'를 써야 한다.

 ③

출제 유형

한글 맞춤법에 맞는 문장	문장에 쓰인 단어들이 한글 맞춤법에 맞는지 판별하는 유형

115 ○○○

2023 국회직 8급

어법에 맞지 않는 문장은?

① 독감 유행이 지나가는 대로 다시 올게.

② 우리는 서로 걸맞는 짝이 아니라는 데 의견이 일치했다.

③ 컴퓨터에 익숙지 않으면 인공지능 시대를 살아가는 데 어려움이 크다.

④ 돌이켜 생각건대, 김 선생님은 정말 누구에게나 존경받을 만한 분이오.

⑤ 저는 솔직히 기대치도 않은 선물을 받아서 고마웠어요.

난이도 ㊤ ◯ ㊦

해설 **걸맞는 → 걸맞은**: '걸맞다'는 형용사이다. 형용사는 '-는'이 아니라 '-은'과 결합한다. 따라서 '걸맞은'으로 고쳐야 어법에 맞는 문장이 된다.

오답분석
① '대로'는 의존 명사이다. 따라서 '지나가는'과 띄어 쓴 것은 옳다.
③ '하' 앞의 받침의 소리가 [ㄱ, ㄷ, ㅂ]이면 '하'가 통째로 줄고 그 외의 경우에는 'ㅎ'이 남는다. 따라서 '익숙하지 않으면'이 '익숙지 않으면'으로 준 것은 옳다.
'살아가는 데'는 '살아가는 것에'의 의미이다. 따라서 의존 명사 '데'의 쓰임은 어법에 맞다.
④ '하' 앞의 받침의 소리가 [ㄱ, ㄷ, ㅂ]이면 '하'가 통째로 줄고 그 외의 경우에는 'ㅎ'이 남는다. 따라서 '생각하건대'가 '생각건대'로 준 것은 옳다.
종결형에서 사용되는 어미 '-오'는 '요'로 소리 나는 경우가 있더라도 그 원형을 밝혀 '오'로 적는다. 따라서 '분이오.'의 표기는 어법에 맞다.
⑤ '-하다'가 붙는 말은 '-히'로 적기 때문에, '솔직히'로 표기한 것은 옳다.
'하' 앞의 받침의 소리가 [ㄱ, ㄷ, ㅂ]이면 '하'가 통째로 줄고 그 외의 경우에는 'ㅎ'이 남는다. 그 외의 경우에는 '모음'으로 끝난 경우도 포함된다. 따라서 '기대하지도 않은'을 '기대치도 않은'으로 준 것은 옳다.
'고맙다'는 'ㅂ' 불규칙 용언이기 때문에 '고마웠어요(고맙- + -었어오)'의 활용한 것은 옳다.

정답 ②

116 ○○○

2021 국회직 8급

<보기>에서 맞춤법에 맞는 문장은 모두 몇 개인가?

<보기>
ㄱ. 앞집 사는 노부부는 여전히 금실이 좋다.
ㄴ. 빈칸을 다 메워서 제출하세요.
ㄷ. 언덕바지에서 뛰놀던 꿈을 꾸었다.
ㄹ. 동생은 부모님의 주의에도 불구하고 여전히 짖궂은 장난을 친다.
ㅁ. 실내에서는 흡연을 삼가하시기 바랍니다.

① 1개
② 2개
③ 3개
④ 4개
⑤ 5개

난이도 ㊤ ◯ ㊦

해설 맞춤법에 맞는 문장은 'ㄱ, ㄴ, ㄷ'으로 모두 3개이다.

오답분석
ㄹ. **짖궂은 → 짓궂은**: "장난스럽게 남을 괴롭고 귀찮게 하여 달갑지 아니하다."라는 의미를 가진 단어는 'ㅅ' 받침을 쓴 '짓궂다'가 기본형이다. 따라서 '짓궂은'으로 표기해야 어법에 맞는다.
ㅁ. **삼가하시기 → 삼가시기**: '삼가다'가 기본형이다. 따라서 '삼가시기'로 표기해야 어법에 맞는다.

정답 ③

117 ○○○

2020 경찰 1차

다음 중 <한글 맞춤법>에 가장 맞지 않는 것은?

① 일이 잘못되서 친구에게 따져 물었다.

② 뭣이 그렇게 널 마음 아프게 했느냐?

③ 생각건대 그는 숨길 마음은 없었던 것 같다.

④ 가슴이 너무 죄어 오는 느낌이다.

난이도 ㊤ ◯ ㊦

해설 **잘못되서 → 잘못되어서/잘못돼서**: '잘못되다'의 어간 '잘못되-'에 어미 '-어서'가 결합한 형태는 '잘못되어서'나 '잘못돼서'이다.

오답분석
② '뭣'은 '무엇'의 준말이므로 한글 맞춤법에 어긋나지 않는다.
③ '생각건대'는 '생각하건대'의 준말이므로 한글 맞춤법에 어긋나지 않는다.
④ '죄다'는 본말 '조이다'와 함께 복수 표준어이다. 따라서 '죄어/죄/조이어/조여' 모두 활용 가능한 표현이다.

정답 ①

118 ○○○

2017 국가직 7급

맞춤법이 옳은 것은?

① 이상을 실현하기 위해서는 그만큼의 댓가를 치뤄야 한다.
② 매일 만나는 사람인데 오늘따라 웬지 멋있어 보인다.
③ 살코기는 장에 졸여 먹고 창자는 젓갈을 담궈 먹는다.
④ 명절에 아랫사람들은 윗어른께 인사를 드린다.

난이도 상 ◯ 하

해설 '왜 그런지 모르게 또는 뚜렷한 이유도 없이'란 뜻을 가진 말은 '웬지'가 아니라 '왠지(=왜인지)'가 어법에 맞는 표기다.
※ '어찌 된 일'이란 뜻을 가진 말은 '왠일'이 아니라 '웬일'이 어법에 맞는 표기다. '왠지'의 형태를 제외한 모든 경우에 '웬'이 바른 표기이다.

오답분석
① • **댓가 → 대가(代價)**: 한자 합성어이므로 사이시옷을 붙일 수 없다.
• **치뤄야 → 치러야**: 기본형은 '치루다'가 아니라 '치르다'이다. 어간 받침 'ㅡ'는 모음 어미와 연결될 때 탈락하므로 '치러야(치르-+-어야)'가 맞춤법에 맞는 표기다.

③ • **졸여 → 조려**: 생선을 국물에 넣고 바짝 끓여서 양념이 배어들게 하다.'란 의미이므로 '조리다'의 활용형 '조려'를 써야 한다.
※ 졸이다
1) (사람이 국이나 찌개, 한약 따위를) 담은 그릇을 가열하여 물의 양을 적어지게 하다.
2) (주로 '마음', '가슴' 따위와 함께 쓰여) 속을 태우다시피 초조해하다.
• **담궈 → 담가**: 기본형은 '담구다'가 아니라 '담그다'이다. 어간 받침 'ㅡ'는 모음 어미와 연결될 때 탈락하므로 '담가(담그-+-아)'가 맞춤법에 맞는 표기다.

④ **윗어른 → 웃어른**: '위/아래' 대립이 없는 말에는 접두사 '윗-'이 아닌 '웃-'을 쓴다. '아랫어른'은 없기 때문에 '웃어른'이 맞춤법에 맞는 표기다. 웃어른/윗사람/윗분(○)

정답 ②

119 ○○○

2018 서울시 9급(3월)

맞춤법이 가장 옳지 않은 것은?

① 철수는 열심히 일함으로써 보람을 느꼈다.
② 이제 각자의 답을 정답과 맞혀 보도록 해라.
③ 강아지가 고깃덩어리를 넙죽 받아먹었다.
④ 아이가 밥을 먹었을는지 모르겠어.

난이도 상 ◯ 하

해설 **맞혀 → 맞춰**: 자신의 답과 정답을 나란히 놓고 비교하여 살핀다는 의미이므로 '맞추다'의 활용형 '맞춰'를 써야 한다.
※ 맞히다: '맞다'의 사동사

오답분석
① **일함으로써**: '수단, 방법'의 의미이므로 '으로써'의 표기는 옳다.
※ 으로서: 지위나 신분 또는 자격을 나타내는 격 조사

③ **고깃덩어리**: '고기+덩어리'가 합성되면서, 뒷말의 첫소리가 된소리로 발음되기 때문에 사이시옷을 받쳐 '고깃덩어리'로 표기한 것은 옳다.

④ **먹었을는지**: '추측, 판단'의 의미이므로 '-ㄹ는지'의 표기는 옳다.
※ '-ㄹ는지', '-ㄹ런지', '-ㄹ른지' 중에 '-ㄹ는지'만 바른 표기이다.

정답 ②

Unit 19 혼동되는 어문 규정 1 - 바른 표기 찾기

출제 유형

- '-이/-히'를 맞게 표기했는지 묻는 유형
- '-데/-대'를 맞게 표기했는지 묻는 유형
- '처-/쳐-'를 맞게 표기했는지 묻는 유형

핵심정리

1. 부사 파생 접미사 '-이/-히'의 표기

'-이'로 적는 경우	• 첩어 또는 준첩어인 명사 뒤 예 나날이, 다달이, 땀땀이 • 'ㅅ' 받침 뒤 예 기웃이, 나긋나긋이, 남짓이 • 'ㅂ' 불규칙 용언의 어간 뒤 예 가벼이, 괴로이, 기꺼이 • '-하다'가 붙지 않는 용언 어간 뒤 예 같이, 굳이, 길이 • 부사 뒤 예 곰곰이, 더욱이, 생긋이
'-히'로 적는 경우	• 'ㅅ' 받침을 제외한 '-하다'가 붙는 어근 뒤 예 극히, 급히, 딱히 • '-하다'가 붙는 어근에 '-히'가 결합하여 된 부사가 줄어진 경우 예 (익숙히 →)익히, (특별히 →)특히 • 형태소의 본뜻이 유지되고 있지 않은 경우 예 작히(어찌 조그만큼만, 오죽이나)

2. '-데'와 '-대'

-데	'더라'의 의미. 과거 어느 때에 직접 경험하여 알게 된 사실을 현재의 말하는 장면에 그대로 옮겨 와서 말함을 나타내는 종결 어미 예 그이가 말을 아주 잘하데.
-대	'-다고 해'가 줄어든 말 예 사람이 아주 똑똑하대.

3. '처-'와 '쳐(치어)'

처-	'마구', '많이'의 뜻을 더하는 접두사 예 처먹다, 처넣다, 처바르다, 처박다, 처대다, 처담다
쳐-	'치다'의 어간 '치-'에 어미 '-어'가 결합해서 축약된 형태

출제 유형

바른 표기 찾기	'-이/-히'를 맞게 표기했는지 묻는 유형

120 ○○○ 2013 지방직 7급

밑줄 친 부분이 <한글 맞춤법>에 맞는 것은?

① 약속을 번번히 어긴다.
② 그는 의젓이 행동한다.
③ 곰곰히 생각에 잠기었다.
④ 딱이 갈 만한 곳도 없다.

난이도 상 ○ 하

해설 어간의 말음이 'ㅅ'으로 끝나면, 부사 파생 접사 '-이/-히' 중 '-이'가 붙는다. 따라서 '의젓이'의 표기는 바르다.

오답 분석
① **번번히 → 번번이**: 끝소리가 분명히 '이'로 나므로, '이'로 적는다. 의미상으로도 '매번'을 의미하는 '번번이'가 맞는다.
※ '울퉁불퉁한 데가 없이 펀펀하고 번듯하게, 생김새가 음전하고 미끈하게'의 의미일 때는 '번번히'가 맞다.
③ **곰곰히 → 곰곰이**: 끝소리가 분명히 '이'로 나므로, '이'로 적는다.
④ **딱이 → 딱히**: 끝소리가 분명히 '히'로 나므로, '히'로 적는다.

 ②

출제 유형

바른 표기 찾기	'-데/-대'를 맞게 표기했는지 묻는 유형

121 ○○○ 2015 교육행정직 7급

밑줄 친 부분의 쓰임이 적절하지 않은 것은?

① 식당에 사람들이 많던?
② 가족들은 어디에 사는데?
③ 형이 조용히 하라고 했는대.
④ 아무리 봐도 이 그림은 참 잘 그렸거든.

난이도 ○ 중 하

해설 **했는대 → 했는데**: 형이 말한 것을 전하며 그에 대한 청자의 반응을 기다리고 있는 말이므로 종결 어미 '-는데'로 표기해야 한다.

-는데	① 뒤 절에서 어떤 일을 설명하거나 묻거나 시키거나 제안하기 위하여 그 대상과 상관되는 상황을 미리 말할 때에 쓰는 연결 어미 예 내가 텔레비전을 보고 있는데 전화벨이 울렸다. / 눈이 오는데 차를 몰고 나가도 될까? ② 어떤 일을 감탄하는 뜻을 넣어 서술함으로써 그에 대한 청자의 반응을 기다리는 태도를 나타내는 종결 어미 예 잘 달리는데. / 엄마가 먹으라고 했는데.
-는대	① 어떤 사실이 주어진 것으로 치고 그 사실에 대한 의문을 나타내는 종결 어미. 놀라거나 못마땅하게 여기는 뜻이 섞여 있다. 예 이 많은 책을 언제 읽는대? ② '-는다고 해'가 줄어든 말 예 서양 사람들도 김치를 잘 먹는대.

오답 분석
① '식당에 사람이 많더냐'라는 의미로 쓰였다. 따라서 과거에 직접 경험하여 새로이 알게 된 사실에 대한 물음을 나타내는 종결 어미인 '-던'이 적절하게 사용되었다. ※ -더냐 = -던
② 상대에게 사는 곳을 묻고 있는 상황이다. 따라서 상대에게 어떤 사실에 대하여 묻는 뜻을 나타내는 말인 '-는데'가 적절하게 사용되었다.
※ '-는데'는 뒤 절에서 어떤 일을 설명하거나 묻거나 시키거나 제안하기 위하여 그 대상과 상관되는 상황을 미리 말할 때에 쓰는 연결 어미로 쓰이기도 한다. 예 내가 텔레비전을 보고 있는데 전화벨이 울렸다.
④ 그림에 대한 감탄의 의미로 쓰이고 있다. 청자가 모르고 있는 내용을 가르쳐 줌을 나타내는 종결 어미인 '-거든'이 적절하게 사용되었다.

비교
- **-거든**: 해할 자리에 쓰여, 청자가 모르고 있을 내용을 가르쳐줌을 나타내는 종결 어미
  예 이 사진 좀 봐. 아무리 보아도 이상하거든.
- '-거든'은 '어떤 일이 사실이면', '어떤 일이 사실로 실현되면'의 뜻을 나타내는 연결 어미 또는 앞 절의 사실과 뒤 절의 사실을 비교하여, 앞 절의 사실이 이러하니 뒤 절의 사실은 더욱 당연히 어떠하다는 뜻을 나타내는 연결 어미로 쓰이기도 한다.
  예 그분을 만나거든 꼭 제 인사 말씀을 전해 주세요. / 까마귀도 어미의 은혜를 알거든, 하물며 사람이 부모의 은혜를 모르겠느냐?

정답 ③

출제 유형

바른 표기 찾기	'처-/쳐-'를 맞게 표기했는지 묻는 유형

122 ○○○ 2015 국가직 9급

밑줄 친 부분이 맞춤법에 맞지 않는 것은?

① 하나에 백 원씩 처주마.

② 여름이 되니 몸이 축축 처지네.

③ 아궁이에서 쓰레기를 처대고 있지.

④ 오는 길에 처박힌 자전거를 보았어.

난이도 상 중 하

TIP '마구, 많이, 함부로'의 의미를 가진 접두사 '처-'와 '치다'의 활용형인 '치어'의 준말 '쳐'를 구분하는 문제이다.

해설 **처주마 → 쳐주마**: '셈을 맞추다. 계산에 넣다.'의 의미를 가진 '치다'와 '주다'가 합성된 단어로, 연결 어미 '-어'가 붙은 통사적 합성어이다. 즉 '치어 + 주다 → 쳐주다'의 과정을 거친 것으로, '쳐주다'가 바른 표기이다.

※ 쳐주다: 셈을 맞추어 주다. 인정하여 주다. → '마구, 많이, 함부로'의 의미가 없으므로, 접두사 '처-'로 볼 수 없다.

오답 분석 ② '감정 혹은 기분 따위가 가라앉다.'의 의미를 가진 동사 '처지다'가 쓰인 예이다.

③ '함부로 불에 대어서 살라 버리다.'의 의미로 접사 '처-'가 붙은 파생어이다.

④ '함부로 막 박히다.'의 의미로, 접사 '처-'가 붙은 파생어이다.

정답 ①

고득점 GO!

'쳐'가 붙는 말 정리!

쳐부수다, 쳐다보다, 쳐내려오다,
쳐주다, 쳐들다, 쳐들어가다, 쳐내다

123 ○○○ 2014 지방직 9급

밑줄 친 단어의 표기가 옳은 것은?

① 어제 선생님을 뵜습니다.

② 오늘따라 피아노가 잘 안 쳐져요.

③ 삼촌이 그러는데요, 민희가 무척 예뻐졌데요.

④ 놀이터에서 놀고 있는 두 아이는 쌍둥이에요.

난이도 상 중 하

해설 '치-(어간) + -어지(피동 표현)- + -어(연결 어미)- + -요(상대 높임 보조사)'가 준 말이므로, '쳐져요'의 표기는 바르다.

※ '내가 피아노를 치다.'라는 능동 표현에 '-어지다'를 붙여 피동 표현으로 전환한 것으로, 듣는 상대를 높이기 위해 보조사 '요'를 붙여말한 것이다.

오답 분석 ① **뵜습니다 → 뵀습니다**: '뵈- + -었- + -습니다'의 준말이므로, '뵀습니다'가 바른 표기이다.

③ **예뻐졌데요 → 예뻐졌대요**: 삼촌에게서 들은 말로, 내가 직접 경험한 바가 아닌 '간접 경험'이므로, '-다고 해'의 준말인 '-대'가 와야 한다.

※ '-데'는 '-더라'의 뜻으로 '직접 경험'에 대해서만 쓸 수 있다.

④ **쌍둥이에요 → 쌍둥이예요/쌍둥이여요**: 받침 없는 명사 뒤에서는 '-예요/-여요'가 와야 한다.

※ 원칙을 적용하여 '쌍둥이이에요/쌍둥이이어요'도 가능하다.

※ 용언의 어간 뒤에는 '-에요/-어요'가 와야 한다.

예 아니에요(= 아녜요), 아니어요(= 아녀요)

정답 ②

Unit 20 혼동되는 어문 규정 2 - 바른 표기 찾기

출제 유형

- '-오/-요'의 적절한 사용을 묻는 유형
- '-듯(이)/-듯하다'의 적절한 사용을 묻는 유형
- '어떻게/어떡해'의 적절한 사용을 묻는 유형

핵심정리

- **'어떻게'와 '어떡해'**

어떻다	[활용형] 어떻게 의견, 성질, 형편, 상태 따위가 어찌 되어 있다.	어떡하다	[활용형] 어떡해 '어떠하게 하다'의 준말 ※ '어떠하다'는 '어떻다'의 본말

심화 Plus

- **기출 예문**

17 교육행정직 7급	지금 와서 모른다고 하면 우리는 어떻해(→ 어떡해)?
13 국회직 8급	네 기분은 어떻냐 / 어떠냐?

출제 유형

바른 표기 찾기	'-오/-요'의 적절한 사용을 묻는 유형

124 ○○○ 2020 소방직

어문 규정에 맞지 않는 문장은?

① 이 건물은 학교의 체육관이요, 그 옆 건물은 본관이다.
② 저 두 사람은 부부가 아니오, 친구이다.
③ 늦지 않게 빨리 오시오.
④ 이것은 책이 아니오.

난이도 상 ○ 하

TIP 연결 어미는 '-요', 종결 어미는 '-오'이다.

해설 **아니오 → 아니요**: 어떤 사물이나 사실 따위를 열거할 때 쓰이는 연결 어미인 '-요'를 써야 한다. 따라서 '부부가 아니요, 친구이다.'로 해야 어문 규정에 맞는 문장이 된다.

오답 분석 ① 열거를 한 것이므로 어미 '-요'를 쓴 것은 옳다.
③, ④ 종결형이므로 [요]로 소리가 나더라도 '-오'로 적어야 한다. 따라서 종결 어미 '-오'를 쓴 것은 옳다.

정답 ②

Q. 보조사일까? 연결 어미일까?

A. 보조사는 수의적 요소이지요. 따라서 '요'가 없어도 말이 되면 보조사, 말이 안 되면 어미!

출제 유형

바른 표기 찾기	'-듯(이)/-듯하다'의 적절한 사용을 묻는 유형

125 ○○○

2018 국회직 8급

다음과 같은 사전의 풀이를 참고하여 작성한 문장 가운데 띄어쓰기가 옳지 않은 것은?

- 듯이: 의존 명사. (어미 '-은', '-는', '-을' 뒤에 쓰여) 짐작이나 추측의 뜻을 나타내는 말
- 듯: 의존 명사. ① '듯이'의 준말. ② '-은 듯 만 듯', '-는 듯 마는 듯', '-을 듯 말 듯' 구성으로 쓰여) 그런 것 같기도 하고 그렇지 아니한 것 같기도 함을 나타내는 말
- -듯이: 어미. ('이다'의 어간, 용언의 어간 또는 어미 '-으시-', '-었-', '-겠-' 뒤에 붙어) 뒤 절의 내용이 앞 절의 내용과 거의 같음을 나타내는 연결 어미
- -듯: 어미. '-듯이'의 준말
- 듯하다: 보조 형용사. (동사나 형용사, 또는 '이다'의 관형사형 뒤에 쓰여) 앞말이 뜻하는 사건이나 상태 따위를 짐작하거나 추측함을 나타내는 말

① 예전에는 여기가 황량했던 듯하다.
② 그의 행동을 보아하니 곧 떠날 듯이 보인다.
③ 마치 구름을 걷는 듯 도무지 생시가 아닌 것만 같았다.
④ 거대한 파도가 일 듯이 사람들의 가슴에 분노가 일었다.
⑤ 물이 깊을수록 조용하듯 사람도 아는 게 많을수록 조용하다.

난이도 상 중 하

해설 **일∨듯이 → 일듯이**: '파도가 이는 것처럼'이라는 의미이다. 즉 '-듯이'는 의존 명사가 아니라 어미이므로 어간의 '일-'과 붙여 써야 한다.

오답분석
① '듯하다'는 사건이나 상태 따위를 짐작하거나 추측함을 나타내는 보조 형용사이므로 앞말과 띄어 써야 한다.
② '듯이'는 짐작이나 추측의 뜻을 나타내는 의존 명사이므로 앞말과 띄어 써야 한다.
③ '듯'은 짐작이나 추측의 뜻을 나타내는 의존 명사 '듯이'의 준말이므로 앞말과 띄어 써야 한다.
⑤ 용언 '조용하다'의 어간 뒤에서 뒤 절의 내용이 앞 절의 내용과 거의 같음을 나타내므로 연결 어미이다. 따라서 앞말과 붙여 써야 한다.

정답 ④

출제 유형

바른 표기 찾기	'어떻게/어떡해'의 적절한 사용을 묻는 유형

126 ○○○

2016 교육행정직 9급

<한글 맞춤법>에 맞게 표기된 문장은?

① 너도 어떻게 하는지 모르면 나는 어떡해.
② 셋방을 구하려거든 전셋방부터 알아봐라.
③ 어렵살이 결심을 하고서도 하릴없이 시간을 보냈다.
④ 함께 음식을 만듬으로써 화목한 분위기를 만듭니다.

난이도 상 중 하

해설 '어떻게'는 '어찌'의 의미이고, '어떡해'는 '어떻게(어떠하게) 해'의 의미이다. 따라서 ①의 '어떻게'와 '어떡해'의 표기는 바르다.

오답분석
② • **셋방**: '셋방(貰房)'은 한자어 합성어임에도 예외적으로 사이시옷을 표기할 수 있다.
• **전셋방 → 전세방**: '전세(傳貰)+방(房)'의 합성어이다. 발음에는 된소리가 첨가되는 사잇소리 현상이 있으나[전세빵] 한자어 합성어는 사이시옷을 받쳐 적지 아니한다는 규정에 따라 '전세방'으로 적어야 한다.

> **참고 사이시옷 예외**
> 원칙적으로 한자 합성어에는 사이시옷을 표기할 수 없다. 하지만 관용을 존중하여 예외적으로, '곳간(庫間), 셋방(貰房), 찻간(車間), 숫자(數字), 툇간(退間), 횟수(回數)'는 인정한다.

③ • **어렵살이 → 어렵사리**: '매우 어렵게'란 의미를 가진 말로, 어원 '살다'에서 그 의미가 멀어졌기 때문에 소리 나는 대로인 '어렵사리'로 표기해야 한다.
• **하릴없이**: '달리 어떻게 할 도리가 없이.'란 뜻을 가진 말은 '하릴없이'로 바르게 사용하였다.
※ '할일없이'는 '하릴없이'의 북한식 표기이다.

④ • **만듬 → 만듦**: 어간이 'ㄹ'로 끝나는 경우에는 명사형을 표기할 때 'ㅁ'을 써야 한다.
받침이 없을 때는 'ㅁ', 'ㄹ'을 제외한 받침이 있을 때는 '음', 'ㄹ' 받침에는 'ㅁ'을 적는다. 예 봄, 먹음, 삶
• **만듭니다**: '만들다'의 어간 '만들-'의 말음 'ㄹ'은 'ㅂ' 앞에서 탈락한다. 즉 '만들-+-ㅂ니다 → 만듭니다'의 과정을 거쳐 표기한 바른 활용이다.

정답 ①

고득점 GO!

2015년 12월 개정으로 인해 'ㅎ' 불규칙 용언에서 종결 어미 '-냐/-니/-네'가 올 때 'ㅎ'이 탈락하지 않은 형태도 가능해요.
따라서 '어떻다'의 활용형은 '어떻냐'와 '어떠냐' 모두 맞아요!

Unit 21 띄어쓰기 1 - 의존 명사 vs 조사

출제 유형

• 의존 명사와 조사를 판별하고 알맞은 띄어쓰기를 찾는 유형

체언 뒤에 오면 '조사'니까 붙여 쓰고!
관형어(용언) 뒤에 오면 '의존 명사'니까 띄어 쓰고!

핵심정리

1. 형태가 비슷한 어미 [18 서울시 7급]

-(으)리만큼	'-을 정도로'의 뜻을 나타내는 연결 어미 예 밥도 못 먹으리만큼 기운이 없다. 한 걸음도 더 걷지 못하리만큼 지쳤었다.
-ㄴ데/-는데	Ⅰ. 뒤 절에서 어떤 일을 설명하거나 묻거나 시키거나 제안하기 위하여 그 대상과 상관되는 상황을 미리 말할 때에 쓰는 연결 어미 예 여기가 우리 고향인데 인심 좋고 경치 좋은 곳이지. 내가 텔레비전을 보고 있는데 전화벨이 울렸다. Ⅱ. ① 해할 자리에 쓰여, 어떤 일을 감탄하는 뜻을 넣어 서술함으로써 그에 대한 청자의 반응을 기다리는 태도를 나타내는 종결 어미 예 나무가 정말 큰데. 성적이 많이 올랐는데! ② 일정한 대답을 요구하며 물어보는 뜻을 나타내는 종결 어미 예 그 옷은 얼만데? 뭐 먹었는데?

2. 같다 vs 같이 [16 기상직 7급]

같다	형용사, [활용형] 같은 서로 다르지 않고 하나이다. 예 나는 그와 같은 동네에 산다.
같이	Ⅰ. 부사 ① 둘 이상의 사람이나 사물이 함께 예 친구와 같이 사업을 하다. ② 어떤 상황이나 행동 따위와 다름이 없이 예 선생님이 하는 것과 같이 하세요. Ⅱ. 조사 ① '앞말이 보이는 전형적인 어떤 특징처럼'의 뜻을 나타내는 격 조사 예 소같이 일만 한다. ② 앞말이 나타내는 그때를 강조하는 격 조사 예 새벽같이 떠나다.

'같이'가 조사일 때에는 붙여 쓰고!
'같이'가 부사일 때에는 띄어 쓰고!

출제 유형

띄어쓰기 (의존 명사와 조사)	의존 명사와 조사를 판별하고 알맞은 띄어쓰기를 찾는 유형

127 ○○○ 2021 소방직

띄어쓰기가 옳은 것은?

① 영희가∨떠난∨지∨보름이∨지났다.

② 그∨여자는∨사흘만에∨집에∨돌아왔다.

③ 쌀,∨보리,∨콩,∨조,∨기장등을∨오곡이라∨한다.

④ 예전에∨가∨본∨데가∨어디∨쯤∨인지∨모르겠다.

난이도 상 중 하

TIP 시간의 경과를 나타내는 '만', '지'는 '의존 명사'이므로 띄어 써야 한다.

해설 '지'는 어떤 일이 있었던 때로부터 지금까지의 동안을 나타내는 의존 명사이다. 따라서 '떠난'과 '지'를 띄어 쓴 것은 옳다.

오답분석
② **사흘만에 → 사흘∨만에**: '만'은 '앞말이 가리키는 동안이나 거리'를 나타내는 의존 명사이다. 따라서 '사흘'과 띄어 써야 한다.

③ **기장등을 → 기장∨등을**: '등'은 그 밖에도 같은 종류의 것이 더 있음을 나타내는 의존 명사이다. 따라서 '기장'과 띄어 써야 한다.

④ **어디∨쯤∨인지 → 어디쯤인지**: '-쯤'은 접미사이고 '인지'는 서술격 조사 '이다'의 활용형이다. 따라서 '어디쯤인지'로 붙여 써야 한다.

정답 ①

128 ○○○ 2019 법원직 9급

<보기 1>의 내용을 참고할 때, <보기 2>에서 띄어쓰기가 올바른 것을 모두 고른 것은?

〈보기 1〉

'노력한 만큼 대가를 얻다.'에서의 '만큼'과 '나도 너만큼은 공부를 잘 해.'의 '만큼'은 단어의 형태는 같으나 단어가 수행하는 기능은 다르다. 즉 전자의 '만큼'은 의존 명사이지만, 후자의 '만큼'은 조사이다. 의존 명사의 경우는 앞말과 띄어 써야 하고 조사의 경우는 앞말에 붙여 써야 한다.

〈보기 2〉

㉠ 집에 도착하는 대로 전화하도록 해.
㉡ 부모님 말씀 대로 행동해야 한다.
㉢ 느낀대로 표현하고 싶었다.
㉣ 내가 가진 것은 이것뿐이다.
㉤ 그 이야기는 소문으로 들었을뿐이다.

① ㉠, ㉣ ② ㉡, ㉢
③ ㉠, ㉢, ㉣ ④ ㉠, ㉣, ㉤

난이도 상 중 하

TIP
• 체언+대로, 만큼, 뿐(조사)
• 용언(관형어)∨대로, 만큼, 뿐(의존 명사)

해설 ㉠ '도착하는'은 관형어이므로 '대로'는 의존 명사이다. 따라서 '도착하는'과 '대로'를 띄어 쓴 것은 옳다.

㉣ '이것'은 대명사이므로 '뿐'은 조사이다. 따라서 '이것'과 '뿐'을 붙여 쓴 것은 옳다.

오답분석
㉡ **말씀∨대로 → 말씀대로**: '말씀'은 명사이므로 '대로'는 조사이다. 따라서 붙여 써야 한다.

㉢ **느낀대로 → 느낀∨대로**: '느낀'은 관형어이므로 '대로'는 의존 명사이다. 따라서 띄어 써야 한다.

㉤ **들었을뿐이다 → 들었을∨뿐이다**: '들었을'은 관형어이므로 '뿐'은 의존 명사이다. 따라서 띄어 써야 한다.

정답 ①

129 ○○○ 2018 서울시 7급(6월)

'의존 명사 - 조사'의 짝이 아닌 것은?

① ┌ 할 만큼 했다.
 └ 나는 밥통째 먹으리만큼 배가 고팠다.

② ┌ 들어오는 대로 전화 좀 해 달라고 전해 주세요.
 └ 네 멋대로 일을 처리하면 안 된다.

③ ┌ 10년 만에 우리는 만났다.
 └ 너만 와라.

④ ┌ 시키는 대로 할 뿐이다.
 └ 그래야 우리는 다섯뿐이다.

난이도 ○ 중 하

해설 '할 만큼 했다'의 '만큼'은 용언의 관형형 '할'의 뒤에 나오므로 의존 명사가 맞다. 그러나 '먹으리만큼'의 '-(으)리만큼'은 '먹다'의 어간 뒤에 붙어 '-을 정도로'의 의미를 나타내므로 조사가 아니라, 어미 '-(으)리만큼'의 일부이다.

※ -(으)리만큼: '-을 정도로'의 뜻을 나타내는 연결 어미

오답 분석

② • **들어오는∨대로**: '들어오는'은 관형어이므로 '대로'는 의존 명사이다.
 • **멋대로**: '대로'는 체언 '멋'과 결합한 조사이다. 다만, '멋+대로'가 결합한 '멋대로'는 "아무렇게나 하고 싶은 대로. 또는 제 마음대로."라는 의미를 가진 부사이다.

③ • **10년∨만**: '만'이 '시간의 경과'의 의미이므로 의존 명사이다.
 • **너만**: '오직 너만'의 의미이므로 '만'은 조사이다.

④ • **할∨뿐**: '할'은 관형어이므로 '뿐'은 의존 명사이다.
 • **다섯뿐**: 체언 '다섯' 뒤의 '뿐'은 조사이다.

정답 ①

130 ○○○ 2016 기상직 7급

밑줄 친 부분 중 띄어쓰기가 잘못된 것은?

① ┌ 여기에는 남자뿐이다.
 └ 강아지를 만졌을 뿐이다.

② ┌ 약속대로 상품을 주마.
 └ 약속한 대로 포기할게.

③ ┌ 당신같은 사람은 없어.
 └ 당신 같이 친절한 사람은 없어.

④ ┌ 공부만 해서 사랑은 모른다.
 └ 공부한 지 3년 만에 합격했다.

난이도 상 ○ 하

해설 • **당신같은 → 당신∨같은**: '같은'은 '같다'의 활용형이므로, 품사는 형용사이다. 즉 별개의 단어이므로, '당신∨같은'처럼 띄어 써야 한다.

• **당신∨같이 → 당신같이**: '같이'는 '앞말이 보이는 전형적인 어떤 특징처럼'의 뜻을 나타내는 격 조사이므로, 대명사 '당신'과 붙여 써야 한다.

오답 분석

① • **남자뿐이다**: '뿐'은 '그것만이고 더는 없음.' 또는 '오직 그렇게 하거나 그러하다는 것'을 나타내는 보조사이다. 따라서 명사 '남자'와 붙여 써야 한다.
 • **만졌을∨뿐이다**: '뿐'은 의존 명사이므로, 관형어인 '만졌을'과 띄어 써야 한다.

② • **약속대로**: '대로'는 '앞에 오는 말에 근거하거나 달라짐이 없음.'을 나타내는 보조사이다. 따라서 명사 '약속'과 붙여 써야 한다.
 • **약속한∨대로**: '대로'는 '어떤 모양이나 상태와 같이'란 뜻을 가진 의존 명사이므로, '약속한'과 띄어 써야 한다.

④ • **공부만**: '만'은 '다른 것으로부터 제한하여 어느 것을 한정함.'을 나타내는 보조사이므로, 명사 '공부'와 붙여 써야 한다.
 • **3년∨만에**: '만'은 '동안'이 얼마간 계속되었음을 나타낼 때에는 의존 명사이므로, '3년'과 띄어 써야 한다.

정답 ③

참고 [어휘]

1. 뿐

보조사	• 체언+뿐(조사) '그것만이고 더는 없음' 또는 '오직 그렇게 하거나 그러하다는 것'을 나타내는 보조사 예 이제 믿을 것은 오직 실력뿐이다.
의존 명사	• 용언의 관형사형∨뿐(의존 명사) ① 다만 어떠하거나 어찌할 따름이라는 뜻을 나타내는 말 예 소문으로만 들었을 뿐이네. ② 오직 그렇게 하거나 그러하다는 것을 나타내는 말 예 시간만 보냈다 뿐이지 한 일은 없다.

2. 대로

보조사	• 체언+대로(조사) ① 앞에 오는 말에 근거하거나 달라짐이 없음을 나타내는 보조사 예 처벌하려면 법대로 해라. ② 따로따로 구별됨을 나타내는 보조사 예 큰 것은 큰 것대로 따로 모아 두다.
의존 명사	• 용언의 관형사형∨대로(의존 명사) ① 어떤 모양이나 상태와 같이 예 들은 대로 이야기하다. ② 어떤 상태나 행동이 나타나는 그 즉시 예 집에 도착하는 대로 편지를 쓰다. ③ 어떤 상태나 행동이 나타나는 족족 예 틈나는 대로 찾아보다.

3. 만

보조사	• 체언+만(조사) ① 다른 것으로부터 제한하여 어느 것을 한정함을 나타내는 보조사 예 아내는 웃기만 할 뿐 아무 말이 없다. ② 무엇을 강조하는 뜻을 나타내는 보조사 예 그를 만나야만 모든 문제가 해결될 수 있다. ③ 화자가 기대하는 마지막 선을 나타내는 보조사 예 열 장의 복권 중에서 하나만 당첨되어도 바랄 것이 없다.
의존 명사1	• 시간의 경과∨만(의존 명사) 동안이 얼마간 계속되었음을 나타내는 말(시간의 경과) 예 친구가 도착한 지 두 시간 만에 떠났다.
의존 명사2	• 용언의 관형사형∨만(의존 명사) ① 앞말이 뜻하는 동작이나 행동에 타당한 이유가 있음을 나타내는 말 예 그가 화를 낼 만도 하다. ② 앞말이 뜻하는 동작이나 행동이 가능함을 나타내는 말 예 그냥 모르는 척 살 만도 한데 말이야.

Unit 22 띄어쓰기 2 - 의존 명사 vs 접사

출제 유형

- 의존 명사와 접사를 판별하고 알맞은 띄어쓰기를 찾는 유형

'의존 명사'는 하나의 단어니까 띄어 쓰고!
'접사'는 단어가 아니니까 붙여 쓰고!

출제 유형

띄어쓰기 (의존 명사와 접사)	의존 명사와 접사를 판별하고 알맞은 띄어쓰기를 찾는 유형

131 ○○○ 2022 국회직 8급

밑줄 친 부분의 띄어쓰기가 옳지 않은 것은?

① 비가 올성싶다.
② 자네가 이야기를 좀 하게나그려.
③ 집을 떠나온 지 어언 3년이 지났다.
④ 복도에서 친구가 먼저 나에게 알은척했다.
⑤ 그는 불황을 타개하기 위해 사업 차 외국에 나갔다.

난이도 상 ◯ 하

해설 **사업∨차 → 사업차**: '-차(次)'는 '의존 명사'와 '접사'가 존재한다. 2글자 명사 뒤에서 '목적'의 뜻을 더하는 경우에만 접미사이다. 그 이외에는 의존 명사이므로 앞의 말과 띄어 써야 한다. 제시된 선택지에서는 어근 '사업' 뒤에 붙어 '그것을 위하여'의 '목적'의 뜻을 나타내므로 '사업차'로 붙여 쓰는 것이 바른 표현이다.

오답 분석
① 본용언과 보조 용언은 띄어 쓰는 것이 원칙이지만, 경우에 따라 붙여 쓸 수 있다. 대표적인 경우가 '척하다/체하다/양하다/만하다/뻔하다/성싶다' 등의 보조 용언과 쓰인 경우로 띄어 쓰는 것이 원칙이나 붙여 쓰는 것이 가능하다. 따라서 '올∨성싶다(원칙)', '올성싶다(허용)' 모두 바른 띄어쓰기에 해당한다.
② '그려'는 청자에게 문장의 내용을 강조함을 나타내는 보조사이다. 보조사는 앞말에 붙여 쓰기에 '하게나그려'로 붙여 쓴 것은 옳다.
③ 집을 떠나고 3년의 시간이 '경과'했다는 의미이므로 '지'는 의존 명사이다. 따라서 '떠나온'과 '지'를 띄어 쓴 것은 옳다.
※ 시간의 경과를 의미하는 '만/지'는 모두 앞 말과 띄어 쓰는 의존 명사!
④ 동사 '알은척하다(= 알은체하다)'는 '어떤 일에 관심을 가지는 듯한 태도를 보이다.' 혹은 '사람을 보고 인사하는 표정을 짓다.'라는 의미를 가진 한 단어이다. 따라서 붙여 쓴 것은 옳다.
※ 예 알은척(= 알은체): 어떤 일에 관심을 가지는 듯한 태도를 보임. 어떤 일에 관심을 가지는 듯한 태도를 보임.

정답 ⑤

132 ○○○ 2019 국회직 8급

밑줄 친 부분의 띄어쓰기가 옳은 것은?

① 전국 단위 민방위 훈련이 21년만에 실시된다.
② 최근 개성공단은 공장 가동률이 30%가량 떨어진 것으로 알려졌다.
③ ○○백화점 명품관도 올해 3월말까지 1년간 20~30대가 구매 고객의 52%를 차지했다.
④ 소방청은 대피 훈련을 20분내에 마쳐야 한다고 밝혔다.
⑤ 600여개 부스는 수많은 관람객들로 북적였다.

난이도 상 ◯ 하

해설 '-가량'은 '정도'의 뜻을 더하는 접미사이므로 '30%'와 붙여 쓴 것은 옳다.

오답 분석
① **21년만에 → 21년∨만에**: '만'은 시간의 경과를 나타내는 경우 의존 명사이므로 '21년'과 띄어 써야 한다.
③ **3월말까지 → 3월∨말까지**: '말'은 명사이므로 '3월'과 띄어 써야 한다.
④ **20분내에 → 20분∨내에**: '내'는 명사이므로 '20분'과 띄어 써야 한다.
⑤ **600여개 → 600여∨개**: '-여'는 접미사이므로 붙여 쓰고, '개'는 의존 명사이므로 띄어 써야 한다.

정답 ②

고득점 GO!

접사일까? 의존 명사일까?
'내, 외, 초, 말'은 띄어 쓰는 '의존 명사'!
'-여, -짜리, -어치, -씩'은 붙여 쓰는 '접미사'!

133 ○○○

2019 경찰 1차

다음의 띄어쓰기에 대한 설명으로 가장 적절한 것은?

① '우리나라': '대한민국'을 뜻하는 경우, 의미가 변하여 파생어가 되었으므로 붙여 쓴다.

② '언제∨할∨지∨모른다': '지'는 의존 명사이므로 띄어 쓴다.

③ '교재의∨제∨일장': '제-'는 접두사이므로 뒷말에 붙여 써야 하는데, 띄어 썼으므로 맞지 않다.

④ '떠난지가∨오래다': '지'는 의존 명사이므로 붙여 쓸 수 있다.

난이도 상 ○ 하

해설 **제∨일장 → 제일∨장/제일장**: '제(第)-'는 '그 숫자에 해당되는 차례'의 뜻을 더하는 접두사이다. 접사와 어근은 붙여 써야 한다. 그런데 ③에서는 '제'와 '일장'을 띄어 썼기 때문에 띄어쓰기가 바르지 않다는 설명은 옳다.

※ 순서를 나타낼 때나, 아라비아숫자와 함께 쓸 때는 붙여 쓸 수 있다.
[원칙] 제일∨장/제1∨장
[허용] 제일장/제1장

오답분석 ① 어근과 어근이 결합한 말은 '합성어'이고, 어근과 접사가 결합한 말은 '파생어'이다. '우리나라'는 어근 '우리 + 나라'가 결합한 말이므로, 파생어가 아니라 합성어이다. 또한 '우리 + 나라'가 결합하여 '대한민국'이라는 제3의 의미가 만들어졌기 때문에 '융합 합성어'에 해당한다.

② **할∨지 → 할지**: 의존 명사 '지'는 어떤 일이 있었던 때로부터 지금까지의 동안(의미상 '시간의 경과')을 나타낸다. 그런데 ②에서는 '동안'의 의미로 쓰이지 않았기 때문에 의존 명사가 아니다. '지'는 추측에 대한 막연한 의문이 있는 채로 그것을 뒤 절의 사실이나 판단과 관련시키는 데 쓰는 연결 어미 '-ㄹ지'의 일부이다. 어간과 어미는 붙여 써야 한다.
따라서 '하- + -ㄹ지'는 '할지'로 붙여 써야 한다.

④ **떠난지 → 떠난∨지**: '떠나서 지금까지의 동안이 오래다.'라는 의미로 쓰였다. 즉 '지'가 '동안(시간의 경과)'의 의미로 쓰였기 때문에, '지'는 의존 명사이다. 따라서 '떠난'과 '지'는 띄어 써야 한다.

정답 ③

134 ○○○

2018 국가직 9급

밑줄 친 부분의 띄어쓰기가 옳지 않은 것은?

① 이처럼 <u>좋은 걸</u> 어떡해?

② <u>제 3장의</u> 내용을 요약해 주세요.

③ 공사를 <u>진행한 지</u> 꽤 오래되었다.

④ 결혼 <u>10년 차에</u> 내 집을 장만했다.

난이도 상 ○ 하

TIP '-여, -짜리, -어치, -씩, 제-, -백'은 붙여 쓰는 '접사'이다.

해설 **제∨3장의 → 제3장의**: '제-(第)'는 '그 숫자에 해당되는 차례'의 뜻을 더하는 접두사이다. 따라서 '3(삼)'과 붙여 써야 한다. 다만 순서에 해당하고 아라비아 숫자와 함께 쓰고 있으므로 '제3∨장'이 원칙이나 '제3장'으로 쓰는 것이 허용된다.

오답분석 ① '걸'은 의존 명사 '거(것)'에 목적격 조사 '을'이 붙은 말(구어체)이다. 따라서 관형어 '좋은'과 '걸'은 띄어 써야 하므로, ①의 띄어쓰기는 옳다.

③ 공사를 진행하고 시간의 경과가 오래되었다는 의미이다. 즉 '지'는 시간의 경과를 나타내는 의존 명사이다. 따라서 관형어 '진행한'과 띄어 써야 하므로, ③의 띄어쓰기는 옳다.

④ '차'는 주기나 경과의 해당 시기를 나타내는 의존 명사이다. 따라서 '10년'과 띄어 써야 하므로, ④의 띄어쓰기는 옳다.

예 • 그들은 선생님 댁을 수십 <u>차</u> 방문했다.
• 잠이 막 들려던 <u>차</u>에 전화가 왔다.
• 입사 3년 <u>차</u> / 임신 8주 <u>차</u>

 ②

Unit 23 띄어쓰기 3 - 복합어 vs 단어

출제 유형

단어는 조사 빼면 무조건 띄어 써야 해요.
그런데 복합어는 하나의 단어니까 붙여 써야 해요.

- '안되다'와 '안∨되다'를 판별하는 유형
- '한번'과 '한∨번'을 판별하는 유형
- 'ㅇㅇ중'과 'ㅇㅇ∨중'을 판별하는 유형

핵심정리

1. 안되다

동사	• **일, 현상, 물건 따위가 좋게 이루어지지 않다.** 예 과일 농사가 안돼 큰일이다. / 공부가 안돼서 잠깐 쉬고 있다. • **사람이 훌륭하게 되지 못하다.** 예 자식이 안되기를 바라는 부모는 없다. • **일정한 수준이나 정도에 이르지 못하다.** 예 이번 시험에서 우리 중 안되어도 세 명은 합격할 것 같다.
형용사	• **섭섭하거나 가엾어 마음이 언짢다.** 예 그것참, 안됐군. • **근심이나 병 따위로 얼굴이 많이 상하다.** 예 몸살을 앓더니 얼굴이 많이 안됐구나.

2. '중(中)'은 대개 앞말과 띄어 쓰나(의존 명사), 다음의 경우에는 예외적으로 붙여 쓴다.

예 그중, 무심중, 무언중, 무의식중, 부재중, 부지불식중, 부지중, 은연중, 한밤중, 허공중, 총망중, 상중(喪中) 등

심화 Plus

1. 부부간, 얼마간 [18 지방직 9급]

'사이, 관계'를 의미하는 의존 명사 '간'은 원래 앞말과 띄어 쓰는 것이 원칙이다. 다만, 가족 관계를 나타내는 두 글자 한자어 뒤에 쓰일 때는 관용적으로 붙여 쓴다.

예 부부간, 동기간, 형제간, 자매간, 고부간, 숙질간, 인척간, 피차간, 부녀간 등

2. 활음조 현상 [16 경찰 2차]

본음으로 나는 것	속음으로 나는 것
승낙(承諾)	수락(受諾), 쾌락(快諾), 허락(許諾)
분노(忿怒)	대로(大怒), 희로애락(喜怒哀樂)
팔일(八日)	초파일(初八日)

띄어쓰기 (복합어와 개별 단어)	'안되다'와 '안∨되다'를 판별하는 유형

135 ○○○ 2018 지방직 9급

띄어쓰기가 옳지 않은 것은?

① ┌ 졸지에 부도를 맞았다니 참 안됐어.
  └ 그렇게 독선적으로 일을 처리하면 안 돼.

② ┌ 그건 사실 아무것도 아니니 걱정하지 말게.
  └ 지금 네가 본 것은 실상의 절반에도 못 미쳐.

③ ┌ 저 집은 부부 간에 금실이 좋아.
  └ 집을 살 때 부모님이 얼마간을 보태 주셨어.

④ ┌ 저 사람은 아무래도 믿을 만한 인물이 아니야.
  └ 지난번 해일이 밀어닥칠 때 집채만 한 파도가 해변을 덮쳤다.

난이도 ㊤ ◯ ㊦

해설
- **부부∨간 → 부부간**: '부부 사이'라는 의미를 가진 말로 '부부'에 '사이'의 뜻을 더하는 의존 명사 '간'이 결합한 한 단어이므로 '부부간'으로 붙여 써야 한다.
  ※ '사이, 관계'를 의미하는 의존 명사 '간'은 원래 앞말과 띄어 쓰는 것이 원칙이나, 가족 관계를 나타내는 두 글자 한자어 뒤에 관용적으로 붙여 쓰는 것이 인정된다.
  예 부부간, 동기간, 형제간, 자매간, 고부간, 숙질간, 인척간, 피차간, 부녀간 등
- '얼마간'은 '그리 많지 아니한 수량이나 정도'를 이르는 하나의 명사이므로 붙여 쓴 것은 옳다.

오답분석
① • **참 안됐어**: '안되다'가 '섭섭하거나 가엾어 마음이 언짢다.'는 의미의 형용사로 한 낱말이므로 붙여 쓴다.
  • **일을 처리하면 안∨돼**: '일을 처리해도 돼.'라는 문장의 부정문에 해당하는 경우이므로 동사 '되다' 앞에 부정 부사 '안'을 사용한 두 낱말의 경우이므로 띄어 쓴다.
② • **아무것**: '이것, 그것, 저것', '아무것'은 하나의 대명사이므로 붙여 쓴다.
  • **본∨것**: 동사 '보다'와 의존 명사 '것'의 두 낱말이므로 띄어 쓴다.
  • **못∨미쳐**: 동사 '미치다'를 활용하고 앞에 부정 부사 '못'을 취한 경우의 두 낱말이므로 띄어 쓴다.
④ • **믿을∨만한**: '만하다'가 보조 형용사로 앞의 '믿다' 본용언과 쓰인 경우로 띄어 쓰는 것이 원칙이나, 붙여 쓰는 것도 허용된다.
  • **집채만∨한∨파도**: '집채'가 명사이기 때문에 '만하다'가 보조 용언으로 기능할 수 없는 관계이며, 따라서 이때의 '만'은 체언 뒤의 보조사로 기능하고, '하다'는 동사가 된다. 따라서 체언 뒤의 조사는 붙여 쓰고, 용언은 단독 낱말이므로 띄어 쓴다.

 정답 ③

136 ○○○ 2017 국가직 9급 추가

띄어쓰기가 옳지 않은 것은?

① 조금 의심스러운 부분이 있어서 물어도 보았다.
② 매일같이 지각하던 김 선생이 직장을 그만두었다.
③ 이번 시험에서 우리 중 안 되어도 세 명은 합격할 듯하다.
④ 지난주에 발생한 사고를 어떻게 해결해야 할지 회의를 했다.

난이도 ㊤ ◯ ㊦

TIP '지'는 '시간의 경과'의 의미를 지닌 문장에서만 의존 명사이다.

해설 **안∨되어도 → 안되어도**: '되다'의 부정이 아니다. 문맥상 "우리 중 '적어도' 세 명은 합격할 듯하다."라는 의미이다. 따라서 '안되어도'로 붙여 써야 한다.
※ 안되다(동사)
1) 일, 현상, 물건 따위가 좋게 이루어지지 않다.
2) 사람이 훌륭하게 되지 못하다.
3) 일정한 수준이나 정도에 이르지 못하다.
비교 '안되다'가 형용사로 쓰일 때는 'sorry'의 의미이다.

오답분석
① **물어도∨보았다**: 본용언과 보조 용언은 띄어 쓰는 게 원칙이지만 본용언이 '-아/어'로 연결되는 경우에는 붙여 쓸 수도 있다(물어∨보았다(O)/물어보았다(O)). 그러나 본용언과 보조 용언 사이에 보조사가 붙은 경우에는 반드시 띄어 써야 한다. 따라서 '물어도∨보았다'의 표기는 옳다.
② • **매일같이**: '같이'는 앞말이 나타내는 그때를 강조하는 부사격 조사이다. 따라서 명사 '매일'과 붙여 쓴 표기는 옳다.
  비교 '같이'가 '둘 이상의 사람이나 사물과 함께', 혹은 '어떤 상황이나 행동 따위와 다름이 없이'라는 뜻으로 쓰일 때는 부사이다. 이 경우에는 앞말과 띄어 써야 한다.
  예 친구와 같이 사업을 하다. / 선생님이 하는 것과 같이 하세요. / 세월이 물과 같이 흐른다.
  • **김∨선생**: 성과 이름은 붙여 쓰고, 성과 호칭은 띄어 쓴다.
  • **그만두다**: 하나의 낱말(동사)이므로 붙여 쓴다.
④ • **지난주**: '전주(前週)'의 뜻을 가진 '지난주'는 한 단어이므로 붙여 쓴다.
  • **할지**: '-ㄹ지'는 추측에 대한 막연한 의문을 나타내는 종결 어미이다.
  따라서 '하다'의 어간 '하-'와 붙여 쓴 표기는 옳다.

 정답 ③

띄어쓰기 (복합어와 개별 단어)	'한번'과 '한∨번'을 판별하는 유형

137 ○○○ 2022 군무원 9급

밑줄 친 부분의 띄어쓰기가 잘못된 것은?

① 한번 실패했더라도 다시 도전하면 된다.

② 한번은 네거리에서 큰 사고를 낼 뻔했다.

③ 고 녀석, 울음소리 한번 크구나.

④ 심심한데 노래나 한번 불러 볼까?

난이도 ㊤ ㊥ ㊦

해설 **한번 → 한∨번**: '한번'을 '두 번', '세 번'으로 바꾸어 뜻이 통하면 '한 번'으로 띄어 쓰고 그렇지 않으면 '한번'으로 붙여 쓴다. ①은 '두 번', '세 번'과 바꾸어도 그 뜻이 통한다는 점에서 '한∨번'으로 띄어 써야 한다.

오답 분석 ② '한번은 네거리에서 큰 사고를 낼 뻔했다.'의 '한번'은 '지난 어느 때나 기회'라는 의미이므로 붙여 쓴 것은 옳다.

③ '고 녀석, 울음소리 한번 크구나.'의 '한번'은 '어떤 행동이나 상태를 강조하는 뜻'을 나타내는 말이므로 붙여 쓴 것은 옳다.

④ '심심한데 노래나 한번 불러 볼까?'의 '한번'은 '어떤 일을 시험 삼아 시도함'을 나타내는 말이므로 붙여 쓴 것은 옳다.

※ '한번'은 '명사'와 '부사'가 있는데, 각각의 의미는 다음과 같다.

정답 ①

138 ○○○ 2017 지방직 7급

밑줄 친 부분의 띄어쓰기가 옳지 않은 것은?

① 너 말 한번 잘 했다.

② 값이 얼만지 한번 물어보세요.

③ 우리는 겨우 일주일에 한번밖에 못 만난다.

④ 한번 엎지른 물은 다시 주워 담지 못한다.

난이도 ㊤ ㊥ ㊦

해설 **한번 → 한∨번**: ③은 '두 번'이나 '세 번'과 바꿔 쓸 수 있다. 즉 ③은 일주일에 '1회' 만난다는 의미이므로 '한∨번'과 같이 띄어 써야 한다.

오답 분석 ③을 제외한 나머지는 한 단어 '한번'이므로 반드시 붙여 써야 한다.

정답 ③

> **참고 [어휘] 한번(-番)**
>
> 명 지난 어느 때나 기회
>
> 부 ① 어떤 일을 시험 삼아 시도함을 나타내는 말(②)
>
> ② 기회 있는 어떤 때에
>
> 예 우리 집에 한번 놀러 오세요. / 시간 날 때 낚시나 한번 갑시다.
>
> ③ 어떤 행동이나 상태를 강조하는 뜻을 나타내는 말(①)
>
> ④ 일단 한 차례(④)

띄어쓰기 (복합어와 개별 단어)	'OO중'과 'OO∨중'을 판별하는 유형

139 ○○○ 2017 국가직 9급

밑줄 친 부분의 띄어쓰기가 옳은 것은?

① 한밤중에 전화가 왔다.

② 그는 일도 잘할 뿐더러 성격도 좋다.

③ 친구가 도착한 지 두 시간만에 떠났다.

④ 요즘 경기가 안 좋아서 장사가 잘 안 된다.

난이도 ㊤ ㊥ ㊦

TIP '중'은 의존 명사이므로 앞말과 띄어 써야 한다.
다만 예외가 있는데 이것을 암기해야 한다.
[예외] 그중, 은연중, 한밤중, 무언중, 무심중, 무의식중, 부재중, 부지중, 부지불식중, 총망중, 상중 등

해설 '깊은 밤'을 의미하는 '한밤중'은 한 단어이므로 붙여 쓴다.

오답 분석 ② **잘할∨뿐더러 → 잘할뿐더러**: ②에 쓰인 '뿐'은 의존 명사가 아니라, 어떤 일이 그것만으로 그치지 않고 나아가 다른 일이 더 있음을 나타내는 연결 어미 '-ㄹ뿐더러'의 일부이다. 따라서 '잘할뿐더러'와 같이 붙여 써야 한다.

※ A ㄹ뿐더러 B = A 하기도 하고 B 하기도 하다.

③ **시간만에 → 시간∨만에**: '만'은 '앞말이 가리키는 동안이나 거리'를 나타내는 말인 의존 명사이므로, '시간'과 띄어 써야 한다.

※ 문장 내에서 '만, 지'가 의미상 '시간의 경과'와 함께 쓰이면 '의존 명사'이므로 반드시 앞의 말과 띄어 쓴다.

④ **안∨된다 → 안된다**: 장사가 잘 안 풀린다는 의미이므로 '안되다'는 한 단어이다. 따라서 붙여 써야 한다.

※ '되다'를 부정하는 말, 즉 부정 부사 '안'이 붙은 경우에는 '안∨된다.'와 같이 띄어 쓴다.

정답 ①

140 ○○○ 2016 사회복지직 9급

띄어쓰기가 옳지 않은 것은?

① 나는 거기에 어떻게 갈지 결정하지 못했다.

② 이미 설명한바 그 자세한 내용은 생략하겠습니다.

③ 은연 중에 자신의 속뜻을 내비치고 있었다.

④ 그 빨간 캡슐이 머리 아픈 데 먹는 약입니다.

난이도 상 ◯ 하

해설 **은연∨중에 → 은연중에**: '은연(隱然)'이란 명사는 없다. '은연중(隱然中)' 자체가 한 단어로, 조사 '에'와 어울려 '남이 모르는 가운데'란 의미로 쓰인다.
즉 '은연중(隱然中)'은 한 단어이므로, 반드시 붙여 써야 한다.

오답분석 ① '-ㄹ지'는 추측에 대한 막연한 의문이 있는 채로 그것을 뒤 절의 사실이나 판단과 관련시키는 데 쓰는 연결 어미이다. 어간과 어미는 반드시 붙여 써야 하므로, '갈지'의 표기는 옳다.

② '-ㄴ바'는 뒤 절에서 어떤 사실을 말하기 위하여 그 사실이 있게 된 것과 관련된 과거의 어떤 상황을 미리 제시하는 데 쓰는 연결 어미로, 앞 절의 상황이 이미 이루어졌음을 나타낸다. 어간과 어미는 반드시 붙여 써야 하므로, '설명한바'의 표기는 옳다.
※ 의존 명사 '바'
예 평소에 느낀 바를 말해라. / 각자 맡은 바 책임을 다하다.

④ '데'는 '상황' 등과 같은 다른 명사와 바꿔 쓸 수 있다는 점에서, '데'는 의존 명사이다. 관형어는 의존 명사와 반드시 띄어 써야 하므로, '아픈∨데'의 표기는 옳다.

 ③

141  2009 지방직 7급

띄어쓰기가 옳은 것은?

① 수업중에 휴대전화를 받는 것은 예의에 어긋난다.

② 그가 구입한 물건이 얼마 어치인지 짐작하기 어려웠다.

③ 그 사람은 오직 졸업장을 따는데 목적이 있는 듯하다.

④ 그는 차를 살 만한 형편이 못 된다.

난이도 상 ◯ 하

해설
- **살∨만한**: '만한'은 보조 형용사 '만하다'의 활용형이다. 본용언과 보조 용언은 띄어 쓰는 게 원칙이므로 '살∨만한'의 띄어쓰기는 옳다.
  ※ '만하다'는 주로 '-ㄹ 만하다'의 구성으로 쓰여, 앞말이 뜻하는 행동을 하는 것이 가능함을 이른다. 예 살∨만하다 = 살만하다(○)
- **못∨된다**: 형편이 '되지 못한다'는 의미이다. 따라서 '되다'를 부정한 것이므로 '못∨된다'의 띄어쓰기는 옳다.
  ※ 안되다(형용사)
  1) 성질이나 품행 따위가 좋지 않거나 고약하다.
  2) 일이 뜻대로 되지 않은 상태에 있다.

오답분석 ① **수업중에 → 수업∨중에**: '무엇을 하는 동안'의 뜻을 나타내는 '중'은 의존 명사이므로 앞말과 띄어 쓴다.

② **얼마∨어치인지 → 얼마어치인지**: '-어치'는 '그 값에 해당하는 분량'의 뜻을 더하는 접미사이므로 앞말에 붙여 쓴다.

③ **따는데 → 따는∨데**: '데'는 의존 명사이므로 띄어 써야 한다.
※ '데'를 '것에'로 대치할 수 있으면 의존 명사이므로 띄어 쓴다.

 ④

Unit 24 띄어쓰기 4 - 본용언과 보조 용언

출제 유형

• 본용언과 보조 용언의 띄어쓰기가 맞는지 판별하는 유형

핵심정리

1. 본용언과 보조 용언

본용언	홀로 쓰일 수 있는 용언으로, 주체의 동작이나 상태를 나타낸다.
보조 용언	홀로 쓰일 수 없는 용언으로, 본용언에 독특한 의미를 부여한다.

2. 용언의 띄어쓰기

(1) **본용언∨본용언**: 무조건 띄어 쓴다!

(2) **본용언∨보조 용언**: 띄어 쓰는 것이 원칙! 다만, 붙여 쓰는 것을 허용하는 경우가 있다.

① 앞의 본용언이 '-아/어'로 뒤의 보조 용언과 연결될 때

예 읽어∨보다. = 읽어보다.

② 뒤의 보조 용언이 '듯하다, 만하다, 성싶다, 법하다, 척하다(체하다) 등'의 보조 용언일 때

예 할∨만하다. = 할만하다.

(3) 다만, 앞뒤의 용언에 조사가 붙거나, 합성 용언일 때는 반드시 본용언과 보조 용언을 띄어 써야 한다!

예 꺼져만∨간다. / 할∨만도∨하다. / 떠내려가∨버리다.

'본용언'과 '보조 용언' 띄어쓰기 완전 정리!

원칙은 띄어쓰기! 붙여 쓰기도 허용!
본용언이 복합어이거나 조사가 있으면 무조건 띄어쓰기!
※ 복합어라도 2음절은 붙여 쓸 수 있어요.

심화 Plus

• **도와드리다** [16 국회직 9급]

2017년 2/4 분기 《표준국어대사전》 수정 내용에 따르면 보조 용언 '-주다'가 결합한 단어가 사전에 등재되어 있는 경우 이에 대응하는 '-드리다'가 합성어로 등재되지 않았더라도 앞말에 붙여 써야 한다고 변경되었다. 따라서 '주다'가 사전에 한 단어로 등재되어 있으므로 '도와 드리다'는 《표준국어대사전》에 등재되지 않았지만 붙여 쓰는 것이 옳다.

※ 국립국어원 '우리말샘'에 '도와드리다'가 한 단어로 실려 있다.

출제 유형

띄어쓰기 (본용언과 보조 용언)	본용언과 보조 용언의 띄어쓰기가 맞는지 판별하는 유형

142 ○○○ 2022 서울시 9급(2월)

띄어쓰기가 가장 옳지 않은 것은?

① 이∨일도∨이제는∨할∨만하다.

② 나는∨하고∨싶은∨대로∨할∨테야.

③ 다음부터는∨일이∨잘될∨듯∨싶었다.

④ 그녀는∨그∨사실에∨대해∨아는∨체를∨하였다.

난이도 상 중 하

해설 **잘될∨듯∨싶었다 → 잘될∨듯싶었다**: 본동사 '잘되다'와 보조형용사 '듯싶다(= 듯하다)'는 각각 하나의 단어이다. 따라서 '듯싶다' 자체는 붙여 써야 한다.
다만, 보조 용언으로만 쓰이는 '척하다, 체하다, 양하다, 만하다, 성싶다, 듯하다(= 듯싶다)' 등의 경우 본용언과 붙여 쓰는 것이 허용되나, '잘되다'는 합성동사(복합용언)이기 때문에 용언 자체는 붙여 쓰되, '잘되다'와 '듯싶다'는 반드시 띄어 써야 한다.

오답 분석 ① 본동사 '하다'와 보조형용사 '만하다'는 '할∨만하다'로 쓰는 것이 원칙이나 '할만하다'로 붙여 쓰는 것도 가능하다.

② '하고∨싶다(싶은)'는 본동사와 보조형용사 관계로 어미 '-아/어'의 연결 관계가 아니기 때문에 항상 띄어 써야 한다. '대로'는 용언의 관형형(관형어) '싶은'과 쓰인 의존 명사이므로 띄어 쓴다. '테야'는 의존 명사 '터(의미상 '것')'에 서술격 조사 '이다'의 활용형 '이야'가 붙은 말이다.
따라서 '테야(터 + 이야)'로 붙여 쓴 것은 옳다.

④ 보조동사 '체하다(= 척하다)'는 한 단어이므로 붙여 쓴다. 그러나 사이에 조사가 끼어들면 반드시 앞뒤를 띄어 써야 하기 때문에 '체를∨하다'로 띄어 쓴 것은 옳다.

정답 ③

143 ○○○ 2007 서울시 9급

다음 문장의 띄어쓰기가 잘못된 것은?

① 아이들은 어떤 고난도 참아 냈다.

② 다음에서 틀린 것을 찾아 보아라.

③ 새로 알게 된 사항을 수첩에 적어 놓았다.

④ 오늘 목격한 장면을 꼭 기억해 두었다가 본 대로 말해주길 부탁한다.

⑤ 아이들이 떠들어 대고 있다.

난이도 상 중 하

TIP '용언 + 용언'의 구성이 나오면 셋 중에 하나이다.
1) 본용언 + 본용언
2) 본용언 + 보조 용언
3) 합성 용언

해설 **찾아∨보아라 → 찾아보아라**: '찾은 후에 보아라.'라는 의미가 아니다. 따라서 '본용언 + 본용언'의 결합이 아니다. 또 '찾는 것을 시도해 보아라.'라는 의미도 아니다. 따라서 '본용언 + 보조 용언'의 결합도 아니다. '찾아보다'는 "원하는 정보를 구하거나 알기 위하여 대상물을 검토하거나 조사하다."라는 의미를 가진 한 단어이다. 따라서 반드시 붙여 써야 한다.

오답 분석 ① **참아∨냈다**: 본용언 '참다'와 보조 용언 '내다'의 결합이다. 따라서 '참아∨냈다'로 띄어 쓴 것은 옳다.
※ 본용언이 복합어가 아니기 때문에 '참아냈다'로 붙여 쓰는 것도 허용된다.

③ **적어∨놓았다**: 본용언 '적다'와 보조 용언' 놓다'의 결합이다. 따라서 '적어∨놓았다'로 띄어 쓴 것은 옳다.
※ 본용언이 복합어가 아니기 때문에 '적어놓았다'로 붙여 쓰는 것도 허용된다.

④ **기억해∨두었다가**: 본용언 '기억하다'와 보조 용언 '두다'의 결합이다.
따라서 '기억해∨두었다가'로 띄어 쓴 것은 옳다.
※ 본용언 '기억하다(기억 + -하다)'가 복합어(파생어)이기 때문에 '기억해두었다'로 붙여 쓸 수가 없다.

⑤ **떠들어∨대고**: 본용언 '떠들다'와 보조 용언 '대다'의 결합이다.
따라서 '떠들어∨대고'로 띄어 쓴 것은 옳다.
※ '떠들다'를 '뜨다+들다'의 결합으로 보는 견해도 존재한다. 그러나 국립국어원《표준국어대사전》에서는 '떠들다'를 단일어로 보고 있다. 따라서 본용언이 복합어가 아니기 때문에 '떠들어대고'로 붙여 쓰는 것도 허용된다.

정답 ②

Unit 25 띄어쓰기 5 - 원칙과 허용

출제 유형

• 띄어쓰기의 '원칙'과 '허용'을 아는지 묻는 유형

핵심정리

• **띄어쓰기 허용**

(1) 단위를 나타내는 말

① 차례를 나타내는 경우

원칙	허용
제일 편 제삼 장	제일편 제삼장

② 연월일, 시각

원칙	허용
이천십팔 년 오 월 이십 일 여덟 시 오십구 분	이천십팔년 오월 이십일 여덟시 오십구분

③ 아라비아 숫자 뒤

원칙	허용
2 시간 30 킬로미터	2시간 30킬로미터

(2) 단음절로 된 단어가 연이어 나타날 때

원칙	허용
좀 더 큰 이 새 차 내 것 네 것	좀더 큰 이 새차 내것 네것

(3) 본용언과 보조 용언

원칙	허용
불이 꺼져 간다. 내 힘을 막아 낸다.	불이 꺼져간다. 내 힘으로 막아낸다.

(4) 성과 이름이 혼동의 우려가 있을 때

성	이름	원칙	허용
황	보영	황보영	황 보영
황보	영		황보 영
선	우진	선우진	선 우진
선우	진		선우 진

(5) 성명 이외의 고유 명사

원칙	허용
대한 중학교 국립 국어원 기획 연수부 운영과	대한중학교 국립국어원 기획연수부 기획운영과

(6) 전문 용어

원칙	허용
만성 골수성 백혈병 중거리 탄도 유도탄	만성골수성백혈병 중거리탄도유도탄

출제 유형

띄어쓰기 (원칙과 허용)	띄어쓰기의 '원칙'과 '허용'을 아는지 묻는 유형

144 ○○○ 2021 경찰 1차

다음 중 원칙대로 띄어쓰기를 할 때 올바르지 않은 것은?

① 어려운∨일∨하는∨사람을∨보면∨존경심마저∨생긴다.
② 그∨사람이∨떠난∨지∨사흘∨만에∨돌아왔다.
③ 저∨큰∨집∨한∨채∨살∨때까지∨열심히∨돈을∨벌었다.
④ 네∨말을∨들으니∨그럴∨법∨하다는∨생각이∨든다.

난이도 상 중 하

TIP '듯하다, 양하다, 만하다, 성싶다, 법하다, 척하다(체하다)' 등은 태어날 때부터 보조 용언으로 붙여 써야 한다.

해설 **법∨하다는 → 법하다는**: '법하다'는 앞말이 뜻하는 상황이 실제 있거나 발생할 가능성이 있음을 나타내는 보조 형용사이다. 즉 '법하다'는 하나의 단어이기 때문에 붙여 써야 한다.

오답 분석
① • **어려운∨일∨하는**: '어려운 일을 하는'에서 '을'이 생략된 형태이다. '일하다'라는 단어가 있기는 하다. 그런데 수식어 '어려운'은 관형어이기 때문에 체언만 수식할 수 있다. 즉 '어려운 일하는'이 어색하기 때문에 '어려운 일을 하는'에서 목적격 조사 '을'이 생략된 형태로 보는 것이 자연스럽다. 따라서 '어려운∨일∨하는'의 띄어쓰기는 바르다.
• **존경심마저**: '존경심마저'의 '마저'는 이미 어떤 것이 포함되고 그 위에 더함의 뜻을 나타내는 보조사이다. 따라서 '존경심마저'로 붙여 쓴 것은 옳다.
② **떠난∨지∨사흘∨만에**: '지'와 '만'은 모두 의존 명사이기 때문에 '떠난∨지∨사흘∨만에'로 띄어 쓴 것은 옳다.
③ **저∨큰∨집∨한∨채**: '저', '큰', '집', '한', '채'는 모두 각각의 단어이다. 단어별로 띄어 쓰는 것이 원칙이기 때문에 모두 띄어 쓴 것은 옳다.

정답 ④

145 ○○○ 2018 경찰 1차

다음 띄어쓰기 규정의 '원칙'에 맞게 쓴 것 중 가장 적절한 것은?

① 희망의∨불씨가∨꺼져간다.
② 한국대학교∨사범대학∨최치원∨교수
③ 이천십팔∨년∨삼∨월∨이십사∨일∨제일∨차∨공무원∨시험
④ 제발∨여기에서만이라도∨집에서∨처럼∨못∨되게∨굴지∨않았으면∨좋겠다.

난이도 상 중 하

해설 띄어쓰기 규정의 '원칙'에 따르면 단위를 나타내는 명사는 띄어 써야 한다. 따라서 단위 '년', '월', '일', '차'를 모두 띄어 쓴 ③의 표기는 띄어쓰기 규정의 '원칙'을 따른 것이다.

오답 분석
① 띄어쓰기 규정의 '원칙'에 따르면 본용언이 복합 용언일 경우 보조 용언과 반드시 띄어 써야 한다. 따라서 '꺼져∨간다'로 표기해야 한다. 다만 본용언의 활용형이 2음절이고, 어미 '-아/어'로 연결되어 붙여쓰는 것이 허용된다.
② 띄어쓰기 규정의 '원칙'에 따르면 성명 이외의 고유 명사는 단어별로 띄어 써야 한다. 따라서 '한국대학교∨사범대학'을 '한국∨대학교∨사범∨대학'으로 표기해야 한다. 다만 단위별로 쓰는 것이 허용되므로 '한국대학교∨사범대학'도 가능하다.
④ • **집에서∨처럼 → 집에서처럼**: 조사끼리는 붙여 써야 하므로 '집에서 처럼'으로 표기해야 한다.
• **못∨되게 → 못되게**: '악하다'의 의미로 쓰였기 때문에 '못되게(못되다, 형용사)'는 한 단어이므로 '못되게'와 같이 붙여서 표기해야 한다.

※ ①과 ②는 띄어쓰기 규정의 '허용'에 맞게 쓴 것이다. 한편, ④는 띄어쓰기 표기가 잘못된 것이다.

정답 ③

Unit 26 띄어쓰기

출제 유형

- 밑줄 친 부분의 띄어쓰기가 맞는지 판별하는 유형
- 문장의 띄어쓰기가 맞는지 판별하는 유형

핵심정리

- **'바다, 섬, 강, 산' 등의 표기 원칙**

2017. 3. 28.(문화체육관광부 고시 제2017-14호) 고시된 〈외래어 표기법〉 일부 개정안에 따라 기존의 "해, 섬, 강, 산 등이 외래어에 붙을 때에는 띄어 쓰고, 우리말에 붙을 때에는 붙여 쓴다."라는 조항이 삭제되었고, 이와 더불어 국립국어원에서는 고유 명사와 결합하는 경우 앞에 오는 말의 어종에 관계없이 붙여 쓰는 총 26항을 추가로 발표하였다(2017. 5. 29.).

→ 가(街), 강(江), 고원(高原), 곶(串), 관(關), 궁(宮), 만(灣), 반도(半島), 부(府), 사(寺), 산(山), 산맥(山脈), 섬, 성(城), 성(省), 어(語), 왕(王), 요(窯), 인(人), 족(族), 주(州), 주(洲), 평야(平野), 해(海), 현(縣), 호(湖) (총 26항목)

※ 따라서 위에 제시된 26항목과 고유 명사가 결합될 때는 항상 붙여 쓴다.

구분	개정 전	개정 후
외래어에 붙을 때	그리스 어, 그리스 인, 게르만 족, 발트 해, 나일 강, 에베레스트 산, 발리 섬, 우랄 산맥, 데칸 고원, 도카치 평야	그리스어, 그리스인, 게르만족, 발트해, 나일강, 에베레스트산, 발리섬, 우랄산맥, 데칸고원, 도카치평야
비외래어에 붙을 때	한국어, 한국인, 만주족, 지중해, 낙동강, 설악산, 남이섬, 태백산맥, 개마고원, 김포평야	한국어, 한국인, 만주족, 지중해, 낙동강, 설악산, 남이섬, 태백산맥, 개마고원, 김포평야

심화 Plus

- **띄어쓰기 기출**

19 서울시 9급	• 열∨길∨물속은∨알아도∨한∨길∨사람의∨속은∨모른다. • 데칸고원은∨인도∨중부와∨남부에∨위치한∨고원이다. • 못∨본∨사이에∨키가∨전봇대만큼∨자랐구나! • 이번∨행사에서는∨쓸모∨있는∨주머니∨만들기를∨하였다.
19 소방직	• 내가∨믿을∨것은∨오직∨성실함뿐이다. • 그녀는∨사실을∨아는∨대로∨설명했다. • 이∨약초는∨감기를∨낫게∨하는∨데∨쓰인다. • 사람들은∨그를∨자기밖에∨모른다고∨놀렸다.
17 국가직 7급	• 형은∨비밀이∨드러날∨것을∨걱정하여∨안절부절못했다. • 학부모∨간담회에는∨약∨20여∨명이∨참석하였다. • 서류를∨검토한바∨몇∨가지∨미비한∨사항이∨발견되었다. • 아는∨만큼∨보인다는데∨나에게는∨그∨가치를∨평가할∨만한∨심미안이∨부족하다.

출제 유형

띄어쓰기	밑줄 친 부분의 띄어쓰기가 맞는지 판별하는 유형

146 ○○○ 2023 군무원 9급

다음 중 밑줄 친 부분의 띄어쓰기가 적절하지 않은 것은?

① 가진 게 없으면 몸이나마 건강해야지.
② 그 책을 다 읽는데 삼 일이 걸렸다.
③ 그는 그런 비싼 차를 살 만한 형편이 못된다.
④ 그 고통에 비하면 내 괴로움 따위는 아무것도 아니었다.

난이도 ㊤ ○ ㊦

해설 **읽는데 → 읽는∨데**: 문맥상 책을 읽기까지 걸린 '시간'이 3일이라는 의미이다. 따라서 '데'는 의존 명사이므로 '읽는∨데'로 띄어 써야 한다.

오답 분석
① '이나마'는 어떤 상황이 이루어지거나 어떻다고 말해지기에는 부족한 조건이지만 아쉬운 대로 인정됨을 나타내는 보조사이므로 체언 '몸'과 붙여 쓴 것은 옳다.
③ '살'은 관형어이므로 '만하다'와 띄어 쓴 것은 옳다.
④ '따위'는 의존 명사이므로 '괴로움'과 띄어 쓴 것은 옳다.

정답 ②

147 ○○○ 2023 군무원 7급

다음 중 밑줄 친 부분이 '띄어쓰기' 규정에 따른 것은? ('∨'는 '띄어 쓴다'는 표시임)

① 그는 재산이 많을∨뿐더러 재능도 엄청 많다.
② 선물을 주기는∨커녕 쳐다보지도 않더라.
③ 원서를 넣는∨족족 합격을 하네.
④ 기분이 좋아 보이는구먼∨그래.

난이도 ㊤ ○ ㊦

해설 '넣는'은 동사 '넣다'의 관형사형, '족족'은 부사이다. 단어끼리 띄어 써야 하므로, '넣는∨족족'으로 띄어 쓴 것은 옳다.

오답 분석
① **많을∨뿐더러 → 많을뿐더러**: '-을뿐더러'는 어미이다. 따라서 어간 '많-'과 붙여 써야 한다.
② **주기는∨커녕 → 주기는커녕**: '커녕'은 조사이므로 앞말에 붙여 써야 한다.
④ **보이는구먼∨그래 → 보이는구먼그래**: '그래'는 조사이므로 앞말에 붙여 써야 한다.

 ③

148 ○○○ 2023 국회직 8급

밑줄 친 부분의 띄어쓰기가 맞는 것은?

① 일이 있어서 숙제를 못했다.
② 총금액이 얼마 되지 않는다.
③ 한달간 전국 일주 여행을 하고 돌아왔다.
④ 현대사회의 제문제에 대한 토론을 하였다.
⑤ 이번 방학에 무엇을 해야 할 지 모르겠다.

난이도 ㊤ ○ ㊦

해설 '총-'은 '전체를 아우르는' 또는 '전체를 합한'의 뜻을 나타내는 접두사이다. 어근과 접사는 붙여 쓴다. 따라서 '총금액'으로 붙여 쓴 것은 옳다.

오답 분석
① **못했다 → 못∨했다**: '못'은 부정 부사이므로, '못∨했다'로 붙여 써야 한다.
③ **한달간 → 한∨달간**: '한∨달'은 한 단어가 아니므로 띄어 써야 한다. 한편, '-간'은 '동안'의 뜻을 더하는 접미사이므로 '달'과 붙여 쓴 것은 옳다.
④ **제문제 → 제∨문제**: '제-(諸)'는 '여러'의 뜻을 나타내는 관형사이다. 따라서 '제∨문제'로 띄어 써야 한다.
⑤ **할∨지 → 할지**: '지'는 의존 명사가 아니라 어미 '-ㄹ지'의 일부이다. 따라서 '할지'로 붙여 써야 한다.

정답 ②

149 ○○○ 2022 군무원 7급

다음 밑줄 친 낱말 중 띄어쓰기가 옳은 것은?

① 세달이 지나도록
② 수업이 끝난 지도
③ 집에 갈 생각 뿐이었다.
④ 노력한만큼 이루어진다.

난이도 ㊤ ○ ㊦

해설 '지'가 '시간의 경과'의 의미일 때는 의존 명사이기 때문에 앞말과 띄어 쓴다. 따라서 '끝난∨지도'의 띄어쓰기는 옳다.

오답 분석
① **세달 → 세∨달**: '세'는 관형사이고, '달'은 의존 명사이다. 단어끼리는 띄어서 쓰기 때문에 '세∨달'로 띄어 써야 한다.
③ **생각∨뿐이었다 → 생각뿐이었다**: '뿐'은 조사이다. 따라서 체언 '생각'과 붙여 써야 한다.
④ **노력한만큼 → 노력한∨만큼**: 관형어 '노력한' 뒤의 '만큼'은 의존 명사이다. 따라서 관형어 '노력한'과 띄어 써야 한다.

정답 ②

150 ○○○ 2020 지방직 9급

밑줄 친 부분의 띄어쓰기가 옳은 것은?

① 해도해도 너무한다.
② 빠른 시일 내 지원해 줄 것이다.
③ 이 그릇은 귀한 거라 손님 대접하는데나 쓴다.
④ 소비 절약을 호소하는 정공법 밖에 달리 도리는 없다.

난이도 상 중 하

TIP '내, 외, 초, 말'은 띄어 쓰는 의존 명사이다.

해설 '시일' 뒤의 '내(內)'는 일정한 범위의 안을 의미하는 의존 명사이다. 즉 '시일'과 '내(內)'는 각각 단어이므로 띄어 쓴 것은 옳다.

오답분석
① **해도해도 → 해도∨해도**: '해도해도'라는 단어는 없다. 각각의 단어이므로 띄어 써야 한다.
③ **대접하는데나 → 대접하는∨데나**: '대접하는 경우에나'의 의미이다. 즉 '데'는 의존 명사이므로 관형어 '대접하는'과 띄어 써야 한다.
④ **정공법∨밖에 → 정공법밖에**: '정공법뿐'의 의미이다. 즉 '밖에'는 조사이므로 '정공법'과 붙여 써야 한다.

정답 ②

151 ○○○ 2019 지방직 9급

밑줄 친 부분의 띄어쓰기가 옳은 것은?

① 그 중에 깨끗한 옷만 골라 입으세요.
② 어제는 밤이 늦도록 옛 책을 뒤적였다.
③ 시간 날 때 낚시나 한 번 같이 갑시다.
④ 사람들은 황급히 굴 속으로 모여들었다.

난이도 상 중 하

해설 관형사 '옛'과 명사 '책'을 띄어 쓴 것은 옳다.

오답분석
① **그∨중 → 그중**: '여럿 가운데'라는 의미이므로 '그중'은 붙여 써야 한다.
※ '중'은 대부분 띄어 쓰는 의존 명사이다.
예외 암기하기! 그중, 은연중, 한밤중, 허공중, 총망중, 무심중, 무언중, 무의식중, 부지중, 부재중, 부지불식중 등
③ **한∨번 → 한번**: '1회'가 아니라 '기회 있는 어떤 때에'라는 의미이므로 '한번'은 붙여 써야 한다.
④ **굴∨속 → 굴속**: '굴 안'이라는 의미의 한 단어(합성어)이므로 '굴속'은 붙여 써야 한다.

정답 ②

152 ○○○ 2018 국가직 7급

밑줄 친 부분의 띄어쓰기가 모두 옳은 것은?

① 그 길을 걸어 온 사람들도 이 연구에 참여하는데 큰 문제가 없다.
② 대책 없이 쓸 데 없는 일만 골라 하니 저렇게 시간을 낭비할 수밖에 없다.
③ 이 기계가 어떻게 사용되어야 하는 지에 대해서 자세히 알아 볼 수 없었다.
④ 예기치 못했던 불미스러운 사고가 있었던바 재발 방지책을 찾아야 한다.

난이도 상 중 하

해설

있었던바	문맥상 '예기치 못한 불미스러운 사고가 있었기 때문에 재발 방지책을 찾아야 한다.'라는 의미이다. 따라서 문장의 앞부분과 뒷부분을 이어주는 역할을 하는 연결 어미 '-ㄴ바(결과)'가 쓰인 것이다. 따라서 '있었던바'와 같이 붙여 써야 한다.
찾아야∨한다	'찾아야'는 본용언이고 '한다'는 보조 용언이다. 따라서 '찾아야∨한다'의 띄어쓰기는 옳다.

오답분석
① 걸어∨온 → 걸어온, 참여하는데 → 참여하는∨데

걸어∨온 → 걸어온	'걸어오다'는 합성 동사이므로 붙여 써야 한다.
참여하는데 → 참여하는∨데	'데'는 의존 명사이므로 '참여하는'과 띄어 써야 한다.

② 쓸∨데∨없는 → 쓸데없는

쓸∨데∨없는 → 쓸데없는	'쓸데없다'는 한 단어이므로 붙여 써야 한다.
골라∨하니	'골라(고르다)'와 '하니(하다)'는 각각 별개의 단어이므로 띄어 쓴다.

③ 하는∨지에 → 하는지에

하는∨지에 → 하는지에	'-는지'는 연결 어미이므로 붙여 써야 한다.
알아볼	'알아볼(알아보다)'는 합성 동사이므로 붙여 쓴다.

정답 ④

고득점 GO!

'-ㄴ바' 띄어쓰기 완전 정복!
'-ㄴ바'가 포함된 문장을 풀었을 때,
'~이다(했다). 그 결과~'로 해석이 된다면, 어미 '-ㄴ바'를 쓰면 돼요.
④의 '있었던바'도 '있었다. 그 결과'로 해석이 되므로 '-ㄴ바'의 쓰임은 적절해요.

띄어쓰기	문장의 띄어쓰기가 맞는지 판별하는 유형

153 ○○○ 2022 국회직 9급

띄어쓰기가 옳지 않은 것은?

① 그가∨올∨듯도∨하다.

② 그가∨언제∨오는∨지∨확인했다.

③ 네가∨그∨일을∨했을∨리가∨없다.

④ 서울과∨인천∨간∨국도를∨이용한다.

⑤ 열∨명∨내지∨스무∨명의∨학생들이∨참석했다.

난이도 ㊤ ◯ ㊦

해설 **오는∨지 → 오는지**: '지'가 '시간의 경과'를 나타낼 때는 의존 명사이기에 앞말과 띄어 쓴다. ②에서는 '시간의 경과'를 나타내지 않는다. ②는 막연한 의문이 있는 채로 그것을 뒤 절의 사실이나 판단과 관련시키는 데 쓰는 연결 어미 '-는지'가 쓰인 경우이다. 따라서 '오는지'와 같이 붙여 써야 한다.

오답분석
① 보조 용언이 '의존 명사+하다'의 구성일 때는 본용언과 붙여 쓸 수 있다. 그러나 그 중간에 조사가 들어갈 적에는 반드시 띄어 써야 한다. 따라서 '올∨듯도∨하다'로 띄어 쓴 것은 바르다.

③ '리'는 '까닭', '이치'의 뜻을 나타내는 의존 명사이다. 따라서 '했을∨리가∨없다'의 띄어쓰기는 바르다.

④ '간'은 '한 대상에서 다른 대상까지의 사이'를 의미하는 의존 명사이다. 따라서 '서울과∨인천∨간'으로 띄어 쓰는 것은 바르다.

⑤ '명'은 사람을 세는 단위를 나타내는 의존 명사이다. 따라서 '열∨명' '스무∨명'의 띄어쓰기는 바르다. 또 '내지'는 '얼마에서 얼마까지'의 뜻을 나타내는 부사이다. 따라서 '열∨명∨내지∨스무∨명'의 띄어쓰기는 바르다.

 ②

154 ○○○ 2022 군무원 9급

다음 중 띄어쓰기가 가장 옳은 것은?

① 지난 달에 나는 딸도 만날겸 여행도 할겸 미국에 다녀왔어.

② 이 회사의 경비병들은 물 샐 틈없이 경비를 선다.

③ 저 사과들 중에서 좀더 큰것을 주세요.

④ 그 사람은 감사하기는 커녕 적게 주었다고 원망만 하더라.

난이도 ㊤ ◯ ㊦

해설 단음절로 된 단어가 연이어 나타날 적에는 붙여 쓸 수 있다는 규정에 따라 '좀∨더∨큰∨것'이 원칙이지만, '좀더∨큰것'으로 붙여 쓰기도 가능하다. 따라서 ③의 띄어쓰기는 옳다.

오답분석
① • **지난∨달→지난달**: '지난달'은 한 단어이므로 붙여 써야 한다.
• **만날겸 → 만날∨겸, 할겸 → 할∨겸**: '겸'은 의존 명사이다. 따라서 관형어 '만날', '할'과 띄어 써야 한다.

② **물∨샐∨틈없이 → 물샐틈없이**: '물샐틈없이'는 비유적으로 '조금도 빈틈이 없이'라는 뜻을 가진 부사로, 하나의 단어이다. 따라서 붙여 써야 한다.
※ '물샐틈없다'라는 형용사도 있다.

④ **감사하기는∨커녕 → 감사하기는커녕**: 조사끼리는 붙여 써야 한다. 따라서 보조사 '는'과 '커녕'을 모두 붙여 써야 한다.

정답 ③

155 ○○○ 2022 소방 경력 채용

띄어쓰기가 올바른 것은?

① 그∨보다 좋은∨방법은∨없는∨것∨같다.

② 집에서∨부터∨학교까지∨한참을∨달렸다.

③ 이∨곳은∨내가∨방문한지∨일주일이∨되었다.

④ 고민을∨하면∨할수록∨답이∨나오지∨않았다.

난이도 ㊤ ◯ ㊦

해설 단어끼리는 띄어 쓴다. 한편, '조사'는 단어이지만 앞말에 붙여 쓴다. 따라서 '고민을∨하면∨할수록∨답이∨나오지∨않았다.'의 띄어쓰기는 바르다.

오답분석
① **그∨보다 → 그보다**: '보다'는 조사이다. 체언과 조사는 붙여 써야 하므로 '그보다'로 붙여 써야 한다.

② **집에서∨부터 → 집에서부터**: '에서'와 '부터'는 조사이다. 조사끼리는 붙여 써야 하므로 '집에서부터'로 붙여 써야 한다.

③ • **이∨곳 → 이곳**: '이곳'은 한 단어이므로 붙여 써야 한다.
• **방문한지 → 방문한∨지**: 방문하고 일주일의 '시간이 경과'했다는 의미이다. 이를 볼 때, '지'는 의존 명사이므로 '방문한∨지'로 띄어 써야 한다.

정답 ④

156 ○○○ 2021 국회직 8급

띄어쓰기가 옳지 않은 것은?

① 부모님의∨염려를∨뒤로∨하고∨유학길에∨올랐다.
② 낡은∨그림∨하나가∨한쪽∨맞은편∨벽에∨걸려∨있었다.
③ 그∨밖에∨공∨모양으로∨굳은∨용암의∨흔적∨등이∨있었다.
④ 성안에는∨여러∨곳에∨건물∨터와∨연못∨터가∨남아∨있다.
⑤ 200∨미터나∨되는∨줄을∨10여∨일간∨만든다.

난이도 ㊤ ◎ ㊦

해설 **뒤로∨하고 → 뒤로하고**: '뒤로하다'는 '뒤에 두다.', '뒤에 남겨 놓고 떠나다.'라는 의미를 가진 한 단어이다. 따라서 붙여 써야 한다.
※ 제시된 문장에서는 두 번째 의미 '뒤에 남겨 놓고 떠나다.'라는 의미로 쓰였다.

오답 분석
② '한쪽', '맞은편'은 모두 한 단어이기 때문에 붙여 쓴 것은 옳다.
③ '그∨밖', '공∨모양'은 모두 한 단어가 아니기 때문에 띄어 쓴 것은 옳다.
④ '성안'은 한 단어이기 때문에 붙여 쓴 것은 옳다. 한편, '여러∨곳', '건물∨터', '연못∨터'는 한 단어가 아니기 때문에 띄어 쓴 것은 옳다.
⑤ '200∨미터'는 '수관형사+의존 명사'의 관계이기 때문에 띄어 쓴 것은 옳다. 다만, '200'은 아라비아숫자이기 때문에 '200미터'처럼 붙여 쓰는 것도 가능하다. 또 '-여'는 '그 수를 넘음.'의 뜻을 더하는 접미사이다. 따라서 '10(십)'과 붙여 쓴 것은 옳다.

정답 ①

157 ○○○ 2019 서울시 9급(2월)

다음 중 띄어쓰기가 가장 옳은 것은?

① 열 길 물속은 알아도 한 길 사람의 속은 모른다.
② 데칸 고원은 인도 중부와 남부에 위치한 고원이다.
③ 못 본 사이에 키가 전봇대 만큼 자랐구나!
④ 이번 행사에서는 쓸모 있는 주머니만들기를 하였다.

난이도 ㊤ ◎ ㊦

해설 '길'은 길이의 단위이다. 따라서 '열'과 '한' 뒤에 붙은 '길'은 띄어 쓰는 것이 맞다. 한편, '물속'은 합성어로 한 단어이므로 붙여 쓴 것이다. 따라서 '열∨길∨물속은∨알아도∨한∨길∨사람의∨속은∨모른다.'의 띄어쓰기는 옳다.

오답 분석
② **데칸∨고원 → 데칸고원**: '외래어 + 고원'은 붙여 쓴다.
※ 개정된 <외래어 표기법>에 따라 붙여 써야 할 말
가(街), 강(江), 고원(高原), 곶(串), 관(關), 궁(宮), 만(灣), 반도(半島), 부(府), 사(寺), 산(山), 산맥(山脈), 섬, 성(城), 성(省), 어(語), 왕(王), 요(窯), 인(人), 족(族), 주(州), 주(洲), 평야(平野), 해(海), 현(縣), 호(湖) 등 26개
③ **전봇대∨만큼 → 전봇대만큼**: '만큼'은 조사이므로 '전봇대'와 붙여 쓴다.
④ **주머니만들기 → 주머니∨만들기**: 단어별로 띄어 쓴다

정답 ①

158 ○○○ 2018 서울시 7급(3월)

띄어쓰기가 모두 옳은 문장은?

① 밥을 먹은지 두 시간밖에 안 지났다.
② 학력이나 나이에 관계 없이 누구나 지원할 수 있다.
③ 이번 휴가에 발리 섬으로 여행을 간다.
④ 하늘을 보니 비가 올 듯도 하다.

난이도 ㊤ ◎ ㊦

해설 '하늘을∨보니∨비가∨올∨듯도∨하다.'는 띄어쓰기가 옳은 문장이다.

오답 분석
① **먹은지 → 먹은∨지**: '지'는 어떤 일이 있었던 때로부터 지금까지의 동안을 나타내는 말이므로 관형어 '먹은'과 띄어 써야 한다.
② **관계∨없이 → 관계없이**: '관계없이'는 관용적으로 굳어진 단어이므로 붙여 써야 한다.
③ **발리∨섬으로 → 발리섬으로**: 2017년 개정안에 따라 외래어 뒤에 '섬'은 붙여 써야 한다.

정답 ④

159 ○○○ 2017 국회직 8급

다음 중 띄어쓰기가 옳은 것은?

① 그∨녀석∨고마워하기는∨커녕∨알은체도∨않더라.
② 집채∨만한∨파도가∨몰려온다.
③ 한∨번은∨네거리에서∨큰∨사고를∨낼∨뻔했다.
④ 보잘것없는∨수입이지만∨저는∨이∨일이∨좋습니다.
⑤ 김∨양의∨할머니는∨안동∨권∨씨라고∨합니다.

난이도 ㊤ ◎ ㊦

해설 '보잘것없다'는 '볼만한 가치가 없을 정도로 하찮다.'란 뜻을 가진 한 단어이므로 붙여 쓴다. 따라서 ④의 띄어쓰기는 모두 옳다.

오답 분석
① **고마워하기는∨커녕 → 고마워하기는커녕**: '커녕'은 조사이다. 조사끼리는 붙여 쓰기 때문에 보조사 '는'과 '커녕'은 붙여 써야 한다.
※ '알은체/알은척'은 '어떤 일에 관심을 가지는 듯한 태도를 보임.', '사람을 보고 인사하는 표정을 지음.'을 뜻하는 한 단어이므로 붙여 써야 한다.
② **집채∨만한 → 집채만∨한**: '집채' 뒤의 '만'은 조사이다. 따라서 체언 '집채'와 붙여 써야 한다. '한'은 '하다'의 관형사형이므로 '집채만'과 띄어 써야 한다. '만한'은 보조 용언으로, 앞에 본용언이 와야만 기능할 수 있다. 그런데 '집채'는 명사이므로 보조 용언과는 결합할 수 없다.
③ **한∨번은 → 한번은**: '1회'란 의미가 아니라 '지난 어느 때'란 의미이다. 따라서 '한번'과 같이 붙여 써야 한다.
※ '네거리'는 '한 지점에서 길이 네 방향으로 갈라져 나간 곳'이란 뜻을 가진 단어이므로 붙여 쓴다.
⑤ **권∨씨라고 → 권씨라고**: '권'이라는 성을 가졌다는 의미이다. 즉 '씨'는 '그 성씨 자체', '그 성씨의 가문이나 문중'의 뜻을 더하는 접미사이므로 '권'과 붙여 써야 한다.

정답 ④

Unit 27 혼동되는 띄어쓰기 규정 - 올바른 띄어쓰기

- 조사 '하고'와 용언 '하고'를 구분하는 유형
- 한 단어인 '지난OO'와/과 용언의 활용형인 '지난 OO'을/를 구분하는 유형

핵심정리

1. 조사 '하고'와 용언 '하고'

조사 '하고'	Ⅰ. ① 다른 것과 비교하거나 기준으로 삼는 대상임을 나타내는 격 조사 예 철수는 너하고 닮았다. ② 일 따위를 함께 함을 나타내는 격 조사 예 나하고 놀자. ③ 상대로 하는 대상임을 나타내는 격 조사 예 사소한 오해로 그는 애인하고 헤어졌다. Ⅱ. 둘 이상의 사물이나 사람을 같은 자격으로 이어 주는 접속 조사 예 배하고 사과하고 감을 가져오너라.
용언 '하고'	[기본형] 하다

1. '지난OO'과 '지난∨OO('지나다'의 활용형)'

지난OO	→ 한 단어이니까 '붙여 쓰기' 예 지난봄, 지난여름, 지난가을, 지난겨울, 지난주, 지난달, 지난해, 지난번, 지난날, 지난밤 등
지난∨OO ('지나다'의 활용형)	→ 한 단어가 아니니까 '띄어쓰기' 예 지난∨일, 지난∨일, 지난∨세월, 지난∨홍수, 지난∨후, 지난∨학기, 지난∨강의 등

- **'못하다'나 '없다'가 붙은 한 단어**
  (1) OO못하다 예 마지못하다, 안절부절못하다, 되지못하다, 참다못하다
  (2) OO없다 예 맛없다, 재미없다, 틀림없다, 소용없다, 끝없다, 상관없다, 끊임없다

출제 유형

올바른 띄어쓰기	조사 '하고'와 용언 '하고'를 구분하는 유형

160 ○○○ 2018 서울시 9급(6월)

띄어쓰기가 가장 옳은 것은?

① 창조적 독해가 현실적인 문제 해결 방안으로 활용될 수 밖에 없다.
② 사소한 오해로 철수가 나하고 사이가 멀어졌다.
③ 아는 체하는 걸 보니 공부 깨나 했나 보다.
④ 동해로 가는김에 평창에도 들렀다 가자.

난이도 상 중 하

해설 '나하고'의 '하고'는 조사이므로 대명사 '나'와 붙여 쓴 것이다. 따라서 ②의 띄어쓰기는 옳다.

오답 분석 ① **수∨밖에 → 수밖에**: '수'는 의존 명사이고, '밖에'는 조사이다. 따라서 '수밖에'와 같이 붙여 써야 한다.
※ 밖에(보조사): 주로 체언이나 명사형 어미 뒤에 붙어 '그것 말고는', '그것 이외에는', '기꺼이 받아들이는', '피할 수 없는'의 뜻을 나타내는 보조사로 쓰이며 주로 뒤에 부정을 나타내는 말이 따른다.

③ **공부∨깨나 → 공부깨나**: '깨나'는 어느 정도 이상의 뜻을 나타내는 보조사이다. 따라서 '공부깨나'와 같이 붙여 써야 한다.
※ 부사 '꽤' 뒤에 보조사 '나'를 붙여 쓴 '꽤나'의 경우는 앞의 체언과 띄어 써야 한다. 공부깨나(O), 공부∨꽤나(O)

④ **가는김에 → 가는∨김에**: '김'은 '어떤 일의 기회나 계기'라는 뜻을 가진 의존 명사이다. 따라서 관형어 '가는'과 의존 명사 '김'은 띄어 써야 한다.
예 일을 하기로 마음을 먹은 김에 당장 합시다. / 하도 급한 김에 직장에서 곧장 달려오는 길입니다.

정답 ②

출제 유형

올바른 띄어쓰기	한 단어인 '지난○○'와/과 용언의 활용형인 '지난 ○○'을/를 구분하는 유형

161 ○○○ 2018 국회직 9급

다음 중 띄어쓰기가 옳지 않은 것은?

① 꽃 중의 꽃 무궁화가 활짝 피었다.
② 새로 들어온 요리사는 다년간의 경험을 살려 손님을 끌었다.
③ 정말로 아무것도 아닌 사람이 행복하다는 말을 하고 싶다.
④ 그런 거짓말을 하는 것을 보니 심보가 참 못 된 친구이다.
⑤ 두 사람은 가까워지기는커녕 점점 더 멀어져만 갔다.

난이도 상 중 하

해설 **못∨된 → 못된**: 문맥상 '성질이 고약하다'라는 의미이므로 '못된(못되다)'로 붙여 써야 한다.
※ 못되다(형용사)
1) 성질이나 품행 따위가 좋지 않거나 고약하다.
예 심보가 참 못된 친구이다.(④)
2) 일이 뜻대로 되지 않은 상태에 있다.
예 그 일이 못된 게 남의 탓이겠어.

오답 분석 ① '중'은 '가운데'라는 의미의 명사이므로 '꽃∨중의∨꽃'처럼 띄어 쓴 것은 적절하다.
② '다년간'은 명사 '다년'에 '동안'의 뜻을 더하는 접미사 '-간'이 결합한 파생어이다. 따라서 '다년간'을 붙여 쓴 것은 적절하다.
③ '아무것'은 대명사로, '대단하거나 특별한 어떤 것'이라는 뜻을 가진 한 단어이므로 붙여 쓴 것은 적절하다.
⑤ '는커녕'은 조사이다. 따라서 '가까워지기는커녕'과 같이 붙여 쓴 것은 적절하다.

정답 ④

162 ○○○ 2016 국회직 8급

다음 밑줄 친 부분의 띄어쓰기가 옳은 것은?

① 너나 없이 생활이 바쁘다.
② 남의 일에 함부로 알은 체 하지 마라.
③ 하도 사정하는 바람에 마지 못해서 들어주었다.
④ 보잘 것 없는 수입이지만 저는 이 일이 좋습니다.
⑤ 지난 계절은 유달리 무척이나 더웠다.

난이도 상 중 하

해설 '지난'에 '봄, 여름, 가을, 겨울'이 붙은 '지난봄, 지난여름, 지난가을, 지난겨울'은 한 단어로 붙여 써야 한다. 그러나 '계절'에 붙은 말은 없기 때문에, ⑤의 '지난∨계절'과 같이 띄어 쓰는 것이 옳다.

오답 분석 ① **너나∨없이 → 너나없이**: '너나없이(= 네오내오없이)'는 '너나 나 가릴 것 없이 다 마찬가지로'란 뜻을 가진 한 단어이므로, 붙여 써야 한다.
② **알은∨체∨하지 → 알은체하다**: '알은체하다'는 '어떤 일에 관심을 가지는 듯한 태도를 보이다', 또는 '사람을 보고 인사하는 표정을 짓다.'라는 뜻을 가진 한 단어이므로, 붙여 써야 한다(= 알은척하다).
③ **마지∨못해서 → 마지못해서**: '마지못하다'는 '마음이 내키지는 아니 하지만 사정에 따라서 그렇게 하지 아니할 수 없다.'라는 뜻을 가진 한 단어(형용사)이므로, 붙여 써야 한다.
④ **보잘∨것∨없는 → 보잘것없는**: '보잘것없는(형용사)'은 '볼만한 가치가 없을 정도로 하찮다.'라는 뜻을 가진 '보잘것없다'의 활용형이다. 따라서 한 단어이므로, 붙여 써야 한다.

정답 ⑤

Unit 28 문장 부호

출제 유형

- 문장 부호에 대한 설명이 바른지 판별하는 유형
- 문장 부호의 쓰임이 바른지 판별하는 유형

핵심정리

• 문장 부호

부호	쓰임
. 마침표	• 서술, 명령, 청유 등을 나타내는 문장의 끝에 쓴다. 예 ㉠ 젊은이는 나라의 기둥입니다. ㉡ "떠나자."(원칙) / "떠나자"(허용) ㉢ 애를 씀.(원칙) / 애를 씀(허용) • 아라비아 숫자만으로 연월일을 표시할 때 쓴다. 예 1919. 3. 1. • 특정한 의미가 있는 날을 표시할 때 월과 일을 나타내는 아라비아 숫자 사이에 쓴다. 예 3.1 운동(원칙) / 3·1운동(허용) • 장, 절, 항 등을 표시하는 문자나 숫자 다음에 쓴다. 예 가. 인명
? 물음표	• 의문문이나 의문을 나타내는 어구의 끝에 쓴다. 예 점심 먹었어? ※ 답이 하나이면 물음표도 한 개, 답이 세 개이면 물음표도 세 개이다. • 특정한 어구의 내용에 대하여 의심, 빈정거림 등을 표시할 때, 또는 적절한 말을 쓰기 어려울 때 소괄호 안에 쓴다. 예 우리와 의견을 같이할 사람은 최 선생(?) 정도인 것 같다. • 모르거나 불확실한 내용임을 나타낼 때 쓴다. 예 최치원(857~?)은 통일 신라 말기에 이름을 떨쳤던 학자이자 문장가이다.
, 쉼표	• 같은 자격의 어구를 열거할 때 그 사이에 쓴다. 예 근면, 검소, 협동은 우리 겨레의 미덕이다. • 짝을 지어 구별할 때 쓴다. 예 닭과 지네, 개와 고양이는 상극이다. • 이웃하는 수를 개략적으로 나타낼 때 쓴다. 예 5, 6세기 • 열거의 순서를 나타내는 어구 다음에 쓴다. 예 첫째, 몸이 튼튼해야 한다. • 문장의 연결 관계를 분명히 하고자 할 때 절과 절 사이에 쓴다. 예 콩 심은 데 콩 나고, 팥 심은 데 팥 난다. • 같은 말이 되풀이되는 것을 피하기 위하여 일정한 부분을 줄여서 열거할 때 쓴다. 예 여름에는 바다에서, 겨울에는 산에서 휴가를 즐겼다. • 부르거나 대답하는 말 뒤에 쓴다. 예 지은아, 이리 좀 와 봐. • 한 문장 안에서 앞말을 '곧', '다시 말해' 등과 같은 어구로 다시 설명할 때 앞말 다음에 쓴다. 예 책의 서문, 곧 머리말에는 책을 지은 목적이 드러나 있다. • 문장 앞부분에서 조사 없이 쓰인 제시어나 주제어의 뒤에 쓴다. 예 돈, 돈이 인생의 전부이더냐 • 한 문장에 같은 의미의 어구가 반복될 때 앞에 오는 어구 다음에 쓴다. 예 그의 애국심, 몸을 사리지 않고 국가를 위해 헌신한 정신을 우리는 본받아야 한다. • 도치문에서 도치된 어구들 사이에 쓴다. 예 이리 오세요, 어머님. • 바로 다음 말과 직접적인 관계에 있지 않음을 나타낼 때 쓴다. 예 갑돌이는, 울면서 떠나는 갑순이를 배웅했다. • 문장 중간에 끼어든 어구의 앞뒤에 쓴다. 예 나는, 솔직히 말하면, 그 말이 별로 탐탁지 않아. • 특별한 효과를 위해 끊어 읽는 곳을 나타낼 때 쓴다. 예 내가, 정말 그 일을 오늘 안에 해낼 수 있을까 • 짧게 더듬는 말을 표시할 때 쓴다. 예 선생님, 부, 부정행위라니요? 그런 건 새, 생각조차 하지 않았습니다.
· 가운뎃점	• 열거할 어구들을 일정한 기준으로 묶어서 나타낼 때 쓴다. 예 민수·영희, 선미·준호가 서로 짝이 되어 윷놀이를 하였다. • 짝을 이루는 어구들 사이에 쓴다. 예 한(韓)·이(伊) 양국 간의 무역량이 늘고 있다.(원칙) / 한 이 양국(허용) / 한, 이 양국(허용) • 공통 성분을 줄여서 하나의 어구로 묶을 때 쓴다. 예 상·중·하위권

( ) 소괄호	• 주석이나 보충적인 내용을 덧붙일 때 쓴다. 예 니체(독일의 철학자)의 말을 빌리면 다음과 같다. • 우리말 표기와 원어 표기를 아울러 보일 때 쓴다. 즉 '동음'일 때 쓴다. 예 기호(嗜好), 자세(姿勢) • 생략할 수 있는 요소임을 나타낼 때 쓴다. 예 학교에서 동료 교사를 부를 때는 이름 뒤에 '선생(님)'이라는 말을 덧붙인다. • 희곡 등 대화를 적은 글에서 동작이나 분위기, 상태를 드러낼 때 쓴다. 예 현우: (가쁜 숨을 내쉬며) 왜 이렇게 빨리 뛰어? • 내용이 들어갈 자리임을 나타낼 때 쓴다. 예 우리나라의 수도는 ( )이다. • 항목의 순서나 종류를 나타내는 숫자나 문자 등에 쓴다. 예 사람의 인격은 (1) 용모, (2) 언어, (3) 행동, (4) 덕성 등으로 표현된다.
{ } 중괄호	• 같은 범주에 속하는 여러 요소를 세로로 묶어서 보일 때 쓴다. 예 국가의 성립 요소 { 영토 / 국민 / 주권 } • 열거된 항목 중 어느 하나가 자유롭게 선택될 수 있음을 보일 때 쓴다. 예 아이들이 모두 학교 {에, 로, 까지} 갔어요.
[ ] 대괄호	• 괄호 안에 또 괄호를 쓸 필요가 있을 때 바깥쪽의 괄호로 쓴다. 예 어린이날이 새로 제정되었을 당시에는 어린이들에게 경어를 쓰라고 하였다.[윤석중 전집(1988), 70쪽 참조] • 고유어에 대응하는 한자어를 함께 보일 때 쓴다. 즉 '이음(음이 다름)일때' 쓴다. 예 나이[年歲] • 원문에 대한 이해를 돕기 위해 설명이나 논평 등을 덧붙일 때 쓴다. 예 그것[한글]은 이처럼 정보화 시대에 알맞은 과학적인 문자이다.
『 』 겹낫표 《 》 겹화살괄호	책의 제목이나 신문 이름 등을 나타낼 때 사용 ※ 큰따옴표로 대신할 수 있음.
「 」 홑낫표 〈 〉 홑화살괄호	소제목, 그림이나 노래와 같은 예술 작품의 제목, 상호, 법률, 규정 등을 나타낼 때 사용 ※ 작은따옴표로 대신할 수 있음.

출제 유형

문장 부호	문장 부호에 대한 설명이 바른지 판별하는 유형

163 ○○○ 2017 국가직 7급 추가

문장 부호 사용법에 대한 설명으로 옳지 않은 것은?

① 의문문의 끝에 마침표나 느낌표를 쓰는 경우도 있다.
② 열거할 어구들을 일정한 기준으로 묶어서 나타낼 때 가운뎃점을 쓴다.
③ 바로 다음 말과 직접적인 관계에 있지 않음을 나타낼 때 쉼표를 쓴다.
④ 한 문장 안에 몇 개의 선택적인 물음이 이어질 때 각 물음의 뒤에 물음표를 쓴다.

난이도 상 중 하

해설 한 문장 안에 몇 개의 선택적인 물음이 이어질 때는 '맨 뒤에'만 물음표를 쓴다. 따라서 각 물음의 뒤에 모두 물음표를 쓴다는 ④의 설명은 적절하지 않다. 각 물음 뒤에 물음표를 쓰는 것은 독립된 물음일 때이다.

오답 분석 ① 의문문, 즉 의문형 종결 어미가 쓰인 문장의 끝에는 물음표를 쓰는 것이 원칙이다. 그런데 의문의 정도가 약하면 물음표 대신 마침표를 쓸 수 있다. 또 형식은 의문문이지만 대답을 요구하는 것이 아니라 놀람, 항의, 반가움, 꾸중 등의 강한 감정 상태를 표현하는 문장에는 물음표 대신 느낌표를 쓸 수 있다.

② 짝을 이루는 어구들 사이에는 가운뎃점을 쓰는 것이 원칙이다. 짝을 이루는 어구들 사이에는 가운뎃점을 쓰지 않거나 쉼표를 쓸 수도 있다. 각 어구들을 하나의 단위로 뭉쳐서 나타내고자 할 때는 가운뎃점을 쓰고, 각 어구들을 낱낱으로 풀어서 열거하고자 할 때는 쉼표를 쓰거나 아무 부호도 쓰지 않을 수 있다.

③ 어떤 어구가 바로 다음 말과 직접적인 관계에 있지 않음을 나타낼 때 쉼표를 쓴다. 때로는 바로 다음에 이어지는 말과 직접 관계를 맺지 않는 경우가 있다. 이때 쉼표를 쓰지 않으면 바로 다음에 이어지는 말과 직접 관계를 맺는 것으로 잘못 해석될 수 있으므로, 이를 방지하기 위하여 쉼표를 쓴다.
※ '쉼표'를 통해 중의성을 해소할 수 있다.

정답 ④

164 ○○○ 2015 서울시 7급

다음 중 문장 부호와 그에 대한 설명이 옳지 않은 것은?

① 가운뎃점(·)은 열거된 여러 단위가 대등하거나 밀접한 관계임을 나타낸다.
② 쌍점(;)은 마침표의 일종으로 작은 제목 뒤에 간단한 설명을 붙일 때 쓰인다.
③ 줄표(―)는 이미 말한 내용을 다른 말로 부연하거나 보충할 때 쓰인다.
④ 대괄호([ ])는 묶음표 안의 말이 바깥 말과 음이 다를 때 쓰인다.

난이도 상 중 하

해설 **쌍점(:)**: 쌍점은 ';'이 아니라 ':'이다. ';'의 명칭은 '쌍반점'이다. 또한 '마침표'란 좁은 의미로는 문장 부호 '.'의 이름이며 넓은 의미로는 문장을 끝맺을 때 쓰는 문장 부호들의 분류명으로 마침표(.), 물음표(?), 느낌표(!)를 지칭하는 말이다. 쌍점(:)의 기능이 제목 뒤에 간단한 설명을 붙일 때 사용한다는 설명은 올바르다.

오답 분석 ① 짝을 이루는 어구들 사이에는 가운뎃점을 쓰는 것이 원칙이다. 짝을 이룬다는 것은 각각의 어구가 서로 긴밀한 관계를 맺으면서 전체 집합의 필수적인 요소가 된다는 뜻이다. 따라서 열거된 여러 단위가 대등하거나 밀접한 관계임을 나타낼 때 '가운뎃점(·)'을 쓴다는 설명은 옳다.

③ 강조나 부가 설명 또는 예를 들기 위하여 중간에 어구를 삽입하는 경우가 있다. 이런 어구를 문장 안의 다른 어구들과 구분하기 위하여 해당 어구의 앞뒤에 줄표를 쓴다.
※ 부연하거나 보충할 때 '줄표' 대신 '쉼표'를 쓸 수도 있다.

④ 대괄호는 '손발[手足]'처럼 묶음표 안의 말 '手足(손 수, 발 족)'과 바깥말 '손발'의 음이 다를 때 쓴다.

정답 ②

출제 유형

문장 부호	문장 부호의 쓰임이 바른지 판별하는 유형

165 ○○○

2023 군무원 9급

다음은 〈한글 맞춤법〉의 문장부호 사용법에 대한 설명이다. 이 설명에 어긋나는 예문은?

〈물음표(?)〉

(1) 의문문이나 의문을 나타내는 어구의 끝에 쓴다.
[붙임1] 한 문장 안에 몇 개의 선택적인 물음이 이어질 때는 맨 끝의 물음에만 쓰고, 각 물음이 독립적일 때는 각 물음의 뒤에 쓴다.

(2) 특정한 어구의 내용에 대하여 의심, 빈정거림 등을 표시할 때, 또는 적절한 말을 쓰기 어려울 때 소괄호 안에 쓴다.

(3) 모르거나 불확실한 내용임을 나타낼 때 쓴다.

① 너는 중학생이냐? 고등학생이냐?

② 이번에 가시면 언제 돌아오세요?

③ 주말 내내 누워서 텔레비전만 보고 있는 당신도 참 대단(?)하네요.

④ 노자(? ~ ?)는 중국 춘추 시대의 사상가로 도를 좇아서 살 것을 역설하였다.

난이도 ㊦㊥㊤

해설 '[붙임1] 한 문장 안에 몇 개의 선택적인 물음이이어질 때는 맨 끝의 물음에만 쓰고, 각 물음이 독립적일 때는 각 물음의 뒤에 쓴다.'를 볼 때, '너는 중학생이냐, 고등학생이냐?'로 고쳐야 한다.

오답분석
② '(1) 의문문이나 의문을 나타내는 어구의 끝에 쓴다.'의 예문이다.
③ '(2) 특정한 어구의 내용에 대하여 의심, 빈정거림 등을 표시할 때, 또는 적절한 말을 쓰기 어려울 때 소괄호 안에 쓴다.'의 예문이다.
④ '(3) 모르거나 불확실한 내용임을 나타낼 때 쓴다.'의 예문이다.

정답 ①

166 ○○○

2019 경찰 1차

현행 〈한글 맞춤법〉에 따른 문장 부호의 사용으로 가장 적절하지 않은 것은?

① 이는 한국을 대표하는 정신, 즉 '한(恨)'을 말한다.

② 그는 "우리말(國語)을 사랑해야 한다."고 말했다.

③ 선배가 "나는 시민을...." 하면서 가셨는데 말끝을 잘 듣지 못했다.

④ 날짜: 2019. 4. 27. 토요일

난이도 ㊦㊥㊤

해설

우리말(國語) → 우리말[國語]	괄호 안의 단어와 괄호 밖의 단어의 독음이 일치할 적에는, 소괄호 '( )'를 쓴다. 하지만, 독음이 일치하지 않을 적에는, 대괄호 '[ ]'를 쓴다. 괄호 안의 독음은 '國語(나라 국, 말씀 어)'이므로 '우리말'과 독음이 일치하지 않는다. 따라서 '우리말[國語]'로 적어야 한다.
" "고 → " "라고	직접 인용의 부사격 조사는 '라고'이고, 간접 인용의 부사격 조사는 '고'이다. 큰따옴표(" ")는 남의 말을 직접 인용할 적에 쓴다. 큰 따옴표의 사용을 바르게 하기 위해서는 인용격 조사 '고' 대신 '라고'를 적어야 한다.

오답분석
① 괄호 안의 단어와 괄호 밖의 단어의 독음이 일치할 적에는, 소괄호 '( )'를 쓴다. '한'과 '恨(한 한)'의 독음은 동일하기 때문에, 문장 부호의 쓰임은 적절하다.
③ 남의 말을 직접 인용할 때는 큰따옴표(" ")를 쓴다. 선배의 말을 직접 인용한 경우이므로 큰따옴표의 쓰임은 적절하다. 한편, 줄임표는 여섯 점을 찍는 것이 원칙이나 세 점을 찍는 것도 허용된다. 또한 가운데에 세 점을 찍거나 아래에 세 점을 찍어서 나타낼 수 있다. 마침표를 포함하여 네 점을 찍은 "나는 시민을...."의 쓰임은 적절하다.
④ 아라비아 숫자만으로 연월일(年月日)을 표시할 적에 온점을 쓴다. 따라서 온점의 쓰임은 적절하다.

정답 ②

167 ○○○ 2018 경찰 1차

다음 문장 부호의 쓰임으로 가장 적절하지 않은 것은?

① "나는 너를…." 하고 뒤돌아섰다.

② 그녀의 50세 나이(年歲)에 사랑의 꽃을 피웠다.

③ '환경 보호 – 숲 가꾸기 –'라는 제목으로 글짓기를 했다.

④ 윤동주의 유고 시집인 《하늘과 바람과 별과 시》에는 31편의 시가 실려 있다.

난이도 ㊤ ◯ ㊦

해설 **나이(年歲) → 나이[年歲]**: 대괄호는 '나이[年歲]'처럼 묶음표 안의 말 '年歲(해 연(년), 해 세)'와 바깥 말 '나이'와 음이 다를 때 쓴다.

오답분석

① '하고'를 볼 때, 직접 인용문이다. 다른 사람의 말이나 글을 직접 인용한 부분임을 나타낼 때 큰따옴표를 쓴다. 따라서 "나는 너를"에 큰 따옴표(" ")를 쓴 것은 옳다. 한편, 줄임표는 여섯 점을 찍는 것이 원칙이나 세 점을 찍는 것도 허용된다. 가운데에 세 점을 찍거나 아래에 세 점을 찍어서 나타낼 수 있다. 마침표의 사용 여부는 여섯 점을 찍는 경우(마침표까지 7개의 점이 됨.)와 다르지 않다. 따라서 총 4개의 점을 찍은 것은 옳다.

③ '환경 보호'가 제목이고, '숲 가꾸기'는 부제이다. 제목 다음에 표시하는 부제의 앞뒤에는 줄표를 쓰기 때문에 문장 부호의 쓰임이 옳다.

④ '유고 시집'이라는 말을 볼 때 책 이름이다. 문장 안에서 '책의 제목이나 신문 이름' 등을 나타낼 때는 그 앞뒤에 겹낫표나 겹화살괄호를 쓰는 것이 원칙이고 큰따옴표를 쓰는 것도 허용된다. 따라서 겹화살괄호(《》)로 책 이름을 나타낸 것은 옳다.

※ • 책의 제목, 신문 이름은 겹화살괄호(《 》), 겹낫표(『 』), 큰따옴표(" ")를 사용

• 나머지 명칭은 홑화살괄호(〈 〉), 홑낫표(「 」), 작은따옴표(' ')를 사용

 ②

168 ○○○ 2015 지방직 9급

묶음표의 쓰임이 잘못된 것은?

① 나는 3·1 운동(1919) 당시 중학생이었다.

② 그녀의 나이(年歲)가 60세일 때 그 일이 터졌다.

③ 젊음[희망(希望)의 다른 이름]은 가장 아름다운 꽃이다.

④ 국가의 성립 요소 {국토 / 국민 / 주권}

난이도 ㊤ ◯ ㊦

해설 **나이(年歲) → 나이[年歲]**: 대괄호는 '나이[年歲]'처럼 묶음표 안의 말 '年歲(해 연(년), 해 세)'와 바깥 말 '나이'와 음이 다를 때 쓴다.

오답분석

① 앞말에 대한 주석이나 보충적인 내용임을 나타낼 때 소괄호를 쓴다. '1919'는 '3.1 운동'이 일어난 연도에 대한 보충 내용이므로 소괄호를 쓴 것은 옳다.

③ 주석이나 보충적인 내용을 덧붙일 때 보통 소괄호를 쓰는데, 소괄호 안에 다시 소괄호를 써야 하는 경우가 있다. 이런 경우에는 바깥쪽의 괄호를 대괄호로 쓴다. '희망(希望)의 다른 이름'에 이미 소괄호가 있기 때문에 대괄호를 쓴 것은 옳다.

④ 같은 범주에 속하는 여러 요소를 세로로 묶어서 보일 때는 중괄호를 쓴다. '국토, 국민, 주권'을 모두 같은 범주에 속하는 요소이므로 중괄호를 쓴 것은 옳다.

 ②

CHAPTER 4

로마자/외래어 표기법

Unit 29 〈로마자 표기법〉 규정

출제 유형

- 표기와 규정에 대한 설명이 바른지 판별하는 유형
- 규정에 부합하는 용례를 찾는 유형

핵심정리

- **〈로마자 표기법〉의 유의점**

(1) 단어 내부에서의 경음화(된소리되기)는 표기에 반영하지 않는다.

예 압구정(Apgujeong), 낙동강(Nakdonggang)

(2) 인명 표기에서 이름의 사이와, 행정 구역 표기에서 앞말과 단위명 사이에서 일어나는 음운 변화는 표기에 반영하지 않는다.

예 한복남(Han Boknam/Han Bok-nam), 사북면(Sabuk-myeon)

(3) 발음상 혼동의 우려가 있을 때에는 붙임표(-)를 쓸 수 있다.

예 중앙(Jung-ang)

(4) 고유 명사는 첫 글자를 대문자로 적는다.

예 부산(Busan), 세종(Sejong)

(5) 인명은 성과 이름의 순서로 띄어 쓴다.

예 윤숙영: ① Yun Sukyeong, ② Yun Suk-yeong

(6) '도, 시, 군, 구, 읍, 면, 리, 동, 가, 대로, 로, 길'의 행정 구역 단위는 각각 'do, si, gun, gu, eup, myeon, ri, dong, ga, daero, ro, gil'로 적고, 그 앞에는 붙임표를 넣는다.

예 충청북도(Chungcheongbuk-do)

(7) 자연 지물명, 문화재명, 인공 축조물명은 붙임표(-) 없이 붙여 쓴다.

예 남산(Namsan)

출제 유형

〈로마자 표기법〉 규정	표기와 규정에 대한 설명이 바른지 판별하는 유형

169 ○○○ 2021 법원직 9급

〈보기〉를 참고하여 로마자 표기법을 적용할 때 가장 옳지 않은 것은?

〈보기〉

(1) 로마자 표기법의 주요 내용

㉮ 'ㄱ, ㄷ, ㅂ'은 모음 앞에서는'g, d, b' 로, 자음 앞이나 어말에서는 'k, t, p'로 적는다.

㉯ 'ㄹ'은 모음 앞에서는 'r'로, 자음 앞이나 어말에서는 'l'로 적는다. 단, 'ㄹㄹ'은 'll'로 적는다. 예 알약[알략] allyak

㉰ 자음동화, 구개음화, 거센소리되기는 변화가 일어난 대로 표기함. 예 왕십리 [왕심니] Wangsimni, 놓다[노타] nota

- 다만, 체언에서 'ㄱ, ㄷ, ㅂ' 뒤에 'ㅎ'이 따를 때에는 'ㅎ'을 밝혀 적는다. 예 묵호 Mukho

㉱ 된소리되기는 표기에 반영하지 않는다.

㉲ 고유 명사는 첫 글자를 대문자로 적는다.

(2) 표기 일람

ㅏ	ㅓ	ㅗ	ㅜ	ㅡ	ㅣ	ㅐ	ㅔ	ㅚ	ㅟ
a	eo	o	u	eu	i	ae	e	oe	wi

ㅑ	ㅕ	ㅛ	ㅠ	ㅒ	ㅖ	ㅘ	ㅙ	ㅝ	ㅞ	ㅢ
ya	yeo	yo	yu	yae	ye	wa	wae	wo	we	ui

ㄱ	ㄲ	ㅋ	ㄷ	ㄸ	ㅌ	ㅂ	ㅃ	ㅍ
g, k	kk	k	d, t	tt	t	b, p	pp	p

ㅈ	ㅉ	ㅊ	ㅅ	ㅆ	ㅎ	ㄴ	ㅁ	ㅇ	ㄹ
j	jj	ch	s	ss	h	n	m	ng	r, l

① '해돋이'는 [해도지]로 구개음화가 되므로 그 발음대로 hae-doji로 적어야 해.

② '속리산'은 [송니산]으로 발음되지만 고유명사이므로 Sokri-san으로 적어야 해.

③ '울산'은 [울싼]으로 된소리로 발음되지만 표기에는 반영하지 않고 Ulsan으로 적어야 해.

④ '집현전'은 [지편전]으로 거센소리로 발음되지만 체언이므로 'ㅂ'과 'ㅎ'을 구분하여 Jiphyeonjeon으로 적어야 해.

난이도 상 ● 하

해설 Sokri-san → Songnisan: 〈보기〉에 고유 명사를 '발음'이 아닌 '표기'대로 적어야 한다는 규정은 나와 있지 않다. 〈보기〉의 "㉰ 자음동화, 구개음화, 거센소리되기는 변화가 일어난 대로 표기함."을 볼 때, 표준 발음이 [송니산]인 '속리산'은 'Songnisan'으로 표기해야 한다.

오답분석 ① '해돋이'가 [해도지]로 발음되는 것은 '구개음화'에 따른 것이다. 〈보기〉에 "㉰ 자음동화, 구개음화, 거센소리되기는 변화가 일어난 대로 표기함."이라고 나와 있다. 따라서 'haedoji'로 적는다는 설명은 옳다.

③ "㉱ 된소리되기는 표기에 반영하지 않는다."에 따라 '울산[울싼]'을 'Ulsan'으로 적은 것은 옳다.

④ '집현전'은 거센소리되기가 일어나 [지편전]으로 발음된다. 다만의 "체언에서 'ㄱ, ㄷ, ㅂ' 뒤에 'ㅎ'이 따를 때에는 'ㅎ'을 밝혀 적는다."에 따라 'ㅎ'을 밝혀 'Jiphyeonjeon'으로 적은 것은 옳다.

 ②

170 ○○○ 2021 국회직 8급

〈로마자 표기법〉의 각 조항에 들어갈 예를 바르게 짝지은 것은?

제3장 표기상의 유의점

제1항 음운 변화가 일어날 때는 변화의 결과에 따라 다음 각 호와 같이 적는다.

1. 자음 사이에서 동화 작용이 일어나는 경우
   예 ㉠
2. 'ㄴ, ㄹ'이 덧나는 경우
   예 ㉡
3. 구개음화가 되는 경우
   예 ㉢
4. 'ㄱ, ㄷ, ㅂ, ㅈ'이 'ㅎ'과 합하여 거센소리가 나는 경우 다만, 체언에서 'ㄱ, ㄷ, ㅂ' 뒤에 'ㅎ'이 따를 때에는 'ㅎ'을 밝혀 적는다.
   예 ㉣

[붙임] 된소리되기는 표기에 반영하지 않는다.
   예 ㉤

① ㉠: '학여울'은 [항녀울]로 발음되므로 'Haknyeoul'로 쓴다.

② ㉡: '왕십리'는 [왕심니]로 발음되므로 'Wangsimni'로 쓴다.

③ ㉢: '해돋이'는 [해도지]로 발음되므로 'haedoji'로 쓴다.

④ ㉣: '집현전'은 [지편전]으로 발음되므로 'Jipyeonjeon'으로 쓴다.

⑤ ㉤: '팔당'은 [팔땅]으로 발음되므로 'Palddang'으로 쓴다.

난이도 ㊤ ㊥ ㊦

해설 '해돋이'는 구개음화가 일어나 [해도지]로 발음한다. 따라서 "'해돋이'는 [해도지]로 발음되므로 'haedoji'로 쓴다."는 ⓒ에 들어갈 예로 적절하다.

오답 분석
① '학여울'의 표준 발음은 [항녀울]이므로 'Hangnyeoul'로 써야한다.
② '왕십리'는 [왕심니]로 발음되므로 'Wangsimni'로 쓰는 것은 맞다. 그러나 이는 ㉠의 예에 해당한다. 따라서 ⓒ의 예로 적절하지 않다.
④ '집현전'은 체언이다. 체언 내부에서 일어나는 거센소리되기의 경우 'ㅎ'을 밝혀 적으라고 했기 때문에 'Jiphyeonjeon'으로 써야 한다.
⑤ '팔당'의 표준 발음은 [팔땅]이 맞다. 그런데 된소리되기는 표기에 반영하지 않는다고 했기 때문에 'Paldang'으로 써야 한다.

정답 ③

171 ○○○ 2018 경찰 1차

국어의 로마자 표기와 그에 대한 설명으로 가장 적절한 것은?

① 압구정 – 'Apgujeong' – 된소리되기는 표기에 반영하지 않는다.
② 속리산 – 'Songni-san' – 자연 지물명, 문화재명 등은 붙임표를 붙여 쓴다.
③ 한복남 – 'Han Bongnam' – 인명에서 일어나는 음운 변화는 표기에 반영한다.
④ 집현전 – 'Jipyeonjeon' – 'ㄱ, ㄷ, ㅂ, ㅈ'이 'ㅎ'과 합하여 거센소리로 나는 경우 거센소리로 적는다.

난이도 ㊤ ㊥ ㊦

해설 국어의 로마자 표기는 '표준 발음'을 기준으로 하지만, 된소리되기는 표기에 반영하지 않는다. 따라서 '압구정'의 표준 발음은 [압꾸정]이지만, 표기는 된소리되기를 반영하지 않은 'Apgujeong'이다.

오답 분석
② <로마자 표기법>에 따르면 자연 지물명, 문화재명은 붙임표(-) 없이 붙여 써야 한다. 따라서 '속리산[송니산]'의 바른 표기는 'Songnisan'이다.
③ <로마자 표기법>에 따르면 이름에서 일어나는 음운 변화는 표기에 반영하지 않는다. 따라서 '한복남'의 바른 표기는 'Han Boknam'이다.
※ 이름은 붙여 쓰는 것을 원칙으로 하되 음절 사이에 붙임표(-)를 쓰는 것을 허용한다는 규정에 따라 'Han Bok-nam'으로도 표기할 수 있다.
④ <로마자 표기법>에 따르면 'ㄱ, ㄷ, ㅂ, ㅈ'이 'ㅎ'과 합하여 거센소리로 나는 경우 '용언'의 경우에는 거센소리를 밝혀 적는 것이 원칙이다. 그러나 '체언'에서 'ㄱ, ㄷ, ㅂ' 뒤에 'ㅎ'이 따를 때에는 'ㅎ'을 밝혀 적는다고 했다. '집현전'은 체언 내부에서 일어나는 거센소리되기이므로 'ㅎ'을 밝혀 'Jiphyeonjeon'으로 표기해야 한다.

정답 ①

172 ○○○ 2018 경찰 2차

국어의 <로마자 표기법>에 대한 설명으로 가장 적절하지 않은 것은?

① '청주시 Cheongju', '함평군 Hampyeong', '순창읍 Sunchang'처럼 '시, 군, 읍'의 행정 구역 단위는 생략할 수 있다.
② '묵호 Mukho', '집현전 Jiphyeonjeon'처럼 체언에서 'ㄱ, ㄷ, ㅂ' 뒤에 'ㅎ'이 따를 때에는 'ㅎ'을 밝혀 적는다.
③ '홍빛나 Hong Bitna', '한복남 Han Boknam'처럼 이름은 붙여 쓰는 것을 원칙으로 하되 음절 사이에 붙임표(-)를 쓰는 것을 허용하지 않는다.
④ '남산 Namsan', '독도 Dokdo'처럼 자연 지명물, 문화재명, 인공 축조물명은 붙임표(-) 없이 붙여 쓴다.

난이도 ㊤ ㊥ ㊦

해설 이름은 붙여 쓰는 것을 원칙으로 한다. 다만, 음절 사이에 붙임표(-)를 쓰는 것을 허용한다. 따라서 음절 사이에 붙임표를 쓰는 것을 허용하지 않는다는 ③의 설명은 적절하지 않다.

정답 ③

출제 유형

<로마자 표기법> 규정	규정에 부합하는 용례를 찾는 유형

173 ○○○ 2018 국가직 9급

<로마자 표기법>에 관한 다음 규정이 적용된 것은?

> 발음상 혼동의 우려가 있을 때에는 음절 사이에 붙임표(-)를 쓸 수 있다.

① 독도: Dok-do ② 반구대: Ban-gudae
③ 독립문: Dok-rip-mun ④ 인왕리: Inwang-ri

난이도 ㊤ ㊥ ㊦

※ 제시된 규정은 <로마자 표기법> 제3장 표기상의 유의점의 제2항이다.

해설 반구대'를 붙임표 없이 'Bangudae'로 쓸 경우 '반구대(Bangudae)'로 읽을 수도 있지만, '방우대(Bangudae)'로 읽을 수 있기 때문에, 발음상의 혼동의 우려가 있다. 따라서 발음상 혼동의 우려가 있기 때문에, 붙임표를 붙이지 않는 것이 원칙이나 발음상 'n'과 'g' 사이에 붙임표를 붙일 수 있다.

오답 분석
① Dok-do → Dokdo: '독도'는 붙임표가 없어도 발음상 혼동의 우려가 없다. 따라서 음절 사이에 붙임표를 붙일 필요가 없다. 또한 자연 지물명, 문화재명, 인공 축조물명은 붙임표(-) 없이 붙여 쓸 수 있기 때문에 'Dokdo'로만 적어야 한다.
③ Dok-rip-mun → Dongnimmun: 자연 지물명, 문화재명, 인공 축조물명은 붙임표(-) 없이 붙여 써야 한다. 또한 <로마자 표기법>에서 자음 동화는 표기에 반영하므로 '독립문[동님문]'은 'Dongnimmun'으로 적어야 한다.
④ '인왕리'를 'Inwang-ri'로 표기한 것 자체는 옳다. 그러나 붙임표를 쓴 것은 발음상의 혼동이 아니라 '리'가 행정 구역이기 때문이다.

정답 ②

Unit 30 로마자 표기

출제 유형

- 1개의 표기를 제시하는 유형
- 여러 표기를 열거하는 유형
- 표준 발음법과 함께 다루는 유형

핵심정리

- **로마자 표기**

(1) 모음

① 단모음

ㅏ	ㅓ	ㅗ	ㅜ	ㅡ	ㅣ	ㅐ	ㅔ	ㅚ	ㅟ
a	eo	o	u	eu	i	ae	e	oe	wi

② 이중 모음

ㅑ	ㅕ	ㅛ	ㅠ	ㅒ	ㅖ	ㅘ	ㅙ	ㅝ	ㅞ	ㅢ
ya	yeo	yo	yu	yae	ye	wa	wae	wo	we	ui

(2) 자음

① 파열음

ㄱ	ㄲ	ㅋ	ㄷ	ㄸ	ㅌ	ㅂ	ㅃ	ㅍ
g, k	kk	k	d, t	tt	t	b, p	pp	p

② 파찰음

ㅈ	ㅉ	ㅊ
j	jj	ch

③ 마찰음

ㅅ	ㅆ	ㅎ
s	ss	h

④ 비음

ㄴ	ㅁ	ㅇ
n	m	ng

⑤ 유음

ㄹ
r, l

심화 Plus

- **로마자 표기 기출**

17 서울시 7급	독도(Dokdo) 불국사(Bulguksa) 극락전(Geungnakjeon) 촉석루(Chokseongnu)
16 사회복지직 9급	춘천(Chuncheon) 밀양(Miryang) 청량리(Cheongnyangni) 예산(Yesan)
15 기상직 9급	백령도(Baengnyeongdo) 울릉도(Ulleungdo) 북한산(Bukhansan) 압록강(Amnokgang)
15 경찰 2차	경복궁(Gyeongbokgung) 독립문(Dongnimmun) 집현전(Jiphyeonjeon) 속리산(Songnisan)
15 교육행정직 7급	안압지(Anapji) 신륵사(Silleuksa) 삼죽면(Samjuk-myeon) 훈민정음(Hunminjeongeum)

출제 유형

로마자 표기법	1개의 표기를 제시하는 유형

174 ○○○ 2023 군무원 9급

다음 중 밑줄 친 표기가 국어의 <로마자 표기법> 규정에 어긋난 것은?

① 경기도 의정부시 - Uijeongbu-si
② 홍빛나 주무관님 - Hong Binna
③ 서울시 종로구 종로 2가 - Jongno 2(i)-ga
④ 부석사 무량수전 앞에 서서 - Muryangsujeon

난이도 ㊤ ㊥ ㊦

해설 이름에서 일어나는 음운 변화는 표기에 반영하지 않는다. 따라서 '빛나'를 [빈나]로 발음하더라도, 표기는 'Hong Bitna(Hong Bit-na)'로 해야 한다.

정답 ②

175 ○○○ 2022 군무원 9급

다음 중 밑줄 친 단어를 <로마자 표기법>에 맞게 표기한 것은?

○ 내 이름은 복연필이다.
○ 어제 우리는 청와대를 다녀왔다.
○ 작년에 나는 한라산을 등산하였다.
○ 다음 주에 나는 북한산을 등산하려고 한다.

① 복연필 - Bok Nyeonphil
② 청와대 - Chungwadae
③ 한라산 - Hanrasan
④ 북한산 - Bukhansan

난이도 ㊤ ㊥ ㊦

해설 체언에서 'ㄱ, ㄷ, ㅂ' 뒤에 'ㅎ'이 따를 때에는 'ㅎ'을 밝혀 적는다. 따라서 '북한산'은 [부칸산]으로 거센소리되기가 일어나더라도, 체언이기 때문에 'ㅎ'을 밝혀 'Bukhansan'으로 표기한 것은 옳다.

오답 분석
① 이름에서 일어나는 음운 변화는 표기에 반영하지 않는다. 또한 'ㅍ'은 로마자로 'ph'가 아닌 'p'로 적는다. 따라서 '복연필'은 'Bok Yeonpil' 또는 'Bok Yeon-pil'로 표기해야 한다.
② 모음 'ㅓ'는 로마자로 'un'이 아닌 'eo'로 적는다. 따라서 '청와대'는 'Cheongwadae'로 표기해야 한다.
③ '한라산'의 표준 발음은 [할ː라산]이다. 'ㄹㄹ'은 'll'로 적는다. 따라서 '한라산'은 'Hallasan'으로 표기해야 한다.

정답 ④

176 ○○○ 2019 서울시 9급(6월)

<보기>의 ㉠~㉣을 현행 <로마자 표기법>에 따라 표기한 것으로 가장 적절한 것은?

<보기>
㉠ 다락골 ㉡ 국망봉 ㉢ 낭림산 ㉣ 한라산

① ㉠ - Dalakgol ② ㉡ - Gukmangbong
③ ㉢ - Nangrimsan ④ ㉣ - Hallasan

난이도 ㊤ ㊥ ㊦

해설 현행 로마자 표기는 '발음'을 기준으로 한다. '한라산'의 표준 발음은[할ː라산]이다. 따라서 'Hallasan'의 표기는 바르다.

오답 분석
① Dalakgol → Darakgol: 초성의 'ㄹ'은 'r'로, 종성의 'ㄹ'은 'l'로 표기한다. '다락골[다락꼴]'에서는 'ㄹ'이 초성에 쓰였기 때문에 'l' 대신 'r'로 표기해야 한다.
※ 된소리되기는 표기에 반영하지 않는다.
② Gukmangbong → Gungmangbong: '국망봉'의 표준 발음은 [궁망봉]이다. 따라서 'Gungmangbong'으로 표기해야 한다.
③ Nangrimsan → Nangnimsan: '낭림산'의 표준 발음은 [낭님산]이다. 따라서 'Nangnimsan'으로 표기해야 한다.
※ 자음 동화는 표기에 반영한다.

정답 ④

177 ○○○ 2018 서울시 7급(3월)

<로마자 표기법>이 가장 옳지 않은 것은?

① 신리: Sin-li ② 일직면: Iljik-myeon
③ 사직로: Sajik-ro ④ 진량읍: Jillyang-eup

난이도 ㊤ ㊥ ㊦

해설 Sin-li → Sin-ri: '도, 시, 군, 구, 읍, 면, 리, 동'의 행정 구역 단위와 '가'는 각각 'do, si, gun, gu, eup, myeon, ri, dong, ga'로 적고, 그 앞에는 붙임표(-)를 넣는다. 붙임표(-) 앞뒤에서 일어나는 음운 변화는 표기에 반영하지 않는다. 따라서 '신리'는 'Sin-ri'로 표기해야 한다.
※ '신리'의 표준 발음은 [실리]이다. 따라서 '리'가 행정 구역이 아니더라도 'silli'로 표기해야 한다.

오답 분석
② '일직'은 [일찍]으로 발음되지만 된소리되기는 표기에 반영하지 않기 때문에 'Iljik-myeon'으로 표기한 것은 옳다.
③ 붙임표 앞뒤에서 일어나는 음운 변화는 표기에 반영하지 않는다. 따라서 '사직로'가 [사징노]로 발음되더라도 'Sajik-ro'로 표기한 것은 옳다.
④ '진량'은 [질량]으로 발음되므로 'Jillyang-eup'으로 표기한 것은 옳다.

정답 ①

로마자 표기법	여러 표기를 열거하는 유형

178 ○○○ 2023 국회직 8급

다음 단어의 로마자 표기로 옳은 것은?

	종로	여의도	신라
①	Jongro	Yeouido	Silla
②	Jongno	Yeouido	Silla
③	Jongro	Yeoeuido	Sinla
④	Jongno	Yeoeuido	Silla
⑤	Jongno	Yeoeuido	Sinla

난이도 ㊤ ◯ ㊦

해설

종로	'종로'의 표준 발음은 [종노]이다. 따라서 'Jongno'로 표기해야 한다.
여의도	'ㅢ'는 항상 'ui'로 표기한다. 따라서 '여의도'는 'Yeouido'로 표기해야 한다.
신라	'신라'의 표준 발음은 [실라]이다. 'ㄹㄹ'은 'll'로 표기한다. 따라서 '신라'는 'Silla'로 표기해야 한다.

정답 ②

179 ○○○ 2019 서울시 9급(2월)

〈보기〉의 로마자 표기가 옳은 것을 모두 고르면?

〈보기〉
ㄱ. 오죽헌 Ojukeon　　ㄴ. 김복남(인명) Kim Bok-nam
ㄷ. 선릉 Sunneung　　ㄹ. 합덕 Hapdeok

① ㄱ, ㄴ　　② ㄱ, ㄷ
③ ㄴ, ㄹ　　④ ㄷ, ㄹ

난이도 ㊤ ◯ ㊦

해설 ㄴ. 이름 사이에서 일어나는 음운 변동은 표기에 반영하지 않기 때문에 'Kim Bok-nam'의 로마자 표기는 바르다.
[원칙] Kim Boknam
[허용] Kim Bok-nam
※ 〈로마자 표기법〉의 원칙에 따르면 성 '김'은 'Gim'으로 표기해야 하나, 제4항 '성의 표기는 따로 정한다.'는 원칙에 따라 'Kim'으로 표기할 수 있다.

ㄹ. 된소리되기는 표기에 반영하지 않기 때문에 '합덕'이 [합떡]으로 소리가 나더라도 'Hapdeok'의 로마자 표기는 바르다.

오답분석 ㄱ. 오죽헌(Ojukeon → Ojukheon): 체언 내부의 거센소리되기는 'ㅎ(h)'을 밝혀 표기한다. 따라서 '오죽헌[오주컨]'은 'Ojukheon'으로 표기해야 한다.
※ 용언의 자음 축약은 표기에 반영하지만, 체언의 자음 축약은 표기에 반영하지 않는다.

ㄷ. 선릉(Sunneung → Seolleung): '선릉'의 표준 발음은 [선능]이 아니라 [설릉]이다. 따라서 'Seolleung'으로 표기해야 한다.
※ 'ㄹㄹ'은 'll'로 표기

정답 ③

로마자 표기법	표준 발음법과 함께 다루는 유형

180 ○○○ 2018 서울시 9급(3월)

로마자 표기의 예로 옳지 않은 것은?

① 종로[종노] → Jongro　　② 알약[알략] → allyak
③ 같이[가치] → gachi　　④ 좋고[조코] → joko

난이도 ㊤ ◯ ㊦

해설 Jongro → Jongno: 국어의 로마자 표기는 '표준 발음'을 기준으로 한다. 따라서 '종로'의 표준 발음이 [종노]이기 때문에 'Jongro'가 아니라 'Jongno'로 표기해야 한다.

오답분석 ② '알약'의 표준 발음은 [알략]이므로, 로마자로 'allyak'으로 표기한다.
③ '같이'의 표준 발음은 [가치]이므로, 로마자로 'gachi'로 표기한다.
④ '좋고'의 표준 발음은 [조코]이므로, 로마자로 'joko'로 표기한다.
※ 〈로마자 표기법〉에서 체언의 축약을 표기에 반영하지 않으나, 용언의 축약은 반영한다.

정답 ①

181 ○○○ 2017 서울시 9급

다음 중 제시된 단어의 표준 발음과 로마자 표기가 모두 옳은 것은?

① 선릉[선능] – Seonneung
② 학여울[항녀울] – Hangnyeoul
③ 낙동강[낙똥강] – Nakddonggang
④ 집현전[지편전] – Jipyeonjeon

난이도 ㊤ ◯ ㊦

해설 '학여울'의 표준 발음은 [항녀울]이다.
이에 따라 로마자로 'Hangnyeoul'로 표기한다.
※ '학여울'의 표준 발음 과정
[학여울 → ('ㄴ' 첨가) → 학녀울 → (비음동화) → 항녀울]

오답분석 ① Seonneung → Seolleung: '선릉'의 표준 발음은 [선능]이 아니라 [설릉]이다. 따라서 로마자로 'Seolleung'으로 표기해야 한다.
③ Nakddonggang → Nakdonggang: '낙동강'의 표준 발음은 [낙똥강]이다. 그러나 된소리되기는 로마자 표기에 반영하지 않기 때문에 'Nakdonggang'으로 표기해야 한다.
④ Jipyeonjeon → Jiphyeonjeon: '집현전'의 표준 발음은 [지편전]이다. 용언과 달리 체언 내부에서 일어나는 거센소리되기의 경우 'ㅎ(h)'을 밝혀 적어야 한다. 따라서 'Jiphyeonjeon'으로 표기해야 한다.

정답 ②

Unit 31 〈외래어 표기법〉 규정

출제 유형

- 규정에 대한 설명이 바른지 판별하는 유형
- 표기와 관련이 있는 규정을 찾는 유형
- 표기가 맞는지 판별하는 유형

핵심정리

- **〈외래어 표기법〉**

(1) [제1항] 외래어는 국어의 현용 24 자모만으로 적는다.

(2) [제2항] 외래어의 1음운은 원칙적으로 1기호로 적는다.

(3) [제3항] 받침에는 'ㄱ, ㄴ, ㄹ, ㅁ, ㅂ, ㅅ, ㅇ'만을 쓴다.

(4) [제4항] 파열음 표기에는 된소리를 쓰지 않는 것을 원칙으로 한다.

(5) [제5항] 이미 굳어진 외래어는 관용을 존중하되, 그 범위와 용례는 따로 정한다

심화 Plus

- **관용을 존중한 외래어 표기의 예(〈외래어 표기법〉 제5항)**

빵	파마	껌	히로뽕	빨치산(파르티잔)
사이다	잠바(점퍼)	샤쓰(셔츠)	바바리코트	조끼
쓰나미	짬뽕	마니아	바께쓰	알코올

〈외래어 표기법〉 규정	규정에 대한 설명이 바른지 판별하는 유형

182 ○○○ 2017 경찰 1차

다음에 제시된 〈외래어 표기법〉의 기본 원칙 중 적절하지 않은 것은?

> 〈외래어 표기법〉은 외래어를 한글로 표기하는 방법에 대한 규정으로 현행 표기법은 1986년에 고시되었다. 현재 영어, 독일어, 중국어, 일본어 등 21개 언어에 대한 표기 세칙이 마련되어 있다. 〈외래어 표기법〉의 제1장에서는 표기의 기본 원칙을 다음과 같이 밝혔다.
>
> [제1항] 외래어는 국어의 현용 24 자모만으로 적는다.
> [제2항] 외래어의 1음운은 원칙적으로 1기호로 적는다.
> [제3항] 받침에는 ‘ㄱ ㄴ ㄷ ㄹ ㅁ ㅂ ㅅ ㅇ’만을 쓴다.
> [제4항] 파열음 표기에는 된소리를 쓰지 않는 것을 원칙으로 한다.
> [제5항] 이미 굳어진 외래어는 관용을 존중하되, 그 범위와 용례는 따로 정한다.

① 제1항 ② 제2항
③ 제3항 ④ 제4항

난이도 ㊤ ㊥ ◯

해설 외래어의 받침에는 ‘ㄷ’을 쓸 수 없다. 외래어의 받침에는 ‘ㄷ’을 제외한 ‘ㄱ, ㄴ, ㄹ, ㅁ, ㅂ, ㅅ, ㅇ’만을 쓴다.

오답분석
① ‘외래어’는 우리말이다. 따라서 현용 24자모 외의 기호나 문자를 쓰지 않는다.
② 1음운 1기호의 원칙에 따라서 ‘fighting’, ‘file’은 ‘ㅍ’으로만 표기한다.
예 파이팅, 파일(○) / 화이팅(×), 화일(×)
④ 파열음 표기에 된소리를 가급적 쓰지 않는다. 대표적인 예로 ‘피에로’가 있다. 이 원칙에 따라 ‘pierrot’는 ‘삐에로’가 아니라 ‘피에로’로 표기한다.

정답 ③

183 ○○○ 2009 지방직 7급

다음의 〈외래어 표기의 기본 원칙〉에 맞지 않는 것은?

> 〈외래어 표기의 기본 원칙〉
> [제1항] 외래어는 국어의 현용 24 자모만으로 적는다.
> [제2항] 외래어의 1 음운은 원칙적으로 1 기호로 적는다.
> [제3항] 받침에는 ‘ㄱ, ㄴ, ㄹ, ㅁ, ㅂ, ㅅ, ㅇ’만을 적는다.
> [제4항] 파열음 표기에는 된소리를 쓰지 않는 것을 원칙으로 한다.
> [제5항] 이미 굳어진 외래어는 관용을 존중하되, 그 범위와 용례는 따로 정한다.

① 외래어도 국어이므로 국어에 사용하지 않는 문자나 기호를 쓸 필요가 없다.
② ‘graph’는 ‘그래프’로 적는다.
③ 받침 표기는 국어의 음절 말 자음 체계와 일치한다.
④ ‘Paris’는 ‘파리’로 적는다.

난이도 ㊤ ◯ ㊦

해설 국어의 음절 말 자음 체계는 음절의 끝(말음)에 ‘ㄱ, ㄴ, ㄷ, ㄹ, ㅁ, ㅂ, ㅇ’ 7개의 소리만 올 수 있다는 것이다. 음운 변동에서는 이를 ‘음절의 끝소리 규칙’으로 부르기도 한다. 그런데 외래어 받침에는 ‘ㄷ’을 쓰지 않는다. 따라서 받침 표기는 국어의 음절 말 자음 체계와 일치한다는 설명은 옳지 않다.

 ③

출제 유형

〈외래어 표기법〉 규정	표기와 관련이 있는 규정을 찾는 유형

184 ○○○ 2022 국회직 8급

㉠~㉤의 외래어 표기법 규정 중 〈보기〉의 내용과 관련성이 높은 것은?

> 제1장 표기의 기본 원칙
> 제2항 ㉠ 외래어의 1 음운은 원칙적으로 1 기호로 적는다.
> 제4항 ㉡ 파열음 표기에는 된소리를 쓰지 않는 것을 원칙으로 한다.
> 제2장 표기 일람표
> 제3장 표기 세칙
> 제4장 인명, 지명 표기의 원칙
> 제1절 표기 원칙
> 제2항 ㉢ 제3장에 포함되어 있지 않은 언어권의 인명, 지명은 원지음을 따르는 것을 원칙으로 한다.
> 제3항 ㉣ 원지음이 아닌 제3국의 발음으로 통용되고 있는 것은 관용을 따른다.
> 제4항 ㉤ 고유 명사의 번역명이 통용되는 경우 관용을 따른다.

〈보기〉

> 안녕하십니까? 12시 뉴스입니다. 오늘부터는 우크라이나 지명을 러시아어가 아닌 우크라이나어를 기준으로 전해 드립니다. 대표적으로 수도인 키예프는 '키이우'로, 제2의 도시 하리코프는 '하르키우'로, 서부의 리비프는 '르비우'로 바꿔 부릅니다.

① ㉠ ② ㉡
③ ㉢ ④ ㉣
⑤ ㉤

난이도 ㊤ ㊥ ㊦

해설 〈보기〉의 "오늘부터는 우크라이나 지명을 러시아어가 아닌 우크라이나어를 기준으로 전해드립니다."를 볼 때, ㉢과 가장 관련이 있음을 알 수 있다.

정답 ③

185 ○○○ 2014 서울시 9급

다음 단어들 모두에 공통적으로 적용되는 외래어 표기의 원칙은?

> 콩트, 더블, 게임, 피에로

① 파열음 표기에는 된소리를 쓰지 않는 것이 원칙이다.
② 외래어를 표기할 때는 받침으로 'ㄱ, ㄴ, ㄷ, ㄹ, ㅁ, ㅂ, ㅅ, ㅇ'만을 쓴다.
③ 외래어의 1 음운은 원음에 가깝도록 둘 이상의 기호로 적는 것을 원칙으로 한다.
④ 이미 굳어진 외래어도 발음에 가깝도록 바꾸는 것을 원칙으로 한다.
⑤ 원음에 더욱 가깝게 적기 위해 새로 문자나 기호를 만들 수 있다.

난이도 ㊤ ㊥ ㊦

해설 제시된 단어들의 공통점은 초성이 파열음이라는 것이다. 따라서 "파열음 표기에는 된소리를 쓰지 않는 것이 원칙이다."가 제시된 단어들 모두에 적용될 수 있다.

오답분석
② 제시된 단어들 중 '피에로'에는 받침이 없다. 따라서 '받침'에 대한 ②의 원칙은 제시된 단어 모두에 적용되었다고 할 수 없다. 또 표기에 대한 설명도 잘못되었다. 우리말의 외래어 받침에는 'ㄷ'을 쓰지 않는다. 'ㄱ, ㄴ, ㄹ, ㅁ, ㅂ, ㅅ, ㅇ' 7개만 쓸 뿐이다.
③ 외래어의 1 음운은 원칙적으로 1 기호로 적는다. 따라서 1 음운을 둘 이상의 기호로 적는 것을 원칙으로 한다는 표기에 대한 설명은 잘못되었다.
④ 이미 굳어진 외래어는 관용을 존중하여 사용한다. 따라서 발음에 가깝도록 바꾸는 것을 원칙으로 한다는 표기에 대한 설명은 잘못되었다.
⑤ 외래어 표기는 현용 24 자모만으로 적는다. 따라서 새로 문자나 기호를 만들어 표기한다는 설명은 잘못되었다.

정답 ①

출제 유형

<외래어 표기법> 규정	표기가 맞는지 판별하는 유형

186 ○○○ 2021 경찰 1차

다음 단어의 외래어 표기가 모두 올바른 것은?

① accessory: 악세사리 - juice: 쥬스

② window: 윈도 - concept: 콘셉트

③ robot: 로봇 - ad lib: 애드립

④ symposium: 심포지움 - flash: 플래시

난이도 상 중 하

해설 '윈도'와 '콘셉트'의 표기는 모두 옳다.

오답분석 ① 악세사리 → 액세서리, 쥬스 → 주스

③ 애드립 → 애드리브

④ 심포지움 → 심포지엄

정답 ②

187 ○○○ 2014 지방직 7급

다음 외래어 표기의 근거만을 바르게 제시한 것은?

> 〈표기〉 leadership - 리더십
> 〈근거〉
> ㉠ 모음 앞의 [ʃ]는 뒤따르는 모음에 따라 '샤', '섀', '셔', '셰', '쇼', '슈', '시'로 적는다.
> ㉡ 받침에는 'ㄱ, ㄴ, ㄹ, ㅁ, ㅂ, ㅅ, ㅇ'만을 적는다.
> ㉢ 이미 굳어진 외래어는 관용을 존중한다.
> ㉣ [l]이 어말 또는 자음 앞에 올 때는 'ㄹ'로 적는다.

① ㉠ ② ㉠, ㉡

③ ㉠, ㉡, ㉢ ④ ㉠, ㉡, ㉢, ㉣

난이도 상 중 하

해설 'leadership'은 [liːdərʃip]으로 발음되는데, ㉠의 규정에 따라 '쉬'가 아닌 '시'의 형태로 표기한다. 받침의 [p]는 'ㅍ'으로 적는 것이 아니라, ㉡의 규정에 따라 'ㅂ'의 형태로 표기한다. 따라서 외래어 '리더십' 표기의 근거는 ㉠〈외래어 표기법〉 제3장 제3항과 ㉡〈외래어 표기법〉 제1장 제3항이다.

※ 즉 'leadership'은 표기와 발음이 일치하며 초성의 'l'을 'ㄹ'로 표기한 사례이다.

> **참고** 〈외래어 표기법〉 제3장 제1절 제3항(㉠)
>
> 1. 영어권 어말의 [ʃ]는 '시'로 적고,
> 2. 자음 앞의 [ʃ]는 '슈'로,
> 3. 모음 앞의 [ʃ]는 뒤따르는 모음에 따라 '샤', '섀', '셔', '셰', '쇼', '슈', '시'로 적는다.
>
> ① flash[flæʃ] 플래시
> ② shrub[ʃrʌb] 슈러브
> ③ shark[ʃɑːk] 샤크, shank[ʃæŋk] 섕크, fashion[fæʃən] 패션, sheriff[ʃerif] 셰리프, shopping[ʃɔpiŋ] 쇼핑, shoe[ʃuː] 슈, shim[ʃim] 심

> **참고** 〈외래어 표기법〉 제1장 제3항(㉡)
>
> 받침에는 'ㄱ, ㄴ, ㄹ, ㅁ, ㅂ, ㅅ, ㅇ' 만을 쓴다.
> → 'ㄷ, ㅈ, ㅊ, ㅋ, ㅌ, ㅍ, ㅎ'을 외래어의 받침으로 쓰면 틀린 표기가 된다.
>
> gap[gæp] 갭, cat[kæt] 캣, book[buk] 북, steam[stiːm] 스팀, corn[kɔːn] 콘, ring[riŋ] 링, hotel[houtel] 호텔

오답분석 ㉢ 어원의 3중 체계, 즉 고유어, 한자어, 외래어는 모두 국어이다. 외래어가 국어이기 때문에, 〈외래어 표기법〉은 국어 표기법이다. 외래어를 표기할 때, 이미 굳어진 외래어는 관용을 존중한다.

예 바나나, 로켓, 라디오, 뉴스, 카메라, 피자

※ 관용을 존중하는 경우는 발음 기호와 표기가 차이를 보인다. 가령 '바나나'는 [bənænə]로 발음하지만 관용을 존중하여 '바나나'로 표기한다.

㉣ 〈외래어 표기법〉 제3장 제1절 제6항이며, 받침에 관련된 조항이다.

예 hotel[houtel] 호텔, pulp[pʌlp] 펄프 등

 ②

Unit 32 외래어 표기

출제 유형

- 1개의 표기를 제시하는 유형
- 여러 표기를 열거하는 유형
- 올바른 표기의 개수를 묻는 유형

핵심정리

- **헷갈리는 외래어 표기**

(1) 원어가 동일한 경우

① cut

컷	(명사) 한 번의 연속 촬영으로 찍은 장면을 이르는 말 (감탄사) 영화 촬영에서, 촬영을 멈추거나 멈추라는 뜻으로 하는 말
커트	전체에서 일부를 잘라 내는 일

② trot

트롯	승마에서, 말의 총총걸음을 이르는 말
트로트	우리나라 대중가요의 하나

(2) 원어가 비슷한 경우

① shot-short

숏(shot)	한 번의 연속 촬영으로 찍은 장면을 이르는 말
쇼트(short)	① 탁구에서, 탁구대 가까이 있다가 넘어온 공이 튀어 오르자마자 치는 방법 ② 골프에서, 공이 목적한 장소에 미치지 못하고 공을 친 사람 바로 앞에서 멈추는 일

② color-collar-calla

컬러(color)	① 빛깔이 있는 것 ② 개성이나 분위기. 또는 그 작품만의 느낌이나 맛
칼라(collar)	양복이나 와이셔츠 따위의 목둘레에 길게 덧붙여진 부분
칼라(calla)	칼라 꽃

심화 Plus

- **외래어 표기 기출**

21 군무원 7급	트로트(trot), 콘퍼런스(conference), 글라스(glass), 설루션(solurion)
18 국회직 8급	게티즈버그(Gettysburg), 알레르기(Allergie) 컬렉션(collection), 미네랄(mineral), 아콰마린(aquamarine)
17 교육행정직 9급	가톨릭(Catholic), 시뮬레이션(simulation) 쇼트커트(short cut), 카레(curry) 챔피언(champion), 캐리커처(caricature)

'아콰마린(aquamarine)'이지만,
'물'을 의미하는 'aqua-'는 '아쿠아'로 표기해요!
따라서 대형 수족관은 '아쿠아리움(aquarium)'이에요!

출제 유형

외래어 표기법	1개의 표기를 제시하는 유형

188 ○○○ 2023 군무원 7급

다음 밑줄 친 단어 중 <외래어 표기법>에 맞는 것은?

① 화재의 위험을 방지하기 위하여 휴즈를 부착하였습니다.
② 커텐에 감겨 넘어질 수 있으니 유의하시기 바랍니다.
③ 기둥을 조립할 때 헹거가 넘어질 수 있습니다.
④ 스위치의 뒤쪽을 누르면 윈도가 열립니다.

난이도 상 ○ 하

해설 중모음은 각 단모음의 음가를 살려서 적되, [ou]는 '오'로 적기 때문에, '윈도'의 표기는 옳다.

오답분석 ① 휴즈 → 퓨즈
② 커텐 → 커튼
③ 헹거 → 행어

정답 ④

189 ○○○ 2023 국회직 8급

밑줄 친 외래어 표기가 옳은 것은?

① 송년(送年) 모임이 회사 앞 부페 식당에서 있을 예정이다.
② 저 남자 배우는 애드립에 능해서 연기가 자연스럽게 느껴진다.
③ 점심시간이 끝나자 사람들은 재스민 차를 마시기 시작했다.
④ 여행 정보 팜플렛을 얻으러 회사 근처의 여행사 사무실에 다녀왔다.
⑤ 유머가 있고 내용이 가벼운 꽁트 프로그램을 한 편 보기로 했다.

난이도 상 ○ 하

해설 '재스민(jasmine)'의 표기는 옳다.

오답분석 ① 부페 → 뷔페
② 애드립 → 애드리브
④ 팜플렛 → 팸플릿
⑤ 꽁트 → 콩트

정답 ③

190 ○○○ 2022 국회직 9급

외래어 표기법이 옳지 않은 것은?

① 프로포즈(propose)
② 플랫폼(platform)
③ 레이다(radar)
④ 장르(genre)
⑤ 배지(badge)

난이도 상 ○ 하

해설 프로포즈 → 프러포즈

정답 ①

191 ○○○ 2019 서울시 9급(6월)

외래어 표기 용례로 올바른 것은?

① dot - 다트
② parka - 파카
③ flat - 플래트
④ chorus - 코루스

난이도 상 ○ 하

해설 후드가 달린 짧은 외투를 이르는 'parka'의 외래어 표기는 '파카'가 맞다.

오답분석 ① **다트 → 도트**: 시계의 눈금처럼 점수가 매겨져 있는 원반 모양의 과녁에 화살을 던져 맞힌 점수로 승패를 가리는 게임인 'dart'의 경우 '다트'가 바른 표기이다. 그러나 '점'을 이르는 'dot'의 바른 표기는 '도트'이다.
※ dot ┌ 도트: 점, 물방울무늬
　　　 └ 닷: 'dot com(닷 컴)'과 같이 웹 명칭을 부를 때
③ **플래트 → 플랫**: '내림표'를 이르는 'flat'의 바른 표기는 '플랫'이다.
④ **코루스 → 코러스**: '합창'을 이르는 'chorus'의 바른 표기는 '코러스'이다.

정답 ②

192 ○○○ 2018 국회직 9급

다음에 쓰인 외래어 중 〈외래어 표기법〉에 맞게 표기된 것을 고르면?

① 오랜만에 우리 랍스터를 먹으러 갑시다.
② 나는 반려견으로 달마시안을 키우고 싶다.
③ 날이 너무 더우니 어디 시원한 까페에 들어갈까요?
④ 어제 친구와 남이섬에 가서 메타세콰이어 길을 걸었다.
⑤ 생일을 맞은 친구를 위해서 맛있는 케잌을 구워 봤어요.

난이도 상 ○ 하

해설 '바닷가재'를 이르는 'lobster'는 '랍스터' 또는 '로브스터'로 모두 표기가 가능하다.

오답분석 ② **달마시안 → 달마티안**
③ **까페 → 카페**: 파열음 표기에 된소리를 쓰지 않는다는 규정에 따라 '카페'가 바른 표기이다.
④ **메타세콰이어 → 메타세쿼이아**
⑤ **케잌 → 케이크**: 영어는 짧은 모음 다음의 어말 무성 파열음은 받침으로 적는다. 그러나 그렇지 않은 경우는 '으'를 붙이는 것이 옳은 표기이다. 따라서 '케이크'가 바른 표기이다.

정답 ①

출제 유형

외래어 표기법	여러 표기를 열거하는 유형

193 ○○○ 2022 서울시 9급(2월)

외래어 표기가 올바른 것으로만 묶은 것은?

① 플랭카드, 케익, 스케줄
② 텔레비전, 쵸콜릿, 플래시
③ 커피숍, 리더십, 파마
④ 캐비넷, 로켓, 슈퍼마켓

난이도 ㊤ ㊥ ㊦

해설 '커피숍, 리더십, 파마'의 표기는 모두 바르다.

오답분석 ① '스케줄'의 표기만 옳다. / **플랭카드 → 플래카드, 케익 → 케이크**
② '텔레비전, 플래시'의 표기만 옳다. / **쵸콜릿 → 초콜릿**
※ TV는 '티브이'로 적는다. 티비(×)
④ '로켓, 슈퍼마켓'의 표기만 옳다. / **캐비넷 → 캐비닛**

정답 ③

194 ○○○ 2021 국회직 8급

외래어 표기가 모두 맞는 것은?

① 바통, 기브스, 디렉터리
② 도너츠, 래디오, 리포트
③ 리모콘, 렌트카, 메세지
④ 배터리, 바베큐, 심포지엄
⑤ 앙코르, 부티크, 앙케트

난이도 ㊤ ㊥ ㊦

해설 외래어 '앙코르, 부티크, 앙케트'의 표기는 모두 바르다.

오답분석 ① **기브스 → 깁스**
② **도너츠 → 도넛, 래디오 → 라디오**
③ **리모콘 → 리모컨, 렌트카 → 렌터카, 메세지 → 메시지**
④ **바베큐 → 바비큐**

정답 ⑤

195 ○○○ 2019 국회직 8급

외래어 표기가 옳은 것만을 <보기>에서 모두 고르면?

<보기>

ㄱ. 기타큐슈(Kitakyûshû)
ㄴ. 소셔드라마(sociodrama)
ㄷ. 도스토예프스키(Dostoevsky)
ㄹ. 하바나(Havana)
ㅁ. 키리바시(Kiribati)

① ㄱ, ㄴ, ㅁ
② ㄱ, ㄹ, ㅁ
③ ㄴ, ㄷ, ㄹ
④ ㄴ, ㄷ, ㅁ
⑤ ㄷ, ㄹ, ㅁ

난이도 ㊤ ㊥ ㊦

해설 외래어 표기가 바른 것은 ㄱ의 '기타큐슈(Kitakyûshû)', ㄴ의 '소셔드라마(sociodrama)', ㅁ의 '키리바시(Kiribati)'이다.

비교 소시오그램(sociogram)

오답분석 ㄷ. **도스토예프스키 → 도스토옙스키**: 'Dostoevsky'의 바른 표기는 '도스토옙스키'이다.
ㄹ. **하바나 → 아바나**: 쿠바의 수도 'Havana'의 바른 표기는 '아바나'이다.

정답 ①

196 ○○○ 2017 교육행정직 7급

외래어 표기가 맞는 것끼리 묶은 것은?

① 캐럴(carol), 샌달(sandal), 케찹(ketchup)
② 캐럴(carol), 카디건(cardigan), 케이크(cake)
③ 멤버쉽(membership), 케이크(cake), 케찹(ketchup)
④ 멤버쉽(membership), 샌달(sandal), 카디건(cardigan)

난이도 ㊤ ㊥ ㊦

해설 '캐럴(carol), 카디건(cardigan), 케이크(cake)'의 표기는 모두 옳다.
※ 캐럴(O) - 캐롤(×) / 카디건(O) - 가디건(×)
케이크(O) - 케익(×), 케잌(×)

오답분석 ① '캐럴'의 표기만 옳다. / **샌달 → 샌들, 케찹 → 케첩**
③ '케이크'의 표기만 옳다. / **멤버쉽 → 멤버십, 케찹 → 케첩**
④ '카디건'의 표기만 옳다. / **멤버쉽 → 멤버십, 샌달 → 샌들**

정답 ②

197 ○○○ 2015 교육행정직 9급

외래어 표기가 모두 맞는 것은?

① 심벌(symbol), 재킷(jacket)
② 아웃렛(outlet), 판넬(panel)
③ 콘트롤(control), 캐럴(carol)
④ 카스테라(castella), 러닝(running)

난이도 상 ○ 하

해설 '심벌, 재킷'은 모두 외래어 표기에 맞다.
※ 재킷 = 점퍼 = 잠바(○), 자켓(×)

오답분석 ② '아웃렛(outlet)'의 표기는 바르다.
'판넬 → 패널(널빤지/토론 참여자)'

③ '캐럴(carol)'의 표기는 바르다.
'콘트롤 → 컨트롤'

④ '러닝(running)'의 표기는 바르다.
'카스테라 → 카스텔라'

정답 ①

출제 유형

외래어 표기법	올바른 표기의 개수를 묻는 유형

198 ○○○ 2014 국회직 8급

다음 중 외래어 표기가 올바른 것은 모두 몇 개인가?

> 부르주아, 싱가폴, 아이섀도, 컨텐츠, 카라멜, 넌센스, 심포지엄, 프러포즈

① 3개　② 4개
③ 5개　④ 6개
⑤ 7개

난이도 ○ 중 하

해설 '부르주아(bourgeois), 아이섀도(eye shadow), 심포지엄(symposium), 프러포즈(propose)'의 표기는 바르다.

오답분석
- **싱가폴 → 싱가포르(Singapore)**
- **컨텐츠 → 콘텐츠(contents)**
- **카라멜 → 캐러멜(caramel)**
- **넌센스 → 난센스(nonsense)**

정답 ②

199 ○○○ 2010 법원직 9급

다음에 제시된 외래어 중 표기법에 맞는 어휘의 수는?

> 기부스, 슈퍼마켓, 코메디, 뷔페, 초콜렛, 악세사리, 리더십, 로봇

① 2개　② 3개
③ 4개　④ 5개

난이도 상 ○ 하

해설 표기법에 맞는 어휘는 '슈퍼마켓, 뷔페, 리더십, 로봇'으로 4개이다.

오답분석
- **기부스 → 깁스**
- **코메디 → 코미디**
- **초콜렛 → 초콜릿**
- **악세사리 → 액세서리**

정답 ③

Unit 33 외래어 표기법과 다른 규정

출제 유형

- 로마자 표기법과 함께 다루는 유형
- 한글 맞춤법과 함께 다루는 유형
- 표준 발음법과 함께 다루는 유형

핵심정리

- **동양의 인명** [16 경찰 2차]

  [제1항] 중국 인명은 과거인과 현대인을 구분하여 과거인은 종전의 한자음대로 표기하고, 현대인은 원칙적으로 중국어 표기법에 따라 표기하되, 필요한 경우 한자를 병기한다. 과거인과 현대인을 구분하는 기준점은 '신해혁명'이다.

  예 두보(杜甫) - 과거인
  마오쩌둥/모택동(毛澤東) - 현대인

  [제3항] 일본의 인명과 지명은 과거와 현대의 구분 없이 일본어 표기법에 따라 표기하는 것을 원칙으로 하되, 필요한 경우 한자를 병기한다.

  예 도요토미 히데요시(豐臣秀吉) - 과거인
  아사다 마오(浅田真央) - 현대인

출제 유형

다른 규정과 함께 다루는 유형	로마자 표기법과 함께 다루는 유형

200 ○○○ 2016 경찰 2차

다음 단어의 로마자 표기나 외래어 표기가 바르지 않은 것은?

① 수락산 → Suraksan
② 오죽헌 → Ojukheon
③ ambulance → 앰뷸란스
④ 毛澤東 → 마오쩌둥

난이도 상 중 하

해설 **앰뷸란스 → 앰뷸런스**: 'ambulance'의 바른 외래어 표기는 '앰뷸런스'이다.

오답분석
① '수락산'은 [수락싼]이 표준 발음이지만, 로마자 표기에 된소리되기는 반영하지 않기 때문에 'Suraksan'의 표기는 옳다. 또한 고유 명사이므로, 첫 글자는 대문자로 표기한 점도 옳다.
② '오죽헌'은 [오주컨]과 같이 거센소리되기 현상이 일어난다. 그러나 체언 내부의 경우에 'h'를 밝혀 적어야 하므로, 'Ojukheon'의 표기는 옳다. 또한 고유 명사이므로, 첫 글자는 대문자로 표기한 점도 옳다.
④ 중국의 인명은 과거인과 현대인을 구분하여 표기한다. '毛澤東'은 현대인이다. 따라서 중국어 표기법에 따라 적은 '마오쩌둥'의 표기는 바르다.
※ '孔子'처럼 과거인의 경우 한자음대로 표기한다. 따라서 '공자'로 적어야 한다.

정답 ③

201 ○○○ 2010 국가직 9급

<외래어 표기법>과 <로마자 표기법>이 맞는 것으로만 묶인 것은?

① gas – 가스, 전주(지명) – Jeonjoo
② center – 센터, 서산(지명) – Seosan
③ frypan – 후라이팬, 원주(지명) – Wonju
④ jumper – 점퍼, 청계천(지명) – Chonggyechon

난이도 상 중 하

해설 'center - 센터, 서산(지명) - Seosan'의 표기는 모두 바르다.

오답분석
① **Jeonjoo → Jeonju**: 'ㅜ'는 'u'로 표기한다.
③ **후라이팬 → 프라이팬**: 'f'는 'ㅍ'으로만 표기한다.
④ **Chonggyechon → Cheonggyecheon**: 모음 발음의 경우 원칙과 허용 둘 다 가능한 경우가 있는데 로마자로 표기할 때는 원칙 발음을 반영한다.
예 청계천[청계천/청게천] → cheonggyecheon

정답 ②

다른 규정과 함께 다루는 유형	한글 맞춤법과 함께 다루는 유형

202 ○○○ 2014 서울시 7급

다음 중 밑줄 친 부분이 어문 규범에 맞는 것은?

① 사용 후에는 반드시 중간 밸브 손잡이를 호스와 직각방향으로 돌려 잠그어 주세요.

② 불이 붙은 상태에서 취침 또는 외출을 삼가해 주십시오.

③ 각 스위치는 뒤쪽을 누르면 윈도가 열리고, 앞쪽을 누르면 닫히게 됩니다.

④ 후레쉬 촬영 시 눈이 빨갛게 되는 현상을 방지합니다.

⑤ 물을 직접 뿌리거나 벤젠이나 알콜 등으로 닦지 마세요.

난이도 ㊤ ◯ ㊦

해설 [ou]는 '오우'가 아니라 '오'로 적는다. 따라서 'window[windou]'를 '윈도'로 적은 것은 옳다.

오답분석 ① **잠그어 → 잠가**: '잠그다'와 같이 어간이 '―'로 끝나는 경우, '아/어'와 같이 모음으로 시작하는 어미와 결합할 때, 어간의 '―'는 탈락한다. 따라서 '잠그어'의 형태가 아닌 '―'가 탈락한 형태인 '잠가'의 형태로 표기해야 한다.

② **삼가해 → 삼가**: 기본형이 '삼가다'이다.

④ **후레쉬 → 플래시**: <외래어 표기법> 제1장 제2항에 '외래어의 1 음운은 원칙적으로 1 기호로 적는다.'라고 나와 있다. 'f'는 'ㅍ'으로 표기하기 때문에, 'flash'가 'ㅎ'과 비슷한 발음이 난다고 하더라도 'f'를 'ㅎ'으로 표기하는 것은 적절하지 않다. 또한 <외래어 표기법> 제3장 제1절 제3항에 보면 어말의 [ʃ]는 '시'로 적어야 한다고 나와 있다. 따라서 [flæʃ]는 '플래쉬'가 아닌 '플래시'로 표기해야 한다.

⑤ **알콜 → 알코올**: 'alcohol'의 발음은 [ælkəhɔl]이다. <외래어 표기법>에 따르면, '앨커홀'이 옳은 표기이나, 그동안 써온 관례를 존중하여 '알코올'을 올바른 표기로 정하였다. 특히 세 음절로 표기한 것은 원말의 음절수를 고려했기 때문이다.

※ 관용을 존중하는 외래어: 바나나, 라디오, 로켓, 가톨릭 등

정답 ③

203 ○○○ 2014 국가직 7급

어문 규범에 맞는 것으로만 묶인 것은?

① 출산율, 자장면, 타슈켄트(Tashkent)

② 갯수, 숫양, 모차르트(Mozart)

③ 휴게소, 깊숙이, 컨셉트(concept)

④ 제삿날, 통틀어, 호치민(Hồ Chi Minh)

난이도 ㊤ ◯ ㊦

해설 '출산율, 자장면, 타슈켄트(Tashkent)'는 모두 어문 규범에 맞다.

- **출산율**: 모음이나 'ㄴ' 받침 뒤에 '率'은 '율'로 표기한다.
- **'자장면, 짜장면'** 모두 표준어이다.
- 영어 이외의 [ʃ] 발음은 모두 '슈'로 적는다. 따라서 우즈베키스탄의 지명인 **'타슈켄트(Tashkent)'**의 표기는 바르다.

오답분석 ② '숫양, 모차르트(Mozart)'의 표기는 바르다.

- **갯수 → 개수**: 한자 '개(個)'와 '수(數)'의 합성어이다. 발음은 [개:쑤]로 사잇소리 현상이 있으나 한자어 합성어는 '곳간(庫間), 셋방(貰房), 찻간(車間), 숫자(數字), 툇간(退間), 횟수(回數)'의 여섯 개를 제외하고는 사이시옷을 표기할 수 없다.
- **숫양**: '양, 염소, 쥐'에만 접두사 '숫-'을 붙인다.
- **모차르트**: 외래어는 원칙적으로 가급적이면 된소리 표기를 지양한다. 따라서 '모짜르트'가 아니라 '모차르트'로 표기한다.

③ '휴게소, 깊숙이'의 표기는 바르다.

- **컨셉트(concept) → 콘셉트(concept)**
- **휴게소**: '憩(쉴 게)'의 본음이 '게'이므로, 표기도 '휴게소'이다.
- **깊숙이**: 끝음절이 분명히 '-이'로 소리 나므로, 표기도 '깊숙이'이다.

④ '제삿날, 통틀어'의 표기는 바르다.

- **호치민(Hồ Chi Minh) → 호찌민(Hồ Chi Minh)**: 영어나 프랑스어에서 유래된 말은 된소리를 가급적 쓰지 않지만, 일본어, 중국어, 동남아권에서 유래한 외래어는 된소리로 표기하기도 한다. 따라서 '호찌민'으로 표기해야 한다.
- **제삿날**: 한자어 '제사(祭祀)'와 고유어 '날'의 합성어로, 그 과정에서 'ㄴ' 소리가 첨가되므로, 사이시옷을 표기할 수 있다.

※ '한자어+고유어'의 관계에서 발음에 [ㄴ]이 첨가되는 사잇소리 현상이 있어, 사이시옷을 표기한 사례

예 곗날, 제삿날, 훗날, 툇마루, 양칫물

- **통틀어**: <부사> 있는 대로 모두 합하여. 동사인 '통틀다'에서 나온 말이므로, '통틀어'의 표기는 바르다.

정답 ①

204 ○○○ 2009 국가직 7급

다음 설명 중 국어의 어문 규범에 맞지 않는 것은?

① '회계'와 '연도'가 결합된 합성어는 '회계년도'로 표기해야 한다.

② '거시기'는 무엇을 꼭 집어서 말하기가 거북할 때 사용하는 표준어이다.

③ '종로 2가'는 국어의 <로마자 표기법>에 따라 'Jongno 2(i) - ga'가 된다.

④ 브라질의 도시 'Rio de Janeiro'를 <외래어 표기법>에 따라 표기하면 '리우데자네이루'가 된다.

난이도 상 중 하

해설 ① **회계년도 → 회계연도**: 후행하는 '연도(年度)'의 '연'은 의미가 나뉘는 자리이므로 3번째 글자가 아니라, 두음으로 보고 '회계연도'로 표기한다.

※ 한자어 파생어나 합성어에서 뒷말의 첫소리가 'ㄴ' 또는 'ㄹ' 소리로 나더라도 두음 법칙에 따라 적는다.

예 사-육신(死六臣), 총-유탄(銃榴彈), 실-낙원(失樂園), 회계-연도

오답분석 ② '거시기'는 표준어로 대명사와 감탄사로 쓰인다.

> [어휘] 거시기
>
> ① 이름이 얼른 생각나지 않거나 바로 말하기 곤란한 사람 또는 사물을 가리키는 대명사
>
> 예 저기 안방에 거시기 좀 있어요?
>
> 저 혼자가 아니고, 거시기하고 같이 한 일입니다만.
>
> ② 하려는 말이 얼른 생각나지 않거나 바로 말하기가 거북할 때 쓰는 군소리. 감탄사
>
> 예 저, 거시기, 죄송합니다만, 제 부탁 좀 들어주시겠습니까?

③ 행정 안전부에서 도로명 표기 앞에 붙임표를 붙여 '-ro, -daero, -gil'로 표기한다고 하였으므로 종로의 표기는 도로명일 때 'Jong-ro'가 맞고, 지명일 때 'Jongno'가 맞다. 뒤의 '가'가 '도로, 즉 거리'의 의미를 지니고 있으므로 앞의 '종로'는 지명으로 처리하여 'Jongno 2(i)-ga'로 표기하는 것이 바르다.

④ <외래어 표기법>은 원지음을 존중해 현실 발음을 인정하여 적는다. 브라질의 도시 'Rio de Janeiro'는 표기법 원칙을 따르면 '히우지자네이루'가 되지만 관용에 따라 '리우데자네이루'를 쓰도록 하였다.

 정답 ①

출제 유형

다른 규정과 함께 다루는 유형	표준 발음법과 함께 다루는 유형

205 ○○○ 2019 경찰 1차

국어의 발음 및 표기와 관련하여 가장 적절하지 않은 것은?

① '찾을 도리'는 [차즐또리]로 발음하면 된다.

② '맑고 맑다'를 [말꼬]와 [마따]로 소리 내어 읽었다.

③ 김희혜 씨의 이름을 글자대로 발음하기 어려워서 표준 발음법에 따라 [김히헤]로 호명하였다.

④ 현대 국어의 종성으로 발음되는 자음은 7가지이다. 이러한 특징을 반영하여 [keik]로 발음되는 외래어를 '케잌'이라 적지 않고 '케익'으로 적었다.

난이도 상 중 하

해설 [keik]을 '케잌'으로 적지 않는 것은 우선, 외래어 표기에서 받침으로 쓰일 수 있는 자음은 'ㄱ, ㄴ, ㄹ. ㅁ, ㅂ, ㅅ, ㅇ'으로 7개이기 때문이다. 종성에 발음되는 자음은 'ㄱ, ㄴ, ㄷ, ㄹ, ㅁ, ㅂ, ㅇ' 7개이다. 표기와 발음은 다른 문제이므로, [keik]의 표기와 관련이 없는 설명이다.

더구나 외래어 표기법 제3장 제1절에 따르면, "영어는 짧은 모음 다음의 어말 무성 파열음은 받침으로 적는다. 그러나 그렇지 않은 경우는 '으'를 붙이는 것이 옳은 표기이다."라고 제시되어 있다. 따라서 [keik]는 '케잌', '케익'도 아닌 '케이크'로 표기해야 한다.

오답분석 ① 관형사형 '-(으)ㄹ' 뒤에 연결되는 'ㄱ, ㄷ, ㅂ, ㅅ, ㅈ'은 된소리로 발음한다는 규정에 따라 '찾을[차즐] 도리[도리]'는 [차즐또리]로 발음할 수 있다.

※ 단, 두 개의 낱말이므로 끊어 발음하는 경우 [차즐∨도리]로 발음하는 것도 가능하다.

② 'ㄺ'은 [ㄱ]으로 발음하는 것이 원칙이다. 다만, 용언의 어간이 'ㄺ' 받침이고 'ㄱ'으로 시작하는 어미가 이어질 때는 [ㄹ]로 발음한다. 따라서 '맑고'는 [말꼬]로, '맑다'는 [막따]로 읽은 것은 옳다.

③ '자음 + ㅢ'의 경우 'ㅢ'는 [ㅣ]로만 발음해야 한다. 따라서 '희'를 [히]로 발음한 것은 옳다. 또한, '예, 례' 이외의 'ㅖ'는 [ㅔ]로도 발음할 수 있다 따라서 '혜'를 [헤]로 발음한 것도 옳다.

• 김희혜[김히혜/김히헤]

 정답 ④

PART 3 어휘와 한자

출제 경향 한눈에 보기

구조도

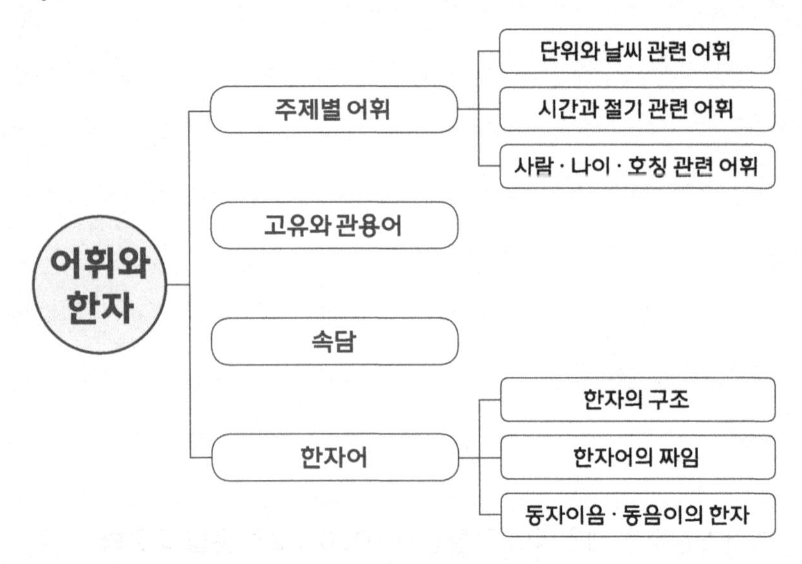

영역별 학습 목표

1. 한자어의 독음과 표기를 함께 학습하며, 한자 성어는 문장이나 글의 문맥적 의미 파악과 연결 지어 학습할 수 있다.
2. 속담, 관용구를 눈에 익히고 뜻을 짐작하는 연습을 통해 문제의 정답을 빠르게 찾도록 실력을 향상시킬 수 있다.

연도별 출제 영역

※ 진한 표시는 2회 이상 출제된 영역

연도	출제 영역
2023년	[9급] 관용 표현의 의미, 단어의 쓰임, **한자 표기**, **문맥적 의미** [7급] 문맥적 의미
2022년	[9급] 사자성어의 쓰임, **한자어 표기**, 한자어 의미, 상황에 어울리는 한자 성어 [7급] 어휘 뜻풀이, 한자어 표기, 한자어 의미
2021년	[9급] 고유어의 뜻풀이, 문맥적 의미, 한자어 표기, **상황에 어울리는 한자 성어**, 대응하는 관용어로 바꿔 쓰기 [7급] 상황에 어울리는 한자 성어, 한자어 표기
2020년	[9급] **대응하는 한자어와 바꿔 쓰기**, 한자어 표기, **상황에 어울리는 한자 성어** [7급] 한자로 바꿔 쓰기, 동음이의 한자어 표기, 한자어·고유어로 바꿔 쓰기, 한자 성어로 바꿔 쓰기
2019년	[9급] 한자어 표기, 상황에 어울리는 한자 성어 [7급] **상황에 어울리는 한자 성어**

연도별 주요 출제 문항

구분	9급	7급
2023년	• 관용 표현 ㉠~㉣의 의미를 풀이한 것으로 적절하지 않은 것은? • ㉠~㉣의 한자로 적절하지 않은 것은? • 밑줄 친 단어의 쓰임이 올바르지 않은 것은? • ㉠~㉢의 한자 표기로 올바른 것은? • 다음 글의 빈칸에 들어갈 사자성어로 적절한 것은?	• ㉠~㉢에 들어갈 단어를 순서대로 나열한 것은?
2022년	• 사자성어의 쓰임이 적절하지 않은 것은? • ㉠~㉢에 들어갈 말로 가장 적절한 것은? • 한자 표기가 옳지 않은 것은? • 밑줄 친 부분의 한자 표기가 옳지 않은 것은?	• 밑줄 친 단어 중 사람의 몸을 지시하는 말이 포함되지 않은 것은? • 밑줄 친 부분에 어울리는 한자 성어로 가장 적절한 것은? • 같은 의미의 '견'자가 사용된 사자성어를 옳게 짝지은 것은?
2021년	• 단어의 뜻풀이가 옳지 않은 것은? • (가)에 들어갈 한자 성어로 적절한 것은? • 한자 표기가 옳은 것은? • 〈보기〉의 밑줄 친 부분에 해당하는 어휘로 옳은 것은?	• 밑줄 친 부분과 바꿔 쓸 수 있는 관용 표현으로 적절하지 않은 것은? • 다음 글에서 '황거칠'이 처한 상황에 어울리는 한자 성어로 가장 적절한 것은? • 〈보기〉의 속담과 유사한 의미의 사자성어를 연결한 것으로 옳지 않은 것은? • ㉠과 상반되는 뜻을 가진 한자 성어는?
2020년	• 밑줄 친 말의 의미와 거리가 먼 것은? • ㉠~㉣의 한자 표기로 옳은 것은? • 밑줄 친 단어와 바꿔 쓸 수 있는 한자어로 가장 적절한 것은?	• ㉠, ㉡의 한자 표기로 옳은 것은? • 밑줄 친 한자어를 고쳐 쓴 것으로 적절하지 않은 것은? • 한시의 한글 풀이를 참조할 때 ㉠~㉢에 들어갈 말로 가장 적절한 것은? • 밑줄 친 어구와 같은 뜻의 한자 성어는?
2019년	• 다음에 제시된 단어의 의미에 맞게 쓴 문장으로 적절하지 않은 것은? • 밑줄 친 부분의 한자 표기가 잘못된 것은? • 다음 (　　) 속에 들어갈 말로 가장 적절한 것은?	• ㉠~㉣의 한자 표기로 옳은 것은? • '효녀 지은'의 행위를 나타내는 사자 성어로 가장 적절한 것은? • 밑줄 친 '가토리'와 '都沙工'의 상황을 표현한 한자 성어로 가장 적절한 것은?

최신 3개년 기출 목록(국가직, 지방직 기준)

2023년	추억(追憶), 기억(記憶), 도착(到着), 불상(弗像), 경지(境地), 매수(買售), 구가(謳歌), 알력(軋轢), 편달(鞭撻), 장관(將官), 보상(報償), 결제(決濟), 침소봉대(針小棒大), 각주구검(刻舟求劍), 권토중래(捲土重來), 와신상담(臥薪嘗膽), 정속독(精速讀)
2022년	구곡간장(九曲肝腸), 곡학아세(曲學阿世), 구밀복검(口蜜腹劍), 당랑거철(螳螂拒轍), 가름, 갈음, 부문(部門), 부분(部分), 구별(區別), 구분(區分), 만족(滿足), 재청(再請), 재론(再論), 해결(解決), 소방관(消防官), 과학자(科學者), 연구원(硏究員), 변호사(辯護士), 슬하(膝下), 수완(手腕), 발족(發足), 각축(角逐), 교언영색(巧言令色), 언행일치(言行一致), 가담항설(街談巷說), 촌철살인(寸鐵殺人)
2021년	반나절, 달포, 그끄저께, 해거리, 현실(現實), 야박(野薄), 근성(根性), 채용(採用), 오매불망(寤寐不忘), 망운지정(望雲之情), 염화미소(拈華微笑), 백아절현(伯牙絶絃), 속수무책(束手無策), 동병상련(同病相憐), 자가당착(自家撞着), 전전반측(輾轉反側), 일거양득(一擧兩得), 고진감래(苦盡甘來), 목불식정(目不識丁), 동가홍상(同價紅裳), 호가호위(狐假虎威), 백골난망(白骨難忘), 구사일생(九死一生), 사면초가(四面楚歌), 각골난망(刻骨難忘), 배은망덕(背恩忘德)

CHAPTER 1

주제별 어휘

Unit 01 단위를 나타내는 말

출제 유형

물건을 세는 단위	• 단위어의 쓰임이 옳은지 옳지 않은지 판별하는 유형
단위어의 개수 파악	• 단위어의 나타내는 수량이 바른지 판별하는 유형 • 단위어가 의미하는 수의 합을 파악하는 유형 • 단위어가 의미하는 수가 가장 많은 것을 파악하는 유형

핵심정리

• **자주 출제되는 단위를 나타내는 말**

2	손: 고등어 따위의 생선 2마리, 또는 미나리나 파 따위의 한 줌 분량
	켤레: 신, 버선, 방망이 따위의 둘을 한 벌로 세는 단위
10	갓: 비웃, 굴비 따위의 10마리, 또는 고사리, 고비 따위의 10모숨
	꾸러미: 달걀 10개를 꾸리어 싼 것, 또는 꾸리어 싼 것을 세는 단위
	죽: 옷, 신, 그릇 따위의 10개(또는 10벌)를 이르는 말
	뭇: 생선 10마리나 미역 10장, 또는 자반 10개를 이르는 단위
12	타: 물건 열두 개를 한 단위로 세는 말
20	두름: 조기, 청어 따위의 생선을 10마리씩 두 줄로 묶은 20마리, 또는 산나물을 10모숨쯤 묶은 것
	제: 탕약 20첩, 또는 그만한 분량으로 지은 환약이나 고약의 양
	쾌: 북어 20마리, 또는 엽전 10꾸러미, 곧 10냥을 한 단위로 세는 말
	축: 오징어 20마리를 이르는 말
24	쌈: 바늘 24개
30	판: 달걀 30개, 또는 승부를 겨루는 일을 세는 단위
50	거리: 오이, 가지 따위의 50개를 이르는 단위
100	가마: 갈모나 쌈지 같은 것을 셀 때 100개를 이르는 말
	담불: 벼 100섬을 단위로 이르는 말
	톳: 김 100장씩을 한 묶음으로 세는 단위
	강다리: 쪼갠 장작 100개비를 한 단위로 이르는 말
	접: 과일, 무, 배추, 마늘 따위의 100개를 이르는 말
2,000	우리: 기와 2,000장을 이르는 말

출제 유형

물건을 세는 단위	단위어의 쓰임이 옳은지 옳지 않은지 판별하는 유형

001 ○○○ 2018 국회직 9급

다음 물건을 세는 단위 또는 숫자가 옳지 않은 것은?

① 축: 오징어 열두 마리

② 쾌: 북어 스무 마리 또는 엽전 열 냥

③ 우리: 기와 이천 장

④ 강다리: 쪼갠 장작 100개비

⑤ 뭇: 생선 열 마리 또는 미역 열 장

난이도 상 중 하

해설 '죽'은 옷, 그릇 따위의 열 벌을 묶어 세는 단위이다.

오답분석 오징어를 세는 단위는 '축'이다. '한 축'은 오징어 20마리이다.

정답 ①

002 ○○○ 2012 서울시 7급

다음 중 밑줄 친 단위어의 쓰임이 가장 옳지 않은 것은?

① 조기 한 두름 ② 오징어 한 축

③ 고등어 한 손 ④ 바늘 한 접

⑤ 오이 한 거리

난이도 상 중 하

해설 바늘을 세는 단위는 '쌈(24개)'이다. 따라서 '바늘 한 쌈'으로 적어야 한다. '접'은 '채소나 과일'을 세는 단위로, '채소나 과일 100개'를 이른다.

오답분석
① 두름: 조기 따위의 물고기를 짚으로 한 줄에 10마리씩 두 줄로 엮은 것
② 축: 오징어를 묶어 세는 단위로, 한 축은 오징어 20마리
③ 손: 고등어 큰 것과 작은 것 하나를 합친 것
⑤ 거리: 오이나 가지 따위를 묶어 세는 단위로, 한 거리는 오이나 가지 50개

정답 ④

003 ○○○ 2010 국회직 8급

다음 중 수량을 나타내는 단위가 옳지 않은 것은?

① 종이 두 가리 ② 장작 한 바리

③ 오이 두 거리 ④ 조기 여덟 손

⑤ 북어 일곱 쾌

난이도 상 중 하

해설 '가리'는 곡식이나 장작 따위의 더미를 세는 단위이므로, '종이'에는 어울리지 않는다. '종이'를 세는 단위는 '장'이다.
※ 가리: 곡식이나 장작 따위의 더미를 세는 단위로, 한 가리는 스무 단이다.

오답분석
② '바리'는 마소의 등에 잔뜩 실은 짐을 세는 단위이므로, '장작'에 쓸 수 있다.
③ '거리'는 오이나 가지 따위를 세는 단위이므로, '오이'에 쓸 수 있다. 한 거리는 오이나 가지 50개를 이른다.
④ '손'은 조기, 고등어, 배추 따위를 세는 단위이므로, '조기'에 쓸 수 있다. 한 손은 큰 것 하나와 작은 것 하나를 합한 것, 즉 2마리 또는 2개를 이른다.
⑤ '쾌'는 북어를 묶어 세는 단위이므로 '북어'에 쓸 수 있다. 한 쾌는 북어 스무 마리를 이른다.

정답 ①

출제 유형

단위어의 개수 파악	단위어의 나타내는 수량이 바른지 판별하는 유형

004 ○○○ 2012 지방직 7급

밑줄 친 의존 명사가 나타내는 수량이 잘못 제시된 것은?

① 김 1톳 - 100장 ② 바늘 1쌈 - 24개

③ 마른오징어 1축 - 50마리 ④ 한약 1제 - 20첩

난이도 상 중 하

해설 '축'은 오징어를 묶는 단위로 20마리이다. 따라서 '마른오징어 1축'은 20마리이다.

오답분석
① 톳: 김을 묶어 세는 단위로 한 톳은 김 100장
② 쌈: 바늘을 묶어 세는 단위로 한 쌈은 바늘 24개
④ 제: 한약의 분량을 나타내는 단위로 한 제는 20첩

정답 ③

출제 유형

단위어의 개수 파악	단위어가 의미하는 수의 합을 파악하는 유형

005 ○○○ 2017 지방직 9급

괄호에 들어갈 숫자의 합은?

- 쌈: 바늘 (　　)개를 묶어 세는 단위
- 제(劑): 한약의 분량을 나타내는 단위
  한 제는 탕약(湯藥) (　　)첩
- 거리: 한 거리는 오이나 가지 (　　)개

① 80　② 82　③ 90　④ 94

난이도 상 중 하

해설 빈칸에 들어갈 수는 다음과 같다.

쌈	'쌈'은 바늘 '24개'를 묶어 세는 단위이다.
제(劑)	한 '제'는 탕약 '20첩'을 이른다. ※ 첩(貼): 약봉지에 싼 약의 뭉치를 세는 단위
거리	한 '거리'는 오이나 가지 '50개'를 이른다.

따라서 괄호에 들어갈 숫자의 합은 '24 + 20 + 50 = 94'이다.

정답 ④

006 ○○○ 2014 지방직 7급

다음 물품의 총 개수는?

- 조기 두 두름
- 북어 세 쾌
- 마늘 두 접

① 170개　② 200개　③ 280개　④ 300개

난이도 상 중 하

해설

두름	'두름'은 조기 따위의 물고기를 짚으로 한 줄에 10마리씩 두 줄로 엮은 것(20마리)이다. 따라서 '조기 두 두름'은 총 조기 40마리이다.
쾌	'쾌'는 북어를 세는 단위로 한 쾌는 북어 20마리를 이른다. 따라서 '북어 세 쾌'는 북어 60마리이다.
접	'접'은 채소나 과일을 묶어 세는 단위로 한 접은 채소나 과일 100개를 이른다. 따라서 '마늘 두 접'은 마늘 200개이다.

따라서 제시된 물품의 총 개수는 300개(= 40 + 60 + 200)이다.

정답 ④

출제 유형

단위어의 개수 파악	단위어가 의미하는 수가 가장 많은 것을 파악하는 유형

007 ○○○ 2013 서울시 9급

다음 중 밑줄 친 명사가 나타내는 개수가 가장 많은 것은?

① 북어 한 쾌　② 마늘 한 접
③ 바늘 한 쌈　④ 굴비 한 두름
⑤ 고등어 한 손

난이도 상 중 하

해설 밑줄 친 명사가 나타내는 개수는 다음과 같다.
① 북어 한 쾌는 북어 20마리를 이른다.
② 마늘 한 접은 마늘 100개를 이른다.
③ 바늘 한 쌈은 바늘 24개를 이른다.
④ 굴비 한 두름은 굴비 20마리를 이른다.
⑤ 고등어 한 손은 고등어 2마리를 이른다.
따라서 밑줄 친 명사가 나타내는 개수가 가장 많은 것은 ②의 '접'이다.

정답 ②

Unit 02 나이를 나타내는 한자어

출제 유형

- 나이를 나타내는 한자어를 연결하는 유형

핵심정리

- **《논어》에서 유래한 나이에 관한 말**

지학(志學), 지우학(志于學)	《논어》에서, 공자가 "열다섯 살에 학문에 뜻을 두었다."라고 한 데서 나온 말이다.
이립(而立)	《논어》에서, 공자가 "서른 살에 자립했다."라고 한 데서 나온 말이다.
불혹(不惑)	《논어》에서, 공자가 "마흔 살부터 세상일에 미혹되지 않았다."라고 한 데서 나온 말이다.
지천명(知天命)	《논어》에서, 공자가 "쉰 살에 하늘의 뜻을 알았다."라고 한 데서 나온 말이다.
이순(耳順)	《논어》에서, 공자가 "예순 살부터 생각하는 것이 원만하여 어떤 일을 들으면 곧 이해가 된다."라고 한 데서 나온 말이다.
종심(從心)	《논어》에서 공자가 "칠십이종심소욕불유구(七十而從心所欲不踰矩)"라고 한 것에서 유래한 말로 '나이 칠십에 이르면 마음이 원하는 바를 따라도 법도(法度)에 어긋남이 없다.'라는 의미이다.

출제 유형

나이와 한자어	나이를 나타내는 한자어를 연결하는 유형

008 ○○○ 2019 서울시 7급(2월)

<보기>는 두보의 시 <곡강(曲江)>의 일부이다. ( ) 안에 들어갈 말로 옳은 것은?

<보기>

조정에서 돌아오면 봄옷을 저당 잡히고,
매일 강어귀에서 만취되어 돌아오네.
술빚은 늘 가는 곳마다 있건만,
인생 ( )은 예로부터 드물구나.
꽃 속으로 날아드는 나비는 그윽하고,
물 위로 꽁지를 닿을 듯 나는 잠자리는 유유하네.
내 전하고픈 말은 풍광과 함께 흐르노니,
잠시나마 서로 즐기고 부디 저버리지 말라는 것이라네.

① 오십 ② 육십 ③ 칠십 ④ 팔십

난이도 상 중 하

해설 "예로부터 드물구나."라는 부분을 볼 때, 빈칸에는 고래(古來)로 드문 나이란 뜻을 가진 '고희(古 옛 고, 稀 드물 희)' 즉 '칠십'이 들어가야 한다.
※ '고래(古來)로 드문 나이'란 뜻을 가진 '고희(古稀)'는 두보의 시 <곡강(曲江)>에서 유래한 것이다.
→ 人生七十古來稀(인생칠십고래희: 사람 **인**, 날 **생**, 일곱 **칠**, 열 **십**, 옛 **고**, 올 **래**, 드물 **희**), 사람이 칠십 살기 예로부터 드물다네.

정답 ③

009 ○○○ 2018 서울시 9급(6월)

나이와 한자어가 바르게 연결된 것은?

① 62세 - 화갑(華甲) ② 77세 - 희수(喜壽)
③ 88세 - 백수(白壽) ④ 99세 - 미수(米壽)

난이도 상 중 하

해설 '희수(喜壽: 기쁠 희, 목숨 수)'는 일흔일곱(77) 살을 이르는 말이 맞다.
※ '희수(喜壽)'는 '喜' 자의 초서가 '七十七'과 비슷하다는 이유로, 나이 '일흔일곱 살'을 달리 이르는 말이다.

참고 어휘
희수(稀壽) = 고희(古稀) = 종심(從心) = 70세
※ 종심(從心): 《논어》의 <위정(爲政)> 편에서 공자가 '칠십이종심소욕불유구(七十而從心所欲不踰矩: 일흔 살에는 마음이 하고자 하는 대로 해도 법도를 넘지를 않았다.)'라고 한 것에서 유래한다.

오답 분석
① '화갑(華甲: 빛날 화, 첫째 천간 갑)'은 '예순한 살'을 이르는 말이다. '화(華)'의 자획을 풀어서 나누어 보면 십(十)이 여섯, 일(一)이 하나인 데서 나온 말이다.
※ 화갑(華甲) = 환갑(還甲) = 회갑(回甲) = 61세
③ '백수(白壽: 흰 백, 목숨 수)'는 '아흔아홉 살'을 달리 이르는 말이다. 한자의 '百(일백 백)' 자에서 '一(하나 일)'을 빼면 '白' 자가 되는 데에서 나온 말이다.
④ '미수(米壽: 쌀 미, 목숨 수)'는 '여든여덟 살'을 이르는 말이다. '八十八'을 모으면 '米' 자가 되는 데에서 생긴 말이다.

정답 ②

010 ○○○ 2018 교육행정직 7급

괄호 안의 ㉠, ㉡에 들어갈 한자끼리 바르게 묶인 것은?

박 아무개는 41세에 (㉠)宴을, 77세에 喜壽宴을, 88세에 (㉡)宴을, 99세에 白壽宴을 가졌다.

	㉠	㉡
①	望五	美壽
②	忘五	米壽
③	望五	米壽
④	忘五	美壽

난이도 상 중 하

해설 ㉠ 쉰을 바라본다는 뜻으로, 나이 마흔하나를 이르는 말인 '망오'는 '**望五(망오: 바랄 망, 다섯 오)**'로 표기한다.
㉡ 여든여덟 살을 달리 이르는 말인 '미수'는 '**米壽(미수: 쌀 미, 목숨 수)**'로 표기한다.

오답 분석 ㉠ 忘(잊을 망), ㉡ 美(아름다울 미)
※ 美壽(미수): 66세. '미(美)'를 파자(破字)하면 육십육(六十六)이 되는 것에서 유래하였다.

정답 ③

Unit 03 절기를 나타내는 한자어

출제 유형

• 절기를 나타내는 한자어를 판별하는 유형

핵심정리

• **절기**

봄	정월	입춘(立春)	봄의 시작	양력 2월 4일경
		우수(雨水)	초목 싹	양력 2월 18일경
	이월	경칩(驚蟄)	동물·곤충 동면 깸.	양력 3월 5일경
		춘분(春分)	밤 = 낮	양력 3월 21일경
	삼월	청명(淸明)	날씨가 맑고 밝음.	양력 4월 5일경
		곡우(穀雨)	봄비 → 곡식	양력 4월 20일경
여름	사월	입하(立夏)	여름의 시작	양력 5월 5일경
		소만(小滿)	황경 60° → 여름 기분	양력 5월 21일경
	오월	망종(芒種)	모내기	양력 6월 6일경
		하지(夏至)	밤 < 낮	양력 6월 21일경
	유월	소서(小暑)	더위 시작	양력 7월 7일경
		대서(大暑)	최고 더위	양력 7월 23일경
가을	칠월	입추(立秋)	가을의 시작	양력 8월 8일경
		처서(處暑)	선선	양력 8월 23일경
	팔월	백로(白露)	아침 이슬	양력 9월 8일경
		추분(秋分)	밤 = 낮	양력 9월 23일경
	구월	한로(寒露)	찬 이슬	양력 10월 8일경
		상강(霜降)	서리	양력 10월 24일경
겨울	시월	입동(立冬)	겨울의 시작	양력 11월 7일경
		소설(小雪)	적은 눈	양력 11월 22일경
	동지	대설(大雪)	큰 눈	양력 12월 7일경
		동지(冬至)	밤 > 낮	양력 12월 22일경
	섣달	소한(小寒)	추위 시작	양력 1월 6일경
		대한(大寒)	최고 추위	양력 1월 20일경

출제 유형

절기와 한자어	절기를 나타내는 한자어를 판별하는 유형

011 ○○○ 2015 교육행정직 7급

㉠~㉣에 들어갈 한자로 적절한 것은?

> 여름 절기에는 입하(㉠), 소만(㉡), 망종(㉢), 하지(㉣), 소서(小暑), 대서(大暑)가 있다.

① ㉠: 入夏 ② ㉡: 小晩

③ ㉢: 望種 ④ ㉣: 夏至

난이도 상 중 하

해설 한자가 적절한 것은 ㉣ 夏至(하지: 여름 하, 이를 지)이다.

오답분석 빈칸에 들어갈 말을 바르게 나열하면 다음과 같다.

> 여름 절기에는 ㉠ 입하(立夏), ㉡ 소만(小滿), ㉢ 망종(芒種), ㉣ 하지(夏至), 소서(小暑), 대서(大暑)가 있다.

① **入夏 → 立夏**: '곡우(穀雨)'와 '소만(小滿)' 사이에 드는 절기인 '입하'를 '여름의 시작'으로 보기 때문에 '入夏(입하: 들 입, 여름 하)'로 착각할 수 있으나, '立夏(입하: 설 입(립), 여름 하)'가 맞다.

② **小晩 → 小滿**: '입하(立夏)'와 '망종(芒種)' 사이에 드는 절기인 '소만'의 바른 표기는 '小滿(소만: 작을 소, 가득 찰 만)'이다.

③ **望種 → 芒種**: '소만(小滿)'과 '하지(夏至)' 사이에 드는 절기인 '망종'의 바른 표기는 '芒種(망종: 까끄라기 망, 씨 종)'이다.

정답 ④

MEMO

Unit 04 국어 어휘의 분류

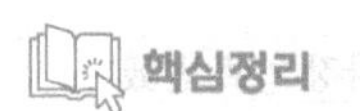

출제 유형

- 국어 어휘에 대한 설명의 진위 여부를 판별하는 유형
- 국어 어휘의 종류를 판별하는 유형

핵심정리

• 국어 어휘의 분류

고유어	**개념**	옛날부터 사용하여 온 순우리말
	특징	① 의미의 폭이 넓어 다의어가 많음. ② 우리 민족 고유의 정서를 표현하는 데 적절함. ③ 새로운 말을 만들 때 중요한 자원이 됨.
한자어	**개념**	한자를 바탕으로 만들어진 것으로, 이미 귀화가 끝난 말
	특징	① 가장 높은 비율을 차지(58.9%) ② 한국식으로 발음됨. ③ 주로 개념어, 추상어가 많음.
외래어	**개념**	외국어 가운데 국어의 일부로 인정되는 말
	특징	① 장점: 우리말의 부족한 어휘를 늘려 주거나 보완해 줌. ② 단점: 우리말의 정체성에 혼란을 야기함.

외국어로 인식되는 말로, 다른 말로 대체할 수 있는 경우에는 '외래어'가 아니라 '외국어'예요.
'버스'는 대체될 수 없기 때문에 외래어!
'브레드'는 빵으로 대체할 수 있기 때문에 외국어!

심화 Plus

1. 한자어, 외래어로 착각하기 쉬운 고유어 [13 국회직 8급]

구라	거짓말
기장	옷의 길이 = 옷기장
생각	사물을 헤아리는 작용

2. 차용어 [13 서울시 7급]

빵(포르투갈어), 구두(일본어), 붓(한자어)

국어 어휘의 분류	국어 어휘에 대한 설명의 진위 여부를 판별하는 유형

012 ○○○ 2016 서울시 9급

다음 설명 중 옳지 않은 것은?

① 하늘, 바람, 심지어, 어차피, 주전자와 같은 단어들은 한자로 적을 수 없는 고유어이다.

② 학교, 공장, 도로, 자전거, 자동차와 같은 단어들은 모두 한자로도 적을 수 있는 한자어이다.

③ 고무, 담배, 가방, 빵, 냄비와 같은 단어들은 외국에서 들어온 말이지만 우리말처럼 되어 버린 귀화어이다.

④ 눈깔, 아가리, 주둥아리, 모가지, 대가리와 같이 사람의 신체 부위를 점잖지 못하게 낮추어 부르는 단어들은 비어(卑語)에 속한다.

난이도 상 중 하

해설 '하늘, 바람'은 한자로 적을 수 없는 고유어가 맞지만, '심지어(甚至於), 어차피(於此彼), 주전자(酒煎子)'는 한자어이다.

오답분석 ② '학교(學校), 공장(工場), 도로(道路), 자전거(自轉車), 자동차(自動車)'는 한자어이다.

③ '고무(프랑스)', '담배, 빵(포르투갈)', '가방(네덜란드)', '냄비(일본)'는 모두 외국에서 들어온 말이지만, 현재는 우리말처럼 쓰이는 '귀화어(외래어)'이다.

④ 각각 '눈, 입(아가리, 주둥아리), 목, 머리'를 낮추어 부르는 '비어(卑語: 낮출 비, 말씀 어)'이다. 단, '주둥이'는 '사람'이 아닌 '동물'에게 쓰는 경우에는 '비어(卑語)'가 아니다.

정답 ①

출제 유형

국어 어휘의 분류	국어 어휘의 종류를 판별하는 유형

013 ○○○ 2022 군무원 9급

밑줄 친 말이 한자어와 고유어의 결합이 아닌 것은?

① 이번 달은 예상외로 가욋돈이 많이 나갔다.

② 앞뒤 사정도 모르고 고자질을 하면 안 된다.

③ 불이 나자 순식간에 장내가 아수라장으로 변했다.

④ 두통이 심할 때 관자놀이를 문지르면 도움이 된다.

난이도 상 중 하

해설 **'아수라장(阿修羅場**: 언덕 아, 닦을 수, 그물 라, 마당 장)'은 '한자어'와 '한자어'의 결합이다.

오답분석 ① **'가욋돈(加外돈)'**은 한자어 **'가외(加外**: 더할 가, 바깥 외)'와 고유어 '돈'이 결합한 말이다.

② **'고자질(告者질)'**은 한자어 **'고자(告者**: 알릴 고, 사람 자)'와 고유어 접미사 '-질'이 결합한 말이다.

④ **'관자놀이(貫子놀이)'**는 한자어 **'관자(貫子**: 꿸 관, 아들 자)'와 고유어 '놀이'가 결합한 말이다.

정답 ③

014 ○○○ 2022 군무원 9급

아래의 글에서 밑줄 친 단어들 중 고유어에 해당하는 것은?

> 절간의 여름 수도(修道)인 하안거(夏安居)가끝나면 스님들은 바랑을 메고 바리를 들고서 동냥 수도에 나선다. 이 동냥이 경제적인 구걸로 타락된 적도 없지 않지만 원래는 중생으로 하여금 자비를 베풀 기회를 줌으로써 업고(業苦)를 멸각시키려는 수도 행사였다.

① 동냥 ② 구걸
③ 중생 ④ 자비

난이도 상 중 하

해설 승려가 시주(施主)를 얻으려고 돌아다니는 일 또는 그렇게 얻은 곡식을 이르는 '동냥'은 고유어이다.
※ '동냥'은 거지나 동냥아치가 돌아다니며 돈이나 물건 따위를 거저 달라고 비는 일 또는 그렇게 얻은 돈이나 물건을 의미하기도 한다.

오답분석 ② 돈이나 곡식, 물건 따위를 거저 달라고 빎을 의미하는 **'구걸(求乞**: 구할 구, 빌 걸)'은 한자어이다.

③ 많은 사람, 모든 살아 있는 무리를 이르는 **'중생(衆生**: 무리 중, 살 생)'은 한자어이다.

④ 남을 깊이 사랑하고 가엾게 여김. 또는 그렇게 여겨서 베푸는 혜택, 중생에게 즐거움을 주고 괴로움을 없게 함을 이르는 **'자비(慈悲**: 사랑할 자, 슬플 비)'는 한자어이다.

정답 ①

015 ○○○ 2016 서울시 9급(3월)

한자어 없이 고유어로만 구성된 문장은?

① 그의 모습을 보자 모골이 송연해졌다.

② 도대체가 무슨 일인지 가늠이 안 된다.

③ 나는 생각에 생각을 거듭하여 매사에 임한다.

④ 그 노래를 들으니 불현듯 어릴 적이 떠오른다.

난이도 

해설 ④의 '그 노래를 들으니 불현듯 어릴 적이 떠오른다.'는 한자어 없이 고유어로만 구성된 문장이다.

※ 불현듯: 1) 불을 켜서 불이 일어나는 것과 같다는 뜻으로, 갑자기 어떠한 생각이 걷잡을 수 없이 일어나는 모양
2) 어떤 행동을 갑작스럽게 하는 모양

오답분석 ① '모습'은 고유어이지만, '모골(毛骨)'과 '송연(悚然)해지다'는 한자어이다.

※ 모골(毛骨): 털과 뼈를 아울러 이르는 말

※ 송연(悚然)하다: 두려워 몸을 옹송그릴 정도로 오싹 소름이 끼치는 듯하다.

② '가늠'은 고유어이지만, '도대체(都大體)'는 한자어이다.

③ '생각', '거듭'은 고유어이지만, '매사(每事)', '임하다(臨하다)'는 한자어이다.

※ 매사(每事): 하나하나의 일마다

※ 임하다(臨하다): 어떤 사태나 일을 대하다.

정답 ④

016 ○○○ 2016 서울시 7급

다음 중 혼종어로만 나열된 것은?

> 혼종-어(混種語)[혼: --]「명사」『언어』
> 서로 다른 언어에서 유래한 요소의 결합으로 이루어진 단어

① 각각, 무진장, 유야무야

② 과연, 급기야, 막무가내

③ 의자, 도대체, 언감생심

④ 양파, 고자질, 가지각색

난이도 ㊤ ㊥ ㊦

해설
- **양파**: 한자어 '洋(큰 바다 양)'과 고유어 '파'가 합쳐진 '혼종어'이다.
- **고자질**: 한자어 '告者(알릴 고, 사람 자)'와 고유어 '-질(행위, 접사)'이 합쳐진 '혼종어'이다.
- **가지각색**: 고유어 '가지'와 한자어 '各色(각각 각, 빛 색)'이 합쳐진 '혼종어'이다.

오답분석 ① '각각(各各), 무진장(無盡藏), 유야무야(有耶無耶)' 모두 한자어이다. 한자어로만 이루어진 말이므로, 혼종어가 아니다.

② '과연(果然), 급기야(及其也), 막무가내(莫無可奈)' 모두 한자어이다. 한자어로만 이루어진 말이므로, 혼종어가 아니다.

③ '의자(椅子), 도대체(都大體), 언감생심(焉敢生心)' 모두 한자어이다. 한자어로만 이루어진 말이므로, 혼종어가 아니다.

정답 ④

참고 어휘

어휘	풀이
유야무야(有耶無耶)	有 있을 **유**, 耶 어조사 **야**, 無 없을 **무**, 耶 어조사 **야**
	있는 듯 없는 듯 흐지부지함.
막무가내(莫無可奈)	莫 없을 **막**, 無 없을 **무**, 可 옳을 **가**, 奈 어찌 **내**
	달리 어찌할 수 없음.
언감생심(焉敢生心)	焉 어찌 **언**, 敢 감히 **감**, 生 날 **생**, 心 마음 **심**
	어찌 감히 그런 마음을 품을 수 있겠냐는 뜻으로, 전혀 그런 마음이 없었음을 이르는 말

CHAPTER 2

고유어와 관용어

Unit 05 고유어의 쓰임과 뜻풀이

출제 유형

고유어의 쓰임	• 고유어의 쓰임이 적절한지 묻는 유형
고유어의 뜻풀이	• 고유어의 뜻풀이가 옳은지 묻는 유형 • 예문 속 고유어의 뜻풀이가 옳은지 묻는 유형

핵심정리

• 기출 고유어

(1) [18 서울시 7급(3월)]

트레바리	이유 없이 남의 말에 반대하기를 좋아함. 또는 그런 성격을 지닌 사람
지청구	까닭 없이 남을 탓하고 원망함.

(2) [17 국회직 8급]

울력성당	떼 지어 으르고 협박함. = 완력성당
고샅	초가지붕을 일 때 쓰는 새끼
말곁	남이 말하는 옆에서 덩달아 참견하는 말
봉죽	일을 꾸려 나가는 사람을 곁에서 거들어 도와줌.
갓모	사기그릇을 만드는 돌림판의 밑구멍에 끼우는, 사기로 된 고리
갈모	비가 올 때 갓 위에 덮어 쓰던 고깔과 비슷하게 생긴 기름종이로 만든 우비 모자

(3) [16 서울시 9급]

노느매기	물건을 여러 몫으로 나누는 일
가리사니	사물을 판단할 수 있는 지각이나 실마리
던적스럽다	하는 짓이 보기에 매우 치사하고 더러운 데가 있다.

출제 유형

고유어의 쓰임	고유어의 쓰임이 적절한지 묻는 유형

017 ○○○ 2018 국회직 8급

다음 중 밑줄 친 단어의 쓰임이 적절하지 않은 것은?

① 뜨거운 죽을 그릇에 담을 때에는 넘치지 않도록 골막하게 담아라.

② 그는 주춤하더니 다시 돌아누워 시름없는 투로 말했다.

③ 가만히 있는 아이를 괜히 뜬적거려 울린다.

④ 마주 보이는 담배 가게 옆댕이의 사진관을 본다.

⑤ 첫인상부터 늡늡하고 인색한 샌님티가 난다.

난이도 상 ○ 하

해설 '늡늡하다'는 '성격이 너그럽고 활달하다.'라는 의미이다. 따라서 '인색하다'나 '샌님'과는 어울리지 않는 말이다.

※ • 인색하다: 1) 재물을 아끼는 태도가 몹시 지나치다.
2) 어떤 일을 하는 데 대하여 지나치게 박하다.
• 샌님: 얌전하고 고루한 사람을 놀림조로 이르는 말

오답 분석 ① '골막하다'는 '담긴 것이 가득 차지 아니하고 조금 모자란 듯하다.'라는 의미이다.

② '시름없다'는 '근심과 걱정으로 맥이 없다.' 또는 '아무 생각이 없다.'라는 의미이다. ②에서는 두 번째 의미로 쓰였다.

③ '뜬적거리다'는 '손톱이나 칼끝 따위로 자꾸 뜯거나 진집을 내다.' 또는 '괜히 트집을 잡아 짓궂게 자꾸 건드리다.'라는 의미이다. ③에서는 두 번째 의미로 쓰였다.

④ '옆댕이'는 '옆'을 속되게 이르는 말이다.

 ⑤

고유어의 뜻풀이	고유어의 뜻풀이가 옳은지 묻는 유형

018 ○○○ 2021 지방직 9급

단어의 뜻풀이가 옳지 않은 것은?

① 반나절: 하루 낮의 반

② 달포: 한 달이 조금 넘는 기간

③ 그끄저께: 오늘로부터 사흘 전의 날

④ 해거리: 한 해를 거른 간격

난이도 상 ○ 하

해설 제시된 단어의 뜻풀이는 모두 바르다. 따라서 단어의 뜻풀이가 옳지 않은 것은 없다.

① 명사 '한나절'은 '하룻낮 전체'의 의미로도 쓸 수 있고, '하룻낮의 반'의 의미로도 쓸 수 있다. 따라서 명사 **'반나절'은 '하룻낮의 ½' 과 동시에 '하룻낮의 ¼'**의 의미로 쓸 수 있다. '하루 낮'으로 두 낱말로 띄어 쓰든, '하룻낮'의 하나의 낱말로 표기하든 그 의미는 같다.

② '날포, 달포, 해포'는 고유 명사로 '앞의 해당 기간이 넘는 동안'의 의미를 갖는다. 따라서 '날포'는 '하루가 넘는 동안', **'달포'는 '한 달이 넘는 동안'**, '해포'는 '한 해가 넘는 동안'의 뜻이다.

③ '어제의 전날'을 '그저께(=그제)'라 하고, '그저께의 전날, **즉 오늘로부터 사흘 전'을 '그끄저께(=그끄제)'**라고 한다.

④ '날거리, 달거리, 해거리'는 모두 고유 명사로 '앞의 해당 기간만큼을 거름'의 의미를 지닌다. '날거리(=격일)'는 '하루를 거름. 또는 하루씩 거름.', '달거리(격월)'는 '한 달을 거름. 또는 한 달씩 거름', **'해거리(격년)'는 '한 해를 거름. 혹은 그런 간격'**의 뜻이다.

※ 국립국어원 《표준국어대사전》에 따르면, '반나절'은 '한나절의 반', '한나절(=하룻낮의 반)'이라는 두 가지 의미를 가지고 있다. 가답안에서는 '한나절의 반'이라는 의미만 인정되어 ①이 정답이었기에 논란이 있었다. 그러나 추후 '반나절'의 두 번째 의미 '하루 낮의 반'도 인정되어 최종 답안에서는 '정답 없음' 처리가 되었다.

정답 정답 없음

019 ○○○ 2017 서울시 9급

다음 중 단어의 뜻풀이가 옳지 않은 것은?

① 가닐대다: 벌레가 기어가는 것처럼 살갗에 간지럽고 자릿한 느낌이 자꾸 들다.

② 굼적대다: 느리고 폭이 넓게 자꾸 물결치다.

③ 꼬약대다: 음식 따위를 한꺼번에 입에 많이 넣고 잇따라 조금씩 씹다.

④ 끌끌대다: 마음에 마땅찮아 혀를 차는 소리를 자꾸 내다.

난이도 상 중 하

해설 '굼적대다'는 '몸이 둔하고 느리게 자꾸 움직이다.'라는 의미를 가진 단어이다. '느리고 폭이 넓게 자꾸 물결치다.'라는 뜻을 가진 말은 '굼적대다'가 아니라 '금실거리다'이다.

※ 굼적대다(=굼적거리다) < 꿈쩍대다

정답 ②

참고 어휘

가닐대다	① 벌레가 기어가는 것처럼 살갗에 간지럽고 자릿한 느낌이 자꾸 들다. ※ 자릿하다 → 센말: 짜릿하다 ② 보기에 매우 위태롭거나 치사하고 더러워 마음에 자린 느낌이 자꾸 들다.
꼬약대다	Ⅰ. 음식 따위를 한꺼번에 입에 많이 넣고 잇따라 조금씩 씹다. Ⅱ. ① 좁은 데로 많은 사람이나 사물이 잇따라 몰려가거나 들어오다. ② 연기나 김 따위가 계속 나오거나 생기다. ③ 어떤 마음이 계속 생기거나 치밀다.
끌끌대다[1]	마음에 마땅찮아 혀를 차는 소리를 자꾸 내다.
끌끌대다[2]	트림하는 소리가 자꾸 나다. ※ '끌끌대다1'과 '끌끌대다2'는 동음이의어이다.

출제 유형

고유어의 뜻풀이	예문 속 고유어의 뜻풀이가 옳은지 묻는 유형

020 ○○○ 2022 국회직 8급

밑줄 친 단어의 뜻풀이가 옳지 않은 것은?

① 그는 줄목을 무사히 넘겼다.
→ 일의 진행 과정에서 가장 중요한 대목

② 그 사람들도 선걸음으로 그리 내달았다.
→ 이미 내디뎌 걷고 있는 그대로의 걸음

③ 겨울 동안 갈무리를 했던 산나물을 팔았다.
→ 물건 따위를 잘 정리하거나 간수함.

④ 그는 인물보다 맨드리가 쓰레기꾼 축에 섞이기는 아까웠다.
→ 옷을 입고 매만진 맵시

⑤ 그녀는 잔입으로 출근 시간이 되기만을 기다렸다.
→ 음식을 조금만 먹음.

난이도 상 중 하

해설 '잔입'은 '자고 일어나서 아직 아무것도 먹지 아니한 입', 즉 '마른입'을 의미하는 말이다.

※ '음식을 간단하게 조금만 먹어 시장기를 면하는 일'을 의미하는 말로는 '입매'가 있다.

정답 ⑤

021 ○○○

2016 국가직 9급

밑줄 친 어휘의 뜻풀이가 옳지 않은 것은?

① 해미 때문에 한 치 앞도 보이지 않았다.
  - 해미: 바다 위에 낀 짙은 안개

② 이제는 안갚음할 때가 되었다.
  - 안갚음: 남에게 해를 받은 만큼 저도 그에게 해를 다시 줌.

③ 그 울타리는 오랫동안 살피지 않아 영 볼썽이 아니었다.
  - 볼썽: 남에게 보이는 체면이나 태도

④ 상고대가 있는 풍경을 만났다.
  - 상고대: 나무나 풀에 내려 눈처럼 된 서리

난이도 상 ◯ 하

해설 '남에게 해를 받은 만큼 저도 그에게 해를 다시 줌.'이라는 뜻을 가진 말은 '앙갚음'이다. '안갚음'은 '자식이 커서 부모를 봉양하는 일'을 뜻하는 말이다.

정답 ②

참고 어휘

안갚음	① 까마귀 새끼가 자라서 늙은 어미에게 먹이를 물어다 주는 일 예 새들도 안갚음을 하는데 사람임에랴? ② 자식이 커서 부모를 봉양하는 일 ≒ 반포(反哺), 반포지효(反哺之孝) 예 이제는 안갚음을 할 나이가 되었다.
앙갚음	남이 저에게 해를 준 대로 저도 그에게 해를 줌. 예 앙갚음은 또 다른 앙갚음을 낳는다.

022 ○○○

2015 지방직 9급

밑줄 친 단어의 뜻풀이로 바르지 않은 것은?

① 나이도 먹을 만큼 먹었는데 어쩌면 저렇게 숫저울까?
  - 숫접다: 순박하고 진실하다.

② 그녀는 그가 떠날까 저어하였다.
  - 저어하다: 염려하거나 두려워하다.

③ 나는 곰살궂게 이모의 팔다리를 주물렀다.
  - 곰살궂다: 일이나 행동이 적당하다.

④ 아이들이 놀이방에서 새살거렸다.
  - 새살거리다: 샐샐 웃으면서 재미있게 자꾸 지껄이다.

난이도 상 중 ◯

해설 '곰살궂다'에 '적당히'라는 뜻은 없다. 오히려 반대되는 의미의 '꼼꼼하게'라는 뜻을 갖고 있다. 따라서 뜻풀이가 바르지 않은 것은 ③이다.

정답 ③

참고 어휘

- 곰살궂다
  ① 태도나 성질이 부드럽고 친절하다. 예 곰살궂게 굴다.
  ② 꼼꼼하고 자세하다.
    예 나는 곰살궂게 이모의 허리서부터 팔다리를 주물렀다.

Unit 06 어휘의 쓰임과 뜻풀이

출제 유형

단어의 뜻풀이나 단어의 바꿔 쓰기 유형은 주로 문학 작품과 같이 나오기도 해요.
뜻을 몰라도 주어진 문맥을 통해 뜻을 짐작할 수 있으니, 앞뒤 내용에 주의하기!

단어의 뜻풀이	• 문맥 속 단어의 뜻풀이가 옳은지 묻는 유형 • 뜻풀이에 부합하는 단어를 찾는 유형
단어의 바꿔 쓰기	• 바꿔 쓴 말이 옳은지 묻는 유형

출제 유형

단어의 뜻풀이	문맥 속 단어의 뜻풀이가 옳은지 묻는 유형

023 ○○○ 2022 소방 경력 채용

㉠~㉣의 뜻풀이로 적절하지 않은 것은?

> 방자 손을 넌지시 들어 가리키는데,
> "저기 저 건너 동산은 ㉠ 울울하고, 물고기 뛰노는 푸르고 푸른 연못 가운데 신비한 화초가 무성하고, 나무마다 앉은 새는 화려함을 자랑하고, 바위 위 굽은 솔에 맑은 바람이 ㉡ 건듯 부니 늙은 용이 서려 있는 듯, 있는 듯 없는 듯한 문 앞의 버들, 들쭉나무, 측백나무, 전나무며 그 가운데 행자목은 음양(陰陽)을 좇아 마주 서고, 오동나무, 대추나무, 깊은 산중 물푸레나무, 포도, 다래, 덩굴나무 ㉢ 넌출 ㉣ 휘휘친친 감겨 담장 밖에 우뚝 솟았는데, 소나무 정자가 대나무 숲 사이로 은은히 보이는 게 춘향의 집일러라."

① ㉠: 나무가 빽빽하게 들어서 매우 무성하다.
② ㉡: 바람이 가볍게 슬쩍 부는 모양
③ ㉢: 근본에서 갈라져 나온 것
④ ㉣: 여러 번 단단히 둘러 감거나 감기는 모양

난이도 상 중 하

해설 '넌출'은 '길게 뻗어 나가 늘어진 식물의 줄기'를 의미한다.

정답 ③

• 작품정보 **작자 미상, 〈춘향전〉**

갈래	판소리계 소설, 염정 소설
성격	해학적, 풍자적, 평민적
시점	전지적 작가 시점
배경	• 시간: 조선 숙종 때 • 공간: 전라도 남원
제재	춘향의 정절
주제	① 신분을 초월한 남녀 간의 사랑 ② 불의한 지배 계층에 대한 서민의 항거 ③ 신분적 갈등의 극복을 통한 인간 해방
특징	① 해학과 풍자에 의한 골계미가 나타남. ② 서술자의 편집자적 논평이 자주 드러남. ③ 판소리의 영향으로 운문체와 산문체가 혼합됨.

024 ○○○ 2017 경찰 1차

밑줄 친 단어를 설명한 것으로 적절하지 않은 것은?

> 우리 아저씨 말이지요, 아따, 저 거시기, 한참 당년에 무엇이냐 그놈의 것, 사회주의라더냐, 막걸리라더냐, 그걸 하다 징역 살고 나와서 폐병으로 시방 앓고 누웠는 우리 오촌 고모부 그 양반……. / 뭐, 말도 마시오, 대체 사람이 어쩌면 글쎄……, 내 원!
>
> 신세 간 데 없지요.
>
> 자, 십년 ㉠ 적공, 대학교까지 공부한 것 풀어먹지도 못했지요, 좋은 청춘 어영부영 다 보냈지요, 신분(身分)에는 전과자(前科者)라는 붉은 도장 찍혔지요, 몸에는 몹쓸 병까지 들었지요, 이 신세를 해 가지굴랑은 굴속 같은 오두막집 단칸 셋방 구석에서 사시장철 밤이나 낮이나 눈 따악 감고 드러누웠군요.
>
> 재산이 어디 집 터전인들 있을 턱이 있나요. 서발 막대 내저어야 짚검불 하나 걸리는 것 없는 ㉡ 철빈인데,
>
> 우리 아주머니가, 그래도 그 아주머니가 어질고 얌전해서 그 알뜰한 남편 양반 받드느라 삯바느질이야, 남의 집 품빨래야, 화장품 장사야, 그 ㉢ 칙살스런 빌이를 해다가 겨우겨우 목구멍에 풀칠을 하지요.
>
> 어디로 대나 그 양반은 죽는 게 두루 좋은 일인데 죽지도 아니해요. / 우리 아주머니가 불쌍해요. 아, 진작 한 나이라도 젊어서 팔자를 고치는 게 아니라, 무슨 놈의 수난 ㉣ 후분을 바라고 있다가 고생을 하는지.

① ㉠: 많은 힘을 들여 애를 씀.

② ㉡: 더할 수 없이 매우 가난함.

③ ㉢: 끈기가 있고 모짊.

④ ㉣: 늙은 뒤의 운수나 처지

난이도 ㊤ ◯ ㊦

해설 '칙살스럽다'는 '하는 짓이나 말 따위가 잘고 더러운 데가 있다.'라는 의미이다.

정답 ③

참고 어휘

어휘	뜻
적공(積功)	① 공을 쌓음. ② 많은 힘을 들여 애를 씀. = 적훈(積勳)
철빈(鐵貧)	더할 수 없이 가난함. 또는 그런 가난
후분(後分)	사람의 평생을 셋으로 나눈 것의 마지막 부분. 늙은 뒤의 운수나 처지를 이른다.

• 작품정보 **채만식, 〈치숙〉**

갈래	단편 소설, 풍자 소설
성격	풍자적, 비판적
배경	• 시간: 일제 강점기 • 공간: 서울
시점	1인칭 관찰자 시점
주제	일제 식민 통치에 순응하려는 '나'와 사회주의 사상을 가진 아저씨의 갈등
특징	① 신빙성 없는 서술자를 통해 현실을 이중적으로 풍자함. ② 대화적 문체를 통해 '나'와 '아저씨'의 가치관을 비교함.

025 ○○○ 2017 지방직 9급

밑줄 친 말의 뜻이 옳지 않은 것은?

> 때는 한창 바쁠 추수 때이다. 농군치고 송이 ㉠ 파적 나올 놈은 생겨나도 않았으리라. 하나 그는 꼭 해야만 할 일이 없었다. 싫으면 하고 말면 말고 그저 그뿐. 그러함에는 먹을 것이 더러 있느냐면 있기는커녕 부쳐 먹을 농토조차 없는, 계집도 없고 자식도 없고. 방은 있대야 남의 곁방이요 잠은 ㉡ 새우잠이요. 하지만 오늘 아침만 해도 한 친구가 찾아와서 벼를 털 텐데 일 좀 와 해달라는 걸 마다하였다. 몇 푼 바람에 그까짓 걸 누가 하느냐보다는 송이가 좋았다. 왜냐면 이 땅 삼천리강산에 늘여 놓인 곡식이 말짱 뉘 것이람. 먼저 먹는 놈이 임자 아니냐. 먹다 걸릴만치 그토록 양식을 쌓아두고 일이 다 무슨 ㉢ 난장 맞을 일이람. 걸리지 않도록 먹을 궁리나 할 게지. 하기는 그도 한 세 번이나 걸려서 구메밥으로 ㉣ 사관을 틀었다마는 결국 제 밥상 위에 올라앉은 제 몫도 자칫하면 먹다 걸리긴 매일반…….
>
> \- 김유정, 〈만무방〉

① ㉠: 심심풀이

② ㉡: 안잠

③ ㉢: 몰매

④ ㉣: 양쪽 팔꿈치와 무릎 관절

난이도 ㊤ ◯ ㊦

해설 '새우잠'은 '새우처럼 등을 구부리고 자는 잠'을 의미한다. 따라서 '여자가 남의 집에서 먹고 자며 그 집의 일을 도와주는 일'을 의미하는 '안잠'과는 뜻이 통하지 않는다.

오답분석

① '파적(破寂)'은 '심심함을 잊고 시간을 보내기 위하여 어떤 일을 함.'이란 의미로 '심심풀이'와 뜻이 통한다.
※ 심심풀이 = 심심파적 = 파적(破寂) = 파한(破閑)

③ '난장(亂杖)'이 '맞다'란 서술어와 함께 쓰였다는 점에서 '여러 사람이 한꺼번에 덤비어 때리는 매'란 의미로 쓰였다. 따라서 '몰매(여러 사람이 한꺼번에 덤비어 때리는 매)'와 의미가 통한다.
※ 난장(亂場) = 난장판

④ '사관(四關)'은 '양쪽의 팔꿈치와 무릎 관절을 통틀어 이르는 말'이 맞다.

정답 ②

• 작품정보 **김유정, 〈만무방〉**

갈래	단편 소설, 농촌 소설
성격	반어적, 비판적, 토속적
배경	• 시간: 일제 강점기의 어느 가을날 • 공간: 강원도 산골 마을
시점	전지적 작가 시점
주제	식민지 농촌 사회의 가혹한 현실
특징	① 간결하고 사실적인 문체와 토속적인 어휘를 사용하여 생동감 있게 묘사함. ② 일제 강점기의 농민의 궁핍함을 반어적인 기법을 통해 표현함.

출제 유형

단어의 뜻풀이	뜻풀이에 부합하는 단어를 찾는 유형

026 ○○○ 2016 서울시 7급

다음 중 밑줄 친 부분과 비슷한 의미를 지닌 단어는?

> 철수와 영수는 고등학교 친구다. 그러나 졸업 후 함께 사업을 하면서 서로 마음이 맞지 않아 사이가 서먹하게 되었다. 지금도 동네에서 오며 가며 얼굴은 보지만 서로 모르는 척 지나간다.

① 징건하다 ② 버름하다
③ 투미하다 ④ 쇄락하다

난이도 상 중 하

해설 '서로 마음이 맞지 않다.'의 의미를 가진 말은 '버름하다'이다.

정답 ②

참고 어휘

징건하다	먹은 것이 잘 소화되지 아니하여 더부룩하고 그득한 느낌이 있다.
버름하다	① 물건의 틈이 꼭 맞지 않고 조금 벌어져 있다. ② 마음이 서로 맞지 않아 사이가 뜨다.
투미하다	어리석고 둔하다.
쇄락하다(灑落--)	기분이나 몸이 상쾌하고 깨끗하다.

027 ○○○ 2016 경찰 1차

다음 밑줄 친 부분의 뜻으로 가장 적절한 것은?

> 수영과 나는 소꿉친구다. 나는 수영을 언제부턴가 친구 이상으로 좋아하고 있다. 수영은 나의 마음을 알고 있으면서 일부러 모르는 체한다. 그래서 내일은 꽃과 선물을 준비해서 고백할 생각이다.

① 가멸다 ② 슬겁다
③ 몽따다 ④ 곰삭다

난이도 상 중 하

해설 '알고 있으면서 일부러 모르는 체하다.'의 뜻을 가진 말은 '몽따다'이다.

정답 ③

참고 어휘

가멸다	재산이나 자원 따위가 넉넉하고 많다.
슬겁다	① 집이나 세간 따위가 겉으로 보기보다는 속이 꽤 너르다. ② 마음씨가 너그럽고 미덥다.
곰삭다	① 옷 따위가 오래되어서 올이 삭고 질이 약해지다. ② 젓갈 따위가 오래되어서 푹 삭다. ③ 풀, 나뭇가지 따위가 썩거나 오래되어 푸슬푸슬해지다.

출제 유형

단어의 바꿔 쓰기	바꿔 쓴 말이 옳은지 묻는 유형

028 ○○○ 2022 군무원 7급

다음 중 밑줄 친 낱말의 뜻을 적은 것으로 가장 옳은 것은?

① 그는 업무처리가 머줍기로 소문이 나 있다. → 정확하기로
② 우리 일에는 김 과장처럼 늡늡한 사람이 적격이다. → 활달한
③ 할머니는 따듯한 죽을 골막하게 담아주셨다. → 가득
④ 그녀는 우리 동기 가운데서 가장 동뜬 학생이었다. → 뒤떨어진

난이도 상 ● 하

해설 '늡늡하다'는 '성격이 너그럽고 활달하다.'라는 의미이다. 따라서 '늡늡한'을 '활달한'으로 적은 것은 옳다.

오답분석 ① '머줍다'는 '동작이 둔하고 느리다.'라는 의미이다. 따라서 '정확하다'라는 의미가 아니다.
③ '골막하다'는 '담긴 것이 가득 차지 아니하고 조금 모자란 듯하다.'라는 의미이다. 따라서 '가득'의 의미가 아니다.
④ '동뜨다'는 '다른 것들보다 훨씬 뛰어나다.', '평상시와는 다르다.', '동안이 뜨다.'라는 의미이다. 문맥상 첫 번째 뜻인 '뛰어나다'의 의미로 쓰였다. 따라서 '뒤떨어지다'의 의미가 아니다.

정답 ②

029 ○○○ 2015 교육행정직 9급

문맥상 ㉠~㉣을 바꾸어 쓴 것으로 적절하지 않은 것은?

> 오늘날에는 다양한 미감(美感)들이 공존하고 있다. 일상 세계에서는 '가벼운 미감'이 향유되는가 하면, 다른 한편에서는 전통예술과는 매우 다른 현대예술의 반미학적 미감 또한 넓게 ㉠ 표출되고 있다. 그러면 이들 사이의 관계를 어떻게 받아들일 것인가?
> 먼저 순수예술의 미감에 대해서 생각해 보자. 현대예술은 의식보다는 무의식을, 필연보다는 우연을, 균제보다는 파격을, 인위성보다는 자연성을 내세운다. 따라서 얼핏 보면 전통예술과 현대예술은 서로 ㉡ 대립하는 것처럼 보이지만, 이 둘은 겉보기와는 달리 상호 보완의 가능성을 품고 있다. 현대 예술이 주목하는 것들 또한 인간과 세계의 또 다른 본질적인 부분이기 때문이다. 실제로 이런 가능성이 ㉢ 실현되고 있다. 오늘날 현대무용은 성립 시기에 배제했던 고전발레의 동작을 자기 속에 녹여 넣고 있으며, 현대음악도 전통적 리듬과 박자를 받아들여 풍성한 표현 형식을 얻고 있다.
> 순수예술의 미감과 일상적 미감의 관계도 마찬가지이다. 디지털카메라는 가벼운 미감의 확산에 큰 몫을 한다. 누구라도 예쁜 사진을 찍어서 일상을 작품으로 만들 수 있다. 물론 이것은 '요리사가 만든 제대로 된 요리가 아니라 냉장고에서 꺼내 데우기만 하면 되는 음식'이라는 비판을 받기도 하지만, 메모리카드가 실현시킨 촬영의 즉시성은 장차 사진예술의 감성과 내용을 넓히는 데 도움을 줄 수도 있다. 이런 추측의 근거는 무엇보다 현대 사진예술이 이미 일상을 소재로 활용하고 있을 뿐 아니라, 즉시성을 창조의 중요한 요소로 ㉣ 인정하고 있기 때문이다.

① ㉠: 나타나고 ② ㉡: 맞서는
③ ㉢: 비롯되고 ④ ㉣: 받아들이고

난이도 ● 중 하

해설 '비롯되다'는 '시작되다'의 의미이다. 그러나 ㉢의 '실현되다'는 '드러나다/나타나다/이루어지다'의 의미이므로 바꿔 쓰기가 적절하지 않은 것은 ③이다.

오답분석 ① '표출되다'는 '나타나다'의 의미이므로 바꿔 쓸 수 있다.
② '대립하다'는 '맞서다'의 의미이므로 바꿔 쓸 수 있다.
④ '인정하다'는 '받아들이다'의 의미이므로 바꿔 쓸 수 있다.

정답 ③

Unit 07 관용어의 뜻풀이

출제 유형

- 관용어의 뜻풀이가 바른지 묻는 유형
- 예문 속 관용어의 뜻을 묻는 유형

핵심정리

1. '말'과 관련된 관용어 [12 서울시 9급]

말을 내다	어떤 이야기로 말을 시작하다. 예 무엇으로 말을 내 보지?
말을 듣다	꾸지람을 듣거나 시비의 대상이 되다. 예 그런 일로 남의 말을 들어서야 되겠느냐?
말을 떼다	말을 하기 시작하다. 예 우리 아기가 어제 드디어 말을 뗐다.
말이 굳다	말이 더듬더듬 막히다. 예 무슨 잘못을 했는지 말이 굳어 있었다.
말이 되다	말하는 것이 이치에 맞다. 예 말이 되는 소리를 해.

2. '눈'과 관련된 관용어 [17 사회복지직 9급]

눈이 시다	하는 짓이 거슬려 보기에 아니꼽다. 예 정말 눈이 시어서 못 봐 주겠네.
눈에 거칠다	보기가 싫어 눈에 들지 아니하다. 예 그는 항상 눈에 거친 일만 한다.
눈에서 번개가 번쩍 나다	뺨이나 머리 따위를 강하게 맞았을 때 눈앞이 갑자기 캄캄해지며 일순간 빛이 떠올랐다가 사라지다. 예 얼굴을 맞는 순간 눈에서 번개가 번쩍 났다.
눈에 헛거미가 잡히다	① 굶어서 기운이 빠져 눈앞이 아물거리다. 예 며칠 굶었더니 눈에 헛거미가 잡힌다. ② 욕심에 눈이 어두워 사물을 바로 보지 못하다. 예 네 녀석이 눈에 헛거미가 잡혀서 그러는구나.

3. '땀'과 관련된 관용어

땀으로 미역을 감다	땀을 매우 많이 흘리다. 예 한여름 무더위에 땀으로 미역을 감다.
땀이 빠지다	몹시 힘들거나 애가 쓰이다. 예 땀이 빠지게 해야 할 일
땀을 빼다	몹시 힘들거나 어려운 고비를 겪느라고 크게 혼이 나다. 예 우는 아기를 달래느라고 땀을 뺐다.
땀을 흘리다	힘이나 노력을 많이 들이다. 예 땀 흘려 돈을 모으다.

4. '속'과 관련된 관용어 [11 국회직 8급]

속을 긁다	남의 속이 뒤집히게 비위를 살살 건드리다. 예 아내는 속 긁는 소리를 해 댔다.
속을 끓이다	마음을 태우다. 예 그녀는 한평생을 자식 문제로 속 끓이고 살아왔다.
속을 뜨다	남의 마음을 알려고 넘겨짚다. 예 속을 떠보려는 수작
속을 빼놓다	줏대나 감정을 억제하다. 예 속을 빼놓고 살아야지 제대로 정신 차리고는 살 수 없는 세상이야.
속을 뽑다	일부러 남의 마음을 떠보고 그 속내를 드러나게 하다. 예 술 몇 잔으로 그의 속을 뽑으려 했다.
속을 주다	마음속에 있는 것을 숨김없이 드러내 보이다. 예 그는 사람들과 원만하게 지냈지만 사실은 누구에게도 속을 주지는 않았다.

출제 유형

관용어의 뜻풀이	관용어의 뜻풀이가 바른지 묻는 유형

030 ○○○ 2018 국회직 9급

다음 관용적 표현 중 뜻이 옳지 않은 것은?

① 떡 해 먹을 집안: 서로 마음이 맞지 않아 분란이 끊이지 않는 집안

② 이골이 나다: 지긋지긋해서 진절머리가 나다.

③ 벙어리 재판: 시비를 가리기가 어려움

④ 반죽이 좋다: 노여움이나 부끄러움을 타지 아니하다.

⑤ 아퀴를 짓다: 어떤 일의 가부를 확실하게 결정하여 마무리하다.

난이도 ㊤ ◯ ㊦

해설 '이골이 나다'는 '어떤 방면에 길이 들어서 버릇처럼 아주 익숙해지다.'라는 의미이다.
※ 이골: 아주 길이 들어서 몸에 푹 밴 버릇

정답 ②

031 ○○○ 2013 서울시 7급

다음 중 관용어의 뜻풀이가 적절하지 않은 것은?

① 가락이 나다: 일의 능률이 오르다.

② 개 콧구멍으로 알다: 시시한 것으로 알아 대수롭지 않게 여기다.

③ 개발에 편자: 가진 물건이나 입은 옷 등이 제격에 맞지 않음.

④ 개천에 든 소: 먹을 것이 많아 유복한 처지에 든 사람

⑤ 개가를 올리다: 대표로 하다.

난이도 ㊤ ◯ ㊦

해설 '개가를 올리다'는 '큰 성과를 거두다.'란 뜻이다.
※ 개가(凱歌: 이길 **개**, 노래 **가**): 개선가, 이기거나 큰 성과가 있을 때의 환성
비교 개가(改嫁: 고칠 **개**, 시집갈 **가**): 결혼하였던 여자가 남편과 사별하거나 이혼하여 다른 남자와 결혼함.

정답 ⑤

출제 유형

관용어의 뜻풀이	예문 속 관용어의 뜻을 묻는 유형

032 ○○○ 2023 국가직 9급

관용 표현 ㉠~㉣의 의미를 풀이한 것으로 적절하지 않은 것은?

- 그의 회사는 작년에 노사 갈등으로 ㉠ 홍역을 치렀다.
- 우리 교장 선생님은 교육계에서 ㉡ 잔뼈가 굵은 분이십니다.
- 유원지로 이어지는 국도에는 차가 밀려 ㉢ 입추의 여지가 없었다.
- 그분은 세계 유수의 연구자들과 ㉣ 어깨를 나란히 하는 물리학자이다.

① ㉠: 심한 어려움을 겪었다

② ㉡: 오랫동안 일을 하여 그 일에 익숙한

③ ㉢: 돌아서 갈 수 있는 방법이 없었다

④ ㉣: 비슷한 지위나 힘을 가지는

난이도 ㊤ ◯ ㊦

해설 '입추의 여지가 없다'는 송곳 끝도 세울 수 없을 정도라는 뜻으로, 발 들여놓을 데가 없을 정도로 많은 사람들이 꽉 들어찬 경우를 비유적으로 이르는 말이다.

오답분석
① **홍역을 치르다:** 몹시 애를 먹거나 어려움을 겪다.
② **잔뼈가 굵다:** 오랜 기간 일정한 곳이나 직장에서 일을 하여 그 일에 익숙하다.
④ **어깨를 나란히 하다:** 1) 나란히 서거나 나란히 서서 걷다. 2) 서로 비슷한 지위나 힘을 가지다. 3) 같은 목적으로 함께 일하다

정답 ③

033 ○○○ 2021 지방직 9급

밑줄 친 부분과 바꿔 쓸 수 있는 관용 표현으로 적절하지 않은 것은?

① 몹시 가난한 형편에 누구를 돕겠느냐? - 가랑이가 찢어질

② 그가 중간에서 연결해 주어 물건을 쉽게 팔았다.
 - 호흡을 맞춰

③ 그는 상대편을 보고는 속으로 깔보며 비웃었다.
 - 코웃음을 쳤다

④ 주인의 말에 넘어가 실제보다 비싸게 이 물건을 샀다.
 - 바가지를 쓰고

난이도 ㊤ ◎ ㊦

해설 관용 표현 '호흡을 맞추다'는 '일을 할 때 서로의 행동이나 의향을 잘 알고 처리하여 나가다.'라는 의미이다. 따라서 '연결해 주다'와 바꿔 쓰기에 적절하지 않다.
※ '연결해 주다'라는 의미를 가진 관용 표현에는 '다리를 놓다'가 있다.

오답분석
① 관용 표현 '가랑이가 찢어지다'는 '몹시 가난하여 살림살이가 궁색하다.'라는 의미이다. 따라서 '몹시 가난하다'와 바꿔 쓰기에 적절하다.
③ 관용 표현 '코웃음을 치다'는 '남을 깔보고 비웃다.'라는 의미이다. 따라서 '깔보며 비웃다'와 바꿔 쓰기에 적절하다.
④ 관용 표현 '바가지를 쓰다'는 '요금이나 물건값을 실제 가격보다 비싸게 지불하여 억울한 손해를 보다.'라는 의미이다. 따라서 '실제보다 비싸게 (사다)'와 바꿔 쓰기에 적절하다.

정답 ②

034 ○○○ 2017 지방직 9급

밑줄 친 말의 의미는?

몇 달 만에야 말길이 되어 겨우 상대편을 만나 보았다.

① 남의 말이 끝나자마자 이어 말하다.
② 자신을 소개하는 길이 트이다.
③ 어떤 말이 상정되거나 토론이 되다.
④ 마음에 당겨 재미를 붙이다.

난이도 ㊤ ◎ ㊦

해설 '말길이 되다'란 관용어는 '남에게 소개하는 의논의 길이 트이다.'라는 의미를 가진다.
※ 말길: 1) 말하는 길 2) 말하는 기회 또는 실마리

오답분석
① **말꼬리를 물다**: 남의 말이 끝나자마자 이어 말하다.
③ **말이 있다**: 어떤 말이 상정되거나 토론이 되다.
④ **맛을 붙이다**: 마음에 당겨 재미를 붙이다.

정답 ②

035 ○○○ 2017 사회복지직 9급

밑줄 친 표현의 뜻풀이가 옳지 않은 것은?

① 그 사람은 입이 밭아서 입맛 맞추기가 어렵다.
 - 음식을 심하게 가리거나 적게 먹다.

② 입이 거친 그를 흰 눈으로 보는 것은 당연한 일이다.
 - 업신여기거나 못마땅하게 여기다.

③ 이번 일은 네가 허방 짚은 격이다.
 - 잘못 알거나 잘못 예산하여 실패하다.

④ 새참 동안 땀을 들인 후 다시 일을 시작했다.
 - 땀을 일부러 많이 내서 피곤을 풀다.

난이도 ㊤ ◎ ㊦

해설 관용 표현 '땀을 들이다'는 "몸을 시원하게 하여 땀을 없애다.", "잠시 휴식하다."라는 의미이다. 그러나 "땀을 일부러 많이 내서 피곤을 풀다."라는 의미는 없다.

정답 ④

참고 어휘

밭다	(형용사) ① 시간이나 공간이 다붙어 몹시 가깝다. ② 길이가 매우 짧다. ③ 음식을 가려 먹는 것이 심하거나 먹는 양이 적다.
허방	땅바닥이 움푹 패어 빠지기 쉬운 구덩이

Unit 08 관용어의 쓰임

출제 유형

- 관용어의 사용 여부를 묻는 유형
- 관용어의 쓰임이 적절한지 묻는 유형
- 관용어와 한자어를 연결하는 유형

심화 Plus

- **관용어가 쓰인 문장 기출**

(1) [13 국회직 8급]

사개가 맞다	그 교수의 이론은 사개가 맞아 모두가 동의하였다. **[뜻풀이]** 말이나 사리의 앞뒤 관계가 빈틈없이 딱 들어맞다.
곁을 주다	그는 오랫동안 만나 온 사람이지만 좀처럼 곁을 주지 않았다. **[뜻풀이]** 다른 사람으로 하여금 자기에게 가까이할 수 있도록 속을 터주다.
손이 걸다	우리 어머니는 손이 걸어서 음식을 항상 많이 하셨다. **[뜻풀이]** ① 씀씀이가 후하고 크다. ② 수단이 좋고 많다.
엉너리를 치다	그는 엉너리를 치며 슬그머니 다가와 앉았다. **[뜻풀이]** 남의 환심을 사기 위해 어벌쩡하게 서두르다.

(2) [10 국가직 7급]

속이 살다	저래 봬도 속이 살아서 그 사람은 곧잘 바른 소리를 한다. **[뜻풀이]** 겉으로는 수그러진 듯하나 속에는 반항하는 마음이 있다.
속을 주다	아무에게나 그렇게 속을 주고 다니다가 오히려 당하는 수가 있으니 조심해라. **[뜻풀이]** 마음속에 있는 것을 숨김없이 드러내 보이다.
속이 달다	남들은 대학에 못 가서 속이 달아 있는데, 그는 대학에 붙고도 안 간다고 하니 어찌된 일인지 모르겠다. **[뜻풀이]** 마음이 죄이고 안타까워지다.

(3) [07 국가직 9급]

등이 달다	지금쯤 그는 등이 달아서 앉아 있을 것이다. **[뜻풀이]** 마음대로 되지 아니하여 몹시 안타까워하다.
낯을 깎다	부모님 낯을 깎을 만한 행동은 하지 마라. **[뜻풀이]** 체면을 손상시키다.
속을 뽑다	그들은 술 몇 잔으로 그의 속을 뽑으려 하였다. **[뜻풀이]** 일부러 남의 마음을 떠보고 그 속내를 드러나게 하다.

출제 유형

관용어의 쓰임	관용어의 사용 여부를 묻는 유형

036 ○○○ 2016 소방직

다음 중 관용어가 사용되지 않은 문장은?

① 철수는 이번 시험에서 미역국을 먹었다.

② 아름이는 영희의 콧대를 꺾었다.

③ 드디어 그 공사의 첫 삽을 펐다.

④ 영희는 음식 만드는 일을 제일 꺼린다.

난이도 상 중 하

해설 관용어는 '두 개 이상의 단어로 이루어져 있으면서 그 단어들의 의미만으로는 전체의 의미를 알 수 없는, 특수한 의미를 나타내는 말'을 이른다. 그런데 ④는 단어의 본래적 의미만 가지기 때문에 '관용어'가 사용되지 않았다.

오답분석 ① '미역국을 먹다'는 관용어로, '시험에서 떨어지다.'의 의미를 가진다.

② '콧대를 꺾다'는 관용어로, '상대방의 자만심이나 자존심을 꺾어 기를 죽이다.'의 의미를 가진다.

③ '첫 삽을 푸다'는 관용어로, '일을 처음으로 시작하다.'의 의미를 가진다.

정답 ④

037 ○○○ 2015 서울시 7급

다음의 밑줄 친 부분은 두 개의 낱말로 구성되어 있다. 각각의 낱말이 가지고 있는 본래의 의미 이상을 지녔다고 볼 수 없는 것은?

① 남이 말하는데 결다리 듣지 마!

② 길눈이 밝아서 어디든 잘 찾아 간다.

③ 그간의 노력으로 회사의 틀을 잡아 놓았다고 볼 수 있다.

④ 청년의 입에 거품이 일고 네 활개가 뒤틀리고 있었다.

난이도 상 중 하

해설 관용구와 관용구가 아닌 말을 구분하는 문제이다. '활개가 뒤틀리다'라는 관용구는 없다. 따라서 문맥 그대로 '팔다리가 뒤틀리다'의 의미로 사용되었다.

※ 활개: 1) 사람의 어깨에서 팔까지 또는 궁둥이에서 다리까지 양쪽 부분
2) 새의 활짝 편 두 날개
3) 윗부분 끝이 모이고 아래가 양쪽으로 벌어진 물건 또는 그런 모양

오답분석 ① **결다리 듣다**: 당사자가 아닌 사람이 참견하여 말하다.

② **길눈이 밝다**: 한두 번 가 본 길을 잊지 않고 찾아갈 만큼 길을 잘 기억하다.

③ **틀을 잡다**: 일정한 형태나 구성을 갖추다.

정답 ④

출제 유형

관용어의 쓰임	관용어의 쓰임이 적절한지 묻는 유형

038 ○○○ 2017 지방직 7급

밑줄 친 관용어의 사용이 적절하지 않은 것은?

① 저 친구는 입이 높아 일반 음식은 먹지 않아.

② 그는 입이 뜨고 과묵한 사람이다.

③ 입 아래 코라고 일의 순서가 바뀌었어.

④ 사람이 저렇게 입이 진 것을 보니 교양이 있겠구나.

난이도 상 중 하

해설 ④의 밑줄 친 관용구 '입이 질다'는 '속된 말씨로 거리낌 없이 말을 함부로 하다.' 또는 '말을 수다스럽게 많이 하는 버릇이 있다.'의 의미다. 따라서 '교양이 있겠구나.'의 말과 어울리지 않는다.

오답분석 ① **입이 높다**: 보통 음식으로 만족하지 아니하고 맛있고 좋은 음식만을 바라는 버릇이 있다.

② **입이 뜨다**: 입이 무거워 말수가 적다.

③ **입 아래 코**: 일의 순서가 바뀐 경우를 비유적으로 이르는 말

정답 ④

039 ○○○ 2017 국회직 9급

다음 중 밑줄 친 관용 표현의 쓰임이 옳지 않은 것은?

① 손이 싸서 일찍 끝냈구나.

② 그렇게 변죽을 치지 말고 바른대로 말해.

③ 그는 반죽이 좋아 웬만한 일에는 성을 내지 않는다.

④ 그는 살이 찌려는지 요즘은 입이 달아 무엇이든 잘 먹는다.

⑤ 그녀는 절에 간 색시같이 자발없이 나선다.

난이도 상 중 하

해설 '절에 간 색시'라는 속담은 '남이 시키는 대로 따라 하는 사람' 또는 '아무리 싫어도 남이 시키는 대로 따라 하지 아니할 수 없는 처지에 있는 사람'을 이르는 말이다. 따라서 자발없이 나선다는 말과 어울리지 않는다.

※ 자발없이: 행동이 가볍고 참을성이 없이

오답분석 ① '손이 싸다'는 '손이 빠르다.'의 의미이므로 그 쓰임이 적절하다.

② '변죽을 치다'는 '바로 집어 말을 하지 않고 둘러서 말을 하다.'의 의미이므로 그 쓰임이 적절하다.

③ '반죽이 좋다'는 '노여움이나 부끄러움을 타지 아니하다.'의 의미이므로 그 쓰임이 적절하다.

④ '입이 달다'는 '입맛이 당기어 음식이 맛있다.'의 의미이므로 그 쓰임이 적절하다.

정답 ⑤

040 ○○○ 2016 국회직 9급

다음 중 밑줄 친 표현의 쓰임이 옳지 않은 것은?

① 손이 맑으면 따르는 사람도 많은 법이다.
② 우리 집 강아지들이 발을 타기 시작했다.
③ 워낙 귀가 질긴 친구라 알아듣지 못할 것이다.
④ 마을 사람들 모두 코가 빠져 아무 일도 하지 못했다.
⑤ 그는 어머니의 모습이 눈에 밟혀 차마 발걸음을 옮길 수 없었다.

난이도 상 중 하

해설 '손이 맑다'는 '인색하여 남에게 물건을 주는 품이 후하지 못하다.'의 의미를 가진 관용구이다. 따라서 '사람이 많이 따르다'와의 연결은 어색하다. 문맥상 반대말에 해당하는 '씀씀이가 후하고 크다.'의 의미를 가진 '손이 크다'가 어울린다.

오답분석
② '발을 타다'는 '강아지 따위가 걸음을 걷기 시작하다.'의 의미이므로, 그 쓰임이 자연스럽다.
③ '귀가 질기다'는 '둔하여 남의 말을 잘 이해하지 못하다.'의 의미이므로, 그 쓰임이 자연스럽다.
※ 귀가 질기다
1) 둔하여 남의 말을 잘 이해하지 못하다.
2) 말을 싹싹하게 잘 듣지 않고 끈덕지다.
④ '코가 빠지다'는 '근심에 싸여 기가 죽고 맥이 빠지다.'의 의미이므로, 그 쓰임이 자연스럽다.
⑤ '눈에 밟히다'는 '잊히지 않고 자꾸 눈에 떠오르다.'의 의미이므로, 그 쓰임이 자연스럽다.

정답 ①

041 ○○○ 2016 지방직 7급

밑줄 친 관용구가 적절하게 쓰인 것으로만 묶은 것은?

㉠ 그는 복권에 당첨되어 요즘 배가 등에 붙었다.
㉡ 그 사람은 고지식해서 입에 발린 소리를 못한다.
㉢ 그녀는 군대에 간 아들이 눈에 밟혀 잠을 못 잔다.
㉣ 우리 엄마는 손이 떠서 일 처리가 빠르시다.

① ㉠, ㉡ ② ㉠, ㉢ ③ ㉡, ㉢ ④ ㉡, ㉣

난이도 상 중 하

해설 ㉡ '입에 발린 소리'는 '마음에도 없이 겉치레로 하는 말'을 의미하므로, 그 쓰임이 자연스럽다.
㉢ '눈에 밟히다(눈에 밟혀)'는 '잊히지 않고 자꾸 눈에 떠오르다.'의 의미이므로, 그 쓰임이 자연스럽다.

오답분석
㉠ '배가 등에 붙다(배가 등에 붙었다)'는 '먹은 것이 없어서 배가 홀쭉하고 몹시 허기지다.'의 의미이다. 복권에 당첨되었기 때문에, 경제적으로 풍요로울 것이므로 인과 관계에 어긋난 관용구이다.
※ 문맥을 고려할 때 '잘 먹어 몸에 살이 오르다.'의 의미의 '배에 기름이 지다'나 '생활이 풍족하거나 살림살이가 윤택하여 안락하게 지내다'의 의미인 '배를 두드리다'가 어울린다.
㉣ '손이 뜨다(손이 떠서)'는 '일하는 동작이 매우 굼뜨다.'란 의미이다. 따라서 '일 처리가 빠르다.'란 서술어와 호응하지 않는다.
※ '일처리가 빠르다.'의 의미를 가진 관용구에는 '손이 빠르다, 손이 싸다, 손이 재다'가 있다.

정답 ③

출제 유형

관용어의 쓰임	관용어와 한자어를 연결하는 유형

042 ○○○ 2020 국가직 9급

밑줄 친 말의 의미와 거리가 먼 것은?

- 넌 얼마나 오지랖이 넓기에 남의 일에 그렇게 미주알고주알 캐는 거냐?
- 강쇠네는 입이 재고 무슨 일에나 오지랖이 넓었지만, 무작정 덤벙거리고만 다니는 새줄랑이는 아니었다.

① 謁見 ② 干涉 ③ 參見 ④ 干與

난이도 상 중 하

해설 관용어 '오지랖이 넓다'는 "쓸데없이 지나치게 아무 일에나 참견하는 면이 있다.", "염치없이 행동하는 면이 있다."라는 의미를 가진 말이다. 밑줄 친 문장에서는 모두 첫 번째 의미로 쓰였다. 따라서 ②의 '**干涉(간섭**: 간섭할 간, 건널 섭: 직접 관계가 없는 남의 일에 부당하게 참견함.)', ③의 '**參見(참견**: 참여할 참, 볼 견: 자기와 별로 관계없는 일이나 말 따위에 끼어들어 쓸데없이 아는 체하거나 이래라저래라 함.)', ④의 '**干與(간여**: 간섭할 간, 참여할 여: 어떤 일에 간섭하여 참여함.≒간예)'와 관련이 있다. 그러나 '지체가 높고 귀한 사람을 찾아가 뵘'을 의미하는 ①의 '**謁見(알현**: 아뢸 알, 뵐 현 ※ '볼 견' 자이지만 독음이 '현'이 된다.)'과는 관련이 없다.
※ '參'은 '석 삼'으로도 쓰지만 '참여할 참'으로도 쓰인다.

정답 ①

참고 어휘
- 입이 재다: 참을성이 모자라 입놀림이 가볍다.
- 새줄랑이: 소견 없이 방정맞고 경솔한 사람

Unit 09 속담의 뜻풀이

출제 유형

속담의 뜻풀이	• 속담의 뜻풀이가 바른지 묻는 유형 • 뜻풀이에 부합하는 속담을 찾는 유형
의미가 비슷한 속담	• 의미가 비슷한 속담끼리 연결하는 유형

핵심정리

• 속담 뜻풀이 기출

(1) [20 군무원 7급]

남의 말이라면 쌍지팡이 짚고 나선다.	남의 허물에 대해서 시비하기를 좋아한다.
말 안 하면 귀신도 모른다.	마음속으로만 애태울 것이 아니라 시원스럽게 말을 하여야 한다.
말 같지 않은 말은 귀가 없다.	이치에 맞지 아니한 말은 못 들은 척한다.
남의 말도 석 달	소문은 시일이 지나면 흐지부지 없어지고 만다.

(2) [11 기상직 9급]

젖 떨어진 강아지 같다.	무슨 요구를 가지고 몹시 귀찮게 간청한다.
섣달이 둘이라도 시원치 않다.	섣달이 아무리 많아도 모자란다는 뜻으로, 시일을 아무리 늦추어도 일의 성공을 기약하기 어려운 경우를 비유적으로 이르는 말
주인 많은 나그네 밥 굶는다.	무슨 일이든 한 곬으로만 하라.
눈 먼 말 워낭 소리 따라 간다.	무식한 사람이 남이 일러 주는 대로 무비판적으로 따라 한다.

(3) [11 국가직 7급]

머리는 끝부터 가르고 말은 밑부터 한다.	말을 하려면 처음부터 차근차근 해야 한다.
눈 먹는 토끼 얼음 먹는 토끼 따로 있다.	사람이나 동물이나 살아 온 환경에 따라 능력이나 풍습이 다르다.
인정은 바리로 싣고 진상은 꼬치로 꿴다.	자기와 직접 관련이 있으면 한껏 베풀고 그렇지 않으면 인색하다.
내가 부를 노래를 사돈집에서 부른다.	내가 할 말을 도리어 상대방이 먼저 한다는 말

심화 Plus

• 한역 속담

아가사창(我歌査唱)	내가 부를 노래 사돈이 부른다.
구반상실(狗飯橡實)	개밥의 도토리
묘두현령(猫頭懸鈴)	고양이 목에 방울 달기 ≒ 묘항현령(猫項懸鈴)
오비이락(烏飛梨落)	까마귀 날자 배 떨어진다.

속담의 뜻풀이	속담의 뜻풀이가 바른지 묻는 유형

043 ○○○ 2019 국회직 8급

'먹다'가 들어간 속담의 의미에 대한 설명으로 옳지 않은 것은?

① 꿩 구워 먹은 자리
→ 어떠한 일의 흔적이 전혀 없음을 비유적으로 이르는 말
② 소금 먹은 놈이 물켠다.
→ 무슨 일이든 반드시 그렇게 된 까닭이 있다는 말
③ 먹던 술도 떨어진다.
→ 매사에 조심하여 잘못이 없도록 하라는 말
④ 먹는 데는 관발이요 일에는 송곳이라.
→ 제 이익이 되는 일 특히 먹는 일에는 남보다 먼저 덤비나, 일할 때는 꽁무니만 뺀다는 말
⑤ 노루 때린 막대기 세 번이나 국 끓여 먹는다.
→ 어떤 일을 성공하기 위해서는 반복해야 한다는 것을 강조하는 말

난이도 상 ◯ 하

해설 '노루 때린 막대기 세 번이나 국 끓여 먹는다.'는 조금이라도 이용 가치가 있을까 하여 보잘것없는 것을 두고두고 되풀이하여 이용함을 비유적으로 이르는 말이다.

정답 ⑤

'반복'과 '성공'이 담긴 속담

① 열 번 찍어 안 넘어가는 나무 없다.
② 무쇠도 갈면 바늘 된다.
③ 천 리 길도 한 걸음부터

044 ○○○ 2017 경찰 1차

다음 중 속담의 뜻풀이로 적절하지 않은 것은?

① 소경 머루 먹듯: 좋고 나쁜 것을 분별하지 못하고 아무것이나 취함.
② 재미난 골에 범 난다: 즐거운 일을 찾아 계속하다 보면 큰 인물이 될 수 있음.
③ 깻묵에도 씨가 있다: 아무리 하찮아 보이는 물건에도 제 속은 있음.
④ 가물에 돌 친다: 가뭄에 도랑을 미리 치워 물길을 낸다는 뜻으로 사전에 미리 준비해야 함.

난이도 상 ◯ 하

해설 '재미난 골에 범 난다.'라는 속담은 '편하고 재미있다고 위험한 일이나 나쁜 일을 계속하면 나중에는 큰 화를 당하게 됨.'을, '지나치게 재미있으면 그 끝에 가서는 좋지 않은 일이 생김.'을 이르는 말이다.

오답 분석 ③ '아무리 하찮아 보이는 물건에도 제 속은 있음.'이라는 뜻풀이는 북한식 해석이라는 의견도 있다. 표준국어대사전에 등록된 '깻묵에도 씨가 있다'의 뜻풀이는 '언뜻 보면 없을 듯한 곳에도 자세히 살펴보면 혹 있을 수 있음을 비유적으로 이르는 말'이다.
※ 깻묵: 기름을 짜고 남은 깨의 찌꺼기로, 흔히 낚시의 밑밥이나 논밭의 밑거름으로 쓰인다.

 ②

045 ○○○ 2016 경찰 2차

다음 중 속담의 뜻풀이로 적절하지 않은 것은?

① 기둥 치면 들보가 운다: 전혀 관계가 없는 일에 억울하게 배상을 하게 된다.
② 게도 구멍이 크면 죽는다: 분수에 지나치면 도리어 화를 당하게 된다.
③ 토끼 덫에 여우 걸린다: 처음 계획했던 것보다 의외로 더 큰 이익을 얻게 된다.
④ 소경이 개천 나무란다: 자기의 과실은 생각지 않고 상대만 원망한다.

난이도 상 ◯ 하

해설 속담 '기둥 치면 들보가 운다.'는 직접 맞대고 탓하지 않고 간접적으로 넌지시 말을 하여도 알아들을 수가 있음을 비유적으로 이르는 말, 주(主)가 되는 대상을 탓하거나 또는 그 대상에 일격을 가하거나 하면 그와 관련된 대상들이 자연히 영향을 입게 됨을 비유적으로 이르는 말이다. 따라서 "전혀 관계가 없는 일에 억울하게 배상을 하게 된다."라는 뜻풀이는 적절하지 않다.
※ 전혀 관계없는 일에 억울하게 배상하는 경우를 비유적으로 이르는 속담은 '봉사 기름값 물어 주기'이다.

정답 ①

출제 유형

속담의 뜻풀이	뜻풀이에 부합하는 속담을 찾는 유형

046 ○○○ 2018 서울시 9급(6월)

'권력의 무상함'을 나타내는 속담으로 가장 옳지 않은 것은?

① 달도 차면 기운다.
② 열흘 붉은 꽃이 없다.
③ 물도 가다 구비를 친다.
④ 꽃이 시들면 오던 나비도 안 온다.

난이도 ㊤ ◎ ㊦

해설 '물도 가다 구비를 친다'라는 속담은 사람의 한평생에는 '전환기'가 있기 마련이라는 말이다. 따라서 '권력의 무상함.'을 나타내는 속담이 아니다.

오답분석 ① **달도 차면 기운다**: 세상의 온갖 것이 한번 번성하면 다시 쇠하기 마련이라는 말 / 행운이 언제까지나 계속되는 것은 아님을 비유적으로 이르는 말
※ 달도 차면 기운다 = 월만즉휴(月滿則虧) = 월영즉식(月盈則食)

② **열흘 붉은 꽃이 없다**: 부귀영화란 일시적인 것이어서 그 한때가 지나면 그만임을 비유적으로 이르는 말 / 청춘은 누구에게나 한때임을 비유적으로 이르는 말
※ 열흘 붉은 꽃이 없다 = 화무십일홍(花無十日紅) = 권불십년(權不十年, 권세는 십년을 가지 못하고 아무리 권세가 높다 해도 오래가지 못한다.)

④ **꽃이 시들면 오던 나비도 안 온다**: 사람이 세도가 좋을 때는 늘 찾아오다가 그 처지가 보잘것없게 되면 찾아오지 아니함을 비유적으로 이르는 말

TIP 문제에서 '권력의 무상(無常, 덧없음)', 즉 '사라지다, 허무하다'라는 낱말을 제시하였으므로 '꽃이 시들다'에서 힌트를 발견할 수 있다.

정답 ③

047 ○○○ 2016 지방직 9급

다음에 제시된 의미와 가장 가까운 속담은?

> 가난한 사람이 남에게 업신여김을 당하기 싫어서 허세를 부리려는 심리를 비유적으로 이르는 말

① 가난한 집 신주 굶듯
② 가난한 집에 자식이 많다.
③ 가난할수록 기와집 짓는다.
④ 가난한 집 제사 돌아오듯

난이도 ㊤ ◎ ㊦

TIP 속담의 뜻을 모르더라도, "허세를 부리려는 심리"라는 말을 통해 속담 ③과 관련됨을 알 수 있다.

해설 '가난한 사람이 남에게 업신여김을 당하기 싫어서 허세를 부리려는 심리'를 비유적으로 이르는 속담은 ③의 '가난할수록 기와집 짓는다.'이다.

정답 ③

참고 어휘

가난한 집 신주 굶듯	가난한 집에서는 산 사람도 배를 곯는 형편이므로 신주까지도 제사 음식을 제대로 받아 보지 못하게 된다는 뜻으로, 줄곧 굶기만 한다는 말
가난한 집에 자식이 많다.	가난한 집에는 먹고 살아 나갈 걱정이 큰데 자식까지 많다는 뜻으로, 이래저래 부담되는 것이 많음을 이르는 말
가난할수록 기와집 짓는다.	① 당장 먹을 것이나 입을 것이 넉넉지 못한 가난한 살림일수록 기와집을 짓는다는 뜻으로, 실상은 가난한 사람이 남에게 업신여김을 당하기 싫어서 허세를 부리려는 심리를 비유적으로 이르는 말 ② 가난하다고 주저앉고 마는 것이 아니라 어떻게든 잘살아 보려고 용단을 내어 큰일을 벌인다는 말
가난한 집 제사 돌아오듯	살아가기도 어려운 가난한 집에 제삿날이 자꾸 돌아와서 그것을 치르느라 매우 어려움을 겪는다는 뜻으로, 힘든 일이 자주 닥쳐옴을 비유적으로 이르는 말

048 ○○○ 2015 지방직 9급

다음과 같은 뜻의 속담은?

> 임시변통은 될지 모르나 그 효력이 오래가지 못할 뿐만 아니라 결국에는 사태가 더 나빠진다는 것을 말한다.

① 빈대 잡으려다 초가삼간 태운다.

② 언 발에 오줌 누기

③ 여름 불도 쬐다 나면 서운하다.

④ 밑 빠진 독에 물 붓기

난이도 ㊤ ㊥ ◯

해설 '임시변통'과 '결국에는 사태가 더 나빠진다'가 핵심적인 말이다. 임시변통의 행위가 결국 나쁜 사태를 초래한다는 뜻을 가진 속담은 '언 발에 오줌 누기'이다. '언 발에 오줌 누기'는 발이 시려서 임시변통으로 오줌을 누면 당장은 발이 따뜻해질 수는 있지만, 그 효력이 오래가지 못하고, 결국에는 동상(凍傷)까지 걸릴 수 있다는 점에서 애초보다 더 나쁜 결과를 초래한다는 말이다.

오답분석 ① **빈대 잡으려다 초가삼간 태운다**: '손해를 크게 볼 것을 생각지 아니하고 자기에게 마땅치 아니한 것을 없애려고 그저 덤비기만 하는 경우'를 비유적으로 이르는 말이다. 무모하게 덤비는 어리석음과 관련된 말이므로 답이 아니다.

③ **여름 불도 쬐다 나면 서운하다**: '당장에 쓸데없거나 대단치 않게 생각되던 것도 막상 없어진 뒤에는 아쉽게 생각된다.'는 말이다. 임시변통으로 쓸 것도 없는 상황에 속하므로 답이 아니다.

④ **밑 빠진 독에 물 붓기**: 밑 빠진 독에 아무리 물을 부어도 독이 채워질 수 없다는 뜻으로, '아무리 힘이나 밑천을 들여도 보람 없이 헛된 일이 되는 상태'를 비유적으로 이르는 말이다.

 정답 ②

 출제 유형

의미가 비슷한 속담	의미가 비슷한 속담끼리 연결하는 유형

049 ○○○ 2014 경찰 2차

다음에 제시된 속담의 짝 중에서 그 의미의 유사성이 가장 적은 것은?

① 얕은 내도 깊게 건너라. – 돌다리도 두드려 보고 건너라.

② 눈치가 빠르면 절에 가도 젓국을 얻어먹는다. – 절에 가서 젓국 달라 한다.

③ 바늘구멍으로 하늘 보기 – 우물 안 개구리

④ 거적문에 돌쩌귀 – 개 발에 주석 편자

난이도 ㊤ ◯ ㊦

해설 '눈치가 빠르면 절에 가도 젓국을 얻어먹는다.'는 '눈치가 있으면 어디를 가도 군색한 일이 없다는 말'이다. 한편 '절에 가서 젓국 달라 한다.'는 엉뚱한 짓을 하는 경우를 이르는 말로 두 속담은 유사성이 없다. 오히려 반대된다고 할 수 있다.

오답분석 ① **얕은 내도 깊게 건너라 - 돌다리도 두드려 보고 건너라**: 작은 일이라도 가벼이 생각해서는 안 된다는 의미로, 무슨 일이든 조심하라는 말

③ **바늘구멍으로 하늘 보기 - 우물 안 개구리**: 전체를 포괄적으로 보지 못하는 매우 좁은 소견이나 관찰을 비꼬는 말

④ **거적문에 돌쩌귀 - 개 발에 주석 편자**: 옷차림이나 지닌 물건 따위가 제격에 맞지 아니하여 어울리지 않음을 비유적으로 이르는 말

정답 ②

Unit 10 속담과 한자 성어

출제 유형

- 속담과 한자 성어의 연결이 바른지 판별하는 유형
- 한문과 관련된 속담을 찾는 유형

심화 Plus

- **속담과 한자 성어 기출**

(1) [18 군무원 9급]

동병상련(同病相憐)	한배를 타게 되면 마음도 한마음이 된다.
마호체승(馬好替乘)	역말도 갈아타면 낫다.
작학관보(雀學鸛步)	뱁새가 황새를 따라가면 다리가 찢어진다.
외부내빈(外富內貧)	난부자든거지

(2) [12 서울시 7급]

여반장(如反掌)	식은 죽 먹기
권불십년(權不十年)	달도 차면 기운다.
당랑거철(螳螂拒轍)	계란으로 바위 치기

(3) [11 국가직 9급]

교각살우(矯角殺牛)	빈대 잡으려다 초가삼간 태운다.
당랑거철(螳螂拒轍)	하룻강아지 범 무서운 줄 모른다.
망양보뢰(亡羊補牢)	소 잃고 외양간 고친다.

(4) [07 국가직 9급]

적토성산(積土成山)	티끌 모아 태산
빈즉다사(貧則多事)	가난한 집 제사 돌아오듯
감탄고토(甘呑苦吐)	달면 삼키고 쓰면 뱉는다.
주마가편(走馬加鞭)	가는 말에 채찍질한다.

(5) [07 법원직 9급]

목불식정(目不識丁)	낫 놓고 기역자도 모른다.
십벌지목(十伐之木)	열 번 찍어 안 넘어가는 나무 없다.
교각살우(矯角殺牛)	빈대 잡으려다 초가삼간 태운다.

출제 유형

속담과 한자 성어	속담과 한자 성어의 연결이 바른지 판별하는 유형

050 ○○○

2021 국회직 8급

〈보기〉의 속담과 유사한 의미의 사자성어를 연결한 것으로 옳지 않은 것은?

〈보기〉

㉠ 도랑 치고 가재 잡고.
㉡ 달면 삼키고 쓰면 뱉는다.
㉢ 낫 놓고 기역자도 모른다.
㉣ 같은 값이면 다홍치마.
㉤ 원님 덕에 나팔 분다.

① ㉠: 일거양득(一擧兩得)
② ㉡: 고진감래(苦盡甘來)
③ ㉢: 목불식정(目不識丁)
④ ㉣: 동가홍상(同價紅裳)
⑤ ㉤: 호가호위(狐假虎威)

난이도 상 중 하

해설 '달면 삼키고 쓰면 뱉는다.'는 옳고 그름이나 신의를 돌보지 않고 자기의 이익만 꾀함을 비유적으로 이르는 말이다. 한편, '**苦盡甘來(고진감래: 쓸 고, 다할 진, 달 감, 올 래)**'는 쓴 것이 다하면 단 것이 온다는 뜻으로, 고생 끝에 즐거움이 옴을 이르는 말이다. 따라서 두 말의 의미는 유사하다고 볼 수 없다.

※ 속담 '달면 삼키고 쓰면 뱉는다.'와 의미가 통하는 한자 성어는 '甘呑苦吐(감탄고토: 달 **감**, 삼킬 **탄**, 쓸 **고**, 토할 **토**)'이다.

오답 분석
① ㉠은 모두 한 가지 일을 하여 두 가지 이익을 얻는다는 의미를 가진 말이다.
③ ㉢은 모두 사람이 글자를 모르거나 아주 무식함을 비유적으로 이르는 말이다.
④ ㉣은 모두 같은 값이면 좋은 물건을 가짐을 이르는 말이다.
⑤ ㉤은 모두 남의 권세를 빌려 위세를 부린다는 의미를 가진 말이다.

 ②

051 ○○○

2019 서울시 9급(2월)

속담과 한자 성어의 뜻이 가장 비슷한 것은?

① 이 없으면 잇몸으로 산다. – 순망치한(脣亡齒寒)
② 개똥도 약에 쓰려면 없다. – 하로동선(夏爐冬扇)
③ 우물 안의 개구리 – 하충의빙(夏蟲疑氷)
④ 굽은 나무가 선산을 지킨다. – 설중송백(雪中松柏)

난이도 상 중 하

해설 '우물 안의 개구리'와 '하충의빙(夏蟲疑氷)' 모두 견식이 매우 좁음을 이르는 말이다.

※ • 우물 안의 개구리: 식견이 좁거나 편견에 사로잡혀 세상이 넓은 줄을 모르는 사람을 비유하는 말 = 정저지와(井底之蛙)
• **夏蟲**疑氷(하충의빙: 여름 **하**, 벌레 **충**, 의심할 **의**, 얼음 **빙**): 여름 벌레는 얼음을 의심한다. 견식이 좁은 사람이 공연스레 의심함을 이름.

오답 분석
① • **이 없으면 잇몸으로 산다.**: 요긴한 것이 없으면 안 될 것 같지만 없으면 없는 대로 그럭저럭 살아 나갈 수 있음을 이르는 말
• **脣亡齒寒(순망치한**: 입술 순, 망할 망, 이 치, 찰 한): 입술이 없으면 이가 시리다는 뜻으로, 서로 이해관계가 밀접한 사이에 어느 한쪽이 망하면 다른 한쪽도 그 영향을 받아 온전하기 어려움을 이르는 말

② • **개똥도 약에 쓰려면 없다.**: 평소에 흔하던 것도 막상 긴하게 쓰려고 구하면 없다는 말
• **夏爐冬扇**(하로동선: 여름 하, 화로 로, 겨울 동, 부채 선): 여름의 화로와 겨울의 부채라는 뜻으로, 격(格)이나 철에 맞지 아니함을 이르는 말

④ • **굽은 나무가 선산을 지킨다.**: 자손이 빈한해지면 선산의 나무까지 팔아 버리나 줄기가 굽어 쓸모없는 것은 그대로 남게 된다는 뜻으로, 쓸모없어 보이는 것이 도리어 제구실을 하게 됨을 비유적으로 이르는 말
• **雪中松柏(설중송백: 눈 설, 가운데 중, 소나무 송, 잣나무 백)**: 눈 속의 소나무와 잣나무라는 뜻으로, 높고 굳은 절개를 이르는 말

 ③

052 ○○○ 2019 서울시 9급(6월)

서로 의미가 유사한 속담과 한자 성어를 짝지은 것이다. 관련이 없는 것끼리 묶은 것은?

① 원님 덕에 나팔 분다. – 狐假虎威

② 소 잃고 외양간 고친다. – 晩時之歎

③ 언 발에 오줌 누기 – 雪上加霜

④ 낫 놓고 기역자도 모른다. – 目不識丁

난이도 상 중 하

해설 '언 발에 오줌 누기'는 언 발을 녹이려고 오줌을 누어 봤자 효력이 별로 없다는 뜻으로, 임시변통은 될지 모르나 그 효력이 오래가지 못할 뿐만 아니라 결국에는 사태가 더 나빠짐을 비유적으로 이르는 말이고, **'雪上加霜**(설상가상: 눈 설, 위 상, 더할 가, 서리 상)'은 눈 위에 서리가 덮인다는 뜻으로, 난처한 일이나 불행한 일이 잇따라 일어남을 이르는 말이다. 따라서 두 말은 의미가 유사하지 않다.

※ '언 발에 오줌 누기'는 한자 성어 '동족방뇨(凍足放尿), 하석상대(下石上臺)'와 의미가 통한다. '설상가상(雪上加霜)'은 속담 '엎친 데 덮치다'와 의미가 통한다.

오답분석

① '원님 덕에 나팔 분다'와 **'狐假虎威(호가호위**: 여우 호, 거짓 가, 호랑이 호, 위엄 위)'는 모두 남의 위세 덕에 자기까지 덩달아 호강하게 됨을 비유적으로 이르는 말이다.

② '소 잃고 외양간 고친다'와 **'晩時之歎(만시지탄**: 늦을 만, 때 시, 갈 지, 탄식할 탄)'은 모두 때 늦어 한탄함을 이르는 말이다.

④ '낫 놓고 기역자도 모른다'와 **'目不識丁(목불식정**: 눈 목, 아닐 불, 알 식, 고무래 정)'은 모두 몹시 무식한 사람을 이르는 말이다.

정답 ③

053 ○○○ 2018 서울시 7급(6월)

'아랫돌 빼서 윗돌 괴기'와 의미상 거리가 가장 먼 것은?

① 미봉책(彌縫策)

② 임기응변(臨機應變)

③ 임시방편(臨時方便)

④ 언 발에 오줌 누기

난이도 상 중 하

해설 '아랫돌 빼서 윗돌 괴기'는 일이 몹시 급하여 임시변통으로 이리저리 둘러맞추어 일함을 비유적으로 이르는 말이다. 그런데 ②의 **'臨機應變(임기응변**: 임할 임(림), 틀 기, 응할 응, 변할 변)'은 그때그때 처한 사태에 맞추어 즉각 그 자리에서 결정하거나 처리함을 이르는 말이므로, '아랫돌 빼서 윗돌 괴기'와 의미상 거리가 멀다.

오답분석

① **彌縫策(미봉책**: 두루 미, 꿰맬 봉, 꾀 책): 눈가림만 하는 일시적인 계책(計策)

③ **臨時方便(임시방편**: 임할 임(림), 때 시, 모 방, 편할 편): 갑자기 터진 일을 우선 간단하게 둘러맞추어 처리함.

④ **언 발에 오줌 누기**: 언 발을 녹이려고 오줌을 누어 봤자 효력이 별로 없다는 뜻으로, 임시변통은 될지 모르나 그 효력이 오래가지 못할 뿐만 아니라 결국에는 사태가 더 나빠짐을 비유적으로 이르는 말

정답 ②

054 ○○○ 2016 경찰 1차

다음 ㉠~㉣의 뜻풀이에 해당하는 속담으로 적절하지 않은 것은?

㉠ 識字憂患 ㉡ 角者無齒
㉢ 螳螂拒轍 ㉣ 得隴望蜀

① ㉠ 아는 것이 병이다.

② ㉡ 무는 호랑이는 뿔이 없다.

③ ㉢ 하룻강아지 범 무서운 줄 모른다.

④ ㉣ 양지가 음지 되고 음지가 양지 된다.

난이도 상 중 하

해설 ㉣의 '득롱망촉(得隴望蜀)'은 '만족할 줄 모르고 계속 욕심을 부림'을 뜻하는 한자 성어이다. 그런데 '양지가 음지 되고 음지가 양지 된다'는 '세상사는 늘 돌고 돈다'는 말이므로, 그 뜻이 통하지 않는다. '욕심이 끝이 없음'을 뜻하는 '득롱망촉(得隴望蜀)'과 의미가 유사한 속담으로는 '말 타면 경마 잡히고 싶다.'가 있다.

오답분석 '양지가 음지 되고 음지가 양지 된다.'란 속담은 '운이 나쁜 사람도 좋은 수를 만날 수 있고 운이 좋은 사람도 늘 좋기만 하는 것이 아니라 어려운 시기가 있다는 말로, 세상사는 늘 돌고 돈다.'는 말이다. 이는 한자 성어중 '새옹지마(塞翁之馬)'와 의미가 통한다.

※ 塞翁之馬(새옹지마: 변방 **새**, 늙은이 **옹**, 갈 **지**, 말 **마**): 인생의 길흉화복은 변화가 많아서 예측하기가 어렵다는 말

정답 ④

참고 어휘

식자우환(識字憂患)	알 식, 글자 **자**, 근심 **우**, 근심 **환**
	학식이 있는 것이 오히려 근심을 사게 됨. = 아는 것이 병이다. ※ 아무것도 모르면 차라리 마음이 편하여 좋으나, 무엇이나 좀 알고 있으면 걱정거리가 많아 도리어 해롭다는 말
각자무치(角者無齒)	뿔 **각**, 사람 **자**, 없을 **무**, 이 **치**
	뿔이 있는 짐승은 이가 없다는 뜻으로, 한 사람이 여러 가지 재주나 복을 다 가질 수 없다는 말 = 무는 호랑이는 뿔이 없다. ※ 입으로 무는 호랑이에게는 받는 뿔이 없다는 뜻으로, 한 가지 장점이 있으면 단점도 있듯이 무엇이든 다 갖추기 어려움을 비유적으로 이르는 말
당랑거철(螳螂拒轍)	사마귀 **당**, 사마귀 **랑**, 막을 **거**, 바퀴 자국 **철**
	제 역량을 생각하지 않고, 강한 상대나 되지 않을 일에 덤벼드는 무모한 행동거지를 비유적으로 이르는 말 = 하룻강아지 범 무서운 줄 모른다. ※ 철없이 함부로 덤비는 경우를 비유적으로 이르는 말
득롱망촉(得隴望蜀)	얻을 **득**, 고개 이름 **롱**, 바랄 **망**, 촉나라 **촉**
	농(隴)을 얻고서 촉(蜀)까지 취하고자 한다는 뜻으로, 만족할 줄을 모르고 계속 욕심을 부리는 경우를 비유적으로 이르는 말 = 말 타면 경마 잡히고 싶다. ※ 사람의 욕심이란 한이 없다는 말

055 ○○○

2011 지방직 7급

한자 성어와 속담이 알맞게 연결되지 않은 것은?

① 감탄고토(甘呑苦吐) - 달면 삼키고 쓰면 뱉는다.

② 부화뇌동(附和雷同) - 망둥이가 뛰면 꼴뚜기도 뛴다.

③ 연목구어(緣木求魚) - 김칫국부터 마신다.

④ 아전인수(我田引水) - 제 논에 물 대기

난이도 ㊤ ◯ ㊦

해설 '연목구어(緣木求魚)'는 '불가능한 일을 굳이 하려함'이란 의미이다. '김칫국부터 마신다'는 '미리 다 된 일처럼 행동한다'라는 뜻이다. 따라서 두 말은 의미가 연결되지 않는다.

오답 분석
① 두 말은 모두 자신의 이익에 따라 움직인다는 뜻이다.
② 두 말은 모두 줏대 없이 움직인다는 뜻이다.
④ 두 말은 모두 자기에게만 이롭게 한다는 뜻이다.

정답 ③

참고 어휘

감탄고토(甘呑苦吐)	달 **감**, 삼킬 **탄**, 쓸 **고**, 토할 **토**
	• 자신의 비위에 따라서 사리의 옳고 그름을 판단함을 이르는 말 • 달면 삼키고 쓰면 뱉는다.: 옳고 그름이나 신의를 돌보지 않고 자기의 이익만 꾀함을 비유적으로 이르는 말
부화뇌동(附和雷同)	붙을 **부**, 화할 **화**, 우레 **뇌(뢰)**, 같을 **동**
	• 줏대 없이 남의 의견에 따라 움직임. • 망둥이가 뛰면 꼴뚜기도 뛴다.: 남이 한다고 하니까 분별없이 덩달아 나섬을 비유적으로 이르는 말
연목구어(緣木求魚)	인연 **연**, 나무 **목**, 구할 **구**, 물고기 **어**
	• 나무에 올라가서 물고기를 구한다는 뜻으로, 도저히 불가능한 일을 굳이 하려 함을 비유적으로 이르는 말 • 김칫국부터 마신다: 해 줄 사람은 생각지도 않는데 미리부터 다 된 일로 알고 행동한다는 말
아전인수(我田引水)	나 **아**, 밭 **전**, 끌 **인**, 물 **수**
	• 자기에게만 이롭게 되도록 생각하거나 행동함을 이르는 말 • 제 논에 물 대기: 자기에게만 이롭도록 일을 하는 경우를 비유적으로 이르는 말

출제 유형

속담과 한자 성어	한문과 관련된 속담을 찾는 유형

056 ○○○

2019 서울시 7급(2월)

'欲速則不達, 見小利則大事不成'과 뜻이 가장 잘 통하는 속담은?

① 첫술에 배부르랴.

② 내 코가 석 자다.

③ 공든 탑이 무너지랴.

④ 바늘허리 실 매어 못 쓴다.

난이도 ㊤ ◯ ㊦

해설 '欲速則不達(욕속즉부달), 見小利則大事不成(견소리즉대사불성)'은 '빨리하고자 하면 이루지 못하고, 작은 이익을 보면 큰일이 이루어지지 않는다.'라는 의미이다. 따라서 일에는 일정한 순서가 있고 때가 있는 것이므로, 아무리 바빠도 도리에 맞게 순서를 밟아서 일해야 한다는 말인 '바늘허리 실 매어 못 쓴다.'가 의미가 통한다.

※ 欲速則不達, 見小利則大事不成

한문	欲	速	則	不	達			
훈독	하고자 할 욕	빠를 속	곧 즉	아닐 부(불)	이를 달			
해석	빨리하고자 하면 이루지 못하고							
한문	見	小	利	則	大	事	不	成
훈독	볼 견	작을 소	이익 리	곧 즉	큰 대	일 사	아닐 불	이룰 성
해석	작은 이익을 보면 큰일은 이루어지지 않는다.							

오답 분석
① **첫술에 배부르랴.**: 어떤 일이든지 단번에 만족할 수는 없다는 말
② **내 코가 석 자다.**: 자기 사정이 급하여 남을 돌볼 겨를이 없음을 이르는 말 = 오비삼척(吾鼻三尺: 나 오, 코 비, 석 삼, 자 척)
③ **공든 탑이 무너지랴.**: 공들여 쌓은 탑은 무너질 리 없다는 뜻으로, 힘을 다하고 정성을 다하여 한 일은 그 결과가 반드시 헛되지 아니함을 비유적으로 이르는 말

정답 ④

CHAPTER 4

한자어

Unit 11 한자어 1 - 한자어의 의미 관계

출제 유형

한자어의 의미	• 한자어에 대응하는 고유어를 찾는 유형 • 한자어의 뜻을 파악하는 유형
한자어의 의미 관계	• 의미 관계가 동일한 한자어를 찾는 유형

출제 유형

한자어의 의미	한자어에 대응하는 고유어를 찾는 유형

057 ○○○ 2023 지방직 9급

㉠~㉣과 바꿔 쓸 수 있는 유사한 표현으로 적절하지 않은 것은?

> • 서구의 문화를 ㉠ 맹종하는 이들이 많다.
> • 안일한 생활에서 ㉡ 탈피하여 어려운 일에 도전하고 싶다.
> • 회사의 생산성을 ㉢ 제고하기 위해 노력하자.
> • 연못 위를 ㉣ 부유하는 연잎을 바라보며 여유를 즐겼다.

① ㉠: 무분별하게 따르는

② ㉡: 벗어나

③ ㉢: 끌어올리기

④ ㉣: 헤엄치는

난이도 상 중 하

해설 '부유(浮遊/浮游)하다'는 '물 위나 물속, 또는 공기 중에 떠다니다.'라는 의미이다. 따라서 '헤엄치다'와 바꿔 쓰기에 적절하지 않다.

※ '헤엄치는 연잎', 즉 '연잎이 헤엄치다'라는 표현이 어색한 것을 통해서도 답을 확인할 수 있다.

오답 분석

① **맹종(盲從)하다**: 옳고 그름을 가리지 않고 남이 시키는 대로 덮어놓고 따르다.

② **탈피(脫皮)하다**: 일정한 상태나 처지에서 완전히 벗어나다.

③ **제고(提高)하다**: 수준이나 정도 따위를 끌어올리다.

정답 ④

058 ○○○ 2020 지방직 9급

밑줄 친 단어와 바꿔 쓸 수 있는 한자어로 가장 적절한 것은?

① 그는 가수가 되려는 꿈을 <u>버리고</u> 직장을 구했다.
→ 遺棄하고

② 휴가철인 7~8월에 <u>버려지는</u> 반려견들이 가장 많다.
→ 根絶되는

③ 그는 집 앞에 몰래 쓰레기를 <u>버리고</u> 간 사람을 찾고 있다.
→ 投棄하고

④ 취직하려면 그녀는 우선 지각하는 습관을 <u>버려야</u> 한다.
→ 抛棄해야

난이도 상 중 하

해설 목적어가 '쓰레기를'인 것을 보아, 내던져 버림을 의미하는 '**投棄(투기**: 던질 투, 버릴 기)'로 바꿔 쓴 것은 옳다.

오답 분석

① 목적어가 '꿈을'인 것을 보아, '내다 버림.'을 의미하는 '**遺棄(유기**: 남길 유, 버릴 기)'는 어울리지 않는다. 문맥상 '하려던 일을 도중에 그만두어 버림.'을 의미하는 '**抛棄(포기**: 던질 포, 버릴 기)'가 어울린다.

② '반려견들이'를 보아, '다시 살아날 수 없도록 아주 뿌리째 없애 버림.'을 의미하는 '**根絶(근절**: 뿌리 근, 끊을 절)'은 어울리지 않는다. 문맥상 '내다버림.'을 의미하는 '**遺棄(유기**: 남길 유, 버릴 기)'가 어울린다.

④ '지각하는 습관'을 보아, '하려던 일을 도중에 그만두어 버림.'을 의미하는 '**抛棄(포기**: 던질 포, 버릴 기)'는 어울리지 않는다. 문맥상 나쁜 습관을 '내다버림.'의 '**根絶(근절**: 뿌리 근, 끊을 절)'이 어울린다.

정답 ③

059 ○○○ 2017 국가직 7급 추가

고유어에 대응되는 한자어를 잘못 제시한 것은?

① 지름길 - 捷徑 ② 비웃음 - 苦笑

③ 마름질 - 裁斷 ④ 게으름 - 懈怠

난이도 상 ● 하

해설 '苦笑(고소: 쓸 고, 웃을 소)'는 '쓴웃음'이란 의미다. '쓴웃음(어이가 없거나 마지못하여 짓는 웃음)'과 '비웃음(흉을 보듯이 빈정거리거나 업신여기는 일. 또는 그렇게 웃는 웃음.)'은 그 의미가 다르기 때문에 대응되는 한자어로 적절하지 않다. '비웃음'의 뜻을 가진 한자어는 '誹笑(비소: 헐뜯을 비, 웃을 소)', '一笑(일소: 하나 일, 웃을 소)', '嘲笑(조소: 비웃을 조, 웃을 소)' 등이 있다.

오답 분석 ① '捷徑(첩경: 빠를 첩, 지름길 경)'은 '지름길'이란 의미이다.

③ '裁斷(재단: 마를 재, 끊을 단)'은 '마름질'이란 의미이다.

※ 마름질[명사]: 옷감이나 재목 따위를 치수에 맞도록 재거나 자르는 일

④ '懈怠(해태: 게으를 해, 게으를 태)'는 '게으름'이란 의미이다.

 정답 ②

출제 유형

한자어의 의미	한자어의 뜻을 파악하는 유형

060 ○○○ 2022 지방직 9급

밑줄 친 단어 중 사람의 몸을 지시하는 말이 포함되지 않은 것은?

① 선생님께서는 슬하에 세 명의 자녀를 두셨다고 한다.

② 그는 수완이 좋아서 사람들에게 인정을 받는다.

③ 여러 팀이 우승을 위해 긴 시간 동안 각축을 벌였다.

④ 사업단의 발족으로 미뤄 뒀던 일들이 진행되기 시작했다.

난이도 상 ● 하

해설 '서로 이기려고 다투며 덤벼듦.'이라는 의미를 가진 '각축(角逐: 뿔 각, 쫓을 축)'에는 사람의 몸을 지시하는 말이 포함되어 있지 않다.

오답 분석 ① '무릎의 아래'라는 뜻으로, '어버이나 조부모의 보살핌 아래. 주로 부모의 보호를 받는 테두리 안'을 가리키는 '슬하(膝下: 무릎 슬, 아래 하)'는 '슬(膝)' 자가 '무릎'을 지시하는 말이다.

② '일을 꾸미거나 치러 나가는 재간'을 의미하는 한자어 '수완(手腕: 손 수, 팔 완)'은 '수(手)' 자가 '손'을 지시하는 말이다.

④ '어떤 조직체가 새로 만들어져서 일이 시작됨. 또는 그렇게 일을 시작함.'을 의미하는 '발족(發足: 필 발, 발 족)'은 '족(足)' 자가 '발'을 지시하는 말이다.

 정답 ③

061 ○○○ 2013 국회직 8급

다음 중 한자의 표기와 뜻이 바르게 연결된 것은?

① 氣像: 대기 속에서 일어나는 자연 현상

② 司正: 그릇된 일을 다스려 바로잡음.

③ 改正: 이미 정하였던 것을 고쳐서 다시 정함.

④ 收容: 어떠한 것을 받아들임.

⑤ 現象: 나타나 보이는 현재의 상태

난이도 ● 중 하

해설 한자 표기와 뜻의 연결이 바른 것은 ② '司正'이다.

참고 어휘

- 司正(사정: 맡을 사, 바를 정): 그릇된 일을 다스려 바로잡음.
- 事情(사정: 일 사, 뜻 정)
  1) 일의 형편이나 까닭
  2) 어떤 일의 형편이나 까닭을 남에게 말하고 무엇을 간청함.
- 査正(사정: 조사할 사, 바를 정): 조사하여 그릇된 것을 바로잡음.

오답 분석 ① 氣像 → 氣象

- 氣像(기상: 기운 기, 본뜰/모양 상): 사람이 타고난 기개나 마음씨. 또는 그것이 겉으로 드러난 모양 = 의기(意氣)
- 氣象(기상: 기운 기, 코끼리 상): 대기 중에서 일어나는 물리적인 현상을 통틀어 이르는 말. 바람, 구름, 비, 눈, 더위, 추위 따위를 이른다. = 날씨

③ 改正 → 改定

- 改正(개정: 고칠 개, 바를 정): 주로 문서의 내용 따위를 고쳐 바르게 함.
  예 헌법 개정
- 改定(개정: 고칠 개, 정할 정): 이미 정하였던 것을 고쳐 다시 정함.
  예 요금 개정, 맞춤법 개정

④ 收容 → 受容

- 收容(수용: 거둘 수, 받아들일 용): 범법자, 포로, 난민, 관객, 물품 따위를 일정한 장소나 시설에 모아 넣음.
- 受容(수용: 받을 수, 받아들일 용):
  1) 어떠한 것을 받아들임.
  2) 감상(鑑賞)의 기초를 이루는 작용으로, 예술 작품 따위를 감성으로 받아들여 즐김.

⑤ 現象 → 現狀

- 現象(현상: 나타날 현, 코끼리 상): 인간이 지각할 수 있는, 사물의 모양과 상태
  예 열대야 현상
- 現狀(현상: 나타날 현, 형상 상): 나타나 보이는 현재의 상태
  예 현상을 파악하다.

정답 ②

출제 유형

한자어의 의미 관계	의미 관계가 동일한 한자어를 찾는 유형

062 ○○○

2017 서울시 7급

다음 중 한자어의 의미관계가 나머지 셋과 가장 다른 것은?

① 發送 - 郵送　② 供給 - 需要

③ 脫退 - 加入　④ 惡化 - 好轉

난이도 상 중 하

해설 **'發送(발송: 필 발, 보낼 송)'**과 **'郵送(우송: 우편 우, 보낼 송)'**은 모두 '보내다'란 의미를 가지고 있기 때문에 '유의 관계'이다.
①을 제외한 나머지는 모두 '반의 관계'를 이루고 있기 때문에, 그 관계가 다른 하나는 ①이다.

참고 어휘
- 발송(發送): 물건, 편지, 서류 따위를 우편이나 운송 수단을 이용하여 보냄.
- 우송(郵送): 우편으로 보냄.

오답분석 나머지는 모두 '반의 관계'이다.
② **供給(공급**: 이바지할 공, 줄 급) - **需要(수요**: 쓰일 수, 요긴할 요)
③ **脫退(탈퇴**: 벗을 탈, 물러날 퇴) - **加入(가입**: 더할 가, 들 입)
④ **惡化(악화**: 악할 악, 될 화) - **好轉(호전**: 좋을 호, 구를 전)

정답 ①

063 ○○○

2016 국가직 9급

두 한자어의 의미 관계가 나머지 셋과 다른 것은?

① 광정(匡正) - 확정(廓正)

② 부상(扶桑) - 함지(咸池)

③ 중상(中傷) - 비방(誹謗)

④ 갈등(葛藤) - 알력(軋轢)

난이도 상 중 하

해설 ②를 제외한 나머지는 '유의 관계'를 이루는 단어의 쌍이고, ②는 '반의 관계'를 이루는 단어의 쌍이다.
'부상(扶桑)'은 '해가 뜨는 동쪽 바다'를 뜻하는 말이고, **'함지(咸池)'**는 '해가 진다고 하는 서쪽의 큰 못'을 뜻하는 말이다. 즉 '해가 뜸.'과 '해가 짐.'의 뜻을 가진 말이므로 두 단어는 반의 관계이다.

 ②

참고 어휘

광정(匡正)	바룰 **광**, 바를 **정**
	잘못된 것이나 부정(不正) 따위를 바로잡아 고침.
확정(廓正)	클 **확**, 바를 **정**
	잘못을 바로잡음.
부상(扶桑)	도울 **부**, 뽕나무 **상**
	① 해가 뜨는 동쪽 바다 ② 중국 전설에서, 해가 뜨는 동쪽 바다 속에 있다고 하는 상상의 나무. 또는 그 나무가 있다는 곳
함지(咸池)	모두 **함**, 못 **지**
	해가 진다고 하는 서쪽의 큰 못
중상(中傷)	가운데 **중**, 다칠 **상**
	근거 없는 말로 남을 헐뜯어 명예나 지위를 손상시킴. cf 중상모략(中傷謀略): 중상과 모략을 아울러 이르는 말
비방(誹謗)	헐뜯을 **비**, 헐뜯을 **방**
	남을 비웃고 헐뜯어서 말함.
갈등(葛藤)	칡 **갈**, 등나무 **등**
	① 칡과 등나무가 서로 얽히는 것과 같이, 개인이나 집단 사이에 목표나 이해관계가 달라 서로 적대시하거나 충돌함. 또는 그런 상태 ② 소설이나 희곡에서, 등장인물 사이에 일어나는 대립과 충돌 또는 등장인물과 환경 사이의 모순과 대립을 이르는 말
알력(軋轢)	삐걱거릴 **알**, 삐걱거릴 **력**
	수레바퀴가 삐걱거린다는 뜻으로, 서로 의견이 맞지 아니하여 사이가 안 좋거나 충돌하는 것을 이르는 말

Unit 12 한자어 2 - 표기와 독음

출제 유형

한자어의 표기	• 한자어의 표기가 바른지 묻는 유형 • 동일한 한자가 쓰인 단어를 찾는 유형
한자어의 독음	• 한자어의 독음이 바른지 판별하는 유형

출제 유형

한자어의 표기	한자어의 표기가 바른지 묻는 유형

064 ○○○ 2023 국가직 9급

㉠~㉣의 한자로 적절하지 않은 것은?

> 예정보다 지연되긴 했으나 열 시쯤에는 마애불에 ㉠ 도착할 수가 있었다. 맑은 날씨에 빛나는 햇살이 환히 비춰 ㉡ 불상들은 불그레 물들어 있었다. 만일 신비로운 ㉢ 경지라는 말을 할 수 있다면 바로 이런 경우가 아닐지 모르겠다. 꼭 보고 싶다는 숙원이 이루어진 기쁨에 가슴이 벅차 왔다. 아마 잊을 수 없는 ㉣ 추억의 한 토막으로 남을 것 같다.

① ㉠: 到着 ② ㉡: 佛像
③ ㉢: 境地 ④ ㉣: 記憶

난이도 ㊤ ◯ ㊦

해설 '추억'의 한자 표기는 '追憶(쫓을 추, 기억할 억)'이다. 한편, '記憶(기억할 기, 생각할 억)'의 독음은 '기억'이다.

오답분석 ① 도착(到着: 이를 도, 붙을 착)
② 불상(佛像: 부처 불, 형상 상)
③ 경지(境地: 지경 경, 땅 지)

정답 ④

065 ○○○ 2023 군무원 9급

다음 중 밑줄 친 단어의 한자로 틀린 것은?

> 기업이 현장에서 ㉠ 체감할 때까지 규제 ㉡ 혁파를 지속적으로, 또 신속하게 추진해야 한다. 그러려면 기업이 덜어주기를 바라는 모래주머니 얘기를 지금의 몇 배 이상으로 ㉢ 경청하고 즉각 혁파에 나서야 한다. 공무원들이 책상머리에서 이것저것 따지는 만큼 기업의 고통은 크다는 점을 명심하길 바란다. 규제 총량제, ㉣ 일몰제 등의 해법을 쏟아내고도 성과를 내지 못했던 과거의 실패에서 교훈을 얻어야 할 것이다.

① ㉠: 體感 ② ㉡: 革罷
③ ㉢: 敬聽 ④ ㉣: 日沒

난이도 ㊤ ◯ ㊦

해설 경청(敬聽 → 傾聽): '敬聽(공경할 경, 들을 청)'은 '공경하는 마음으로 들음'이라는 의미이다. '지금의 몇 배 이상으로'으로 들어야 한다는 내용을 볼 때, '귀를 기울여 들음'이라는 의미를 가진 '傾聽(기울 경, 들을 청)'으로 표기해야 한다.

오답분석 ① 體感(몸 체, 느낄 감): 몸으로 어떤 감각을 느낌.
② 革罷(가죽 혁, 파할 파): 묵은 기구, 제도, 법령 따위를 없앰.
④ 日沒(날 일, 잠길 몰): 해가 짐.

정답 ③

066 ○○○ 2022 지방직 7급

밑줄 친 부분의 한자 표기가 옳은 것은?

① 이번 연주회의 백미(百眉)는 단연 바이올린 독주였다.

② 그분은 고령에도 불구하고 노익장(老益壯)을 과시했다.

③ 신춘문예 공모는 젊은 소설가들의 등용문(燈龍門)이다.

④ 우리 회사에는 미봉책(未縫策)이 아닌 근본 대책이 필요하다.

난이도 상 중 하

해설 '늙었지만 의욕이나 기력은 점점 좋아짐. 또는 그런 상태.'를 뜻하는 '노익장(老益壯)'의 한자 표기는 옳다.

오답분석
① **백미(百眉 → 白眉)**: '백미'는 흰 눈썹이라는 뜻으로, 여럿 가운데에서 가장 뛰어난 사람이나 훌륭한 물건을 비유적으로 이르는 말이다. 따라서 '百(일백 백)'이 아닌 '白(흰 백)'을 쓴 '백미(白眉: 흰 백, 눈썹 미)'로 표기해야 한다.

③ **등용문(燈龍門 → 登龍門)**: '등용문'은 용문(龍門)에 오른다는 뜻으로, 어려운 관문을 통과하여 크게 출세하게 됨. 또는 그 관문을 이르는 말이다. 따라서 '燈(등잔 등)'이 아닌 '登(오를 등)'을 쓴 '등용문(登龍門: 오를 등, 용 용, 문 문)'으로 표기해야 한다.

④ **미봉책(未縫策 → 彌縫策)**: '미봉책'은 꿰매어 깁는 계책이라는 의미로 눈가림만 하는 일시적인 계책(計策)을 이르는 말이다. '미봉책'은 '未(아닐 미)'가 아닌 '彌[두루(깁다, 꿰매다) 미]'를 쓴 '미봉책(彌縫策: 두루 미, 꿰맬 봉, 꾀 책)'으로 표기해야 한다.

정답 ②

067 ○○○ 2022 간호직 8급

밑줄 친 부분의 한자 표기가 옳지 않은 것은?

① 이곳은 모자(母子) 병실이다.

② 어머니는 지극한 간호(看護)를 받았다.

③ 삼촌은 그 병원의 내과(乃科)를 찾아갔다.

④ 동생이 다쳐서 병원에 입원(入院)을 했다.

난이도 상 중 하

해설 내과(乃科 → 內科): '외과(外科: 바깥 외, 과목 과)'의 상대적인 개념인 '내과'는 '내과(內科: 안 내, 과목 과)'로 표기해야 한다.
※ 乃(이에 내)

오답분석
① **모자(母子**: 어미 모, 아들 자)

② **간호(看護**: 볼 간, 보호할 호)

④ **입원(入院**: 들 입, 집 원)

정답 ③

068 ○○○ 2022 서울시 9급(2월)

밑줄 친 부분의 한자 표기가 가장 옳지 않은 것은?

① 이 책에는 이론이 체계적(體系的)으로 잘 정립되어 있다.

② 신문에서 사건의 진상에 대해 자세히 보고(報誥)를 했다.

③ 그는 이미지 제고(提高)를 위한 노력을 게을리하지 않았다.

④ 그 분야 전문가이기 때문에 유명세(有名稅)를 치를 수밖에 없었다.

난이도 상 중 하

해설 보고(報誥 → 報告): '일에 관한 내용이나 결과를 말이나 글로 알림.'을 의미하는 '보고'는 '告(알릴 고)'를 쓴 '報告(갚을 보, 알릴 고)'이다.
※ 誥(깨우칠 고)

오답분석
① **체계적(體系的**: 몸 체, 이을 계, 과녁 적): 일정한 원리에 따라서 낱낱의 부분이 짜임새 있게 조직되어 통일된 전체를 이루는 것

③ **제고(提高**: 끌 제, 높을 고): 수준이나 정도 따위를 끌어올림.

④ **유명세(有名稅**: 있을 유, 이름 명, 세금 세): 세상에 이름이 널리 알려져 있는 탓으로 당하는 불편이나 곤욕을 속되게 이르는 말
※ '유명세'는 주로 부정적인 상황(불편, 곤욕)에 어울리는 말이다.

정답 ②

069 ○○○ 2022 지방직 9급

밑줄 친 부분의 한자 표기가 옳지 않은 것은?

① 우리 시대 영웅으로 소방관(消防官)이 있다.

② 과학자(科學者)는 청소년들이 선망하는 직업이다.

③ 그는 인공지능 연구소의 연구원(研究員)이 되었다.

④ 그는 법원의 명령에 따라 변호사(辯護事)로 선임되었다.

난이도 상 중 하

해설 **변호사[辯護事 → 辯護士(말 잘할 변, 도울 호, 선비 사)]**: 법률에 규정된 자격을 가지고 소송 당사자나 관계인의 의뢰 또는 법원의 명령에 따라 피고나 원고를 변론하며 그 밖의 법률에 관한 업무에 종사하는 사람을 이르는 '변호사'는 '事(일 사)'가 아닌 '士(선비 사)'를 쓴다.
※ '판사(判事), 검사(檢事)'는 '일 사(事)'를 쓰고, '변호사(辯護士), 회계사(會計士), 중개사(仲介士), 조종사(操縱士)'는 '선비 사(士)'를 쓰고, '의사(醫師), 간호사(看護師), 약사(藥師), 교사(敎師), 목사(牧師)'는 '스승 사(師)'를 쓴다. 《혜원국어 400제》에서는 이 한자들의 차이점이 시험에 출제될 것을 미리 언급한 바 있었는데, 드라마 〈이상한 변호사 우영우〉에서는 일이 중요한 '판사, 검사'와 달리 '변호사'는 '사람'이기 때문에 달라야 해서 '선비 사'를 쓴다는 감동적인 해석을 해 주었다.

오답분석
① **소방관(消防官**: 사라질 소, 막을 방, 벼슬 관)

② **과학자(科學者**: 과목 과, 배울 학, 사람 자)

③ **연구원(研究員**: 갈 연, 궁구할 구, 관원 원)

정답 ④

070 ○○○ 2022 국가직 9급

한자 표기가 옳지 않은 것은?

① 오늘 협상에서 만족(滿足)할 만한 성과를 거두었다.
② 김 위원의 주장을 듣고 그 의견에 동의하여 재청(再請)했다.
③ 우리 지자체의 해묵은 문제를 해결(解結)할 방안이 생각났다.
④ 다수가 그 의견에 동의하지 않았기에 재론(再論)이 필요하다.

난이도 상 ◯ 하

해설 **해결(解結 → 解決)**: '제기된 문제를 해명하거나 얽힌 일을 잘 처리함.'을 의미하는 '해결'은 '解決(풀 해, 결정할 결)'로 표기한다.
※ 結(맺을 결): '실 사(糸)'와 '길할 길(吉)'이 만난 '맺을 결(結)'은 '맺다, 묶다, 단단하게 하다, 동여매다, 완성하다' 등의 뜻으로 쓰일 수 있으나 '해결하다, 풀다'의 뜻은 들어 있지 않다.

오답분석
① **만족(滿足**: 찰 만, 족할 족): 마음에 흡족함. 모자람이 없이 넉넉함.
② **재청(再請**: 다시 재, 청할 청):
ㄱ. 이미 한 번 한 것을 다시 청함.
ㄴ. 회의할 때에 다른 사람의 동의(動議)에 찬성하여 자기도 그와 같이 청함을 이르는 말
ㄷ. 출연자의 훌륭한 솜씨를 찬양하여 박수 따위로 재연을 청하는 일 = 앙코르
④ **재론(再論**: 다시 재, 논할 론): 이미 논의한 것을 다시 논의함. ≒ 갱론(更論)

정답 ③

071 ○○○ 2019 지방직 9급

밑줄 친 부분의 한자 표기가 잘못된 것은?

① 그는 여러 차례 TV 출연으로 <u>유명세(有名勢)</u>를 치렀다.
② 누가 먼저 할 것인지 <u>복불복(福不福)</u>으로 정하기로 했다.
③ 긴박한 상황이라 <u>대증요법(對症療法)</u>을 쓸 수밖에 없었다.
④ 사건의 <u>경위(經緯)</u>는 알 수 없지만, 결과만 본다면 우리에게 유리하다.

난이도 상 ◯ 하

해설 **유명세(有名勢 → 有名稅)**: '유명세'란 세상에 이름이 널리 알려져 있는 탓으로 당하는 '불편이나 곤욕'을 속되게 이르는 말이므로 '勢(기세 세)'가 아닌 '稅(세금 세)'를 쓴 '有名稅(있을 유, 이름 명, 세금 세)'로 표기한다.

오답분석
② **福不福**(복 복, 아니 불, 복 복): 복분(福分)의 좋고 좋지 않음이라는 뜻으로, 사람의 운수를 이르는 말
③ **對症療法**(대할 대, 증세 증, 병 고칠 요(료), 법 법): 병의 원인을 찾아 없애기 곤란한 상황에서, 겉으로 나타난 병의 '증상에 대응하여' 처치를 하는 치료법. 대중요법(×)
④ **經緯**(날 경, 씨 위): 직물의 '날과 씨'를 아울러 이르는 말로 일이 진행되어 온 과정을 가리킴.

정답 ①

072 ○○○ 2018 국회직 8급

다음 중 밑줄 친 한자어의 표기가 옳지 않은 것은?

① 그는 황제를 <u>알현(謁見)</u>했다.
② 역사상 여러 나라가 <u>내홍(內訌)</u>으로 패망하였다.
③ 그 노래는 누가 <u>작사(詐詞)</u>했는지 의견이 분분하다.
④ 이번 사건은 과거의 잘못을 <u>상쇄(相殺)</u>한 셈이었다.
⑤ 나도 <u>무론(毋論)</u> 힘쓰겠지만, 너도 단단히 준비해라.

난이도 ◯ 중 하

해설 **詐詞**(속일 사, 말씀 사) → **作詞**(지을 작, 말씀 사): '노랫말을 지음.'이라는 의미를 가진 '작사'는 '作詞(지을 작, 말씀 사)'로 표기한다.

오답분석
① **謁見(알현**: 아뢸 알, 뵈올 현): 지체가 높고 귀한 사람을 찾아가 뵘.
② **內訌(내홍**: 안 내, 어지러울 홍): 집단이나 조직의 내부에서 자기들끼리 일으킨 분쟁
④ **相殺(상쇄**: 서로 상, 감할 쇄): 상반되는 것이 서로 영향을 주어 효과가 없어지는 일
⑤ **毋論(무론**: 말 무, 논할 론): 말할 것도 없이 ≒ 물론(勿論)

정답 ③

073 ○○○ 2011 서울시 9급

다음 중 밑줄 친 단어 표기가 옳은 것은?

① <u>절대절명</u>의 순간 그를 구한 것은 옛 친구였다.
② <u>삼수갑산</u>에 가는 한이 있더라도 내 손으로 해결하겠다.
③ 할아버지께서는 30년 전 <u>홀홀단신</u>으로 고향을 떠나셨다.
④ 아버지의 사업 실패로 그 집안은 <u>풍지박산</u>이 되었다.
⑤ 식구들을 이끌고 그는 고향에서 <u>야밤도주</u>를 하였다.

난이도 상 ◯ 하

해설 자신에게 닥쳐올 어떤 위협도 무릅쓰고라도 어떤 일을 단행할 때 쓰는 말로 '삼수갑산에 가는 한이 있어도'라는 말이 있다. 이때 '산수갑산'으로 잘못 쓰는 경우가 있으나, ②처럼 '三水甲山(삼수갑산: 석 삼, 물 수, 첫째 천간 갑, 산 산)'이 바른 표기이다.

오답분석
① 절대절명 → 절체절명(絶體絶命)
③ 홀홀단신 → 혈혈단신(孑孑單身)
④ 풍지박산 → 풍비박산(風飛雹散)
⑤ 야밤도주 → 야반도주(夜半逃走)

정답 ②

참고 어휘

어휘	뜻
절체절명(絶體絶命)	끊을 절, 몸 체, 끊을 절, 목숨 명
	몸도 목숨도 다 된 것이라는 뜻으로, 몹시 위태롭거나 절박한 지경을 비유적으로 이르는 말
혈혈단신(孑孑單身)	외로울 혈, 외로울 혈, 홑 단, 몸 신
	의지할 곳 없이 외로운 홀몸
풍비박산(風飛雹散)	바람 풍, 날 비, 우박 박, 흩을 산
	바람에 날려 우박이 흩어진다는 뜻으로, 산산이 부서져 사방으로 날아가거나 흩어짐을 비유적으로 이르는 말
야반도주(夜半逃走)	밤 야, 반 반, 달아날 도, 달릴 주
	남의 눈을 피하여 밤사이에 도망함.

출제 유형

한자어의 표기	동일한 한자가 쓰인 단어를 찾는 유형

074 ○○○ 2022 군무원 9급

다음 중 밑줄 친 부분의 한자가 나머지 셋과 다른 것은?

① 오래된 나사여서 마모가 심해 빼기 어렵다.
② 평소 절차탁마에 힘써야 대기만성에 이를 수 있다.
③ 정신을 수양하고 심신을 연마하는 것이 진정한 배움이다.
④ 너무 열중하여 힘을 주다 보니 근육이 마비되었다.

난이도 상 중 하

해설 주어 '근육이'를 볼 때, '마비'는 '痲痹(저릴 마, 저릴 비)'이다. ④를 제외한 나머지는 모두 '磨(갈 마)'가 쓰였다. 따라서 한자가 다른 하나는 ④이다.

> **참고** 동음이의어 '마비'
> 1) 痲痹(저릴 마, 저릴 비)
> 2) 麻痺(삼 마, 저릴 비)
> 문맥 없이 주어졌다고 하더라도, '마비'의 '마'가 ①~③처럼 '磨(갈 마)'는 아니다.

오답분석
① **마모(磨耗**: 갈 마, 줄 모): 마찰 부분이 닳아서 없어짐.
② **절차탁마(切磋琢磨**: 끊을 절, 갈 차, 쪼을 탁, 갈 마): 옥이나 돌 따위를 갈고 닦아서 빛을 낸다는 뜻으로, 부지런히 학문과 덕행을 닦음을 이르는 말
③ **연마(硏磨**: 갈 연, 갈 마/**練磨**: 익힐 연(련), 갈 마/**鍊磨**: 불릴 연(련), 갈 마): 1) 주로 돌이나 쇠붙이, 보석, 유리 따위의 고체를 갈고 닦아서 표면을 반질반질하게 함. 2) 학문이나 기술 따위를 힘써 배우고 닦음.

정답 ④

075 ○○○ 2022 서울시 9급(2월)

같은 의미의 '견' 자가 사용된 사자성어를 옳게 짝지은 것은?

① 견마지로 - 견토지쟁
② 견문발검 - 견마지성
③ 견강부회 - 견물생심
④ 견원지간 - 견리사의

난이도 상 중 하

해설 '견마지로(犬馬之勞)'와 '견토지쟁(犬兎之爭)' 모두 '犬(개 견)'이 사용되었다.

오답분석
② '견문발검(見蚊拔劍)'은 '見(볼 견)'이, '견마지성(犬馬之誠)'은 '犬(개 견)'이 사용되었다.
③ '견강부회(牽強附會)'는 '牽(끌 견)'이, '견물생심(見物生心)'은 '見(볼 견)'이 사용되었다.
④ '견원지간(犬猿之間)'은 '犬(개 견)'이, 견리사의(見利思義)'는 '見(볼 견)'이 사용되었다.

정답 ①

참고 어휘

어휘	풀이
견마지로(犬馬之勞)	개 **견**, 말 **마**, 어조사 **지**, 수고로울 **로**
	개나 말 정도의 하찮은 힘이라는 뜻으로, 윗사람에게 충성을 다하는 자신의 노력을 낮추어 이르는 말
견토지쟁(犬兎之爭)	개 **견**, 토끼 **토**, 어조사 **지**, 다툴 **쟁**
	개와 토끼의 다툼이라는 뜻으로, 두 사람의 싸움에 제삼자가 이익을 봄을 이르는 말
견문발검(見蚊拔劍)	볼 **견**, 모기 **문**, 뽑을 **발**, 칼 **검**
	모기를 보고 칼을 뺀다는 뜻으로, 사소한 일에 크게 성내어 덤빔을 이르는 말
견마지성(犬馬之誠)	개 **견**, 말 **마**, 어조사 **지**, 정성 **성**
	1. 임금이나 나라에 바치는 충성을 낮추어 이르는 말 2. 개나 말의 정성이라는 뜻으로, 자신의 정성을 낮추어 이르는 말
견강부회(牽強附會)	끌 **견**, 강할 **강**, 붙을 **부**, 모일 **회**
	이치에 맞지 않는 말을 억지로 끌어 붙여 자기에게 유리하게 함.
견물생심(見物生心)	볼 **견**, 물건 **물**, 날 **생**, 마음 **심**
	어떠한 실물을 보게 되면 그것을 가지고 싶은 욕심이 생김.
견원지간(犬猿之間)	개 **견**, 원숭이 **원**, 어조사 **지**, 사이 **간**
	개와 원숭이의 사이라는 뜻으로, 사이가 매우 나쁜 두 관계를 비유적으로 이르는 말
견리사의(見利思義)	볼 **견**, 이로울 **리**, 생각 **사**, 옳을 **의**
	눈앞의 이익을 보면 의리를 먼저 생각함.

076 ○○○ 2021 경찰 1차

다음 글의 밑줄 친 '자(恣)'와 같은 한자를 사용한 것은?

> 우리나라에서 '개'라고 불리는 동물을 영국인은 'dog[도그]'라고 부르고, 독일인은 'hund[훈트]'라고 부르는 것처럼 하나의 의미가 언어에 따라 여러 가지 형식으로 나타날 수 있다. 이렇듯 언어의 내용과 형식 사이에 필연성이 없다는 특성을 언어의 자의성(恣意性)이라고 한다.

① 지자체는 '지방 자치 단체'의 줄임말이다.
② 그의 방자한 태도가 언제나 문제였습니다.
③ 향후 계획을 자세히 설명하시오.
④ 지리산은 웅장한 자태를 뽐냈다.

난이도 ㊤ ◯ ㊦

해설 '자의성'의 '자(恣)'는 '마음대로, 제멋대로 자'이다. 이와 한자가 같은 것은 '방자하다'의 '자'이다.
※ 恣意性(자의성: 제멋대로 **자**, 뜻 **의**, 성질 **성**)

"어려워하거나 조심스러워하는 태도가 없이 무례하고 건방지다."라는 의미를 가진 '방자(放恣)하다'에도 '恣'가 쓰였다.
※ 放資(방자: 놓을 **방**, 재물 **자**)

오답 분석 ① 지자체(地自體) → 自(스스로 자)
※ 地自體(지자체: 땅 **지**, 스스로 **자**, 몸 **체**)

③ 자세히(仔細히/子細히) → 仔(자세할 자), 子(아들 자)
※ 仔細(자세: 자세할 **자**, 세밀할 **세**)
子細(자세: 아들 **자**, 세밀할 **세**)

④ 자태(姿態) → 姿(맵시 자)
※ 姿態(자태: 맵시 **자**, 모양 **태**)

 ②

077 ○○○ 2016 사회복지직 9급

밑줄 친 '고'와 한자가 같은 것은?

> 구민들의 고충(苦衷)에 귀 기울이고 문제를 해결하기 위해 노력하겠습니다.

① 과거에는 신문고를 이용해 백성들의 이야기를 듣곤 했다.
② 한정된 예산에서 최대한 복지 예산을 확보하기 위한 고민이 계속된다.
③ 그 방송은 요즘 문제가 되고 있는 과소비의 실태에 대한 고발인 듯했다.
④ 민원을 처리하기 전에 먼저 법에 저촉되는 것은 없는지 숙고 자세가 필요하다.

난이도 ㊤ ◯ ㊦

해설 제시된 '고충(苦衷)'의 '고'는 '苦(쓸 고)'이다. '마음속으로 괴로워하고 애를 태움.'이란 뜻을 가진 ②의 '고민(苦悶)' 역시 '苦(쓸 고)'를 쓴다.

오답 분석 ① '신문고(申聞鼓)'의 '고'는 '鼓(북 고)'이다.
③ '고발(告發)'의 '고'는 '告(알릴 고)'이다.
④ '숙고(熟考)'의 '고'는 '考(생각할 고)'이다.

 ②

참고 어휘

어휘	뜻
고충(苦衷)	쓸 **고**, 속마음 **충**
	괴로운 심정이나 사정
신문고(申聞鼓)	거듭 **신**, 들을 **문**, 북 **고**
	조선 시대에, 백성이 억울한 일을 하소연할 때 치게 하던 북
고민(苦悶)	쓸 **고**, 번민할 **민**
	마음속으로 괴로워하고 애를 태움.
고발(告發)	알릴 **고**, 필 **발**
	세상에 잘 알려지지 않은 잘못이나 비리 따위를 드러내어 알림.
숙고(熟考)	익을 **숙**, 생각할 **고**
	1) 곰곰 잘 생각함. 또는 그런 생각 2) 아주 자세히 참고함.

078 ○○○

2012 지방직 7급

밑줄 친 부분을 한자로 적을 때 그 한자가 다른 하나는?

① 그는 무언의 압박을 당하고 있었다.

② 경기는 우리의 압승으로 끝났습니다.

③ 압정으로 벽에 그림 조각을 꽂아 보았다.

④ 새로 개발한 압축 장비를 도난당했다.

난이도 ㊤ ㊥ ㊦

해설 '압정'의 '압'은 '손으로'의 의미가 들어있는 '押(누를 압)'이다. 다른 단어의 '압'은 '외부의 힘'과 관계있는 '壓(누를 압)'이다. 따라서 다른 하나는 ③이다.

- **押釘(압정:** 누를 압, 못 정): 손가락으로 눌러 박도록 만든, 대가리가 둥글납작하고 촉이 짧은 쇠못

오답 분석
① **壓迫(압박:** 누를 압, 핍박할 박): 내리누름.
② **壓勝(압승:** 누를 압, 이길 승): 크게 이김.
④ **壓軸(압축:** 누를 압, 굴대 축): 부피를 줄임.

정답 ③

> **참고** [어휘] '押'과 '壓'이 쓰인 단어
> - 押: 압류(押留), 차압(差押), 압수(押守), 압송(押送)
> - 壓: 압박(壓迫), 압력(壓力), 억압(抑壓), 강압(强壓)

한자어의 독음	한자어의 독음이 바른지 판별하는 유형

079 ○○○

2022 지역 인재 9급

밑줄 친 부분의 표기가 옳지 않은 것은?

① 시댁(媤宅) 어른들에게 인사를 올렸다.

② 여행을 가려면 부모님의 승락(承諾)이 있어야 하였다.

③ 아버지가 동생의 철없는 행동을 듣고는 분노(忿怒)하였다.

④ 그는 사건의 문제점을 찾는 데 통찰력(洞察力)을 발휘하였다.

난이도 ㊤ ㊥ ㊦

해설 **승락 → 승낙:** 한글 맞춤법 제52항에서 '한자어에서 본음으로도 나고 속음으로도 나는 것은 각각 그 소리에 따라 적는다.'라고 하였다. '承諾'의 경우, 본음으로 나는 경우이므로 '승낙'으로 표기해야 옳다.

비교 속음으로 나는 것
예 수락(受諾), 쾌락(快諾), 허락(許諾)

오답 분석
① '宅'이 본음으로 나는 경우에는 '택'으로, 속음으로 나는 경우에는 '댁'으로 적는다.
예 자택(自宅) / 본댁(本宅), 시댁(媤宅), 댁내(宅內)

③ '怒'가 본음으로 나는 경우에는 '노'로, 속음으로 나는 경우에는 '로'로 적는다.
예 분노(忿怒) / 대로(大怒), 희로애락(喜怒哀樂)

④ '洞'이 본음으로 나는 경우에는 '동'으로, 속음으로 나는 경우에는 '통'으로 적는다.
예 동굴(洞窟), 동네(洞-) / 통찰(洞察), 통촉(洞燭)

정답 ②

080 ○○○ 2018 서울시 9급(3월)

한자어의 독음으로 옳은 것을 <보기>에서 모두 고른 것은?

<보기>

ㄱ. 決濟(결재) ㄴ. 火葬(화상) ㄷ. 模寫(묘사)
ㄹ. 裁量(재량) ㅁ. 冒頭(모두) ㅂ. 委託(위탁)

① ㄱ, ㄴ, ㅂ ② ㄱ, ㄷ, ㄹ
③ ㄴ, ㄷ, ㅁ ④ ㄹ, ㅁ, ㅂ

난이도 상 ● 하

해설 ㄹ의 '裁量(재량: 마를 재, 헤아릴 량)', ㅁ의 '冒頭(모두: 무릅쓸 모, 머리 두)', ㅂ의 '委託(위탁: 맡길 위, 부탁할 탁)'의 독음은 바르다.

오답분석 ㄱ. **決濟(결재 → 결제)**: '決濟(결제: 결정할 결, 건널 제)'의 독음은 '결제'이다.

ㄴ. **火葬(화상 → 화장)**: '火葬(화장: 불 화, 장사 지낼 장)'의 독음은 '화장'이다.

ㄷ. **模寫(묘사 → 모사)**: '模寫(모사: 본뜰 모, 베낄 사)'의 독음은 '모사'이다.

정답 ④

참고 어휘

결재(決裁)	결정할 **결**, 마를 **재**
	결정할 권한이 있는 상관이 부하가 제출한 (서류)안건을 검토하여 허가하거나 승인함.
결제(決濟)	결정할 **결**, 건널 **제**
	ㄱ. 일을 처리하여 끝을 냄. ㄴ. 증권 또는 대금을 주고받아 거래 관계를 끝맺는 일
화상(火傷)	불 **화**, 상처 **상**
	데었을 때에 일어나는 피부의 손상
화장(火葬)	불 **화**, 장사 지낼 **장**
	시체를 불에 살라 장사 지냄.
묘사(描寫)	그릴 **묘**, 베낄 **사**
	어떤 대상이나 사물, 현상 따위를 언어로 서술하거나 그림을 그려서 표현함.
모사(模寫)	법 **모**, 베낄 **사**
	대상을 비슷하게 흉내 내는 일을 비유적으로 이르는 말
재량(裁量)	마를 **재**, 헤아릴 **량**
	ㄱ. 자기의 생각과 판단에 따라 일을 처리함. ≒ 재작, 재탁 ㄴ. 행정청이 공익이나 행정의 목적에 보다 적합한 것이 무엇인지를 판단하는 행위 = 자유재량
모두(冒頭)	무릅쓸 **모**, 머리 **두**
	말이나 글의 첫머리
위탁(委託)	맡길 **위**, 부탁할 **탁**
	ㄱ. 남에게 사물이나 사람의 책임을 맡김. ㄴ. 법률 행위나 사무의 처리를 다른 사람에게 맡겨 부탁하는 일

081 ○○○ 2017 국가직 9급

독음이 모두 바른 것은?

① 探險(탐험) - 矛盾(모순) - 貨幣(화폐)
② 詐欺(사기) - 惹起(야기) - 灼熱(치열)
③ 荊棘(형자) - 破綻(파탄) - 洞察(통찰)
④ 箴言(잠언) - 惡寒(악한) - 奢侈(사치)

난이도 상 ● 하

해설 **'探險(탐험**: 찾을 탐, 험할 험), **矛盾(모순**: 창 모, 방패 순), **貨幣(화폐**: 재물 화, 화폐 폐)'의 독음은 모두 바르다.

오답분석 ② **灼熱(치열 → 작열)**: '灼'은 '불사를 작'이다. '**詐欺(사기**: 거짓 사, 속일 기), **惹起(야기**: 이끌 야, 일어날 기)'의 독음은 옳다.

※ 작열(灼熱): 1) 불 따위가 이글이글 뜨겁게 타오름. 2) 몹시 흥분하거나 하여 이글거리듯 들끓음을 비유적으로 이르는 말

③ **荊棘(형자 → 형극)**: '棘'은 '가시 극'이다. '**破綻(파탄**: 깨뜨릴 파, 터질 탄), **洞察(통찰**: 통찰 통, 살필 찰)'의 독음은 옳다.

④ **惡寒(악한 → 오한)**: '惡'이 '악하다'의 의미일 때는 '악'으로 읽지만, '몸이 오슬오슬 춥고 떨리는 증상'을 나타낼 때는 '악'이 아니라 '오'로 읽는다. '**箴言(잠언**: 경계 잠, 말씀 언), **奢侈(사치**: 사치할 사, 사치할 치)'의 독음은 옳다.

※ 惡漢(악한: 악할 **악**, 놈 **한**): '악독한 짓을 하는 사람'을 의미할 때는 '惡'을 '악'으로 읽는다.

정답 ①

Unit 13 한자어 3 - 동음이의 한자어의 표기

출제 유형

한자어 표기의 적절성	• 선지에 한글 표기가 동일한 단어를 제시하는 유형 • 선지마다 다른 단어를 제시하는 유형
예문에 맞는 한자어	• 예문에 어울리는 한자어와 짝짓는 유형

심화 Plus

• 동음이의 한자어 기출

(1) [16 지방직 9급]

규정(規正)	법 규, 바를 정
	바로잡아서 고침.
규정(規定)	법 규, 정할 정
	① 규칙으로 정함. 또는 그 정하여 놓은 것 예 맞춤법 규정 ② 내용이나 성격, 의미 따위를 밝혀 정함. 또는 그 정하여 놓은 것 예 사전의 명확한 규정
구조(救助)	구할 구, 도울 조
	재난 따위를 당하여 어려운 처지에 빠진 사람을 구하여 줌. 예 인명 구조
구조(構造)	얽을 구, 지을 조
	부분이나 요소가 어떤 전체를 짜 이룸. 또는 그렇게 이루어진 얼개으로 쓴 글 예 가옥 구조
충분(充分)	채울 충, 나눌 분
	모자람이 없이 넉넉함. 예 충분한 재산
충분(忠憤)	충성 충, 성낼 분
	충의로 인하여 일어나는 분한 마음 예 충분의 마음으로 쓴 글
현상(懸賞)	매달 현, 상 줄 상
	무엇을 모집하거나 구하거나 사람을 찾는 일 따위에 현금이나 물품 따위를 내겂. 또는 그 현금이나 물품 예 현상금
현상(現狀)	나타날 현, 형상 상
	나타나 보이는 현재의 상태 예 현상 유지

(2) [16 기상직 7급]

미수(未收)	아닐 미, 거둘 수
	돈이나 물건 따위를 아직 다 거두어들이지 못함. 예 미수금
미수(未遂)	아닐 미, 이룰 수
	① 목적한 바를 시도하였으나 이루지 못함. 예 암살 기도 미수 ② 범죄를 실행하려다가 그 목적을 달성하지 못한 일 예 살인 미수
편재(遍在)	두루 편, 있을 재
	널리 퍼져 있음.
편재(偏在)	치우칠 편, 있을 재
	한곳에 치우쳐 있음. 예 이윤의 편재
사의(斜意)	비낄 사, 뜻 의
	사전에 없는 단어임.
사의(辭意)	말씀 사, 뜻 의
	① 맡아보던 일자리를 그만두고 물러날 뜻 예 임금께 사의를 아뢰다. ② 글이나 말로 이야기되는 뜻
제재(題材)	제목 제, 재목 재
	예술 작품이나 학술 연구의 바탕이 되는 재료 예 수필은 다양한 제재를 가진 문학 장르이다.
제재(制裁)	억제할 제, 마를 재
	일정한 규칙이나 관습의 위반에 대하여 제한하거나 금지함. 또는 그런 조치 예 법적 제재를 가하다.

출제 유형

한자어 표기의 적절성	선지에 한글 표기가 동일한 단어를 제시하는 유형

082 ○○○ 2020 국가직 9급

㉠~㉣의 한자 표기로 옳은 것은?

> 과학사를 들춰 보면 기존의 학문 체계에 ㉠ 도전했다가 낭패를 본 인물들의 이야기를 자주 만날 수 있다. 대표적인 인물이 천동설을 부정하고 지동설을 주장한 갈릴레이이다. 천동설을 ㉡ 지지하던 당시의 권력층은 그들의 막강한 힘을 이용하여 갈릴레이를 신의 권위에 도전하는 이단자로 욕하고 목숨까지 위협했다. 갈릴레이가 영원한 ㉢ 침묵을 ㉣ 맹세하지 않고 계속 지동설을 주장했더라면 그는 단두대의 이슬로 사라졌을지도 모른다.

① ㉠ 逃戰 ② ㉡ 持地
③ ㉢ 浸默 ④ ㉣ 盟誓

난이도 상 중 하

해설 '誓'의 본음은 '서'이지만 '맹세'에서는 '세'로 굳어져 쓰이고 있다. 따라서 '맹세'의 한자 표기로 '盟誓(맹세할 맹, 맹세할 서)'는 바르다.

※ 원말 '맹서(盟誓)'와 원말이 변하여 굳어진 '맹세(盟誓)' 모두 표준어이고, 같은 한자어를 두 개의 독음으로 모두 읽을 수 있다.

오답 분석

① **도전(逃戰 → 挑戰)**: '맞섬'의 의미를 가진 '도전'은 '挑戰(돋울 도, 싸움 전: 싸움을 걸다, 맞서다)'으로 표기한다.
※ 逃(도망할 **도**): 한자의 부수 '책받침(辶)'은 '가다, 떠나다, 통과하다' 등의 의미를 갖는다. 따라서 '싸움을 걸다, 맞서다'의 뜻에 적절하지 않고, 맞설 때 필요한 '손'의 의미를 갖는 부수 '손 수(扌= 手)'가 필요하다.

② **지지(持地 → 支持)**: 문맥상 'support'의 의미를 가진 '지지'는 '支持(지탱할 지, 가질 지: 어떤 사람이나 단체 따위의 주의·정책·의견 따위에 찬동하여 이를 위하여 힘을 씀. 또는 그 원조)'로 표기한다.
※ 최소한 제시된 문맥에서 '地(땅 **지**)'는 어색하다.

③ **침묵(浸默 → 沈默)**: 'silence'의 의미를 가진 '침묵'은 '沈默(잠길 침, 묵묵할 묵: 아무 말도 없이 잠잠히 있음. 또는 그런 상태)'으로 표기한다.
※ 浸(잠길 **침**)

정답 ④

083 ○○○ 2016 서울시 7급

다음 중 밑줄 친 부분의 한자 표기가 가장 적절한 것은?

① 여행 도중 틈틈이 수상을 기록하여 문집을 냈다. - 首想

② 그가 사주, 관상, 수상에 능하기는 했지만 자신의 운명은 알지 못했다. - 手象

③ 어쩐지 수상하다 했더니 처음부터 범죄 의도가 있던 사람이었다. - 樹狀

④ 그는 지원자 중 유일하게 대상을 수상한 경력이 있어 뽑혔다. - 受賞

난이도 상 중 하

해설 문맥상 '상을 받다.'란 의미이므로, ④의 '**受賞(수상**: 받을 수, 상 줄 상)'의 표기는 옳다.

오답분석 ① **首想 → 隨想**: 문맥상 '그때그때 떠오르는 느낌'의 의미로 쓰였다. 따라서 '**隨想(수상**: 따를 수, 생각 상)'으로 수정해야 한다. '**首想(수상**: 머리 수, 생각 상)'이란 말은 없다.

② **手象 → 手相**: '사주, 관상'의 말을 볼 때, '수상'은 '손금'의 의미로 쓰였다. 따라서 '**手相(수상**: 손 수, 서로 상)'으로 수정해야 한다. '**手象(수상**: 손 수, 코끼리 상)'이란 말은 없다.

③ **樹狀 → 殊常**: 문맥상 '의심스럽다'의 의미로 쓰였다. 따라서 '**殊常(수상**: 다를 수, 항상 상)'으로 수정해야 한다. '**樹狀(수상**: 나무 수, 형상 상)'은 '나무처럼 가지가 있는 형상'의 의미이다.

정답 ④

참고 어휘

수상(首相)	머리 **수**, 서로 **상**
	내각의 최고 책임자 예 영국에서는 이번에 하층민 출신의 수상(首相)이 새로 선출되었다.
수상(受賞)	받을 **수**, 상 줄 **상**
	상을 받음. 예 그는 마침내 대상 수상(受賞)의 영예를 안았다.
수상(殊常)	다를 **수**, 항상 **상**
	보통과는 달리 이상하여 의심스러움. 예 거동이 수상(殊常)하다. / 날씨가 수상(殊常)하다.
수상(水上)	물 **수**, 위 **상**
	물의 위 예 수상(水上) 교통수단을 이용하다.

출제 유형

한자어 표기의 적절성	선지마다 다른 단어를 제시하는 유형

084 ○○○ 2023 지방직 9급

㉠~㉣에 들어갈 단어로 적절하지 않은 것은?

- 우리 회사는 올해 최고 수익을 창출해서 전성기를 [㉠]하고 있다.
- 그는 오래 살아온 자기 명의의 집을 [㉡]하려 했는데 사려는 사람이 없다.
- 그들 사이에 [㉢]이 심해서 중재자가 필요하다.
- 제가 부족하니 앞으로 많은 [㉣]을 부탁드립니다.

① ㉠: 구가(謳歌) ② ㉡: 매수(買受)

③ ㉢: 알력(軋轢) ④ ㉣: 편달(鞭撻)

난이도 상 중 하

해설 **매수(買受→買售)**: 문맥상 '팔려고' 하는데, 사려는 사람이 없다는 내용이다. 그런데 '**매수(買受**: 살 매, 받을 수)'는 '물건을 사서 넘겨받음.'이라는 의미이다. 따라서 ㉡에 들어갈 말로 적절하지 않다. 문맥을 고려할 때, '물건을 팔고 사는 일.'을 의미하는 '**매수(買售**: 살 매, 팔 수)'가 어울린다.

오답분석 ① **구가(謳歌: 노래할** 구, **노래할** 가): 1) 여러 사람이 입을 모아 칭송하여 노래함. 2) 행복한 처지나 기쁜 마음 따위를 거리낌 없이 나타냄.

③ **알력(軋轢: 삐걱거릴** 알, **수레에 칠** 력): 수레바퀴가 삐걱거린다는 뜻으로, 서로 의견이 맞지 아니하여 사이가 안 좋거나 충돌하는 것을 이르는 말.

④ **편달(鞭撻: 채찍** 편, **매질할** 달): 1) 채찍으로 때림. 2) 종아리나 볼기를 침. 3) 경계하고 격려함.

정답 ②

085 ○○○

2023 지방직 9급

㉠~㉢의 한자 표기로 올바른 것은?

> • 복지부 ㉠ 장관은 의료시설이 대도시에 편중된 문제에 대해 대책을 마련하라고 지시하였다.
> • 박 주무관은 사유지의 국유지 편입으로 발생한 주민들의 피해를 ㉡ 보상하는 업무를 맡고 있다.
> • 김 주무관은 이 팀장에게 부서 운영비와 관련된 ㉢ 결재를 올렸다.

	㉠	㉡	㉢
①	長官	補償	決裁
②	將官	報償	決裁
③	長官	報償	決濟
④	將官	補償	決濟

난이도 상 ○ 하

해설 ㉠ '복지부 장관'이라는 말을 볼 때, '국무를 나누어 맡아 처리하는 행정 각부의 우두머리'라는 의미를 가진 '**장관(長官**: 길 장, 벼슬 관)'으로 표기해야 한다.

㉡ '사유지의 국유지 편입으로 발생한 주민들의 피해를 보상'이라는 말을 볼 때, '국가 또는 단체가 적법한 행위에 의하여 국민이나 주민에게 가한 재산상의 손실을 갚아 주기 위하여 제공하는 대상(代償)'이라는 의미를 가진 '**보상(補償**: 기울 보, 갚을 상)'으로 표기해야 한다.

㉢ '이 팀장에게 ~ 결재를 올렸다.'를 볼 때, '결정할 권한이 있는 상관이 부하가 제출한 안건을 검토하여 허가하거나 승인함.'이라는 의미를 가진 '**결재(決裁**: 결정할 결, 마를 재)'로 표기해야 한다.

오답 분석 ㉠ **장관(將官: 장수 장, 벼슬 관)**: 군사를 거느리는 우두머리.

㉡ **보상(報償: 갚을 보, 갚을 상)**: 1) 남에게 진 빚 또는 받은 물건을 갚음. 2) 어떤 것에 대한 대가로 갚음.

㉢ **결제(決濟: 결정할 결, 건널 제)**: 1) 일을 처리하여 끝을 냄. 2) 증권 또는 대금을 주고받아 매매 당사자 사이의 거래 관계를 끝맺는 일.

 정답 ①

086 ○○○

2023 군무원 7급

㉠~㉢에 들어갈 단어를 순서대로 나열한 것은?

> • 회사 측은 주민 대표에게 언론에 보도된 내용이 사실과 다르다고 (㉠) 하였다.
> • 그는 국회에서 국민의 기본권에 대하여 (㉡)할 기회를 얻었다.
> • 피의자는 뇌물을 받은 적이 없다고 검사에게 (㉢)했다.

① 解明 – 發言 – 陳述
② 陳述 – 發言 – 解明
③ 發言 – 陳述 – 解明
④ 發言 – 解明 – 陳述

난이도 상 ○ 하

해설

해명(解明)	'사실과 다르다고'를 볼 때, '까닭이나 내용을 풀어서 밝힘.'을 의미하는 '**해명(解明**: 풀 해, 밝힐 명)'이 어울린다.
발언(發言)	기본권에 대해 '말을 꺼낼' 기회를 얻었다는 내용이므로, '말을 꺼내어 의견을 나타냄.'을 의미하는 '**발언(發言**: 필 발, 말씀 언)'이 어울린다.
진술(陳述)	'검사에게'를 볼 때, '**진술(陳述**: 늘어놓을 진, 지을 술)'이 어울린다.

정답 ①

087 ○○○

2021 국가직 9급

한자 표기가 옳은 것은?

① 그분은 냉혹한 현실(現室)을 잘 견뎌 냈다.
② 첫 손님을 야박(野薄)하게 대해서는 안 된다.
③ 그에게서 타고난 승부 근성(謹性)이 느껴진다.
④ 그는 평소 희망했던 기관에 채용(債用)되었다.

난이도 상 ○ 하

해설 '야멸치고 인정이 없음.'이라는 의미를 가진 '야박'은 '野薄(들 야, 엷을 박)'으로 표기한다. '野薄(들 야)'는 '야성, 거칢, 야외, 비천함 등'의 의미로 쓰인다.

오답 분석 ① **현실(現室 → 現實)**: '현재 실제로 존재하는 사실이나 상태'를 의미하는 '현실'은 '現實(나타날 현, 열매 실)'로 표기해야 한다.
※ 室(방 **실**)

③ **근성(謹性 → 根性)**: '뿌리가 깊게 박힌 성질'을 의미하는 '근성'은 '根性(뿌리 근, 성품 성)'으로 표기해야 한다.
※ 謹(삼갈 **근**)

④ **채용(債用 → 採用)**: '사람을 골라서 씀.'을 의미하는 '채용'은 '採用(캘 채, 쓸 용)'으로 표기해야 한다.
※ 채용(債用 빚 **채**, 쓸 **용**) = 차용(債用 빌릴 **차**, 쓸 **용**)
채용(採用)되다: 사람이 골라져서 쓰이다.

정답 ②

088 ○○○

2018 국가직 9급

밀줄 친 한자어의 쓰임이 문맥상 적절한 것은?

① 초고를 校訂하여 책을 완성하였다.

② 내용이 올바른지 서로 交差 검토하시오.

③ 전자 문서에 決濟를 받아 합격자를 확정하겠습니다.

④ 지금 제안한 계획은 수용할 수 없으니 提高 바랍니다.

난이도 상 중 하

해설 **'校訂(교정: 학교 교, 바로잡을 정)'**은 '남의 문장 또는 출판물의 잘못된 글자나 글귀 따위를 바르게 고침.'이라는 뜻을 가진 한자어이므로 그 쓰임이 문맥상 적절하다.

오답분석 ② **交差(교차: 사귈 교, 다를 차) → 交叉(교차: 사귈 교, 갈래 차)**: 문맥상 서로 엇갈려서 검토하라는 의미로 쓰였기 때문에 **'交叉(교차: 사귈 교, 갈래 차)'**를 써야 한다. **'交差(교차: 사귈 교, 다를 차)'**는 '벼슬아치를 번갈아 임명함.'이라는 의미이므로, 문맥상 적절하지 않다.

③ **決濟(결제: 결정할 결, 건널 제) → 決裁(결재: 결정할 결, 마를 재)**: '전자 문서'를 보아 '결정할 권한이 있는 상관이 부하가 제출한 안건을 검토하여 허가하거나 승인함.'을 이르는 **'決裁(결재: 결정할 결, 마를 재)'**를 써야 한다. **'決濟(결제: 결정할 결, 건널 제)'**는 '돈'과 관련될 때만 쓰기 때문에, 문맥상 적절하지 않다.

④ **提高(제고: 끌 제, 높을 고) → 再考(재고: 다시 재, 생각할 고)**: 문맥상 다시 생각하기 바란다는 내용이므로 **'再考(재고: 다시 재, 생각할 고)'**를 써야 한다. **'提高(제고: 끌 제, 높을 고)'**는 '쳐들어 높임.'이라는 의미이므로 문맥상 적절하지 않다.

정답 ①

출제 유형

예문에 맞는 한자어	예문에 어울리는 한자어와 짝짓는 유형

089 ○○○

2020 경찰 1차

㉠~㉣의 밑줄 친 단어를 한자로 바르게 표기한 것은?

> 기존의 지식 생산 메커니즘은 특정 지식 집단에 집중되어 있었다. 예를 들어 과거 지식의 총아라 일컬어졌던 백과사전의 경우 특정 학문 분야의 권위자만 서술과 편집의 권한을 가지고 백과사전을 출판할 수 있었다. 이러한 메커니즘에서는 전문가가 아닌 보통 사람에게는 지식 생산의 ㉠ 기회가 주어지지 않았으며, 설령 지식을 생산한다 하더라도 그들이 생산한 지식은 저평가되기 일쑤였다. 과거에는 지성이란 특정 사람에게만 주어진 능력으로 간주되었다. 지성의 ㉡ 역할은 새로운 지식을 창조하는 것이며 이러한 과정은 축적된 지식을 지닌 지성인, 곧 전문가에 의해서만 이루어질 수 있다고 여겨진 것이다.
>
> 스탱어스는 지성이 하는 가장 중요한 일은 지식 창조이며, 이는 누구나 할 수 있는 것이 아니라 축적된 지식을 가지고 이를 활용할 수 있는 능력을 보유한 소위 전문가만이 가능하다고 주장했다. 또한 일반인의 지성에 대한 ㉢ 회의적인 시각을 근대적 관점에서 제기한 이로는 매카이가 있다. 매카이는 중요한 결정을 할 때 대중의 판단에 의존하는 것은 위험하며, 그렇기 때문에 대중의 판단은 무용하다고 했다.
>
> 그러나 이러한 인식과 다르게 현대 사회에서는 누구나 인터넷을 통해 다른 사람이 제공한 지식을 검색하여 읽을 수 있고, 자신이 가진 지식을 다른 사람들과 나눌 수 있도록 글을 쓸 수 있으며, 잘못된 정보를 고치는 것 또한 자유롭게 되었다. 이처럼 현대 사회에서 교육 수준의 상승과 정보 기술의 발달에 힘입어 전문가로 공인받지 않은 일반인도 자신들이 생활에서 체험한 지식을 서로 ㉣ 공유하는 과정을 통해 궁극적으로 지식 생산에 기여하는 것을 집단 지성이라 부른다.
>
> 집단 지성은 정보 사회의 특징을 설명해 주는 핵심 개념으로 각광받고 있다. 특히 인터넷상에서 활동하는 개별 누리꾼이 서로 힘을 모아 사회적 영향력을 발휘하는 현상이 뚜렷하게 포착되고 있는데, 이렇게 모인 힘을 표현하는 개념으로서 집단 지성이 자리를 잡아가고 있다. 〈하략〉

① ㉠ 機會　② ㉡ 役活

③ ㉢ 會議　④ ㉣ 公有

난이도 ◯ 중 하

해설 'chance'의 의미인 '기회'를 '**機會**(기회: 틀 기, 모일 회)'로 표기한 것은 옳다.

※ 한자어 '機(틀 **기**)'는 '베틀, 기계, 기회 등'의 다양한 의미를 지닌다.

오답분석 ② **역할(役活 → 役割)**: '活(살 활)'의 독음은 '할'이 아니라 '활'이다. '역할'은 '役割(부릴 역, 나눌 할)'을 쓴다.

③ **회의(會議 → 懷疑)**: 문맥상 '의심을 품음.'의 의미이다. 따라서 '懷疑(품을 회, 의심할 의)'를 쓴다.

※ 회의(會 모일 **회**, 議 의논할 **의**): 여럿이 모여 의논함.

④ **공유(公有 → 共有)**: 문맥상 '서로(함께) 소유함.'의 의미이다. 따라서 '共有(함께 공, 있을 유)'를 쓴다.

※ 공유(公 공평할 **공**, 有 있을 **유**): 국가나 지방 자치 단체의 소유

정답 ①

090 ○○○ 2018 지방직 9급

㉠, ㉡에 들어갈 한자를 순서대로 바르게 나열한 것은?

> • 근무 여건이 개선(㉠)되자 업무 효율이 크게 올랐다.
> • 금융 당국은 새로운 통화(㉡) 정책을 제안하였다.

	㉠	㉡
①	改善	通貨
②	改選	通話
③	改善	通話
④	改選	通貨

난이도 상 ◯ 하

TIP 의미를 통해 한자를 유추한다. '개선'은 좋아지는 것으로 '선택하는[選, 가릴 **선**]' 것과 관련이 없고, '통화'는 '돈'의 의미이므로 '말[言, 말씀 **언**]'과 관련이 없다.

해설 ㉠ 문맥상 '좋게 나아지다.'라는 의미이므로 '**改善**(개선: 고칠 개, 착할 선)'이 들어가야 한다.

㉡ 문맥상 '화폐'라는 의미이므로 '**通貨**(통화: 통할 통, 재물 화)'가 들어가야 한다.

오답분석 ㉠ **改選(개선**: 고칠 개, 가릴 선): 의원이나 임원 등이 사퇴하거나 그 임기가 다 되었을 때 새로 선출함.

㉡ **通話(통화**: 통할 통, 이야기 화): 전화로 말을 주고받음. / 통화한 횟수를 세는 말

정답 ①

091 ○○○ 2017 지방직 7급

밑줄 친 단어의 한자 표기가 모두 옳은 것은?

> • 많은 고통을 ㉠ <u>감수</u>한 결과 오늘의 결과를 이루었다.
> • 우리 사회에 ㉡ <u>만연</u>해 있는 불신감을 해소해야 한다.

	㉠	㉡
①	甘授	漫延
②	甘受	漫延
③	甘授	蔓延
④	甘受	蔓延

난이도 상 ◯ 하

해설 ㉠ '감수'는 '달게 받아들임.'의 의미다. 따라서 '**甘受(감수**: 달 감, 받을 수)'로 표기한다.

※ 감수(甘受)하다: [동사] 책망이나 괴로움 따위를 달갑게 받아들이다.

㉡ '만연'은 '널리 피짐.'의 의미다. 따라서 '**蔓延(만연**: 덩굴 만, 끌 연)'으로 표기한다.

※ 만연(蔓延)하다: [동사] 전염병이나 나쁜 현상이 널리 퍼지다. 식물의 줄기가 널리 뻗는다는 뜻에서 나온 말

※ '만연'은 '**蔓延**(덩굴 만, 끌 연)'과 '**蔓衍**(덩굴 만, 넘칠 연)' 모두 적을 수 있다.

오답분석 ㉠ **授**(줄 수) ㉡ **漫**(질펀할 만)

※ 甘授(감수), 漫延(만연)은 사전에는 존재하지 않는 말

비교 만연(漫然: 질펀할 **만**, 그럴 **연**)하다

1) 어떤 목적이 없이 되는대로 하는 태도가 있다.

2) 맺힌 데가 없다.

3) 길고 멀어 막연하다.

정답 ④

092 ○○○ 2017 국회직 8급

다음 글의 밑줄 친 ㉠의 한자 표기로 옳은 것은?

> 1776년 6월 3일, 폭우가 쏟아지며 캄캄해졌다. 전날 저녁부터 아침까지 온 식구가 모두 밥을 굶었다. 네가 이를 알고는 기쁘지 않아 상을 찡그리더니, 이 때문에 병이 더 극심해졌다. 아이를 집에 돌려보내자 갑자기 네가 숨을 거두었다. 늙은 아버지는 흐느껴 울며 부자와 형제가 이에 세 번 곡하였다. 천하에 지극히 애통한 소리다. 너는 이제 영원히 잠들었으니 이를 듣는가 듣지 못하는가? …… 평시에는 남들과 말할 적에 형제가 몇이냐고 물으면 아무개와 아무개 넷이 ㉠ 동기라고 하였더니, 이제부터는 남들이 물으면 넷이라 할 수가 없겠구나.

① 同起 ② 同氣
③ 同期 ④ 童氣
⑤ 童期

난이도 ㊤ ㊥ ㊦

해설 '형제가 몇이냐'는 물음에 '넷이 동기'라고 대답했다는 것을 볼 때, ㉠의 '동기'는 '형제자매'의 뜻을 가진 '同氣(동기: 같을 동, 기운 기)'로 표기해야 한다.

오답분석
① 起(일어날 기)
③ 同期(동기: 같을 동, 기약할 기)
④, ⑤ 童(아이 동)

정답 ②

참고 어휘

同氣(동기)	같을 **동**, 기운 **기**
	형제와 자매, 남매를 통틀어 이르는 말 예 형제가 몇이냐고 물으면 아무개와 아무개 넷이 동기(同氣)라고 하였더니.
同期(동기)	같을 **동**, 기약할 **기**
	① 같은 시기. 또는 같은 기간 예 6월 중 수출 실적은 전년 동기(同期) 대비 32.5%가 증가했다. ② 학교나 훈련소 따위에서의 같은 기(期) 예 우린 입사 동기(同期)다. ③ 같은 시기에 같은 곳에서 교육이나 강습을 함께 받은 사람 예 대학 동기(同期)인 그와 나는 노년에 접어든 지금까지도 절친한 사이이다.
動機(동기)	움직일 **동**, 틀 **기**
	어떤 일이나 행동을 일으키게 하는 계기 예 그 사건은 처음에는 아주 단순한 동기(動機)에서 시작됐다.
銅器(동기)	구리 **동**, 그릇 **기**
	구리로 만든 그릇 예 중국 춘추 전국 시대에는 동기(銅器)에 글자를 새기어 넣는 것을 즐겼다.
冬期(동기)	겨울 **동**, 기약할 **기**
	겨울의 시기 예 동기(冬期) 훈련에 참가하다.

MEMO

Unit 14 한자어 4 - 한자어의 독음

출제 유형

- 이음동자 한자어의 독음을 파악하는 유형
- 형태가 비슷한 한자어의 독음을 파악하는 유형

출제 유형

한자어의 독음	이음동자 한자어의 독음을 파악하는 유형

093 ○○○ 2018 지방직 7급

밑줄 친 한자의 독음이 다른 것으로 짝지어진 것은?

① 復活 - 復命　② 樂園 - 樂勝
③ 降等 - 下降　④ 率先 - 引率

난이도 상 중 하

해설 '復'는 '다시'의 의미일 때는 '부'로 읽고, '회복하다, 고하다, 겹치다' 등의 의미일 때는 '복'으로 읽는다. '復活'은 '다시 살아남.'이라는 의미이므로 '부'로 읽고, '復命'은 '일을 시킨 이에게 보고함.'이라는 의미이므로 '복'으로 읽는다. 따라서 ①의 밑줄 친 '復'의 독음은 각각 '부'와 '복'으로 서로 다르다.

오답 분석 ② '樂'은 '즐기다'의 의미일 때는 '락(낙)'으로 읽고, '노래'의 의미일 때는 '악'으로 읽고, '좋아하다'의 의미일 때는 '요'로 읽는다. ① '樂'은 모두 '락(낙)'으로 읽는다.
※ '樂'의 본음은 '락'이지만, 두음 법칙에 따라 각각 '낙원(樂園)', '낙승(樂勝)'으로 읽는다.

③ '降'은 '내리다'의 의미일 때는 '강'으로 읽고, '항복하다'의 의미일 때는 '항'으로 읽는다. ③의 '降'은 모두 '강'으로 읽는다.

④ '率'은 '거느리다'의 의미일 때는 '솔'로 읽고, '비율'의 의미일 때는 '율(률)'로 읽는다. ④의 '率'은 모두 '솔'로 읽는다.

정답 ①

참고 어휘

①	부활(復活)	다시 **부**, 살 **활**
		죽었다가 다시 살아남. / 쇠퇴하거나 폐지한 것이 다시 성하게 됨. 또는 그렇게 함.
	복명(復命)	회복할 **복**, 명령 **명**
		명령을 받고 일을 처리한 사람이 그 결과를 보고함.
②	낙원(樂園)	즐거울 **낙(락)** 동산 **원**
		아무런 괴로움이나 고통이 없이 안락하게 살 수 있는 즐거운 곳 / 고난과 슬픔 따위를 느낄 수 없는 곳이라는 뜻에서, 죽은 뒤의 세계를 비유적으로 이르는 말
	낙승(樂勝)	즐거울 **낙(락)**, 이길 **승**
		힘들이지 아니하고 쉽게 이김.
③	강등(降等)	내릴 **강**, 등급 **등**
		등급이나 계급 따위가 낮아짐. 또는 등급이나 계급 따위를 낮춤.
	하강(下降)	아래 **하**, 내릴 **강**
		높은 곳에서 아래로 향하여 내려옴. / 신선이 속계로 내려오거나 웃어른이 아랫자리로 내려옴.
④	솔선(率先)	거느릴 **솔**, 먼저 **선**
		남보다 앞장서서 먼저 함.
	인솔(引率)	끌 **인**, 거느릴 **솔**
		여러 사람을 이끌고 감.

094 ○○○ 2016 지방직 9급

단어의 밑줄 친 부분의 음이 다른 것은?

① 否認　② 否定
③ 否決　④ 否運

난이도 상 중 하

해설 '否'는 '아니다'의 의미일 때는 '부'로, '막히다'의 의미일 때는 '비'로 읽는다. '否運'은 '막혀서 어려운 처지에 이른 운수'란 뜻을 가진 한자어로, '否'가 '막히다'의 의미로 쓰였다. 따라서 '否運'의 '否'는 '비'로 읽어야 한다.

오답 분석 나머지는 모두 '아니다'의 의미이므로, '부'로 읽는다.

정답 ④

참고 어휘

부인(否認)	아닐 **부**, 알 **인**
	어떤 내용이나 사실을 옳거나 그러하다고 인정하지 아니함.
부정(否定)	아닐 **부**, 정할 **정**
	① 그렇지 아니하다고 단정하거나 옳지 아니하다고 반대함. ② 일정한 판단에서 주사와 빈사의 양 개념이 일치하지 아니함.
부결(否決)	아닐 **부**, 결정할 **결**
	의논한 안건을 받아들이지 아니하기로 결정함. 또는 그런 결정
비운(否運)	막힐 **비**, 돌 **운**
	① 막혀서 어려운 처지에 이른 운수 ② 불행한 운명

095 ○○○ 2010 국가직 9급

공통으로 쓰인 한자의 독음이 같은 것으로 묶인 것은?

① ┌ 更新된 계약 문서를 조사하다.
　 └ 更生의 길로 인도하다.

② ┌ 불교에서는 殺生을 금지한다.
　 └ 계산이 相殺되었다.

③ ┌ 그 안건은 否決되었다.
　 └ 그 노인은 否塞한 말년을 지내고 있다.

④ ┌ 개펄이 開拓되어서는 안 된다.
　 └ 답사의 목적은 비문을 拓本하는 것이다.

난이도 상 중 하

해설 '更'은 '다시'의 의미일 때는 '갱'으로, '고치다'의 의미일 때는 '경'으로 읽는다.
'更新'은 계약을 연장하는 일이다. 즉 계약을 다시 또 한다는 점에서 '갱'으로 읽는다. 따라서 '更新(다시 갱, 새로울 신)'의 독음은 '갱신'이다.
'更生'은 다시 살아난다는 의미이므로 '갱'으로 읽는다. 따라서 '更生(다시 갱, 살 생)'의 독음은 '갱생'이다.

오답분석
② '殺'은 '죽이다'의 의미일 때는 '살'로, '빠르다', '덜다'의 의미일 때는 '쇄'로 읽는다.
'殺生'은 산 것을 죽이는 일이므로 '살'로 읽는다. 따라서 '殺生(죽일 살, 날 생)'의 독음은 '살생'이다.
'相殺'는 서로 비기는 것이다. 즉 서로 영향을 주어 사라지는(더는) 것이므로 '쇄'로 읽는다. 따라서 '相殺(서로 상, 덜 쇄)'의 독음은 '상쇄'이다.
③ '否 '는 '아니다'의 의미일 때는 '부'로, '막히다'의 의미일 때는 '비'로 읽는다.
'否決'은 가결하지 않는다는 의미이므로 '부'로 읽는다. 따라서 '否決(아닐 부, 결정할 결)'의 독음은 '부결'이다.
'否塞'은 운수가 꽉 막혔다는 의미이므로 '비'로 읽는다. 따라서 '否塞(막힐 비, 막을 색)'의 독음은 '비색'이다.
④ '拓'은 '넓히다'의 의미일 때는 '척'으로, '두드리다, 박다'의 의미일 때는 '탁'으로 읽는다.
'開拓'은 열어 넓힌다는 의미이므로 '척'으로 읽는다. 따라서 '開拓(열 개, 넓힐 척)'의 독음은 '개척'이다.
'拓本'은 종이에 두드려 박아낸다는 의미이므로 '탁'으로 읽는다. 따라서 '拓本(박을 탁, 근본 본)'의 독음은 '탁본'이다.

정답 ①

참고 어휘

①	갱신(更新)	다시 **갱**, 새 **신**
		만료된 유효 기간이 연장됨.
	갱생(更生)	다시 **갱**, 날 **생**
		거의 죽을 지경에서 다시 살아남. ※ 更: 고칠 **경**, 다시 **갱**
②	살생(殺生)	죽일 **살**, 날 **생**
		사람이나 짐승 따위의 생명이 있는 것을 죽임.
	상쇄(相殺)	서로 **상**, 감할 **쇄**
		셈을 서로 비김. ※ 殺: 죽일 **살**, 감할 **쇄**
③	부결(否決)	아닐 **부**, 결정할 **결**
		회의에서 의논한 안건을 승인하지 않기로 결정함.
	비색(否塞)	막힐 **비**, 막을 **색**
		운수가 꽉 막힘. ※ 否: 아닐 **부**, 막힐 **비**
④	개척(開拓)	열 **개**, 넓힐 **척**
		어떤 분야를 처음으로 시작하여 새로이 닦다.
	탁본(拓本)	박을 **탁**, 근본 **본**
		종이에 그대로 박아내다. ※ 拓: 넓힐 **척**, 박을 **탁**

출제 유형

한자어의 독음	형태가 비슷한 한자어의 독음을 파악하는 유형

096 ○○○ 2022 군무원 7급

다음 중 밑줄 친 한자의 독음이 가장 옳지 않은 것은?

① 상사의 詰責이 두려워 언제까지 진실을 숨기고 있을 수는 없다. - 질책

② 기자들은 김 의원 발언의 요점 捕捉을 위해 애를 썼다. - 포착

③ 대사는 신원을 알 수 없는 암살단에 의해 대사관에서 被襲을 받았다. - 피습

④ 한 유통업체가 특정 브랜드 상품 판매 斡旋에 앞장서 빈축을 사고 있다. - 알선

난이도 상 중 하

해설 **詰責(질책 → 힐책)**: '詰(꾸짖을 힐)'이다. 따라서 '詰責(꾸짖을 힐, 꾸짖을 책)'의 독음은 '질책'이 아니라 '힐책'이다.
비교 질책(叱責: 꾸짖을 질, 꾸짖을 책)

오답분석
② **포착(捕捉**: 사로잡을 포, 잡을 착)
③ **피습(被襲**: 입을 피, 엄습할 습)
④ **알선(斡旋**: 관리할 알, 돌 선)

정답 ①

097 ○○○ 2017 서울시 9급

다음 중 한자어와 독음이 바르게 연결된 것은?

① 陶冶 - 도치　　② 改悛 - 개전
③ 殺到 - 살도　　④ 汨沒 - 일몰

난이도 상 중 하

해설 **'改悛(개전**: 고칠 개, 고칠 전)'의 한자 독음은 '개전'이 맞다.
※ 개전(改悛): 행실이나 태도의 잘못을 뉘우치고 마음을 바르게 고쳐먹음.

오답분석
① **陶冶(도치 → 도야)**: '冶(불릴 야)'의 독음은 '치'가 아니라 '야'이다.
※ 治(다스릴 **치**)
③ **殺到(살도 → 쇄도)**: '殺'이 '죽이다'의 뜻일 때는 '살'로 읽히지만, '빠르다'의 의미일 때는 '쇄'로 읽힌다. 따라서 '살도'가 아니라 '쇄도'이다.
④ **汨沒(일몰 → 골몰)**: '汨(골몰할 골)'의 독음은 '일'이 아니라 '골'이다.
※ 日(해 **일**)

정답 ②

Unit 15 한자 성어의 쓰임과 뜻풀이

출제 유형

한자 성어의 쓰임	• 한자 성어의 쓰임이 바른지 판별하는 유형
한자 성어의 뜻풀이	• 한자 성어의 뜻풀이가 바른지 묻는 유형

핵심정리

• **한자 성어의 뜻풀이**

(1) [13 서울시 7급]

자강불식(自强不息)	스스로 힘써 해 나가면서 쉬지 않음.
혼정신성(昏定晨省)	부모를 잘 섬기고 효성을 다함.
지록위마(指鹿爲馬)	사람을 기만하고 우롱함.
금란지교(金蘭之交)	쇠같이 단단하고 난초같이 향기로운 우정
등고자비(登高自卑)	모든 일에는 순서가 있음. 지위가 높아질수록 자신을 낮춤

(2) [11 기상직 9급]

좌고우면(左顧右眄)	앞뒤를 재고 망설임.
불치하문(不恥下問)	옳고 그름을 따지지 아니함.
청출어람(靑出於藍)	제자가 스승보다 더 뛰어남.
지리멸렬(支離滅裂)	흩어지고 찢기어 갈피를 잡을 수 없음.
천려일실(千慮一失)	슬기로운 사람이라도 여러 가지 생각 가운데에는 잘못되는 것이 있을 수 있음.

출제 유형

한자 성어의 쓰임	한자 성어의 쓰임이 바른지 판별하는 유형

098 ○○○ 2022 군무원 9급

다음 중 사자성어가 가장 적절하게 쓰이지 않은 것은?

① 견강부회(牽强附會)하지 말고 타당한 논거로 반박을 하세요.

② 그는 언제나 호시우보(虎視牛步) 하여 훌륭한 리더가 되었다.

③ 함부로 도청도설(道聽塗說)에 현혹되어 주책없이 행동하지 마시오.

④ 이번에 우리 팀이 크게 이긴 것을 전화위복(轉禍爲福)으로 여기자.

난이도 상 중 하

해설 **'전화위복(轉禍爲福**: 구를 전, 재앙 화, 될 위, 복 복)'은 재앙과 근심, 걱정이 바뀌어 오히려 복이 됨을 이르는 말이다. 제시된 문장에는 '재앙'에 해당하는 내용은 제시되어 있지 않고, 단순히 크게 이겼다고만 하였다. 따라서 '전화위복'의 쓰임은 적절하지 않다.

오답분석 ① **견강부회(牽强附會**: 끌 견, 굳셀 강, 붙을 부, 모일 회)는 이치에 맞지 않는 말을 억지로 끌어 붙여 자기에게 유리하게 함을 이르는 말이다. 문맥상 '억지 논리'를 펼치지 말고, 타당한 논거로 반박하라는 의미이므로 그 쓰임이 적절하다.

② **호시우보(虎視牛步**: 범 호, 볼 시, 소 우, 걸을 보)는 범처럼 노려보고 소처럼 걷는다는 뜻으로, 예리한 통찰력으로 꿰뚫어 보며 성실하고 신중하게 행동함을 이르는 말이다. 문맥상 성실하고 신중하게 행동해서 훌륭한 리더가 되었다는 의미이므로 그 쓰임이 적절하다.

③ **도청도설(道聽塗說**: 길 도, 들을 청, 진흙 도, 말씀 설)은 길에서 듣고 길에서 말한다는 뜻으로, 길거리에 퍼져 돌아다니는 뜬소문을 이르는 말이다. 따라서 떠도는 말에 현혹되어 주책없이 행동하지 말라고 말하는 상황에 어울리는 말이다.

정답 ④

099 ○○○ 2022 국가직 9급

사자성어의 쓰임이 적절하지 않은 것은?

① 그는 구곡간장(九曲肝腸)이 끊어지는 듯한 슬픔에 빠졌다.

② 학문의 정도를 걷지 않고 곡학아세(曲學阿世)하는 이가 있다.

③ 이유 없이 친절한 사람은 구밀복검(口蜜腹劍)일 수도 있으니 조심해야 한다.

④ 신중한 태도로 문제의 본질에 접근하는 당랑거철(螳螂拒轍)의 자세가 필요하다.

난이도 상 중 하

해설 **'당랑거철(螳螂拒轍**: 사마귀 당, 사마귀 랑, 막을 거, 바큇자국 철)' 은 제 역량을 생각하지 않고, 강한 상대나 되지 않을 일에 덤벼드는 무모한 행동거지를 비유적으로 이르는 말이다. 따라서 신중한 태도로 문제의 본질에 접근하는 자세에 '당랑거철(螳螂拒轍)'은 어울리지 않는다.

오답분석 ① **'구곡간장(九曲肝腸**: 아홉 구, 굽을 곡, 간 간, 창자 장)'은 굽이굽이 서린 창자라는 뜻으로, 깊은 마음속 또는 시름이 쌓인 마음속을 비유적으로 이르는 말이다. 따라서 슬픔에 빠진 상황에 어울리는 말이다.

② **'곡학아세(曲學阿世**: 굽을 곡, 배울 학, 언덕 아, 세상 세)'는 '바른길에서 벗어난 학문으로 세상 사람에게 아첨함.'을 이르는 말이다. 따라서 학문의 '정도(正道: 바를 정, 길 도)'를 걷지 않는 사람에게 어울리는 말이다.

③ **'구밀복검(口蜜腹劍**: 입 구, 꿀 밀, 배 복, 칼 검)'은 입에는 꿀이 있고 배 속에는 칼이 있다는 뜻으로, 말로는 친한 듯하나 속으로는 해칠 생각이 있음을 이르는 말이다. 따라서 이유 없이 친절하게 다가오는 사람을 조심하라고 당부하는 상황에 어울리는 말이다.

정답 ④

100 ○○○ 2017 국가직 9급 추가

밑줄 친 한자 성어의 쓰임이 적절하지 않은 것은?

① 그는 이번 실패에 굴하지 않고 捲土重來를 꿈꾸고 있다.

② 그는 魚魯不辨으로 부당 이득을 취한 혐의를 받고 있다.

③ 그는 이번 사건에 吾不關焉하면서 책임을 회피하고 있다.

④ 그의 말이 羊頭狗肉으로 평가받는 것은 겉만 그럴듯해서이다.

난이도 상 ● 하

해설 **'魚魯不辨(어로불변**: 물고기 어, 노나라 로, 아닐 불, 분별할 변)'은 어(魚) 자와 노(魯) 자를 구별하지 못한다는 뜻으로, 아주 무식함을 비유적으로 이르는 말이다. 따라서 부당 이득을 취한 혐의를 받고 있는 사람에게는 어울리지 않는 표현이다.

※ '목불식정(目不識丁)', 일자무식(一字無識)', 숙맥불변(菽麥不辨)'과 의미가 비슷하다.

문맥상 **'買占賣惜(매점매석**: 살 매, 차지할 점, 팔 매, 아낄 석): 물건값이 오를 것을 예상하여 한꺼번에 샀다가 팔기를 꺼려 쌓아 둠. 사재기' 정도가 어울린다.

오답 분석

① **捲土重來(권토중래**: 말 권, 흙 토, 거듭 중, 올 래)는 '어떤 일에 실패한 뒤에 힘을 가다듬어 다시 그 일에 착수함.'을 비유하여 이르는 말이므로 문맥상 그 쓰임이 적절하다.

③ **吾不關焉(오불관언**: 나 오, 아닐 불, 관계할 관, 어찌 언)은 '나는 그 일에 상관하지 아니함.'을 이르는 말이므로 문맥상 그 쓰임이 적절하다.

※ '수수방관(袖手傍觀)'과 의미가 비슷하다.

④ **羊頭狗肉(양두구육**: 양 양, 머리 두, 개 구, 고기 육)은 '양의 머리를 걸어 놓고 개고기를 판다는 뜻으로, 겉보기만 그럴듯하게 보이고 속은 변변하지 아니함을 이르는 말.'이므로 문맥상 그 쓰임이 적절하다.

※ '구밀복검(口蜜腹劍), 소리장도(笑裏藏刀), 면종복배(面從腹背), 표리부동(表裏不同)'과 의미가 비슷하다.

 정답 ②

출제 유형

한자 성어의 뜻풀이	한자 성어의 뜻풀이가 바른지 묻는 유형

101 ○○○ 2022 국회직 9급

한자 성어와 뜻의 연결이 옳지 않은 것은?

① 股肱之臣: 다리와 팔과 같이 중요한 신하.

② 狐假虎威: 남의 권세를 빌려 위세를 부림.

③ 要領不得: 말이나 글의 목적이나 의미가 분명치 않음.

④ 牽强附會: 세상과 타협하고 권력에 굴복함.

⑤ 肝膽相照: 서로 속마음을 털어놓고 친하게 사귐.

난이도 상 ● 하

해설 **'견강부회(牽强附會**: 끌 견, 강할 강, 붙을 부, 모일 회)'는 이치에 맞지 않는 말을 억지로 끌어 붙여 자기에게 유리하게 함을 의미한다.

오답 분석

① **고굉지신(股肱之臣**: 넓적다리 고, 팔뚝 굉, 어조사 지, 신하 신): 다리와 팔같이 중요한 신하라는 뜻으로, 임금이 가장 신임하는 신하를 이르는 말

② **호가호위(狐假虎威**: 여우 호, 거짓 가, 범 호, 위엄 위): 남의 권세를 빌려 위세를 부림.

③ **요령부득(要領不得**: 중요할 요, 거느릴 령, 아닐 부(불), 얻을 득): 말이나 글 따위의 요령을 잡을 수가 없음.

⑤ **간담상조(肝膽相照**: 간 간, 쓸개 담, 서로 상, 비출 조): 서로 속마음을 털어놓고 친하게 사귐.

정답 ④

102 ○○○ 2013 국회직 8급

다음 중 사자성어의 풀이가 옳지 않은 것은?

① 盲者正門: 우둔하고 미련한 사람이 어찌하다가 이치에 들어맞는 바른 일을 함.

② 暴虎馮河: 용기는 있으나 무모함.

③ 草露人生: 청빈하고 소박한 삶

④ 上下撑石: 임시변통으로 이리저리 견디어 가는 것

⑤ 望雲之情: 자식이 객지에서 고향에 계신 어버이를 생각하는 마음

난이도 상 중 하

해설 ③의 '草露人生(초로인생)'은 '허무하고 덧없는 인생'을 이르는 말이다.

- **草露人生(초로인생**: 풀 초, 이슬 로, 사람 인, 날 생): 풀잎에 맺힌 이슬과 같은 인생이라는 뜻으로, 허무하고 덧없는 인생을 비유적으로 이르는 말 = 조로인생(**朝露人生**)

오답분석

① **盲者正門(맹자정문**: 눈멀 맹, 사람 자, 바를 정, 문 문): 장님이 정문을 바로 찾아 들어간다는 뜻으로, 어리석은 사람이 어쩌다 이치에 들어맞는 일을 했음을 비유적으로 이르는 말 = 맹인직문(盲人直門), 맹자직문(盲者直門)

② **暴虎馮河(포호빙하**: 사나울 포, 범 호, 탈 빙, 강 하): 맨손으로 범을 때려잡고 걸어서 황허강(黃河江)을 건넌다는 뜻으로, 용기는 있으나 무모함을 이르는 말

④ **上下撑石(상하탱석**: 위 상, 아래 하, 버틸 탱, 돌 석): 아랫돌 빼서 윗돌 괴고 윗돌 빼서 아랫돌 괸다는 뜻으로, 몹시 꼬이는 일을 당하여 임시변통으로 이리저리 맞추어서 겨우 유지해 감을 이르는 말 = 하석상대(下石上臺), 상석하대(上石下臺)

⑤ **望雲之情(망운지정**: 바랄 망, 구름 운, 어조사 지, 뜻 정): 자식이 객지에서 고향에 계신 어버이를 생각하는 마음 = 망운지회(望雲之懷)

정답 ③

MEMO

Unit 16 주제별 한자 성어

출제 유형

- 의미가 상대되는 한자 성어끼리 짝짓는 유형
- 의미가 동일한 한자 성어끼리 짝짓는 유형

핵심정리

1. '부화뇌동(附和雷同)'과 의미가 유사한 한자 성어 [16 사회복지직 9급]

추우강남(追友江南)	쫓을 추, 벗 우, 강 강, 남녘 남
	① 벗을 따라 강남 간다는 뜻으로, 자기는 꼭 필요하지 않더라도 벗을 위해 먼 길이라도 간다는 말 ② 줏대 없이 남의 권유에 따르거나 남의 말에 동조하는 것을 이르는 말
아부영합(阿附迎合)	아첨할 아, 붙을 부, 맞을 영, 합할 합
	자기의 주견이 없이 남의 말에 아부하며 동조함.
수중축대(隨衆逐隊)	따를 수, 무리 중, 쫓을 축, 무리 대
	무리를 따르고 대열을 쫓는다는 뜻으로, 자기의 뚜렷한 주관이 없이 여러 사람의 틈에 끼어 덩달아 행동함을 이르는 말

2. 친한 친구의 사귐을 의미하는 한자 성어 [14 서울시 9급]

문경지교(刎頸之交), 교칠지교(膠漆之交), 금란지교(金蘭之交), 수어지교(水魚之交)

3. '노력'을 강조한 한자 성어 [14 서울시 7급]

우공이산(愚公移山), 마부위침(磨斧爲針), 수적석천(水滴石穿)

출제 유형

주제별 한자 성어	의미가 상대되는 한자 성어끼리 짝짓는 유형

103 ○○○ 2012 서울시 7급

'夏爐冬扇'과 의미가 서로 대립되는 한자 성어로 적절한 것은?

① 刻舟求劍 ② 得隴望蜀 ③ 緣木求魚
④ 指鹿爲馬 ⑤ 夏葛冬裘

난이도 ㊤ ◯ ㊦

해설 **'夏爐冬扇(하로동선)'**은 '여름철의 화로와 겨울철의 부채'라는 뜻으로, '격에 맞지 않음.'을 이르는 말이다. 따라서 이와 대립되는 말은 '격에 맞음.'을 의미하는 **'夏葛冬裘(하갈동구)'**이다.

- **夏爐冬扇(하로동선**: 여름 하, 화로 로, 겨울 동, 부채 선): 여름의 화로와 겨울의 부채라는 뜻으로, 아무 소용없는 말이나 재주를 비유하여 이르는 말. 또는 철에 맞지 않거나 쓸모없는 사물을 비유하여 이르는 말
- **夏葛冬裘(하갈동구**: 여름 하, 칡 갈, 겨울 동, 갖옷 구): 여름의 서늘한 베옷과 겨울의 따뜻한 갖옷이란 뜻으로, 곧 격(格)에 맞음을 이르는 말

오답 분석
① **刻舟求劍(각주구검**: 새길 각, 배 주, 구할 구, 칼 검): 배의 밖으로 칼을 떨어뜨린 사람이 나중에 그 칼을 찾기 위해 배가 움직이는 것도 생각하지 아니하고 칼을 떨어뜨린 뱃전에다 표시를 하였다는 뜻에서, 시세의 변천도 모르고 낡은 것만 고집하는 미련하고 어리석음을 비유적으로 이르는 말

② **得隴望蜀(득롱망촉**: 얻을 득, 고개 이름 롱, 바랄 망, 촉나라 촉): 만족할 줄을 모르고 계속 욕심을 부림.
※ 중국 후한의 광무제가 농(隴) 지방을 평정한 후에 다시 촉(蜀) 지방까지 원하였다는 데에서 유래한 말

③ **緣木求魚(연목구어**: 인연 연, 나무 목, 구할 구, 물고기 어): 나무에 올라 물고기를 구한다는 뜻으로, 불가능한 일을 무리해서 굳이 하려 함을 비유적으로 이르는 말

④ **指鹿爲馬(지록위마**: 가리킬 지, 사슴 록, 할 위, 말 마): 윗사람을 농락하여 권세를 제 마음대로 휘두르는 짓
※ 중국 진(秦)나라의 조고(趙高)가 자신의 권세를 시험해 보고자 진나라 제2대 황제 호해(胡亥)에게 사슴을 가리켜 말이라고 한 고사에서 유래한 말

정답 ⑤

출제 유형

주제별 한자 성어	의미가 동일한 한자 성어끼리 짝짓는 유형

104 ○○○ 2019 서울시 7급(2월)

효(孝)와 관계된 사자성어가 아닌 것은?

① 斑衣之戲 ② 斷機之戒 ③ 陸績懷橘 ④ 望雲之情

난이도 상 중 하

해설 '**斷機之戒**(단기지계: 끊을 단, 틀 기, 갈 지, 경계할 계)'는 학문을 중도에서 그만두면 짜던 베의 날을 끊는 것처럼 아무 쓸모없음을 경계한 말이다. 따라서 '효(孝)'와 관계가 없다.

오답분석
① **斑衣之戲**(반의지희: 아롱질 반, 옷 의, 갈 지, 놀이 희): 늙어서 효도함을 이르는 말
③ **陸績懷橘**(육적회귤: 물 육(륙), 실 낳을 적, 품을 회, 귤나무 귤): 효자의 아름다운 행실을 비유하는 말
④ **望雲之情**(망운지정: 바랄 망, 구름 운, 갈 지, 뜻 정): 자식이 객지에서 고향에 계신 어버이를 생각하는 마음

정답 ②

105 ○○○ 2017 서울시 7급

다음 중 뜻이 비슷한 사자성어끼리 짝지어지지 않은 것은?

① 同病相憐 - 兩寡分悲 ② 口如懸河 - 口尙乳臭
③ 衣錦夜行 - 夜行被繡 ④ 望雲之情 - 白雲孤飛

난이도 상 중 하

해설 '**口如懸河**(구여현하: 입 구, 같을 여, 매달 현, 강 하)'는 입이 급(急)히 흐르는 물과 같다는 뜻으로, 거침없이 말을 잘하는 것을 의미한다. 한편, '**口尙乳臭**(구상유취: 입 구, 오히려 상, 젖 유, 냄새 취)'는 입에서 아직 젖내가 난다는 뜻으로, 말이나 행동이 유치함을 이르는 말이다. 따라서 두 말은 서로 의미적 관련성이 없다.

오답분석
①의 두 성어는 '비슷한 처지의 사람끼리 서로 동정함.'을 뜻한다.
③의 두 성어는 '보람이 없음.'을 뜻한다.
④의 두 성어는 '고향의 부모를 그리워함.'을 뜻한다.

정답 ②

참고 어휘

동병상련(同病相憐)	같을 **동**, 병 **병**, 서로 **상**, 불쌍히 여길 **련**
	같은 병을 앓는 사람끼리 서로 가엾게 여긴다는 뜻으로, 어려운 처지에 있는 사람끼리 서로 가엾게 여김을 이르는 말
양과분비(兩寡分悲)	두 **양(량)**, 적을 **과**, 나눌 **분**, 슬플 **비**
	두 과부가 슬픔을 서로 나눈다는 뜻으로, 같은 처지에 있는 사람끼리 서로 동정함을 이르는 말
의금야행(衣錦夜行)	옷 **의**, 비단 **금**, 밤 **야**, 다닐 **행**
	비단옷을 입고 밤에 다닌다는 뜻으로, 모처럼 성공하였으나 남에게 알려지지 않음을 이르는 말
야행피수(夜行被繡)	밤 **야**, 다닐 **행**, 입을 **피**, 수놓을 **수**
	수놓은 좋은 옷을 입고 밤길을 간다는 뜻으로, 공명이 세상에 알려지지 않아 아무 보람도 없음을 이르는 말
망운지정(望雲之情)	바랄 **망**, 구름 **운**, 어조사 **지**, 뜻 **정**
	자식이 객지에서 고향에 계신 어버이를 생각하는 마음
백운고비(白雲孤飛)	흰 **백**, 구름 **운**, 외로울 **고**, 날 **비**
	타향에서 고향에 계신 부모를 생각함.

106 ○○○ 2016 사회복지직 9급

의미가 다른 한자어는?

① 면종복배(面從腹背) ② 부화뇌동(附和雷同)
③ 구밀복검(口蜜腹劍) ④ 소리장도(笑裏藏刀)

난이도 상 중 하

해설 ②의 '**부화뇌동(附和雷同)**'은 '줏대 없이 남의 의견에 따라 움직임.'이란 의미이다. ②를 제외한 나머지 한자어는 '겉과 속이 다름.'을 뜻하는 말이므로, 의미가 다른 하나는 ②이다.

정답 ②

참고 어휘

면종복배(面從腹背)	낯 **면**, 좇을 **종**, 배 **복**, 등 **배**
	겉으로는 복종하는 체하면서 내심으로는 배반함.
부화뇌동(附和雷同)	붙을 **부**, 화할 **화**, 우레 **뇌(뢰)**, 같을 **동**
	줏대 없이 남의 의견에 따라 움직임.
구밀복검(口蜜腹劍)	입 **구**, 꿀 **밀**, 배 **복**, 칼 **검**
	입에는 꿀이 있고 배 속에는 칼이 있다는 뜻으로, 말로는 친한 듯하나 속으로는 해칠 생각이 있음을 이르는 말
소리장도(笑裏藏刀)	웃을 **소**, 속 **리**, 감출 **장**, 칼 **도**
	웃는 마음속에 칼이 있다는 뜻으로, 겉으로는 웃고 있으나 마음속에는 해칠 마음을 품고 있음을 이르는 말

Unit 17 상황에 어울리는 한자 성어

출제 유형

- 밑줄이나 전체 상황과 관련된 한자 성어를 묻는 유형
- 빈칸에 들어갈 한자 성어를 묻는 유형

출제 유형

상황에 어울리는 한자 성어	밑줄이나 전체 상황과 관련된 한자 성어를 묻는 유형

107 ○○○ 2022 국회직 8급

〈보기〉의 밑줄 친 부분을 한자 성어로 바꾸었을 때 적절하지 않은 것은?

〈보기〉

무릇 지도자는 항상 귀를 열어 두어야 한다. 만약 정치를 행하는 데 ㉠ 문제가 있는데도 주위의 충고를 귀 기울여 듣지 않는다면 아집의 정치를 행하는 잘못을 저지를 수 있다. 만약 자신의 아집으로 잘못을 저지르게 된다면 자신의 과오를 인정하고 이를 바로잡도록 노력해야 한다. 왜냐하면 ㉡ 진실은 숨길 수 없고 거짓은 드러나기 마련이기 때문이다.

자신의 과오를 인정하지 않고 주변의 충고를 듣지 않는 지도자는 결국 ㉢ 순리와 정도에서 벗어나 잘못된 판단을 내리거나 시대착오적인 결정을 강행하는 우를 범하기가 쉽다. 대개 이런 지도자 주변에는 충직한 사람이 별로 없고, ㉣ 지도자의 눈을 가린 채 지도자에게 제멋대로 조작되거나 잘못된 내용을 전달하고 지도자의 힘을 빌려 권세를 휘두르려고만 하는 무리만이 판을 칠 뿐이다. 만약 이런 상태가 지속된다면 결국 그 나라는 ㉤ 혼란과 무질서와 불의만이 판을 치는 혼탁한 상태가 될 것임이 자명하다.

① ㉠: 호질기의(護疾忌醫)
② ㉡: 장두노미(藏頭露尾)
③ ㉢: 도행역시(倒行逆施)
④ ㉣: 지록위마(指鹿爲馬)
⑤ ㉤: 파사현정(破邪顯正)

난이도 상 중 하

해설 '파사현정(破邪顯正: 깨뜨릴 파, 간사할 사, 나타날 현, 바를 정)'은 사견(邪見)과 사도(邪道)를 깨고 정법(正法)을 드러내는 일을 이르는 말이다. 따라서 ㉤과 바꿔 쓰기에 적절하지 않다.

오답 분석 ① '**호질기의(護疾忌醫**: 도울 호, 병 질, 꺼릴 기, 의원 의)'는 병을 숨겨 의사에게 보여 주지 않는다는 뜻으로, 남에게 충고받기를 꺼려 자신의 잘못을 숨기려 함을 이르는 말이다.

② '**장두노미(藏頭露尾**: 감출 장, 머리 두, 이슬 노(로), 꼬리 미)'는 머리는 겨우 숨겼지만 꼬리가 드러나 보이는 모습이라는 뜻으로, 진실을 공개하지 않고 숨기려 했지만 거짓의 실마리가 이미 드러나 보인다는 말이다.

③ '**도행역시(倒行逆施**: 거꾸로 도, 갈 행, 거스를 역, 베풀 시)'는 차례나 순서를 바꾸어서 행함을 이르는 말이다.

④ '**지록위마(指鹿爲馬**: 이를 지, 사슴 록, 할 위, 말 마)'는 윗사람을 농락하여 권세를 마음대로 함을 이르는 말, 모순된 것을 끝까지 우겨서 남을 속이려는 짓을 비유적으로 이르는 말이다.

정답 ⑤

108 ○○○ 2022 지방직 9급

밑줄 친 부분에 어울리는 한자 성어로 가장 적절한 것은?

추사 김정희의 〈세한도〉는 글씨를 쓰다 남은 먹을 버리기 아까워 그린 듯이 갈필(渴筆)의 거친 선 몇 개로 이루어져 있다. 정말 큰 기교는 겉으로 보기에는 언제나 서툴러 보이는 법이다. 그러나 대가의 덤덤한 듯, 툭 던지는 한마디는 예리한 비수가 되어 독자의 의식을 헤집는다.

① 巧言令色
② 寸鐵殺人
③ 言行一致
④ 街談巷說

난이도 상 중 하

해설 '툭 던지는 한마디는 예리한 비수가 되어 독자의 의식을 헤집는다.'에 어울리는 한자 성어는 한 치의 쇠붙이로도 사람을 죽일 수 있다는 뜻으로, 간단한 말로도 남을 감동하게 하거나 남의 약점을 찌를 수 있음을 이르는 말인 '**촌철살인(寸鐵殺人**: 마디 촌, 쇠 철, 죽일 살, 사람 인)'이다.

오답 분석 ① **교언영색(巧言令色**: 공교할 교, 말씀 언, 명령할 영(령), 빛 색): 아첨하는 말과 알랑거리는 태도

③ **언행일치(言行一致**: 말씀 언, 갈 행, 한 일, 보낼 치): 말과 행동이 하나로 들어맞음. 또는 말한 대로 실행함.

④ **가담항설(街談巷說**: 거리 가, 말씀 담, 거리 항, 말씀 설): 거리나 항간에 떠도는 소문

정답 ②

109 ○○○ 2020 지방직 9급

다음에 서술된 A사의 상황을 가장 적절하게 표현한 한자 성어는?

> 최근 출시된 A사의 신제품이 뜨거운 호응을 얻고 있다. 이번 신제품의 성공으로 A사는 B사에게 내주었던 업계 1위 자리를 탈환했다.

① 兎死狗烹 ② 捲土重來

③ 手不釋卷 ④ 我田引水

난이도 상 중 하

해설 "신제품의 성공으로 A사는 B사에게 내주었던 업계 1위 자리를 탈환했다."라는 내용을 볼 때, 제시된 글은 원래 A사가 1위였는데 B사에 밀려 2위가 되었다가, 좋은 신제품을 내놓아서 1위 자리를 되찾았다는 내용이다.
A사 입장에서는 1위를 한 번 빼앗겼으나, 좋은 신제품을 내놓았고 그것이 좋은 호응을 얻어내 다시 1위 자리를 탈환한 상황이다. 따라서 A사의 상황을 가장 잘 표현한 한자 성어는 어떤 일에 실패한 뒤에 힘을 가다듬어 다시 그 일에 착수함을 비유하여 이르는 말인 **'捲土重來(권토중래**: 말 권, 흙 토, 거듭 중, 올 래)'이다.

오답분석 ① **'兎死狗烹(토사구팽**: 토끼 토, 죽을 사, 개 구, 삶을 팽)'은 토끼가 죽으면 토끼를 잡던 사냥개도 필요 없게 되어 주인에게 삶아 먹힌다는 뜻으로, 필요할 때는 쓰고 필요 없을 때는 야박하게 버리는 경우를 이르는 말이다. 필요할 때 쓰고 필요가 없어지면 버리는 상황이 아니므로 '토사구팽(兎死狗烹)'은 어울리지 않는다.

③ **'手不釋卷(수불석권**: 손 수, 아닐 불, 풀 석, 책 권)'은 손에서 책을 놓지 아니하고 늘 글을 읽음을 이르는 말이다. 제시된 상황은 늘 글을 읽는다는 내용과는 관련이 없기 때문에 '수불석권(手不釋卷)'은 어울리지 않는다.

④ **'我田引水(아전인수**: 나 아, 밭 전, 끌 인, 물 수)'는 자기 논에 물 대기라는 뜻으로, 자기에게만 이롭게 되도록 생각하거나 행동함을 이르는 말이다. A사 스스로만 이롭게 되도록 행동한 내용은 아니므로 '아전인수(我田引水)'는 어울리지 않는다.

정답 ②

110 ○○○ 2019 경찰 1차

다음 글과 관련이 있는 고사성어로 가장 적절한 것은?

> 좋은 독서 습관을 만들기 위해서는 짬짬이 아주 조금씩 독서를 시작한다. 독서는 책상에 앉아 책상 등을 켜고 해야만 한다고 생각하는 사람은 드물 것이다. 그래서 그런지 지하철을 타면 독서를 하는 사람들을 심심치 않게 볼 수 있다. 그러나 지하철에서도 시간적 여유와 앉을 자리 등의 여건이 갖추어져야 독서를 할 수 있다고 생각하는 경우가 많다. 이런 기준으로 따진다면 하루에 독서할 수 있는 시간이 얼마나 될까? 나는 '짬짬이 독서'를 추천한다. 항상 책을 가방에 넣고 다니며 버스나 지하철을 기다리면서 5~10분간 2~3장 읽고, 친구나 음식을 기다리면서 5~10분을 읽는다. 분량에 얽매이지 않고 계속 읽어 가다보면 생각보다 많은 양을 읽을 수 있다. 두꺼운 책을 한 번에 다 읽으려 하지 말고 짬짬이 지속적으로 읽는 습관을 만드는 것이 중요하다.

① 矯枉過直 ② 深思熟考

③ 尸位素餐 ④ 水滴穿石

난이도 상 중 하

해설 제시된 글에서 짬짬이 책을 읽다 보면, 두꺼운 책을 어느새 다 읽을 수 있다고 했다. 따라서 제시된 글과 관련이 있는 말은 물방울이 바위를 뚫는다는 뜻으로, 작은 노력이라도 끈기 있게 계속하면 큰 일을 이룰 수 있음을 이르는 **'水滴穿石(수적천석**: 물 수, 물방울 적, 뚫을 천, 돌 석)'이다.

오답분석 ① **矯枉過直(교왕과직**: 바로잡을 교, 굽을 왕, 지날 과, 곧을 직): 굽은 것을 바로잡으려다가 정도에 지나치게 곧게 한다는 뜻으로, 잘못된 것을 바로잡으려다가 너무 지나쳐서 오히려 나쁘게 됨을 이르는 말

② **深思熟考(심사숙고**: 깊을 심, 생각 사, 익을 숙, 생각할 고): 깊이 잘 생각함.

③ **尸位素餐(시위소찬**: 주검 시, 자리 위, 흴 소, 먹을 찬): 재덕이나 공로가 없어 직책을 다하지 못하면서 자리만 차지하고 녹(祿)을 받아먹음을 비유적으로 이르는 말

 ④

111 ○○○ 2016 서울시 9급

다음 중 밑줄 친 부분을 의미하는 사자성어는?

> 사원 여러분, 이번 중동 진출은 이미 예산이 많이 투입된 대규모 사업입니다. 그래서 하던 일을 중도에서 그만둘 수는 없습니다. 이번 위기를 극복해야만 회사가 삽니다. 어려움과 많은 문제들이 있어 심적으로는 불안하겠지만 조금만 더 참고 끝까지 함께 갑시다.

① 登高自卑 ② 角者無齒
③ 騎虎之勢 ④ 脣亡齒寒

난이도 상 ◯ 하

해설 "하던 일을 중도에서 그만둘 수는 없습니다."라는 말처럼, 중도에 그만둘 수 없음을 의미하는 사자성어는 ③의 '**騎虎之勢(기호지세**: 말 탈 기, 범 호, 갈 지, 형세 세)'이다.
※ 기호지세(騎虎之勢): 호랑이를 타고 달리는 형세라는 뜻으로, 이미 시작한 일을 중도에서 그만둘 수 없는 경우를 비유적으로 이르는 말

정답 ③

참고 어휘

등고자비(登高自卑)	오를 **등**, 높을 **고**, 스스로 **자**, 낮출 **비**
	① 높은 곳에 오르려면 낮은 곳에서부터 오른다는 뜻으로, 일을 순서대로 하여야 함을 이르는 말 ② 지위가 높아질수록 자신을 낮춤을 이르는 말
각자무치(角者無齒)	뿔 **각**, 사람 **자**, 없을 **무**, 이 **치**
	뿔이 있는 짐승은 이가 없다는 뜻으로, 한 사람이 여러 가지 재주나 복을 다 가질 수 없다는 말
기호지세(騎虎之勢)	말 탈 **기**, 범 **호**, 갈 **지**, 형세 **세**
	호랑이를 타고 달리는 형세라는 뜻으로, 이미 시작한 일을 중도에서 그만둘 수 없는 경우를 비유적으로 이르는 말
순망치한(脣亡齒寒)	입술 **순**, 망할 **망**, 이 **치**, 찰 **한**
	입술이 없으면 이가 시리다는 뜻으로, 서로 이해관계가 밀접한 사이에 어느 한쪽이 망하면 다른 한쪽도 그 영향을 받아 온전하기 어려움을 이르는 말

출제 유형

상황에 어울리는 한자 성어	빈칸에 들어갈 한자 성어를 묻는 유형

고득점 GO!

한자 성어의 괄호 문제도 비문학의 괄호 문제 푸는 방식과 동일해요.

앞뒤 문장 살피기!
앞뒤 문장의 내용을 통해 빈칸에 들어갈 말을 짐작할 수 있어요.

112 ○○○ 2023 국가직 9급

다음 글의 빈칸에 들어갈 사자성어로 적절한 것은?

> 세상에는 어려운 일들이 많지만 외국 여행 다녀온 사람의 입을 막는 것도 그중 하나이다. 특히 그것이 그 사람의 첫 외국 여행이었다면, 입 막기는 포기하고 미주알고주알 늘어놓는 여행 경험을 들어 주는 편이 정신 건강에 좋다. 그 사람이 별것 아닌 사실을 [ ]하거나 특수한 경험을 지나치게 일반화한들, 그런 수다로 큰 피해를 입는 것도 아니지 않은가?

① 刻舟求劍 ② 捲土重來
③ 臥薪嘗膽 ④ 針小棒大

난이도 상 ◯ 하

해설 문맥상 빈칸에는 별 것 아닌 사실을 '과장'하여 말한다는 뜻을 가진 한자 성어가 어울린다. 따라서 빈칸에는 '작은 일을 크게 불리어 떠벌림.'을 의미하는 '**침소봉대(針小棒大**: 바늘 침, 작을 소, 몽둥이 봉, 큰 대)'가 어울린다.

오답분석
① **각주구검(刻舟求劍**: 새길 각, 배 주, 구할 구, 칼 검): 융통성 없이 현실에 맞지 않는 낡은 생각을 고집하는 어리석음을 이르는 말
② **권토중래(捲土重來**: 말 권, 흙 토, 다시 중, 올 래): 1) 땅을 말아 일으킬 것 같은 기세로 다시 온다는 뜻으로, 한 번 실패하였으나 힘을 회복하여 다시 쳐들어옴을 이르는 말 2) 어떤 일에 실패한 뒤에 힘을 가다듬어 다시 그 일에 착수함을 비유하여 이르는 말
③ **와신상담(臥薪嘗膽**: 누울 와, 섶나무 신, 맛볼 상, 쓸개 담): 불편한 섶에 몸을 눕히고 쓸개를 맛본다는 뜻으로, 원수를 갚거나 마음먹은 일을 이루기 위하여 온갖 어려움과 괴로움을 참고 견딤을 비유적으로 이르는 말

정답 ④

113 ○○○ 2023 군무원 9급

다음 중 (㉠)에 들어갈 사자성어로 가장 적절한 것은?

> 이탈리아 볼로냐 대학에서 개발한 휴대용 암 진단기는 암이 의심되는 환자의 몸을 간편하게 스캔해 종양을 진단한다. 원리는 간단하다. 인체의 서로 다른 조직들이 진단기에서 발산되는 마이크로파에 서로 다르게 반향을 보인다. 즉 종양 조직은 건강한 조직과는 다른 주파수 대역에서 반향하기 때문에 암 조직과 정상 조직을 구별할 수 있다. 물론 이 진단기가 (㉠)의 능력을 가진 것은 아니다. 종양의 크기 또는 종양의 정확한 위치를 판별할 수는 없다.

① 變化無雙　② 無所不爲
③ 先見之明　④ 刮目相對

난이도 상 중 하

해설 이탈리아 볼로냐 대학에서 개발한 휴대용 암 진단기의 장점을 제시한 후, 그것의 한계 역시 제시하고 있다. 따라서 ㉠에는 '하지 못하는 일이 없음.'을 의미하는 '무소불위(無所不爲)'가 들어가는 것이 적절하다.

오답 분석
① **변화무쌍(變化無雙)**: 변하는 정도가 비할 데 없이 심함.
③ **선견지명(先見之明)**: 어떤 일이 일어나기 전에 미리 앞을 내다보고 아는 지혜.
④ **괄목상대(刮目相對)**: 눈을 비비고 상대편을 본다는 뜻으로, 남의 학식이나 재주가 놀랄 만큼 부쩍 늚을 이르는 말.

정답 ②

114 ○○○ 2022 지방직 7급

(가)에 들어갈 한자성어로 가장 적절한 것은?

> 소설가 에번 코넬은 단편소설의 초고를 읽어 내려가면서 쉼표를 하나하나 지웠다가 다시 한번 읽으면서 쉼표를 원래 있던 자리에 되살려 놓는 과정을 거치면 단편 하나가 완성된다고 했다. 강박증 환자처럼 보이지만 실은 치열한 문장가가 아닌가! 불필요한 곳에 나태하게 찍혀 있는 쉼표는 글의 논리와 리듬을 망쳐 놓는다. 쉼표를 사용할 필요가 없는 (가) 의 문장을 쓰거나 쉼표의 앞뒤를 섬세하게 짚게 하는 치밀한 문장을 만들어야 한다.

① 髀肉之歎　② 聲東擊西
③ 苦盡甘來　④ 天衣無縫

난이도 상 중 하

해설 문맥상 '완벽한'의 의미를 가진 한자 성어가 어울린다. 따라서 (가)에는 완전무결하여 흠이 없음을 이르는 말인 '천의무봉(天衣無縫)'이 들어가는 것이 가장 적절하다.

오답 분석
① **비육지탄(髀肉之歎)**: 재능을 발휘할 때를 얻지 못하여 헛되이 세월만 보내는 것을 한탄함을 이르는 말
② **성동격서(聲東擊西)**: 동쪽에서 소리를 내고 서쪽에서 적을 친다는 뜻으로, 적을 유인하여 이쪽을 공격하는 체하다가 그 반대쪽을 치는 전술을 이르는 말
③ **고진감래(苦盡甘來)**: 쓴 것이 다하면 단 것이 온다는 뜻으로, 고생 끝에 즐거움이 옴을 이르는 말

정답 ④

115 ○○○ 2022 군무원 7급

다음 중 ㉠과 ㉡에 들어갈 사자성어로 가장 적절한 것은?

> 경제학에서 '원칙'이라고 부르는 것들도 알고 보면 '상식'이다. 예컨대 필요한 재화를 효율성 원칙에 따라 생산하자면 되도록이면 비용을 줄이는 대신 편익은 커야 하는데, 이거야말로 모두가 아는 상식이다. 따라서 경제학적인 관점에서 보면 그냥 상식에 따라 살기만 해도 올바르게 산다고 봐야 한다.
>
> 자기 혼자 편히 살자고 이웃에 비용을 부담시키거나 위험한 일들을 떠맡긴다면 그것은 상식에 어긋난다. 주류경제학은 이런 이기주의와 개인주의를 높이 찬양하고 있지만 입장을 바꿔 생각해 보면 이게 얼마나 몰상식적인 처사인지가 금방 드러난다. 더 나아가 그것은 몰염치하기조차 하다. 따라서 효율성 원칙은 타인을 배려하는 공생의 원칙에 의해 통제돼야 한다. 경제학은 이를 '사회적 효율성'이라고 부른다. 일상생활 규범으로 암송되고 있는 (㉠)라는 사자성어도 알고 보면 이러한 경제 원칙의 문학적 표현이다.
>
> 이처럼 경제 원칙이라고 불리지만 정작 상식에 불과한 것에는 '수익자 부담의 원칙'도 있다. 여러 사람들이 함께 노력한 결과 이익이 생기면, 그 이익을 즐긴 사람이 비용을 부담해야 한다는 원칙이다. 부지 조성으로 이익을 얻은 개발업자가 개발 부담금을 납부하거나 도로가 건설될 때 이익을 보는 도로 사용자가 휘발유 사용량에 비례하여 도로유지비용을 부담하는 것과 같다. 이런 상식을 따르지 않으면 (㉡)한 자로 여겨질 것이다. (㉠), (㉡)! 이렇게 보니 경제학 원칙은 상식이며, 도덕적 규범이 반영된 것이다. 인간이라면 이런 상식과 도덕을 따라야 할 것이다.

	㉠	㉡
①	易地思之	背恩忘德
②	十匙一飯	棟梁之材
③	人之常情	俯首聽令
④	吳越同舟	守株待兎

난이도 상 ● 하

해설 ㉠ "입장을 바꿔 생각해 보면 이게 얼마나 몰상식적인 처사인지가 금방 드러난다."를 볼 때, ㉠에는 '처지를 바꾸어서 생각하여 봄.'이라는 의미를 가진 한자 성어 '**역지사지(易地思之**: 바꿀 역, 땅 지, 생각 사, 갈 지)'가 어울린다.

㉡ "여러 사람들이 함께 노력한 결과 이익이 생기면, 그 이익을 즐긴 사람이 비용을 부담해야 한다는 원칙이다."를 볼 때, 상식을 따르지 않았다는 것은 곧 여러 사람이 함께 노력하여 생긴 결과에서 이익만을 취하고, 그에 합당한 대가는 지불하지 않았음을 의미한다. 이는 은혜를 저버리는 태도라 할 수 있기 때문에, ㉡에는 남에게 입은 은덕을 저버리고 배신하는 태도가 있음을 의미하는 '**배은망덕(背恩忘德**: 등 배, 은혜 은, 잊을 망, 덕 덕)'이 어울린다.

오답분석 ② ㉠ **십시일반(十匙一飯**: 열 십, 숟가락 시, 하나 일, 밥 반): 밥 열 술이 한 그릇이 된다는 뜻으로, 여러 사람이 조금씩 힘을 합하면 한 사람을 돕기 쉬움을 이르는 말

㉡ **동량지재(棟梁之材**: 용마루 동, 들보 량, 갈 지, 재목 재): 마룻대와 들보로 쓸 만한 재목이라는 뜻으로, 집안이나 나라를 떠받치는 중대한 일을 맡을 만한 인재를 이르는 말

③ ㉠ **인지상정(人之常情**: 사람 인, 갈 지, 항상 상, 뜻 정): 사람이면 누구나 가지는 보통의 마음.

㉡ **부수청령(俯首聽令**: 숙일 부, 머리 수, 들을 청, 명령할 령): 고개를 숙이고 명령을 따른다는 뜻으로, 윗사람의 위엄에 눌려 명령대로 좇아 행함을 이르는 말

④ ㉠ **오월동주(吳越同舟**: 오나라 오, 월나라 월, 같을 동, 배 주): 서로 적의를 품은 사람들이 한자리에 있게 된 경우나 서로 협력하여야 하는 상황을 비유적으로 이르는 말

㉡ **수주대토(守株待兎**: 지킬 수, 그루터기 주, 기다릴 대, 토끼 토): 한 가지 일에만 얽매여 발전을 모르는 어리석은 사람을 비유적으로 이르는 말

정답 ①

116 ○○○ 2021 경찰 1차

다음 글에서 (   )에 들어갈 말로 가장 적절한 것은?

> 지금 퓨전 바람은 역사 속의 문화 융합과는 사뭇 다르다. 과거에는 (   ) 식의 변화와 통합이 주를 이뤘다. 즉 남쪽의 귤을 북쪽에 심으면 탱자가 된다는 식이다. 복도 중심의 서양식 아파트가 이 땅에 와서 거실 중심의 구조로 바뀐 것은 마당을 중심으로 방이 빙 둘러서는 한옥 형태에 적응한 결과다. 한국의 갈비가 바비큐 문화에 '적응'하여 엘에이(LA) 갈비로 거듭난 것도 '귤이 탱자가 되는 식'의 융합 사례들이다. 생활의 필요 때문에 이질적인 문화 요소들이 자연스레 합치게 되었다는 뜻이다.

① 國粹主義　② 衛正斥邪
③ 嘗糞之徒　④ 橘化爲枳

난이도 상 ● 하

해설 "즉 남쪽의 귤을 북쪽에 심으면 탱자가 된다는 식이다." 부분을 볼 때, 괄호 속에는 회남의 귤을 회북에 옮겨 심으면 탱자가 된다는 뜻으로, 환경에 따라 사람이나 사물의 성질이 변함을 이르는 말인 '**橘化爲枳(귤화위지**: 귤나무 귤, 될 화, 할 위, 탱자나무 지)'가 가장 어울린다.

오답분석 ① **國粹主義(국수주의**: 나라 국, 순수할 수, 주인 주, 옳을 의): 자기 나라의 고유한 역사·전통·정치·문화만을 가장 뛰어난 것으로 믿고, 다른 나라나 민족을 배척하는 극단적인 태도나 경향

② **衛正斥邪(위정척사**: 지킬 위, 바를 정, 물리칠 척, 간사할 사): 구한말에, 주자학을 지키고 가톨릭을 물리치기 위하여 내세운 주장

③ **嘗糞之徒(상분지도**: 맛볼 상, 똥 분, 갈 지, 무리 도): 대변이라도 맛볼듯이 부끄러움을 돌아보지 않고 몹시 아첨하는 사람을 낮잡아 이르는 말

정답 ④

117 ○○○ 2020 경찰 1차

밑줄 친 ㉠에 들어갈 고사성어로 가장 적절한 것은?

> 우리는 우리 선조들이 오랜 세월 동안 겪어 온 생활 경험과 생활 방식의 총체로서의 문화적 전통 속에 있다. 그리고 그 문화적 전통은 '우리'라는 동질성을 부여해 주고, 문화적 정체성을 확립하는 근거로 작용한다. 문화적 정체성은 다른 문화와 구별되는 '우리'라는 울타리를 치는 것이지만 동시에 일상 속에 융해되어 흡수된 외래문화도 포함한다. 즉, 문화적 정체성은 다른 문화와 구별되는 독자성과 다른 문화를 통하여 우리 것의 넓이와 깊이를 풍부하게 하는 상호성을 함께 지니고 있는 것이다.
>
> 여기에는 다른 문화와 사람에 대한 개방적인 자세가 요구된다. 다른 문화 및 사람과의 교류는 우리 문화를 만드는 밑거름이 되며 다른 문화의 수용을 통하여 우리 문화가 발전할 수 있음을 열린 마음으로 받아들여야 한다. 그러기 위해서는 (㉠)과(와) 창조적 수용의 자세를 지녀야 할 필요가 있다. 다문화와 화목을 추구하면서 서로의 차이를 이해하고 인정하는 것이 전자의 자세이며, 다문화 속에서 받아들일 것은 받아들여 우리 것으로 만드는 것은 후자의 자세라 할 수 있다. 그리고 다른 문화와의 공존과 우리의 문화적 정체성을 만들어 나가는 것은 같은 공동체에 속한 너와 나 모두의 과업이라고 할 수 있다.

① 法古創新　　② 物我一體
③ 滄桑世界　　④ 和而不同

난이도 상 중 하

해설 ㉠에는 바로 다음 문장의 "다문화와 화목을 추구하면서 서로의 차이를 이해하고 인정하는 것이 전자의 자세이며"와 연결되는 내용이 들어가야 한다. 따라서 '남과 사이좋게 지내기는 하나 무턱대고 어울리지는 아니함.'을 의미하는 '**和而不同(화이부동**: 화할 화, 말 이을 이, 아닐 부, 같을 동)'이 들어가는 것이 가장 자연스럽다. 참고로 "다문화 속에서 ~ 후자의 자세"는 **法古創新(법고창신**: 법 법, 옛 고, 비롯할 창, 새 신)과 의미가 통한다.

오답 분석
① **法古創新(법고창신**: 법 법, 옛 고, 비롯할 창, 새 신): 옛것을 본받아 새로운 것을 창조한다는 뜻으로, 옛것에 토대를 두되 그것을 변화시킬 줄 알고 새것을 만들어 가되 근본을 잃지 않아야 함을 이르는 말
② **物我一體(물아일체**: 만물 물, 나 아, 한 일, 몸 체): 외물(外物)과 자아, 객관과 주관, 또는 물질계와 정신계가 어울려 하나가 됨.
③ **滄桑世界(창상세계**: 찰 창, 뽕나무 상, 세상 세, 지경 계): 급격히 바뀌어 변모하는 세상

정답 ④

118 ○○○ 2019 지방직 9급

다음 (　　) 속에 들어갈 말로 가장 적절한 것은?

> 방랑시인 김삿갓의 시는 해학과 풍자로 가득 차 있는데, 무슨 시든 단숨에 써 내리는 一筆揮之인데다 가히 (　　　) 의 상태라서 일부러 꾸미지 않았는데도 자연스럽고 아름답다.

① 花朝月夕　　② 韋編三絶
③ 天衣無縫　　④ 莫無可奈

난이도 상 중 하

TIP 괄호 뒤의 "일부러 꾸미지 않았는데도 자연스럽고 아름답다." 부분이 힌트이다.

해설 빈칸의 상태이기 때문에 "일부러 꾸미지 않았는데도 자연스럽고 아름답다."라고 하였다. 이는 곧 빈칸에는 '일부러 꾸미지 않았는데도 자연스럽고 아름다운 상태'와 의미가 통하는 한자 성어가 와야 한다는 의미이다.
선택지 중 이에 해당하는 것은 ③의 '**天衣無縫(천의무봉**: 하늘 천, 옷 의, 없을 무, 꿰맬 봉)'이다.

정답 ③

참고 어휘

어휘	풀이
화조월석(花朝月夕)	꽃 **화**, 아침 **조**, 달 **월**, 저녁 **석**
	꽃 피는 아침과 달 밝은 밤이라는 뜻으로, 경치가 좋은 시절을 이르는 말
위편삼절(韋編三絶)	가죽 **위**, 엮을 **편**, 석 **삼**, 끊을 **절**
	공자가 주역을 즐겨 읽어 책의 가죽 끈이 세 번이나 끊어졌다는 뜻으로, 책을 열심히 읽음을 이르는 말
천의무봉(天衣無縫)	하늘 **천**, 옷 **의**, 없을 **무**, 꿰맬 **봉**
	① 천사의 옷은 꿰맨 흔적이 없다는 뜻으로, 일부러 꾸민 데 없이 자연스럽고 아름다우면서 완전함을 이르는 말 ② 완전무결하여 흠이 없음을 이르는 말 ③ 세상사에 물들지 아니한 어린이와 같은 순진함을 이르는 말
막무가내(莫無可奈)	없을 **막**, 없을 **무**, 옳을 **가**, 어찌 **내**
	달리 어찌할 수 없음.

119 ○○○ 2016 국가직 7급

㉠~㉢에 들어갈 한자 성어를 순서대로 바르게 연결한 것은?

> • 그는 고집이 어찌나 센지 한번 결심하면 (㉠)이다.
> • '고래 싸움에 새우 등 터진다.'라는 속담은 (㉡)와 일맥 상통하는 말이다.
> • 아무리 (㉢)한 인물이라도 좋은 동료를 만나지 못하면 성공하기 힘들다.

	㉠	㉡	㉢
①	搖之不動	間於齊楚	蓋世之才
②	搖之不動	看於齊楚	改世之才
③	擾之不動	間於齊楚	改世之才
④	擾之不動	看於齊楚	蓋世之才

난이도 ㊤ ◯ ㊦

해설 ㉠ 문맥상 '고집을 꺾지 않음, 변함없음'의 의미이므로, '搖(흔들 요)'를 쓴 '요지부동(搖之不動)'이 어울린다.
㉡ '고래 싸움에 새우 등 터진다.'라는 속담은 '아무 상관없는 약자가 중간에 끼어 피해를 당하다.'의 의미이다. 이러한 의미를 가진 말은 '間(사이 간)'을 쓴 '간어제초(間於齊楚)'이다.
㉢ 문맥상 '재주가 뛰어난 사람'이라는 말이 들어가야 한다. 따라서 '蓋(덮을 개)'를 쓴 '개세지재(蓋世之才)'가 어울린다.

오답분석 ㉠ 擾(시끄러울 요)
㉡ 看(볼 간)
㉢ 改(고칠 개)

정답 ①

참고 어휘

어휘	풀이
요지부동(搖之不動)	흔들 **요**, 어조사 **지**, 아니 **부(불)**, 움직일 **동**
	흔들어도 꼼짝하지 아니함.
간어제초(間於齊楚)	사이 **간**, 어조사 **어**, 제나라 **제**, 초나라 **초**
	약자가 강자들 틈에 끼어서 괴로움을 겪음을 이르는 말
개세지재(蓋世之才)	덮을 **개**, 세상 **세**, 어조사 **지**, 재주 **재**
	세상을 뒤덮을 만큼 뛰어난 재주. 또는 그 재주를 가진 사람

120 ○○○ 2018 서울시 9급(6월)

<보기>의 괄호에 알맞은 한자 성어는?

> <보기>
> 일을 하다 보면 균형과 절제가 필요하다는 것을 알게 된다. 일의 수행 과정에서 부분적 잘못을 바로 잡으려다 정작 일 자체를 뒤엎어 버리는 경우가 왕왕 발생하기 때문이다. 흔히 속담에 "빈대 잡으려다 초가삼간 태운다."는 말은 여기에 해당할 것이다. 따라서 부분적 결점을 바로잡으려다 본질을 해치는 (   )의 어리석음을 저질러서는 안 된다.

① 개과불린(改過不吝) ② 경거망동(輕擧妄動)
③ 교각살우(矯角殺牛) ④ 부화뇌동(附和雷同)

난이도 ㊤ ◯ ㊦

TIP 빈칸 바로 앞에 수식어가 있다. 빈칸 바로 앞에 있는 수식어는 의미를 풀어 설명한 것일 가능성이 크기 때문에 눈여겨봐야 한다.

해설 "부분적인 결점을 바로잡으려다 본질을 해치는"이라는 빈칸 바로 앞의 수식어를 볼 때, 빈칸에는 소의 뿔을 바로잡으려다가 소를 죽인다는 뜻으로, 잘못된 점을 고치려다가 그 방법이나 정도가 지나쳐 오히려 일을 그르침을 이르는 말인 '**矯角殺牛(교각살우: 바로잡을 교, 뿔 각, 죽일 살, 소 우)**'가 어울린다.
속담 "빈대 잡으려다 초가삼간 태운다."를 통해서도 빈칸에 들어갈 말을 짐작할 수 있다. 속담 "빈대 잡으려다 초가삼간 태운다."는 손해를 크게 볼 것은 생각하지 않고 당장의 마땅치 아니한 것을 없애려고 그저 덤비기만 하는 경우를 비유적으로 이르는 말이므로 '교각살우(矯角殺牛)'와 의미가 통한다.
※ 빈대 잡으려다 초가삼간 태운다. = 빈대 미워 집에 불 놓는다. = 소탐대실(小貪大失: 작을 **소**, 탐할 **탐**, 큰 **대**, 잃을 **실**): 손해를 크게 볼 것은 생각하지 않고 당장의 마땅치 아니한 것을 없애려고 그저 덤비기만 하는 경우를 비유적으로 이르는 말

정답 ③

참고 어휘

어휘	풀이
개과불린(改過不吝)	고칠 **개**, 허물 **과**, 아닐 **불**, 아낄 **린**
	허물을 고침에 인색하지 말아야 한다는 말로, 잘못이 있으면 고치기에 주저하지 말라는 의미
경거망동(輕擧妄動)	가벼울 **경**, 들 **거**, 망령될 **망**, 움직일 **동**
	경솔하여 생각 없이 망령되게 행동함 또는 그런 행동
부화뇌동(附和雷同)	붙을 **부**, 화할 **화**, 우레 **뇌(뢰)**, 같을 **동**
	줏대 없이 남의 의견에 따라 움직임.

PART 4

올바른 언어생활 / 화법과 작문

출제 경향 한눈에 보기

구조도

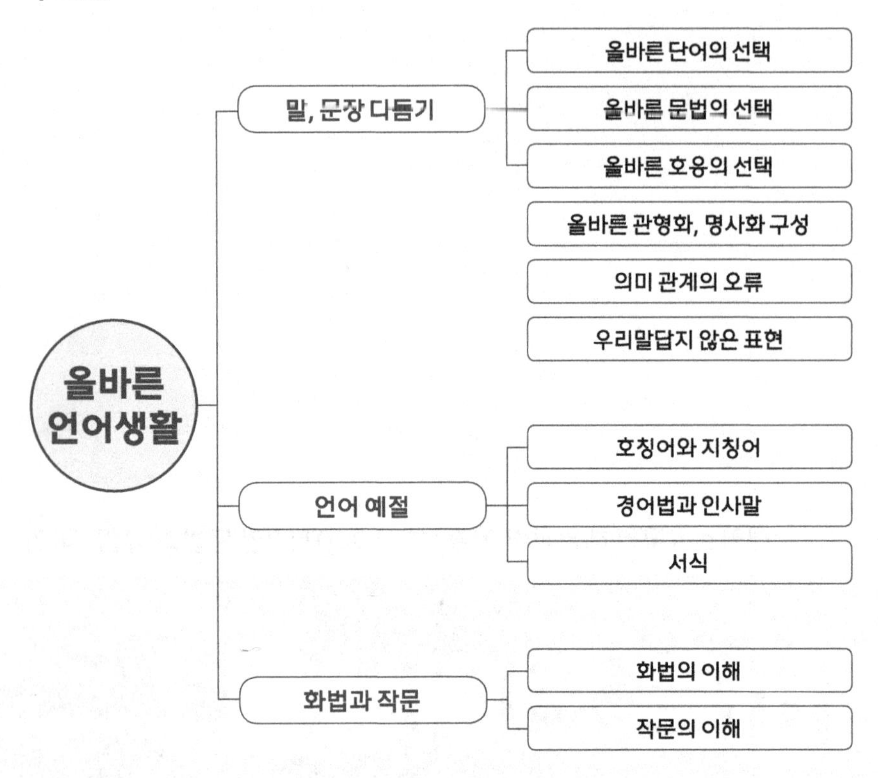

영역별 학습 목표

1. 바른 문장과 올바른 문장을 구별하고, 올바르지 못한 문장을 바르게 수정할 수 있다.
2. 개정된 〈표준 언어 예절〉을 바탕으로 호칭어, 지칭어, 계촌법, 경어법, 일상생활에서의 인사말, 특정한 때의 인사말, 서식 등을 이해할 수 있다.
3. 토의와 토론의 개념, 종류, 특징을 이해할 수 있다.
4. 대화의 원리(협력의 원리, 공손성의 원리)를 이해하고 대화 상황에 적용할 수 있다.
5. 개요 및 자료를 분석하고, 글에서 수정이 필요한 부분을 고쳐 쓸 수 있다.

핵심 개념

올바른 호응	① 문장 성분의 호응 ② 시제의 호응 ③ 올바른 관형사형·명사형 구성
호칭어와 지칭어	① 가정·직장·사회에서의 호칭어와 지칭어 ② 계촌법
토의	① 심포지엄 ② 포럼 ③ 패널토의 ④ 원탁토의
토론	① 2인 토론 ② 직파식 토론 ③ 반대신문식 토론
대화	① 협력의 원리 ② 공손성의 원리
고쳐쓰기	① 어휘·조사·어미의 사용 ② 사동과 피동 표현 ③ 문장성분의 호응 ④ 중의적 표현 ⑤ 중복 표현 ⑥ 번역 투 표현

최신 3개년 기출 목록(국가직, 지방직 기준)

말, 문장 다듬기	다르다, 틀리다, 바람, 지양하다, 지향하다, 계시겠습니다, 있으시겠습니다, 있겠습니다, 다수, 소수, 익명성, 동시성, 인한, 인하여, 납부, 수납
언어 예절	처음 뵙겠습니다. (저는) ○○○입니다, 고모, 형님, 아가씨, 아기씨, 부인, 집사람, 안사람, 아내, 처
화법과 작문	연설, 대화, 건의문, 토의, 공손성의 원리

연도별 주요 출제 문항

2023년	• '해양 오염'을 주제로 연설을 한다고 할 때, 다음에 제시된 조건을 모두 충족한 것은? • 다음 대화에 나타난 말하기 방식을 설명한 것으로 적절하지 않은 것은? • ㉠~㉣의 말하기 방식을 설명한 내용으로 가장 적절한 것은? • ㉠~㉣ 중 어색한 곳을 찾아 수정하는 방안으로 가장 적절한 것은? • 다음 대화를 분석한 내용으로 적절하지 않은 것은?
2022년	• 다음 대화에서 나타난 '지민'의 의사소통 방식으로 가장 적절한 것은? • A의 대화 방식에 따라 <보기>에 응답한 것으로 적절한 것은? • (가)~(라)를 고쳐 쓴 것으로 옳지 않은 것은?
2021년	• 다음 대화에 대한 설명으로 적절한 것은? • ㉠~㉣은 '공손하게 말하기'에 대한 설명이다. ㉠~㉣을 적용한 B의 대답으로 적절하지 않은 것은? • 다음 토의에 대한 설명으로 적절하지 않은 것은? • (가)~(라)의 고쳐쓰기 방안으로 적절하지 않은 것은?
2020년	• 다음 대화에서 밑줄 친 부분의 표현 효과에 대한 설명으로 적절한 것은? • 다음 대화에서 '정민'의 의사소통 방식으로 가장 적절한 것은? • 다음 진행자 A의 대화 진행 전략으로 적절하지 않은 것은? • ㉠~㉣을 고쳐쓰기 위한 방안으로 적절하지 않은 것은?
2019년	• 진행자의 말하기 방식에 대한 설명으로 적절하지 않은 것은? • 토론자들의 말하기 방식에 대한 설명으로 적절한 것은? • 토론에서 사회자가 하는 역할에 대한 설명으로 가장 적절한 것은? • 다음의 여러 조건에 가장 잘 맞는 토론 논제는? • 두 사람의 대화에 적용된 공감적 듣기의 방법이 아닌 것은? • 다음을 고려한 보고서 작성 방안으로 적절하지 않은 것은?

CHAPTER 1
말, 문장 다듬기

Unit 01 올바른 어휘의 선택 1 - 형태 유사

출제 유형

• 형태가 유사한 어휘의 쓰임이 적절한지 판별하는 유형

(한글 맞춤법 제57항과도 관련이 있기 때문에, 맞춤법 문제로도 나올 수 있어요.)

핵심정리

• 형태가 유사한 어휘 기출

(1) [18 경찰 1차]

개재(介在)	어떤 것들 사이에 끼여 있음. 예 사적 감정의 개재가 이 일의 변수이다.
게재(揭載)	글이나 그림 따위를 신문이나 잡지 따위에 실음. 예 논문을 유명 학술지에 게재하였다.
계발(啓發)	슬기나 재능, 사상 따위를 일깨워 줌. 예 외국어 능력의 계발
개발(開發)	① 토지나 천연자원 따위를 유용하게 만듦. 예 수자원 개발 ② 지식이나 재능 따위를 발달하게 함. 예 자신의 능력 개발 ③ 산업이나 경제 따위를 발전하게 함. 예 산업 개발
경신(更新)	① 이미 있던 것을 고쳐 새롭게 함. ② 기록경기 따위에서, 종전의 기록을 깨뜨림. 예 마라톤 세계 기록 경신 ③ 어떤 분야의 종전 최고치나 최저치를 깨뜨림. 예 무더위로 최대 전력 수요 경신이 계속되고 있다.
갱신(更新)	① 이미 있던 것을 고쳐 새롭게 함. ② 법률관계의 존속 기간이 끝났을 때 그 기간을 연장하는 일 예 계약 갱신 ③ 기존의 내용을 변동된 사실에 따라 변경·추가·삭제하는 일
결재(決裁)	결정할 권한이 있는 상관이 부하가 제출한 안건을 검토하여 허가하거나 승인함. 예 결재 서류에 사인을 하다.
결제(決濟)	① 일을 처리하여 끝을 냄. ② 증권 또는 대금을 주고받아 매매 당사자 사이의 거래 관계를 끝맺는 일 예 결제 자금

(2) [15 교육행정직 7급]

알음	① 사람끼리 서로 아는 일 예 그와는 서로 알음이 있는 사이다. ② 지식이나 지혜가 있음. 예 알음 있게 일을 잘하였다. ③ 신의 보호나 신이 보호하여 준 보람 ④ 어떤 사정이나 수고에 대하여 알아주는 것 예 진정한 봉사는 다른 사람의 알음을 바라지 않는다.
아름	두 팔을 둥글게 모아서 만든 둘레 예 아름이 넘는 큰 나무를 바라봤다.
가름하다	① 쪼개거나 나누어 따로따로 되게 하다. ② 승부나 등수 따위를 정하다. 예 이번 경기는 선수들의 투지가 승패를 가름했다고 해도 과언이 아니다.
갈음하다	다른 것으로 바꾸어 대신하다. 예 여러분과 여러분 가정에 행운이 가득하기를 기원하는 것으로 치사를 갈음합니다.
알은체하다 =알은척하다	① 어떤 일에 관심을 가지는 듯한 태도를 보이다. 예 이제 제법 집안일을 알은체한다. ② 사람을 보고 인사하는 표정을 짓다. 예 아무도 나에게 알은체하는 사람이 없었다. ※ 알은체 = 알은척(명사)
아는 체하다	본용언(알다)과 보조 용언(체하다)의 결합으로, '잘난 척하다'의 의미를 가진다. 예 알지도 못하면서 왜 아는 체하니?

형태가 유사한 어휘의 구별	형태가 유사한 어휘의 쓰임이 적절한지 판별하는 유형

001 ○○○ 2023 지방직 9급

밑줄 친 단어의 쓰임이 올바르지 않은 것은?

① 이 일은 정말 힘에 부치는 일이다.
② 그와 나는 전부터 알음이 있던 사이였다.
③ 대문 앞에 서 있는데 대문이 저절로 닫혔다.
④ 경기장에는 건잡아서 천 명이 넘게 온 듯하다.

난이도 ㊤ ◯ ㊦

해설 **건잡아서 → 겉잡아서:** 문맥상 '짐작으로 헤아려' 천 명이 넘게 온 듯하다는 의미이다. 그런데 '걷잡다'는 '한 방향으로 치우쳐 흘러가는 형세 따위를 붙들어 잡다.', '마음을 진정하거나 억제하다.'라는 의미이다. 따라서 '겉으로 보고 대강 짐작하여 헤아리다.'라는 의미를 가진 '겉잡다'를 써야 한다.

오답분석 ① '모자라거나 미치지 못하다.'라는 의미이므로 '부치다'의 쓰임은 올바르다.
② '사람끼리 서로 아는 일.'이라는 의미이므로 '알음'의 쓰임은 올바르다.
③ '닫다'의 피동사 '닫히다'의 쓰임은 올바르다.

정답 ④

002 ○○○ 2023 국회직 8급

밑줄 친 동사의 쓰임이 옳지 않은 것은?

① 씻어 놓은 상추를 채반에 밭쳤다.
② 마을 이장이 소에게 받쳐서 꼼짝을 못 한다.
③ 그녀는 세운 무릎 위에 턱을 받치고 앉아 있었다.
④ 양복 속에 두꺼운 내복을 받쳐서 입으면 옷맵시가 나지 않는다.
⑤ 고추가 워낙 값이 없어서 백 근을 시장 상인에게 받혀도 변변한 옷 한 벌 사기가 힘들다.

난이도 ㊤ ◯ ㊦

해설 **받쳐서 → 받혀서:** 이장이 소에게 '세차게 부딪혔다'라는 의미이다. 따라서 '받다'의 피동사 '받히다'를 써야 한다.

오답분석 ① '구멍이 뚫린 물건 위에 국수나 야채 따위를 올려 물기를 빼다.'라는 의미로, '밭치다'의 쓰임은 옳다.
③ '물건의 밑이나 옆 따위에 다른 물체를 대다.'라는 의미로, '받치다'의 쓰임은 옳다.
④ '옷의 색깔이나 모양이 조화를 이루도록 함께 하다.'라는 의미로, '받치다'의 쓰임은 옳다.
⑤ '한꺼번에 많은 양의 물품을 사게 하다.'라는 의미로, '받다'의 사동사 '받히다'의 쓰임은 옳다.

정답 ②

003 ○○○ 2022 지역 인재 9급

밑줄 친 부분의 쓰임이 옳지 않은 것은?

① 손님이 상인에게 흥정을 부쳤다.
② 여자 친구와 우산을 함께 받치고 걸었다.
③ 옆 사람과 부딪히지 않게 조심조심 이동하였다.
④ 동생이 행인과 싸움을 벌여서 일이 커지고 말았다.

난이도 ㊤ ◯ ㊦

해설 **부쳤다 → 붙였다:** '겨루는 일 따위를 서로 어울려 시작하게 하다.'라는 의미를 가진 말은, '붙다'의 사동사 '붙이다'이다.

오답분석 ② '받치다'는 '비나 햇빛과 같은 것이 통하지 못하도록 우산이나 양산을 펴 들다.'라는 의미이므로 그 쓰임이 적절하다.
③ '부딪히다'는 '무엇과 무엇이 힘 있게 마주 닿게 되거나 마주 대게 되다. 또는 닿게 되거나 대게 되다.'라는 의미이므로 그 쓰임이 적절하다.
④ '벌이다'는 '전쟁이나 말다툼 따위를 하다.'라는 의미이므로 그 쓰임이 적절하다.

정답 ①

004 ○○○ 2022 지역 인재 9급

밑줄 친 부분의 쓰임이 적절하지 않은 것은?

① 선생님은 아이의 소질을 계발(啓發)하였다.
② 그 장소에는 그가 말한 물건이 실재(實在)하였다.
③ 상사는 부하 직원의 휴가 서류를 결재(決裁)하였다.
④ 새 기계를 사용하여 서울 공장의 생산량을 재고(再考)하였다.

난이도 ㊤ ◯ ㊦

해설 **재고(再考) → 제고(提高):** '재고(再考: 다시 재, 생각할 고)하다'는 '어떤 일이나 문제 따위에 대하여 다시 생각하다.'라는 의미이다. 문맥상 생산량을 '끌어올리다' 정도의 의미이므로 '수준이나 정도 따위를 끌어올리다.'라는 의미를 가진 '제고(提高: 끌 제, 높을 고)하다'를 써야 한다.

오답분석 ① '계발(啓發)'은 '슬기나 재능, 사상 따위를 일깨워 줌.'이라는 의미이므로 그 쓰임이 적절하다.
② '실재(實在)'는 '실제로 존재함.'이라는 의미이므로 그 쓰임이 적절하다.
③ '결재(決裁)'는 '결정할 권한이 있는 상관이 부하가 제출한 안건을 검토하여 허가하거나 승인함.'이라는 의미이므로 그 쓰임이 적절하다.

정답 ④

005 ○○○ 2022 군무원 7급

다음 밑줄 친 한자의 쓰임이 가장 적절한 것은?

① 우리 연구팀은 신제품 <u>啓發</u>에 착수하였다.

② 영화를 보는 동안 나는 무엇이 현실이고 무엇이 가상인지 <u>混沌</u>이 되었다.

③ 교통 신호 <u>體制</u>만 바꾸어도 사고를 줄일 수 있다.

④ 은메달 스트레스는 메달 지상주의를 부추기는 올림픽의 현실을 <u>傍證</u>하는 예다.

난이도 상 중 하

해설 '방증(傍證: 곁 방, 증거 증)'은 사실을 직접 증명할 수 있는 증거가 되지는 않지만, 주변의 상황을 밝힘으로써 간접적으로 증명에 도움을 줌을 이르는 말이다. 따라서 그 쓰임이 적절하다.

오답 분석
① 계발(啓發: 열 계, 쏠 발) → 개발(開發: 열 개, 쏠 발): '계발(啓發)'은 주로 슬기나 재능, 사상과 같은 것들을 만들거나 키울 때 사용한다. '신제품'은 사물이기 때문에 '개발(開發)'이 더 자연스럽다.

② 혼돈(混沌: 섞을 혼, 어두울 돈) → 혼동(混同: 섞을 혼, 같을 동): 무엇이 현실인지 무엇이 가상인지 구별되지 않았다는 의미이다. 따라서 '혼동(混同)'이 어울린다.

③ 체제(體制: 몸 체, 마를 제) → 체계(體系: 몸 체, 이을 계): 문맥상 교통 신호 '시스템'만 바꿔도 사고를 줄일 수 있다는 의미이다. 따라서 '체계(體系)'가 어울린다.

정답 ④

006 ○○○ 2022 국가직 9급

밑줄 친 말의 쓰임이 옳지 않은 것은?

① 그는 아까운 능력을 <u>썩히고</u> 있다.

② 음식물 쓰레기를 <u>썩혀서</u> 거름으로 만들었다.

③ 나는 이제까지 부모님 속을 <u>썩혀</u> 본 적이 없다.

④ 그들은 새로 구입한 기계를 창고에서 <u>썩히고</u> 있다.

난이도 상 중 하

TIP '속을 썩이다'의 경우에만 '썩이다'를 쓰고, 나머지는 '썩히다'를 쓴다!

해설 **썩혀 → 썩여:** 부모님의 속을 '괴롭게 만들어' 본 적이 없다는 의미이다. 따라서 '걱정이나 근심 따위로 마음이 몹시 괴로운 상태가 되다.'라는 의미를 가진 '썩다'에 사동 접미사 '-이-'를 붙인 '썩이다'가 어울린다.

오답 분석
①, ④ '물건이나 사람 또는 사람의 재능 따위가 쓰여야 할 곳에 제대로 쓰이지 못하고 내버려진 상태에 있다.'라는 의미를 가진 '썩다'에 사동 접미사 '-히-'를 붙인 '썩히다'의 쓰임은 적절하다.

② '유기물이 부패 세균에 의하여 분해됨으로써 원래의 성질을 잃어 나쁜 냄새가 나고 형체가 뭉개지는 상태가 되다.'라는 의미를 가진 '썩다'에 사동 접미사 '-히-'를 붙인 '썩히다'의 쓰임은 적절하다.

정답 ③

007 ○○○ 2022 국가직 9급

㉠~㉢에 들어갈 말로 가장 적절한 것은?

- 그들의 끈기가 이 경기의 승패를 (㉠)했다.
- 올해 영화제 시상식은 11개 (㉡)으로 나뉜다.
- 그 형제는 너무 닮아서 누가 동생이고 누가 형인지 (㉢) 할 수 없다.

	㉠	㉡	㉢
①	가름	부문	구별
②	가름	부분	구분
③	갈음	부문	구별
④	갈음	부분	구분

난이도 상 중 하

해설 ㉠ '가름하다'는 '승부나 등수 따위를 정하다'를, '갈음하다'는 '다른 것으로 바꾸어 대신하다'를 의미한다. 목적어가 '승패를'인 것을 보아, '승부를 정하다'를 의미하는 '가름하다'가 어울린다. 따라서 ㉠에는 '가름'이 들어가야 적절하다.

㉡ '부문[section]'은 '일정한 기준에 따라 분류하거나 나누어 놓은 낱낱의 범위나 부분'을, '부분[part]'은 '전체를 이루는 작은 범위 또는 전체를 몇 개로 나눈 것의 하나'를 의미한다. 상을 일정한 기준에 따라 11개로 분류해 놓은 상황이므로 ㉡에는 '부문'이 들어가야 적절하다.

㉢ '구별[tell difference]'은 '성질이나 종류에 따라 차이가 남. 또는 성질이나 종류에 따라 갈라놓음.'을, '구분[division]'은 '일정한 기준에 따라 전체를 몇 개로 갈라 나눔.'을 의미한다. 형제가 너무 닮아서 누가 동생이고 누가 형인지 분간이 가지 않는다는 의미이므로, ㉢에는 '구별'이 들어가야 적절하다.

정답 ①

008 ○○○ 2022 소방 경력 채용

밑줄 친 부분의 맞춤법이 틀린 것은?

① 그는 절호의 기회를 번번이 놓쳤다.

② 싫던지 좋던지 간에 따를 수밖에 없다.

③ 기다리던 해가 뜨자 금세 주변이 환해졌다.

④ 경찰이 오자 그의 행동은 눈에 띄게 달라졌다.

난이도 상 ○ 하

해설 **싫던지 좋던지 → 싫든지 좋든지:** '-던지'는 과거의 의미일 때, '-든지'는 선택의 의미일 때 사용한다. 문맥상 '선택'의 의미이므로 '-든지'를 사용하여 '싫든지 좋든지'로 표기해야 한다.

오답분석 ① 기회를 '매번' 놓쳤다는 의미이다. 따라서 '매 때마다'를 의미하는 '번번이'의 쓰임은 적절하다.

비교 번번히
1) 구김살이나 울퉁불퉁한 데가 없이 펀펀하고 번듯하게.
2) 생김새기 음전하고 미끈하게.
3) 물건 따위가 멀끔하여 보기도 괜찮고 제법 쓸 만하게.
4) 지체가 제법 높게.

③ 해가 뜨자 '바로' 주변이 환해졌다는 의미이다. 따라서 '지금 바로'를 의미하는 '금세'의 쓰임은 적절하다.

④ 눈에 '두드러지게' 달라졌다는 의미이다. 따라서 '띄다'의 쓰임은 적절하다.

 ②

009 ○○○ 2021 지방직 9급

밑줄 친 조사의 쓰임이 옳은 것은?

① 언니는 아버지의 딸로써 부족함이 없다.

② 대화로서 서로의 갈등을 풀 수 있을까?

③ 드디어 오늘로써 그 일을 끝내고야 말았다.

④ 시험을 치는 것이 이로서 세 번째가 됩니다.

난이도 상 ○ 하

해설 부사격 조사 '(으)로서'와 '(으)로써' 각각의 의미는 다음과 같다.

(으)로서	① 지위나 신분 또는 자격을 나타내는 격 조사 ② (예스러운 표현으로) 어떤 동작이 일어나거나 시작되는 곳을 나타내는 격 조사
(으)로써	① 어떤 물건의 재료나 원료를 나타내는 격 조사 ② 어떤 일의 수단이나 도구를 나타내는 격 조사 ③ 시간을 셈할 때 셈에 넣는 한계를 나타내거나 어떤 일의 기준이 되는 시간임을 나타내는 격 조사

③의 '오늘'은 '그 일'을 끝낸 기준이 되는 시간이다. 따라서 '로써'의 쓰임은 적절하다.

오답분석 ① **딸로써 → 딸로서:** 딸의 '자격'으로 부족함이 없다는 의미이다. 따라서 '로서'를 써야 한다.

② **대화로서 → 대화로써:** 대화를 '수단, 도구'로 갈등을 풀 수 있을 거냐는 의미이다. 따라서 '로써'를 써야 한다.

④ **이로서 → 이로써:** 시험을 친 게 3번째라는 의미이다. 따라서 '로써'를 써야 한다.

정답 ③

010 ○○○ 2019 소방직

밑줄 친 어휘가 옳지 않은 것은?

① 그는 나에게도 손을 벌렸다.

② 자동차가 가로수에 부딪쳤다.

③ 이따가 3시에 집 앞에서 만나자.

④ 과녁을 맞춘 화살이 하나도 없다.

난이도 상 ○ 하

해설 **맞춘 → 맞힌:** '쏘거나 던지거나 한 물체가 어떤 물체에 닿다. 또는 그런 물체에 닿음을 입다.'라는 뜻을 가진 '맞다'의 사동사 '맞히다'의 활용형 '맞힌'으로 표기해야 한다.

오답분석 ① '손을 펴게 하다.'라는 의미이므로 '벌리다'의 표기는 옳다.
※ 손을 벌리다(관용어): 무엇을 달라고 요구하거나 구걸하다.

② '부딪치다'는 '부딪다'에 강조의 접미사 '-치-'가 결합한 것이다. 따라서 '세차게 가 닿다.'라는 의미의 '부딪치다'의 표기는 옳다.

③ 문맥상 '나중에'라는 의미로 쓰였다. 따라서 '이따가'의 표기는 옳다.

정답 ④

참고 어휘

1. 벌리다 - 벌이다

벌리다	벌이다
① 둘 사이를 넓히거나 멀게 하다. 예 입을 벌리다. ② 껍질 따위를 열어 젖혀서 속의 것을 드러내다. 예 생선의 배를 갈라 벌리다. ③ 우므러진 것을 펴지거나 열리게 하다. 예 양팔을 벌리다.	① 일을 계획하여 시작하거나 펼쳐 놓다. 예 잔치를 벌이다. ② 놀이판이나 노름판 따위를 차려 놓다. 예 장기판을 벌이다. ③ 여러 가지 물건을 늘어놓다. 예 좌판을 벌이다.

2. 부딪치다 - 부딪히다

부딪치다	부딪히다
① '부딪다(무엇과 무엇이 힘 있게 마주 닿거나 마주 대다. 또는 닿거나 대게 하다.)'를 강조하여 이르는 말 예 파도가 바위에 부딪쳤다.	① '부딪다(무엇과 무엇이 힘 있게 마주 닿거나 마주 대다.)'의 피동사 예 정박해 있던 배가 세찬 파도에 부딪혔다.

3. 이따가 - 있다가

이따가	있다가
① 조금 지난 뒤에 예 이따가 단둘이 있을 때 얘기 하자.	※ 기본형 '있다' ① 사람이나 동물이 어느 곳에서 떠나거나 벗어나지 아니하고 머물다. 예 내가 갈 테니 너는 학교에 있어라. ② 사람이 어떤 직장에 계속 다니다. 예 딴 데 한눈팔지 말고 그 직장에 그냥 있어라. ③ 사람, 동물, 물체 따위가 실제로 존재하는 상태이다. 예 가만히 있어라.

4. 맞추다 - 맞히다

맞추다	맞히다
① 서로 떨어져 있는 부분을 제자리에 맞게 대어 붙이다. 예 문짝을 문틀에 맞추다. ② 둘 이상의 일정한 대상들을 나란히 놓고 비교하여 살피다. 예 그는 시험지를 정답과 맞추어 보았다. ③ 서로 어긋남이 없이 조화를 이루다. 예 다른 부서와 보조를 맞추다.	① '맞다(침, 주사 따위로 치료를 받다.)'의 사동사 예 아이의 엉덩이에 주사를 맞히다. ② '맞다(쏘거나 던지거나 한 물체가 어떤 물체에 닿다. 또는 그런 물체에 닿음을 입다.)'의 사동사 예 화살을 적장의 어깨에 맞히다. ③ (알아) 맞히다.

011 ○○○ 2019 기상직 9급

밑줄 친 단어의 쓰임이 적절하지 않은 것은?

① 통에 테를 매다.

② 이번 일로 근심이 많을 것이라 사료된다.

③ 젊은 부부는 사글세로 방을 얻어 신혼 생활을 시작했다.

④ 술 취한 사람이 지나가는 행인에게 부닥친다.

난이도 상 중 하

해설 '통 따위의 둥근 물체에 테를 끼우다.'라는 뜻을 가진 단어는 '메다/메우다'이다. 따라서 'ㅔ'가 아닌 'ㅐ' 모음을 쓴 '매다'의 쓰임은 적절하지 않다.

오답분석 ② '사료되다'는 '깊이 생각되어 헤아려지다.'라는 의미이므로 그 쓰임이 적절하다. 문맥상 '근심이 많다.'의 주체는 '너'이고 생략되어 있다. 따라서 '네가 ~라 사료되다(생각된다).'의 의미가 된다.

※ 우리말에서 '나, 너, 우리, 사람들'의 일반적 주어는 생략이 가능하다.

③ '삯월세'에서 온 말이나 어원에서 멀어진 형태로 굳어져서 '사글세'로 널리 쓰이므로, '사글세'만 표준어로 삼는다. 따라서 '사글세'의 쓰임은 적절하다.

※ '사글세'에 대한 어원은 '삯월세'에서 왔다는 설과 '삭월세'에서 왔다는 설 두 가지 견해가 있다.

④ '부닥치다'는 '세게 부딪치다.'라는 의미이므로 그 쓰임이 적절하다.

※ 부딪다≒부딪치다 ≒ 부닥치다
① 주어의 능동 행위에 사용
② A와 B가 마주 대다.
③ 일이나 상황에 직면하다.

정답 ①

참고 어휘

메다¹	① 뚫린 곳이 막히거나 빈 곳이 채워지다. 예 하수도 구멍이 메다. ② 장소에 가득 차다. 예 사람들이 길이 메게 지나다.
메다²	어깨에 걸치거나 올려놓다. 예 어깨에 배낭을 메다.
메다³	'메우다(통 따위의 둥근 물체에 테를 끼우다.)'의 준말 예 통에 테를 메다(= 메우다).
매다¹	① 끈이나 줄 따위의 두 끝을 엇걸고 잡아당기어 풀어지지 아니하게 마디를 만들다. 예 신발 끈을 매다. ② 끈이나 줄 따위로 꿰매거나 동이거나 하여 무엇을 만들다. 예 붓을 매다.
매다²	논밭에 잡풀을 뽑다. 예 김을 매다.

012 ○○○ 2017 국회직 8급

다음 중 밑줄 친 단어의 사용이 옳지 않은 것은?

① 달걀 껍데기를 깨다.

② 바위에 굴 껍데기가 닥지닥지 붙어 있다.

③ 처음으로 돼지 껍데기를 구워 먹었다.

④ 조개껍질을 모아서 목걸이를 만들었다.

⑤ 나무껍질을 벗겨서 삶아 먹었다.

난이도 ㊤ ◯ ㊦

해설 **껍데기 → 껍질**: '껍데기'는 단단한 물질을, '껍질'은 단단하지 않은 물질을 이를 때 쓴다. '돼지'의 겉을 둘러싸고 있는 물질은 딱딱하지 않기 때문에 '껍질'을 써야 한다.

껍데기	① 달걀이나 조개 따위의 겉을 싸고 있는 단단한 물질 ② 알맹이를 빼내고 겉에 남은 물건 예 과자 껍데기
껍질	물체의 겉을 싸고 있는 단단하지 않은 물질

오답분석 ① '달걀'의 겉은 딱딱하기 때문에, '달걀'에 '껍데기'를 쓴 것은 옳다.

② '굴'의 겉은 딱딱하기 때문에, '굴'에 '껍데기'를 쓴 것은 옳다.

④ '조개'에는 '껍질'과 '껍데기'가 붙은 형태가 모두 쓰인다.
※ '표준국어대사전'에 '조개껍질', '조개껍데기'가 표제어로 등재되어 있다.

⑤ '나무'를 둘러싸고 있는 부분은 단단하지 않기 때문에, '나무'에 '껍질'을 쓴 것은 옳다.
※ '나무'가 단단하기 때문에 '껍데기'를 써야 하는 게 아닌가 하고 생각할 수도 있다. 그러나 '표준국어대사전'에 '나무껍질'이 표제어로 등재되어 있다.

 ③

013 ○○○ 2017 국가직 9급 추가

밑줄 친 단어의 쓰임이 옳지 않은 것은?

① ┌ 금방 비가 올 것처럼 하늘이 어둡다.
└ 할머니는 방금 전에 난 소리에 깜짝 놀라셨다.

② ┌ 그는 근본이 미천하여 남들의 업신여김을 받았다.
└ 자발적 참여자를 근간으로 하여 조직이 결성되었다.

③ ┌ 친구들에게 그는 완전히 타락한 사람으로 알려졌다.
└ 그는 역모 사건에 휘말려 몰락한 집안의 자손이었다.

④ ┌ 비가 올 때에는 순회공연을 지연하기로 하였다.
└ 시험 시작 날짜가 9월 5일에서 9월 7일로 연장되었다.

난이도 ㊤ ◯ ㊦

해설 밑줄 친 단어의 쓰임이 옳지 않은 것은 ④이다.

- **지연하기 → 취소하기**: 문맥상 "비가 올 때에는 순회공연을 '안 하기'로 하였다."라는 의미이다. 그런데 '지연(遲 늦을 지, 延 끌 연)하다'는 '늦추다'라는 의미이다. 따라서 '안 하다'라는 의미로 쓰기에는 적절하지 않다. 문맥을 고려할 때, '지연하기'보다는 '취소하기'를 쓰는 게 더 자연스럽다.
- **연장되었다 → 연기되었다**: 문맥상 "시험 시작 날짜가 9월 5일에서 9월 7일로 '미뤄졌다'"라는 의미이다. 그런데 '연장(延 끌 연, 長 길 장)되다'는 '늘이다'라는 의미이다. 따라서 '미뤄지다'라는 의미로 쓰기에는 적절하지 않다. 문맥을 고려할 때, '연장되었다'보다는 '연기되었다'를 쓰는게 더 자연스럽다.

※ 날짜가 바뀌었다는 의미에서 '변경되었다'로 바꾸는 것도 가능하다. 다만, 정해진 날짜보다 미뤄진 상황이므로 '연기되다'가 더 자연스럽다.

오답분석 ① '금방(今方)'과 '방금(方今)'은 의미가 동일하며, 모두 가까운 과거, 현재, 가까운 미래에 모두 사용이 가능하다. 따라서 ①의 '금방'과 '방금'의 사용은 적절하다.
※ 다만 실제 구어체에서는 주로 '금방'은 '조금 후에'(금방 올 거예요.)로, '방금'은 '조금 전의' 의미(방금 갔어요.)로 주로 쓰인다.

금방(今方)	(부사) ① 말하고 있는 시점보다 바로 조금 전에 예 금방 구워낸 빵 ② 말하고 있는 시점과 같은 때에 예 금방 달려들기라도 할 듯하다.
방금(方今)	③ 말하고 있는 시점부터 바로 조금 후에 예 금방 비가 올 것처럼 하늘이 어둡다 ※ 단, '금방'은 부사로만 쓰이지만, '방금'은 부사 외에 명사로도 쓰인다는 점에서 차이가 있다.

② 첫 번째 문장은 '혈통'이란 의미이므로 '근본(根本)'의, 두 번째 문장에서는 '중심'이란 의미이므로 '근간(根幹)'의 사용이 적절하다.

근본(根本)	(명사) ① 초목의 뿌리 ② 사물의 본질이나 본바탕 예 근본 원칙 / 경제 불황이 주가 하락의 근본 원인이다. ③ 자라 온 환경이나 혈통 예 그는 근본이 좋은 사람이다. / 근본 있는 집안
근간(根幹)	(명사) ① 뿌리와 줄기를 아울러 이르는 말 예 호두나무 근간을 내 손으로 베었다. ② 사물의 바탕이나 중심이 되는 중요한 것 예 국가의 근간 사업 / 근간을 이루다

③ 첫 번째 문장은 '나쁜 길로 빠진'이란 의미이므로 '타락(墮落)한'의 두 번째 문장은 '세력 따위가 쇠하여 보잘것없어진'이란 의미이므로 '몰락(沒落)한'의 사용이 적절하다.

타락(墮落)한	(동사) 올바른 길에서 벗어나 잘못된 길로 빠지다. 예 술과 여자로 일상을 보내는 그의 타락한 생활상에 나는 큰 충격을 받았다.
몰락(沒落)한	(동사) ① 재물이나세력따위가쇠하여보잘것없어지다. 예 몰락한 귀족 / 집안이 몰락하다. / 정권이 몰락하다. ② 멸망하여 모조리 없어지다. 예 제국이 몰락하다.

정답 ④

014 ○○○ 2017 교육행정직 7급

빈칸에 들어갈 말을 순서대로 바르게 연결한 것은?

- 남의 집 땅뙈기를 ________.
- 본문에 주석(註釋)을 ________.
- 여행 계획을 비밀에 ________.
- 이번 일을 계획대로 밀어 ________.

① 부치다 - 붙이다 - 부치다 - 붙이다
② 부치다 - 부치다 - 부치다 - 붙이다
③ 붙이다 - 부치다 - 붙이다 - 부치다
④ 붙이다 - 붙이다 - 붙이다 - 부치다

난이도 상 중 하

해설 제시문의 내용에 맞게 연결한 것은 ①이다.

부치다	목적어가 '땅뙈기를'이다. 이를 볼 때 첫 번째 빈칸에는 '논밭을 이용하여 농사를 짓다.'란 뜻을 가진 '부치다'가 들어가야 한다. 예 부쳐 먹을 내 땅 한 평 없다.
붙이다	'붙다(주가 되는 것에 달리거나 딸리다)'의 사동사 목적어가 '주석을'이다. 이를 볼 때 '주가 되는 것을 딸리게 하다'란 뜻을 가진 말이 들어가야 한다. 따라서 두 번째 빈칸에는 '붙다'의 사동사인 '붙이다'가 들어가야 한다. 예 봉투에 우표를 붙이다.
부치다	문맥상 '거론하지 않다'란 의미이다. 따라서 세 번째 빈칸에는 '어떤 일을 거론하거나 문제 삼지 아니하는 상태에 있게 하다.'란 뜻을 가진 '부치다'가 들어가야 한다. 예 회의 내용을 극비에 부치다.
붙이다	문맥상 '고삐를 늦추지 않고 계속 과감하게 추진하다'란 의미이다. 따라서 마지막 빈칸에는 '밀다'와 '붙이다'의 합성어인 '밀어붙이다'가 들어가야 한다. '밀어'는 나와 있으므로 빈칸에는 '붙이다'를 넣으면 된다. 예 상승세를 탄 우리 팀은 끝까지 상대 팀을 밀어붙였다.

정답 ①

015 ○○○ 2017 국가직 9급 추가

밑줄 친 부분의 쓰임이 모두 옳은 것은?

① ┌ 일이 채 끝나기도 전에 그는 일어나 나갔다.
　 └ 그는 여전히 들은 체도 하지 않고 앉아 있다.

② ┌ 가을 논의 벼가 한참 무르익고 있었다.
　 └ 그는 가방을 한창 바라보더니 가 버렸다.

③ ┌ 둘 사이는 친분이 두껍다.
　 └ 우리나라의 야구 선수층은 매우 두텁다.

④ ┌ 나이가 들어 머리가 많이 벗겨졌다.
　 └ 바나나 껍질이 잘 벗어지지 않았다.

난이도 상 중 하

해설 ①에서 단어의 쓰임이 적절하다.

채	'채'는 '미처, 아직도'란 의미를 가진 부사로 그 쓰임이 옳다. ※ 채(부사) 어떤 상태나 동작이 다 되거나 이루어졌다고 할 만한 정도에 아직 이르지 못한 상태를 이르는 말 예 말이 채 끝나기도 전에 그가 소리를 질렀다. 열다섯이 채 될까 말까 한 소녀였다. ※ 동음이의어로 '이미 있는 상태 그대로'의 뜻을 나타내는 의존 명사 '채'도 있다. 예 옷을 입은 채로 물에 들어간다. / 노루를 산 채로 잡았다.
체	'체'는 '척'이란 의미를 가진 의존 명사로 그 쓰임이 옳다. ※ 체(의존 명사) 그럴듯하게 꾸미는 거짓 태도나 모양 = 척 예 보고도 못 본 체(척) 딴전을 부리다. 모르는 체(척)를 하며 고개를 돌리다.

오답 분석 ② '한참'과 '한창'의 순서가 바뀌었다.

한참 → 한창	문맥상 벼가 가장 무르익고 있는 상태라는 의미이므로 '한창'을 써야 한다. ※ 한창(부사, 명사) 어떤 일이 가장 활기 있고 왕성하게 일어나는 모양. 또는 어떤 상태가 가장 무르익은 모양 예 벼가 한창 무성하게 자란다.(부사) / 요즘 앞산에는 진달래가 한창이다.(명사)
한창 → 한참	문맥상 '한동안'의 의미이므로 '한참'을 써야 한다. ※ 한참(부사, 명사) 시간이 상당히 지나는 동안. 예 한참 난투극이 벌어졌다.(부사) / 그들은 폐허가 된 집터를 한참이나 둘러보았다. 담장을 따라 한참을 걸어가니 기와집이 나왔다.(명사)

③ '두껍다'와 '두텁다'의 순서가 바뀌었다.

두껍다 → 두텁다	문맥상 친분이 굳고 깊다는 의미이므로 '두텁다'를 써야 한다. ※ 두텁다(형용사) 신의, 믿음, 관계, 인정 따위가 굳고 깊다. 예 두터운 은혜 / 신앙이 두텁다. / 친분이 두텁다. 정이 두텁다. / 두터운 교분을 쌓다.

두텁다 → 두껍다	문맥상 야구 선수층이 보통의 정도보다 크다는 의미이므로 '두껍다'를 써야 한다. ※ 두껍다(형용사) ① 두께가 보통의 정도보다 크다. 예 두꺼운 이불 / 두꺼운 책 / 두꺼운 입술 ② 층을 이루는 사물의 높이나 집단의 규모가 보통의 정도보다 크다. 예 고객층이 두껍다. / 지지층이 두껍다. ③ 어둠이나 안개, 그늘 따위가 짙다. 예 두꺼운 그늘 / 안개가 두껍게 깔렸다. 어둠이 대지 위에 두껍게 깔려 있었다.

TIP '두껍다'는 측정이 가능한 대상에, '두텁다'는 측정이 불가능한 대상에 사용한다!

④ '벗겨지다'와 '벗어지다'의 순서가 바뀌었다.

벗겨졌다 → 벗어졌다	문맥상 머리카락이 빠졌다는 의미이므로 '벗어지다'를 써야 한다. ※ 벗어지다(동사) ① 덮이거나 씌워진 물건이 흘러내리거나 떨어져 나가다. 예 신발이 커서 자꾸 벗어진다. 소반의 칠이 벗어져 보기가 흉하다. ② 누명이나 죄 따위가 없어지다. 예 누명이 벗어져 다행이다. ③ 머리카락이나 몸의 털 따위가 빠지다. 예 벗어진 이마 / 머리가 벗어지다. ※ '머리카락이 빠지는 현상'은 자발적인 것으로 보아 '머리가 벗어지다./벗어진 이마'만 표준어로 하였으나, 《표준국어대사전》 개정에 따라 2022년 현재 머리카락에 한정하여 '머리가 벗겨지다./벗겨진 이마'도 표준어로 인정하였다. 따라서 제시된 선택지에서 '머리가 벗어졌다.'가 원칙이나, '머리가 벗겨졌다.'도 사용 가능하다.
벗어지지 → 벗겨지지	바나나를 덮은 껍질이 손에 의해 떼어진다는 의미이므로 '벗겨지다'를 써야 한다. ※ 벗겨지다(동사) ① 덮이거나 씌워진 물건이 외부의 힘에 의하여 떼어지거나 떨어지다. 예 신발이 꽉 끼어 잘 벗겨지지 않는다. 바람이 불어 모자가 벗겨졌다. ② 사실이 밝혀져 죄나 누명 따위에서 벗어나다. 예 죽어서야 자식들에 의해 오명이 벗겨졌다.

TIP 원칙적으로는 문맥상 '스스로'의 의미이면 '벗어지다'를, '외부의 힘에 의해'이면 '벗겨지다'를 쓰는 것이 맞다. 다만, 사전 내용 개정에 따라 '머리(카락)'은 '벗어지다(원칙)/벗겨지다(허용)' 모두 사용이 가능하다.

정답 ①

016 ○○○ 2016 사회복지직 9급

밑줄 친 단어의 쓰임이 옳은 것은?

① 요즘 앞산에는 진달래가 한참이다.

② 과장님, 김 주사의 기획안을 결제해 주세요.

③ 민철이는 어릴 때 일찍 아버지를 여위었다.

④ '가물에 콩 나듯'이라더니 제대로 싹이 난 것이 없다.

난이도 ㊤ ◯ ㊦

해설 ④의 '가물'은 '가뭄'과 함께 표준어이므로, 그 쓰임이 옳다.
※ 가물에 콩 나듯(속담): 가뭄에는 심은 콩이 제대로 싹이 트지 못하여 드문드문 난다는 뜻으로, 어떤 일이나 물건이 어쩌다 하나씩 드문드문 있는 경우를 비유적으로 이르는 말

① **한참 → 한창**: 문맥상 '가장 무르익은 시기'란 의미로 쓰였기 때문에, '한창'으로 표기해야 한다.

② **결제 → 결재**: 목적어에 '기획안, 서류' 등 검토가 필요한 대상이 올 때는 '결제(決濟)'가 아닌, '결재(決裁)'를 써야 한다.

③ **여위었다 → 여의었다**: 문맥상 '잃다, 이별하다'의 의미로 쓰였기 때문에, '여의다'를 써야 한다.

정답 ④

참고 어휘

1. 한참 - 한창

한참	① 시간이 상당히 지나는 동안 ② 두 역참(驛站) 사이의 거리
한창	어떤 일이 가장 활기 있고 왕성하게 일어나는 때. 또는 어떤 상태가 가장 무르익은 때

2. 결제 - 결재

결제(決濟)	① 일을 처리하여 끝을 냄. ② 증권 또는 대금을 주고받아 매매 당사자 사이의 거래 관계를 끝맺는 일
결재(決裁)	결정할 권한이 있는 상관이 부하가 제출한 안건을 검토하여 허가하거나 승인함.

3. 여위다 - 여의다

여위다	① 몸의 살이 빠져 파리하게 되다. ② 살림살이가 매우 가난하고 구차하게 되다. ③ 빛이나 소리 따위가 점점 작아지거나 어렴풋해지다.
여의다	① 부모나 사랑하는 사람이 죽어서 이별하다. ② 딸을 시집보내다. ③ 멀리 떠나보내다.

017 ○○○ 2016 지방직 9급

밑줄 친 말의 쓰임이 적절하지 않은 것은?

① 이 숲에서 자생하던 희귀 식물들의 개체 수가 줄었다.

② 상황이 급박하게 돌아가서 이것저것 따질 개재가 아니다.

③ 이번 아이디어 상품의 출시 여부에 따라 사업의 성패가 결정된다.

④ 현대 사회에서는 유례를 찾아볼 수 없을 만큼 정보가 넘쳐 난다.

난이도 상 중 하

해설 **개재 → 계제:** 문맥상 "이것저것 따질 '형편'이 아니다."라는 의미이다. 그런데 '개재(介在)'는 끼어 있다는 의미일 뿐, '형편'의 의미는 없다. 따라서 "어떤 일을 할 수 있게 된 형편이나 기회"라는 의미를 가진 '계제(階除)'로 고쳐 써야 한다.

오답분석 ① 동물과 식물 모두 '자생하다' 혹은 '서식하다'를 쓸 수 있으므로 '자생하다'의 쓰임은 옳다. 참고로 '서식하다'는 동물과 식물이 일정한 곳에 자리를 잡고 산다는 의미이다.

③ 문맥상 '성공과 실패'란 의미이므로, '성패'의 쓰임은 옳다.

④ '유사한 예'라는 의미이므로, '유례'의 쓰임은 옳다.

정답 ②

참고 어휘

어휘	뜻
자생(自生)	스스로 자, 날 생
	① 자기 자신의 힘으로 살아감. ② 저절로 나서 자람.
개재(介在)	끼일 개, 있을 재
	어떤 것들 사이에 끼여 있음. '끼어듦', '끼여 있음'으로 순화
계제(階梯)	섬돌 계, 사다리 제
	① 사다리라는 뜻으로, 일이 되어 가는 순서나 절차를 비유적으로 이르는 말 ② 어떤 일을 할 수 있게 된 형편이나 기회 ③ 기계 체조에 사용하는, 옆으로 비스듬히 세운 사다리
성패(成敗)	이룰 성, 패할 패
	성공과 실패를 아울러 이르는 말
유례(類例)	무리 유(류), 법식 례
	① 같거나 비슷한 예 ② 이전부터 있었던 사례

018 ○○○ 2015 국가직 9급

밑줄 친 조사의 쓰임이 옳지 않은 것은?

① 건축 면적은 설계도에서 정한 기준에 따라 산정한다.

② 제안서 및 과업 지시서는 참가 신청자에게 한하여 교부한다.

③ 관계 조서 사본을 관리 사무소에 비치하고 일반인에게 보인다.

④ 제5조 제1항의 규정에도 불구하고 다음 각 목의 평가는 1년 유예를 둔다.

난이도 상 중 하

해설 **신청자에게 → 신청자에 한하여:** 조사의 쓰임은 특별한 경우를 제외하고는 서술어에 초점을 맞춰 풀면 된다. ②의 서술어 '한(限)하다'는 '어떤 조건, 범위에 제한되거나 국한되다.'라는 의미를 지니며, 필수 부사어로 '~에'를 취한다. 따라서 '신청자에게'가 아니라 '신청자에 한하다.'로 표현해야 한다.

※ 2008년 국회직 기출 지문을 변용하여 제시했다.

예 무료입장은 장애인에 한한다.

오답분석 ① **건축 면적은 설계도에서 정한 기준에 따라 산정한다.:** 부사격 조사 '에서'는 '출처'의 의미로 사용이 가능하므로 '설계도에서 정하다.'의 형태로 사용이 가능하다.

예 그는 모 기업에서 돈을 받은 혐의로 현재 조사 중에 있다.

③ **관계 조서 사본을 관리 사무소에 비치하고 일반인에게 보인다.:** '비치하다'는 '마련하여 갖추어 두다.'의 의미로 【…을 …에】의 형태로 활용한다.

예 가정에 상비약을 항상 비치해 두는 것이 좋다.

④ **제5조 제1항의 규정에도 불구하고 다음 각 목의 평가는 1년 유예를 둔다.:** '불구하다'는 '-에도/-음에도/-ㄴ데도 불구하고'의 구성으로 쓰이며 '얽매여 거리끼지 아니하다.'의 의미를 갖는다.

예 몸살에도 불구하고 출근하다. / 도달할 수 없음에도 불구하고 / 농사를 지을 수 있는 땅인데도 불구하고

비교 '불고-염치(不顧廉恥)'는 '염치를 돌아보지 아니함.'의 의미로 '불고염치하다.' 혹은 '염치를 불고하다. 체면을 불고하다.' 등으로 사용한다.

정답 ②

019 ○○○ 2015 국회직 8급

다음 중 밑줄 친 어휘의 쓰임이 적절하지 않은 것은?

① ┌ 그 저서는 저자의 해박함을 방증하는 역작이다.
└ 그 논리의 오류를 입증할 수 있는 반증을 제시해 보십시오.

② ┌ 식당 앞에 '안주 일체'라는 문구가 보였다.
└ 면회 시간 외에 출입을 일절 금하오니, 협조해 주시기 바랍니다.

③ ┌ 공과 사는 구분해야 합니다.
└ 역사는 고대, 중세, 근대, 현대 등으로 구별할 수 있다.

④ ┌ 사랑과 동정을 혼동하지 마세요.
└ 언어생활의 혼돈을 초래하는 무분별한 외국어 사용은 자제하자.

⑤ ┌ 그는 입술을 지그시 깨물고 굳게 결심했다.
└ 지긋이 나이 들어 보이는 중년 신사의 중후함이 보기 좋다.

난이도 ㊤ ◯ ㊦

해설 '공과 사'는 '구분'이 아니라 '구별'해야 하고, '역사'는 '구별'이 아니라 '구분'할 수 있는 것이다. 따라서 ③은 적절하지 않다.
- **공과 사는 구분 → 공과 사는 구별**: '공'과 '사'는 성격이 다른 것이므로 '구별'해야 한다.
- **역사는 ~ 등으로 구별 → 역사는 ~ 등으로 구분**: 역사를 시대라는 기준에 따라 '고대, 중세, 근대, 현대 등'으로 '구분'할 수 있다.

정답 ③

참고 어휘

1. 방증 - 반증

방증(傍證)	사실을 직접 증명할 수 있는 증거가 되지는 않지만, 주변의 상황을 밝힘으로써 간접적으로 증명에 도움을 줌. 또는 그 증거
반증(反證)	어떤 사실이나 주장이 옳지 아니함을 그에 반대되는 근거를 들어 증명함. 또는 그런 증거

2. 일체 - 일절

일체(一切)	전부를 나타내는 말 + 긍정
일절(一切)	부인하거나 금지할 때 쓰는 말 + 부정, 금지

3. 구분 - 구별

구분(區分)	일정한 기준에 따라 전체를 몇 개로 갈라 나눔.
구별(區別)	성질이나 종류에 따라 차이가 남. 또는 성질이나 종류에 따라 갈라놓음.

4. 혼동 - 혼돈

혼동(混同)	구별하지 못하고 뒤섞어서 생각함.
혼돈(混沌)	마구 뒤섞여 있어 갈피를 잡을 수 없음. 또는 그런 상태

5. 지그시 - 지긋이

지그시	슬며시 힘을 주는 모양
지긋이	나이가 비교적 많아 듬직하게

MEMO

Unit 02 올바른 어휘의 선택 2 - 의미 유사(문맥에 맞는 어휘의 선택)

출제 유형

- 문맥에 맞지 않는 어휘인지 판별하는 유형
- 문맥에 어울리는 어휘를 선택하는 유형

핵심정리

- **의미가 유사한 어휘 기출**

(1) [17 국회직 8급]

와중	① 흐르는 물이 소용돌이치는 가운데 ② 일이나 사건 따위가 시끄럽고 복잡하게 벌어지는 가운데 예 많은 사람이 전란의 와중에 가족을 잃었다.
중	① 여럿의 가운데 예 여럿 중에/여러 국가 중에 ② 무엇을 하는 동안 예 근무 중에/회의 중에
도중	① 길을 가는 중간 ② 일이 계속되고 있는 과정이나 일의 중간 예 식사 도중에 전화벨이 울렸다.

(2) [10 국회직 8급]

① 성장 - 생장

성장(成長)	사람이나 동식물이 자라서 몸무게가 늘거나 키가 점점 커짐.
생장(生長)	생물이 나서 자람.

② 불가결 - 불가피

(필수)불가결(不可缺)	없어서는 아니 되고 반드시 필요함.
불가피(不可避)	피할 수 없음.

(3) [10 국회직 8급]

후송(後送)	부상자나 포로 등을 후방으로 보냄.
호송(護送)	목적지까지 보호하여 보냄.

문맥에 맞는 어휘의 선택	문맥에 맞지 않는 어휘인지 판별하는 유형

020 ○○○ 2013 국가직 7급

밑줄 친 어휘의 사용이 바른 문장은?

① 우리 농구 팀은 실력의 월등한 열세를 극복하지 못하고 상대팀에 지고 말았다.

② 그의 성공은 불우한 가정 환경에 굴하지 않고 성실히 노력한 탓이다.

③ 입사 시험 준비를 하느라 잠을 못 자서인지 체중이 많이 줄었다.

④ 우리 방범대원들은 주민의 안전을 보호하기 위해 애쓰고 있습니다.

난이도 상 ◯ 하

해설 ③에서 '줄다'는 '무게가 작은 상태로 되다.'란 뜻이므로, '줄다'의 사용은 바르다.

오답분석 ① **월등한 → 현저한**: '월등하다'는 '다른 것과 견주어서 수준이 정도 이상으로 뛰어나다.'라는 의미인데 '열세'는 '상대편보다 힘이나 세력이 약함.'을 의미하므로 호응이 바르지 못하다. 따라서 중립적인 의미인 '현저한' 정도로 고쳐야 한다.

② **노력한 탓이다 → 노력한 덕분이다**: '탓'은 '주로 부정적인 현상이 생겨난 까닭이나 원인'과 어울리고 제시된 문장과 같은 긍정적 현상의 원인에는 '덕분'을 사용하는 것이 바른 표현이다.

④ **안전을 보호하기 → 안전을 보장하기/안전을 도모하기/안전을 지키기**: '안전'은 '위험이 생기거나 사고가 날 염려가 없음. 또는 그런 상태'를 의미하므로 '보호'할 필요가 없다.

 ③

021 ○○○ 2012 지방직 9급

밑줄 친 표현 중 올바르게 사용된 것은?

① 민주 사회는 자유와 평등을 지양(止揚)한다.

② 한 사람 때문에 모두가 도매급(都賣級)으로 욕을 먹었다.

③ 그 회사는 사건의 진상을 호도(糊塗)하려고 한다.

④ 우리 할아버지는 향년(享年) 80세이신데도 정정하시다.

난이도 ◯ 중 하

해설 '호도(糊 풀 호, 塗 진흙 도)'는 풀을 바른다는 뜻으로, 명확하게 결말을 내지 않고 일시적으로 감추거나 흐지부지 덮어 버림을 비유적으로 이르는 말이다. 문맥상 그 회사가 사건의 진상을 감추거나 흐지부지 덮어 버리려 한다는 내용이다. 따라서 '호도(糊塗)'의 쓰임은 적절하다.

오답분석 ① **지양(止揚) → 지향(志向)**: 민주 사회는 자유와 평등을 '추구'한다는 의미이다. 따라서 '지양(止揚)'이 아니라 '지향(志向)'을 써야 한다.

② **도매급 → 도매금(都賣金)**: 한 사람 때문에 모두가 '같은 무리로 취급받아' 욕을 먹었다는 의미이다. 각각의 차이에도 불구하고 여럿이 같은 무리로 취급받음을 비유적으로 이르는 말은 '도매금(都賣金)'이다.
※ '도매급'은 '도매금'의 비표준어이다.

④ **향년(享年) → 당년(當年)**: '향년(享年)'은 죽은 사람에게만 쓰는 말이다. 따라서 '정정한 할아버지'에게 '향년'을 쓰는 것은 적절하지 않다.

정답 ③

참고 어휘

1. 지양 - 지향

지양(止揚)	더 높은 단계로 오르기 위하여 어떠한 것을 하지 아니함.
지향(志向)	어떤 목표로 뜻이 쏠리어 향함. 또는 그 방향이나 그쪽으로 쏠리는 의지

2. 호도 - 오도

호도(糊塗)	풀을 바른다는 뜻으로, 명확하게 결말을 내지 않고 일시적으로 감추거나 흐지부지 덮어 버림을 비유적으로 이른 말이다.
오도(誤導)	그릇된 길로 이끎다

3. 향년 - 당년

향년(享年)	한평생 살아 누린 나이. 죽을 때의 나이를 말할 때 쓴다.
당년(當年)	① 일이 있는 바로 그 해 ② 올해 ③ 그 수에 해당하는 나이나 연대(年代)를 이르는 말

출제 유형

문맥에 맞는 어휘의 선택	문맥에 어울리는 어휘를 선택하는 유형

022 ○○○ 2017 국가직 7급

㉠~㉢에 들어갈 말로 가장 적절한 것은?

- 외래문화의 무분별한 수입은 가치관의 (㉠)을 초래하였다.
- 지역 간, 세대 간의 갈등을 (㉡)하고 희망찬 미래로 나아갑시다.
- 아름다운 자연을 관광 자원으로 (㉢)하려고 한다.

	㉠	㉡	㉢
①	혼돈	지양	개발
②	혼돈	지향	계발
③	혼동	지양	개발
④	혼동	지향	계발

난이도 상 ◎ 하

해설 ㉠ '혼돈(混沌)'은 '마구 뒤섞여 있어 갈피를 잡을 수 없음. 또는 그런 상태'를, '혼동(混同)'은 '구별하지 못하고 뒤섞어서 생각함.'을 이르는 말이다. 문맥상 가치관이 '마구 뒤섞이게 되는 것'을 초래했다는 의미이다. 따라서 '혼돈'이 들어가는 게 적절하다.

㉡ '지양(止揚)'은 '더 높은 단계로 오르기 위하여 어떠한 것을 하지 아니함.'을, '지향(志向)'은 '어떤 목표로 뜻이 쏠리어 향함. 또는 그 방향이나 그쪽으로 쏠리는 의지'를 이르는 말이다. 문맥상 지역 간, 세대 간의 갈등을 '피하고'의 의미이다. 따라서 '지양'이 들어가는 게 적절하다.

㉢ '개발(開發)'은 '토지나 천연자원 따위를 유용하게 만듦.', '지식이나 재능 따위를 발달하게 함.'을, '계발(啓發)'은 '슬기나 재능, 사상 따위를 일깨워 줌.'을 이르는 말이다. '자연'은 '천연자원'에 해당한다. 따라서 '개발'이 들어가는 게 적절하다.

※ 목적어가 '자연'일 때는 '개발(開發)'만, 목적어가 '지식, 재능'일 때는 '개발(開發)'과 '계발(啓發)'을 모두 쓸 수 있다.

정답 ①

023 ○○○ 2017 국가직 7급

㉠~㉢에 들어갈 단어로 가장 적절한 것은?

> 인간은 얼마나 많은 것을 기억할 수 있을까? 앞에서 단기 기억 능력에는 한계가 있음을 설명하였다. 단기 기억은 그 기억 용량에서나 기억 시간 면에서 모두 그 한계가 뚜렷하다. 장기 기억은 어떠한가?
> 우리가 어떤 기념식 행사에 참석했다고 가정하자. 국민의례 순서에서 애국가를 부르게 되었다. 이때 애국가 1절의 가사를 기억하지 못하는 사람은 거의 없을 것이다. 애국가 1절의 가사는 이미 (㉠)하게 우리의 장기 기억 창고에 저장되어 있으며 언제라도 오류 없이 그 가사를 회상해 낼 수 있다. 그러나 애국가 2, 3, 4절로 갈수록 우리의 기억은 부정확해진다.
> 이처럼 어떤 기억은 평생 동안 유지되는 반면, 어떤 기억은 얼마간 지속되다가 (㉡)되거나 부정확해진다. 시험 준비를 하는 학생은 자기가 공부하는 내용을 시험 날까지 잘 기억할 수 있기를 바라며, 사회생활을 하는 직장인은 자기가 만나는 거래처 사람들의 이름과 직위 등을 정확하게 기억하고자 애쓴다. 그러나 그런 우리의 바람과는 다르게 시험 전에 분명히 공부했던 내용을 시험 시간에 회상해 내지 못해 안타까웠던 경험, 분명히 인사를 나눈 바 있는 거래처 직원의 이름을 기억해 내지 못해서 (㉢)스러웠던 경험을 우리는 누구나 가지고 있다.

	㉠	㉡	㉢
①	건실(健實)	소거(消去)	곤욕(困辱)
②	견고(堅固)	소실(消失)	혼곤(昏困)
③	확고(確固)	소멸(消滅)	곤혹(困惑)
④	확실(確實)	소진(消盡)	혼란(混亂)

난이도 ㊤ ◯ ㊦

해설 ㉠의 단어는 모두 '분명하다', '굳다'란 의미를 가진다. 그런데 주어에 올 수 있는 말의 성격이 약간씩 다르다.

건실(健實)	생각이나 태도가 건전(健全)하고 진실함.
견고(堅固)	의지나 생각이 동요되지 않을 만큼 매우 확고함.
확고(確固)	무엇이 흔들림이 없이 확실하며 견고함.
확실(確實)	무엇이 실제 사실과 꼭 맞아 틀림없음.

따라서 ㉠에는 '건실(健實)'을 제외한 나머지 단어인 '견고(堅固)', '확고(確固)', '확실(確實)'이 들어갈 수 있다.

㉡의 단어는 모두 '사라지다'란 의미를 가진다. 그런데 말의 성격이 약간씩 다르다.

소거(消去)	글자나 그림 따위가 지워짐. 또는 그것을 지워 없앰.
소실(消失)	관리나 보관을 잘하지 못하여 무엇을 잃어버림.
소멸(消滅)	사라져 없어짐.
소진(消盡)	점점 줄어들어 다 없어짐.

따라서 ㉡에는 '소거(消去)'나 '소실(消失)'을 제외한 나머지 단어인 '소멸(消滅)'과 '소진(消盡)'이 들어갈 수 있다.

㉢의 단어는 형태는 유사하지만, 단어의 의미는 약간 차이가 있다.

곤욕(困辱)	심한 모욕. 또는 참기 힘든 일
혼곤(昏困)	정신이 흐릿하고 고달픔.
곤혹(困惑)	곤란한 일을 당하여 어찌할 바를 모름.
혼란(混亂)	뒤죽박죽이 되어 어지럽고 질서가 없음.

㉢에는 '곤혹(困惑)'만 어울린다.

※ ㉠, ㉡에는 선택지에 제시된 낱말이 넓은 범주에서 모두 가능하다. 다만, ㉢은 명백하게 '곤혹(困惑)'만 가능하다.

따라서 ㉠~㉢을 정리할 때 들어갈 단어가 모두 바른 것은 ③이다.

 ③

MEMO

Unit 03 자연스러운 표현

출제 유형

- 의미가 명확한 문장인지 아닌지 판별하는 유형
- 의미의 중복이 일어난 문장인지 아닌지 판별하는 유형
- 번역 투 표현인지 아닌지 판별하는 유형

핵심정리

1. 영어 번역 투 표현

① **대부분의 ~는:** 영어 'most of ~'의 번역 투 표현이다.
예 대부분의 사람들은 시간을 허투루 보낸다. → 사람들 대부분은 시간을 허투루 보낸다.

② **한 잔의(한 컵의) ~:** 영어 'a cup of ~'의 번역 투 표현이다. 예 한 잔의 커피를 주문했다. → 커피 한 잔을 주문했다.

③ **~임에도 불구하고, 그럼에도 불구하고:** 영어 'in spite of ~'의 번역 투 표현이다.
예 우리는 형제임에도 불구하고, 서로 닮지 않았다. → 우리는 형제이지만, 서로 닮지 않았다.

④ **~에 의해:** 영어 전치사 'by'의 번역 투 표현이다. 예 도둑이 경찰에 의해 잡혔다. → 도둑이 경찰에 잡혔다.

⑤ **~에 관하여:** 영어 전치사 'about'의 번역 투 표현이다.
예 법원이 살인범에 관해 무기 징역을 선고했다. → 법원이 살인범에게 무기 징역을 선고했다.

⑥ **~로부터:** 영어 전치사 'from'의 번역 투 표현이다.
예 할머니로부터 옛날이야기를 들었다. → 할머니에게 옛날이야기를 들었다.

⑦ **~와 함께:** 영어 전치사 'with'의 번역 투 표현이다. 예 밥과 함께 국을 먹는다. → 밥을 먹으면서 국을 먹는다.

⑧ **아무리 ~해도 지나치지 않다:** 영어 'can not ~ too ~'의 번역 투 표현이다.
예 학생들에게 금연은 아무리 강조해도 지나치지 않다. → 학생들에게는 금연을 항상 강조하여야 한다.

⑨ **~할 필요가 있다:** 영어 'It is necessary to ~'의 번역 투 표현이다. 예 요금을 낼 필요가 있다. → 요금을 내야 한다.

⑩ **~할 계획이다:** 영어 'be planning to ~'의 번역 투 표현이다.
예 내일 가족회의를 할 계획이다. → 내일 가족회의를 할 것이다.

⑪ **~하고 있다:** 영어의 현재 진행 '~ing'의 번역 투 표현이다. 예 나는 행복하고 있다. → 나는 행복하다.

⑫ **~에 위치하고 있다:** 영어의 'be located in ~'의 번역 투 표현이다.
예 우리 집은 바닷가에 위치하고 있다. → 우리 집은 바닷가에 있다.

⑬ **(회의, 시간 등을) 가지다/갖다:** 영어의 'have'의 번역 투 표현이다. 예 9시에 회의를 갖자. → 9시에 회의를 하자.

2. 일본어 번역 투 표현

① **~의**
예 나의 살던 고향 → 내가 살던 고향

② **~에 대해서, ~에 관해서**
예 그 일에 대해선 추후 다시 이야기를 하자. → 그 일은 추후 다시 이야기를 하자.

③ **~에 값하다**
예 이 영화는 감독 이름만으로도 기대에 값한다. → 이 영화는 감독 이름만으로도 기대할 만하다.

④ **~에 다름 아니다**
예 이 물건은 진짜에 다름 아니다. → 이 물건은 진짜와 다름없다.

⑤ **~에 틀림없다**
예 저들은 어리석은 자들임에 틀림없다. → 저들은 어리석은 자들임이 틀림없다.

⑥ **~의 경우**
예 아이가 음식을 안 먹을 경우 어떻게 해야 하는가? → 아이가 음식을 안 먹을 때 어떻게 해야 하는가?

⑦ **~를 요하다**
예 정확을 요하는 일이다. → 정확하게 해야 할 일이다.

자연스러운 표현	의미가 명확한 문장인지 아닌지 판별하는 유형

024 ○○○ 2021 소방직

중의적인 문장이 아닌 것은?

① 사람들이 다 오지 않았다.

② 귀여운 영수의 동생을 만났다.

③ 그는 나보다 축구를 더 좋아한다.

④ 나는 사과 한 개와 배 두 개를 먹었다.

난이도 상 ◯ 하

해설 '내가 먹은 것이 사과 1개, 배 2개'라는 의미로만 해석된다. 따라서 ④는 중의적인 문장이 아니다.

오답분석 ① 사람들 중 '일부'만 왔다는 의미인지, 사람들이 '한 명도' 오지 않았다는 의미인지 모호하다.

② '귀여운' 대상이 '영수'인지, '영수의 동생'인지 모호하다.

③ '그'가 '나'와 '축구' 중에서 더 좋아하는 것이 '축구'라는 의미인지(대상 비교), '축구를 좋아하는 정도'가 '그'가 '나'보다 더 크다는 의미인지(정도 비교) 모호하다.

정답 ④

025 ○○○ 2016 경찰 1차

다음 중 문장의 의미가 가장 명확한 것은?

① 선생님이 보고 싶은 학생이 많다.

② 오늘도 나는 반장과 선생님을 찾아다녔다.

③ 수많은 사람들의 노력으로 문제를 해결했다.

④ 아버지는 나를 좋아하는 것보다 신문을 더 좋아한다.

난이도 상 ◯ 하

해설 비교 대상을 '나'와 '신문'으로 명확히 했기 때문에 문장의 의미가 명확한 문장이다.
※ 만약 '아버지는 나보다 신문을 더 좋아한다.'란 문장이었다면, 비교 대상이 명확하지 않아(단순 대상 비교인지, 정도 비교인지) 문장의 의미가 중의적이었을 것이다.

오답분석 ① '보고 싶은'의 주체가 누구냐에 따라 의미가 달라진다. '선생님'을 주체로 해석하면 '선생님이 만나기 원하는 학생이 많다.'는 의미가 되고, '학생이'를 주체로 해석하면 '선생님을 만나고 싶어 하는 학생이 많다.'란 의미로 해석될 수 있다.

② 주어의 범위를 어떻게 잡느냐에 따라 의미가 달라진다. '나와 반장이 함께, 선생님을 찾아다녔다.'는 의미와 '나 혼자서, 반장과 선생님을 찾아 다녔다.'는 의미로 해석될 수 있다.

③ '용언의 관형형∨체언+의∨체언'의 형태는 중의성을 갖게 된다. '수많다'가 수식하는 것이 '사람들'인지, '노력'인지 모호하기 때문이다. 따라서 반점(쉼표)을 통해 의미를 제한해 주어야 한다. 더불어 '수많은'이란 말 자체에 '복수'의 의미가 있기 때문에, 복수 접미사 '-들'을 붙인 '사람들'의 표현도 잉여적이다.
※ '관형어+관형어+체언'의 구조는 중의성을 갖는다.

정답 ④

출제 유형

자연스러운 표현	의미의 중복이 일어난 문장인지 아닌지 판별하는 유형

026 ○○○ 2020 지방직 9급

다음에 해당하는 사례로 적절하지 않은 것은?

> '역전앞'과 마찬가지로 '피해(被害)를 당하다'에도 의미의 중복이 나타난다. '피해'의 '피(被)'에 이미 '당하다'라는 의미가 포함되어 있기 때문이다.

① 형부터 먼저 해라.

② 채훈이는 오로지 빵만 좋아한다.

③ 발언자마다 각각 다른 주장을 편다.

④ 그는 예의가 바를뿐더러 무척 부지런하다.

난이도 상 ◯ 하

TIP 한 쪽을 생략해도 말이 되는지 확인한다!

해설 '-ㄹ뿐더러'는 어떤 일이 그것만으로 그치지 않고 나아가 다른 일이 더 있음을 나타내는 연결 어미이다. 한편, '무척'은 '다른 것과 견줄 수 없이'를 의미하는 부사이다. 둘 사이에는 의미 중복이 나타나지 않기 때문에, 제시된 글에 해당하는 사례로 적절하지 않다.
※ A ㄹ(을) 뿐더러 B = A와 B 모두

오답분석 ① '부터'는 어떤 일이나 상태 따위에 관련된 범위의 시작임을 나타내는 보조사이다. 한편, '먼저'는 '시간적으로나 순서상으로 앞서서'를 의미하는 부사이다. 두 단어 모두 '시작, 처음'이라는 의미를 공유하고 있기 때문에 의미 중복의 적절한 사례이다.

② '오로지'는 '오직 한 곬으로'를 의미하는 부사이다. 한편, '만'은 '다른 것으로부터 제한하여 어느 것을 한정함'을 나타내는 보조사이다. 두 단어 모두 '오직'의 의미를 공유하고 있기 때문에 의미 중복의 적절한 사례이다.
※ 곬: 한쪽으로 트여 나가는 방향이나 길

③ '마다'는 '낱낱이 모두'의 뜻을 나타내는 보조사이다. 한편, '각각'은 '사람이나 물건의 하나하나마다'를 의미하는 부사이다. 두 단어는 모두 '하나하나'의 의미를 공유하고 있기 때문에 의미 중복의 적절한 사례이다.

정답 ④

027 ○○○ 2010 서울시 9급

다음 중 의미의 중복이 없는 것은?

① 과반수가 넘는 찬성으로 안건이 가결되었다.

② 미리 예습하는 것이 좋을 것 같다.

③ 그때 당시에는 모두가 힘들었습니다.

④ 어려운 난관을 뚫고 마침내 시험에 합격했다.

⑤ 그날 이후 우리는 돈독한 사이가 되었다.

난이도 ㊤ ㊥ ㊦

해설 '그날 이후로 돈독한 사이가 되었다.'는 하나의 의미로만 해석되므로, 의미 중복이 없는 문장이다. '돈독하다'는 '도탑고 성실하다.'는 뜻이다.

오답분석 ① '과반수(過半數)'는 '절반을 넘는 수'를 이르는 말로, 단어 자체에 '넘다'란 의미를 담고 있다. 따라서 '넘다'란 의미가 중복되었다.

② '예습(豫習)'은 '앞으로 배울 내용을 미리 익힘.'이란 의미를 가진 말로, 단어 자체에 '미리'란 의미를 담고 있다. 따라서 '미리'란 의미가 중복되었다.

③ '당시(當時)'는 '앞에서 말한 그때'를 이르는 말로, 단어 자체에 '그때'란 의미를 담고 있다. 따라서 '그때'란 의미가 중복되었다.

④ '난관(難關)'은 '넘기기 어려운 고비'를 이르는 말로, 단어 자체에 '어려운'이란 의미를 담고 있다. 따라서 '어려운'이란 의미가 중복되었다.

정답 ⑤

출제 유형

자연스러운 표현	번역 투 표현인지 아닌지 판별하는 유형

028 ○○○ 2012 국가직 7급

번역 투의 표현이 아닌 문장으로만 짝지은 것은?

① ┌ 나는 부모님에 의해 예의 바르고 친절한 아이로 자랐다.
└ 그에게 있어서 가정이란 자고 나가는 곳 외에 아무 의미가 없다.

② ┌ 이번 방학에 제주도를 방문할 계획을 가지고 있다.
└ 학내 폭력 문제를 일으킨 학생들에게는 자숙하는 시간을 필요로 한다.

③ ┌ 내 고향에는 아직도 많은 친척들이 살고 있다.
└ 이런 짓은 사회 질서를 깨뜨리는 일이므로 절대로 해서는 안 된다.

④ ┌ 이런 사실은 아무리 강조해도 지나치지 않는다.
└ 오늘 조회 시간에는 학교 문제에 대한 교장 선생님의 솔직한 해명이 있었다.

난이도 ㊤ ㊥ ㊦

해설 ③의 두 문장에는 번역 투의 표현이 사용되지 않았다.

오답분석 ① '~에 의해', '~에게 있어서'는 영어 'by'의 번역 투 표현이다.

② '~을 가지고 있다.'는 영어의 'have', '~을 필요로 하다.'는 영어의 'It is needed to'의 번역 투 표현이다.

④ '아무리 강조해도 지나치지 않다.'는 영어의 'can not ~ too ~'의 번역 투의 표현이다. 또한 '해명'을 수식하는 관형어 표현이 지나치게 많다.

정답 ③

029 ○○○ 2011 법원직 9급

우리말답지 않은 번역 투 표현이 없어 자연스러운 문장은?

① 부서별 회의를 내일 10시에 갖도록 합시다.

② 시험에 합격했다는 소식을 동생으로부터 들었다.

③ 새로 오신 교장선생님께서는 축구부 학생들에게 관심을 많이 두고 있다.

④ 눈이 너무 나쁜 관계로 라식 수술이 안 된다는 말을 듣고 크게 상심하였다.

난이도 ㊤ ㊥ ㊦

해설 '관심을 갖다'가 아니라 '관심을 두다'라고 표현했기 때문에 ③은 번역 투 표현이 아니다.

오답분석 ① **회의를 ~ 갖도록 합시다 → 회의를 ~ 하도록 합시다**: '회의를 갖다'라는 표현은 영어 'have a meeting'의 번역 투 표현이다.

② **동생으로부터 → 동생에게**: '~으로부터 들었다'라는 표현은 영어 'from'의 번역 투 표현이다.

④ **눈이 너무 나쁜 관계로 → 눈이 너무 나빠서**: '~한 관계로'라는 표현은 일본어 번역 투 표현이다.

정답 ③

Unit 04 문장 표현 1 - 적절한 어법과 어휘의 선택

출제 유형

• 어법과 어휘의 쓰임이 적절한지 판별하는 유형

심화 Plus

• 올바른 어법과 어휘 기출

21 군무원 9급	• 오늘 이것으로 치사를 갈음하고자 합니다. • 내노라하는(→ 내로라하는) 재계의 인사들이 한곳에 모였다. • 예산을 대충 겉잡아서 말하지 말고 잘 뽑아 보시오. • 그가 무슨 잘못을 저질렀는지 나와 눈길을 부딪치기를 꺼려했다.
16 국회직 9급	• 눈이 침침해서 안경의 도수를 돋궜나. • 정면으로 부딪친 차들이 크게 부서졌다. • 그는 분을 삭히느라(→ 삭이느라) 깊이 숨을 들이마셨다. • 이 사건은 사람들의 무관심 속에 차츰 잊혀 갔다. • 신변을 보호하기 위해 경호원을 붙이기로 결정했다. • 나사는 죄야 하나? • 봄 신상품을 선뵈어야 매출이 오를 거야. • 자네 덕에 생일을 잘 쇠서(→ 쇄서/쇠어서) 고맙네. • 그는 오랜만에 고향 땅에 발을 딛는 감회가 새로웠다. • 장마 후 날씨가 개어서 가족과 함께 가까운 곳으로 소풍을 갔다.
16 경찰 2차	• 이런 날씨에 비를 맞추니(→ 맞히니) 멀쩡한 사람도 병이 나지. • 너라면 아마도 그 문제의 정답을 맞출(→ 맞힐) 수 있었을 텐데. • 우리 선수는 마지막 화살까지도 10점 과녁에 맞췄다(→ 맞혔다). • 그는 그녀와의 약속 시간을 제대로 맞춘 적이 없었다.

출제 유형

적절한 어법과 어휘의 선택	어법과 어휘의 쓰임이 적절한지 판별하는 유형

030 ○○○

2022 서울시 9급(2월)

가장 자연스러운 문장은?

① 지금부터 회장님의 말씀이 계시겠습니다.

② 당신이 가리키는 곳은 시청으로 보입니다.

③ 푸른 산과 맑은 물이 흐르는 계곡으로 가자!

④ 이런 곳에서 생활한다는 것이 믿겨지지 않았다.

난이도 ㊤ ◎ ㊦

해설 '가리키다[point]'가 '지시하다'의 의미로 쓰였다는 점에서, 그 쓰임은 적절하다. 따라서 ②는 자연스러운 문장이다.

오답분석 ① **회장님의 말씀이 계시겠습니다. → 회장님의 말씀이 있으시겠습니다.**: 회장님의 '말'을 높임으로써, 회장님을 간접적으로 높이는 간접 높임이 쓰인 경우이다. '있다'의 간접 높임말은 '계시다'가 아니라 '있으시다'이다.

※ 주술을 확실히 밝혀 '회장님이 말씀하시겠습니다.'로 고칠 수도 있다.

③ **푸른 산과 맑은 물이 흐르는 → 푸른 산이 보이고 / 맑은 물이 흐르는**: 문장을 단순히 하면, 'A와 B가 흐르다.'이다. 접속 조사 '와/과'에 의해 이어져 있기 때문에 'A'와 'B' 모두 서술어 '흐르다'와 호응을 해야 한다. 그런데 '푸른 산'과 서술어 '흐르다'는 호응하지 않는다. 따라서 주술의 호응이 바르지 않은 문장이다.

④ **믿겨지지 → 믿기지/믿어지지**: '믿기다'는 '믿다'의 피동사이다. 따라서 '믿겨지다'는 피동사 '믿기다'에 다시 피동의 '-어지다'를 붙인 이중피동 표현으로 이중 피동은 문법에서 바른 표현이 아니다.

정답 ②

031 ○○○

2021 국가직 9급

가장 자연스러운 문장은?

① 날씨가 선선해지니 역시 책이 잘 읽힌다.

② 이렇게 어려운 책을 속독으로 읽는 것은 하늘의 별 따기이다.

③ 내가 이 일의 책임자가 되기보다는 직접 찾기로 의견을 모았다.

④ 그는 시화전을 홍보하는 일과 시화전의 진행에 아주 열성적이다.

난이도 ㊤ ◎ ㊦

해설 '읽히다'는 "글에 담긴 뜻이 헤아려져 이해되다."라는 의미로, '읽다'의 피동사이다. 따라서 그 쓰임이 적절하다. 따라서 "날씨가 선선해지니 역시 책이 잘 읽힌다."는 '날씨가 선선해지다.(피동)'+'책이 잘 읽히다.(피동)'의 연결 관계로 어법에 어긋난 표현이 없다.

오답분석 ② **속독으로 읽는 것 → 속독하는 것/빨리 읽는 것**: '**速讀**(속독: 빠를 속, 읽을 독)'이라는 말 속에 '읽다'라는 의미가 포함되어 있다. 따라서 '속독으로 읽는 것'이라는 표현은 자연스럽지 않다. 따라서 '속독하는 것' 또는 '빨리 읽는 것'으로 고쳐야 자연스러운 문장이 된다.

※ 다만 국립국어원 표준국어대사전의 '속독'의 예문으로 "그는 시간이 없는지 속독으로 책을 읽어 내려간다."가 제시되어 있긴 하다. 따라서 상대적으로 선지를 파악할 필요가 있다.

③ **직접 찾기로 → 직접 책임자를 찾기로**: '찾다'는 타동사이므로 목적어가 있어야 자연스러운 문장이 된다. 따라서 '찾다'에 어울리는 목적어 '책임자를'을 넣어, "직접 책임자를 찾기로" 정도로 고치는 게 자연스럽다.

④ **시화전을 홍보하는 일과 시화전의 진행 → 시화전을 홍보하는 일과(시화전을) 진행하는 일/시화전의 홍보와 (시화전의) 진행에**: 접속조사 '와/과'를 기준으로 앞뒤 말의 구조는 동일해야 한다. 따라서 '홍보하는 일'에 맞춰 '시화전의 진행'을 '시화전을 진행하는 일'로 고치거나, '시화전의 진행'에 맞춰 '시화전을 홍보하는 일'을 '시화전의 홍보'로 고쳐야 자연스러운 문장이 된다.

정답 ①

032 ○○○

2020 지방직 9급

다음 보도 기사별 마무리 표현으로 적절하지 않은 것은?

보도 기사	마무리 표현
소송이나 다툼에 관한 소식	㉠
어느 쪽이 옳다고 말하기 애매한 소식	㉡
사건이 터지고 결과가 드러나기 전 소식	㉢
연예 스캔들 소식	㉣

① ㉠: 모쪼록 원만히 해결되기 바랍니다.

② ㉡: 그 의미를 새삼 돌아보게 됩니다.

③ ㉢: 현재 귀추가 주목되고 있습니다.

④ ㉣: 호사가들의 입방아에 오르내리고 있습니다.

난이도 상 중 하

해설 '새삼'은 '다시금, 새롭게'를 의미하는 단어이다. 따라서 "그 의미를 새삼 돌아보게 됩니다."라는 표현은 다시금, 새롭게 돌아보게 되는 기사의 내용에 어울린다. 따라서 어느 쪽이 옳다고 말하기 애매한 소식에는 어울리지 않는 표현이다.

오답 분석 ① 소송이나 다툼이므로 원만히 해결되기 바란다는 내용으로 마무리하는 것은 자연스럽다.

③ '귀추(歸趨)'는 '일이 되어 가는 형편'을 의미하는 단어이다. 따라서 결과가 드러나기 전의 소식을 전하고 마무리할 때 "현재 귀추가 주목되고 있습니다."라는 표현을 쓰기에 적절하다.

④ '입방아'는 '어떤 사실을 화제로 삼아 이러쿵저러쿵 쓸데없이 입을 놀리는 일'을 의미하는 단어이다. 따라서 연예 스캔들 소식을 전하고 마무리할 때 "호사가들의 입방아에 오르내리고 있습니다."라는 표현을 쓰기에 적절하다.

정답 ②

033 ○○○

2019 기상직 9급

문장 표현이 적절하지 않은 것은?

① 그 편지는 나에게 잊혀진 지 오래다.

② 선거에 출사표를 던진 후보는 모두 7명이다.

③ 그는 학계에 큰 파문을 일으켰다.

④ 그분의 선행을 본보기로 삼아야 한다.

난이도 상 중 하

해설 **잊혀진 → 잊힌**: '잊다'의 피동사는 '잊히다'이다. 다시 피동의 뜻을 더하는 '-어지다'를 붙이면 이중 피동이 된다. 따라서 '잊다'의 피동사 '잊히다'에 다시 '-어지다'를 붙인, '잊혀진'의 표현은 적절하지 않다.

오답 분석 ② '출사표(出師表)'는 출병할 때에 그 뜻을 적어서 임금에게 올리던 글을 이른다. 이것이 '던지다'라는 서술어와 함께 쓰여 관용어로 '참가 의사를 밝히다.'라는 의미이다. 따라서 선거 참가 의사를 밝힌 상황에 '출사표를 던지다.'라고 표현한 것은 옳다.

※ 출사표를 던지다(관용어): 경기, 경쟁 따위에 참가 의사를 밝히다.

③ '파문(波紋)'은 '어떤 일이 다른 데에 미치는 영향'이라는 의미이다. 따라서 학계에 큰 영향을 미쳤다는 의미로 '파문'을 표현한 것은 옳다.

④ '본보기'는 '본받을 만한 대상'이라는 의미이다. 따라서 '선행'을 본받을 대상으로 삼다는 의미에서 '본보기'로 표현한 것은 옳다.

정답 ①

034 ○○○

2018 지방직 9급

사동법의 특징을 고려할 때 밑줄 친 단어의 쓰임이 옳은 것은?

① 그는 김 교수에게 박 군을 <u>소개시켰다</u>.

② 돌아오는 길에 병원에 들러 아이를 <u>입원시켰다</u>.

③ 생각이 다른 타인을 <u>설득시킨다는</u> 건 참 힘든 일이다.

④ 우리는 토론을 거쳐 다양한 사회적 갈등을 <u>해소시킨다</u>.

난이도 상 중 하

해설 ①, ③, ④는 각각 '소개하다/설득하다/해소하다'로 바꾸었을 때 의미가 더 자연스럽게 되는 경우로 남용된 사례에 해당한다. 다만 ②는 '입원하다'로 사용하면 주어의 능동의 의미가 되어 문맥이 어색해지고, 오히려 '입원시키다'로 사용하여 '입원을 하게 했다'는 '사동'의 의미로 적절하게 사용된 사례에 해당한다.

오답 분석 ②를 제외한 나머지는 모두 사동의 의미가 없기 때문에 '-시키다'를 붙일 수 없다.

① 소개시켰다 → 소개했다

③ 설득시킨다는 → 설득한다는

④ 해소시킨다 → 해소한다

정답 ②

'시키다'를 '하다'로 바꿔 보기!

바꿀 수 있으면 남용된 사례!

Unit 05 문장 표현 2 - 문장 성분의 호응

출제 유형

문장 성분의 호응	• 문장 성분의 호응이 적절한지 판별하는 유형
고쳐쓰기의 적절성	• 문장의 수정이 적절한지 판별하는 유형 • 글의 수정이 적절한지 판별하는 유형

심화 Plus

• 문장 성분의 호응 기출

(1) [17 경찰 1차]

잘못된 문장	바른 문장
공직자는 사회 현실과 사회적 책임을 다해야 할 것이다.	공직자는 사회 현실을 <u>직시해야 하고</u>, 사회적 책임을 다해야 할 것이다.
-	이 약은 예전부터 우리 집의 만병통치약으로 사용되어 왔다.
인간은 환경을 지배하기도 하고 순응하기도 한다.	인간은 환경을 지배하기도 하고 <u>자연에</u> 순응하기도 한다.
그는 내키지 않는 일은 반드시 하지 않는다.	그는 내키지 않는 일은 <u>절대로</u> 하지 않는다.

(2) [17 국회직 9급]

잘못된 문장	바른 문장
철수의 장점은 사람들을 배려하고 도와주고 어떤 일이든 최선을 다한다.	철수의 장점은 사람들을 배려하고 도와주고 어떤 일이든 최선을 <u>다한다는 것이다</u>.
선생님은 학생들의 애환을 친절하게 들어주고 위로해 주시려고 노력하셨다.	선생님은 학생들의 애환을 친절하게 들어주고 <u>학생들을</u> 위로해 주시려고 노력하셨다.
지금으로써는 그 문제를 해결할 방법이 없어.	지금<u>으로서</u>는 그 문제를 해결할 방법이 없어.
김 씨는 "사람들이 매우 흥분해서 상황이 좋지 않았다."고 말했다.	김 씨는 "사람들이 매우 흥분해서 상황이 좋지 않았다."<u>라고</u> 말했다.
-	가세가 기운 뒤로는 그토록 인심이 후하던 그녀도 점차 야박해져 갔다.

문장 성분의 호응	문장 성분의 호응이 적절한지 판별하는 유형

035 ○○○ 2022 간호직 8급

가장 자연스러운 문장은?

① 내가 가고 싶은 곳은 내 친구가 그곳을 방문했다.

② 이 시는 토속적인 시어의 사용과 현장감을 높이고 있다.

③ 사고 운전자가 구호 조치를 하지 않고 도주하면 가중 처벌을 받습니다.

④ 그 일이 설령 실패했지만 실패도 성공의 과정이므로 절대 실망할 필요가 없다.

난이도 ㊤ ◯ ㊦

해설 ③의 '사고 운전자가 / 구호 조치를 하지 않고 도주하면 / 가중 처벌을 받습니다.'는 생략되거나 중복된 문장 성분도 없고, 문장 성분의 호응이 바른 자연스러운 문장이다.

오답분석 ① **내가 가고 싶은 곳은 내 친구가 그곳을 방문했다. → 내가 가고 싶은 곳은 내 친구가 방문했다.**: '내가 가고 싶은 곳은'에 목적격 조사 '을'이 생략되어 있지만, 문장 성분은 목적어이다. 즉 '내가 가고 싶은 곳을 내 친구가 방문했다.'가 되므로, '그곳을'은 불필요하게 쓰인 목적어이다. 따라서 '그곳을'을 삭제해야 한다.

② **토속적인 시어의 사용과 현장감을 높이고 있다. → 토속적인 [시어를 사용하여 / 현장감을 높이고] 있다.**: '토속적인 시어의 사용'이 원인이고, '현장감을 높이고 있다'가 결과이다. 따라서 '토속적인 시어를 사용하여 현장감을 높이고 있다.'로 고쳐야 자연스러운 문장이 된다.

④ **그 일이 설령 실패했지만 → 그 일이 설령 실패했다 하더라도**: 부사 '설령' 뒤에는 '-다 하더라도' 따위가 온다. 따라서 '그 일이 설령 실패했지만' 보다는 '그 일이 설령 실패했다 하더라도'가 더 자연스럽다.

정답 ③

036 ○○○ 2022 국회직 8급

어법에 맞는 문장은?

① 그 회사는 품질 면에서 세계 최고이다.

② 내 생각은 네가 잘못을 인정하면 해결될 것이다.

③ 지도자는 자유 수호와 인권을 보장하는 것을 목표로 삼아야 한다.

④ 이사회는 재무 지표 현황과 개선 계획을 수립, 다음 달부터 시행하기로 하였다.

⑤ 이 여론 조사 결과는 현재 무엇을 시급히 개선해야 한다는 점을 말해 주고 있다.

난이도 ㊤ ◯ ㊦

해설 '그 회사는 품질 면에서 세계 최고이다.'는 어법에 맞는 문장이다.

오답분석 ② **내 생각은 네가 잘못을 인정하면 해결될 것이다. → 나는 이 문제는 네가 잘못을 인정하면 해결될 것이라고 생각한다.**: 주어 '내 생각은'과 서술어 '해결될 것이다'의 호응이 어색하다. 따라서 '나는 이 문제는 네가 잘못을 인정하면 해결될 것이라고 생각한다.' 정도로 수정해야 자연스럽다.

③ **자유 수호와 인권을 보장하는 것을 → 자유 수호와 인권 보장을/자유를 수호하고 인권을 보장하는 것을**: 'A와 B'일 때 A와 B에 오는 내용의 층위는 동일해야 한다. 따라서 명사구를 나란히 배열한 '자유 수호와 인권 보장을'로 수정하거나, 목적어와 서술어를 나란히 배열한 '자유를 수호하고 인권을 보장하는 것'으로 수정해야 자연스럽다.

④ **재무 지표 현황과 개선 계획을 수립 → 재무 지표의 현황을 분석하고 개선 계획을 수립하여**: 지나친 명사구 문장이다. 따라서 '재무 지표의 현황을 분석하고 개선 계획을 수립하여'로 수정해야 자연스럽다.

⑤ **현재 무엇을 시급히 개선해야 한다는 점을 → 현재 무엇을 시급히 개선해야 하는지를**: 흐름상 '현재 무엇을 시급히 개선해야 한다는 점'을 '현재 무엇을 시급히 개선해야 하는지'로 수정해야 자연스럽다.

정답 ①

037 ○○○ 2020 국가직 9급

문장 성분의 호응이 자연스러운 것은?

① 내가 강조하고 싶은 점은 우리가 고유 언어를 가졌다.

② 좋은 사람과 대화하며 함께한 일은 즐거운 시간이었다.

③ 내 생각은 집을 사서 이사하는 것이 좋겠다고 결정했다.

④ 그는 내 생각이 옳지 않다고 여러 사람 앞에서 말을 하였다.

난이도 ◯ ㊥ ㊦

해설 "그는 내 생각이 옳지 않다고 여러 사람 앞에서 말을 하였다."는 문장 성분의 호응, 특별히 주어와 서술어의 호응이 자연스럽다. 제시된 문장은 "그가(주어) 여러 사람 앞에서(부사어구) 말을(목적어) 하였다(서술어)."의 문장과 "내 생각이(주어구) 옳지 않다(서술어구)."의 문장이 간접 인용절로 안겨 있다.

오답분석 ① **내가 강조하고 싶은 점은 ~ 가졌다. → 내가 강조하고 싶은 점은 ~ 가졌다는 것이다.**: 주어 '내가 강조하고 싶은 점은'과 서술어 '가졌다'의 호응이 자연스럽지 않은 문장이다.
"우리가(주어) 고유 언어를(목적어구) 가졌다(서술어)."는 호응 관계가 바르다. 다만 "내가 강조하고 싶은 점은(주어구)"에 대한 서술어가 제시되어 있지 않다.

② **~일은 즐거운 시간이었다. → ~일은 즐거운 경험이었다.**: '일'과 '시간'의 호응이 자연스럽지 않다. '일'에 맞춰 '경험'으로 수정해야 호응이 자연스러운 문장이다. 혹은 '일' 대신에 '그때'로 바꾸면 '시간'과 호응할 수 있다.
"좋은 사람과(부사어구) 대화하다(서술어) + 좋은 사람과(부사어구) 함께하다(서술어)"의 호응 관계는 바르다. 다만 의미상 "일이(주어) 시간이다(서술어)."의 호응이 적절하지 않다.

③ **내 생각은 ~ 좋겠다고 결정했다.→ 내 생각은 ~ 좋겠다는 것이다. / 나는 ~ 결정했다.**: 주어 '내 생각은'과 서술어 '결정했다'의 호응이 자연스럽지 않다.
"(내가, 주어) 집을(목적어) 사서(서술어) 이사하는 것이(주어구) 좋겠다(서술어)."의 짜임은 호응이 적절하다. 다만 "내 생각은(주어) 결정했다(서술어)."의 호응이 어색하다.

정답 ④

038 ○○○ 2018 지방직 7급

문장 성분의 호응이 가장 자연스러운 것은?

① 대화명을 규정에 맞게 변경하지 않는 사람은 관리자가 카페 이용을 제한해야 한다.

② 그 일이 벌어졌을 때 아마 마음속으로라도 박수를 보내는 사람은 얼마나 되었을까.

③ 월드컵에서 보여 준 에너지를 바탕으로 국민 대통합과 국가 경쟁력을 제고해야 한다.

④ 행복의 조건으로서 물질적 기반 이외에 자질의 연마, 인격, 원만한 인간관계 등이 필요하다는 것이다.

난이도 상 중 하

해설 ①은 '대화명을 규정에 맞게 변경하지 않는'이라는 관형절을 안은 문장이다. 안긴문장인 '대화명을 규정에 맞게 변경하지 않는'과 '~한 사람은(을) 관리자가 카페 이용을 제한해야 한다.' 모두 문장 성분의 호응이 자연스럽다. 따라서 ①은 문장 성분의 호응이 가장 자연스러운 문장이다.

오답분석

② **아마 → 과연**: 부사어와 서술어의 호응이 자연스럽지 않다. 부사어 '아마'는 미루어 짐작하거나 생각하여 볼 때 그럴 가능성이 크다는 뜻을 나타내는 말로 뒤에 추측의 표현과 호응한다. 의미상 박수를 보내는 사람이 많지 않았을 것이라고 짐작하고 있으므로 '결과에 있어서도 참으로'라는 뜻의 '과연'이 오는 것이 적절하다. '과연 ~ 있을까?' 혹은 '아마 ~ 많지 않았을걸. / 아마 많지 않았을 것이다.'의 형태로 쓰인다.

③ **국민 대통합과 → 국민을 대통합하고**: 서술어 '제고(쳐들어 높임)해야 한다'와 목적어 '국민 대통합'의 호응이 어색하다. 따라서 '국민을 대통합하고 국가 경쟁력을 제고해야 한다.'로 수정해야 한다.

④ **행복의 조건으로서 → 행복의 조건으로써 ~ 필요하다./이것은 행복의 조건으로써 ~ 필요하다는 것이다.**: '조건으로서'에서 부사격 조사 '으로서'의 쓰임이 적절하지 않다. '으로서'는 지위나 신분 또는 자격을 나타내는 격 조사이므로 어떤 일의 수단이나 도구를 나타내는 격 조사인 '으로써'나 '으로'로 수정해야 한다. 또한 서술어 '필요하다는 것이다'와 호응하는 주어가 생략되었으므로 서술어를 고치거나 주어를 추가해야 한다. '행복의 조건으로써 ~ 등이 필요하다.' 혹은 '이것은 행복의 조건으로써 ~ 등이 필요하다는 것이다.' 정도가 적절하다.

정답 ①

039 ○○○ 2018 국가직 7급

문장 성분의 호응이 가장 자연스러운 것은?

① 세종이 한글을 만든 것은 모든 한자 사용을 없애고자 한 의도였다.

② 우리는 균형 있는 식단 마련과 쾌적한 실내 분위기를 조성하는 노력을 꾸준히 해 왔다.

③ 우리 팀에서는 가능한 한 많은 관중이 동원될 수 있도록 모든 홍보 방안을 고려해 왔다.

④ 아래에 제시된 두 가지 통계 자료를 살펴보면, 2000년대 이후 복지 정책에 상당히 큰 변화가 일어나고 있다.

난이도 상 중 하

해설 ③의 주어 '우리 팀에서는'과 서술어 '고려해 왔다'는 호응한다.
※ '우리 팀에서는'은 주어이다. '우리 팀'은 단체 무정 명사이기 때문에 주격 조사 '에서'를 사용했다.

오답분석

① **없애고자 한 의도였다. → 없애기 위해서였다**: 주어와 서술어와 호응이 바르지 않은 문장이다. 따라서 '없애고자 한 의도였다'를 '없애기 위해서였다'로 수정하는 것이 자연스럽다.

② **식단 마련과 → 식단을 마련하고**: '쾌적한 실내 분위기를 조성하는'에 맞추어 '식단 마련과'를 '식단을 마련하고'로 수정하는 것이 자연스럽다.

④ **일어나고 있다. → 일어나고 있음을 알 수 있다**: 주어와 서술어와 호응이 바르지 않은 문장이다. 따라서 '일어나고 있다'를 '일어나고 있음을 알 수 있다'로 수정하는 것이 자연스럽다.

정답 ③

고쳐쓰기의 적절성	문장의 수정이 적절한지 판별하는 유형

040 ○○○ 2022 국가직 9급

(가)~(라)를 고쳐 쓴 것으로 옳지 않은 것은?

> (가) 오빠는 생김새가 나하고는 많이 틀려.
> (나) 좋은 결실이 맺어졌으면 하는 바람입니다.
> (다) 내가 오직 바라는 것은 네가 잘됐으면 좋겠어.
> (라) 신은 인간을 사랑하기도 하지만 시련을 주기도 한다.

① (가): 오빠는 생김새가 나하고는 많이 달라.
② (나): 좋은 결실을 맺었으면 하는 바램입니다.
③ (다): 내가 오직 바라는 것은 네가 잘됐으면 좋겠다는 거야.
④ (라): 신은 인간을 사랑하기도 하지만 인간에게 시련을 주기도 한다.

난이도 상 중 하

해설 '어떤 일이 이루어지기를 기다리는 간절한 마음'을 이르는 말은 '바람'이다. 따라서 '바람'을 '바램'으로 고쳐 쓴 것은 적절하지 않다.

오답분석
① '틀리다'의 반의어는 '맞다'이다. 생김새가 '맞지 않다'는 의미가 아니라, 생김새가 '같지 않다'는 의미이다. 따라서 '같다'의 반의어인 '다르다'로 고쳐 쓴 것은 옳다.
③ 주어와 서술어는 호응해야 한다. (다)의 주어는 '바라는 것'이고 서술어는 '잘됐으면 좋겠어'이다. 주어와 서술어의 호응을 고려할 때, 서술어를 '좋겠다는 거야'로 고쳐 쓴 것은 옳다.
④ '주다'는 목적어 외에 '누구에게'에 해당하는 부사어를 필수적으로 요구한다. 그런데 (라)에는 '누구에게'에 해당하는 부사어가 빠져 있다. 따라서 적절한 부사어 '인간에게'를 추가한 고쳐쓰기 방안은 적절하다.

 ②

041 ○○○ 2021 지방직 9급

(가)~(라)의 고쳐 쓰기 방안으로 적절하지 않은 것은?

> (가) 현재 우리 구청 조직도에는 기획실, 홍보실, 감사실, 행정국, 복지국, 안전국, 보건소가 있었다.
> (나) 오늘은 우리 시청이 지양하는 '누구나 행복한 ○○시'를 실현하기 위한 추진 방안을 논의합니다.
> (다) 지난달 수해로 인한 준비 기간이 짧았기 때문에 지역 축제는 예년보다 규모가 줄어들었다.
> (라) 공과금을 기한 내에 지정 금융 기관에 납부하지 않으면 연체료를 내야 한다.

① (가): '있었다'는 문맥상 시제 표현이 적절하지 않으므로 '있다'로 고쳐 쓴다.
② (나): '지양'은 어떤 목표로 뜻이 쏠리어 향한다는 의미인 '지향'으로 고쳐 쓴다.
③ (다): '지난달 수해로 인한'은 '준비 기간'을 수식하는 절이 아니므로 '지난달 수해로 인하여'로 고쳐 쓴다.
④ (라): '납부'는 맥락상 금융 기관이 돈이나 물품 따위를 받아 거두어들인다는 '수납'으로 고쳐 쓴다.

난이도 상 중 하

해설 '납부(納付)'는 '세금이나 공과금 따위를 관계 기관에 냄'이라는 의미이고, '수납(收納)'은 '돈이나 물품 따위를 받아 거두어들임.'이라는 의미이다. (라)에서는 문맥상 공과금을 '내지' 않으면 연체료를 내야 한다는 의미이다. 따라서 '냄'의 의미를 가진 '납부'를 그대로 써야 한다. 그러므로 '수납'으로 고쳐 쓴다는 방안은 적절하지 않다.

오답분석
① '현재'와 과거 시제 선어말 어미 '-었-'을 쓴 '있었다'는 호응하지 않는다. 따라서 '현재'에 맞춰 '있다'로 고쳐 쓴 것은 적절하다.
② '지양'은 '더 높은 단계로 오르기 위하여 어떠한 것을 하지 아니함.'이라는 의미이다. 그런데 문맥상 '누구나 행복한 ○○시'를 추구한다는 의미이다. 따라서 '지양'을 '지향'으로 고쳐 쓴 것은 적절하다.
③ 수해의 영향으로 준비 기간이 짧았다는 의미이다. 따라서 '지난달 수해로 인하여'로 고쳐 쓴 것은 적절하다.

정답 ④

042 ○○○ 2021 경찰 1차

〈보기〉의 내용을 근거로 하여 잘못된 문장을 수정한 예로 적절하지 않은 것은?

〈보기〉

서술어의 자릿수는 문법적으로 정확하지 않은 문장을 수정하는 데 고려해야 할 중요한 기준이다. 서술어가 요구하는 문장 성분이 빠져 있으면 문법적으로 정확하지 않은 문장이 되므로 그 성분을 보충하여야 한다.

① 내가 오직 바라는 일은 네가 잘됐으면 좋겠다.
→ 내가 오직 바라는 일은 네가 잘됐으면 하는 것이다.

② 형사들은 도피 중인 범죄자로 간주하고 문초하기 시작했다.
→ 형사들은 그를 도피 중인 범죄자로 간주하고 문초하기 시작했다.

③ 인간은 자연에 복종하기도 하고 지배하기도 하면서 살아간다.
→ 인간은 자연에 복종하기도 하고 자연을 지배하기도 하면서 살아간다.

④ 그는 손을 넣고 걷다가 눈길에 미끄러졌다.
→ 그는 호주머니에 손을 넣고 걷다가 눈길에 미끄러졌다.

난이도 상 중 하

해설 〈보기〉는 필수적인 문장 성분이 빠져 있는 경우 수정해야 한다는 내용을 담고 있다. 그런데 ①의 경우 주술의 호응이 바르지 않아 수정한 경우이다. 따라서 〈보기〉를 근거로 수정한 예로 적절하지 않다.

오답분석 ② '간주하다'는 '주어가 목적어를 부사어로 간주하다.'의 꼴로 쓰인다. 즉 서술어 '간주하다'는 목적어가 있어야 완벽한 문장이 될 수 있다. 따라서 고쳐 쓴 문장에서 목적어 '그를'을 추가한 것은 〈보기〉와 관련이 있다.

③ '지배하다'는 '주어가 목적어를 지배하다.'의 꼴로 쓰인다. 즉 서술어 '지배하다'는 목적어가 있어야 완벽한 문장이 될 수 있다. 따라서 고쳐 쓴 문장에서 목적어 '자연을'을 추가한 것은 〈보기〉와 관련이 있다.

④ '넣다'는 '주어가 목적어를 부사어에 넣다.'의 꼴로 쓰인다. 즉 서술어 '넣다'는 부사어가 있어야 완벽한 문장이 될 수 있다. 따라서 고쳐 쓴 문장에서 부사어 '호주머니에'를 추가한 것은 〈보기〉와 관련이 있다.

정답 ①

043 ○○○ 2020 국가직 9급

㉠~㉣의 고쳐 쓰기 방안으로 적절하지 않은 것은?

㉠ 공사하는 기간 동안 안전사고가 일어나지 않도록 유의해 주십시오.
㉡ 오늘 오후에 팀 전체가 모여 회의를 갖겠습니다.
㉢ 비상문이 열려져 있어 신속하게 대피할 수 있었다.
㉣ 지난밤 검찰은 그를 뇌물 수수 혐의로 구속했다.

① ㉠: '기간'과 '동안'은 의미가 중복되므로 '공사하는 기간 동안'은 '공사하는 동안'으로 고쳐 쓴다.

② ㉡: '회의를 갖겠습니다'는 번역 투이므로 '회의하겠습니다'로 고쳐 쓴다.

③ ㉢: '열려져'는 '-리-'와 '-어지다'가 결합한 이중 피동 표현이므로 '열려'로 고쳐 쓴다.

④ ㉣: 동작의 대상에게 행위의 효력이 미친다는 의미를 제시해야 하므로 '구속했다'는 '구속시켰다'로 고쳐 쓴다.

난이도 상 중 하

해설 ㉣에서 구속하는 주체는 '검찰'이다. 따라서 '구속했다'를 사동 표현인 '구속시켰다(구속시키었다)'로 고쳐 쓰는 것은 적절하지 않다. 동사 '구속하다(행동이나 의사의 자유를 제한하거나 속박하다.)'는 능동 표현으로 검찰의 동작이 대상인 그에게 행위의 효력이 미친다는 의미로 충분하다.

오답분석 ① '기간(期間, 어느 때부터 다른 어느 때까지의 동안)'과 '동안'은 의미가 유사하기 때문에 둘을 같이 사용하면 의미 중복이 된다. 그렇기 때문에 '공사하는 기간 동안'을 '공사하는 동안' 또는 '공사 기간'으로 수정해야 자연스러운 문장이 된다. 따라서 '공사하는 동안'으로 고치는 방안은 적절하다.

② '회의를 갖다'는 'have a meeting'의 영어식 번역 투 표현이다. 따라서 '회의하겠습니다'로 고치는 방안은 적절하다. 영어식 번역 투를 비롯한 다른 언어의 번역 투는 자연스러운 문장이 아니다.

③ 이중 피동은 문법에서 바른 표현이 아니다. '(문을) 열다'의 피동사 '(문이) 열리다'에 다시 피동의 뜻을 더하는 보조 용언 '-어지다'를 결합하여 만들어진 '열려지다'는 어법에 어긋난 표현이다. 따라서 '열리다' 혹은 '열어지다'를 활용하여 '열려(열리어)' 혹은 '열어져(열어지어)'로 고치는 방안은 적절하다.

정답 ④

044 ○○○ 2018 지방직 7급

밑줄 친 부분의 고쳐쓰기에 대한 설명으로 적절하지 않은 것은?

① 그 일을 한 사람은 민국예요.
→ '민국이'와 '이에요'가 결합하였으므로, '민국예요'는 '민국이예요'로 바꾸어야 한다.

② 교실에서는 좀 조용히 해 주십시오.
→ 문장을 종결하는 어미가 나와야 하므로, '주십시요'로 바꾸어야 한다.

③ 자신이 한 말은 반듯이 책임을 져야 한다.
→ '반듯이'는 '반듯하게'의 의미이므로 문맥에 맞게 '꼭'이라는 의미의 '반드시'로 고쳐야 한다.

④ 선수들의 잇딴 부상으로 전력에 문제가 생겼다.
→ 동사 '잇달-'과 어미 '-은'이 결합한 활용형은 '잇단'이므로, '잇딴'은 '잇단'으로 바꾸어야 한다.

난이도 상 ● 하

해설 '주십시오'를 분석하면 '주-+-시-+-ㅂ시오'가 된다. '-ㅂ시오'는 문장을 종결하는 '종결 어미'이다. 따라서 '주십시요'로의 수정은 적절하지 않다.

오답분석 ① 받침이 있는 '민국'으로 생각했다면 '민국이에요/민국이어요'로 표기해야 하고, 받침이 없는 체언 '민국이'로 생각했다면 '민국이이에요(=민국이예요)/민국이이어요(=민국이여요)'로 표기해야 한다. '민국예요/민국여요'는 모두 잘못된 표기이다.

③ '반듯이'는 '작은 물체, 또는 생각이나 행동 따위가 비뚤어지거나 기울거나 굽지 아니하고 바르게'라는 의미이므로 문맥상 적절하지 않다. '틀림없이 꼭'이라는 의미의 '반드시'로 고쳐야 하므로 적절한 설명이다.

④ '잇따르다'는 '어떤 물체가 다른 물체의 뒤를 이어 따르다. 또는 다른 물체에 이어지다.'의 뜻으로 '잇달다', '연달다'와 함께 사용할 수 있다. 다만 활용의 형태가 '잇딴'은 존재할 수 없고, '잇따른(잇따르-+-ㄴ), 잇단(잇달-+-ㄴ), 연단(연달-+-ㄴ)'의 형태로 활용한다. 따라서 '잇단'으로 수정한 것은 바르다.

 ②

'에요/예요' 완벽 정리!

받침 있는 체언 + 이에요/이어요	예 책상이에요/책상이어요
받침 없는 체언 + 이에요/이어요/예요/여요	예 쌍둥이에요/쌍둥이어요 쌍둥이예요/쌍둥이여요
어간 + 에요/어요	예 아니에요(=아녜요)/ 아니어요(=아녀요)

045 ○○○ 2018 지방직 9급

어법에 어긋나는 문장을 수정하고 설명한 예로 옳지 않은 것은?

① 전철 내에서 뛰지 말고, 문에 기대거나 강제로 열려고 하지 마십시오.
→ '열다'는 타동사이므로 '강제로'와 '열려고' 사이에 목적어 '문을'을 보충하여야 한다.

② ○○시에서 급증하는 생활용수를 안정적으로 공급하기 위하여 시행하는 사업임.
→ 생활용수에 대한 수요가 급증하는 것이지 생활용수가 급증하는 것이 아니므로, '급증하는 생활용수의 수요에 대응하여 생활용수를 안정적으로 공급하기 위하여'로 고쳐야 한다.

③ 사고 원인 파악과 재발 방지 대책을 조속히 마련하여
→ '사고 원인 파악을 마련하여'로 해석될 수 있으므로 앞의 명사구를 '사고 원인을 파악하고'로 고쳐 절과 절의 접속으로 바꾸어야 한다.

④ 도량형은 미터법 사용을 원칙으로 하되 각종 증빙 서류 등을 미터법 이외의 도량형으로 작성할 경우 미터법으로 환산한 수치를 병기함.
→ '하되'는 앞뒤 문장의 내용을 연결하는 어미로 적합하지 않으므로 '하며'로 고쳐야 한다.

난이도 상 ● 하

해설 ④에서 문맥상 '하되'가 쓰여, 앞의 말이 '조건'의 의미로 쓰였다. 어미 '-되'는 어떤 사실을 서술하면서 그와 관련된 조건이나 세부 사항을 뒤에 덧붙이는 뜻을 나타내는 연결 어미이다. 따라서 '하며'로 고쳐 쓸 필요가 없다. 또한 문맥상 '하며(나열)'로 고쳐 쓴 것도 적절하지 않다. 따라서 '도량형은 미터법 사용을 원칙으로 한다. 다만, 각종 증빙 서류 등을 미터법 이외의 도량형을 사용할 경우 미터법으로 환산한 수치를 병기한다.'로 쓰는 것이 적절하다.

오답분석 ① '열다'는 '주어가 목적어를 열다'와 같이 쓰이는 타동사이다. 따라서 목적어를 보충한다는 설명은 옳다.

② '생활용수' 자체가 급증하는 것이 아니므로 '급증하는 생활용수의 수요에 대응하여 생활용수를 안정적으로 공급하기 위하여'로 고쳐야 한다는 설명은 옳다.

③ 의미를 명확하게 하기 위하여 앞의 명사구를 '사고 원인을 파악하고'로 고쳐 절과 절의 접속으로 바꾸어야 한다는 설명은 옳다.

 ④

참고 [어휘] -되(어미)

1. 대립적인 사실을 잇는 데 쓰는 연결 어미
예 그는 키는 작되 마음은 크다.

2. 어떤 사실을 서술하면서 그와 관련된 조건이나 세부 사항을 뒤에 덧붙이는 뜻을 나타내는 연결 어미
예 표준어를 소리대로 적되 어법에 맞추어 적는다.

3. 뒤에 오는 말이 인용하는 말임을 미리 나타내어 보일 때 인용 동사에 붙여 쓰는 연결 어미
예 제자들이 대답하되 "모르나이다."

046 ○○○ 2013 국회직 8급

다음 틀린 문장들을 고쳐 써야 할 이유로 옳지 않은 것은?

① 수출 통관 사무 처리에 관한 고시 중 다음과 같이 개정·고시합니다.
→ 문장 성분이 생략되어 어색한 문장임.

② 이 고시의 시행과 동시에 다음 각 호의 1에 해당하는 규정은 이를 폐지한다.
→ 특정 성분이 중복되어 바른 문장이 아님.

③ 사업목적: 본 사적지 내의 고분은 고고학적으로는 이 지역의 중요한 6세기의 횡혈식 고분임.
→ 수식어들의 순서가 바르지 않아 말하고자 하는 바가 명료하게 드러나지 않음.

④ 택지 개발을 하면서 주위의 역사적 환경이 크게 훼손되어 그 상태로 보존함이 타당한지에 대하여 쟁점이 되고 있어 다음과 같이 의견을 제시함.
→ 문장 성분이 중복되어 뜻이 분명하지 않음.

⑤ 멕시코에서 또 하나 주의할 사항은 과음을 삼가는 것이 바람직하고 양주보다는 데킬라를 마시는 게 좋다.
→ 문장 성분 간 호응이 잘못되어 어색한 문장임.

난이도 상 중 하

해설 ④를 주어 술어 관계만으로 크게 나누어 보면, '[역사적 환경이 / 훼손되다.] + [타당한지에 / 쟁점이 되다.] + [다음과 같이 / 의견을 제시하다.]'의 짜임으로 '타당한지가(주어) / 쟁점이 되다(술어).'로 수정하면 의미가 명백해진다. 이를 보아, ④는 '문장 성분이 중복'된 것이 아니라 '문장 성분 간 호응이 잘못'되어 어색한 것이다.

오답분석
① **수출 통관 사무 처리에 관한 고시 중 / 다음과 같이 / 개정·고시합니다**: '(무엇을) 개정하고, (무엇을) 고시합니다.'와 같이 목적어를 밝혀야 의미가 명백해진다.

② **이 고시의 시행과 동시에 / 다음 각 호의 1에 해당하는 / 규정은 / 이를 폐지한다**: '폐지한다(서술어) + 규정을, 이를(목적어)'의 구조로 같은 의미의 목적어가 중복되었다.

③ **사업 목적: 본 사적지 내의 고분은 / 고고학적으로는 / 이 지역의 중요한 6세기의 횡혈식 고분임**: '중요한'이 수식하는 것이 '6세기'인지 '고분'인지 모호하다.

⑤ **멕시코에서 / 또 하나 주의할 사항은 / 과음을 삼가는 것이 바람직하고 양주보다는 데킬라를 마시는 게 좋다**: '주의할 사항은 (과음을~ 좋다)는 것이다.'의 짜임이 되어 '명사는 명사다'의 주술 호응 짜임을 지켜야 한다.

정답 ④

047 ○○○ 2012 지방직 9급

밑줄 친 부분을 문맥에 맞게 바꾼 말로 적절하지 않은 것은?

① 위안부 할머니들의 삶은 끔찍한 일로 회자되고 있다.
→ 여겨지고

② 정부의 시급한 지원 정책이 현 재해 상황을 전개하는 유일한 방책이다. → 타개하는

③ 평민들 사이에서는 불교가 홍행하였다. → 성행하였다

④ 명절에 어김없이 부는 고스톱 열풍은 척박한 우리 놀이 문화를 보여 주는 방증이다. → 반증이다

난이도 상 중 하

해설 문맥상 "명절에 어김없이 부는 고스톱 열풍은 척박한 우리 놀이 문화를 보여 주는 '간접적인 증거'이다."의 의미이다. 그런데 바꾼 '反證(반증: 반대할 반, 증거 증)'은 '반대되는 증거' 정도의 의미이다. 따라서 '간접적인 증거'의 의미가 아니기 때문에 바꿔 쓰기가 적절하지 않다. 오히려 고쳐쓰기 전의 '傍證(방증: 곁 방, 증거 증 ≒ 간접 증거)'을 그대로 써야 한다.

반증(反證)	① 어떤 사실이나 주장이 옳지 아니함을 그에 반대되는 근거를 들어 증명함. 또는 그런 증거 예 우리에겐 그 사실을 뒤집을 만한 반증이 없다. ② 어떤 사실과 모순되는 것 같지만, 오히려 그것을 증명한다고 볼 수 있는 사실 예 당성을 얼마나 신뢰하고 있는가 하는 좋은 반증이었던 것이다.
방증(傍證)	사실을 직접 증명할 수 있는 증거가 되지는 않지만, 주변의 상황을 밝힘으로써 간접적으로 증명에 도움을 줌. 또는 그 증거 예 방증 자료

오답분석
① '회자되다'는 주로 '좋은 일'로 사람들 입에 오르내릴 때 쓴다. 그런데 '위안부 할머니들의 삶'은 좋은 일로 보기 어렵기 때문에 그 쓰임이 적절하지 않다. 문맥을 고려할 때, '생각되다'의 의미이므로, '여겨지다'로 고친 것은 적절하다.

② 문맥상 '재해 상황을 극복하는 방법'이란 의미이므로, '타개하다'로 고치는 것은 적절하다.

③ '홍행'은 연극, 영화 등에 쓸 수 있는 말이다. 따라서 '유행하다'란 뜻을 가진 '성행하다'로 고친 것은 적절하다.

정답 ④

참고 [어휘] -되(어미)

- 회자(膾炙: 회 회, 고기 구울 자): 어떤 말이나 이야기가 좋은 일로 사람들의 입에 널리 오르내리게 되다.

- 전개(展開: 펼 전, 열 개)하다: 시작하여 벌이다.
타개(打開: 칠 타, 열 개)하다: 매우 어렵거나 막힌 일을 잘 처리하여 해결의 길을 열다.

- 홍행(興行: 일 홍, 다닐 행)하다:
1) 영리를 목적으로 연극, 영화 등을 요금을 받고 대중에게 보여 주다.
2) 공연 상영 따위가 상업적으로 큰 수익을 거두다.
성행(盛行: 성할 성, 다닐 행)하다: 매우 성하게 유행하다.

출제 유형

고쳐쓰기의 적절성	글의 수정이 적절한지 판별하는 유형

048 ○○○ 2023 지방직 9급

㉠~㉣ 중 어색한 곳을 찾아 수정하는 방안으로 가장 적절한 것은?

> 조선 후기에 서학으로 불린 천주학은 '학(學)'이라는 말에서도 짐작할 수 있듯이 ㉠ 종교적인 관점에서보다 학문적인 관점에서 받아들여졌다. 당시의 유학자 중 서학 수용에 적극적인 이들까지도 서학을 무조건 따르자고 ㉡ 주장하지는 않았는데, 서학은 신봉의 대상이 아니라 분석의 대상이었기 때문이다. 그들은 조선 사회를 바로잡고 발전시키기 위해 새로운 학문과 지식이 필요하다고 생각했지만, 외부에서 유입된 사유 체계에는 양명학이나 고증학 등도 있어서 서학이 ㉢ 유일한 대안은 아니었다. 그들은 서학을 검토하며 어떤 부분은 수용했지만, 반대로 어떤 부분은 ㉣ 지향했다.

① ㉠: '학문적인 관점에서보다 종교적인 관점에서'로 수정한다.
② ㉡: '주장하였는데'로 수정한다.
③ ㉢: '유일한 대안이었다'로 수정한다.
④ ㉣: '지양했다'로 수정한다.

난이도 상 ○ 하

해설 '어떤 부분은 수용했지만, 반대로 어떤 부분은'이라는 문맥을 볼 때, ㉣에는 '수용하지 않았다'는 내용이 어울린다. 그런데 '지향하다'는 '어떤 목표로 뜻이 쏠리어 향하다.'라는 의미이므로, 그 쓰임이 적절하지 않다. 따라서 '더 높은 단계로 오르기 위하여 어떠한 것을 하지 아니하다.'라는 의미를 가진 '지양하다'로 수정해야 한다는 방안은 적절하다.

오답 분석
① "'학(學)'이라는 말에서도 짐작할 수 있듯이" 부분을 볼 때, ㉠ 그대로 사용하는 것이 더 적절하다.
② '서학은 신봉의 대상이 아니라 분석의 대상이었기 때문이다.'를 볼 때, ㉡ 그대로 사용하는 것이 더 적절하다.
③ '양명학이나 고증학 등도 있어서'를 볼 때, ㉢ 그대로 사용하는 것이 더 적절하다.

 ④

049 ○○○ 2023 국가직 9급

㉠~㉣을 문맥에 맞게 수정하는 방안으로 적절한 것은?

> 난독(難讀)을 해결하려면 정독을 해야 한다. 여기서 말하는 정독은 '뜻을 새겨 가며 자세히 읽음', 즉 '정교한 독서'라는 뜻으로 한자로는 '精讀'이다. '精讀'은 '바른 독서'를 의미하는 '正讀'과 ㉠ 소리는 같지만 뜻이 다르다. 무엇이 정교한 것일까? 모든 단어에 눈을 마주치면서 제대로 인식하는 것이다. 이와 같은 ㉡ 정독(精讀)의 결과로 생기는 어문 실력이 문해력이다. 문해력이 발달하면 결국 독서 속도가 빨라져, '빨리 읽기'인 속독(速讀)이 가능해진다. 빨리 읽기는 정독을 전제로 할 때 빛을 발한다. 짧은 시간에 같은 책을 제대로 여러 번 읽을 수 있기 때문이다. 그래서 문해력의 증가는 '정교하고 빠르게 읽기', 즉 ㉢ 정속독(正速讀)에서 일어나게 되어 있다. 정독이 생활화되면 자기도 모르게 정속독의 경지에 오르게 된다. 그런 경지에 오른 사람들은 뭐든지 확실히 읽고 빨리 이해한다. 자연스레 집중하고 여러 번 읽어도 빠르게 읽으므로 시간이 여유롭다. ㉣ 정독이 빠진 속독은 곧 빼먹고 읽는 습관, 즉 난독의 입종임을 잊지 말아야 한다.

① ㉠을 '다르게 읽지만 뜻이 같다'로 수정한다.
② ㉡을 '정독(正讀)'으로 수정한다.
③ ㉢을 '정속독(精速讀)'으로 수정한다.
④ ㉣을 '속독이 빠진 정독'으로 수정한다.

난이도 상 ○ 하

해설 '즉'은 '다시 말하여'라는 의미를 가진 접속 부사로, 바로 앞의 말을 다시 말할 때 쓴다. '즉' 바로 앞에 '정교하고 빠르게 읽기'가 있기 때문에 ㉢을 '**정속독(精速讀**: 자세할 정, 빠를 속, 읽을 독)'으로 수정한 것은 적절하다.

오답 분석
① '정독(精讀)'과 '정독(正讀)'은 동음이의어이다. 즉 소리는 같지만 뜻이 다른 말이므로, 그대로 써야 한다.
② "무엇이 정교한 것일까? ~ 이와 같은 정독의 결과"라는 문맥을 볼 때, ㉡의 '정독'은 그대로 '정독(精讀: 자세할 정, 읽을 독)'을 써야 한다.
④ '곧'은 '바꾸어 말하면', '다른 아닌 바로'라는 의미를 가진 접속 부사이다. '곧' 뒤에 '빼먹고 읽는 습관'을 볼 때, 정교하게 읽지 않았다는 의미이다. 따라서 그대로 '정독(精讀)이 빠진 속독'을 써야 한다.

 ③

050 ○○○ 2022 지역 인재 9급

㉠~㉣에 대한 고쳐 쓰기 방안으로 적절하지 않은 것은?

> 미디어의 영향 아래에 ㉠ 놓여진 대중은 자신의 신념과 사고 활동의 번거로움을 포기하고 모든 평가와 판단을 ㉡ 미디어에 맡긴다. 자신의 평가와 판단을 미디어에 양도하는 사람은 시간을 효율적으로 사용할 수 있게 되어 더 빨리 성공할 수 있을지는 모른다. ㉢ 그래서 그들은 세상 밖의 진실을 볼 수 있는 기회를 갖지 ㉣ 못할뿐만 아니라 인생의 깊이도 얻지 못할 것이다.

① ㉠은 이중피동이 사용되었으므로 '놓인'으로 고쳐 쓴다.

② ㉡은 부적절한 표현이므로 '미디어를 배격한다'로 고쳐 쓴다.

③ ㉢은 접속부사가 잘못 사용되었으므로 '그러나'로 고쳐 쓴다.

④ ㉣은 띄어쓰기가 잘못되었으므로 '못할 뿐만'으로 고쳐 쓴다.

난이도 상 중 하

해설 '배격(排擊)하다'는 '물리치다'의 의미이다. 바로 다음 문장의 '자신의 평가와 판단을 미디어에 양도하는'을 볼 때, 수정하기 전의 '미디어에 맡긴다.'를 그대로 쓰는 것이 더 자연스럽다.

오답분석
① '놓다'의 피동사는 '놓이다'이다. 따라서 '놓이다'에 다시 피동의 '어지다'를 붙인 '놓여지다'는 이중 피동 표현이다.
③ 앞뒤 문장의 내용은 '역접 관계'이다. 따라서 '그래서' 대신 '그러나'로 고쳐 쓴 것은 적절하다.
④ '뿐'은 의존 명사이다. 따라서 관형어 '못할'과 띄어 써야 한다.

 정답 ②

051 ○○○ 2022 지방직 7급

㉠~㉣을 문맥을 고려하여 수정한 것으로 가장 적절한 것은?

> 농촌의 모습을 주된 소재로 삼는 A드라마에 결혼이주여성이 등장한다는 것은 그녀들이 직면한 여러 문제들을 다룰 기회가 마련되었다는 점에서 일단은 긍정적이다. 하지만 ㉠ 그녀들이 농촌에 정착하는 과정에서 경험하게 되는 다양한 문제들을 단순화할 수 있는 위험성도 내포하고 있다.
>
> 이 드라마에는 모문화와 이문화 사이의 차이로 인해 힘겨워하는 여성, 민족적 정체성에 혼란을 겪는 여성, 아이의 출산과 양육 문제로 갈등을 겪는 여성 등이 등장한다. 문제는 이 드라마에서 이러한 갈등의 원인을 제대로 규명하는 것보다는 ㉡ 부부간의 사랑이나 가족애를 통해 극복하는 낭만적인 해결 방식을 주로 선택한다는 데에 있다.
>
> 예를 들어, ○○화에서는 여성 주인공이 아이의 태교 문제로 내적 갈등을 겪다가 결국 자신의 생각을 포기함으로써 그 갈등이 해소된 것처럼 마무리된다. 태교에 대한 문화적 차이가 주된 원인이었지만, 이 드라마에서는 그것에 주목하기보다 ㉢ 남편과 갈등을 일으키는 여성 주인공의 모습을 부각하여 사랑과 이해에 기반한 순종과 순응을 결혼이주여성이 갖추어야 할 덕목으로 묘사한 것이다.
>
> 이 드라마에서 ㉣ 이러한 강요된 선택과 해소되지 않은 심적 갈등이 사실대로 재현되지 않음으로써 실질적인 원인은 은폐되고 여성의 일방적인 양보와 희생을 통해 해당 문제들이 성급히 봉합된다. 이는 어디까지나 한국인의 시선으로만 결혼이주여성과 다문화가정을 바라보고 있기 때문이다.

① ㉠을 "그녀들이 농촌에 정착하는 과정에서 경험하게 되는 다양한 문제들을 탐색할 수 있는 가능성도"로 고친다.

② ㉡을 "시댁 식구를 비롯한 한국인들과의 온정적인 소통을 통해 극복하는 구체적인 해결 방식"으로 고친다.

③ ㉢을 "남편의 의견을 따르는 여성 주인공의 모습"으로 고친다.

④ ㉣을 "이러한 억압적 상황과 해소되지 않은 외적 갈등이 여과 없이 노출됨으로써"로 고친다.

난이도 상 중 하

해설 "사랑과 이해에 기반한 순종과 순응을 결혼이주여성이 갖추어야 할 덕목으로 묘사한 것이다."라는 이어지는 내용을 고려할 때, ㉢을 "남편의 의견을 따르는 여성 주인공의 모습"으로 고치는 수정 방안은 적절하다.

정답 ③

052 ○○○ 2022 지방직 9급

㉠~㉣의 고쳐쓰기로 적절하지 않은 것은?

파놉티콘(panopticon)은 원형 평면의 중심에 감시탑을 설치해 놓고, 주변으로 빙 둘러서 죄수들의 방이 배치된 감시 시스템이다. 감시탑의 내부는 어둡게 되어 있는 반면 죄수들의 방은 밝아 교도관은 죄수를 볼 수 있지만, 죄수는 교도관을 바라볼 수 없다. 죄수가 잘못했을 때 교도관은 잘 보이는 곳에서 처벌을 가한다. 그렇게 수차례의 처벌이 있게 되면 죄수들은 실제로 교도관이 자리에 ㉠ 있을 때조차도 언제 처벌을 받을지 모르는 공포감에 의해서 스스로를 감시하게 된다. 이렇게 권력자에 의한 정보 독점 아래 ㉡ 다수가 통제된다는 점에서 파놉티콘의 디자인은 과거 사회 구조와 본질적으로 같았다.

현대 사회는 다수가 소수의 권력자를 동시에 감시할 수 있는 시놉티콘(synopticon)의 시대가 되었다. 시놉티콘에 가장 크게 기여한 것은 인터넷의 ㉢ 동시성이다. 권력자에 대한 비판을 신변 노출 없이 자유롭게 표현할 수 있게 되었기 때문이다. 정보화 시대가 오면서 언론과 통신이 발달했고, ㉣ 특정인이 정보를 수용하고 생산하게 되었다. 그로 인해 사회에서 일어나는 일에 대한 비판적 인식 교류와 부정적 현실 고발 등 네티즌의 활동으로 권력자들을 감시하는 전환이 일어났다.

① ㉠을 '없을'로 고친다.

② ㉡을 '소수'로 고친다.

③ ㉢을 '익명성'으로 고친다.

④ ㉣을 '누구나가'로 고친다.

난이도 ㊤ ㊥ ㊦

해설 2문단에서 "현대 사회는 다수가 소수의 권력자를 동시에 감시" 부분을 볼 때, ㉡은 고쳐쓰기 전과 같이 '다수'가 쓰이는 것이 자연스럽다.

오답분석
① 1문단의 "감시탑의 내부는 어둡게 되어 있는 반면 죄수들의 방은 밝아 교도관은 죄수를 볼 수 있지만, 죄수는 교도관을 바라볼 수 없다."를 볼 때, ㉠을 '없을'로 고쳐 쓴 것은 적절하다.

③ ㉢ 바로 다음 문장 "권력자에 대한 비판을 신변 노출 없이 자유롭게 표현할 수 있게 되었기 때문이다."를 볼 때, ㉢을 '익명성'으로 고쳐 쓴 것은 적절하다.

④ 언론과 통신의 발달에 따라 자유롭게 정보를 수용하고 생산하게 되었다는 내용을 고려할 때, ㉣을 '누구나가'로 고쳐 쓴 것은 적절하다.

 정답 ②

053 ○○○ 2020 지방직 9급

다음 글의 ㉠~㉣에 대한 고쳐 쓰기 방안으로 적절하지 않은 것은?

현재 리셋 증후군이 인터넷 중독의 한 유형으로 ㉠ 꼽혀지고 있다. 리셋 증후군 환자들은 현실에서 잘못을 하더라도 버튼만 누르면 해결될 수 있다고 생각해서 아무런 죄의식이나 책임감 없이 행동한다. ㉡ '리셋 증후군'이라는 말은 1990년 일본에서 처음 생겨났는데, 국내에선 1990년대 말부터 쓰이기 시작했다.

리셋 증후군 환자들은 현실과 가상을 구분하지 못하여 게임에서 실행했던 일을 현실에서 저지르고 뒤늦게 후회하는 경우가 많다. 특히, 이러한 특성을 지닌 청소년들은 무슨 일이든지 쉽게 포기하고 책임감 없는 행동을 하며, 마음에 들지 않는 사람이 있으면 ㉢ 막다른 골목으로 몰 듯 관계를 쉽게 끊기도 한다.

리셋 증후군은 행동 양상이 명확히 나타나지 않는 편이라 쉽게 판별하기 어렵고 진산단도 쉽지 않다. ㉣ 이와 같이 예방을 위해 지속적으로 주위 사람들과 대화를 나누고, 현실과 인터넷 공간을 구분하는 능력을 길러야 한다.

① 불필요한 이중 피동 표현으로 어법에 맞게 ㉠을 '꼽고'로 수정한다.

② 글의 맥락상 자연스럽지 않으므로 ㉡은 첫 번째 문장 뒤로 옮긴다.

③ 앞뒤 문맥을 고려할 때 ㉢은 '칼로 무를 자르듯'으로 수정한다.

④ 앞 문장과의 연결을 고려하여 ㉣을 '그러므로'로 수정한다.

난이도 ㊤ ㊥ ㊦

해설 '꼽혀지고'는 '꼽다'의 피동사 '꼽히다'에 다시 '-어지다'가 붙은 형태이므로 ①에서 설명한 것처럼 '이중 피동 표현'인 것은 맞다. 그러나 '꼽고'로 고치면 글의 흐름상 적절하지 않다. 피동문의 흐름에 맞춰, '꼽고'가 아닌 '꼽히고'로 고쳐야 자연스럽다.

오답분석
② ㉡을 기준으로 앞뒤 문장에서 '리셋 증후군 환자들'의 특성을 제시하고 있다. 따라서 '리셋 증후군'이라는 말이 언제 생겨나고 우리나라에서 쓰이기 시작했다는 ㉡의 내용이 그 사이에 끼어드는 것은 부자연스럽다. 따라서 첫 번째 문장 뒤로 옮기는 방안은 적절하다.

③ '막다른 골목'은 더 이상 어찌할 수 없는 절박한 지경을 이르는 말이다. 따라서 관계를 쉽게 끊는 경우에 쓸 말로 적절하지 않다. '관계를 쉽게 끊는다'는 특성을 고려할 때, '칼로 무를 자르듯'으로 고친 것은 적절하다.

④ 문맥상 '쉽지 않기 때문에 ~ 대화를 나누고 ~ 능력을 길러야 한다.'라는 내용이다. 따라서 인과의 '그러므로'로 수정하는 것은 적절하다.

정답 ①

054 ○○○ 2020 경찰 1차

다음 글의 고쳐 쓸 부분을 지적한 것으로 가장 적절하지 않은 것은?

> 요즈음 청소년들의 외적인 체격은 과거에 비해 월등히 좋아졌으나, 그에 비해 영양 상태는 균형을 갖추지 못해 문제가 되고 있다. ㉠ 이러한 식습관은 청소년의 영양 불균형 문제를 더 심화한다. 어른들 못지않게 바쁜 요즘 청소년들의 건강을 위해서는 올바른 식습관이 필수적이다.
>
> 우선 규칙적으로 식사하는 습관을 지니도록 한다. 세 끼를 제때 챙겨 먹되, 특히 아침 식사를 거르지 않도록 한다. ㉡ 한 전문조사 기관의 자료를 보면 직장인들의 24.1퍼센트는 아예 아침을 먹지 않는다고 한다. 아침 식사를 하면 집중력이 좋아질 뿐만 아니라 공복감을 줄여 점심에 폭식을 하지 않게 되고 간식도 적게 먹게 된다.
>
> 또한, 영양소를 균형 있게 섭취하도록 한다. 패스트푸드 등은 고열량, 저영양 식품으로 영양 불균형을 초래하고 비만을 유발한다. 따라서 ㉢ 편식 않는 습관과 고루 섭취하는 균형 있는 식사를 해야 한다.
>
> ㉣ 마지막으로 꾸준한 운동이 필요하다. 심폐 지구력과 근력을 키우는 운동을 30분에서 1시간 정도 주 3회 이상 꾸준히 하도록 한다. 꾸준한 운동은 여드름 예방에 효과적이기 때문에 피부가 고와지는 데 도움을 준다.
>
> 평소 생활 속에서 올바른 식습관을 지닐 수 있도록 노력하고, 즐겁고 긍정적인 생각을 하면서 식사해야 한다. 이러한 올바른 식습관은 우리의 건강을 지켜 주고 삶의 행복과 만족도를 높여 준다.

① ㉠ '이러한 식습관'이 지시하는 내용을 구체적으로 서술해야 한다.

② ㉡ 청소년의 식습관에 관한 자료로서 직장인의 조사 결과는 맞지 않다.

③ ㉢ '편식 않는 습관'이 어색하므로 '편식을 하지 않는 습관'으로 고친다.

④ ㉣ 문단 전체가 통일성을 해치므로 삭제하거나 글의 주제에 맞게 고친다.

난이도 상 중 하

해설 제시된 ㉢의 문장은 '{(편식 않는 습관)과 (고루 섭취하는 균형 있는 식사)}를 [해야 한다].'의 짜임이 되어 '편식 않는 습관을 해야 한다. + 고루 섭취하는 균형 있는 식사를 해야 한다.'의 의미가 되므로 앞 부분의 문장 호응 관계가 어색하다. 따라서 {편식(을) (하지) 않는 습관을 들이고(기르고)}, {고루 섭취하는 균형 있는 식사를 해야 한다.}로 앞의 문장에 서술어를 새롭게 제시하는 것이 제일 중요하고, 목적어와 서술어(편식을 하지 않다) 관계로 문장을 풀어 주면 더욱 자연스러운 문장이 될 수 있다.

오답분석 ① ㉠에서 말한 '이러한 식습관'에 대한 정보가 구체적이지 않기 때문에, 구체적으로 서술하도록 고친 것은 적절하다.

② 제시된 글은 '청소년의 식습관'과 관련된 것이므로, '직장인의 식습관'과 관련된 자료를 가져온 것은 적절하지 않다. 따라서 이를 지적한 것은 옳다.

④ 제시된 글은 '청소년의 식습관'과 관련된 것이므로, '운동'과 관련된 ㉣은 글의 통일성을 해치는 문장이다. 따라서 삭제한 것은 적절하다.

정답 ③

055 ○○○ 2020 소방직

㉠~㉣을 고쳐 쓰기 위한 방안으로 적절하지 않은 것은?

> 사회가 발달하면서 화법과 작문의 윤리에 대한 관심과 요구가 점점 커지고 있다. 화법과 작문의 윤리를 잘 지키지 않으면 사회적 의사소통의 바탕이 되는 상호 신뢰가 깨질 수 있으므로 이를 준수하기 위해 ㉠ 노력한다.
>
> ㉡ 그런데 청자나 독자를 존중하고 배려하는 자세를 갖추어야 한다. 말을 하거나 글을 쓸 때에는 상대방의 인격을 모욕하거나 상대방에게 상처를 주는 언어 표현을 사용하지 않아야 한다. 상대방을 존중하고 배려하는 표현을 사용함으로써 화법과 작문의 윤리를 지킬 수 있다.
>
> 다음으로, 다른 사람의 글이나 아이디어 등을 표절하거나 도용하지 않아야 한다. 다른 사람의 글이나 아이디어 등을 인용할 때에는 저작자의 허락을 얻거나 인용의 출처를 ㉢ 제출해야 하며, 내용의 과장·축소·왜곡 없이 정확하게 인용해야 한다. 또한 출처를 명시하더라도 과도하게 인용하지 않아야 한다. 과도한 인용은 출처 명시와는 무관하게 화법과 작문의 윤리를 어기는 것이기 때문이다.
>
> 화법과 작문의 윤리를 준수한다면 화자나 필자는 청자나 독자로부터 더욱 큰 신뢰를 얻을 수 있다. 그러므로 화자나 필자는 화법과 작문의 윤리를 잘 인식하고 있어야 하며, 말을 하거나 글을 쓸 때 이를 ㉣ 지키고 준수하는 태도를 가져야 한다.

① ㉠: 문장의 호응을 고려하여 '노력해야 한다'로 수정한다.

② ㉡: 앞뒤 내용을 자연스럽게 이어 주지 못하므로 '우선'으로 바꾼다.

③ ㉢: 문맥을 고려하여 '생략'으로 교체한다.

④ ㉣: 뒤의 단어와 의미상 중복되므로 삭제한다.

난이도 상 중 하

해설 문맥상 출처를 '밝혀야' 한다는 내용이므로 '제출'을 '생략'으로 교체하는 것은 적절하지 않다. 문맥을 고려할 때, '생략'이 아니라 '제시(提示)'로 교체하거나, 단어 자체를 '밝혀야'로 교체하는 것이 자연스럽다.

오답분석 ① 1문단에서는 화법과 작문의 윤리를 잘 지키지 않으면, 상호 신뢰가 깨질 수 있기 때문에 잘 준수하기 위해 '노력해야 함'을 주장하고 있다. 따라서 ㉠을 '노력해야 한다'로 수정한 것은 적절하다.

② 2문단과 3문단에는 화법과 작문의 윤리를 잘 지키기 위한 방법이 제시되어 있다. 따라서 순서대로 나열하고 있음을 보이기 위해 ㉡을 '우선'으로 고친 것은 적절하다. 또 3문단이 '다음으로'로 시작하는 것을 보아, 2문단에는 전환의 접속 부사 '그런데'보다는 '우선'이 더 어울린다.

④ '준수(遵守)하다'라는 말 속에 '지키다'라는 의미가 포함되어 있다. '지키다'라는 의미가 중복되므로, ㉣을 삭제하는 것은 적절하다.

정답 ③

056 ○○○

2018 교육행정직 9급

다음의 ㉠~㉣을 고쳐 쓰기 위한 방안으로 적절하지 않은 것은?

> 청소년의 과도한 스마트폰 ㉠ 사용이 유발되는 악영향이 사회적 문제가 되고 있다. 최근 들어 안구 건조증과 신체적 무기력증을 호소하는 청소년이 급증하고 있다. 스마트폰 화면을 장시간 집중해서 들여다보면 눈 깜빡임 ㉡ 회수가 줄어들어 안구가 건조해진다. ㉢ 그런데 스마트폰 화면에서 나오는 짧은 파장의 청색 빛은 숙면을 방해하기 때문에 무기력증에 ㉣ 시달릴 수밖에 없다.

① ㉠은 바로 뒤의 말과 어울리지 않으므로 '사용으로'로 수정한다.

② ㉡은 맞춤법에 어긋나므로 '횟수'로 수정한다.

③ ㉢은 앞뒤 문장의 연결 관계를 고려하여 '그러나'로 수정한다.

④ ㉣은 띄어쓰기가 잘못되었으므로 '시달릴 수밖에'로 수정한다.

난이도 ㉯ ◯ ㉻

해설 ㉢의 앞과 뒤의 문장은 모두 스마트폰 사용의 악영향을 나열하고 있기 때문에 '그런데' 대신 '그리고'나 '또한'으로 수정해야 자연스럽다. 따라서 '그러나'로 수정한다는 방안은 적절하지 않다.

오답분석 ① '사용이'가 '유발되는 악영향'이라는 말과 어울리지 않으므로, '사용으로'의 수정은 적절하다.

② 우리말의 한자 합성어는 사이시옷을 받쳐 적지 않는 게 원칙이다. 그런데 예외적으로 6개의 2음절 한자어는 사이시옷을 받쳐 적는데, 그중에 '回數(돌 회, 셀 수)'도 포함된다. 따라서 맞춤법을 근거로 '회수'를 '횟수'로 수정한 것은 적절하다.

※ 사이시옷을 받쳐 적는 한자어 6개

곳간(庫間), 셋방(貰房), 숫자(數字), 찻간(車間), 툇간(退間), 횟수(回數)

비교 회수(回 돌 회, 收 거둘 수)[회수/훼수]: 도로 거두어들이다.

→ 발음 자체에 사잇소리 현상이 나타나지 않는다.

④ '수'는 의존 명사이고 '밖에'는 조사이므로 붙여 써야 한다. 따라서 '시달릴 수밖에'로의 수정은 적절하다.

 ③

057 ○○○

2016 국가직 7급

㉠~㉣의 문장을 고쳐 쓰기 위한 방안으로 적절한 것은?

> 아이의 학교를 방문하는 날이었다. ㉠ 아침부터 흐린 게 비가 올런지 몰라 우산을 미리 챙겨 나갔다. ㉡ 길을 나서자 갑자기 곧 해님이 모습을 드러냈다. ㉢ 시장 입구에는 앳된 소녀들이 우산을 들고 왁자지걸 이야기를 하며 지나가고 있었다. ㉣ 소녀들의 모습에서 어렸을 때 어머니를 따라 시장에 갔던 기억이 두루뭉술하게 떠올랐다.

① ㉠의 '올런지'는 표기법에 맞게 '올른지'로 고친다.

② ㉡의 '해님'은 표기법에 맞게 '햇님'으로 고친다.

③ ㉢의 '앳된'은 표준어에 맞게 '앳띤'으로 고친다.

④ ㉣의 '두루뭉술하게'는 의미상 자연스럽게 '어렴풋이'로 고친다.

난이도 ㉯ ◯ ㉻

해설 '두루뭉술하게(=두리뭉실하게)'는 '말이나 행동 따위가 철저하거나 분명하지 아니하게'란 의미이다. '두루뭉술하게'는 주어가 '말이나 행동'일 때 쓰는 것이 자연스럽다. 그런데 ㉣의 주어는 '기억'이므로, '기억이나 생각 따위가 뚜렷하지 아니하고 흐릿하게'란 뜻을 가진 '어렴풋이'가 더 자연스럽다. 따라서 ④의 수정은 적절하다.

오답분석 ① '뒤 절이 나타내는 일과 상관이 있는 어떤 일의 실현 가능성에 대한 의문'을 나타내는 연결 어미는 '-ㄹ런지'가 아니라 '-ㄹ는지'이다. 따라서 '올런지'를 '올는지'로 고쳐야 한다.

※ '-ㄹ런지', '-ㄹ른지'는 없는 어미이다.

② 사이시옷은 합성어에만 붙일 수 있다. 명사 '해'에 접미사 '-님'이 붙은 것이므로, 사이시옷을 표기하지 않은 '해님'이 바른 표기이다.

③ '어려 보이다'란 뜻을 가진 말인 '앳되다(앳된)'는 표준어이므로 수정할 필요가 없다. 오히려 '왁자지걸'을 '왁자지껄'로 수정해야 한다.

※ '애띠다, 앳띠다'는 존재하지 않는 낱말이다.

정답 ④

058 ○○○ 2016 지방직 9급

다음 글을 고쳐 쓰기 위한 생각으로 적절하지 않은 것은?

> 창의적 사고는 기존의 사고방식을 ㉠ 돌파하는 데서 출발한다. 기본적으로 기존의 이론과 법칙을 비판적으로 살펴보고 자신만의 독창적 아이디어를 만들어 내는 일이 중요하다. ㉡ 그러나 이러한 창의적 사고가 단순히 개인의 독특함에서만 비롯되는 것은 아니다. 더욱 중요한 것은 창의적 사고가 사회적·문화적 환경과 적절한 교육을 통해 ㉢ 길러진다. 따라서 ㉣ 자신의 창의성을 계발하기 위해 주변의 사물을 비판적이고 새로운 시각으로 보는 노력을 게을리해서는 안 된다.

① ㉠: 단어의 쓰임이 어색하므로 '탈피하는'으로 고친다.

② ㉡: 앞뒤 문장을 자연스럽게 잇지 못하므로 '또한'으로 고친다.

③ ㉢: 주술 호응이 되지 않으므로 '길러진다는 점이다'로 고친다.

④ ㉣: 주장을 포괄하지 못하므로 '환경과 교육의 중요성'을 강조하는 내용으로 고친다.

난이도 상 중 하

해설 ㉡을 기준으로 앞에서는 '창의적 사고'를 개인의 독창적 생각으로 봤다면, 뒤에서는 '창의적 사고'가 개인의 독특한 사고에서만 비롯되는게 아니라고 보고 있다. 즉 두 문장의 관계는 '역접(중요하다. 그러나 중요하지 않다. 더 중요한 것이 있다.)'에 해당하므로, '그러나'의 사용은 자연스럽다. 따라서 ②의 '또한'은 덧붙일 때 쓰는 말이므로, 문맥상 부자연스럽다.

오답분석

① '돌파하다'와 '탈피하다'는 모두 '벗어나다'란 의미를 갖고는 있다. 그러나 '어떤 상황이나 상태에서 벗어나다'란 뜻은 '탈피하다'만 갖고 있기 때문에 '탈피하는'으로의 수정은 적절하다.

③ ㉢이 사용된 문장의 주어는 '더욱 중요한 것은'이다. 따라서 주어에 어울리는 서술어 '길러진다는 점이다.'로의 수정은 올바르다.

④ 제시된 글의 필자는 '창의적 사고'가 개인의 독특함(독창적 사고)도 필요하지만 더 중요한 것은 "사회·문화적 환경과 적절한 교육"이라고 했으므로 '따라서' 뒤의 ㉣에는 '환경과 교육'의 중요성을 강조하는 내용이 들어가야 한다.

정답 ②

참고 어휘

돌파하다	① 쳐서 깨뜨려 뚫고 나아가다. ② 일정한 기준이나 기록 따위를 지나서 넘어서다. ③ 장애나 어려움 따위를 이겨 내다.
탈피하다	① 껍질이나 가죽을 벗기다. ② 파충류, 곤충류 따위가 자라면서 허물이나 껍질을 벗다. ③ 일정한 상태나 처지에서 완전히 벗어나다.

059 ○○○ 2014 지방직 9급

㉠~㉣을 어법에 맞게 고친 것으로 적절하지 않은 것은?

> 선생님, 그동안 안녕하셨어요? 선생님과 함께 생활했던 시간이 엊그제 같은데 벌써 졸업한 지 반년이 지났습니다. 전 아직도 선생님과 함께했던 소중한 시간들을 잊지 못하고 있습니다. 선생님과 함께 ㉠ 운동도, 도시락도 먹던 기억이 고스란히 남아 있습니다. 그리고 종례 시간마다 해 주셨던 말씀은 제 인생에서 중요한 지침이 되고 있습니다. 특히 선생님께서 고3 때 아무리 어려운 상황에서도 ㉡ 희망을 잃지 않았다는 말은 당시 저에게 큰 도움이 되었습니다. 제가 대학에 들어 온 이후 취미를 갖게 되었는데, ㉢ 기악부 동아리에서 악기를 연주하고 있다는 것입니다. 고등학교 시절에는 공부에 쫓겨 엄두도 못 냈었는데 지금은 여유롭게 음악에 몰두할 수 있어서 좋습니다. 조만간 꼭 찾아뵐게요. ㉣ 항상 건강 조심하십시오.

① ㉠: '운동도 하고, 도시락도 먹던'으로 바꾸어 필요한 성분을 모두 갖춘다.

② ㉡: '희망을 잃지 않으셨다는 말씀은'으로 바꾸어 높임 표현을 바르게 한다.

③ ㉢: '그것은 기악부 동아리에서 악기를 연주하는 일입니다.'로 바꾸어 주어와 서술어가 호응을 이루도록 한다.

④ ㉣: '조심하다'는 명령형으로 쓰일 수 없으므로 해요체 '조심하세요.'를 사용한다.

난이도 상 중 하

해설 ④의 '조심하다'는 '동사'이므로 '명령, 청유'가 가능하다. 따라서 '조심하십시오. / 조심하세요.' 모두 바른 표현이다.

오답분석

① **운동도, 도시락도 먹던 → 운동도 하고, 도시락도 먹던:** '운동도'와 '도시락도' 사이에 쉼표가 쓰인 것을 보아 '운동도'와 호응하는 서술어가 '먹던'이 되어야 한다. 그런데 '운동도'와 서술어 '먹던'의 호응은 어색하다. 따라서 '운동도'에 어울리는 서술어 '하고'를 추가한다는 수정은 적절하다.
※ '운동도'와 '도시락도'의 문장 성분은 목적어이다. 목적격 조사가 보조사 '도'와 만나면서 생략되었다.

② **희망을 잃지 않았다는 말 → 희망을 잃지 않았다는 선생님의 말씀:** '누구의 말'인지 나와 있지 않다. 덧붙여 선생님은 높임의 대상이므로, '말' 대신 '말씀'을 사용하는 것이 더 바람직하다.

③ **기악부 동아리에서 악기를 연주하고 있다는 것입니다 → 그것은(취미는) 기악부 동아리에서 악기를 연주하는 일입니다:** 서술어를 받을 주어가 빠져있다. 적절한 주어가 필요하다.

 ④

언어 예절

Unit 06 호칭어와 지칭어

출제 유형

- 호칭어와 지칭어에 대한 설명이 적절한지 묻는 유형
- 호칭어와 지칭어의 쓰임이 적절한지 묻는 유형

핵심정리

- **배우자 동기의 호칭과 지칭**

(1) 남편의 동기와 그 배우자

구분		남편 형	남편 남동생	남편 형의 배우자	남편 남동생의 배우자	남편 누나	남편 여동생	남편 누나의 배우자	남편 여동생의 배우자
호칭		아주버님	도련님[미혼], 서방님[기혼]	형님	동서	형님	아가씨, 아기씨	아주버니, 아주버님	서방님
지칭	자녀에게	큰아버지, 큰아버님	작은아버지, 작은아버님, 삼촌	큰어머니, 큰어머님	작은어머니, 작은어머님	고모, 고모님		고모부, 고모부님	

(2) 아내의 동기와 그 배우자

구분		아내 오빠	아내 남동생	아내 오빠의 배우자	아내 남동생의 배우자	아내 언니	아내 여동생	아내 언니의 배우자	아내 여동생의 배우자
호칭		형님	처남	아주머니	처남댁, 처남의 댁	처형	처제	형님, 동서	ㅇ 서방, 동서
지칭	자녀에게	외삼촌, 외숙부, 외숙부님		외숙모, 외숙모님		이모, 이모님		이모부, 이모부님	

호칭어와 지칭어를 한자어로 제시할 수도 있어요! 한자어도 눈으로 익히기!

• **남에게 부모를 이르는 말** [11 국가직 9급]

(1) 남에게 자신의 부모를 지칭할 때

구분	부	모
살아 계심	가친(家親), 가엄(家嚴), 엄친(嚴親), 아부(阿父), 부친(父親), 부주(父主)	자친(慈親), 가모(家母), 아모(阿母), 모주(母主), 가자(家慈), 모친(母親)
돌아가심	선친(先親), 선고(先考), 선부군(先父君)	선비(先妣), 선자(先慈)

(2) 남에게 남의 부모를 지칭할 때

구분	부	모
살아 계심	춘부장(椿府丈), 춘장(椿丈), 춘당(椿堂), 영존(令尊), 대인(大人), 어르신, 어르신네	자당(慈堂), 모당(母堂), 훤당(萱堂), 북당(北堂), 모부인(母夫人), 대부인(大夫人)
돌아가심	선대인(先大人), 선고장(先考丈), 선장(先丈)	선대부인(先大夫人), 선부인(先夫人)

(3) 축문이나 지방에 돌아가신 부모를 쓸 때: 현고(顯考), 현비(顯妣)

출제 유형

호칭어와 지칭어	호칭어와 지칭어에 대한 설명이 적절한지 묻는 유형

060 ○○○ 2015 사회복지직 9급

표준 언어 예절에 어긋난 것은?

① 직장 상사의 아내를 '여사님'이라고 부른다.

② 직장 상사의 남편을 해당 직장 상사에게 '사부님'이라고 지칭한다.

③ 직장 상사(과장)의 아내를 직장 동료에게 '과장님 부인'이라고 지칭한다.

④ 직장 상사(과장)의 남편을 직장 동료에게 '과장님 바깥어른'이라고 지칭한다.

난이도 상 중 하

해설 직장 상사의 남편을 부르는 말은 '선생님/(직함)님, ○선생님/(직함)님, ○○○선생님/(직함)님, 바깥어른(지칭하는 말로)'이 있다. '사부님'은 여자 선생님의 남편을 부르는 말이다. 이때 '부'는 '父'가 아니라 '夫'이다. 따라서 ②가 표준 언어 예절에 어긋난다고 볼 수 있다.

오답 분석 ① 직장 상사의 아내는 '여사님' 이외에도 '사모님, 아주머님, 아주머니, ○선생님/(직함)님, ○○○선생님/(직함)님, ○여사님'으로도 부른다.

정답 ②

061 ○○○ 2011 국가직 9급

제시된 호칭어나 지칭어에 대한 설명으로 옳지 않은 것은?

① 가친(家親), 엄친(嚴親): 남에게 자기 아버지를 가리키는 말이다.

② 자친(慈親), 가자(家慈): 남에게 자기 어머니를 가리키는 말이다.

③ 선친(先親), 선고(先考): 남의 돌아가신 아버지를 일컫는 말이다.

④ 춘부장(椿府丈), 춘장(椿丈), 춘당(椿堂): 남의 살아 계신 아버지를 일컫는 말이다.

난이도 상 중 하

해설 '선친(先親), 선고(先考)'는 남에게 돌아가신 자신의 아버지를 이르는 말이다. 남의 돌아가신 아버지를 이르는 말은 '선고장(先考丈), 선대인(先大人), 선장(先丈)'이다. 따라서 ③의 설명은 적절하지 않다.

정답 ③

출제 유형

호칭어와 지칭어	호칭어와 지칭어의 쓰임이 적절한지 묻는 유형

062 ○○○ 2015 교육행정직 9급

호칭어와 지칭어의 사용이 바르지 않은 것은?

① (친구 사이에서) 영호, 자네 춘부장께서는 무고하신가?

② (남동생이 누나에게) 누님, 매부와 언제 여행을 가셔요?

③ (며느리가 시아버지에게) 아버님, 어머니는 어디 가셨어요?

④ (올케가 시누이에게) 고모, 할머님께서 저 찾지 않으셨어요?

난이도 상 ○ 하

해설 **고모 → 아가씨/아기씨, 형님:** 고모는 아버지의 여자 형제를 부르는 말이다. 따라서 남편의 누이를 아이가 부르는 것과 마찬가지로 ④에서 '고모'라고 부르는 것은 적절하지 않다. 손아래 시누이의 경우에는 '아가씨/아기씨'로, 손위 시누이의 경우 '형님'이라고 불러야 한다.

오답 분석
① '춘부장(椿府丈)'은 남의 아버지를 높여 이르는 말이다. 따라서 친구 아버지의 안부를 물을 때, '춘부장'이라는 표현을 쓴 것은 옳다.

② 남동생이 누나에게는 '누님'으로 부르고 있는데, 이는 옳다. 또 '매부'는 누나의 남편을 이르거나 부르는 말이다. 따라서 '누님'과 '매부'의 호칭어와 지칭어의 사용은 모두 바르다.

※ '매부(妹夫)' 대신 '자형(姊兄)'이나 '매형(妹兄)'으로 부를 수도 있다. 차이가 있다면, '매부'는 손위 누이와 손아래 누이의 남편 모두에게 쓸 수 있지만, '자형'과 '매형'은 손위 누이의 남편에게만 쓸 수 있다. 손아래 누이의 남편에게는 '매제(妹弟)'를 쓰면 된다.

③ 시부모를 부를 때는 '아버님'과 '어머님'으로 부르는 게 원칙이다. 다만, 시어머니의 경우 '어머니'로 부를 수도 있다. 따라서 시아버지에게 '아버님'으로 부르고, 시어머니를 이르러 '어머니'로 표현한 것은 옳다.

 ④

063 ○○○ 2015 교육행정직 7급

다음 대화에서 밑줄 친 호칭어가 적절하지 않은 것은?

> 여자 1: ㉠ 아주버님, 안녕하세요?
> 남자 1: 네, ㉡ 제수씨. 잘 지내셨죠? 여보, 어서 나와 보구려. 동생네 부부가 왔어.
> 여자 2: ㉢ 동서, 왔어?
> 여자 1: 네, 형님. 오랜만이에요.
> 여자 2: ㉣ 도련님, 어서 오세요.
> 남자 2: 형수님, 안녕하세요? 잘 지내셨지요?

① ㉠　② ㉡　③ ㉢　④ ㉣

난이도 상 ○ 하

해설 **도련님 → 서방님:** 남자 1이 '동생네 부부가 왔어.'라고 말하고 있다. '부부'를 통해 남편의 동생이 결혼했음을 확인할 수 있다. 그런데 형수는 결혼하지 않은 시동생을 부르는 말인 '도련님'을 쓰고 있다. 이는 바르지 않은 호칭어이다. 따라서 ②의 '도련님'을 결혼한 시동생의 경우 '서방님'으로 불러야 한다.

오답 분석
① 아내의 입장에서 남편의 형에 대한 호칭은 '아주버님'이 맞다.
② 남편 입장에서 자신의 동생의 아내에 대한 호칭은 '제수씨'가 맞다.
③ 남편 동생(시동생)의 아내에 대한 호칭은 '동서'가 맞다.

 ④

Unit 07 표준 언어 예절

출제 유형

- 전화 예절로 바람직한 표현인지 묻는 유형
- 소개 예절에 대한 설명이 바른지 묻는 유형
- 상황에 맞는 언어 예절 표현인지 묻는 유형

심화 Plus

• 표준 언어 예절 기출

(1) [12 국가직 9급]

잘못된 언어 예절 표현	올바른 언어 예절 표현
(같은 반 친구에게) 철수야, 선생님이 너 교무실로 오시래.	선생님께서 너 교무실로 오라고 하셔(오라셔).
(선생님과의 대화에서) 선생님, 저는 김해 김씨입니다.	선생님, 저는 김해 김가입니다.
(점원이 손님에게) 전부 합쳐서 6만 9천원 되시겠습니다.	전부 합쳐서 6만 9천원입니다.
-	(할아버지와 손자의 대화에서) 할아버지, 제가 말씀을 올리겠습니다.

(2) [11 법원직 9급]

잘못된 언어 예절 표현	올바른 언어 예절 표현
할아버지, 어머니께서 밥 드시래요.	할아버지, 어머니가 진지 드시래요.
참 오랜만이네. 자네 선친께서는 편안하신가?	참 오랜만이네. 자네 부친께서는 편안하신가?
-	선생님께서 누추한 우리 집을 몸소 찾아 주셨다.
선생님, 저를 가르치시느라 대단히 수고하셨습니다.	선생님, 저를 가르치시느라 대단히 노고가 많으셨습니다.

출제 유형

표준 언어 예절	전화 예절로 바람직한 표현인지 묻는 유형

064 ○○○ 2016 국가직 7급

전화를 사용할 때, 표준 언어 예절로 바람직하지 않은 것은?

① 아닌데요, 전화 잘못 거셨습니다.

② 네, 잠깐 기다려 주십시오. 바꾸어 드리겠습니다.

③ 지금 안 계십니다. 들어오시면 뭐라고 전해 드릴까요?

④ 잘 알겠습니다. 이만 끊겠습니다. 안녕히 계십시오.

난이도 상 중 하

해설 **전화 잘못 거셨습니다. → 전화 잘못 걸렸습니다.**: 전화가 잘못 걸려온 경우라도, '전화 잘못 거셨습니다.'와 같이 말하는 것은 상대의 잘못을 지적한 것으로, 상대방에게 '전화도 제대로 못 거는가?'란 느낌이 들게 할 수 있기 때문에 ①은 언어 예절에 어긋난 표현이다.

정답 ①

출제 유형

표준 언어 예절	소개 예절에 대한 설명이 바른지 묻는 유형

065 ○○○ 2014 국가직 7급

표준 언어 예절에 알맞은 표현은?

① 자기의 본관을 소개할 때 "저는 OO[본관] O씨입니다."라고 한다.

② 남편의 친구에게 자신을 소개할 때 "저는 OOO 씨의 부인입니다."라고 한다.

③ 텔레비전에서 사회자가 20대의 연예인을 소개할 때 "OOO 씨를 모시겠습니다."라고 한다.

④ 어머니와 길을 가다 선생님을 만났을 때 "저의 어머니십니다."라고 어머니를 선생님께 먼저 소개한다.

난이도 상 ◯ 하

TIP 나이와 사회적 신분으로 우열을 따지기 어려울 때는 친소 관계를 따져 자신에게 가까운 사람을 자신에게 먼 사람에게 먼저 소개하는 것이 예의에 맞다.

해설 '어머니'와 '선생님'은 나이와 신분으로 우열을 따지기 어렵다. 따라서 친소 관계를 따져야 한다. '어머니'와 '선생님' 중에 '나'와 더 가까운 사람은 '어머니'이다. 따라서 '나'와 상대적으로 먼 사람인 '선생님'에게 '나'와 가까운 '어머니'를 먼저 소개한 것은 언어 예절에 맞다.

오답분석

① **저는 OO[본관] O씨입니다. → 저는 OO[본관] O가입니다.**: 자기의 본관을 소개할 때 "저는 OO[본관] O가입니다."라고 하는 것이 바르다. 한편 타인의 성씨를 소개할 때 "저 분은 OO[본관] O씨입니다."라고 말할 수 있다. 참고로 '그 성씨의 가문이나 문중'의 뜻을 더하는 접미사 '-씨(氏)'가 있으므로, 가문이나 문중의 뜻을 나타내는 경우에는 'O씨'와 같이 쓸 수 있다.

② **저는 OOO 씨의 부인입니다. → 저는 OOO 씨의 아내(혹은 안사람, 집사람)입니다.**: '부인'은 타인의 아내를 높여 이르는 말이다. 따라서 남편의 친구에게 자신을 소개할 때 "저는 OOO 씨의 아내(혹은 안사람, 집사람)입니다."라고 소개하는 것이 바른 표현이다.

③ **OOO 씨를 모시겠습니다. → OOO 씨를 소개합니다./OOO 씨가 나오겠습니다.**: 텔레비전의 시청자층은 불특정하다. 이를 고려하여 텔레비전에서 사회자가 소개할 때는 "OOO 씨를 소개합니다(OOO 씨가 나오겠습니다)."라고 해야 한다.

정답 ④

고득점 GO!

'소개' 공식!

㉦한 사람 → ㉷랫사람 → ㉰자

출제 유형

표준 언어 예절	상황에 맞는 언어 예절 표현인지 묻는 유형

066 ○○○ 2022 지방직 9급

언어 예절로 가장 적절한 것은?

① 지금부터 회장님의 말씀이 계시겠습니다.

② (시누이에게) 고모, 오늘 참 예쁘게 차려 입으셨네요?

③ (처음 자신을 소개하면서) 처음 뵙겠습니다. 박혜정입니다.

④ (다른 사람에게 자기 아내를 가리키며) 이쪽은 제 부인입니다.

난이도 ◯ 중 하

해설 처음 만난 사람에게 자신을 소개할 때에는 자신이 누구인지를 밝혀야 한다. 따라서 ③은 인이 예절에 맞는 표현이다.

오답분석

① **계시겠습니다 → 있으시겠습니다**: '있다'의 높임말에는 '계시다'와 '있으시다'가 있다. 직접 높임에는 '계시다'를, 간접 높임에는 '있으시다'를 쓴다. 회장님의 '말'을 높임으로써, 회장님을 간접적으로 높이고 있다. 따라서 '있으시겠습니다'로 표현해야 언어 예절에 맞는 표현이다.

② **고모 → 형님/아가씨**: 남편의 누나나 여동생을 '시누이'라고 한다. 따라서 '시누이'에게 아버지의 누이를 이르거나 부르는 말인 '고모'를 쓰는 것은 적절하지 않다. 손위 시누이라면 '형님'으로, 손아래 시누이라면 '아가씨'로 이르거나 불러야 한다.

④ **부인 → 아내/안사람**: '부인'은 남의 아내를 높여 이르는 말이다. 따라서 자신의 아내를 가리킬 때는 '아내'나 '안사람'을 써야 언어 예절에 맞는 표현이다.

정답 ③

067 ○○○ 2020 경찰 1차

다음 중 우리말 표현으로 가장 적절한 것은?

① (길에서 친구에게) 오랜만이야. 선고(先考)께서는 잘 계시지?

② (카페에서 손님에게) 주문하신 커피 나오셨습니다.

③ (평사원이 전무에게) 전무님, 과장님은 오전에 외근 나가셨습니다.

④ (병원에서 손님에게) 잠시 기다리세요. 주사 맞고 가실게요.

난이도 상 중 하

TIP 회사에서는 직급에 상관없이 전부 높인다(모두에게 선어말 어미 '-시-'를 붙인다).

해설 압존법에 따르면, '전무'가 '과장'보다 직위가 높기 때문에 '과장'을 높일 필요가 없다. 그러나 회사에서는 압존법을 따르지 않는다. 회사에서는 직급에 상관없이 전부 높여야 한다. 따라서 '전무'에게 '과장'을 선어말 어미 '-시-'를 써서 높인 것은 우리말 표현으로 적절하다.

오답분석 ① **선고(先考) → 춘부장(춘장, 대인, 영존, 어르신)**: '선고(先考)'는 남에게 '돌아가신 자기 아버지'를 이르는 말이다. 따라서 살아 있는 친구의 아버지를 이르는 말로 적절하지 않다. 남의 아버지를 높여 이르는 말인 '춘부장(春府丈), 춘장, 대인, 영존, 어르신 등'을 써서 표현하는 것이 좋다.

② **커피 나오셨습니다 → 커피 나왔습니다**: '커피'는 높임의 대상이 아니다. 따라서 '나오다'에 주체 높임의 선어말 어미 '-시-'를 붙인 표현은 적절하지 않다. '(손님께서) 주문하신 커피(가) 나왔습니다.'로 해야 자연스러운 표현이다.

④ **주사 맞고 가실게요 → 주사 맞으셔야 합니다/주사 맞으실 겁니다**: '-(으)ㄹ게'는 해할 자리에 쓰여, 어떤 행동을 할 것을 약속하는 뜻을 나타내는 종결 어미이다. 보통 '-(으)ㄹ게'는 자신이 할 행동에 쓰는 말이기 때문에 상대방에게 쓰는 것은 어색한 표현이 된다. 따라서 '주사(를) 맞으셔야 합니다./주사(를) 맞으실 겁니다."로 해야 자연스러운 표현이다.

정답 ③

068  2014 지방직 7급

우리말 표현으로 옳지 않은 것은?

① (같은 반 친구에게) 동건아, 선생님이 너 빨리 교실로 오라셔.

② (간호사가 환자에게) 이제 주사 맞으실게요.

③ (점원이 손님에게) 총금액이 65만 원 나왔습니다.

④ (평사원이 전무에게) 과장님은 지금 외근 나가셨습니다.

난이도 상 중 하

해설 **주사 맞으실게요. → 주사 맞으실 겁니다. / 주사를 놓을게요. / 주사를 놓아 드릴게요**: 어미 '-ㄹ게'는 어떤 행동을 할 것을 약속하는 뜻을 나타내는 종결 어미로, 이를 자신의 행동에 대하여 쓰는 것은 자연스럽지만, 상대방의 행동에 대하여 쓰는 것은 어색하다. 따라서 간호사가 환자가 할 행동에 대하여 말할 때에는 '-ㄹ게'를 써서 표현할 것이 아니라, "(환자분은) 이제 주사(를) 맞으실 겁니다."로 표현하거나 주사는 '간호사'가 놓는 것이므로, ②처럼 '-ㄹ게'를 사용하여 "(제가) 이제 주사를 놓을게요. / 놓아(놔) 드릴게요."와 같이 표현하는 것이 적절하다.

오답분석 ① '오라셔'는 '오라고 하셔'의 준말로, 청자 '동건이'는 높이지 않고, 문장의 주체인 '선생님'은 높였고, 친구 간의 대화이기 때문에 마지막 종결 어미는 '-어'로 마친 상대 높임 비격식체 '해체'를 구사하고 있는 바른 표현이다.

→ 동건아, '선생님이' (너) (오라고) '(말씀)하셔(= 시어)'.

③ 청자인 손님에게 '합쇼체'를 통해 높이고 있다. '얼마의 금액이 다.' 혹은 '얼마의 금액이 나오다.'로 쓸 수 있다.

→ **총금액이 65만 원입니다. (O) / 총금액이 65만 원 나왔습니다. (O)**

※ '나오다'는 '받을 돈 따위가 주어지거나 세금 따위가 물려지다.'로 사용할 수 있다.

예 월급이 나오다. / 세금이 나오다.

④ 직장에서는 말하는 이가 누구인지와 상관없이 모든 사람을 높이는 것이 알맞다. 따라서 듣는 청자가 비록 전무이고 '나간' 것은 과장이지만 '나가시다'의 '-시-'를 통해 행위의 주체인 과장도 높이고(주체 높임법), 듣는 사람이 전무이기 때문에 '-ㅂ니다'의 종결 어미를 통해 상대 높임도 실현하고 있는(상대 높임법) 바른 표현이다.

069 ○○○ 2013 국회직 8급

다음 중 두 사람의 대화가 표현상 어색하지 않은 것은?

① **장인**: 김 서방, 이리 와서 이 책들을 옮겨 주게.
사위: 네, 아버님.

② **손님**: 이 휴대 전화를 사고 싶습니다. 한 달 요금이 얼마인가요?
점원: 네, 고객님은 매월 45,000원 되세요.

③ **간호사**: 홍길동 님, 어느 분이세요?
환자: 접니다.
간호사: 이쪽에 잠깐 앉아 계실게요.

④ **부장**: 자네, 이것 할 수 있겠나?
대리: 네, 하시라면 해야죠.

⑤ **선생님**: 철수야, 아버지의 이름이 무엇이지?
학생: 네, 저의 아버지 함자는 홍자 길자 동자이십니다.

난이도 ○ ㊥ ㊦

해설 ①에서 장인어른은 사위에게 '주게'와 같은 '하게체'의 상대 높임의 격식체를 사용하고 있고, 사위는 장인어른을 '아버님'이라고 바르게 호칭하고 있다. 따라서 두 사람의 대화는 어색하지 않다.

오답분석

② **고객님은 매월 45,000원 되세요. → 고객님의 경우, (해당 요금은) 45,000원입니다.**: 문자적으로 해석하면 고객한테 돈이 되라는 뜻이다. 높임의 대상은 '돈'이 아닌 청자인 '고객'이므로, 종결 어미를 통한 상대 높임만 드러내면 된다.

③ **이쪽에 잠깐 앉아 계실게요. → 이쪽에 잠깐 앉아 계세요.** : 어미 '-ㄹ게요'는 화자가 어떤 행동을 할 것을 약속하는 뜻이므로, 주어진 대로 해석하면 간호사가 앉아 있겠다는 표현이며 스스로를 높이고 있다. 따라서 '이쪽에 잠깐 앉아 계세요.' 정도가 바른 표현이다.

④ **하시라면 해야죠. → 하라시면 해야죠.**: 문자적으로 풀면 '(제가) 하시라고 하면 (부장님께서) 해야죠.'의 의미가 되어 자신을 높이고 부장님을 낮추는 표현이 된다. 따라서 '(제가) 하라고 (부장님께서) 하시면' 또는 '하라시면'으로 표현해야 한다.
※ 직장에서는 기본적으로 모두에게 '-시-'를 넣어 경어체를 쓰는 것이 적절하므로, '부장'의 말도 "김 대리, 이거 하실 수 있겠습니까?"가 더 적절한 표현이다.

⑤ • **철수야, 아버지의 이름이 무엇이지? → 철수야, 아버지의 성함이 무엇이지?**
• **네, 저의 아버지 함자는 홍자 길자 동자이십니다. → 네, 저의 아버지 함자는 홍 길자 동자이십니다.**: '학생의 부모님의 '이름'은 '성함, 존함' 등으로 표현해야 하며, 자신의 부모님의 성함을 말할 때 성에는 '자'를 붙이지 않는다.

정답 ①

070 ○○○ 2013 지방직 7급

어법에 맞는 표현은?

① (면접을 마친 후 면접관에게) 면접관님, 수고하십시오.

② (문상을 가서 상주에게) 삼가 조의를 표합니다.

③ (점원이 손님에게) 손님께서 찾으시는 물건은 품절이십니다.

④ (아내가 남편에게) 오빠, 외식하러 가요.

난이도 ㊤ ○ ㊦

해설 문상을 가면 고인에게 두 번 절하고, 상주에게 한 번 절한 후에 아무말도 없이 물러나는 것이 예의에 맞다. 다만 굳이 말을 해야 할 상황에는 ②처럼 "삼가 조의를 표합니다." 혹은 "뭐라 위로의 말씀을 드려야 할지 모르겠습니다." 정도의 표현이 가능하다.

오답분석

① '수고'는 아랫사람이 윗사람에게 쓸 수 없다. '윗사람'이 '아랫사람'에게 혹은 '동년배'에게 사용하는 것이 바른 표현이다.

③ **품절이십니다 → 품절입니다**: 주체 높임의 '시'를 잘못 사용하여 '물건'을 높이게 되었다. "물건은 품절되었습니다." 정도가 바른 표현이다.

④ **오빠 → 여보 / ○○ 아빠(자녀가 있을 경우) / (신혼 초에 한하여) ○○ 씨**: 남편을 '오빠'로 부를 수 없다.

정답 ②

화법과 작문

Unit 08 듣기와 말하기

출제 유형

공감적 듣기	• 대화에 쓰인 공감적 듣기의 유형을 찾는 유형
공손성의 원리	• 격률과 예문을 짝짓는 유형
화법과 작문	• 말하기 방식을 찾는 유형 • 조건에 맞는 글쓰기를 찾는 유형

핵심정리

1. 공손성의 원리

요령의 격률	상대방에게 부담이 되는 표현은 최소화하고 상대방에게 이익이 되는 표현을 극대화하는 말하기 방식 예 죄송하지만 부탁드려도 될까요?
관용의 격률	화자 자신에게 혜택을 주는 표현은 최소화하고 자신에게 부담을 주는 표현을 최대화하는 말하기 방식 예 제가 눈이 안 좋아서 그런데, 좀 더 크게 적어주시겠어요?
칭찬(찬동)의 격률	다른 사람에 대한 비방을 최소화하고 칭찬을 극대화하는 말하기 방식 예 (자기 가방이 어떠냐는 친구에게) 예쁘고 좋아 보여.
겸양의 격률	자신에 대한 칭찬을 최소화하고 자신에 대한 비방을 극대화하는 말하기 방식 예 (자신을 칭찬하는 사람에게) 천만에요, 아직 미숙한 걸요.
동의의 격률	자신의 의견과 다른 사람의 의견 사이의 다른 점을 최소화하고 자신의 의견과 다른 사람의 의견 사이의 일치점을 극대화하는 말하기 방식 예 (자장면을 먹으러 가자는 친구에게) 자장면 좋지. 먹으러 가자.

2. 협력의 원리

양의 격률	주고받는 대화의 목적에 필요한 만큼만 정보를 제공하고 필요 이상의 정보를 제공하지 말라는 격률
질의 격률	진실한 정보만을 제공하도록 노력하고 증거가 불충분한 것은 말하지 말라는 격률
관련성의 격률	해당 대화 맥락과 관련되는 말을 하라는 격률
태도의 격률	모호하거나 중의적인 표현을 피하고 간결하고 조리 있게 말하라는 격률

출제 유형

공감적 듣기	대화에 쓰인 공감적 듣기의 유형을 찾는 유형

071 ○○○ 2023 지방직 9급

㉠~㉣의 말하기 방식을 설명한 내용으로 가장 적절한 것은?

> 김 주무관: AI에 대한 국민 이해도를 높이기 위해 설명회를 개최할 필요가 있다고 생각해요.
> 최 주무관: ㉠ 저도 요즘 그 필요성을 절감하고 있어요.
> 김 주무관: ㉡ 그런데 어떻게 준비해야 효과적으로 전달할 수 있을지 고민이에요.
> 최 주무관: 설명회에 참여할 청중 분석이 먼저 되어야겠지요.
> 김 주무관: 청중이 주로 어떤 분야에 관심이 있는지 알면 준비할 때 유용하겠네요.
> 최 주무관: ㉢ 그럼 청중의 관심 분야를 파악하려면 청중의 특성 중에서 어떤 것들을 조사하면 좋을까요?
> 김 주무관: ㉣ 나이, 성별, 직업 등을 조사할까요?

① ㉠: 상대의 의견에 대해 공감을 표현하고 있다.
② ㉡: 정중한 표현을 사용하여 직접 질문하고 있다.
③ ㉢: 자신의 반대 의사를 우회적으로 드러내고 있다.
④ ㉣: 의문문을 통해 상대의 의견을 반박하고 있다.

난이도 ㊤ ○ ㊦

해설 AI에 대한 국민 이해도를 높이기 위해 설명회 개최가 필요하다는 '김 주무관'의 생각에 대해 '최 주무관'은 자신도 그 필요성을 절실히 느끼고 있다고 말하고 있다. 따라서 ㉠이 상대의 의견, 즉 '김 주무관'의 의견에 대해 공감을 표현하고 있다는 설명은 적절하다.

오답분석
② 질문을 하는 방법에는 두 가지가 있다. '직접 화법'과 '간접 화법'이다. '직접 질문'은 '직접 화법'에 해당한다. 그런데 ㉡이 '의문문'이 아닌 것을 보아, '간접 화법'이다. 따라서 직접 질문하고 있다는 설명은 적절하지 않다.
③ ㉢은 청중의 관심 분야를 파악하기 위해, 청중의 특성 중 어떤 것을 조사해야 하는지에 대해 묻는 것이다. 자신의 반대 의사를 우회적으로 드러낸 것이 아니다.
④ ㉣은 의문문이다. 그러나 상대의 의견을 반박하기 위함이 아니라, '나이, 성별, 직업' 등을 조사하는 게 어떨까 하고 묻고 있는 것이다. 따라서 반박보다는 질문에 대한 답변을 하고 있는 것으로 봐야 한다.

 ①

072 ○○○ 2022 지역 인재 9급

다음 대화에 나타난 말하기 방식으로 적절하지 않은 것은?

> 학생: 선생님, 이번 축제 기간에 저희 컴퓨터 프로그래밍 동아리에서 운영하는 부스를 홍보하고 싶은데, 포스터에 어떤 내용을 넣으면 좋을지 선생님께 여쭤 보고 싶어서요. 저에게 지금 시간 좀 내 주세요.
> 교사: 그래? 너희 동아리에서 운영하는 부스에선 뭘 하는지 궁금하구나.
> 학생: 우리 동아리 부원들이 직접 만든 스마트폰 앱을 체험해 볼 수 있어요. 게임, 일정 관리 등 다양한 앱들이 있어요.
> 교사: 와! 재미있겠는걸. 그럼 동아리 부스 홍보물에는 어떤 내용을 담고 싶니?
> 학생: 어떤 체험용 앱이 있는지 소개하고, 우리 동아리에 들어오면 컴퓨터 프로그래밍 능력을 제대로 키울 수 있다고 알리고 싶어요. 그런데 포스터로 우리가 만든 앱이 뛰어나다는 걸 잘 전달할 수 있을지가 걱정이에요.
> 교사: 맞아. 네 말대로 스마트폰과 포스터는 전달 방식이 다르니 쉽지 않지. 그럼 우선 앱 자체에 대한 소개는 포스터가 아닌 다른 방법을 생각해 보고, 그 대신 홍보 포스터로 쉽게 전달할 수 있는 다른 내용에 집중해 보는 건 어떨까?
> 학생: 그렇다면 현재 동아리에 관련 대회 입상자가 많다는 것을 홍보해야겠어요. 앱 소개는 앱 실행 영상을 온라인에 올려 두고 검색 주소를 안내하는 편이 더 좋을 것 같아요. 선생님 덕분에 고민이 해결되었어요.

① 교사는 학생의 말에 대한 공감 표현을 사용하고 있다.
② 학생은 교사의 질문에 대하여 구체적으로 답변하고 있다.
③ 학생은 교사가 부담을 덜 느끼도록 질문 형식으로 대화하고 있다.
④ 교사는 제안하기를 통해 학생이 대안을 생각하도록 유도하고 있다.

난이도 ㊤ ○ ㊦

해설 부담을 덜 느끼도록 질문 형식으로 대화하고 있는 사람은 '학생'이 아닌 '교사'이다.

오답분석
① 교사의 '와! 재미있겠는걸.', '맞아. 네 말대로 스마트폰과 포스터는 전달 방식이 다르니 쉽지 않지.' 등의 표현에서 확인할 수 있다.
② 교사의 '그럼 동아리 부스 홍보물에는 어떤 내용을 담고 싶니?'라는 물음에, '학생'을 구체적으로 답변을 하고 있다.
④ 교사는 '그럼 우선 앱 자체에 대한 소개는 포스터가 아닌 다른 방법을 생각해 보고, 그 대신 홍보 포스터로 쉽게 전달할 수 있는 다른 내용에 집중해 보는 건 어떨까?'라며, 제안하기를 통해 학생이 대안을 생각하도록 유도하고 있다.

정답 ③

073 ○○○ 2022 지방직 9급

다음 대화에 대한 설명으로 가장 적절한 것은?

> A: 예은 씨. 오늘 회의 내용을 팀원들에게 공유해 주시면 좋겠네요.
> B: 네. 알겠습니다. 팀장님, 오늘 회의 내용을 요약 정리해서 메일로 공유하면 되겠지요?
> A: (고개를 끄덕이며) 맞습니다.
> B: 네. 그럼 회의 내용은 개조식으로 요약하고, 팀장님을 포함해서 전체 팀원에게 메일로 보내도록 하겠습니다.
> A: 예은 씨. 그런데 개조식으로 회의 내용을 요약하는 방식에는 문제가 있지 않을까요?
> B: (고개를 끄덕이며) 그렇겠네요. 개조식으로 요약할 경우 회의 내용이 과도하게 생략되어 이해가 어려울 수 있겠네요.

① A는 B에게 내용 요약 방식을 제안하고 있다.

② A와 B는 대화 중에 공감의 표지를 드러내며 상대방의 말을 듣고 있다.

③ B는 회의 내용 요약 방식에 대한 A의 문제 제기에 대해 자신이 다른 입장임을 드러내고 있다.

④ A는 개조식 요약 방식이 회의 내용을 과도하게 생략하여 이해에 어려움을 줄 수 있다고 명시하고 있다.

난이도 상 중 하

해설 A와 B 모두 '공감의 표지'로 비언어적인 표현인 '고개의 끄덕임'을 활용하고 있다.

오답분석 ① A가 B에게 '개조식 요약 방식'에 문제가 있지 않을까 하고 의문을 제기하고 있을 뿐, 구체적으로 어떤 요약 방식을 활용하는 게 좋겠다고 제안을 하고 있지는 않다.

③ 회의 내용 요약 방식에 A가 문제 제기를 한 것에 대해 B는 "(고개를 끄덕이며) 그렇겠네요."라며 동의하고 있다. 따라서 자신이 다른 입장임을 드러내고 있다는 설명은 적절하지 않다.

④ 회의 내용을 과도하게 생략하여 이해에 어려움을 줄 수 있다고 말하고 있는 사람은 A가 아니라 B이다. A는 단순히 문제가 있지 않을까 하고 의문을 제기하고 있을 뿐이다.

정답 ②

074 ○○○ 2019 국가직 9급

두 사람의 대화에 적용된 공감적 듣기의 방법이 아닌 것은?

> "수빈 씨, 나 처음 한 프레젠테이션인데 엉망이었어."
> "정말? 무슨 일이 있었는지 자세히 말해 봐."
> "너무 긴장해서 팀장님 질문에 대답을 못했어."
> "팀장님 질문에 대답을 못했구나. 처음 하는 프레젠테이션이라 정아 씨가 긴장을 많이 했나 보다."

① 수빈은 정아의 말에 자신이 주의 집중하고 있음을 보여 주고 있다.

② 수빈은 정아가 계속 말을 할 수 있도록 격려하고 있다.

③ 수빈은 정아의 혼란스러운 감정을 정아 스스로 정리하게끔 도와주고 있다.

④ 수빈은 정아의 말을 자신의 처지로 바꾸어 의미를 재구성하고 있다.

난이도 상 중 하

TIP '공감적 듣기'는 청자가 화자의 생각이나 감정을 깊이 있게 이해하려는 것을 목적으로 하는 듣기이다.

해설 수빈은 정아의 말을 자신의 처지로 바꾸어서 "그러니까, 네가 하고 싶었던 말은 ~구나." 또는 "말하자면, ~라는 것이지?"처럼 의미를 재구성하고 있지는 않다.

오답분석 ① 수빈은 "정말?"이라고 말하면서, 관심을 표명했다. 또 정아의 말에 적절한 위로("처음 하는 ~ 긴장을 했나 보다.")를 해줌으로써 자신이 주의 집중하고 있음을 보여 주고 있다.

② 수빈은 "정말? 무슨 일이 있었는지 자세히 말해 봐."라고 말하면서, 정아가 계속 말을 할 수 있도록 격려하고 있다.

③ 수빈은 "처음 하는 프레젠테이션이라 정아 씨가 긴장을 많이 했나 보다."라는 말을 통해 정아의 혼란스러운 감정을 정아 스스로 정리하게끔 도와주고 있다.

정답 ④

출제 유형

공손성의 원리	격률과 예문을 짝짓는 유형

075 ○○○ 2022 군무원 9급

다음 중 '을'이 '동의의 격률'에 따라 대화를 한 것은?

① 갑: 저를 좀 도와주실 수 있어요?
을: 무슨 일이지요? 지금 급히 해야 할 일이 있어요.

② 갑: 글씨를 좀 크게 써 주세요.
을: 귀가 어두워서 잘 들리지 않는데 좀 크게 말씀해 주세요.

③ 갑: 여러 모로 부족한 점이 많은데, 앞으로 잘 부탁합니다.
을: 저는 매우 부족한 사람이라서 제대로 도와 드릴 수 있을지 걱정입니다.

④ 갑: 여러 침대 중에 이것이 커서 좋은데 살까요?
을: 그 침대가 크고 매우 우아해서 좋군요. 그런데 좀 커서 우리 방에 들어가지 않을 것 같아요.

난이도 ㊤ ◯ ㊦

해설 '동의의 격률'은 자신의 의견과 다른 사람의 의견 사이의 차이점을 최소화하고 자신의 의견과 다른 사람의 의견의 일치점을 극대화하는 것이다. 이에 따라 대화를 한 것은 ④이다. 갑과의 의견 차이를 최소화하기 위해 우선은 '그 침대가 크고 매우 우아해서 좋군요.'이라고 한 후에, '그런데 좀 커서 우리 방에 들어가지 않을 것 같아요.'라며 자신의 의견을 밝히고 있기 때문이다.

오답분석
① '갑'과 '을'은 요령의 격률을 지킨 표현으로 볼 수 있다. 그런데 '동의의 격률'의 핵심은 '맞장구'이다. 그런데 '갑'의 부탁에 '을'은 '맞장구'를 치기는커녕, 급히 해야 할 일이 있어서 안 된다며 거절의 의사를 밝히고 있다. 따라서 '동의의 격률'을 따른 것으로 보기 어렵다.
② '을'이 '(제가) 귀가 어두워서 잘 들리지 않는데'라고 말한 것을 볼 때, 관용의 격률을 지킨 표현이다. 그러나 '동의의 격률'은 나타나지 않는다.
③ '갑'과 '을'은 겸양의 격률을 지킨 표현으로 볼 수 있다. 그러나 '동의의 격률'은 나타나지 않는다.

 ④

076 ○○○ 2022 지역 인재 9급

(가)를 기준으로 볼 때 (나)의 대화에서 개선해야 할 점으로 가장 적절한 것은?

> (가) 성공적인 대화에는 일반적으로 '시작 – 중심 – 종결'의 3단계 구조가 적용된다. '시작' 단계에서는 서로 인사를 주고받는다. '중심' 단계에서는 대화할 상황이 되는지, 어떻게 대화할지 등 대화 규칙을 의논하여 정하고, 이후 화제에 대해 대화한다. 그리고 '종결' 단계에서는 마무리 인사를 하거나 다른 화제로 넘어간다.
>
> (나) (복도에서 반 친구를 만난 상황)
> 학생1: ㉠ 안녕, 일찍 왔네.
> 학생2: 응, 너도 일찍 왔구나.
> 학생1: ㉡ 노트 좀 빌려줘. 내가 어제 수업을 못 들었어.
> 학생2: 그래? 근데 나 지금 바로 교무실 가 봐야 하는데. 나중에 교실에서 줄게.
> 학생1: ㉢ 잠깐만. 어제는 진도 얼마나 나갔니?
> 학생2: 조금. 어….
> 학생1: 볼 게 많아?
> 학생2: 어…, 조금…. 시간 다 돼서 급한데…, 다녀올게.
> 학생1: ㉣ 응, 잘 다녀와.

① ㉠:아침에 만나 처음 대화를 시작하므로 인사를 더욱 다정하게 해야 한다.

② ㉡:대화할 수 있는 상황인지 물어보고 어떻게 대화할지를 정해야 한다.

③ ㉢:대화 규칙을 정하기 전에 화제에 대해 진지한 대화를 해야 한다.

④ ㉣:이번 대화를 마무리하면서 다음 대화 약속 시간을 정해야 한다.

난이도 ㊤ ◯ ㊦

해설 (가)에서 "'중심' 단계에서는 대화할 상황이 되는지, 어떻게 대화할지 등 대화 규칙을 의논하여 정하고, 이후 화제에 대해 대화한다."라고 하였다. 따라서 화제에 대해 바로 대화를 하고 있는 ㉡의 경우, '대화할 수 있는 상황인지 물어보고 어떻게 대화할지를 정해야 한다.'를 개선점으로 제시할 수 있다.

정답 ②

077 ○○○ 2021 국가직 9급

㉠~㉣은 '공손하게 말하기'에 대한 설명이다. ㉠~㉣을 적용한 B의 대답으로 적절하지 않은 것은?

> ㉠ 자신을 상대방에게 낮추어 겸손하게 말해야 한다.
> ㉡ 상대방의 처지를 고려하여 상대방이 부담을 갖지 않도록 말해야 한다.
> ㉢ 상대방이 관용을 베풀 수 있도록 문제를 자신의 탓으로 돌려 말해야 한다.
> ㉣ 상대방의 의견에서 동의하는 부분을 찾아 인정해 준 다음에 자신의 의견을 말해야 한다.

① ㉠ A: "이번에 제출한 디자인 시안 정말 멋있었어."
B: "아닙니다. 아직도 여러모로 부족한 부분이 많습니다."

② ㉡ A: "미안해요. 생각보다 길이 많이 막혀서 늦었어요."
B: "괜찮아요. 쇼핑하면서 기다리니 시간 가는 줄 몰랐어요."

③ ㉢ A: "혹시 내가 설명한 내용이 이해 가니?"
B: "네 목소리가 작아서 내용이 잘 안 들렸는데 다시 한번 크게 말해 줄래?"

④ ㉣ A: "가원아, 경희 생일 선물로 귀걸이를 사주는 것은 어때?"
B: "그거 좋은 생각이네. 하지만 경희의 취향을 우리가 잘 모르니까 귀걸이 대신 책을 선물하는 게 어떨까?"

난이도 상 중 하

해설 "상대방이 관용을 베풀 수 있도록 문제를 자신의 탓으로 돌려 말해야 한다."는 ㉢은 '관용의 격률'에 대한 설명이다. 그런데 ③의 'B'가 "네 목소리가 작아서"라고 말하는 것을 볼 때, B는 문제의 원인을 '자신'이 아닌 '상대방'으로 탓으로 돌리고 있다. 따라서 ㉢의 예로 적절하지 않다.

오답 분석
① ㉠은 '겸양의 격률'에 대한 설명이다. 시안이 멋있었다는 A의 칭찬에, B는 아직도 부족한 부분이 많다면서 겸손하게 말하고 있다. 따라서 ㉠을 적용한 대답으로 적절하다.
② ㉡은 '요령의 격률'에 대한 설명이다. 약속 시간에 늦은 A에게, B는 A의 부담을 덜어주기 위해 쇼핑하느라 시간 가는 줄 몰랐다고 말하고 있다. 따라서 ㉡을 적용한 대답으로 적절하다.
④ ㉣은 '동의의 격률'에 대한 설명이다. 생일 선물을 '귀걸이'로 하자는 A에, B는 일단 좋은 생각이라고 의견에서 동의한 부분을 인정해 준 다음에, 자신의 의견인 '책 선물'을 이야기하고 있다. 따라서 ㉣을 적용한 대답으로 적절하다.

정답 ③

078 ○○○ 2020 국가직 9급

다음 대화에서 밑줄 친 부분의 표현 효과에 대한 설명으로 적절한 것은?

> 김 대리: 늦어서 죄송합니다. 일이 좀 많았습니다.
> 이 부장: <u>괜찮아요. 오랜만에 최 대리하고 오붓하게 대화도 나누고 시간 가는 줄 몰랐네요. 허허허.</u>
> 김 대리: 박 부장님은 오늘 못 나온다고 전해 달라셨어요.
> 이 부장: 그럼, 우리끼리 출발합시다.

① 자신과 상대방의 의견 차이를 최소화한다.

② 상대방에게 부담이 되는 표현을 최소화한다.

③ 화자 자신에게 혜택을 주는 표현을 최소화한다.

④ 상대방에 대한 비방을 최소화하고 칭찬을 최대화한다.

난이도 상 중 하

해설 '김 대리'와 '이 부장'이 정해진 시간에 만나기로 했는데, '김 대리'가 지각을 한 상황이다. 미안하다고 말을 하는 '김 대리'에게 '이 부장'은 다그치기보다는 최 대리와 대화도 나눌 수 있어 좋았다고 말하면서, '김 대리'에게 부담이 되는 표현을 최소화하고 있다.

오답 분석
① 동의의 격률에 대한 설명이다. 의견 차이를 최소화하는 내용이 아니므로 제시된 부분과는 관련이 적다.
③ 관용의 격률에 대한 설명이다. 자신에게 혜택을 주는 표현을 최소화한 내용이 아니므로 제시된 부분과는 관련이 적다.
④ 찬동(칭찬)의 격률에 대한 설명이다. 상대를 칭찬한 내용이 아니므로 제시된 부분과는 관련이 적다.

정답 ②

079 ○○○ 2017 국가직 7급

다음에서 설명한 '겸양의 격률'을 사용한 대화문은?

> '공손성의 원리'는 대화 참여자들 사이에서 공손하고 예의 바르게 말을 주고받는 태도를 중시하는 이론이다. 이 원리는 '요령', '관용', '찬동', '겸양', '동의'의 격률로 구성되어 있는데, 이 중 우리 선조들은, 상대방의 칭찬을 그대로 받아들이기보다는 자신을 낮추어 말하는 것을 미덕으로 여긴 '겸양의 격률'을 중요하게 생각했다.

① 가: 집이 참 좋네요. 구석구석 어쩌면 이렇게 정돈이 잘 되어 있는지……. 사모님 살림 솜씨가 대단하신데요.
나: 그렇게 말씀해 주시니 고맙습니다.

② 가: 정윤아, 날씨도 좋은데 우리 놀이공원이나 갈래?
나: 놀이공원? 좋지. 그런데 나는 오늘 뮤지컬 표를 예매해 둬서 어려울 것 같아.

③ 가: 제가 귀가 안 좋아서 그러는데 죄송하지만 조금만 더 크게 말씀해 주시겠어요?
나: 제 목소리가 너무 작았군요. 죄송합니다.

④ 가: 유진아, 너는 노래도 잘하고 운동도 잘하고 못하는 게 없구나.
나: 아니에요. 특별히 잘하는 것도 없는데요. 아직 많이 부족합니다.

난이도 ㊤ ◯ ㊦

해설 제시된 글에 따르면, '겸양의 격률'은 상대방의 칭찬을 그대로 받아들이기보다는 자신을 낮추어 말하는 것이다. 이를 사용한 대화문은 ④이다. 노래와 운동을 잘한다는 '가'의 칭찬을 '나'가 그대로 받아들이기보다는 자신을 낮춰 말하고 있기 때문이다.

오답분석 ① 칭찬에 대해 자신을 낮춰 말하기보다는 그대로 받아들이고 있기 때문에 '겸양의 격률'을 지키지 않았다. 한편 상대에 대한 비방을 최소화하고, 칭찬을 극대화했다는 점에서 '칭찬(찬동)의 격률'을 사용한 대화문으로 볼 수 있다.

② 상대방을 칭찬한 내용이 없기 때문에, '겸양의 격률'과는 관련이 없다. 한편 상대방과의 의견 차이를 최소화하고 상대방의 의견과의 일치점을 극대화하지 않았다는 점에서 '동의의 격률'을 어긴 대화문이다.

③ 상대방을 칭찬한 내용이 아니므로, '겸양의 격률'과 관련이 없다. 한편 자신에게 부담이 되는 표현을 최대화했다는 점에서, '관용의 격률'을 사용한 대화문으로 볼 수 있다.

정답 ④

080 ○○○ 2016 국가직 9급

다음 글을 근거로 할 때, 〈보기〉의 대화에서 ㉡의 대답이 갖는 특징으로 적절하지 않은 것은?

> 그라이스(Grice)는 원활한 대화 진행을 위한 요건으로 네 가지의 '협력의 원리'를 제시한 바 있다. 첫째, 주고받는 대화의 목적에 필요한 만큼만 정보를 제공하고 필요 이상의 정보를 제공하지 말라는 양의 격률이다. 둘째, 진실한 정보만을 제공하도록 노력하고 증거가 불충한 것은 말하지 말라는 질의 격률이다. 셋째, 해당 대화 맥락과 관련되는 말을 하라는 관련성의 격률이다. 넷째, 모호하거나 중의적인 표현을 피하고 간결하고 조리있게 말하라는 태도의 격률이다. 그러나 모종의 효과를 위해 이 네 가지의 격률을 위배하는 일은 일상 대화에서 빈번하게 이루어지는데, 일반적으로 언중들은 그것을 자연스럽게 받아들일뿐 아니라 때에 따라서는 협력의 원리를 지키는 것이 예의에 어긋난 경우도 많다.

〈보기〉

대화 (1) ㉠: 체중이 얼마나 되니?
㉡: 55kg인데 키에 비해 가벼운 편입니다.
대화 (2) ㉠: 얼마 전 시민 운동회가 있었다며?
㉡: 응. 백 미터 달리기에서 비행기보다 빠른 사람을 봤어.
대화 (3) ㉠: 너 몇 살이니?
㉡: 형이 열일곱 살이고, 저는 열다섯 살이지요.
대화 (4) ㉠: 점심은 뭐 먹을래?
㉡: 생각해 보고 마음 내키는 대로요.

① 대화 (1): 관련성의 격률을 위배하였다.
② 대화 (2): 질의 격률을 위배하였다.
③ 대화 (3): 양의 격률을 위배하였다.
④ 대화 (4): 태도의 격률을 위배하였다.

난이도 ◯ ㊥ ㊦

TIP '관련성의 격률'은 해당 대화 맥락과 관련되는 말을 하라는 것이다.

해설 〈보기〉의 대화 (1)에서 '체중'을 물었을 때, '체중'을 답했기 때문에 '관련성의 격률'을 어긴 것은 아니다. 다만, 대화 (1)의 ㉡은 "키에 비해 가벼운 편이다."라는 말을 통해 필요 이상의 정보를 상대방에게 제공했다. 이것은 '양의 격률'을 어긴 것에 해당한다. 따라서 ①의 설명이 적절하지 않다.

오답분석 ② 비행기보다 빠른 사람은 존재할 수 없다. 즉 '진실'이 아닌 정보를 상대에게 제공하고 있기 때문에 '질의 격률'을 어긴 것이다.

③ '나이'를 묻는 질문에, 자신뿐만 아니라 '형'의 나이도 함께 말했다. 즉 '필요' 이상의 정보를 상대에게 제공하고 있기 때문에, '양의 격률'을 어긴 것이다.

④ '무엇을 먹을 것이냐'는 상대의 질문에, '내키는 대로'와 같이 모호하게 대답을 하고 있다. 따라서 이는 '태도의 격률'을 어긴 것이다.

정답 ①

출제 유형

화법과 작문	말하기 방식을 찾는 유형

081 ○○○ 2023 지방직 9급

다음 대화를 분석한 내용으로 적절하지 않은 것은?

> 은지: 최근 국민 건강 문제와 관련해 '설탕세' 부과 여부가 논란인데, 나는 설탕세를 부과해야 한다고 생각해. 그러면 당 함유 식품의 소비가 감소하게 되고, 비만이나 당뇨병 등의 질병이 예방되니까 국민 건강 증진에 도움이 되기 때문이야.
> 운용: 설탕세를 부과하면 당 소비가 감소한다고 믿을 만한 근거가 있니?
> 은지: 세계보건기구 보고서를 보면 당이 포함된 음료에 설탕세를 부과하면 이에 비례해 소비가 감소한다고 나와 있어.
> 재윤: 그건 나도 알아. 그런데 설탕세 부과가 질병을 예방한다는 것은 타당하지 않아. 여러 연구 결과를 보면 당 섭취와 질병 발생은 유의미한 상관관계가 없어.

① 은지는 첫 번째 발언에서 화제를 제시하고 있다.
② 운용은 은지의 주장에 반대하고 있다.
③ 은지는 두 번째 발언에서 자신의 주장에 대한 근거를 제시하고 있다.
④ 재윤은 은지가 제시한 주장의 근거를 부정하고 있다.

난이도 상 중 하

해설 '은지'는 설탕세를 부과해야 한다고 주장하면서, "그러면 당 함유 식품의 소비가 감소하게 되고, 비만이나 당뇨병 등의 질병이 예방되니까 국민 건강 증진에 도움이 되기 때문이야."라고 말하고 있다. 이러한 '은지'의 주장에 대해 '운용'은 근거의 신뢰성에 대해 묻고 있다. 따라서 '은지'의 주장에 대해 반대하고 있다고 보기 어렵다.

오답분석
① '은지'는 '설탕세 부과'라는 화제를 제시하고 있다.
③ 근거의 신뢰성을 묻는 '운용'의 물음에, 자신의 주장에 대한 근거를 제시하고 있다.
④ "여러 연구 결과를 보면 당 섭취와 질병 발생은 유의미한 상관관계가 없어."라고 말하면서, '은지'가 제시한 주장의 근거를 부정하고 있다.

정답 ②

082 ○○○ 2023 국가직 9급

다음 대화에 나타난 말하기 방식을 설명한 것으로 적절하지 않은 것은?

> 백 팀장: 이번 워크숍 장면을 사내 게시판에 올리는 게 좋겠어요. 워크숍 내용을 공유하면 좋을 것 같아서요.
> 고 대리: 전 반대합니다. 사내 게시판에 영상을 공개하는 것은 부담스러워요. 타 부서와 비교될 것 같기도 하고요.
> 임 대리: 저도 팀장님 말씀대로 정보를 공유한다는 취지는 좋다고 생각해요. 다만 다른 팀원들의 동의도 구해야 할 것 같고, 여러 면에서 우려되긴 하네요. 팀원들 의견을 먼저 들어 보고, 잘된 것만 시범적으로 한두 개 올리는 것이 어떨까요?

① 백 팀장은 팀원들에 대한 유대감을 드러내는 표현을 사용하며 자신의 바람을 전달하고 있다.
② 고 대리는 백 팀장의 제안에 반대하는 이유를 명시적으로 밝히며 백 팀장의 요청을 거절하고 있다.
③ 임 대리는 발언 초반에 백 팀장 발언의 취지에 공감하여 백 팀장의 체면을 세워 주고 있다.
④ 임 대리는 대화 참여자의 의견을 묻는 의문문을 사용하여 자신의 의견을 간접적으로 드러내고 있다.

난이도 상 중 하

해설 백 팀장이 사내 게시판에 워크숍 영상을 공개하고 싶은 자신의 바람을 전달하고 있다. 그러나 팀원들에 대한 유대감을 드러내는 표현을 사용하고 있지는 않다.

오답분석
② '사내 게시판에 영상을 공개하는 것은 부담스러워요. 타 부서와 비교될 것 같기도 하고요.'라며 제안에 반대하는 이유를 명시적으로 밝히면서, '전 반대합니다.'라고 백 팀장의 요청을 거절하고 있다.
③ 임 대리는 '저도 팀장님 말씀대로 정보를 공유한다는 취지는 좋다고 생각해요.'로 발언을 시작하면서, 백 팀장 발언의 취지에 공감하며 백 팀장의 체면을 세워 주고 있다.
④ 임 대리는 '팀원들 의견을 먼저 들어 보고, 잘된 것만 시범적으로 한두 개 올리는 것이 어떨까요?'라면서 의문문을 사용하여, 자신의 의견을 간접적으로 드러내고 있다.

정답 ①

083 ○○○ 2022 지방직 7급

다음 대화에 대한 설명으로 가장 적절한 것은?

> 민서: 정국이 말이야. 우리한테는 말도 안 해 주고 자기 혼자 공모전에 신청했더라.
> 채연: 글쎄, 왜 그랬을까?
> 민서: 그러게 말이야. 정말 기분 나빠.
> 채연: 정국이도 나름대로 사정이 있었을 거야.
> 민서: 사정은 무슨 사정? 자기 혼자 튀어 보고 싶은 거겠지.
> 채연: 내가 지난 학기에 과제를 함께 해 봐서 아는데, 그럴 애가 아니야. 민서야, 정국이에 대해 다시 한번 생각해 보는 건 어때?
> 민서: 너 자꾸 이럴 거야? 도대체 왜 정국이 편만 드는 거야?

① 채연은 자신의 경험을 예로 들며 민서를 설득하고 있다.
② 채연은 민서의 의견을 수용하며 원만한 갈등 해소를 유도하고 있다.
③ 민서는 정국이의 상황과 감정을 고려하며 대화의 타협점을 찾고 있다.
④ 민서는 채연의 답변에서 모순점을 찾아내며 논리적으로 비판하고 있다.

난이도 ㉭ ◯ ㉻

해설 '채연'은 "내가 지난 학기에 과제를 함께 해 봐서 아는데"라면서, 자신의 경험을 예로 들면서, '민서'를 설득하고 있다.

오답분석
② '채연'은 '민서'에게 '정국'을 이해하라고 설득하고 있을 뿐, '민서'의 의견을 수용하고 있지는 않다. 그 결과 '민서'는 '채연'에게 "너 자꾸 이럴 거야? 도대체 왜 정국이 편만 드는 거야?"라고 말하고 있다. 이를 볼 때, 채연은 민서의 의견을 수용하며 원만한 갈등 해소를 유도하고 있다는 설명은 적절하지 않다.
③ 정국이의 상황과 감정을 고려하며 대화의 타협점을 찾고 있는 사람은 '민서'보다는 '채연'에 가깝다.
④ '민서'는 '채연'의 답변에서 모순점을 찾아내지도, 논리적으로 비판하고 있지도 않다.

정답 ①

084 ○○○ 2022 지방직 7급

다음 연설에 대한 설명으로 가장 적절한 것은?

> 올림픽 헌장은 "올림픽의 목적은 인류의 조화로운 발전과 인간 존엄성의 수호를 위해, 평화로운 사회를 만들기 위해 스포츠 경기를 하는 것이다."라고 말합니다. 이것이 올림픽 정신이며, 스포츠의 가능성과 힘을 보여 주는 것이라고 저는 굳게 믿습니다. 열 살 때 남북 선수단이 올림픽 경기장에 동시 입장하는 것을 보고 처음으로 스포츠의 힘을 느꼈습니다. 오늘 저는 유엔 총회의 '올림픽 휴전 결의안' 초안 승인을 통해 그때 목격했던 스포츠의 힘을 다시 한번 볼 수 있기를 바랍니다.

① 반대되는 사례를 제시하여 주장을 부각하고 있다.
② 권위 있는 자료를 인용하여 설득력을 높이고 있다.
③ 설의적인 표현을 사용하여 공감대를 형성하고 있다.
④ 연설자의 공신력을 강조하여 신뢰도를 높이고 있다.

난이도 ㉭ ◯ ㉻

해설 '올림픽헌장'이라는 권위 있는 자료를 인용하여, 설득력을 높이고 있다.

오답분석
① 반대되는 사례를 제시하지 않았다.
③ 모든 문장이 평서문으로 끝나고 있기 때문에, 설의적인 표현은 쓰이지 않았다.
④ 연설자 자신의 공신력을 강조한 내용은 확인할 수 없다.

정답 ②

085 ○○○ 2022 지역 인재 9급

다음 글에 대한 이해로 적절하지 않은 것은?

> 저희 ○○고등학교 학생들이 다니는 통학로는 도로 폭이 2미터 60센티미터밖에 되지 않아 차 한 대가 겨우 지나갈 수 있을 정도로 좁고 보행로도 없습니다. 그런데 요즘은 불법 주차한 차들 때문에 도로가 더 좁아졌습니다. 친구들과 등·하교할 때 통학로를 지나는 차를 만나면 몸을 피할 수 있는 공간이 없어 사고 위험이 높습니다.
>
> 저희는 △△구청에서 불법 주차 단속을 강화해 주시기를 건의합니다. 물론 저희의 건의가 받아들여진다면 주차 공간이 부족해 주민들이 불편해지는 상황이 발생할 것입니다. 이러한 상황을 고려해 저희 학교의 교장 선생님께서는 방과 후에 주민들이 주차하실 수 있도록 학교 운동장을 개방하겠다고 하셨습니다.
>
> 통학로에 불법 주차된 차량이 없다면 저희 학교 700여 명의 학생들은 안전하게 등·하교를 할 수 있고, 선생님과 학부모께서도 안심하실 수 있습니다. 그리고 학교 주변의 주민들도 넓어진 통학로에서 안전하게 보행할 수 있게 될 것이며 자동차 사고도 줄어들 것입니다. 또한 학교 주차장을 이용하는 방안을 잘 활용하면 주민들의 불편도 줄어들 것입니다.

① 문제를 해결할 수 있는 주체와 방안을 명시하고 있다.
② 문제 해결 방안으로 인한 이익을 구체적으로 설명하고 있다.
③ 문제 상황을 제시함으로써 문제의 심각성을 드러내고 있다.
④ 문제 해결 방안이 최선책임을 전문가의 증언을 제시함으로써 강조하고 있다.

난이도 ㊤ ◎ ㊦

해설 '전문가의 증언'을 따로 제시하고 있지는 않다.

오답분석 ① 2문단의 "저희는 △△구청에서 불법 주차 단속을 강화해 주시기를 건의합니다."에서 문제를 해결할 수 있는 주체와 방안을 명시하고 있다.
② 3문단에서 문제 해결 방안으로 인한 이익을 구체적으로 나열하고 있다.
③ 1문단에서 문제 상황을 제시하여, 문제의 심각성을 드러내고 있다.

정답 ④

086 ○○○ 2022 국회직 9급

다음 글에서 '루스벨트'가 말하는 방식에 대한 설명으로 옳은 것은?

> 루스벨트는 미국 대통령으로 당선되기 전에 해군에서 요직을 맡고 있었다. 어느 날 친구가 카리브해에 있는 섬의 잠수함 기지 건설계획을 그에게 물었다. 이 계획은 군사기밀이었으므로 루스벨트는 친한 친구라 하더라도 정보를 공유할 수 없었다. 하지만 직설적으로 거절하면 자신을 믿지 못하는 것이냐며 따지고 들 게 분명했다. 자신을 무시한다며 다시 보지 말자고 선언할 수 있는 상황이었다. 루스벨트는 긴장하는 척하면서 주위를 둘러보았다. 아무도 없음을 확인하고 목소리를 낮추어 말했다.
>
> "비밀 지킬 수 있어?"
>
> 친구는 기지 계획을 들을 수 있다는 희망에 큰 소리로 답했다.
>
> "물론이지!"
>
> 이에 루스벨트는 미소 지으며 대답했다.
>
> "나도 그래."
>
> 루스벨트는 친구의 불합리한 요구를 교묘하게 거절하면서 친구의 체면을 지켰다.

① 인정에 호소하는 태도로 상대를 설득하고 있다.
② 재치 있는 답변으로 곤란한 상황에 대처하고 있다.
③ 상대에 대한 공감의 태도를 보이면서 상대의 기대에 부응하고 있다.
④ 상대의 요구를 단호하게 거절하여 자신의 생각을 분명하게 표현하고 있다.
⑤ 상대를 직접적으로 비판하여 상대가 잘못을 깨닫게 만드는 화법을 쓰고 있다.

난이도 ㊤ ◎ ㊦

해설 '루스벨트는 친구의 불합리한 요구를 교묘하게 거절하면서 친구의 체면을 지켰다.'를 볼 때, '루스벨트'의 말하기 방식에 대한 설명으로 옳은 것은 ②이다.

오답분석 ① 인정에 호소하는 태도로 상대를 설득하고 있지 않다.
③ 상대에 대한 공감의 태도를 보이고 있지는 않다.
④ 상대의 요구를 단호하게 거절하지 않았다.
⑤ 상대를 비판하고 있지 않다.

정답 ②

출제 유형

화법과 작문	조건에 맞는 글쓰기를 찾는 유형

087 ○○○ 2023 국가직 9급

'해양 오염'을 주제로 연설을 한다고 할 때, 다음에 제시된 조건을 모두 충족한 것은?

- 해양 오염을 줄일 수 있는 생활 속 실천 방법을 포함할 것.
- 설의적 표현과 비유적 표현을 활용할 것.

① 바다는 쓰레기 없는 푸른 날을 꿈꾸고 있습니다. 미세 플라스틱은 바다를 서서히 죽이는 보이지 않는 독입니다. 우리의 관심만이 다시 바다를 살릴 수 있을 것입니다.

② 우리가 버린 쓰레기는 바다로 흘러갔다가 해양 생물의 몸에 축적이 되어 해산물을 섭취하면 결국 다시 우리에게 돌아오게 됩니다. 분리수거를 철저히 하고 일회용품을 줄이는 것이 바다도 살리고 우리 자신도 살리는 길입니다.

③ 여름만 되면 피서객들이 마구 버린 쓰레기로 바다가 몸살을 앓는다고 합니다. 자기 집이라면 이렇게 함부로 쓰레기를 버렸을까요? 피서객들의 양심이 모래밭 위를 뒹굴고 있습니다. 자기 쓰레기는 자기가 집으로 되가져가도록 합시다.

④ 산업 폐기물이 바다로 흘러가 고래가 죽어 가는 장면을 다큐멘터리에서 본 적이 있습니다. 이대로 가다간 인간도 고통받게 되지 않을까요? 정부에서 산업 폐기물 관리 지침을 만들고 감독을 강화하지 않는다면 바다는 쓰레기 무덤이 되고 말 것입니다.

난이도 상 ◯ 하

해설 '해양 오염을 줄일 수 있는 생활 속 실천 방법', '설의적 표현', '비유적 표현'이라는 세 가지 조건을 모두 충족하는 것은 ③이다.

조건 1	'자기 쓰레기는 자기가 집으로 되가져가도록 합시다.'에서 생활 속 실천 방법을 제시하고 있다.
조건 2	'자기 집이라면 이렇게 함부로 쓰레기를 버렸을까요?'라는 설의적 표현을 활용하고 있다.
조건 3	'바다가 몸살을 앓는다.', '양심이 모래밭 위를 뒹굴고 있습니다.'에서 비유적 표현(의인법, 활유법)을 활용하고 있다.

오답 분석

① '바다는 쓰레기 없는 푸른 날을 꿈꾸고 있습니다.'에서 비유적 표현을 활용하고 있다. 그러나 '생활 속 실천 방법'이 제시되어 있지 않고, '설의적 표현'도 활용하지 않았다.

② 철저한 분리수거와 일회용품 사용을 줄이는 것을 생활 속 실천 방법으로 제시하고 있다. 그러나 '설의적 표현'과 '비유적 표현'을 활용하지 않았다.

④ '이대로 가다간 인간도 고통받게 되지 않을까요?'에서 설의적 표현을, '바다는 쓰레기 무덤이 되고 말 것입니다.'에서 비유적 표현을 활용하고 있다. 그러나 해양 오염을 줄일 수 있는 생활 속 실천 방법이 아닌, 정부의 역할을 강조하고 있다.

정답 ③

088 ○○○ 2022 군무원 7급

다음은 실의에 빠진 친구를 위로하려고 쓴 쪽지 글이다. 아래의 조건이 가장 잘 반영된 것은?

- 희망적인 내용을 담을 것.
- 적절한 속담이나 격언을 인용할 것.
- 직유나 은유의 표현을 사용할 것.

① 많이 아프지?
몇 주 동안 혼자 있으려니 얼마나
지루하고 답답하겠니?
문득 '하면 된다'는 말이 떠오른다.
반 친구들도 네 안부를 물었다.

② 친구가 떠나서 무척이나 섭섭하겠구나.
축 처져 있는 모습, 너 답지 않아.
'친구 따라 강남 간다'는 말이 있잖아?
너무 아파하지 말고 툭툭 털고 일어나렴.
봄의 새싹같이.

③ 선생님께 혼나서 많이 속상하지?
너를 사랑하시기 때문일 거야.
'선생님의 그림자는 밟지도 않는다'는 말도 있잖아?
괜찮지? 수업 끝나고 만나서 이야기하자.

④ 동생이 아픈데 집안 사정도 어려워졌다며?
공부하기도 힘들 텐데 '엎친 데 덮친 격'이 되었구나.
힘내! 우리는 젊잖아?
햇빛처럼 환한 너의 웃음을 다시 보고 싶다. 친구야.

난이도 상 ◯ 하

해설

조건 1.	'힘내! 우리는 젊잖아?'라며 희망적인 내용을 담고 있다.
조건 2.	'엎친 데 덮친 격'이라는 속담을 인용하고 있다.
조건 3.	'햇살처럼 환한 너의 웃음'에서 직유 표현을 사용하고 있다.

오답 분석

① 직유나 은유의 표현을 사용하고 있지는 않다.

② 속담 '친구 따라 강남 간다'가 사용되고 있기는 하지만, 친구가 떠나서 섭섭한 이를 위로할 때 쓸 말로는 적절하지 않다. 따라서 적절한 속담을 인용한 경우로 보기 어렵다.

③ 직유나 은유의 표현을 사용하지 않았다. 한편, '선생님의 그림자는 밟지도 않는다'라는 속담이나 격언을 인용하고는 있지만, 선생님에게 혼난 이를 위로할 때 쓸 말로는 적절하지 않다. 따라서 적절한 속담을 인용한 경우로 보기 어렵다.

정답 ④

Unit 09 간접 화법(직접 발화와 간접 발화)

출제 유형

• 발화의 겉뜻과 속뜻을 판별하는 유형

핵심정리

• **직접 발화와 간접 발화**

직접 발화	간접 발화
종결 어미의 유형과 발화 의도가 일치하는 발화 예 창문 좀 닫아라. (유형: 명령형, 의도: 명령)	종결 어미의 유형과 발화 의도가 일치하지 않는 발화 예 창문 좀 닫을래? (유형: 의문형, 의도: 명령)

출제 유형

직접 발화와 간접 발화	발화의 겉뜻과 속뜻을 판별하는 유형

089 ○○○ 2018 지방직 9급

화자의 진정한 발화 의도를 파악할 때, 밑줄 친 부분을 고려하지 않아도 되는 것은?

> 일상 대화에서는 직접 발화보다는 간접 발화가 더 많이 사용되지만, 그 의미는 맥락에 의해 파악될 수 있다. 화자는 상대방이 충분히 그 의미를 파악할 수 있다고 판단될 때 간접 발화를 전략적으로 사용함으로써 의사소통을 원활하게 하기도 한다.

① (친한 사이에서 돈을 빌릴 때) 돈 가진 것 좀 있니?

② (창문을 열고 싶을 때) 얘야, 방이 너무 더운 것 같구나.

③ (갈림길에서 방향을 물을 때) 김포공항은 어느 쪽으로 가야 합니까?

④ (선생님이 과제를 내주고 독려할 때) 우리 반 학생들은 선생님 말씀을 아주 잘 듣습니다.

난이도 상 ● 하

TIP '맥락'을 고려해야 하는 발화는 간접 발화이다.

해설 ③의 발화는 겉뜻과 속뜻 모두 '공항의 방향'을 묻는 질문이다. 따라서 '맥락'을 고려하지 않아도 되는 '직접 발화(겉뜻과 속뜻이 불일치)'에 해당한다.

오답분석 ① 돈을 빌리는 상황이므로 맥락을 고려할 때, '돈 가진 것 좀 있니?'는 돈을 빌려 달라는 말이다.

겉뜻	속뜻
의문문(돈이 있니?)	명령문(빌려 줘.)

② 창문을 열고 싶은 상황이므로 맥락을 고려할 때, '얘야, 방이 너무 더운 것 같구나.'는 문을 열어 달라는 말이다.

겉뜻	속뜻
감탄문(덥구나!)	명령문(창문을 열어라!)

④ 과제를 독려하려는 상황이므로 맥락을 고려할 때, '우리 반 학생들은 선생님 말씀을 아주 잘 듣습니다.'는 과제를 잘 해 오라는 말이다.

겉뜻	속뜻
평서문(말을 잘 듣는다.)	명령문(숙제 해 와라!)

정답 ③

Unit 10 토의 및 토론

출제 유형

- 대화 및 토의 내용에 대한 전반적인 이해를 묻는 유형
- 토론의 종류와 특징을 아는지 묻는 유형
- 토론 논제의 조건을 아는지 묻는 유형
- 토의 및 토론 참여자의 역할을 아는지 묻는 유형

핵심정리

- **토론 참여자의 역할**

사회자	• 토론의 장소와 참가자의 좌석을 정해준다. • 토론이 열리게 된 배경과 토론의 논제를 소개한다. • 토론자를 심사자(토론 평가자)와 청중에게 소개한다. • 토론이 본 궤도에서 벗어나지 않도록 한다. • 토론자의 발언을 요약하여 참가자 전원에게 알려 준다. • 질문과 요약을 간간이 삽입하면서 토론의 진행을 돕는다. • 토론의 논의가 혼란해지면 논점을 다시 정리해서 알려준다. • 토론자가 토론 규칙을 지키면서 토론을 하게 한다. • 토론자의 발언이 모호할 경우에는 질문을 하여 그 의미를 명확히 한다.
토론자	• 논제를 분석하여 긍정 측과 부정 측 주장의 대립 쟁점을 분명히 파악한다. • 주장을 뒷받침할 수 있는 근거를 충분히 준비한다. • 상대편의 근거를 논박하는 데 필요한 자료를 충분히 수집한다. • 공동 토론자와 협동하여 토론 전략을 세우고 토론한다. • 다른 참여자들의 비평을 수용하되, 비판적으로 들어야 한다. • 상대편에게 화내는 일이 없이 끝까지 침착하고 친절하게 토론한다.

심화 Plus

- **'교차 조사' 과정에서 할 수 있는 질문 생성 방법** [17 교육행정직 7급]

① 주요 개념과 용어가 정확하게 정의되었는가?
② 상대 팀 주장 중에 논제에서 벗어난 내용은 없는가?
③ 모순되는 내용이나 표현은 없는가?
④ 논리적으로 취약하거나 오류가 있지는 않는가?
※ 반드시 상대 팀이 발언한 내용에 대해서만 질문해야 한다.

출제 유형

토의 및 토론	대화 및 토의 내용에 대한 전반적인 이해를 묻는 유형

090 ○○○ 2021 국가직 9급

다음 토의에 대한 설명으로 적절하지 않은 것은?

> 사회자: 오늘의 토의 주제는 '통일 시대의 남북한 언어가 나아갈 길'입니다. 먼저 최○○ 교수님께서 '남북한 언어 차이와 의사소통'이라는 제목으로 발표해 주시겠습니다.
> 최 교수: 남한과 북한의 말은 비슷하지만 다른 점이 있습니다. 남한과 북한의 어휘 차이가 대표적입니다. 남한과 북한의 어휘 차이를 분석한 결과, 〈중략〉 앞으로도 남북한 언어 차이에 대한 연구가 지속되어야 합니다.
> 사회자: 이로써 최 교수님의 발표를 마치겠습니다. 다음은 정○○ 박사님의 '남북한 언어의 동질성 회복 방안'에 대한 발표가 있겠습니다.
> 정 박사: 앞으로 통일을 대비해 남북한 언어의 다른 점을 줄여 나가는 노력이 필요합니다. 실제로도 남한과 북한의 학자들로 구성된 '겨레말큰사전 편찬위원회'에서는 남북한 공통의 사전인 《겨레말큰사전》을 만들며 서로의 차이를 이해하고 받아들이기 위한 노력을 하고 있습니다. 〈중략〉
> 사회자: 그러면 질의응답이 있겠습니다. 시간상 간략하게 질문해 주시기 바랍니다.
> 청중 A: 두 분의 말씀 잘 들었습니다. 남북한 언어의 차이와 이를 극복하는 방안을 말씀하셨는데요. 그렇다면 통일 시대에 대비한 언어 정책에는 무엇이 있을까요?

① 학술적인 주제에 대해 발표 형식으로 진행되고 있다.

② 사회자는 발표자 간의 이견을 조정하여 의사결정을 유도하고 있다.

③ 발표자는 주제에 대한 자신의 견해를 밝혀 청중에게 정보를 제공하고 있다.

④ 청중 A는 발표자의 발표 내용을 확인하고 주제와 관련된 질문을 하고 있다.

난이도 상 ● 하

해설 사회자는 발표자 간의 이견을 조정하고 있지도 않고, 의사결정을 유도하고 있지도 않다.

오답 분석
① '통일 시대의 남북한 언어가 나아갈 길'이라는 학술적인 주제에 대해, '최 교수'와 '정 박사'의 발표 형식으로 진행되고 있다.
③ 발표자 '최 교수'는 "앞으로도 남북한 언어 차이에 대한 연구가 지속되어야 합니다."라는 견해를, '정 박사'는 "앞으로 통일을 대비해 남북한 언어의 다른 점을 줄여 나가는 노력이 필요합니다."라는 견해를 청중에게 정보를 제공하고 있다.
④ "남북한 언어의 차이와 이를 극복하는 방안을 말씀하셨는데요. 그렇다면 통일 시대에 대비한 언어 정책에는 무엇이 있을까요?"라는 '청중 A'의 말을 볼 때, 청중 A가 발표자의 발표 내용을 확인하고 주제와 관련된 질문을 하고 있음을 알 수 있다.

정답 ②

091 ○○○ 2021 지방직 9급

다음 대화에 대한 설명으로 적절한 것은?

> A: 지난번 제안서 프레젠테이션을 마친 후 "검토하고 연락드리겠습니다."라고 답변을 받았는데 아직 별다른 연락이 없어서 고민이에요.
> B: 어떤 연락을 기다리신다는 거예요?
> A: 해당 사업에 관하여 제 제안서를 승낙했다는 답변이잖아요. 그런데 후속 사업 진행을 위해 지금쯤 연락이 와야 할 텐데 싶어서요.
> B: 글쎄요. 보통 그런 상황에서는 완곡하게 거절하는 의사 표현이라 볼 수 있어요. 그리고 해당 고객이 제안서 내용은 정리가 잘되었지만, 요즘 같은 코로나 시기에는 이전과 동일한 사업적 효과가 있을지 궁금하다고 말한 것을 보면 알 수 있죠.
> A: 네, 기억납니다. 하지만 궁금하다고 말한 것이지 사업을 수용하지 않는다는 것은 아니지 않나요? 답변을 할 때도 굉장히 표정도 좋고 박수도 쳤는데 말이죠. 목소리도 부드러웠고요.

① A와 B는 고객의 답변에 대해 제안서 승낙이라는 의미로 동일하게 이해한다.

② A는 동일한 사업적 효과가 있을지 궁금하다는 표현을 제안한 사업에 대한 부정적 평가라고 판단한다.

③ B는 고객이 제안서에 의문을 제기한 내용을 근거로 고객의 답변에 대해 판단한다.

④ A는 비언어적 표현을 바탕으로 하여 고객의 답변을 제안서에 대한 완곡한 거절로 해석한다.

난이도 상 ● 하

해설 "요즘 같은 코로나 시기에는 이전과 동일한 사업적 효과가 있을지 궁금하다고 말한 것을 보면 알 수 있죠."라는 말을 근거로 '완곡한 거절'이라고 고객의 답변에 대해 판단하고 있다.

오답 분석
① A는 '제안서 승낙'의 의미로 이해하였지만, B는 제안서에 대해 '완곡한 거절'의 의미로 이해하고 있다. 따라서 두 사람이 동일하게 '승낙'의 의미로 이해한다는 설명은 적절하지 않다.
② 완곡한 거절이라는 B의 말에 대해, A는 "하지만 궁금하다고 말한 것이지 사업을 수용하지 않는다는 것은 아니지 않나요?"라고 대답하고 있다. 따라서 A가 사업적 효과가 있을지 궁금하다는 표현을 제안한 사업에 대한 부정적 평가라고 판단한다는 설명은 적절하지 않다. A는 긍정적 평가로 판단하고 있다.
④ A는 "답변을 할 때도 굉장히 표정도 좋고 박수도 쳤는데 말이죠. 목소리도 부드러웠고요."라고 말하고 있다. 이를 볼 때, A는 비언어적 표현을 바탕으로 분위기가 좋았다고 판단하고 있다. 따라서 완곡한 거절로 해석하고 있다는 설명은 적절하지 않다.

정답 ③

출제 유형

토의 및 토론	토론의 종류와 특징을 아는지 묻는 유형

092 ○○○ 2017 교육행정직 7급

다음 토론 상황에서 ㉠에 들어갈 질문으로 가장 적절한 것은?

> 논제: 우리 지역 축제에 유명 연예인을 초청해야 한다.
>
> 찬성 1(입론): 우리 지역 축제에 유명 연예인을 초청해야 한다고 생각합니다. 그 이유는 지역 주민의 축제 참여율을 높일 필요가 있기 때문입니다. 지난 3년간 축제 참여 현황을 보면 지역 주민의 참여율이 전체 주민의 10% 미만으로 매우 저조하고, 이마저도 계속 낮아지는 추세입니다. 우리 지역에서는 연예인을 직접 볼 기회가 많지 않으므로 유명 연예인을 초청하면 지역 주민들이 축제에 더 많은 관심을 보일 것입니다. 따라서 유명 연예인을 초청하여 지역 주민의 축제 참여를 유도할 필요가 있습니다.
>
> 반대 2(교차 조사): ______㉠______.
>
> 〈이하 생략〉

① 지역 주민의 참여율을 높일 수 있는 다른 대안은 무엇이라고 생각하십니까?

② 유명 연예인의 초청이 지역 주민의 화합에 기여할 수 있다고 생각하십니까?

③ 지역 주민의 참여율이 낮으면 축제 개최 여부를 다시 논의하는 것이 어떻겠습니까?

④ 유명 연예인의 초청이 지역 주민의 참여율을 높인다는 객관적인 근거가 있습니까?

난이도 ㉳ ◯ ㉻

해설 입론을 마친 토론자를 대상으로 상대측 토론자가 발언 내용에 대해 질문하는 과정을 '교차 조사'라 한다. '교차 조사' 단계에서는 상대의 논리적 오류나 취약성을 지적해야 한다. 따라서 ㉠에는 '유명 연예인을 초청하면 지역 주민들이 축제에 더 많은 관심을 보일 것'이라는 주장의 논리적 취약성을 지적한 "유명 연예인의 초청이 지역 주민의 참여율을 높인다는 객관적인 근거가 있습니까?"란 ④의 질문이 들어가는 게 적절하다.

※ '입론' 뒤 '교차 조사'가 있는 것을 보아 제시된 토론의 형식은 '반대 신문식 토론'이다.

 ④

출제 유형

토의 및 토론	토론 논제의 조건을 아는지 묻는 유형

093 ○○○ 2019 국가직 9급

다음의 여러 조건에 가장 잘 맞는 토론 논제는?

> - 긍정 평서문으로 제시되어야 한다.
> - 찬성과 반대의 대립이 분명하게 나타나야 한다.
> - 쟁점이 하나여야 한다.
> - 찬성이나 반대 어느 한 편에 유리하게 작용하는 정서적 표현을 사용해서는 안 된다.

① 징병 제도는 유지해야 한다.

② 정보통신망법을 개선할 수는 없다.

③ 야만적인 두발 제한을 폐지해야 한다.

④ 내신 제도와 논술 시험을 개혁해야 한다.

난이도 ㉳ ◯ ㉻

해설
- **조건 1:** 긍정 평서문으로 제시되어야 한다.
  → '징병 제도는 유지해야 한다.'로 긍정 평서문이다.
- **조건 2:** 찬성과 반대의 대립이 분명하게 나타나야 한다.
  → '유지'와 '폐지'라는 찬성과 반대의 대립이 분명하게 나타나 있다.
- **조건 3:** 쟁점이 하나여야 한다.
  → 쟁점은 '징병 제도 유지 여부'로 1개뿐이다.
- **조건 4:** 찬성이나 반대 어느 한 편에 유리하게 작용하는 정서적 표현을 사용해서는 안 된다.
  → 찬성이나 반대 어느 한 편에 유리하게 작용하는 정서적인 표현은 쓰이지 않았다.

오답분석
② '개선할 수는 없다.'에서 긍정의 평서문으로 제시되어야 한다는 첫 번째 조건에 어긋난다.
③ '야만적(野蠻的)인'이라는 표현에서 어느 한 편에 유리한 정서적인 표현을 사용하면 안 된다는 네 번째 조건에 어긋난다.
④ 쟁점은 '내신 제도'와 '논술 시험'으로 2개이다. 따라서 쟁점은 하나여야 한다는 세 번째 조건에 어긋난다.

정답 ①

출제 유형

토의 및 토론	토의 및 토론 참여자의 역할을 아는지 묻는 유형

094 ○○○ 2020 국가직 9급

다음 진행자 'A'의 대화 진행 전략으로 적절하지 않은 것은?

> A: 여러분, 안녕하세요? 한 지방 자치 단체가 의료 취약 계층을 위한 의약품 공급 정보망 구축 사업을 진행해 오고 있는데요. 오늘은 그 관계자 한 분을 모시고 말씀을 들어 보기로 하겠습니다. 과장님, 안녕하세요?
> B: 네, 안녕하세요.
> A: 의약품 공급 정보망이라는 말이 다소 생소한데 이게 무슨 말인가요?
> B: 네, 약국이나 제약 회사가 의약품을 저희에게 기탁하면, 이 약품을 필요한 사회 복지 시설이나 국내외 의료 봉사 단체에 무상으로 줄 수 있도록 연결하는 사이버상의 네트워크입니다.
> A: 그렇군요. 그동안 이 사업에 성과가 있었다면 그럴 만한 이유가 있을 텐데요, 이에 대해 말씀해 주세요.
> B: 그렇습니다. 약국이나 제약 회사에서는 판매되지 않은 의약품을 기탁하고 세금 혜택을 받습니다. 그리고 복지 시설이나 봉사 단체에서는 필요한 의약품을 무상으로 지원받을 수 있습니다.
> A: 그렇군요. 혹시 이 사업에 걸림돌은 없나요?
> B: 의약품을 의사의 처방에 따라서 주는 것이 아니라 수요자가 요구하면 주는 방식이어서 전문 의약품을 제공하는 과정에 어려움이 있습니다. 처방전 발급을 부탁할 수도 없고…….
> A: 그러니까 앞으로 이런 문제를 해결하기 위한 제도 정비나 의료 전문가의 지원이 좀 더 필요하다는 말씀인 것 같군요. 끝으로 이 사업에 참여하려면 어떻게 해야 하나요?
> B: 그건 생각보다 쉽습니다. 저희 홈페이지에 접속하셔서 회원으로 가입하시면 기부하실 때나 받으실 때나 모두 쉽게 참여하실 수 있습니다.
> A: 네, 간편해서 좋군요. 모쪼록 이 의약품 공급 정보망 사업이 확대되어 국내외 의료 취약 계층에 많은 도움이 되기를 바랍니다. 감사합니다.

① 상대방의 말을 들었다는 반응을 보인다.
② 상대방의 대답에서 모순점을 찾아 논리적으로 대응한다.
③ 대화의 화제가 된 일을 홍보할 수 있는 대답을 유도한다.
④ 상대방의 말을 대화의 흐름에 맞게 해석하여 상대방의 말을 보충한다.

난이도 상 중 하

해설 진행자 A가 상대방 B의 대답에서 모순점을 찾아 논리적으로 대응한 부분은 찾아볼 수 없다.

오답분석 ① A의 세 번째와 네 번째 말에서 "그렇군요.", A의 마지막 말에서 "네, 간편해서 좋군요." 등은 상대방의 말을 들었다는 반응에 해당한다.

③ A의 다섯 번째 말 "끝으로 이 사업에 참여하려면 어떻게 해야 하나요?"를 통해, 대화의 화제가 된 '의약품 공급 정보망 구축 사업'을 홍보할 수 있는 대답을 유도하고 있다.

④ A의 다섯 번째 말 "그러니까 앞으로 이런 문제를 해결하기 위한 제도 정비나 의료 전문가의 지원이 좀 더 필요하다는 말씀인 것 같군요."에서 상대방의 말을 대화의 흐름에 맞게 해석하여 상대방의 말을 보충하고 있다.

 ②

095 ○○○ 2019 지방직 9급

토론에서 사회자가 하는 역할에 대한 설명으로 가장 적절한 것은?

① 토론을 시작하면서 논제가 타당한지 토론자들의 의견을 묻는다.

② 토론자들에게 토론의 전반적인 방향과 유의점에 대해 안내한다.

③ 청중의 의견을 수렴하여 대안을 제시함으로써 쟁점을 약화시킨다.

④ 토론자의 주장과 논거를 비판하는 견해를 개진하여 논쟁의 확산을 꾀한다.

난이도 ㊤ ○ ㊦

해설 토론에서 '사회자'는 토론자들에게 토론의 전반적인 방향과 유의점에 대해 안내하는 역할을 한다.

오답분석 ① 논제의 타당성 자체를 묻는 것은 사회자의 역할로 적절하지 않다.

③ '사회자'의 가장 큰 임무는 토론의 진행이다. 따라서 사회자가 대안을 제시한다는 설명은 옳지 않다.

④ '사회자'는 중립적인 입장을 취해야 한다. 따라서 토론자의 주장과 논거를 비판하는 견해를 개진한다는 설명은 옳지 않다.

 ②

MEMO

MEMO

MEMO

해커스공무원

혜원국어 기출정해 1000제

문법과 규범·어휘

초판 2쇄 발행 2024년 2월 1일
초판 1쇄 발행 2023년 10월 13일

지은이	고혜원
펴낸곳	해커스패스
펴낸이	해커스공무원 출판팀
주소	서울특별시 강남구 강남대로 428 해커스공무원
고객센터	1588-4055
교재 관련 문의	gosi@hackerspass.com 해커스공무원 사이트(gosi.Hackers.com) 교재 Q&A 게시판 카카오톡 플러스 친구 [해커스공무원 노량진캠퍼스]
학원 강의 및 동영상강의	gosi.Hackers.com
ISBN	2권: 979-11-6999-478-1 (14710) 세트: 979-11-6999-476-7 (14710)
Serial Number	01-02-01